D1648031

Las guerrillas en Colombia

Las guerrillas en Colombia

Una historia desde los orígenes hasta los confines

Darío Villamizar

DEBATE

Título: *Las guerrillas en Colombia*
Primera edición: septiembre, 2017
Primera reimpresión: diciembre, 2017
Segunda reimpresión: febrero, 2018
Tercera reimpresión: enero, 2019
Segunda edición: noviembre, 2020

Carrera 7ª No.75-51. Piso 7, Bogotá, D. C., Colombia
PBX: (57-1) 743-0700
www.megustaleer.com.co

Impreso en Colombia-*Printed in Colombia*

ISBN: 978-958-8931-96-8

Compuesto en caracteres Garamond

Impreso en TC impresores, S. A. S.

Penguin
Random House
Grupo Editorial

A Daniel Francisco, nuestro hijo, maestro y compañero
en muchas jornadas.
A Juan Camilo, la vida que se inicia.

A los caídos, sin importar el bando al que pertenecieron.

Contenido

"El guerrillero es un reformador social. El guerrillero empuña las armas como protesta airada del pueblo contra sus opresores, y lucha por cambiar el régimen social que mantiene a todos sus hermanos desarmados en el oprobio y la miseria. Se ejercita contra las condiciones especiales de la institucionalidad de un momento dado y se dedica a romper con todo el vigor que las circunstancias permitan, los moldes de esa institucionalidad".

Che Guevara "¿Qué es un guerrillero?", 1959.

"Fui parte de una gran batalla perdida en favor de una genuina renovación de la existencia".

Varlam Shalámov, poeta, escritor y periodista ruso, autor de Relatos de Kolimá.

"Y si este fuera mi último poema, insumiso y triste, raído pero entero, tan solo una palabra escribiría: Compañero".

Mauricio Rosencof, fundador y dirigente del MLN – Tupamaros.

Acrónimos y abreviaturas

AD M-19	Alianza Democrática Movimiento 19 de Abril
ADO	Autodefensa Obrera
ANAPO	Alianza Nacional Popular
ANUC	Asociación Nacional de Usuarios Campesinos
AUC	Autodefensas Unidas de Colombia
AVC	Alfaro Vive ¡Carajo! (Ecuador)
BA	Batallón América
BGS	Bloque Guerrillero del Sur
CGSB	Coordinadora Guerrillera Simón Bolívar
CIA	Central Intelligence Agency (Agencia Central de Inteligencia)
CICR	Comité Internacional de la Cruz Roja
CNG	Coordinadora Nacional Guerrillera
COCE	Comando Central del ELN
CRIC	Consejo Regional Indígena del Cauca
CRS	Corriente de Renovación Socialista
CSTC	Confederación Sindical de Trabajadores de Colombia
CTC	Confederación de Trabajadores de Colombia
CUT	Central Unitaria de Trabajadores

DAS	Departamento Administrativo de Seguridad
DEA	Droug Enforcement Agency (Agencia Antidrogas de los Estados Unidos)
DIA	Defense Intelligence Agency (Agencia de Inteligencia de Defensa)
DIH	Derecho Internacional Humanitario
DNL	Dirección Nacional Liberal
DU-PLA	Destacamento Urbano Pedro León Arboleda
ERC	Ejército Revolucionario de Colombia
ERG	Ejército Revolucionario Guevarista
ERP	Ejército Revolucionario del Pueblo
ELN	Ejército de Liberación Nacional
EMC	Estado Mayor Central (de las FARC-EP)
EPL	Ejército Popular de Liberación
EZLN	Ejército Zapatista de Liberación Nacional (México)
FAL-FUL	Fuerzas Armadas de Liberación – Frente Unido de Liberación
FARC-EP	Fuerzas Armadas Revolucionaria de Colombia – Ejército del Pueblo
FF. AA.	Fuerzas Armadas
FF. MM.	Fuerzas Militares
FFG	Frente Francisco Garnica
FMI	Fondo Monetario Internacional
FMLN	Frente Farabundo Martí para la Liberación Nacional (El Salvador)
FRF	Frente Ricardo Franco
FSLN	Frente Sandinista de Liberación Nacional (Nicaragua)
FU	Frente Unido
FUP	Frente Unido del Pueblo
FUN	Federación Universitaria Nacional
FUAR	Frente Unido de Acción Revolucionaria

IC	Internacional Comunista
IS	Internacional Socialista
JEGA	Movimiento Jorge Eliécer Gaitán por la Dignidad de Colombia
JMRL	Juventudes del Movimiento Revolucionario Liberal
JUCO	Juventudes Comunistas
M-19	Movimiento 19 de Abril
MAQL	Movimiento Armado Quintín Lame
MB	Movimiento Bolivariano
MJBC	Movimiento Jaime Bateman Cayón
MIR	Movimiento de Izquierda Revolucionaria (Chile)
MIR-COAR	Movimiento Independiente Revolucionario – Comandos Armados
MIR-PL	Movimiento de Integración Revolucionaria – Patria Libre
MLN-T	Movimiento de Liberación Nacional Tupamaros
MOEC 7 de Enero	Movimiento Obrero Estudiantil Campesino 7 de Enero
MOIR	Movimiento Obrero Independiente y Revolucionario
MRL	Movimiento Revolucionario Liberal
MRTA	Movimiento Revolucionario Túpac Amaru (Perú)
MP	Milicias Populares
M-26-7	Movimiento 26 de Julio (Cuba)
NSA	The National Security Archive (Archivo Nacional de Seguridad, organización privada, sin ánimo de lucro)
NSA	National Security Agency (Agencia Nacional de Seguridad),
OEA	Organización de los Estados Americanos

ONU	Organización de las Naciones Unidas
OPM	Organización Político-Militar
PCC	Partido Comunista de Colombia (Cambio de nombre en 1979 por Partido Comunista Colombiano)
PCCC	o PC3 Partido Comunista Clandestino de Colombia
PCC (M-L)	Partido Comunista de Colombia (Marxista-Leninista)
PNR	Plan Nacional de Rehabilitación
PSR	Partido Socialista Revolucionario
PST	Partido Socialista de los Trabajadores
PRT	Partido Revolucionario de los Trabajadores
TMLM	Tendencia Marxista Leninista Maoísta
UC-ELN	Unión Camilista – Ejército de Liberación Nacional
UJCC	Unión de Juventudes Comunistas de Colombia
UP	Unión Patriótica
UTC	Unión de Trabajadores de Colombia
URNG	Unidad Revolucionaria Nacional Guatemalteca (Guatemala)
USAID	United States Agency for International Development (Agencia de los Estados Unidos para el Desarrollo Internacional)

Nota a la presente edición

Esta segunda edición se publica cuando ya han pasado dos años del Gobierno del presidente Iván Duque Márquez. El mismo tiempo transcurrido sin acercamientos ni diálogos con el ELN, tan necesarios para avanzar en un proceso de paz que comprometa a todos los que hicieron parte de este conflicto político armado. Han pasado también cuatro años desde la firma del Acuerdo Final con las FARC-EP y la implementación plena del mismo no marcha al ritmo que requieren los excombatientes, las comunidades y los colombianos en general. Los más de 236 asesinados que hicieron parte de ese grupo, reclaman justicia y pleno respeto a la vida.

Sobre estos aspectos deberían gravitar las acciones del gobierno del presidente Duque en lo que resta de su mandato, si de lograr la paz social, la reconciliación y el desarrollo económico se trata. No son imposibles de alcanzar: la razón y la voluntad política nos pueden conducir al cierre definitivo de esta conflictividad.

Al ELN y a quienes han recurrido de nuevo a las armas les cabe igualmente una responsabilidad que los ubique por encima de rigideces, temores y vanguardismos estrechos que impiden cumplir hoy un papel frente a la historia: asumir dignamente el cierre definitivo de la confrontación armada. Igualmente, es un tema de decisiones políticas. Está en manos de unos y de otros y de la disposición que aún tenemos muchos colombianos para aportar a la solución pacífica y definitiva de tantos años de ignominia y dolor. La paz como derecho y deber de los colombianos, tal como señala el artículo 22 de la Constitución, solo será posible con la participación de todos.

Pasados tres años de su publicación inicial, esta segunda edición del libro Las guerrillas en Colombia amplía algunos temas polémicos que no tuve en cuenta en su momento: el Plan de Operaciones Lazo de 1962, la presencia de pequeños grupos guerrilleros en los años setenta, la respuesta de las FARC-EP al ataque a Casa Verde en 1990, y el accionar urbano —entre 2015 y 2017— de un enigmatico grupo que se hacía llamar Movimento Revolucionario del Pueblo, MPR. Así mismo, se actualizan los hechos relacionados con tropiezos y avances en la implementación de lo acordado en La Habana. Bienvenidos a su lectura.

El autor, noviembre de 2020.

Prólogo

En la Cuba de hoy veneran oficialmente al revolucionario Ernesto Che Guevara como el "Guerrillero Heroico", y los jóvenes estudiantes cubanos prometen "ser como el Che" en su juramento diario. El Che murió hace cincuenta años luchando en Bolivia por un ideal revolucionario que había concebido como "el escalafón más alto de la especie humana". ¡Cuán romántica suena esa frase hoy, tan venida de otros tiempos! Pero no fue hace tanto que miles y miles de jóvenes, dispuestos a luchar y a morir por sus nociones de un mundo mejor, tomaron en serio declaraciones así.

En la actualidad, sin embargo, más allá de Cuba y Colombia, el término "guerrilla" prácticamente ha dejado de existir. En un mundo en el que la mayoría de los que luchan por el poder a través de las armas pertenecen a sectas islamistas hiperviolentas, como el Estado Islámico, Al Qaeda o sus allegados, el término idóneo para ellos es extremista o, al menos, terrorista, porque su método de lucha preferido es el terror. Los tiempos son otros.

Hace muchos años, un insurgente de ultraderecha me explicó por qué su organización acostumbraba a usar el terror como rutina: "Hay dos formas de pelear la guerra: a las buenas y a las malas. Las dos funcionan". Él y sus camaradas pelearon "a las malas" porque es más brutal, más eficaz: la gente puede o no seguirte si luchas "por las buenas" —intentando convencerlos de qué tan justos son tus ideales—, pero su obediencia está asegurada si la alternativa es la muerte. Esa misma lógica se ha extendido tristemente por el mundo hasta convertirse en la norma actual.

No es que las guerrillas de América Latina y el Caribe de la época del Che nunca usaran la violencia extrema o incluso el terror, pero no era la norma. Hay una gran diferencia entre emboscar un camión que transporta soldados y darles muerte —por más penoso que sea—, que hacer explotar un coche bomba en un lugar público con el fin de matar indiscriminadamente a muchos civiles inocentes. El mismo Che aborrecía el uso del terror, y esa actitud se convirtió en un patrón de comportamiento de la mayoría. En ese sentido, los guerrilleros que surgieron en América Latina en los años de auge, en la década de los sesenta, eran casi unos "Robin Hood" comparados con los insurgentes contemporáneos.

De todos aquellos solo quedan las FARC-EP y el ELN en Colombia. Los demás, los Montoneros, los Tupamaros, el Frente Farabundo Martí para la Liberación Nacional, los Sandinistas, la Organización Revolucionaria del Pueblo en Armas, el Ejército Guerrillero de los Pobres, los Zapatistas, el Movimiento de Izquierda Revolucionaria —y tantos más que conmovieron la historia desde Chile hasta México—, o se han extinguido, o se han convertido en partidos políticos. Algunos incluso han ganado el poder político en sus respectivos países al disputar espacios ya no por las armas, sino por el voto. Dilma Rousseff, Daniel Ortega y José Mujica, así como Salvador Sánchez Cerén, el actual presidente de El Salvador, fueron guerrilleros en su momento.

Puede que estos personajes no sean santo de devoción de todos, pero nadie niega su relevancia histórica y tampoco, en alguna medida, su representatividad política en sus países. En Colombia, los exguerrilleros del M-19 Antonio Navarro Wolff y Gustavo Petro son políticos tan activos como visibles, y dentro de poco tiempo, sin duda, habrá exguerrilleros de las FARC-EP buscando ser políticos electos también, dado que fue una de las precondiciones para su desmovilización dentro del acuerdo de paz que firmaron sus líderes con el Gobierno, en 2016. En unos años, quizás, habrá un alcalde "Pastor Alape" (José Lisandro Lazcarro), un congresista "Carlos Antonio Lozada" (Julián Gallo Cubillos) o un senador "Timoleón Jiménez" (Rodrigo Londoño).

El autor de este libro, Darío Villamizar, también fue guerrillero en su juventud. Desde entonces ha pasado su vida dedicado a escribir sobre la historia del conflicto colombiano; ha trabajado activamente en múltiples gestiones de paz y reconciliación. Es un gran cronista e historiador. Su gran biografía del líder del M-19, Jaime Bateman, es de referencia consagrada y obligatoria en Colombia. ¿Quién mejor para escribir la gran crónica de la historia de las guerrillas colombianas?

En su proemio, se pregunta si el momento actual no es el fin del ciclo guerrillero que empezó en Colombia hace casi siete décadas; lo hace sin tener la respuesta aún, pero se nota su optimismo al respecto. De hecho, la premisa del libro como tal está basada en esa esperanza. Dice tener como intención plasmar la historia de la guerrilla en Colombia desde sus orígenes hasta la actualidad; nos cuenta que hubo no menos de treinta agrupaciones insurgentes en ese periodo. En el libro de 858 valiosas páginas, donde se incluyen documentos fundacionales y otros como declaraciones, acuerdos y comunicaciones de la guerrilla, Villamizar nos narra el origen, la formación y la historia de cada uno de estos grupos a través del tiempo. Este es un esfuerzo verdaderamente enciclopédico y de gran rigor histórico; es el resultado de una investigación impresionante que incluyó entrevistas del autor con exguerrilleros, el estudio de archivos de prensa y de otros archivos en varios países, incluido Estados Unidos, donde logró el acceso a documentos desclasificados del Departamento de Estado, de la CIA, la DIA y otras agencias del Gobierno. Aquí está todo: el asesinato de Gaitán, La Violencia, Marquetalia, el Partido Comunista y el papel de la Revolución Cubana; el cura Camilo Torres; Marulanda y la creación de las FARC; el ELN; el M-19; los paramilitares y el narcotráfico; Gabriel García Márquez y Jaime Bateman; los esfuerzos de unidad guerrillera y sus fraccionamientos; las atrocidades, las masacres y los asesinatos nefastos y célebres; los secuestros; las intentonas de diálogo y de paz, tanto las frustradas como las exitosas; el Caguán; el Plan Colombia; Uribe y la política de Seguridad Democrática; el advenimiento de Santos, su acercamiento a las FARC-EP y su abrazo con Timochenko.

En su conclusión, Darío Villamizar mantiene un tono de cauteloso optimismo hacia el futuro al citar un comunicado conjunto de 2016 firmado por los jefes guerrilleros Timochenko y Gabino, en el que ambos afirmaron sus anhelos de paz. No tengo duda de que se expresa con profunda sinceridad. Hace casi veinte años, cuando Gabo aún vivía y yo conocí a Villamizar, estaba tan deseoso de la paz en Colombia como lo está hoy. En ese momento, los *paracos* estaban en pleno auge, cometían sus atrocidades por doquier y contaban con la complicidad del Ejército, la anuencia del Gobierno, y la vista gorda de muchos colombianos. Las FARC-EP campeaban a sus anchas en muchos territorios del país; era la época de las pescas milagrosas, y también de nefastos ajusticiamientos. No era un cuadro para nada esperanzador, y, un día, Darío Villamizar me manifestó que esperaba que Gabo interviniera con sus dotes de escritor venerado por todos, en aras de la paz: "En este momento necesitamos a alguien con gran autoridad moral y espiritual. Gabo es la única persona que podría interponerse entre ambos bandos y decir: 'No más'. Todo el mundo lo escucharía. Si pudiera desempeñar ese papel, sería una cosa tremenda para Colombia".

Pero no se pudo lograr en ese momento. Colombia siguió viviendo su tenebrosa realidad, cumplió con creces el triste pronóstico de Alfonso Cano, quien, al comienzo de un diálogo en 1991, dijo que si no lograban la paz entonces, él y sus contrapartes oficiales estarían condenados a volver a sentarse "dentro de diez mil muertos más".

Ahora que sí se ha logrado firmar un acuerdo —después de 53 años de lucha armada— las FARC-EP han entrado en la fase final de desarme y desmovilización. Los líderes guerrilleros dicen que no hay vuelta atrás para ellos; es la esperanza de todos de que lo acordado se cumpla por parte del Gobierno y de que se logre también una salida definitiva para el grueso de los combatientes. De los treinta grupos guerrilleros que surgieron en Colombia durante el último medio siglo, solo queda ahora el ELN, y también está dialogando. Hay otros grupos armados, pero no son guerrilleros como tales, sino bandas de narcoparamilitares. No son una broma. Hay miles de hombres armados en estos grupos violentos que todavía andan matando con impunidad y creando zonas inseguras en Colombia. No tienen ideología más allá de la lógica de cualquier banda criminal que busca sobrevivir y perpetuarse en un territorio escogido para seguir lucrando del negocio de turno, ya sea el tráfico de cocaína o de marihuana, la minería ilegal, la extorsión o el tráfico de inmigrantes de paso hacia el norte.

El gran reto es del Estado colombiano. Por primera vez en su historia tiene que extenderse y establecer el Estado de Derecho a nivel nacional. Cuando exista un Estado que represente a todos los colombianos, ya no habrá más guerrilleros en el país.

Pero también hay otros retos, más discretos y a nivel individual, y tienen que ver con la forma en que los ciudadanos colombianos se conciben a sí mismos; cómo se juzgan los unos a los otros, y cuán tolerantes pueden ser frente a las diferentes visiones filosóficas y sociales.

¿Qué harán, por ejemplo, con Ileana? Ella es una joven guerrillera con quien me encontré en el Yarí el año pasado. Me contó que se había incorporado a la guerrilla a los quince años. Cuando la conocí, tenía veintiséis. Había pasado once años en la guerrilla, y se veía, naturalmente, como guerrillera y estaba orgullosa de sí misma. Le pregunté por qué había ingresado a la guerrilla y me relató, con la lógica sencilla de una chica campesina: "Éramos ocho en la casa, nuestro padre se había marchado. Un día pasó la guerrilla por mi pueblo y les dije que quería incorporarme. El jefe decía que era muy joven, pero insistí. Era la mejor decisión de mi vida". Ileana se sentía orgullosa, explicaba, porque creía que ella y sus camaradas habían logrado algo en la lucha armada: el reconocimiento del Estado, y la paz. Ahora quería ir al colegio y estudiar Historia. Quería también volver a ver a sus familiares y ayudarles porque eran pobres. Agregó que deseaba ayudar también a "todos los colombianos".

Esto lo dijo Ileana con una inocente convicción que chocaba con mi percepción de la realidad pragmática que existe en los pueblos y ciudades más allá del territorio guerrillero, y me preguntaba, en ese momento, si habrá espacio para Ileana y su idealismo en la Colombia actual. Ojalá. De alguna manera, el futuro del país depende de que sí.

La situación actual de Colombia me recuerda un encuentro que tuve hace años en El Salvador hacia el final de su guerra civil. Allí pasé un tiempo en las montañas con guerrilleros de las Fuerzas Populares de Liberación; entre ellos llegué a conocer a Haroldo. Era treintañero y había estado diez años en la lucha armada. Era poeta. Me decía que, a pesar de su compromiso con la revolución, se sentía profundamente triste por el mundo más allá de *la montaña*. Hablaba de *la montaña* no solamente como un fenómeno geográfico, sino espiritual. Por supuesto, era el lugar donde estaban los guerrilleros, donde la revolución abrigaba su fuerza; era la "otra realidad" del país. Pero Haroldo lamentaba la división entre su hogar rural clandestino y la ciudad en la que creció, que seguía bajo el mando del Gobierno. Eran dos mundos, en sus palabras, "tan distintos como el agua y el aire": "Tienen viscosidades diferentes. La vida comunal que llevamos aquí está más de acuerdo con la manera en que nos gustaría ver el mundo, pero no es mejor en todos los aspectos. Necesitamos otra, por eso es que queremos construir una sociedad nueva, y esa nueva sociedad tendrá mucho de *esta* vida, y también mucho de *esa* otra. Estamos tratando de abrir caminos entre ambos mundos, no de crear un reino bucólico y separado. Queremos sacar al país entero de su miseria, para que no haya fronteras en él".

JON LEE ANDERSON
Junio de 2017.

Proemio
¿El fin del ciclo guerrillero?

Los ciclos en la historia no tienen un día de inicio ni otro al final, no registran una temporalidad definida. Generalmente están relacionados con algún acontecimiento trascendente, y así se recuerdan a través de los tiempos y a lo largo de generaciones. El comienzo del ciclo guerrillero contemporáneo en América Latina y el Caribe está estrechamente ligado al triunfo revolucionario en Cuba al amanecer de 1959, aunque sus antecedentes inmediatos se remontan al 26 de julio de 1953, cuando los mismos rebeldes asaltaron los cuarteles del Moncada y Céspedes en Santiago y Bayamo, respectivamente. Este primer paradigma inspiró a jóvenes de todo el continente, que de inmediato iniciaron los preparativos para lanzarse a la lucha armada. No había nada que esperar.

En Colombia, bajo la modalidad de la autodefensa campesina por la tierra y por la vida, de resistencia a la dictadura y al excluyente Frente Nacional, se desarrollaba desde el asesinato de Jorge Eliécer Gaitán, en abril de 1948, un movimiento armado, primero liberal y luego comunista: "Cuando triunfa la Revolución Cubana, nosotros teníamos diez años de ser guerrilleros en Colombia", señaló Jaime Guaracas, uno de los últimos marquetalianos[1] vivos. Tal como ocurrió en el resto del

1 Con este nombre se denomina a los campesinos guerrilleros que resistieron el ataque militar en Marquetalia, iniciado el 27 de mayo de 1964, posteriormente fundadores de las FARC.

continente, los albores del triunfo guerrillero en Cuba trajeron consigo las primeras tentativas insurreccionalistas, encabezadas por el MOEC-7 de Enero, el FUAR y las FAL-FUL y otros intentos menores.

A la par, se fortalecía el grupo de inspiración comunista que desde 1966 se conoció como FARC, y lanzaban sus manifiestos fundacionales el ELN y el EPL, organizaciones de inspiración guevarista y maoísta, respectivamente. Las agrupaciones de entonces, incipientes en armamento y escasas de combatientes, no siempre reconociendo su inferioridad militar, aplicaban las tácticas de la guerra de guerrillas y utilizaban el secreto, el factor sorpresa, intentaban preservar sus fuerzas y desgastar a su "enemigo", y daban los primeros pasos desde la defensiva para pasar a acciones más ofensivas, lo que les causó serios reveses militares.

El escenario cambió parcialmente a comienzos de los años setenta, y las ciudades registraron con fuerza el accionar de expresiones de guerrilla urbana como el M-19, sumado a pequeños grupos más radicales y efímeros, del corte de ADO y el PLA. Algo parecido había ocurrido años atrás en Brasil, Uruguay y Argentina, donde guerrillas como la Alianza Libertadora Nacional, los Tupamaros, el ERP y los Montoneros habían cumplido su ciclo histórico y las dictaduras se afianzaban sobre miles de torturados, desaparecidos y asesinados. Eran los años oscuros de la doctrina de seguridad nacional y de los planes coordinados por la CIA y otras agencias de la comunidad de inteligencia de Estados Unidos, con operaciones como Cóndor y Phoénix. Ese formato dictatorial y de golpe de Estado no fue necesario en nuestro país, donde la élite tradicional era una sola e incluía por igual a políticos, militares y sectores económicos; el aparato estatal, consolidado igualmente sobre miles de torturados, desaparecidos y asesinados, contaba con los instrumentos que se requerían para acentuar la exclusión y combatir a los que consideraba "el enemigo interno"; fue así como la norma de excepción del estado de sitio, contemplada en el Artículo 121 de la Constitución de entonces, se convirtió en cuasi permanente para afianzar la represión; basta un ejemplo: de los 192 meses que duró el Frente Nacional, 126 se vivieron bajo el estado de sitio.

El segundo paradigma se registró a mediados de 1979, con la victoria de la Revolución Sandinista y los avances de las organizaciones guerrilleras en El Salvador y Guatemala. En Colombia las guerrillas rurales habían remontado ya sus crisis de nacimiento y el M-19 daba un salto estratégico formando igualmente frentes armados en regiones selváticas del sur del país. En los años ochenta surgirían nuevas expresiones como el MAQL, PRT y FRF, con desarrollos desiguales, distintas demandas y posiciones político-militares diferenciadas; es aquí donde empiezan a aflorar las particularidades de la lucha armada en nuestro país, con respecto a otros de América Latina. Desde entonces, dos elementos se instalaron con fuerza en el ideario de las filas insurgentes: la negociación como una salida al conflicto político armado y la búsqueda de la unidad guerrillera. Asistimos de esa manera a procesos de diálogo y acuerdos que sucedieron en los gobiernos de Betancur y Barco, y al nacimiento de espacios unitarios como la CNG y posteriormente la CGSB, que buscaba, no siempre con éxito, superar la tradicional tendencia a la fragmentación.

Entre 1990 y 1994 se materializaron las primeras paces y desmovilizaciones guerrilleras, acompañadas, una vez más, de incumplimientos o cumplimientos tardíos y parciales por parte del Estado, que aspira entonces y ahora a acuerdos de bajo costo. A la par, los grupos más antiguos, ELN y FARC-EP, registraron importantes desarrollos que les permitieron ampliar su base social y territorial y mantenerse en pie, pese a los golpes recibidos en la arremetida estatal y narcoparamilitar que se desató bajo el ala de la seguridad democrática y sus planes Colombia y Patriota[2]. Para entonces, ya las FARC-EP habían sobrepasado los diálogos en El Caguán, donde lograron materializar nuevas estructuras políticas y militares y dar un salto cualitativo hacia escenarios internacionales. Lo que vino a continuación fue un nuevo espacio de negociaciones que se llevó a cabo en los dos mandatos del presidente Santos.

Presenciamos hoy lo que sería el final del ciclo guerrillero en América Latina y el Caribe. Conocer y entender ese pasado tan reciente, nos ayuda a explicarnos el presente. Para la historia de las

2 El paramiltarismo en Colombia ha sido una estrategia de represión ilegal, originada en sectores del establecimiento, que se caracteriza por la búsqueda del control político, económico, social y territorial, por la vía del secuestro, tortura, asesinato y desaparición de civiles comprometidos con la defensa de los derechos humanos, dirigentes sindicales, campesinos, estudiantiles, intelectuales e integrantes de distintos grupos guerrilleros.

guerrillas en Colombia y en el continente, la fecha del 23 de junio de 2016 quedará como el día en que el grupo más sólido y antiguo pactó con el Gobierno el cese al fuego y de hostilidades bilateral y definitivo y la dejación de sus armas, e inició el proceso de reincorporación a la vida civil y la transformación en un partido o movimiento político. No hubo otra guerrillera que tuviera tal duración en el tiempo, ni que alcanzara un crecimiento sostenido y una cifra tan alta de combatientes; tampoco una organización que lograra la operatividad rural y urbana de las FARC-EP, con acciones complejas como la toma de Mitú o el ataque en Cali a la Asamblea Departamental y el secuestro de los doce diputados, para citar solo dos ejemplos en la larga cadena de su accionar.

De esa guerra y esa conflictividad venimos los colombianos, pero ¿hacia cuál paz vamos? En primer lugar, el Estado —ese Estado invisible para muchos— no llegó monolítico a este momento de implementación de los acuerdos alcanzados entre el Gobierno y FARC-EP; hay en su interior posiciones encontradas. Por primera vez en muchas décadas existe una oposición virulenta de extrema derecha al gobernante, en este caso el presidente Santos; se trata de una oposición bastante distinta a la que en contra del Estado adelantaron durante años las diferentes insurgencias. Este "fraccionamiento" contribuye a que existan varias visiones sobre la paz: para el Gobierno Nacional es la oportunidad de adelantar reformas que exigen los tiempos modernos y fortalecer la imágen del Presidente; la paz que vislumbran las FARC-EP y otros sectores progresistas es una apuesta a la democracia, la participación y las conquistas sociales, partiendo de lo más próximo a sus intereses políticos como son los territorios de su influencia; por otra parte, la paz desde sectores de la extrema derecha se concibe como excluyente, autoritaria y recortada, sin cambios a la vista, y mucho menos los que tengan que ver con el agro, como es el propósito del primer tema de los acuerdos de La Habana. En esa disputa por la paz, el Estado tiene hoy una oportunidad si cumple con lo pactado, en particular si brinda la debida seguridad a los excombatientes y las regiones, si lleva a cabo las reformas necesarias para alcanzar transformaciones sociales y logra un replanteamiento a fondo de la política colombiana que permita aflorar nuevos liderazgos nacionales y facilite el derecho a la participación de nuevos actores.

En segundo lugar, confluyen voluntades que no fueron convocadas a participar en las negociaciones e implementación de los procesos de paz anteriores; me refiero en particular al papel activo de altos mandos de la fuerza pública que desde el comienzo de la mesa rompieron el escepticismo histórico hacia la paz, para ser hoy sus actores y constructores, lo que no ocurrió con muchos que se encuentran en uso de buen retiro, señalados recientemente por el exembajador de Estados Unidos en Colombia Myles Frechette de estar presionando al presidente Santos. En esa línea, al igual que ocurrió con las paces firmadas en los años noventa, la voluntad de la dirigencia de las FARC-EP y de sus combatientes es cierta, pese a las dificultades que tiene hasta ahora la implementación de lo acordado. Una materia pendiente es el rol que las comunidades deben tener en el proceso; la pérdida del SÍ en el plebiscito del 2 de octubre de 2016, gracias entre otros factores a campañas con mentiras que permitieron la manipulación de la información pública, condujo a movilizaciones coyunturales de diversos sectores sociales que pedían a gritos que no se detuviera lo avanzado hasta ese momento; logrado lo anterior, se hace necesario meterle pueblo a la paz, como dijera Jaime Bateman.

Así las cosas, tercer aspecto, la presencia durante la negociación con las FARC-EP, y ahora con el ELN, de países garantes y acompañantes, así como las tareas que tiene la Misión Especial de la ONU y el amplio apoyo de la comunidad internacional —que no existió o fue muy tímido en los acuerdos de los años noventa—, se constituyen en soportes indispensables para sacar adelante los propósitos de una paz estable y duradera. Hoy, el compromiso de la comunidad internacional incorpora también un componente práctico que tiene que ver con soluciones que permitan el flujo de los negocios y la necesaria preservación del medioambiente, afectado igualmente por la confrontación; al respecto, la salida de las tropas de las FARC-EP de regiones donde tenían presencia histórica ha significado la expansión de la minería ilegal y de monocultivos de uso ilícito y la destrucción de grandes extensiones de bosques.

Las últimas páginas de estas historias aún no se han escrito. Tengo la certeza de que, de las cenizas de muchas de las organizaciones de que trata este texto, de sus derrotas, triunfos y errores, surgieron experiencias muy valiosas, y hombres y mujeres que, desde la participación democrática y espacios políticos, sociales y económicos, están por la construcción de un mundo mejor. Sean estas líneas la ocasión para reiterar la necesidad que tenemos como sociedad de alcanzar altas dosis de reconciliación, tolerancia, confianza, aceptación, comprensión y apoyo mutuo. Verdad, justicia, reparación y suficientes medidas de no repetición son las antesalas necesarias para alcanzar un horizonte de respeto en la diversidad, convivencia y posibilidades ciertas de construcción de una paz estable, duradera y sustentable.

Este libro hace parte de la memoria histórica de las guerrillas en Colombia que se encuentra dispersa en varios cientos de textos, testimonios, narraciones, informes, biografías, documentos fílmicos y fotográficos, que cuentan y analizan los casi setenta años de este conflicto político armado contemporáneo, aún en proceso de resolución. Hay además otras que no se han escrito o poco se cuentan, historias de dolor que se guardan en los recuerdos y en los corazones de muchas mujeres y muchos hombres, que de alguna manera se acercaron o se vieron involucrados en la confrontación. Otra parte de esas historias permanece oculta, enterrada en archivos oficiales o privados, legales o clandestinos, contrariando uno de los propósitos centrales en los procesos de transición al cierre de conflictos políticos armados o finales de períodos dictatoriales, que es dejar las cosas claras para así cumplir con el deber y el derecho a la verdad. De allí la importancia de que desde el Estado, y desde los grupos guerrilleros que se encuentran en procesos de negociaciones y paz, se adelante la desclasificación, apertura, y se facilite el acceso a documentos que consideran secretos. Así, el camino hacia la verdad va a ser más fácil.

Desde una perspectiva integral, y en una secuencia cronológica, este trabajo analiza el surgimiento, desarrollo y proceso final de las organizaciones guerrilleras en Colombia entre 1950 y hoy, período en el que se registra la existencia de más de treinta grupos diferentes entre sí en cuanto a lineamientos y objetivos políticos e ideológicos, composición social, número de combatientes, presencia territorial, nexos con movimientos sociales, dimensiones y tiempo de persistencia en el accionar político-militar. Esta narración no pretende mitificar o condenar la actuación de las distintas guerrillas, pero sí que se aprecien sus contrastes e interrelaciones y sus particulares formas de ver la realidad política y el desarrollo de nuestra sociedad, como parte de la "cultura política", que incluye sus normas, valores y antivalores, percepciones y costumbres.

Las fuentes principales para este libro fueron los documentos propios de las distintas agrupaciones guerrilleras, testimonios de los protagonistas, documentales, análisis y textos publicados a lo largo de los años, e informaciones de medios de comunicación. He recurrido a una fuente primaria poco estudiada, como son los documentos desclasificados referidos a Colombia, producidos por distintas agencias de la llamada Comunidad de Inteligencia de los Estados Unidos (CIA, DIA, NSA, Departamentos de Estado y de Justicia, entre otras), que explican por sí solos varios hitos y comportamientos imperiales en estas historias; estos y muchos otros documentos me los facilitó The National Security Archive, una organización de investigación sin ánimo de lucro basada en la Universidad George Washington, en Estados Unidos.

Para mayor comprensión del lector, he organizado los contenidos de este libro en nueve capítulos, un colofón y un anexo de documentos fundacionales de las organizaciones más relevantes de estas historias; al final se encuentra un diagrama genealógico que explica el origen de cada una de ellas, sus fraccionamientos, alianzas y nuevos agrupamientos, todo esto enmarcado en una línea de tiempo. El capítulo inicial aborda el contexto internacional y el rol que le correspondió a Colombia durante la Guerra Fría, sumado a los avatares en el campo comunista internacional, las expresiones nacionalistas y revolucionarias en países como Bolivia, Guatemala y Argentina, y el significado e incidencia del triunfo revolucionario en Cuba. El capítulo dos ahonda en el contexto nacional de la primera mitad del siglo XX, desde la Guerra de los Mil Días y los primeros asomos del comunismo en nuestro país, hasta el asesinato de Gaitán y las posteriores expresiones armadas de liberales y comunistas durante la década de los años cincuenta. El capítulo tres contempla los intentos iniciales de guerrillas revolucionarias surgidas al calor del triunfo cubano, como antecedentes inmediatos de las organizaciones que se van a formar a mediados de los años sesenta, tema de que trata el capítulo cuatro. Los capítulos siguientes —cinco y seis— son prolijos en el surgimiento de nuevas guerrillas, en particular las que optaron por las ciudades como el escenario principal de su accionar y la organización del MAQL, única guerrilla que respondió a mandatos de la comunidad, en este caso de los indígenas del Cauca; el período coincide con las primeras expresiones de búsqueda de una solución política a la confrontación, tanto desde sectores de la insurgencia como desde el Gobierno. La unidad guerrillera, sus aciertos y dificultades, se estudian en el capítulo siete; en los capítulos finales, ocho y nueve, se presta especial atención a los procesos de paz de los años noventa, en particular al proceso iniciado con las FARC-EP en La Habana y a las actuales negociaciones con el ELN.

El autor, mayo de 2017.

I
Un mundo cambiante

La Guerra Fría y sus secuelas en Colombia[3]

Pese a los grandes intereses económicos de Alemania en nuestro país[4], y a las evidentes simpatías de sectores conservadores hacia el Eje fascista Roma-Tokio-Berlín, Colombia hizo parte de los gobiernos americanos que durante la Segunda Guerra Mundial se alinearon junto a Estados Unidos y potencias aliadas ante la expansión nazi. El 8 de diciembre de 1941, a raíz del bombardeo japonés a la base de Pearl Harbor, el gobierno de turno decidió la ruptura de relaciones con los países del Eje e inició una férrea vigilancia contra ciudadanos alemanes y japoneses; sus bienes fueron congelados, se organizaron campos de concentración, los colegios a los que asistían sus hijos fueron clausurados y se descubrieron supuestos golpes de Estado, redes de espionaje y múltiples conspiraciones. Tras el hundimiento de la goleta *Ruby*

3 El término fue usado por Bernard Baruch, consejero de los presidentes Franklin D. Roosevelt y Harry S. Truman, en abril de 1947, en un debate en el Congreso de Estados Unidos. Uno de los archivos con más amplia información sobre la Guerra Fría se encuentra en el Wilson Center Digital Archive International History Declassified, en http://digitalarchive.wilsoncenter.org/theme/cold-war-history

4 La principal compañía de aviación, SCADTA, de capitales alemanes, fue nacionalizada por el presidente Eduardo Santos (1938-1942), para fundar, a mediados de 1940, la empresa Aerovías Nacionales de Colombia (Avianca), a imagen de la estadounidense Pan American Airways.

y ataques anteriores por parte de submarinos alemanes, Colombia le declaró la guerra a Alemania el 26 de noviembre de 1943. Hasta entonces, el papel de nuestro país no pasaba de patrullar el Caribe en tareas de protección del Canal de Panamá, amenazado por decenas de barcos de guerra. Para ese momento se habían fortalecido los vínculos militares y económicos con Estados Unidos a través de acuerdos que permitieron mejorar la capacidad de las Fuerzas Militares colombianas.

Cuando apenas transcurría el año inicial del fin de la Segunda Guerra Mundial, se asomaron las primeras tensiones ideológicas, políticas, militares y económicas entre Estados Unidos y la Unión de las Repúblicas Socialistas Soviéticas (URSS), antiguos socios en la Gran Alianza en la lucha contra el Eje liderado por la Alemania nazi de Hitler. En medio de mutuas amenazas y acciones abiertas o embozadas, transcurrieron las relaciones entre las dos superpotencias durante los siguientes 45 años, hasta 1991, cuando se produjo la caída o disolución del Imperio soviético. Para Eric Hobsbawm, estos 45 años no fueron un período de la historia universal homogéneo y único. La rivalidad e incompatibilidad entre Estados Unidos y la URSS incluyó a los países bajo sus respectivas órbitas y tuvo como escenario al planeta entero, y más allá, si consideramos la carrera espacial como parte de este conflicto latente y con enfrentamientos inminentes. Mediante el Acta de Seguridad Nacional de 1947, Estados Unidos se dotó de normas e instituciones para el espionaje y la intervención a nivel mundial, tales como el Consejo de Seguridad Nacional (NSC) y la Agencia Central de Inteligencia (CIA), en busca del papel hegemónico al cual se creía predestinado.

Durante el transcurso de esos 45 años fueron muchos los momentos, las circunstancias y los puntos de la geografía global en los que, a través de revoluciones frustradas o triunfantes, golpes palaciegos, revueltas étnicas, sociales o religiosas, guerras de liberación nacional o dictaduras de derecha o de izquierda, las potencias estuvieron a punto de chocar, y producirse así una conflagración entre Este y Oeste mediada por el poderío nuclear y los afanes expansionistas de ambos bandos. En ningún momento las superpotencias descuidaron sus aspiraciones por alcanzar la hegemonía nuclear al incrementar sus arsenales, desarrollar nuevas armas de destrucción masiva, realizar pruebas atómicas con bombas de alta capacidad y colocar al planeta al borde de una nueva confrontación militar de gran escala. Una guerra sin combates reales, pero sí con la voluntad de los contrincantes de ir a combatir. Nunca se les presentó esa oportunidad, salvo una breve escaramuza en el marco de la Guerra de Corea, cuando pilotos de los dos bandos cruzaron sus metrallas en la que sería la primera y única ocasión de pasar a los hechos, en medio de permanentes incitaciones a terceros.

Tanto Colombia como el resto de naciones de América Latina y el Caribe se ubicaron —o fuimos ubicados— en el grupo de países bajo la égida de Estados Unido, su retaguardia o "patio trasero". No teníamos otro papel. Sobre nosotros ya recaía la Doctrina Monroe de 1823 —"América para los americanos"—, que rechazaba el colonialismo europeo y su intervención en asuntos internos de los países americanos, pero dejaba abiertas las puertas al expansionismo de Estados Unidos. Era el "destino manifiesto", según el cual el control del mundo por parte de Estados Unidos se hacía en cumplimiento de la voluntad divina. Con los acuerdos tras el fin de la guerra[5], estaba claro que seguíamos siendo parte de su área de influencia. Definitivamente, de esa no nos salvábamos.

Como parte de los acuerdos alcanzados en la Conferencia de Yalta se concretó la idea de crear un organismo internacional que reemplazara a la ya caduca e ineficiente Sociedad de las Naciones. Una instancia supranacional que, en efecto, se encargara de velar por el mantenimiento de la paz y la seguridad en todo el mundo. En la conferencia realizada en San Francisco (Estados Unidos), a la que asistieron cincuenta naciones, entre ellas Colombia, representada por el liberal Alberto Lleras Camargo, se elaboró la Carta de las Naciones Unidas, firmada el 26 de junio de 1945. La Organización de las

5 Las conferencias de Yalta y Potsdam, precedidas de otras en Quebec, Teherán y Casablanca, fueron definitivas en los acuerdos de la posguerra. La primera se realizó del 4 al 12 de febrero de 1945; en ella participaron Winston Churchill, José Stalin y Franklin D. Roosevelt. La Cumbre de Potsdam determinó las condiciones de la paz; se llevó a cabo entre el 17 de julio y el 2 de agosto de 1945, pasados tres meses desde la rendición de Alemania, y a una semana de las bombas sobre Hiroshima y Nagasaki; asistieron Truman, Stalin y Churchill, quienes, en la Declaración Final, lanzaron un ultimátum a Japón para su rendición.

Naciones Unidas (ONU) inició sus tareas el 24 de octubre del mismo año, y se dotó de un Consejo de Seguridad de diez miembros elegidos —no permanentes— y cinco permanentes, "los cinco grandes", las potencias ganadoras de la Segunda Guerra Mundial (China, Estados Unidos, Francia, URSS y el Reino Unido), con poder de veto sobre decisiones clave dentro del organismo como las amenazas contra la paz provenientes de conflictos armados internos, entre Estados, subregionales o regionales, entre otras. La ONU llegó para quedarse y se convirtió desde entonces en una ficha importante de la geopolítica.

El mundo se debatía entre capitalismo y comunismo como sistemas contrapuestos, antagónicos e irreconciliables. Cada uno de ellos en disposición de alcanzar la supremacía política, militar y económica. En Washington y Londres ya se preveía la caída de "un pesado telón de acero"[6] que aislaría a Oriente de Occidente, hecho que ocurrió, de manera figurada, a partir del Golpe de Praga, en febrero de 1948, con el apoyo de los soviéticos, y llevó al Partido Comunista de Checoslovaquia al poder.

Para entonces hacía carrera la Doctrina Truman, presentada por el presidente de Estados Unidos[7] ante el Senado de su país en marzo de 1947, a raíz de la insurrección comunista de los partisanos del ELAS —Ejército Nacional de Liberación Popular en Grecia—, primer conflicto bélico posterior a la Segunda Guerra Mundial, en el cual Gran Bretaña y Estados Unidos podrían perder un aliado importante en el Mediterráneo. En su solicitud de poderes especiales para proteger al "mundo libre", Truman pidió autorización para brindar ayuda económica y asistencia civil y militar a los gobiernos griego y turco: "Si vacilamos en nuestra misión de conducción podemos hacer peligrar

6 Expresión utilizada por Churchill el 5 de marzo de 1946 en el Westminster College, en Fulton (Missouri): "Desde Stettin, en el Báltico, a Trieste, en el Adriático, ha caído sobre el continente un telón de hierro. Tras él se encuentran todas las capitales de los antiguos Estados de Europa Central y Oriental. Varsovia, Berlín, Praga, Viena, Budapest, Belgrado, Bucarest y Sofía, todas estas famosas ciudades y sus poblaciones y los países en torno a ellas se encuentran en lo que debo llamar la esfera soviética, y todos están sometidos, de una manera u otra, no sólo a la influencia soviética, sino a una altísima y, en muchos casos, creciente medida de control por parte de Moscú". http://historia1imagen.cl/2007/09/11/wiston-churchill-el-telon-de-acero/

7 Harry S. Truman había sido el vicepresidente de Roosevelt, quien falleció entre las conferencias de Yalta y Potsdam.

la paz del mundo y, sin lugar a dudas, arriesgaremos el bienestar de nuestra propia nación"[8].

La consolidación del dominio de Estados Unidos sobre nuestra región vendría de la mano de nuevos acuerdos multilaterales como el Tratado Interamericano de Asistencia Recíproca (TIAR), firmado en Río de Janeiro en 1947; en el Artículo 3°, numeral 1, señalaba como principio rector la defensa conjunta de los países signatarios frente a una agresión externa: "Las Altas Partes Contratantes convienen en que un ataque armado por parte de cualquier Estado contra un Estado americano será considerado como un ataque contra todos los Estados americanos y, en consecuencia, cada una de dichas Partes Contratantes se compromete a ayudar a hacer frente al ataque, en ejercicio del derecho inmanente de legítima defensa individual o colectiva que reconoce el Artículo 51 de la Carta de las Naciones Unidas"[9]. En la redacción de los contenidos del TIAR intervino directamente el expresidente colombiano Alberto Lleras Camargo, quien gobernó en un primer período entre 1945 y 1946, en reemplazo del liberal Alfonso López Pumarejo; posteriormente fue presidente de la República entre 1958 y 1962, en el gobierno inicial del Frente Nacional, acuerdo bipartidista entre liberales y conservadores.

La misma formación de la Organización de los Estados Americanos (OEA), en el marco de la IX Conferencia Internacional Americana (Panamericana), inaugurada en Bogotá el 30 de marzo de 1948, fue "[…] el más importante acontecimiento de la historia de las relaciones de los Estados del hemisferio occidental", según el informe que presentó en Washington ante el Consejo del organismo su secretario general, Alberto Lleras Camargo.

La IX Conferencia creó la Junta Interamericana de Defensa como comité consultivo para la colaboración militar entre las naciones del hemisferio; las sesiones duraron 34 días y fueron presididas por el ministro de Relaciones Exteriores de Colombia, el jefe conservador Laureano Gómez. Apenas transcurridos los diez primeros días de deliberaciones, fue asesinado el líder liberal Jorge Eliécer Gaitán; el

8 Rafael Pardo Rueda, *Entre dos poderes. De cómo la Guerra Fría moldeó América Latina*. Tomo 1, Bogotá, Distribuidora y Editora Aguilar, Altea, Taurus, Alfaguara, S. A., 2014, p. 30.

9 Texto del Tratado en: http://www.oas.org/juridico/spanish/tratados/b-29.html

comunismo internacional fue culpado de inmediato del crimen. Esa tesis, levantada desde el Alto Gobierno y apoyada por el general Marshall, como jefe de la delegación de Estados Unidos, se mantuvo durante muchos años: la revuelta popular del 9 de Abril fue atribuida a una conspiración del comunismo criollo e internacional, y produjo la casi inmediata ruptura de relaciones diplomáticas con la URSS, situación que se mantuvo hasta 1968[10]. Algunos medios de prensa escrita se encargaron, durante años, de mantener y dar rienda suelta a la tesis de un "complot comunista"; sus titulares de primera página así lo expresaban constantemente. Mientras tanto, la OEA, ese "ministerio de colonias yanquis", como la denominó Fidel Castro[11], emitía su versión de los hechos: "Nunca como entonces se pudo ver que los pueblos del hemisferio americano, agrupados en la organización que recibió su bautismo en Bogotá, son, en la realidad, una sola y gran familia, cuyos sentimientos fraternales se hicieron presentes a una república hermana en desgracia con la más noble discreción y firmeza"[12]. Así actuaría la OEA a futuro, como "una sola y gran familia".

Las mayores preocupaciones de los gobiernos de hemisferio se centraban en concertar acciones contra las "agresiones expansionistas del comunismo internacional". Entre el 26 de marzo y el 7 de abril de 1951 se celebró en Washington D.C. la Cuarta Reunión de Consulta de Ministros de Relaciones Exteriores de los países miembros de la Organización de los Estados Americanos (OEA). El Acta Final contiene las conclusiones aprobadas; la Resolución III sobre Cooperación Militar Interamericana recomienda "a las repúblicas Americanas [...] cooperar entre sí, en materia militar, para desarrollar la potencia colectiva del Continente necesaria para combatir la agresión contra cualquiera de ellas".

10 Véase Pardo Rueda, *op. cit.* En su texto señala que, en los años cincuenta, solo tres de las veinte repúblicas latinoamericanas mantuvieron relaciones con la URSS: Argentina, Uruguay y México.

11 Fidel Castro, discurso del 4 de febrero de 1962, en http://www.cuba.cu/gobierno/discursos/1962/esp/f040262e.html

12 El Pacto de Bogotá y la OEA, Informe sobre la IX Conferencia Internacional Americana, Alberto Lleras, secretario general de la Organización de Estados Americanos, en http://jorgeorlandomelo.com/bajar/pactodebogota.pdf

Con base en esa determinación se estableció en 1952 el "Plan de los gobiernos de Colombia y los Estados Unidos de América para su defensa común":

1. Situación general:

Fuerzas enemigas

La seguridad de Colombia y de los Estados Unidos, junto con la de los otros países del hemisferio occidental, es amenazada por los designios imperialistas de la URSS. En este momento la amenaza puede tomar forma de actividades subversivas y de sabotaje diseñadas para debilitar los dos países. La URSS tiene la capacidad de iniciar una guerra sin previo aviso. Dado el caso, la forma de actuar del enemigo más probable sería a través de ataques aéreos contra instalaciones vitales, de ataques submarinos contra conexiones marítimas, de redadas y del aumento de la subversión y el sabotaje.

Fuerzas amigas

La mayor parte de las Fuerzas Armadas de Estados Unidos puede estar comprometida en operaciones fuera del hemisferio occidental de tipo defensivo para prevenir ataques directos en el hemisferio; y en otras de tipo ofensivo para llevar la guerra a la fuente del poder del enemigo. Esta estrategia está en consonancia con la doctrina de defensa aprobada en el 'Esquema de Defensa Común para el Continente Americano', que llama a tomar acciones ofensivas con el fin de derrotar cualquier agresión. La misma doctrina enuncia el principio según el cual cada Estado americano debería contribuir a la defensa colectiva del hemisferio. A causa de los requerimientos por fuera del hemisferio, Estados Unidos debe reducir sus fuerzas dentro del hemisferio al mínimo. Por lo tanto, el esfuerzo colectivo de todos los países del hemisferio occidental es necesario para proveer su adecuada defensa.

2. Misión:

Defender el hemisferio occidental de cualquier forma de agresión al coordinar los esfuerzos de defensa de Colombia y de los Estados Unidos de América.

Fuente: Secret, Security Information. *Plan of the governments of Colombia and the United Stated of America for their common defense, 1952.* The National Security Archive (NSA), Colombia and the United States: Political Violence, Narcotics and Human Rights, 1948-2010. Documentos desclasificados de diferentes agencias de seguridad del Gobierno de Estados Unidos.

El primer escenario militar de la Guerra Fría fue la confrontación que se adelantó en Corea a partir del 25 de junio de 1950, cuando tropas del norte comunista atravesaron el Paralelo 38, por donde había sido dividida la Península tras la Segunda Guerra Mundial. La Guerra de Corea contó con el apoyo directo de Estados Unidos y sus aliados a la República de Corea, en el sur; y de los soviéticos y la China de Mao a la República Democrática de Corea, en el norte comunista. Colombia, pese a la conflictiva situación interna, fue uno de los dieciséis países que hicieron parte de la fuerza multilateral que conformó las Naciones Unidas por decisión de su Consejo de Seguridad, y el único país de América Latina que envió tropas de combate agrupadas en el Batallón de Infantería N° 1 Colombia, al mando del entonces teniente coronel Jaime Polanía Puyo, y con un Estado Mayor en el que participaban el teniente general Alberto Ruiz Novoa y el capitán Álvaro Valencia Tovar, posteriormente oficiales destacados en la lucha contraguerrillera y ministros de Guerra en gobiernos siguientes; los militares se asomaban como una rama del poder público, con participación ya no solo en política interna sino en política internacional. El conservador Laureano Gómez Castro era el presidente de Colombia, gran aliado de la política anticomunista de Estados Unidos; como cuota inicial de nuestra palabra empeñada, envió a Corea del Sur la fragata de guerra *Almirante Padilla*... la única que poseía la armada colombiana.

Era la oportunidad de fortalecer unas Fuerzas Armadas que no estaban a la altura de los retos que se asomaban en un horizonte de violencia interna; tan solo al ganar el favor de Estados Unidos frente a un conflicto bipartidista, como el que se vivía en los campos colombianos, podría lograrse la pacificación, pensaban el saliente presidente, Mariano Ospina, y el entrante, Laureano Gómez. Los pactos y acuerdos binacionales de la época así lo demuestran.

La participación de tropas colombianas en Corea fue desestimada en un principio, por tratarse de un ejército sin experiencia en ese tipo de guerra; al final se aceptó para mostrar la fuerza y coherencia de la coalición en la lucha contra el comunismo, y también el compromiso latinoamericano en estos propósitos. Estados Unidos asumió el liderazgo político y militar desde el inicio de la confrontación; de hecho, aportó el 80% de los casi 350.000 efectivos que hacían parte de la fuerza multinacional. Al frente de todos ellos estaba el veterano general Douglas MacArthur, comandante de las fuerzas aliadas de ocupación en Japón después de la rendición. Antes de partir, el contingente colombiano fue reentrenado, rearmado y organizado por oficiales norteamericanos en el Cantón Norte de Bogotá. El grupo inicial fue de 1.060 hombres, pero en total sumarían 4.314 soldados y 786 marinos, que combatieron en Corea durante los tres años de guerra: "de ellos 163 murieron, 2 desaparecieron y 28 fueron hechos prisioneros"[13]. Otras cifras señalan que los heridos fueron 439; los desaparecidos, 69, y que 28 soldados fueron canjeados[14].

Con más de 3 millones de muertos y heridos, la Guerra en Corea llegó a su fin el 27 de julio de 1953, con la firma del armisticio de Panmunjom, que aún mantiene separadas a las dos Coreas. El Batallón Colombia regresó al país en octubre del mismo año con experiencia en la lucha contraguerrillera, inteligencia y guerra psicológica, y manejo de sistemas de comunicación y transporte.

El 8 y 9 junio de 1954 participó en la represión a las manifestaciones estudiantiles que, año tras año, desfilaban por las calles de Bogotá en conmemoración del Día del Estudiante. Las fotografías de los sucesos, desplegadas en primeras planas por los diarios capitalinos, muestran a efectivos del Batallón Colombia disparando sus armas sobre la multitud; el resultado fue de 9 estudiantes muertos, 23 heridos y más de 200 detenidos. Para funcionarios del gobierno del general Rojas Pinilla se trató de una conjura Laureano-comunista; los medios de comunicación registraron la información de la misma manera, adjetivizando. La actividad de Colombia en Corea determinó nuevas estrategias, como la formación de la Escuela de Lanceros con unidades entrenadas en guerra irregular. Apenas transcurría el primer año de la dictadura militar del teniente general Gustavo Rojas Pinilla.

Precisamente, durante su gobierno *de facto* fue proscrito el Partido Comunista y "prohibida la actividad política del comunismo

13 Rafael Pardo Rueda, *op. cit.*, p. 53. También se encuentran referencias por parte del mismo autor en *Historia de las guerras*, Ediciones B Colombia S. A. Primera edición, Bogotá, 2004, pp. 680, 681.

14 Véase http://www.eltiempo.com/archivo/documento/MAM-1541465

internacional"[15]. La decisión la tomó la Asamblea Nacional Constituyente, instalada el 27 de julio de 1954 por Rojas Pinilla. Dos semanas antes, el Senado de Estados Unidos había aprobado una medida similar, conocida como la Ley de Control del Comunismo. Las huellas del *macartismo* como política inquisitorial —impulsada por el senador republicano Joseph McCarthy—, con denuncias, señalamientos, persecuciones y acusaciones infundadas, también llegaban a Colombia acompañadas de sospechas de conjuras filocomunistas dirigidas desde Moscú.

El nuevo presidente de Estados Unidos, el curtido general Dwight David Eisenhower (1953-1961), llegó con su propia "doctrina" en contra del comunismo internacional. No se andaba con rodeos y puso a su secretario de Estado, John Foster Dulles, otro veterano de la Guerra Fría, a liderar la Doctrina de las Represalias Masivas, conocida también como la Doctrina Dulles o Doctrina Eisenhower. Todo dependía de cómo nos comportáramos en la lucha anticomunista: la ayuda económica, la inversión directa y la asistencia militar. Este John Foster tenía un hermano menor, llamado Allen, hombre clave de la inteligencia estadounidense, el primer civil en dirigir la CIA. Juntos participaron en la planeación de las operaciones secretas para derrocar al presidente de Guatemala, Jacobo Árbenz, en 1954; también estuvieron en el montaje y preparación de la fracasada Brigada 2506, que, con cerca de 1.500 invasores anticastristas y con el apoyo de bombarderos provenientes de Estados Unidos, desembarcaron y fueron derrotados en la Playa Girón de la bahía de Cochinos, 150 kilómetros al sur de La Habana, el 17 de abril de 1961. En Estados Unidos ya gobernaba el demócrata John F. Kennedy. El miércoles anterior, 12 de abril, el mayor de la Fuerza Aérea soviética, Yuri Alekseyevich Gagarin, fue puesto en órbita durante una hora y 48 minutos, a bordo de la nave cósmica *Vostok*, convirtiéndose en el primer ser humano en el espacio. Con la hazaña de su cosmonauta, la URSS se colocó a la cabeza de la carrera espacial. En Estados Unidos hubo sorpresa y estupor, ya que se trató de un nuevo golpe político y tecnológico en la larga lucha por la conquista del espacio.

Estudiosos de los temas relacionados con la Guerra Fría consideran que el conflicto entre las superpotencias se materializó en América Latina

15 Acto Legislativo N° 6 del 7 de septiembre de 1954. Citado en Darío Villamizar, *Jaime Bateman. Biografía de un revolucionario*, tercera edición, Bogotá, Rocca Editores, 2015, p. 87.

y el Caribe a través de la Doctrina de Seguridad Nacional, como un concepto militar del Estado, que definía la forma como debería funcionar la sociedad y precisaba la noción de la guerra contra el "enemigo interno", en particular izquierdistas o sospechosos de serlo, sindicalistas, dirigentes agrarios, guerrilleros o supuestos aliados de ellos.

La Doctrina de Seguridad Nacional consideraba igualmente al enemigo externo, el comunismo internacional, representado mundialmente por la URRS y China y los países bajo su respectiva órbita; y en la zona, por la Cuba socialista y otros regímenes revolucionarios, progresistas y democráticos. "El desarrollo de la Doctrina de Seguridad Nacional fue funcional a la política norteamericana hacia América Latina, ya que su planteamiento esquemático concordaba con el simplismo con el que Estados Unidos abordaba los problemas sociales de la región. Desde los años cincuenta, las políticas norteamericanas hacia América Latina estuvieron determinadas por una concepción mecánica de 'inestabilidad' regional. El comunismo era percibido como la causa principal de la inestabilidad política y esta, a su vez, era considerada como la principal amenaza para la seguridad del hemisferio"[16].

La Doctrina de Seguridad Nacional se cristalizó en casi todos los países de América Latina y el Caribe durante las décadas de los años setenta y ochenta con dictaduras militares de corte derechista. En el caso de Colombia, no se necesitó recurrir a la medida extrema de un golpe de Estado por la obsecuencia de los gobernantes de turno, el rol de las Fuerzas Militares frente a los gobiernos centrales y medidas excepcionales que contemplaba la Constitución de 1886 (vigente hasta 1991) como el estado de sitio (Artículo 121), que se convirtió en una forma política y armada permanente de represión y dominación y en el mecanismo preferido desde el Alto Gobierno para controlar el orden público[17] y para militarizar la vida civil, con funestas consecuencias en el desarrollo de la democracia, sin olvidar gabelas como el tiempo

16 Francisco Leal Buitrago, "La Doctrina de Seguridad Nacional: materialización de la Guerra Fría en América del Sur", *Revista de Estudios Sociales*, Universidad de los Andes, junio de 2003, pp. 74-87.

17 El estado de sitio fue una medida propia de las dictaduras latinoamericanas de los años setenta, en particular de las del Cono Sur. Con este nombre se hizo muy popular una película de Costa-Gavras, protagonizada por Yves Montand, en la que narra las acciones guerrilleras del Movimiento de Liberación Nacional Tupamaros, en Uruguay.

doble de servicio para los miembros de la fuerza pública en los ciclos de estado de sitio. La Doctrina se formalizó en nuestro país con el Decreto 3398 de 1965, convertido luego en la Ley 48 de 1968, que permitió a la fuerza pública organizar la "defensa nacional" y la "defensa civil", léase civiles preparados para la lucha contrainsurgente.

Los períodos con estado de sitio en los gobiernos del Frente Nacional (cuatro de cuatro años cada uno, en total dieciséis años) fueron mayores que sin su aplicación: de los 192 meses de gobiernos "frentenacionalistas" se vivieron 126 bajo estado de sitio. Durante el gobierno de Misael Pastrana Borrero (conservador, 1970-1974), la medida duró entre el 26 de febrero de 1971 y el 29 de diciembre de 1973, en total 34 meses y 3 días, un poco menos de las tres cuartas partes de su mandato[18]. Era el modelo de "democracias restringidas y tuteladas" que también tuvieron cabida en el continente. Gobiernos posteriores, como el del presidente liberal Julio César Turbay (1978-1982), se dotaron de instrumentos represivos, en su caso, el Estatuto de Seguridad, que aumentó las penas para los delitos políticos, creó nuevas figuras delictivas y otorgó mayores atribuciones y autonomía a autoridades policiales, civiles y militares en el manejo del orden público y la administración de justicia, a través de consejos verbales de guerra.

Principales pilares de la Doctrina de Seguridad Nacional, en su fase de declive, fueron el Documento Santa Fe I, informe presentado en mayo de 1980 al Consejo de Seguridad Interamericana, con recomendaciones para el gobierno republicano de Ronald Reagan, y el Documento Santa Fe II, elaborado en 1988 para otro mandatario republicano: el archiconservador George Bush. Los documentos redactados por el Comité de Santa Fe[19] y la Heritage Foundation, cercanos a la CIA, trazaron estrategias respecto a los conflictos de baja intensidad y coincidieron en la necesidad de procesos de redemocratización, luego de las oscuras dictaduras de años pasados.

Los burotecnócratas del Comité de Santa Fe ya contemplaban mantener las formas democráticas en Estados contrainsurgentes, legitimados mediante elecciones, con pleno funcionamiento de las instituciones, en particular aquellas de carácter permanente como el aparato

18 Gustavo Gallón Giraldo, *Quince años de estado de sitio en Colombia: 1958-1978*, Bogotá, Librería y Editorial América Latina, 1979, pp. 26-28.

19 El nombre deriva de la capital del estado de Nuevo México, en Estados Unidos.

judicial y las Fuerzas Armadas. Se proponía de nuevo la agresión a Cuba, se avizoraba la invasión a Granada, se sugería combatir por igual al gobierno sandinista de Nicaragua, a la Teología de la Liberación, a la llamada Doctrina Roldós —del presidente ecuatoriano Jaime Roldós, muerto en un extraño accidente de aviación el 24 de mayo de 1981— y a "la dictadura de extrema izquierda y brutalmente agresiva" del general Omar Torrijos Herrera, líder nacionalista panameño muerto también en otro sospechoso accidente, cuando su avión se precipitó a tierra el 31 de julio de 1981[20].

En el ámbito de la Guerra Fría, y aun en la llamada Posguerra Fría[21], las relaciones entre Colombia y Estados Unidos se han regido por acuerdos, convenios y tratados en los que se apela a la necesidad de contrarrestar las amenazas persistentes a la paz, la libertad, la democracia y la estabilidad, al problema mundial de las drogas, al fortalecimiento de la cooperación y la asistencia técnica en defensa y seguridad, a la lucha contra el terrorismo y la delincuencia organizada transnacional y la proliferación de armas pequeñas y ligeras. Se impuso así un sistema de alianzas políticas que persisten y responden a un contexto de confrontación entre las grandes potencias por el control del mundo y a una etapa de nuestra historia de exclusiones, terror e ilegalidad desde el poder.

De esa manera, alcanzamos un *corpus* de tratados, convenios y declaraciones que delinearon la política contrainsurgente de Estados Unidos en Colombia, además de distintas convenciones sobre la lucha contra las actividades terroristas, suscritas en el marco de la ONU y de la OEA, de las cuales ambos países son signatarios. He aquí los títulos y temáticas de algunos de esos pactos y acuerdos que afianzaron la condición de Estados Unidos como partícipe directo en el conflicto

20 Sobre Documento Santa Fe I, véase http://www.offnews.info/downloads/santafe1. PDF Información y texto del Documento Santa Fe II en La agresión solapada del Imperio, Ediciones Venceremos, N° 1, 1989.

21 Véase el texto de Vicente Torrijos R., incluido en el informe de la Comisión Histórica del Conflicto y sus Víctimas, *Contribución al entendimiento del conflicto armado en Colombia*, Bogotá, febrero de 2015. Torrijos considera la existencia de una primera Posguerra Fría entre la caída del Muro de Berlín, en 1989, y el ataque a las Torres Gemelas del 11 de septiembre de 2001; y una segunda Posguerra Fría desde el 11 de Septiembre hasta hoy.

Principales Pactos y Acuerdos Colombia-Estados Unidos

Fecha	Documento
22 de febrero de 1949	Pacto de Asistencia y Asesoría Militar
17 de abril de 1952	Pacto de Asistencia Militar (PAM)
Octubre de 1959	Reporte del ***Survey Team***[24] (Informe en mayo de 1960)
23 de julio de 1962	Convenio general para ayuda económica, técnica y afín
7 de octubre de 1974	Acuerdo relativo a una Misión del Ejército, una Misión Naval y una Misión Aérea

22 Russell W. Ramsey, *Guerrilleros y soldados*, Bogotá, Ediciones Tercer Mundo, 1981, p. 161.

23 Hernando Calvo Ospina, Colombia, laboratorio de embrujos. *Democracia y terrorismo de Estado,* Madrid, Foca Ediciones y Distribuciones Generales, 2008, p. 64.

24 En pleno período de la historia conocido como "La Violencia", y en vísperas del surgimiento de las primeras guerrillas de carácter revolucionario, a partir del triunfo de la Revolución Cubana en 1959, se organizó otra misión de asesores militares de Estados Unidos a Colombia para estrechar las relaciones de cooperación en contrainsurgencia. El Special Survey Team estaba liderado por Hans Tofte, oficial de la CIA con experiencia en guerra de guerrillas en Asia, Oriente Medio y Europa; el coronel Napoleón Valeriano, antiguo jefe de Policía en Manila, con experiencia en operaciones de contraguerrilla; el mayor Charles T. R. Bohannan que había peleado junto a las guerrillas filipinas contra los japoneses en la Segunda Guerra Mundial; el teniente coronel Joseph J. Koontz, infante del ejército estadounidense; el coronel Berkeley Lewis, oficial retirado del ejército de Estados

Gobierno	Observaciones
Mariano Ospina Pérez (Conservador)	Estados Unidos se compromete a suministrar misiones para el Ejército y la Fuerza Aérea durante cuatro años[22].
Laureano Gómez Castro (Conservador)	Parte de los programas de ayuda militar bilaterales; "A partir de ese 'pacto' las Fuerzas Militares recibieron, entre 1961 y 1967, un subsidio de 60 millones de dólares que las convirtieron en el tercer receptor de este tipo de ayuda, después de Brasil y Chile"[23].
Alberto Lleras Camargo (Liberal)	Recomendaciones sobre la formación de una fuerza móvil de combate contrainsurgente, de un servicio de inteligencia (DAS) bajo el modelo del FBI, adelantar acciones cívico-militares hacia la población y reorganizar las fuerzas de seguridad para mejorar la imagen pública[25].
Alberto Lleras Camargo (Liberal)	Marco de la cooperación precedido por la Misión del general William Yarborough, director de investigación de la Escuela de Guerra Especial del Ejército de EE. UU.; recomienda "la formación de una estructura civil y militar [...] que presione las reformas que se sabe se necesitan, que realice funciones de contraagente y de contrapropaganda y que, según se precise, ejecute actividades paramilitares, de sabotaje y/o de terrorismo contra proponentes comunistas conocidos. Tales acciones deben contar con el respaldo de Estados Unidos"[26]. Otras recomendaciones se aplicaron durante la Operación Soberanía de 1964 contra los campesinos comunistas del sur del Tolima[27].
Alfonso López Michelsen (Liberal)	Misión de las Fuerzas Militares de los Estados Unidos de América en la República de Colombia.

Unidos y antiguo agregado militar en Argentina; y, finalmente, el oficial administrativo del equipo, Bruce Walker, un antiguo teniente de los Marines, experto en América Latina y especializado en apoyo tierra-aire en Corea.

25 Dennis M. Rempe, *The Past as Prologue? A History of U.S. Counterinsurgency Policy in Colombia,* 1958-66. Marzo de 2002. En www.stretegicstudiesinstitute.army.mil/pdffiles/pub17.pdf. Citado por Rafael Pardo, *op. cit.*, pp .109, 110.

26 Citado en http://colombiasupport.net/2014/01/como-el-washington-post-presenta-una-distorcion-de-colombia Véase también el texto de Renán Vega Cantor incluido en el informe de la Comisión Histórica del Conflicto y sus Víctimas, *Contribución al entendimiento del conflicto armado en Colombia*, *op. cit.*

27 Una de las discusiones en torno a esta Operación, que se inició el 27 de mayo de 1964, es su relación con el Plan Lazo y si en efecto este existió o si se llamó LASO como siglas de una operación llamada Latin America Security Operation. Al respecto véase en páginas siguientes el acápite "Marquetalia, del símbolo a la fundación de las Farc".

Fecha	Documento
22 de octubre de 1998	Plan Colombia: Plan para la paz, la prosperidad y el fortalecimiento del Estado
30 de agosto de 2004	Anexo al Convenio General para Ayuda Económica, Técnica y Afín
14 de marzo de 2007	Memorando de Entendimiento para una Relación Estratégica de Seguridad
30 de octubre de 2009	Acuerdo complementario para la Cooperación y Asistencia Técnica en Defensa y Seguridad entre los Gobiernos de la República de Colombia y de los Estados Unidos de América

Elaboración del autor con fuentes citadas.

Podría pensarse que hechos como las ejecuciones extrajudiciales —eufemísticamente llamadas "falsos positivos"—, aplicadas en el conflicto colombiano desde décadas atrás, propias de un Estado degradado, y que encuentran su sustento legal en la Directiva Ministerial Permanente N° 29/2005 del entonces ministro de Defensa, Camilo Ospina Bernal, que señala como asunto: "Política ministerial que desarrolla criterios para el pago de recompensas por la captura o abatimiento en combate de cabecillas de las organizaciones armadas al margen de la ley, material de guerra, intendencia o comunicaciones e información que sirva de fundamento para la continuación de labores de inteligencia y el posterior planeamiento de operaciones"— son secuelas de estos y muchos otros acuerdos, memorandos, planes y convenios. El documento en mención, calificado como secreto, deja claro que "El presupuesto asignado para el pago de recompensas establecidas en los numerales 3 y 4 de esta Directiva, provendrá del Ministerio de Defensa y estará financiado con recursos de la Nación y otros provenientes de cooperación económica nacional e internacional"[29].

29 Texto completo de la Directiva N° 29/2005 en http://www.justiciaporcolombia.org/sites/justiciaporcolombia.org/files/u2/DIRECTIVA_MINISTERIAL_COLOMBIA.pdf

Gobierno	Observaciones
Andrés Pastrana Arango (Conservador)	El eje central parecía ser la lucha contra el narcotráfico, pero la frontera entre la guerra contra las drogas y la guerra contrainsurgente siempre fue muy difusa, lo que facilitó la intervención con asesores militares y policiales, contratistas, armamentos y no pocas acciones encubiertas[28]. Derivados del Plan Colombia: Plan Patriota de 2004 y la Política Nacional de Consolidación y Reconstrucción Territorial de 2009, en el marco de la política de Seguridad Democrática del presidente Álvaro Uribe; Operación Espada de Honor, ya en el gobierno de Juan Manuel Santos.
Álvaro Uribe Vélez (hoy Centro Democrático)	Estableció un programa bilateral de control de narcóticos, las actividades terroristas y otras amenazas contra la seguridad nacional de Colombia.
Álvaro Uribe Vélez (hoy Centro Democrático)	Promover la Cooperación entre el Gobierno de la República de Colombia y el Gobierno de los Estados Unidos de América.
Álvaro Uribe Vélez (hoy Centro Democrático). Ministro de Relaciones Exteriores, Jaime Bermúdez.	Acuerdo militar para la instalación de siete bases militares dentro de bases colombianas. En agosto de 2010, la Corte Constitucional lo declaró sin vigencia, por ser un tratado internacional, y, por lo tanto, debía aprobase en el Congreso de la República.

28 http://www.derechos.org/nizkor/colombia/doc/planof.html

Capítulo aparte, pero no menos importante, ha sido la participación de militares y policías de países latinoamericanos en el Instituto de Cooperación para la Seguridad Hemisférica (WHINSEC, por su sigla en inglés), antes conocido como la Escuela de las Américas (SOA), fundada en 1946 por el Ejército de Estados Unidos en Panamá y que funcionó allí hasta el 21 de septiembre de 1984, cuando, a raíz de los tratados Torrijos-Carter, fue trasladada a Fort Benning, en el estado de Georgia. Este centro de formación policial y militar, con sus manuales de tortura desclasificados por el mismo Pentágono, tuvo entre sus alumnos más destacados a Vladimiro Montesinos, de Perú; a Hugo Banzer Suárez, de Bolivia; a Roberto d'Aubuisson, de El Salvador; a Leopoldo Galtieri, de Argentina; a Manuel Antonio Noriega, de Panamá; y a Manuel Contreras, de Chile, todos ellos tristemente célebres por su condición de dictadores o serviles de dictaduras militares represoras y violadoras de los derechos humanos. De acuerdo con la ONG School of Americas Watch (SOA Watch), con datos oficiales del WHINSEC, durante 2015 pasaron por allí 1.983 militares y/o policías; de ellos, 1.044 provenían de

Colombia, más del 50%[30]; en total, se formaron o se deformaron allí más de 60.000 militares y policías de 23 países de América Latina.

Contradicciones y rupturas en el campo comunista internacional

En el contexto de la Guerra Fría, el año de 1949 marcó profundas transformaciones en la geopolítica mundial. Entre el 17 de julio y el 2 de agosto de 1945 se había celebrado en la ciudad alemana de Potsdam una nueva conferencia entre los mandatarios de las tres naciones vencedoras en la Segunda Guerra Mundial: Truman, Churchill y Stalin. Ahí se decidió la partición de la Alemania derrotada: una región del oriente para los soviéticos, con la ciudad de Berlín enclavada en el centro; el noroccidente para los británicos; y el sur para los estadounidenses y franceses. En mayo de 1949, Estados Unidos, Francia y Gran Bretaña decidieron fusionar sus territorios, en lo que llamaron República Federal de Alemania (RFA o Alemania Occidental); a su vez, la Unión Soviética respondió conformando la República Democrática Alemana (RDA o Alemania Oriental). El Muro de Berlín, como el mayor símbolo del oprobio durante la bipolaridad mundial, vendría luego.

Las potencias occidentales habían parido meses antes un instrumento de cooperación militar: la Alianza Atlántica[31], que un año más tarde, con el inicio de la Guerra de Corea, se dotó de una estructura militar, la Organización del Tratado del Atlántico Norte (NATO, por su sigla en inglés). Para la URSS y los países bajo su órbita, la existencia de la OTAN y la inclusión en ella de la República Federal Alemana, en 1955, se constituyó en un peligro inminente que ponía en juego el débil equilibrio entre los bloques de Oriente y Occidente. Por eso optaron

30 http://soawlatina.org/images/cartel2016.jpg

31 El Tratado se firmó en Washington el 4 de abril de 1949 entre Estados Unidos, Canadá, Reino Unido, Francia, Italia, Noruega, Dinamarca, Islandia, Bélgica, Países Bajos, Luxemburgo y Portugal. Turquía y Grecia se adhirieron al Pacto en 1952 y Alemania Occidental en 1955; España lo hizo en 1982, tras la muerte del dictador Francisco Franco.

por su propia Alianza, el Pacto de Varsovia[32], que bajo la hegemonía política y militar soviética comprometía a sus aliados en fórmulas de cooperación y asistencia. Paradójicamente, este instrumento de amistad y defensa mutua sirvió a la URSS para acallar la revolución popular en Hungría en 1956, para extinguir el Octubre Polaco del mismo año y para invadir a Checoslovaquia en 1968.

El complejo año de 1949 seguía su curso. El 29 de agosto, los soviéticos detonaron su primera bomba atómica, como demostración a Estados Unidos, y al mundo, de que el poderío nuclear sería compartido. En secreto, durante cuatro años, desde las bombas atómicas sobre Hiroshima y Nagasaki, la URSS trabajaba en un proyecto ultrasecreto dirigido por el comisario de Asuntos Internos, el temible Lavrenti Beria, el hombre de la seguridad del Estado, uno de los incondicionales de Stalin.

Mientras tanto, en el Lejano Oriente, una revolución ya se asomaba. Al frente del Ejército Rojo (Ejército Popular de Liberación) y bajo la dirección el Partido Comunista Chino, Mao Tse Tung encabezaba la lucha de campesinos y obreros por la liberación nacional y social en contra de sus antiguos aliados en la guerra contra el invasor japonés: el Partido del Kuomintang del generalísimo Chiang Kai-shek, hombre fuerte del gobierno nacionalista que, tras la derrota comunista, se guareció en el territorio insular chino reclamándose como dirigente de la República de China, y siempre con el apoyo de Estados Unidos.

El triunfo de la Revolución el 1° de octubre dio paso a la República Popular China e inclinó temporalmente la frágil balanza de la bipolaridad mundial en favor del campo comunista internacional. Mao demostró la validez de las tesis y práctica de la guerra de guerrillas, que aplicó durante las distintas etapas de la guerra popular prolongada; la Gran Marcha, de más de 12.000 kilómetros y 370 días, iniciada en octubre de 1934, fue una proeza marcada por la conquista y pérdida de territorios, hasta obtener el poder y expulsar a los nacionalistas a la Isla de Formosa. El camarada Mao proclamó la nueva República y el

32 Se firmó el 9 de mayo de 1955 por parte de la Unión Soviética, Albania, Bulgaria, Checoslovaquia, Alemania Oriental, Hungría, Polonia y Rumania. A raíz del cisma chino-soviético, Albania abandonó el Pacto en 1962 y se alineó con China.

nuevo Gobierno Central con el Programa Común, que "[...] ejercerá la dictadura democrática popular en todo el territorio chino, dirigirá al Ejército Popular de Liberación en la prosecución, hasta el fin, de la guerra revolucionaria para eliminar a las tropas remanentes del enemigo y liberar todo el territorio nacional, consumando así la gran obra de unificar a China [...] Se unirá y aliará con todos los países, naciones y pueblos amantes de la paz y la libertad, en primer lugar con la Unión Soviética y las Nuevas Democracias, y luchará junto con ellos contra las intrigas de provocación bélica de los imperialistas"[33].

Las tácticas y estrategias de Mao en la guerra de guerrillas fueron enseñanzas recurrentes para varias generaciones de guerrilleros en América Latina y en el mundo entero. Muchos de los teóricos y expertos de la lucha armada, entre ellos el Che Guevara, primero leyeron y asimilaron las enseñanzas de Mao y luego se fueron a las montañas a llevarlas a la práctica; sus múltiples escritos recogen tesis sencillas, por lo general extraídas de la cotidianidad de la lucha armada: "Cuando el enemigo avanza, nosotros retrocedemos; cuando el enemigo hace un alto y acampa, nosotros lo molestamos; cuando el enemigo trata de evitar una batalla, nosotros lo atacamos; cuando el enemigo se bate en retirada, nosotros lo perseguimos"[34]. Libros como los *Seis escritos militares, Sobre la guerra prolongada, Servir al pueblo, Las citas de Mao, Sobre la nueva democracia*, y muchos más, hicieron parte de las mochilas guerrilleras a lo largo y ancho del planeta y alimentaron teóricamente los dogmas y esquemas de la izquierda.

Aunque la República Popular China pasó a ser un cercano y natural aliado de la URSS y nuevo actor en la compleja geopolítica de la Guerra Fría, desde los albores de la Revolución buscaba su propio perfil en el contexto internacional, por fuera de las dos superpotencias. La relación entre soviéticos y chinos, cabezas visibles del Movimiento Comunista Internacional (MCI), estaba cruzada por sonrisas recíprocas y mutuos halagos; era un encuentro de conveniencias y no solo de identidades políticas e ideológicas. En la lucha

33 Mao Tse Tung, "Viva la gran unidad del pueblo chino", *Obras escogidas*, Ediciones en Lenguas Extranjeras, Pekín, primera edición, 1977. Mao Tse Tung, *Mi vida*, entrevista del periodista Edgar Snow, Buenos Aires, Editorial Quetzal, 1973, pp. 62-63.

34 Mao Tse Tung, *Mi vida, ibid.*

contra el capitalismo era vital para la URSS contar con un nuevo aliado comunista, en este caso la nación más poblada del mundo; para China, devastada por la guerra y con evidentes atrasos en la agricultura y la industria, la alianza con los soviéticos le significaba asistencia técnica, ayuda económica y asesoría militar. China ponía la mano de obra, y la URSS, los recursos y los asesores, como sucedió en el transcurso de la Guerra de Corea, donde combatieron las tropas chinas y el armamento era soviético.

En la península de Indochina estaba próximo a estallar otro conflicto, herencia de la Segunda Guerra Mundial y nuevo escenario de la Guerra Fría: el Viet Minh[35], dirigido por el legendario Ho Chi Minh, *El Tío Ho*, alcanzó la independencia de Vietnam el 2 de agosto de 1945 tras la rendición de Japón, que había recibido la Indochina francesa de la Alemania nazi. El inmediato regreso de los franceses a la Península generó una guerra de liberación nacional, la Guerra de Indochina en contra de Francia, una de las naciones colonialistas más poderosas del Bloque Occidental, apoyada por Gran Bretaña y posteriormente por Estados Unidos. China y la URSS respaldaron al Viet Minh con armamento liviano y pesado, con lo que alcanzó una fuerza de miles de milicianos, combatientes y tropas especializadas.

En 1954, el mítico general Vo Nguyen Giap dirigió durante más de dos meses la batalla decisiva de Dien Bien Phu, en vísperas de celebrarse, en Ginebra, la conferencia de paz que sirvió para acordar el fin de la guerra, que significó la independencia de los territorios de Laos y Camboya y la división de Vietnam, por el Paralelo 17, en un Norte comunista, presidido por Ho Chi Minh, y un Sur como baluarte contra el comunismo, alineado con Estados Unidos, con Ngo Dinh Diem como presidente. La guerra culminó, temporalmente, con 95.000 bajas francesas y 1.5 millones de vietnamitas muertos. La intervención abierta y a gran escala por parte de Estados Unidos llegaría pocos años más tarde. Como antesala se formó la Organización del Tratado del Sudeste Asiático (SEATO, por su sigla en inglés), para defenderse de chinos, coreanos y norvietnamitas comunistas que, de acuerdo con las

35 Liga para la Independencia del Vietnam.

apreciaciones de Dulles, el secretario de Estado de Estados Unidos, intentaban la expansión en toda la región.

La derrota de Francia en Vietnam fue el anticipo de muchas otras y la reafirmación de que la lucha anticolonial era irreversible: en Argelia, el Frente de Liberación Nacional realizaba campañas militares en contra de la administración francesa; para 1956, esta organización contaba con cerca de 20.000 combatientes. Fue en ese momento cuando Francia decidió el envío de medio millón de soldados; el FLN todavía tenía por delante una guerra que ganar; mientras tanto, en los "protectorados" franceses de Marruecos y Túnez se negociaban ya las respectivas autonomías e independencias, que estuvieron precedidas de expresiones armadas de sus pueblos[36]. De la mano creció el movimiento de países que proponían el no alineamiento; en la Conferencia de Bandung (Indonesia), en 1955, veintitrés naciones asiáticas y seis africanas propusieron mantenerse al margen de las superpotencias y su Guerra Fría, que amenazaba los frágiles procesos de descolonización en África y Asia. Los líderes de los No Alineados (NOAL) —el mariscal Josip Broz Tito, de la República Socialista Federativa de Yugoslavia; el primer ministro de la India, Jawaharlal Nehru, y el presidente de Egipto, Gamal Abdel Nasser[37]— propugnaron ideas cardinales como la lucha contra el colonialismo en todas sus expresiones, el nacionalismo, el antiimperialismo, el rechazo a la política de bloques y la coexistencia pacífica.

Hasta entonces, las relaciones entre soviéticos y chinos fluían en medio de altibajos, gracias a las gestiones diplomáticas de unos y otros. Sin embargo, la luna de miel no sería de larga duración. El elemento central que resquebrajó las relaciones en el campo socialista y precipitó el cisma chino-soviético se presentó poco después de la muerte de José Stalin, ocurrida el 5 de marzo de 1953, cuando Nikita Jruschov, como sucesor de Stalin y nuevo secretario general del Partido Comunista de

36 "Descolonización profiláctica" la denominó Eric Hobsbawm en su clásico libro *Historia del siglo XX*, Barcelona, Grijalbo, 1995. A finales de los años cincuenta, algunos países colonialistas entendieron que era preferible conceder la independencia formal a algunas colonias, manteniendo la dependencia económica y cultural; de lo contrario, serían inevitables las guerras que terminarían en la independencia y el establecimiento de nuevos regímenes comunistas.

37 Promotor del panarabismo a través de la República Árabe Unida (RAU).

la Unión Soviética (PCUS), inició en la URSS el proceso de desestalinización lanzando duras críticas al "endiosamiento", combatiendo el culto a la personalidad y denunciando las "purgas" contra acusados de "actividades antisoviéticas" durante el período del estalinismo.

En el XX Congreso del PCUS, en febrero de 1956, se ratificaron los postulados de la revolución democrático-burguesa y se reafirmaron los términos del "deshielo" y la coexistencia pacífica entre las dos superpotencias. Los chinos y sus aliados, por su parte, se apegaron a la figura de Stalin, reivindicándolo como la continuidad del marxismo-leninismo; para ellos, la política del "social-imperialismo soviético" no era más que la conciliación con el capitalismo y las burguesías de cada país para frenar la lucha de clases e impedir el desarrollo de las revoluciones llamando a la vía pacífica para acceder al poder y construir el socialismo. El XXI Congreso, convocado para la primavera de 1959, reafirmó y profundizó las tesis planteadas por la nueva dirigencia soviética.

En la Conferencia de los 81 partidos comunistas y obreros del mundo, celebrada en Moscú en noviembre de 1960, Jruschov expuso su estrategia, concebida como la síntesis entre la necesidad práctica de mantener la paz con Estados Unidos y la necesidad objetiva de impulsar los procesos tercermundistas de liberación nacional. El Partido Comunista Chino, el segundo más poderoso en el mundo, presentó la "Propuesta de Línea General para el Movimiento Comunista Internacional", en la que caracterizaba la revolución socialista, los movimientos de liberación y su papel en el proceso revolucionario. De igual forma, los líderes del Partido del Trabajo de Albania (PTA), con Enver Hoxha como presidente de la República Popular de Albania, terciaron en favor de las posiciones chinas y criticaron duramente la posición "antimarxista" de los comunistas soviéticos: "La Declaración de Moscú de 1957, al igual que el proyecto de declaración que se nos ha presentado, constatan que el revisionismo constituye el principal peligro en el movimiento comunista y obrero internacional. En la Declaración de Moscú de 1957 se subraya con justa razón que la fuente interna del revisionismo es la existencia de la influencia burguesa, mientras que la capitulación ante la presión del imperialismo es su fuente externa"[38].

Las contradicciones entre los comunistas chinos y soviéticos saltaron a la luz pública y llegaron a su más alto nivel en octubre de 1961, cuando el primer ministro chino, Chou En-lai, se retiró de las deliberaciones del XXII Congreso del PCUS, que se realizaba en Moscú. En esa ocasión, Jruschov enfiló sus baterías en contra del dirigente de Albania por su defensa del estalinismo y las críticas a la URSS. Tanto los chinos como las representaciones comunistas de Vietnam, India, Japón y Corea del Norte se colocaron a favor de las posiciones del PTA. Pronto se daría también la ruptura de los albaneses con los soviéticos. El cisma en el campo comunista internacional estaba consumado.

En el marco de este debate internacional, y de las rupturas en el campo socialista, surgieron dentro de los partidos comunistas "prosoviéticos" de casi todo el mundo tendencias maoístas o "prochinas", autodenominadas M-L (Marxistas-Leninistas), que se convirtieron en organizaciones autónomas y opuestas a los tradicionales partidos alineados con la URSS, a quienes los maoístas tildaban de "contrarrevolucionarios" y "revisionistas" del legado de Marx, Engels, Lenin y Stalin. A su vez, estos criticaban las desviaciones "extremoizquierdistas", "guerrilleristas", "pequeñoburguesas" y "oportunistas". Las organizaciones bajo influencia de los soviéticos o de los chinos se convirtieron en verdaderos campos de batalla, donde se disputaban las lealtades de la militancia; las discrepancias de orden político e ideológico se empezaron a resolver a las malas, con expulsiones y señalamientos mutuos; tampoco faltaron delaciones, amenazas y hasta agresiones físicas. Como veremos más adelante, los comunistas criollos no fueron la excepción: prosoviéticos y prochinos, además de otras corrientes nacionalistas, guevaristas, proalbaneses, trotskistas, y hasta "socialdemócratas", se enfrentaron por definir el carácter de la revolución, la clase social o vanguardia —sujeto histórico— que debía dirigirla, la táctica y estrategia a seguir, los instrumentos y formas de lucha

38 Enver Hoxha, discurso pronunciado en nombre del Comité Central del Partido del Trabajo de Albania, en la Conferencia de los 81 Partidos Comunistas y Obreros, Moscú, 16 de noviembre de 1960, en https://www.marxists.org/espanol/enver/1960nov.htm#topp

fundamentales, los aliados y su papel en la revolución; una izquierda "menor de edad", sin capacidad de crear pensamiento propio.

Nacionalismos, revoluciones y contrarrevoluciones en los años cincuenta

Bolivia, 1952. El 9 de abril de ese año estalló una revolución popular armada dirigida por el Movimiento Nacionalista Revolucionario (MNR) de Hernán Siles Suazo, que contaba con un programa antiimperialista y nacionalista respaldado ampliamente por obreros, campesinos y sectores radicalizados de la pequeña burguesía. Al frente de la insurrección estaban los mineros de Oruro, Cochabamba y Potosí, quienes, dinamita en mano, conformaron milicias populares y llevaron al Gobierno a Víctor Paz Estensoro, ganador absoluto de las elecciones del 6 de mayo de 1951; los dueños del poder, de la tierra y de las minas de estaño, mediante un golpe de Estado y la instauración de una Junta Militar, le habían impedido asumir la Presidencia. No se trató entonces de un movimiento espontáneo, ya que, desde el año anterior, el MNR preparaba sus Grupos de Honor como estructuras militares y políticas clandestinas para apoyar un levantamiento armado que permitiera llevar al Palacio Quemado al presidente electo[39].

Las fuerzas insurrectas tenían el apoyo de la Policía, al mando del general nacionalista Antonio Seleme, cabeza visible del alzamiento, lo que permitió la victoria total en tan solo tres días. El nuevo gobierno fue apoyado discretamente por el Partido Comunista y los trotskistas del Partido Obrero Revolucionario (POR), que proponían construir un poder dual hacia la revolución socialista, sin entender las limitaciones del MNR y sus dirigentes, que ni eran comunistas ni pretendían un régimen con ese objetivo[40]. Una de las primeras medidas que tomó la nueva administración fue la fundación de la Central Obrera Boliviana (COB) como estructura gremial clasista que predicaba un sindicalismo revolucionario, ajeno a los partidos políticos, con predominio de los tra-

39 Para profundizar en los sucesos de 1952, sus antecedentes y consecuencias, véase el libro de Gerardo Irusta Medrano, *La lucha armada en Bolivia*, La Paz, Editorial Calama, 1988.

40 *Ibid.*, p. 117.

bajadores de las minas dirigidos por Juan Lechín Oquendo. Los grandes logros de la Revolución se concentraron en reforma agraria, sufragio universal, nacionalización de las minas, educación para todos y tímidos cambios en las Fuerzas Armadas.

En 1964, luego de doce años ininterrumpidos de gobiernos de la Revolución Nacional dirigida por el MNR, el general de aviación René Barrientos Ortuño, protector de criminales de guerra nazis y vicepresidente de la República, con el apoyo de la Embajada de Estados Unidos, dirigió un golpe de Estado en contra del mandatario Paz Estensoro. Uno más en la larga noche de las dictaduras en el continente. Desde la derechista Falange Socialista Boliviana hasta la izquierda aglutinada en la COB hubo coincidencias para el derrocamiento del presidente constitucional.

Dos años más tarde, en 1966, apareció por Bolivia la figura legendaria del comandante Ernesto Che Guevara encabezando de nuevo la lucha armada, a través del Ejército de Liberación Nacional (ELN). Entre los críticos a rajatabla del Che, y teóricos y analistas de la guerra de guerrillas en América Latina y el Caribe, se ha afirmado que la epopeya del Che en Ñancahuazú y la continuidad en el Teoponte fue un despropósito y un sinsentido que no consultó el contexto político y de los movimientos sociales en la historia de Bolivia[41]. Nada más lejos de la realidad. Aun sin tener toda la información y los elementos para el análisis de lo acontecido durante los gobiernos del MNR, el Che conocía y confiaba en las experiencias recientes de las luchas de mineros y campesinos, y estaba en la instalación de la base guerrillera de retaguardia cuando sus movimientos fueron detectados de forma prematura[42]. Muchos otros

41 En la guerrilla del Teoponte, continuación de la guerrilla del Che en 1970, en medio de bolivianos, chilenos, argentinos y brasileros, participó el colombiano Fabián Parga, conocido entre los combatientes como *Chuma*: "Nació aproximadamente en 1945 en Barrancabermeja (Colombia). Estudió hasta el último curso de medicina en la Universidad Patricio Lumumba de Moscú. Militó en el ELN colombiano. Participó en el entrenamiento en Cuba. Murió el 20 de septiembre de 1970 en la Loma del Porvenir". Tomado del libro *Sin tiempo para las palabras, Teoponte, la otra guerrilla guevarista en Bolivia*, Gustavo Rodríguez Ostria, Cochabamba, Grupo Editorial Kipus, 2015, p. 620.

42 En la relación Revolución Nacional de 1952 y guerrilla del Che en Bolivia se puede consultar el mismo texto de Gerardo Irusta Medrano, *De la Revolución Boliviana de 1952 hasta la guerrilla del Che*, y la intervención de Noel Pérez en la Cátedra libre Che Guevara,

factores jugaron en contra de la epopeya que el Che había iniciado hacía varios años, desde los días en la Sierra Maestra. Quizás antes.

Para Estados Unidos, la Guerra Fría le permitió diseñar una geopolítica de acuerdo con sus intereses y gobiernos afectos. La desestabilización se convertía en la tarea más importante en aquellas naciones donde se presumía que el comunismo ganaba terreno (ver cuadro p. 59).

Cuba, 1953. Si hay una fecha y un acontecimiento que marcan el inicio del actual ciclo de la guerra de guerrillas en América Latina y el Caribe es el 26 de julio de 1953, cuando el joven cubano Fidel Castro Ruz lanzó el asalto contra los cuarteles Moncada, en Santiago de Cuba —segunda guarnición militar en importancia—, y Carlos Manuel de Céspedes, en la ciudad de Bayamo, bastiones militares del régimen mafioso y dictatorial de Fulgencio Batista que, el 10 de marzo de 1952, derrocó a Carlos Prío Socarrás, presidente constitucional desde 1948.

Para Fidel, miembro del Partido del Pueblo Cubano (Partido Ortodoxo), fundado en 1947 por Eduardo Chibás, esta no sería su primera experiencia revolucionaria; ya había pasado por dos: la primera, la expedición de Cayo Confites de 1947 contra el dictador Rafael Leonidas Trujillo de República Dominicana, intento de invasión que se preparó en Cuba y partiría en septiembre de ese año, pero que fue frustrado por presiones trujillistas ante Estados Unidos y amenazas al Gobierno cubano: "Lo que más aprendí de aquello de Cayo Confites es cómo *no* se debe organizar algo"[43]. Uno de los artífices de Cayo Confites fue el escritor dominicano y líder de la oposición Juan Bosch, quien en 1962 fue elegido presidente. Antes de un año fue depuesto por una Junta Militar, y dos años después, en 1965, otra revuelta militar buscó restablecerlo en el Gobierno, pero ya era tarde: Estados Unidos invadió República Dominicana ese año con 42.000 marines.

en https://cefts.wordpress.com/biblioteca-virtual/teoria-del-campo-popular/de-la-revolucion-boliviana-de-1952-hasta-la-guerrilla-del-che/

43 Ignacio Ramonet, *Fidel Castro biografía a dos voces*, Bogotá, Random House Mondadori, Debate, 2006, p. 125. Léase también la entrevista a Fidel Castro sobre su presencia en Colombia en esos días, realizada por Arturo Alape para su libro clásico *El Bogotazo. Memorias del olvido*, Bogotá, Ocean Sur, 2016.

Estrategia comunista y tácticas

La estrategia comunista está ampliamente definida por el programa del 'frente de liberación nacional'. Todos los partidos comunistas de América Latina han adoptado este programa, que provee un estándar casi infinitamente flexible de operaciones. Esto permite alianzas con todos los grupos domésticos con la intención de seguir una política anti Estados Unidos o, de manera temporal, para que sirvan de portavoces de esta política. Por consiguiente, en el período de 1950 a 1952, cuando el antinacionalismo estadounidense se impuso en América Latina, los comunistas estuvieron dispuestos a apoyar a Perón en Argentina, a Ibáñez en Chile y al MNR boliviano. Sin embargo, desde antes y hasta ahora ciertos comunistas han sido tachados de fascistas. La prueba ha sido, simplemente, el grado de su disposición a cooperar con Estados Unidos.

La declaración comunista de objetivos y del 'frente de liberación nacional' incluye la extensión de la democracia y el mantenimiento del proceso constitucional, el desarrollo económico, la independencia de la economía nacional, la unidad y la libertad laborales, la reforma agraria y el bienestar para todos. Estos objetivos representan aspiraciones que se esperan con creces en América Latina y son los recursos de los líderes políticos que buscan el apoyo popular.

Con la destrucción del régimen de Árbenz, en Guatemala, dominado por el comunismo, los centros de la actividad comunista más importantes se encuentran ahora en Brasil y Chile. En estos países, la inestabilidad endémica social y política a lo largo de América Latina ha sido especialmente evidente en el ámbito de la libertad política. Ambos, Brasil y Chile, han sido señalados en el XX Congreso del Partido en Moscú como países en los que el 'movimiento de liberación nacional' está creciendo, y cuentan con casi dos tercios de los 250.000 miembros de los partidos comunistas de América Latina

Fuente: Department of State, *Communism in Latin America*, Secret Annex A (Prepared by the Office of Intelligencie Research, and attached for background information), April 18, 1956. The National Security Archive (NSA), Colombia and the United States: Political Violence, Narcotics and Human Rights, 1948-2010. Documentos desclasificados de diferentes agencias de seguridad del Gobierno de Estados Unidos.

La otra experiencia, bastante documentada por cierto, la definió Fidel como "de gran magnitud política"[44]. Ocurrió pocos meses después, a la 1:05 de la tarde del 9 de abril de 1948, cuando en Bogotá asesinaron a Jorge Eliécer Gaitán, con quien se había reunido dos días antes y tendría una nueva cita esa misma tarde. Fidel era un locuaz estudiante de la Facultad de Derecho de la Universidad de La Habana, de apenas veintidós años, y se encontraba en Bogotá promoviendo la organización de un Congreso Latinoamericano de Estudiantes. "Gaitán era una esperanza. Su muerte fue el detonante de una explosión. El levantamiento del pueblo, un pueblo que buscaba justicia, la multitud recogiendo armas, la desorganización, los policías que se suman, miles de muertos. También me enrolé, ocupé un fusil en una estación de Policía que se plegó ante una multitud que avanzaba sobre ella. Vi el espectáculo de una revolución popular totalmente espontánea"[45].

Los preparativos para el asalto al Cuartel Moncada comenzaron el mismo día del inicio de la tiranía de Batista; fue un trabajo de filigrana dirigido por el mismo Fidel, que recorría la Isla de arriba a abajo y de oriente a occidente para reclutar a jóvenes martianos, pertenecientes a la Generación del Centenario del apóstol José Martí, decididamente antibatistianos, en especial miembros de las Juventudes del Partido Ortodoxo. Los entrenamientos fueron rigurosos, y extremos la compartimentación y el secreto de los planes. El día anterior al asalto al Moncada, los insurgentes se ubicaron a las afueras de Santiago, en una pequeña granja llamada Siboney; llegado el momento decisivo, participaron directamente 160 combatientes, 40 en Bayamo y 120 en Santiago, todos con distintos tipos de armamentos y uniformados como soldados y sargentos del ejército de Batista. Fidel se colocó al frente de 90 combatientes que entrarían a ocupar la comandancia y las barracas en el Cuartel Moncada, mientras que Abel Santamaría[46], segundo al mando, avanzó por la parte trasera de la edificación. Antes de alcanzar el objetivo se rompió el factor sorpresa y se generalizó la

44 *Ibid.*, p. 111.

45 *Ibid.*

46 Muerto en la acción, hermano de Haydée Santamaría; junto con Melba Hernández, una de las dos mujeres que participaron.

balacera hasta que las fuerzas rebeldes, ante la superioridad del fuego enemigo, se replegaron.

El resultado del asalto al Cuartel Moncada fue desastroso: cinco muertos en los combates y 56 capturados y torturados, algunos asesinados; la situación para los asaltantes del Cuartel de Céspedes no fue nada distinta; tras un corto enfrentamiento, sufrieron diez bajas. Fidel decidió internarse en la cordillera de la Gran Piedra, junto con ocho de sus hombres, para continuar con su estrategia de guerra de guerrillas, pero fue capturado cinco días más tarde por una patrulla al mando del teniente Pedro Sarria, quien lo protegió. Esta primera batalla del futuro Movimiento 26 de Julio[47] (M-26-7), concebida como una intrépida acción de guerrilla urbana, fue un fracaso militar y se convirtió en un baño de sangre y represión, pero significó el inicio de la lucha armada y de un proceso político contra el régimen de arbitrariedad y entrega de Fulgencio Batista.

El colofón de esta primera parte de la historia de los revolucionarios cubanos fue el juicio a que fueron sometidos, la defensa y alegato de Fidel, la condena a quince años de prisión en la isla de Pinos y la amnistía para los "moncadistas" dos años más tarde: "En cuanto a mí, sé que la cárcel será dura como no la ha sido nunca para nadie, preñada de amenazas, de ruin y cobarde ensañamiento, pero no la temo, como no temo la furia del tirano miserable que arrancó la vida a setenta hermanos míos. Condenadme, no importa. La historia me absolverá"[48].

Guatemala, 1954. En las elecciones realizadas en marzo de 1951 triunfó Jacobo Árbenz Guzmán, joven capitán del Ejército que, tras jurar como segundo presidente elegido por voto popular, profundizó las reformas socioeconómicas que se adelantaba desde 1944, cuando el descontento social de obreros, campesinos y pobladores en armas derrotó a la dictadura del general Ponce y apoyó la formación de una junta cívico-militar de transición, denominada Junta Revolucionaria,

47 El 12 de junio de 1955 fue la fundación oficial, tras la salida de la cárcel de Fidel Castro y algunos de sus compañeros por una amnistía presidencial. Unos días después partirían al exilio en México.

48 Texto completo en http://www.prensa-latina.cu/Dossiers/Moncada/HistoriaMeAbsolvera.html

integrada por Jorge Toriello[49], abogado y hombre de negocios, y los oficiales demócratas Francisco Arana y Jacobo Árbenz. El triunvirato gobernó por cinco meses y convocó a una Asamblea Nacional Constituyente, que redactó y aprobó la nueva Constitución, realizó elecciones libres y entregó el Gobierno al nuevo mandatario, Juan José Arévalo.

En el período presidencial de Árbenz (1951-1954) se llevaron a cabo transformaciones institucionales que permitieron la reforma agraria (Decreto 900), que modificó el régimen de tenencia de la tierra y expropió más de 156.000 hectáreas ociosas de las 220.000 que poseía la United Fruit Company (UFCO), en la que los hermanos Dulles (Allen, director de la CIA, y John Foster, secretario de Estado) tenían grandes intereses como accionistas. Los contenidos antiimperialistas y democráticos del proceso político conducido por Árbenz, en alianza con integrantes del Partido Guatemalteco del Trabajo (Partido Comunista), produjeron una reacción virulenta en las más altas esferas del Gobierno de Estados Unidos y el inmediato apoyo de la CIA y del Departamento de Estado a la planeación de una incursión armada por parte del mercenario, anticomunista y ultraconservador coronel Carlos Castillo Armas, apoyado por otro anticomunista fervoroso: Anastasio *Tacho* Somoza García, dictador en Nicaragua, el mismo que en febrero de 1934 traicionó y ordenó la muerte de Augusto César Sandino, poco después de firmar un acuerdo de paz y de que el Ejército Defensor de la Soberanía Nacional (EDSN), conducido por Sandino, el "general de hombres libres", hubiera abandonado las armas… Una nueva traición en estas historias. En la gesta de Sandino participó como voluntario internacionalista un joven colombiano, llamado Alfonso Alexander Moncayo, a quien el general llamaba "mi mentor", y sus camaradas le decían "el Capitán Colombia". En los montes de las Segovias, donde se adelantó la lucha, el colombiano se encargó de adiestrarlo en las lides literarias, leyendo juntos poesía y practicando redacción de textos, "entre balazos y versos", diría Sandino. Al marcharse, Alexander le regaló el *Tratado de ortología y ortografía de la lengua castellana* de José Manuel Marroquín[50]. Alexander no fue el

49 Canciller durante el gobierno de Jacobo Árbenz (1951-1954).

50 Con información y el texto de Alejandro Bendaña, *Sandino: Patria y Libertad*, Managua, Ediciones Anamá, 2016, p. 470.

único colombiano junto a Sandino: "Teniente Rubén Ardila Gómez. Se presentó en nombre de los estudiantes universitarios de Colombia. Perteneciente a una familia muy distinguida y rica de su país. Un muchacho muy brillante. Peleó bravamente en varios combates y estuvo en mi guardia personal por mucho tiempo"[51].

El golpe de Estado contra Árbenz fue promovido por la CIA, que armó y entrenó a derechistas guatemaltecos exiliados en Honduras y Nicaragua; gobiernos como los de Trujillo, en República Dominicana, y Batista, en Cuba, apoyaban los siniestros planes. La operación fue identificada con el criptónimo PBSUCCESS[52], y fue la primera operación secreta de la CIA en América Latina, directamente autorizada por el presidente Eisenhower en agosto de 1953, con un presupuesto de 2,7 millones de dólares para guerra psicológica y acciones políticas. En junio de 1954, Eisenhower dio la orden de iniciar la invasión, luego de que se descubriera un envío de armas procedentes de Checoslovaquia a bordo del buque sueco *SS Alfhem*, que atracó en Puerto Barrios; el propósito de ese embarque era fortalecer y armar las milicias populares de obreros y campesinos ante un eventual golpe derechista. Como tantas veces, la CIA estaba enterada de los movimientos de compra y traslado de las armas y presentó el hecho como una prueba más de la participación comunista en el gobierno de Árbenz.

A las 8 de la noche del viernes 18, Castillo Armas, al frente de su ejército expedicionario de cerca de 300 hombres, llamado eufemísticamente "Ejército de Liberación", cruzó las fronteras desde Honduras y El Salvador. El 27 de junio, luego de días y noches de resistencia, combates y el bombardeo de aeronaves estadounidenses, Árbenz renunció, y el 3 de julio, el flamante coronel Castillo Armas entró a la capital de la mano de John Peurifoy, embajador de Estados Unidos. No hubo reacciones internacionales en contra, ni de la OEA, ni del

51 *Ibid.*

52 Nombre en clave de la Operación Éxito. La CIA estableció criptónimos para designar operaciones, países, regiones, personas o grupos de personas, a fin de mantener en secreto su identidad. En cada criptónimo, los dos primeros caracteres (dígrafos) corresponden a la categoría de país, persona, etcétera. En este caso, PB se refiere a Guatemala, y el nombre a continuación, SUCCESS, a la operación específica para terminar con el gobierno de Árbenz. La Operación Éxito estuvo precedida del plan de emergencia (Operación PBFORTUNE), primer intento contra Árbenz.

Consejo de Seguridad de la ONU[53], ni de las pocas democracias que aún subsistían en el continente. Unos meses antes, el tema había pasado por la reunión de la X Conferencia Interamericana de la OEA, en Caracas; Estados Unidos buscaba que por mayoría de dos tercios se aprobara una resolución que avalara la intervención armada en cualquier Estado miembro que cayera bajo el "dominio comunista" y se convirtiera en una amenaza regional. De los 20 votos emitidos, 17 fueron a favor, hubo dos abstenciones y 1 voto a favor de Guatemala, el de su propio representante.

En ese país se encontraba, desde finales de 1953, un joven argentino llamado Ernesto Guevara de la Serna, médico de profesión, aventurero y trotamundos por convicción, próximo a convertirse en revolucionario de tiempo completo. Entre los exiliados que por esos días pululaban por la capital guatemalteca revolucionada, conoció a la peruana Hilda Gadea, militante del APRA[54] y colaboradora del gobierno de Árbenz, con quien se casó el 18 de agosto de 1955 en la ciudad de Tepotzotlán (México). También se encontró con unos cubanos antibatistianos sobrevivientes del asalto al Cuartel Moncada, entre ellos Alberto *Ñico* López, que sobresalía por su estatura y extrema delgadez; sus caminos se cruzaron, se hicieron amigos inseparables, y fue Ñico quien le puso como sobrenombre *Che*, por esa exclamación tan frecuente y típicamente argentina.

El 14 de junio, tres días antes del golpe contra Árbenz, cumplió veintiséis años, y la vida lo ponía en el sitio y hora precisos para su bautizo de fuego: "Los últimos acontecimientos pertenecen a la historia, cualidad que creo que por primera vez se da en mis notas. Hace días, aviones procedentes de Honduras cruzaron las fronteras con Guatemala y pasaron sobre la ciudad a plena luz del día ametrallando gente y objetivos militares. Yo me inscribí en las brigadas de sanidad

53 El caso en el Consejo de Seguridad de la ONU no fue nada diferente: había recibido una solicitud del Gobierno de Guatemala para que actuara ante la invasión. El 25 de junio se votó en contra la solicitud de Guatemala; Francia e Inglaterra se abstuvieron, cuatro países (URSS, Nueva Zelanda, Líbano y Dinamarca) apoyaron a Guatemala y cinco votaron en contra, entre ellos Colombia, que participaba como miembro no permanente.

54 Alianza Popular Revolucionaria Americana, partido socialdemócrata, fundado por Víctor Raúl Haya de la Torre.

para colaborar en la parte médica y en brigadas juveniles (de la Alianza Democrática Comunista) que patrullan las calles de noche"[55].

Como era de esperarse, la dictadura generalizó la persecución contra funcionarios del anterior gobierno, reversó la reforma agraria y otras medidas populares e ilegalizó los partidos políticos y las organizaciones sindicales y campesinas. Todo vestigio de comunismo fue brutalmente reprimido, gracias a la "Ley penal preventiva contra el comunismo", y la CIA se encargó de recoger y fabricar elementos que probaran que el de Árbenz fue un gobierno dirigido por la URSS (Operación PBHISTORY). Pasado el golpe, el Che se refugió en la Embajada argentina, en la ciudad de Guatemala, y allí permaneció durante un mes. Después consiguió una visa para ir a México, al encuentro con su destino.

El 23 de mayo de 1997, la CIA desclasificó cerca de 1.400 páginas de los archivos de entrenamiento de la operación PBSUCCESS, incluido un manual sobre asesinato, titulado *A Study of Assassination*[56], en el que se explican y aconsejan paso a paso la planeación y las técnicas para cometer asesinatos políticos; ofrece descripciones detalladas de los procedimientos e instrumentos que se pueden usar: "Un martillo, hacha, llave inglesa, destornillador, atizador de fuego, cuchillo de cocina, lámpara de pie, o algún objeto duro, pesado y práctico será suficiente"[57]. En mayo de 2003 fueron desclasificados 12.850 documentos que la CIA tenía archivados como *top secret* sobre su papel en el golpe de Estado en Guatemala, una mínima parte de los archivos que aún ocultan una de las páginas de la infamia en América Latina.

Paraguay, 1954. Al general Alfredo Stroessner Matiauda se le recuerda entre los dictadores latinoamericanos, no solamente por dirigir un régimen autoritario y de terror en el que aniquiló a la oposición

55 Ernesto Che Guevara, notas de su diario en Guatemala, en Jon Lee Anderson, *Che, una vida revolucionaria*, Buenos Aires, Emecé Editores, 4ª edición, 1997, p. 163.

56 Este y otros documentos fueron desclasificados por la CIA, mediante el uso de la Ley de Libertad de Información (Freedom of Information Act, FOIA), promulgada en 1966, que consagra en Estados Unidos el derecho a acceder a información del Gobierno Federal. Se pueden ver en http://nsarchive.gwu.edu/NSAEBB/NSAEBB4/docs/doc02.pdf página web del National Security Archive (NSA) de la Universidad de George Washington, en Washington D.C.

57 *Ibid.*

democrática, sino también por haber sido el de más larga permanencia en el poder: 35 años, de mayo de 1954 a febrero de 1989. Tan férreo fue su gobierno y tan golpeada, y por lo tanto débil, la oposición, que cuando regresaron las democracias en los años ochenta a casi todos los países que padecieron dictaduras en la década anterior, al frente del Paraguay continuaba el general Stroessner, quien se convirtió en "decano de los dictadores en América Latina". Reconocido internacionalmente por sus posiciones anticomunistas, por sus nexos con otros tiranos de la región y por convertir su país en refugio de dictadores en desgracia y nazis consumados, como lo fueron Anastasio Somoza Debayle, de Nicaragua, y el nefasto Josef Mengele, integrante de las SS de Alemania y asignado como médico al campo de concentración de Auschwitz, donde realizó sus experimentos con seres humanos durante el régimen de Adolfo Hitler.

Stroessner llegó al poder mediante un golpe de Estado en contra de Federico Chaves, gobernante del Partido Colorado, un partido militar en el que participaba el mismo dictador. Para mantener las "formas democráticas", durante los años y elecciones siguientes fue propuesto siempre como candidato por los colorados, y electo sin rival político alguno. Desde que se inició su régimen, la oposición supo que la única opción que tenía para enfrentarlo era con las armas en las manos, en especial lo entendieron a raíz de la represión y el extremo autoritarismo que siguió a varios intentos insurgentes desde el Partido Liberal, entre 1956 y 1957. El exilio, la cárcel o la muerte eran el destino de los opositores. Desde 1959 se organizaron en Argentina los primeros núcleos guerrilleros paraguayos del Frente Unido de Liberación Nacional (FULNA) y del Movimiento 14 de Mayo, M-14 (fecha en homenaje a la Independencia Paraguaya, en 1811), que buscaban derrocar al tirano: "En la madrugada de hoy, 12 de diciembre de 1959, tropas del Movimiento 14 de Mayo para la Liberación Paraguaya irrumpieron en diversos puntos de la frontera, iniciando en esta forma la lucha armada contra la ignominiosa dictadura de Stroessner"[58]. Los múltiples esfuerzos fueron en vano; uno a uno, los planes insurgentes se desarticularon, y sus integrantes y dirigentes perseguidos, capturados,

58 Parte de Guerra N° 1 del Movimiento 14 de Mayo, en http://www.cedema.org/uploads/M-14-M_Parte01.pdf

salvajemente torturados y asesinados. El stroessnismo contaba con un amplio y eficaz sistema de seguridad; las redes de infiltración y corrupción beneficiaban a políticos, empresarios, militares y diplomáticos, todos al servicio del dictador, todos en favor de la contrainsurgencia, la lucha contra el comunismo y el terrorismo de Estado.

Asunción, la capital de Paraguay, fue escenario, muchos años después, de una de las acciones de guerrilla urbana más sorprendentes en la historia de la insurgencia latinoamericana: el 19 de julio de 1979, la insurrección popular armada, conducida por el Frente Sandinista de Liberación Nacional (FSLN), había derrocado la dictadura de Anastasio Somoza en Nicaragua. El tirano alcanzó a huir e intentó el asilo en varios países, pero fue rechazado, incluso en Estados Unidos. Finalmente, su aliado, Alfredo Stroessner, lo acogió y protegió. Catorce meses más tarde, el 17 de septiembre de 1980, un comando del Partido Revolucionario de los Trabajadores-Ejército Revolucionario del Pueblo (PRT-ERP) de Argentina, liderado por Enrique Gorriarán Merlo, *El Pelado,* lo ajustició en la Avenida Generalísimo Franco de la capital paraguaya a punta de fuego de lanzacohetes y fusilería. La acción fue preparada meticulosamente desde el mismo instante en que el dictador abandonó Managua, dejando un país saqueado y una carta de renuncia que denotaba su estirpe anticomunista: "He decidido acatar la disposición de la Organización de Estados Americanos y por este medio renuncio a la Presidencia a la cual fui electo popularmente. Mi renuncia es irrevocable. He luchado contra el comunismo, y creo que cuando salgan las verdades me darán la razón en la historia"[59]. La muerte de Somoza produjo un inmenso regocijo en Nicaragua. Las cuentas estaban saldadas.

En vísperas de la Navidad de 1992 se descubrieron en Paraguay los llamados "Archivos del Terror"; ya la dictadura de Stroessner había caído, los cambios no eran significativos pero el horror salía a flote. Toneladas de documentos, carpetas y libros secretos, escondidos en dependencias policiales, fueron hallados por un acucioso abogado y exprisionero político, Martín Almada, apoyado por jueces que allanaron dependencias oficiales. El mayor acervo documental sobre la guerra

59 Claribel Alegría y D.J. Flakoll, *Somoza: expediente cerrado. La historia de un ajusticiamiento*, 1ª. edición, Managua, El Gato Negro, 1993, p. 11.

sucia y la coordinación represiva entre las dictaduras de Brasil, Argentina, Chile, Uruguay, Bolivia y Paraguay reveló las verdaderas dimensiones del terrorismo de Estado, disfrazado bajo el nombre de Operación o Plan Cóndor, otra expresión de la Guerra Fría[60]. Lo que ya se sabía, y muchas víctimas habían padecido, estaba plasmado en miles de papeles oficiales, fotografías, fichas policiales, grabaciones, informes de prisioneros extranjeros, indagatorias y declaraciones que demostraban las responsabilidades y complicidades entre esos gobiernos del Cono Sur, la CIA, el Departamento de Estado, los servicios de inteligencia de otros países, partidos de ultraderecha, empresas transnacionales, mafias internacionales de contrabandistas, corrupción, narcotraficantes y reputados hombres de negocios[61]: "700.000 documentos que cubren 35 años (1954-1989), 740 cuadernos clasificados alfanuméricamente, 115 volúmenes de diarios de la Policía, 181 armarios de archivo, 204 cajas de fichas con informes y documentos de diverso origen, 574 carpetas con informes sobre reuniones y partidos políticos"[62].

La Operación Cóndor fue una expresión más de la Doctrina de Seguridad Nacional aplicada en todo el continente y tuvo sus antecedentes en el Programa Phoénix, una operación diseñada por la CIA durante la Guerra de Vietnam con el fin de identificar, neutralizar y eliminar apoyos, simpatizantes entre la población o miembros activos del Frente de Liberación Nacional de Vietnam (Viet Cong)[63]. Cualquier método, por ilícito que fuera, era considerado válido; se aceptaban

60 Entre el martes 25 de noviembre y el 1° de diciembre de 1975 se realizó en Santiago de Chile la Primera Reunión de Trabajo de Inteligencia Nacional, con carácter de "estrictamente secreta", a la cual fueron invitados países del Cono Sur. La invitación fue firmada por el general Manuel Contreras, director de Inteligencia Nacional en el gobierno del general Augusto Pinochet Ugarte.

61 Véase *Paraguay: los archivos del terror, papeles que resignificaron la memoria del stronismo*, de Alfredo Boccia Paz y otros, en http://www.portalguarani.com/631_rosa_palau_aguilar/6715_paraguay_los_archivos_del_terror_alfredo_boccia_paz_rosa_palau_aguilar_y_osvaldo_salerno_.html

62 Algunos datos cuantitativos sobre los archivos de la Operación Cóndor, en http://www.derechos.org/nizkor/doc/condor/anexo.html

63 Sobre la Operación Cóndor, véase el texto de Stella Calloni: *Operación Cóndor, pacto criminal*, publicado por la Editorial de Ciencias Sociales en La Habana en 2006. Igualmente, el libro de John Dinges titulado *Operación Cóndor: Una década de terrorismo internacional en el Cono Sur*, Ediciones B, 2004.

la fabricación de pruebas, los falsos testigos, las imputaciones amañadas, incluso lo que hoy se llaman "falsos positivos". Entre 1974 y 1976, tres hechos se convirtieron en emblemáticos de los propósitos y alcances de la Operación Cóndor: el asesinato del general chileno Luis Carlos Prats y su esposa en Buenos Aires; el intento de muerte contra el líder demócrata-cristiano chileno Bernardo Leighton; y el asesinato en Washington de Orlando Letelier, exministro de Defensa y de Relaciones Exteriores de Salvador Allende, presidente de Chile derrocado en 1973.

Por los contenidos de los "Archivos del Terror" se podría pensar que la tiranía de Stroessner fue el epicentro de la Operación Cóndor; otras dictaduras culminaron y se alcanzó el regreso a la democracia. La de Stroessner permaneció varios años más, y los documentos en los archivos reflejaron que las actividades continuaron más allá del fin de los regímenes despóticos del Cono Sur.

Argentina, 1955. Desde 1943, al frente de una corriente nacionalista y populista que comenzó a llamarse peronismo, el coronel Juan Domingo Perón —más tarde general— se había revelado en la política como un fenómeno de masas, apoyado por trabajadores, estudiantes, amas de casa y empleados medios, a quienes encauzó en sus luchas contra la oligarquía, el imperialismo y el gran capital. En las elecciones del 24 de febrero de 1946 fue electo por primera vez como presidente (1946-1952), ejerciendo un mandato en favor de los marginados; a su lado estaba Eva Duarte, *Evita*, la "madrecita" de los más pobres, de los descamisados, que conquistó el voto para las mujeres y la igualdad laboral con los hombres. Durante esta primera administración se convocó a una Convención Constituyente, que elaboró la Constitución de 1949, mucho más progresista y con énfasis en los derechos de los niños, las mujeres, los sindicalizados y los trabajadores del campo.

El 4 de junio de 1952, Perón se juramentó para un nuevo mandato (1952-1958); a su lado, Evita agonizaba. Con tan solo treinta y tres años de edad, murió de cáncer el 26 julio siguiente, sumiendo a los argentinos en un dolor indescriptible. Aún hoy, en los encuentros familiares y políticos de peronistas de viejo y nuevo cuño, se la recuerda con el afecto de quien evoca a la compañera que se fue, o a la abuela o la madre ausente. Los primeros años de la inconclusa segunda presidencia de Perón se caracterizaron por el duro enfrentamiento con la Iglesia católica a raíz de reformas anticlericales de corte liberal que agriaron las, hasta entonces, buenas relaciones entre Estado e Iglesia: la promulgación de la Ley de Divorcio, el reconocimiento de los derechos de los hijos ilegítimos, la apertura de establecimientos para el ejercicio de la prostitución, la prohibición de algunas fiestas y actos públicos religiosos, la abolición de la enseñanza religiosa en escuelas públicas y de la exención de impuestos a las propiedades eclesiales. Las jerarquías estaban muy molestas y aseguraban que Perón pretendía crear su propia iglesia, y así lo hicieron saber desde los púlpitos.

El descontento en los partidos de la oposición, la clase alta, la Iglesia, y dentro de la Marina de Guerra, creció día tras día. Entre tinieblas se fraguaba un golpe de Estado, y la fecha escogida fue el jueves 16 de junio de 1955, cuando se pretendía tomar por asalto la Casa Rosada, asesinar al presidente e instaurar un gobierno cívico-militar. Durante varias horas, la Plaza de Mayo, los edificios gubernamentales y sus alrededores fueron bombardeados por aviones de la Marina y la Fuerza Aérea. Los muertos fueron más de 300 y hubo alrededor de 800 heridos. Cuando la intentona fue controlada, las masas peronistas se dirigieron al Palacio Arzobispal, a la Curia y a varios templos católicos, y los saquearon, destruyeron, y les prendieron fuego. El hecho motivó aún más los afanes golpistas, que reunieron nuevos adherentes hasta que el 16 de septiembre siguiente lograron consolidar lo que se llamaría la Revolución Libertadora, un gobierno *de facto* dirigido por el general Eduardo Lonardi, reemplazado dos meses más tarde por el general Pedro Eugenio Aramburu, ambos jurados antiperonistas. "La consigna para todo peronista, esté aislado o dentro de una organización, ¡es contestar a una acción violenta con otra más violenta! ¡Y cuando uno de los nuestros caiga, caerán cinco de los de ellos!", había dicho el general Perón dos semanas antes desde el balcón de la Casa Rosada, mostrándose dispuesto a acogerse a la voluntad de los sindicatos que le pedían armas para defender el Gobierno. Sin embargo, ese 16 de septiembre, Perón abandonó la sede de Gobierno terminando así la Revolución Justicialista y se dirigió a Paraguay, y luego a Panamá, donde solicitó asilo político.

Pese a la represión, a la ilegalización del peronismo y a los propósitos de la dictadura de "desperonizar" a la sociedad argentina, incluso al prohibir mencionar los nombres de Evita y de Perón, la resistencia agrupada en el Movimiento Nacional Justicialista se organizó desde el mismo día del golpe de Estado. Al principio fueron acciones dispersas desde la clandestinidad, pequeños comandos que colocaban una que otra bomba, consignas y pintas por el regreso del general, como "Lucha y vuelve" y "Perón vuelve", que comenzaron a engalanar los muros del Gran Buenos Aires. A la entrada de las fábricas y centros de trabajo era frecuente ver piquetes de dirigentes sindicales y obreros que, en mítines relámpago, rechazaban las medidas de la dictadura. El intento más serio lo protagonizaron a mediados de 1956 los generales Valle y Tanco, que habían sido retirados del servicio y hechos prisioneros por orden del general Aramburu; junto con otros militares intentaron un golpe de Estado que fue desbaratado con rapidez, y todos los complotados fueron fusilados de forma clandestina por orden del general, incluidos los mismos generales que no tuvieron el respaldo de Perón ni de los peronistas. Desde ese momento, a la Revolución Libertadora, la ironía y el saber popular la llamaron "Revolución Fusiladora"[64].

Cuando Perón partió al exilio designó como su representante, "en todo acto o acción política" en Argentina, a John William Cooke, un influyente ideólogo del peronismo de izquierda, exdiputado. Luego del golpe a Perón, Cooke hizo parte del Comando Nacional Peronista, que en 1959 se unificó con el Comando 17 de Octubre para formar el Movimiento de Liberación Nacional-Ejército de Liberación Nacional, Uturuncos, primer grupo guerrillero en Argentina bajo la influencia de la Revolución Cubana de 1959[65]. Cooke y su compañera, Alicia Eguren, establecieron nexos muy cercanos con los cubanos e hicieron parte, en los años sesenta, de distintas experiencias guerrilleras en su país.

64 Rodolfo Walsh, *Operación Masacre*, en http://www.elortiba.org/masacre.html

65 Con información de: Base de datos de guerrillas en América Latina y el Caribe del autor y http://www.elortiba.org/cooke.html

Cuba: el primer triunfo revolucionario en América Latina

Dos años después del asalto al Cuartel Moncada, en julio de 1953, y del juicio y condenas a Fidel Castro y a los "moncadistas" capturados, el Congreso de Cuba, en sesiones extraordinarias del 18 y 19 de abril, aprobó por 114 votos a favor y ninguno en contra la Ley de Amnistía sobre Delitos Políticos. El 15 de mayo siguiente, Fidel y sus compañeros abandonaron el Presidio Modelo de la isla de Pinos. Una revolución los esperaba afuera. La primera tarea que emprendieron fue la de estructurar en la clandestinidad su propia organización política, a la que llamaron Movimiento 26 de Julio (M-26-7), que atrajo a grupos como la Acción Nacional Revolucionaria (ANR) de Frank País y Vilma Espín. "Bajo este nombre de combate, que evoca una fecha de rebeldía nacional, se organiza hoy y prepara su gran tarea de redención y de justicia el movimiento revolucionario cubano"[66].

En este momento, el Che Guevara ya estaba en contacto permanente con Alberto *Ñico* López y los otros "moncadistas" que huyeron de la persecución de las fuerzas de seguridad de Batista hacia la Guatemala de Jacobo Árbenz, y posteriormente a México. Por esa vía conoció a Raúl Castro, y un poco más adelante, en la casa de la cubana María Antonia González, a Fidel, de quien ya sabía cuáles eran sus propuestas políticas y también sus aventuras y desventuras. Fueron diez horas de una fructífera conversación en la que se identificaron y se pusieron de acuerdo: "Una sola cosa me dice: 'Fidel, una cosa te voy a decir [...] yo lo único que quiero es que cuando triunfe la revolución en Cuba, por razones de Estado ustedes no me prohíban ir a Argentina a hacer la revolución'"[67]. Años después, cuando el Che estaba camino a Bolivia, rememoró ese momento en su carta de despedida a Fidel, leída el 1° de octubre de 1965, cuando en Cuba se constituyó como tal el Partido Comunista: "Me recuerdo en esta hora de muchas cosas, de cuando te conocí en casa de María Antonia, de cuando me propusiste venir,

66 Conformado el 12 de junio de 1955 en una casa ubicada en la calle Factoría, en La Habana. Manifiesto N° 1 del 8 de agosto de 1955, "Al pueblo de Cuba", en http://www.cedema.org/ver.php?id=2832

67 Ignacio Ramonet, *op. cit.*, p. 162.

de la tensión de los preparativos. Un día pasaron preguntando a quién se debía avisar en caso de muerte y la posibilidad real del hecho nos golpeó a todos. Después supimos que era cierto, que en una revolución se triunfa o se muere (si es verdadera)"[68].

Cuando el Che hablaba de la "tensión de los preparativos", se refería a los días, semanas y meses de actividades febriles para organizar la expedición en el yate *Granma*. Entre esos "preparativos" se incluyeron las prácticas de tiro, la formación física en montañas y playa y la capacitación militar en el arte de la guerra, que les impartió el veterano general Alberto Bayo, combatiente de la Guerra Civil en España, nacido en Cuba cuando la Isla era colonia española[69]. Las medidas de seguridad para lo que Fidel planeaba y ejecutaba no fueron suficientes. La Policía Federal mexicana los detectó y capturó a veintidós de ellos, incluidos Fidel y el Che, que pasaron dos meses encarcelados en la Prisión de Miguel Schultz, en el D.F., por cuenta del capitán Fernando Gutiérrez Barrios, un joven funcionario de la Dirección Federal de Seguridad y, en las décadas siguientes, responsable de la seguridad y la inteligencia en México, señalado en algunos informes de ser el cerebro de la "guerra sucia" en su país[70]; Gutiérrez Barrios mantuvo durante muchos años su amistad con Fidel y con la Revolución Cubana, y desde su posición apoyó en los años ochenta algunas actividades de los exiliados en México.

Los revolucionarios cubanos fueron liberados pocas semanas después; los últimos en salir de la prisión fueron el Che Guevara, que, entre retador y convencido, se declaró comunista frente a las

68 La carta fue leída públicamente por Fidel el 3 de octubre de 1965 en La Habana, en el marco de la presentación del Comité Central del nuevo Partido Comunista de Cuba, que reemplazaba al Partido Unido de la Revolución Socialista. Texto completo en http://www.radiorebelde.cu/especiales/che/la-carta-despedida-che-salir-cuba-20131003/

69 En 1960 se publicó en La Habana su libro *Mi aporte a la Revolución Cubana*, Imprenta Ejército Rebelde, prologado por el Che Guevara: "Para mí, a quien él calificó como su mejor alumno, constituye un honor el poner estas líneas de prefacio a los recuerdos de un gladiador que no se resigna a ser viejo. Del general Bayo, quijote moderno que sólo teme de la muerte el que no le deje ver su patria liberada, puedo decir que es mi maestro". Bayo fue además autor del célebre libro *150 preguntas a un guerrillero*, un manual sobre la guerra de guerrillas.

70 Jorge G. Castañeda, *La vida en rojo. Una biografía del Che Guevara*, México, Alfaguara, 1997, p. 123.

autoridades, y Calixto García, indocumentado. Las gestiones para liberarlos las realizó directamente Fidel, y se valió de una relación estrecha con el expresidente Lázaro Cárdenas. En agosto se entrevistó con José Antonio Echeverría, presidente de la Federación Estudiantil Universitaria y líder del Directorio Revolucionario; juntos firmaron un compromiso, la *Carta de México*, según el cual se coordinarían en la lucha para derrocar la dictadura: "Que la FEU y el 26 de Julio hacen suya la consigna de unir a todas las fuerzas revolucionarias, morales y cívicas del país, a los estudiantes, los obreros, las organizaciones juveniles y a todos los hombres dignos de Cuba, para que secunden en este lucha, que está firmada con la decisión de morir o triunfar"[71].

Las vicisitudes propias de la operación del tamaño que tenían los del M-26-7 eran constantes. El último en incorporarse fue un muchacho que acababa de llegar de Estados Unidos en busca de los revolucionarios; se llamaba Camilo Cienfuegos, y en un principio fue rechazado por Fidel porque no había alcanzado a estar en los entrenamientos que impartía el general Bayo. El grupo tuvo que sumergirse en la más rigurosa clandestinidad hasta el zarpe del *Granma* por el puerto de Tuxpan, en Veracruz, el 25 de noviembre de 1956, con 82 apretujados pasajeros a bordo, incluidos cuatro extranjeros: un italiano, un mexicano, un dominicano... y el Che, como jefe de Sanidad. La azarosa travesía se hizo durante siete días, en medio de tormentas, de un mar embravecido y de la posibilidad real de ser detectados por la guardia fronteriza mexicana o por las fuerzas de Batista: "A la 1:30 o 2 de la madrugada, partimos a toda máquina; una vez mar afuera, cantamos dos himnos. Al poco rato, por mar picada, todo el mundo vomita y se sienten mareos. La segunda noche es la peor; nadie comía, poco a poco se van recuperando"[72].

Se dice que Fidel expresó pocos días antes de la partida: "Si salimos, llegamos; si llegamos, entramos; si entramos, triunfamos". La frase se volvió universal porque salieron, llegaron, entraron... y triunfaron, aunque ninguna de esas fases del proceso fue fácil. El arribo y desembarco a las 06:50 del 2 de diciembre, dos días más tarde de lo

71 Texto completo de la *Carta de México*, en http://www.cedema.org/ver.php?id=3466

72 Heinz Dieterich, Paco Ignacio Taibo II y Pedro Álvarez Tabío, *Diarios de guerra de Raúl Castro y Che Guevara*, Madrid, La Fábrica Editorial, 2006, p. 57.

planeado, fueron desastrosos: el *Granma* encalló en Los Cayuelos, una zona pantanosa a dos kilómetros de la playa Las Coloradas, a donde se pensaba llegar; los exhaustos combatientes tuvieron que atravesar el pantano con equipos, armas y lo que quedaba de vituallas a cuestas. Ya para entonces se había producido el levantamiento en Santiago de Cuba, dirigido por Frank País, jefe nacional de Acción y Sabotaje, encargado del trabajo urbano; la idea era que una insurrección en Oriente y otras acciones en las ciudades coincidieran con la llegada del contingente guerrillero, el 30 de noviembre. Una vez en tierra firme, sintieron el acoso de aeronaves militares que iniciaron la persecución ametrallando áreas cercanas; y, sin saberlo, por tierra también avanzaban las tropas, que fueron avisadas de las maniobras del desembarco.

El miércoles 6 de diciembre fueron sorprendidos por una compañía de alrededor de 140 soldados en una zona rural conocida como Alegría de Pío, donde se produjo la primera derrota de las fuerzas insurrectas. En la refriega, el Che salió herido en el cuello; otros, durante la confusión y la dispersión, fueron capturados y luego ejecutados para ser presentados como muertos en combate. En medio de la persecución, de fugaces enfrentamientos, del hambre, de la sed, del cansancio que los asediaba y del vuelo rasante, del ametrallamiento y del bombardeo desde los aviones, las diezmadas fuerzas revolucionarias continuaron el lento camino buscando la Sierra Maestra y buscándose entre ellos, separados en tres grupos, al mando de Fidel, Raúl y Juan Almeida. Así, trascurrieron dieciséis días desde el desembarco hasta que se produjo el reencuentro; se cuenta que el diálogo entre los dos hermanos fue:

—¿Cuántos fusiles traes? —pregunta Fidel a Raúl.

—Cinco.

—Y dos que tengo yo, siete. ¡Ahora sí ganamos la guerra![73].

Tras reagruparse, continuaron la marcha por las estribaciones de la Sierra Maestra con Fidel a la vanguardia; estaba más vivo que nunca, pese a que los diarios habían anunciado su muerte desde el mismo desembarco. La solidaridad de los campesinos y del grupo de recepción los protegía, y ya se habían incorporado nueve reclutas al grupo. Sin embargo, el panorama no era el mejor: de los 82 combatientes que

73 Heinz Dieterich *et al.*, *op. cit.*, p. 107.

llegaron en el *Granma*, solo continuaban quince. En esas condiciones, Fidel decidió reorganizar la fuerza con los 24 combatientes que ya estaban en filas y avanzar hacia al interior de la Sierra Maestra.

Nuevamente, la estatura del líder político y militar y de su Estado Mayor se puso a prueba. Conscientes de la necesidad de enviar un mensaje de esperanza y aliento a la población y a los militantes en el resto del país, planearon el primer contrataque en medio del cerco en que se encontraban. El objetivo fue el Cuartel de La Plata. El 17 de enero de 1957, a tan solo 45 días desde la llegada a Cuba, se produjo el asalto contra las precarias instalaciones, donde pernoctaban doce soldados al mando de un sargento. A las 2:30 de la madrugada, después de una aproximación sigilosa y la estratagema de utilizar a un mayoral esbirro de la dictadura como guía, abrieron fuegos, con el resultado de 3 soldados prisioneros, 2 muertos, 5 heridos y los demás fugados. Como suele escribirse en los partes de guerra, "sin novedad en las filas propias".

Todavía a la ofensiva, en pleno repliegue después de La Plata, Fidel decidió hacer una emboscada a una compañía de 45 hombres que los perseguía; se trataba de una típica acción de la guerra de guerrillas: escoger el terreno para el combate, esperar a una tropa enemiga en movimiento, para el caso, soldados del Batallón Especializado de Marina, que recibía asesoramiento directo de Estados Unidos. En la madrugada del martes 22 de enero comenzaron la larga espera y el silencio que antecede a una emboscada; los 6 soldados que marchaban en la punta de vanguardia fueron neutralizados; fue una acción rápida de tan solo 30 minutos, y luego la retirada organizada. El clásico "muerde y huye" que asimilarían posteriormente las guerrillas en otros países.

Atendiendo las consignas contrainsurgentes, el cerco militar de la tiranía iba acompañado de un cerco informativo; los medios de comunicación estaban al servicio de Batista y construían las noticias con base en la desinformación: que los guerrilleros habían sido aniquilados, que los campesinos apoyaban las acciones del Ejército, en fin, todo un sartal de mentiras completas y de verdades a medias. A estas alturas, Fidel y sus compañeros del Estado Mayor tenían claro que urgía conceder una entrevista a algún periodista nacional o internacional que estuviera dispuesto a subir a la Sierra y así romper la censura. La otra prioridad era convocar a una reunión de la Dirección Nacional del M-26, que estaba dispersa en distintas actividades por el país. Para cumplir con lo primero acordaron invitar al periodista Herbert Matthews, jefe editorial del prestigioso e influyente diario *The New York Times*, y quien había sido reportero en la Guerra Civil española y durante la Segunda Guerra Mundial; tenía, además, varios premios de periodismo. ¡Ni más, ni menos! Matthews subió hasta donde estaba Fidel, y la entrevista se hizo en la casa del guajiro Epifanio Díaz, colaborador de los guerrilleros desde el desembarco; fue una conversación de tres horas, en la que el líder rebelde le mostró su optimismo y dotes de dirigente, su ilimitada convicción en el triunfo de la lucha y en la derrota de la tiranía: "Es una batalla contra el tiempo, y el tiempo está a nuestro favor", le señaló.

Testigos elocuentes de la entrevista fueron un autógrafo de Fidel en la libreta de notas del periodista y una fotografía en la que aparecen entrevistador y entrevistado. "Visita al rebelde cubano en su refugio", así tituló *The New York Times*, en su edición del 24 de febrero de 1957, con la publicación de la primera de las tres partes de un reportaje que acaparó la atención mundial al mostrar a la sobreviviente guerrilla dirigida por Castro; las otras dos partes se publicaron el 25 y el 26. La noticia le dio la vuelta al mundo, y, para rematar, el mismo diario publicó dos días más tarde la única foto del encuentro, tomada por uno de los sobrevivientes del *Granma*, para demostrar que la entrevista sí se llevó a cabo. Fidel y sus rebeldes habían ganado una de las batallas más importantes durante la guerra: la batalla contra la desinformación. Así lo describió el periodista: "Es un hombre corpulento, de seis pies, con piel aceitunada, de cara llena, de barba dispareja. Vestía un uniforme color verde olivo y llevaba un rifle con mirilla telescópica del cual se siente orgulloso [...] Su personalidad es abrumadora. Es fácil convencernos de que sus hombres lo adoran y comprender por qué es el inspirador de la juventud de Cuba. Estaba frente a un hombre de ideales, de coraje y de cualidades para el liderazgo"[74].

74 Herbert Matthews, "Visita al rebelde cubano en su refugio", *The New York Times*, 27 de febrero de 1957.

Más adelante, la cadena CBS envió a los periodistas Robert Taber[75] y Wendell Hoffman, quienes filmaron un documental para la televisión, y en julio de 1958, la revista *Life* publicó un extenso reportaje a Raúl Castro a partir de la entrevista de Lee Hall y las fotografías de George Skadding. A futuro, dirigentes de distintos grupos guerrilleros en América Latina y el Caribe utilizarían este método para tratar de influir en la opinión pública, comunicar sus propósitos y los resultados de acciones políticas y militares.

A la dirigencia del Movimiento la convocaron para el 17 de febrero en la misma casa de Epifanio, en la vertiente norte de la Sierra, la cual ofrecía las condiciones para albergar durante varios días a la tropa sin ser detectada; las medidas de seguridad estaban en su máximo punto, ya que se había descubierto la traición de uno de los más importantes colaboradores de la guerrilla, el campesino Eutimio Guerra, que entregó valiosa información a cambio de prebendas económicas y fue capturado y "ajusticiado" ese mismo día. Al encuentro llegaron dirigentes que no se conocían pero que ya eran legendarios: Frank País, Celia Sánchez, Haydée Santamaría, Armando Hart, Vilma Espín y Faustino Pérez, casi todos habían sido dirigentes estudiantiles de clase media, como también lo eran Fidel, Raúl, Juan Almeida y el Che. Entre ellos y el Estado Mayor de la guerrilla en la Sierra revisaron y completaron el primer manifiesto programático, que había redactado Fidel, en el que se expusieron las razones del alzamiento armado y trazaron consignas para alcanzar la victoria. El documento firmado por Fidel se tituló "Al pueblo de Cuba" e iniciaba con una frase muy personal: "Desde la Sierra Maestra, a los ochenta días de campaña, escribo este manifiesto"; señalaba premonitoriamente los tiempos que estaban por llegar y el triunfo que ya se anunciaba: "La revolución no se detendrá. Los próximos días serán testigos de que ni la censura, ni la represión,

75 Taber escribió posteriormente un libro muy conocido entre los revolucionarios latinoamericanos: *La guerra de la pulga,* que en una analogía sintetiza: "[...] decimos que la guerrilla actúa en combate como la pulga y que su enemigo militar tiene las desventajas del perro: demasiado que defender; un enemigo excesivamente pequeño, ágil, con el don de la ubicuidad y que no se deja capturar. Si la guerra se prolonga lo suficiente —esto es en teoría—, el perro cede al agotamiento y la anemia, sin que sus dientes den con nada o sus patas logren algo eficaz al espulgarse". Robert Taber, *La guerra de la pulga*, México, Biblioteca Era Testimonio, 1967.

ni el terror, ni el crimen pueden hacer mella en la indomable voluntad de nuestro pueblo. La lucha se intensificará con ritmo creciente en todos los rincones de Cuba. Nada puede detener lo que está ya en el corazón y la conciencia de todos los cubanos"[76].

Un mes más tarde llegaron los primeros 53 reclutas enviados por Frank País desde Santiago, una tropa indisciplinada y con poca formación, según el Che, que fue quien los recibió y condujo ante Fidel. Cuando Frank País adelantaba esas tareas de reclutamiento fue capturado en Santiago y sometido a un juicio en el que no hubo condena, y por decisión del juez fue liberado, junto a otros compañeros[77]; el 30 de julio fue asesinado en una calle de Santiago, y su entierro se convirtió en una gran manifestación popular de rechazo a la dictadura. Durante los meses siguientes, los rebeldes continuaron en la fase de consolidación del Ejército Rebelde en medio de la persecución oficial. La lucha continuaba, y no solo por parte de los revolucionarios del M-26-7.

El 13 de marzo anterior se presentaron tres acciones suicidas en La Habana, promovidas por el Directorio Revolucionario (DR)[78], organización presidida por José Antonio Echeverría, dirigente de los estudiantes, con quien Fidel había firmado el 29 de agosto pasado la *Carta de México*. A las 3:15 de la tarde, en su táctica de "golpear arriba" —que los distanciaba del M-26-7—, comenzó el ataque al Palacio Presidencial por parte de cincuenta integrantes del DR que ingresaron en busca del tirano para liquidarlo en nombre del pueblo cubano; este, al escuchar los primeros disparos, alcanzó a escapar por una puerta secreta. De manera sincronizada, los asaltantes se tomaron la emisora Radio Reloj, desde donde se emitió una proclama que anunciaba la muerte del dictador, cosa que en efecto no ocurrió. Querían, igualmente, llegar hasta la Universidad de La Habana, donde

76 Oficina de Asuntos Históricos del Consejo de Estado de Cuba, Boletín N° 10, febrero de 2012, en http://www.siporcuba.it/Bolet%C3%ADn%2010.pdf

77 El Juez que ordenó la libertad de Frank País se llamaba Manuel Urrutia Lleó; al triunfar la Revolución, el 1° de enero de 1959 fue nombrado presidente.

78 A partir de esta acción se llamó Directorio Revolucionario 13 de Marzo; de sus posiciones insurreccionalistas, anticomunistas y cristianas, el DR-13 de Marzo fue alcanzando mayores identidades con el M-26-7.

establecerían su cuartel general y promoverían la insurrección popular. En los primeros combates con la Policía murió el propio Echeverría, después de su arenga radial; los grupos de apoyo no aparecieron, muchos de los combatientes no se presentaron en el momento de los enfrentamientos, y las operaciones fallaron, con el funesto resultado de 27 combatientes muertos; de los 20 que ingresaron al Palacio, solo 3 salieron con vida, una verdadera ratonera. Integrantes del 26 de Julio apoyaron a los del DR durante la cruel represión que a continuación desató Batista en contra de toda la oposición.

La iniciativa política y militar obtenida tras el combate de La Plata y la difusión de la entrevista en *The New York Times* tuvieron su continuidad al amanecer del 28 de mayo de 1957, con el temerario ataque al Cuartel de El Uvero, donde el Che Guevara, por su arrojo y desprecio al peligro, por su fortaleza espiritual y carácter, se ganó el nombramiento de comandante, grado reservado para Fidel Castro, comandante en jefe. Para ese entonces se contaba con 127 combatientes, casi todos armados gracias a lo recuperado en este ataque y a un embarque que les había llegado: "tres trípodes de ametralladora, tres ametralladoras Madsen, nueve carabinas M-1, diez fusiles de repetición Johnson y seis mil proyectiles"[79]. Esta acción de distracción —"acto de solidaridad", diría Fidel— buscaba disminuir la presión del Ejército contra nuevos expedicionarios que, a bordo del yate *Corinthya*, habían desembarcado por el norte de la provincia de Oriente con rumbo a la Sierra de Cristal. La incursión fue organizada por gente del Directorio Revolucionario y del Partido Auténtico del expresidente Prío Socarrás, el mismo que en México apoyó a Fidel con dólares para montar la empresa del *Granma*. Algunos alcanzaron a huir hacia las montañas y fueron perseguidos por el Ejército y masacrados; de los tres sobrevivientes, uno se enroló posteriormente en las filas del M-26-7: en síntesis, fue un fracaso mayor que el del *Granma*.

El Uvero fue una semidebacle, por la magnitud de los resultados en cuanto a pérdida de combatientes; según Fidel, "murió o fue herido un tercio de los participantes[80]"; de los 133 que estuvieron involucrados

79 Jon Lee Anderson, *op. cit.*, p. 268. Una "preciosa carga", según el Che.

80 Ignacio Ramonet, *op. cit.*, p. 175.

directamente en los enfrentamientos, de un lado o del otro, más del 25% quedó fuera de combate, que duró casi tres horas. Finalmente, los soldados se rindieron; murieron 6 guerrilleros; en las tropas oficiales fueron 14 los muertos y 19 heridos; al primero que curó el Che fue al médico militar del cuartel, y, cuando se repuso, juntos comenzaron a curar heridos de ambos bandos. La retirada la hicieron con 14 prisioneros que llevaron como seguro de vida para los dos heridos del Movimiento que tuvieron que dejar en manos de los soldados, por su grave estado. Pero El Uvero fue también un punto de inflexión en la guerra revolucionaria. La correlación de fuerzas comenzaba a inclinarse a favor de los rebeldes, que ya alcanzaban su madurez en el combate. A partir de ese momento, Fidel decidió desdoblar su Columna 1 y crear la segunda columna (se le llamó Columna 4, para aparentar así una fuerza superior), con el comandante Che Guevara al mando de 75 hombres, a quienes llamaba "los descamisados", y tres capitanes de destacamento: Ramiro Valdés, Lalo Sardiñas y Ciro Redondo. Tanto la Columna 1 como la segunda operaban en el occidente y el oriente del pico Turquino (a 1.850 metros sobre el nivel del mar). "La dosis de vanidad que todos tenemos dentro hizo que me sintiera el hombre más orgulloso de la Tierra ese día. El símbolo de mi nombramiento, una pequeña estrella, me fue dado por Celia junto con uno de los relojes de pulsera que habían encargado a Manzanillo"[81].

Las fuerzas de Batista comenzaron a cambiar sus tácticas; desplazaron a poblaciones enteras de la Sierra Maestra, convencidos de que le quitaban el agua al pez; los pequeños cuarteles como el de El Uvero fueron abandonados, y en su lugar se privilegió la movilización de fuerzas contraguerrilleras y el uso de la aviación para realizar bombardeos masivos. Mientras tanto, en el segundo semestre de 1957, el Ejército Rebelde logró una base segura en las montañas y crecer su pequeña fuerza, que atacaba y se replegaba, sorprendía a las patrullas militares que se atrevían a subir la Sierra, combatía en el terreno que escogía, emboscaba, y permanentemente estaba informado de los movimientos del Ejército, gracias a los apoyos que ganaba en la población: "Nosotros sabemos siempre dónde están los soldados, pero ellos nunca saben

81 Paco Ignacio Taibo II, *Ernesto Guevara, también conocido como el Che*, Bogotá, Editorial Planeta Colombiana S. A., 2010, p. 193.

dónde estamos nosotros. Podemos ir y venir a gusto, atravesando las líneas del Ejército, pero este nunca puede encontrarnos, a menos que lo deseemos, entonces, el encuentro se realiza en las circunstancias elegidas por nosotros"[82]. El arraigo en el terreno, superando la fase nómada, le permitió a la guerrilla sortear con éxito la ofensiva de invierno que lanzaron las tropas de Batista al finalizar 1957, el primer año de la guerra.

Durante 1958, los combates en contra de la dictadura se extendieron a la parte del llano y a las ciudades principales de Santiago y La Habana, donde se protagonizaron hechos propagandísticos propios de la lucha urbana como el secuestro del argentino Juan Manuel Fangio, campeón mundial de automovilismo en Fórmula I, que estaba en la Isla para participar en el Segundo Gran Premio de Cuba; la noticia del secuestro le dio la vuelta al mundo, y, luego de 27 horas, el piloto fue liberado. Coincide el hecho con la presencia en la Isla de un joven e inquieto periodista porteño llamado Jorge Ricardo Masetti, corresponsal de Radio El Mundo, que se enteró de la presencia en Cuba de su paisano, el comandante Che Guevara, y fue a buscarlo; quería hacer el primer reportaje al mito del hombre nuevo que nacía en la Sierra Maestra. En febrero de 1958 hizo los contactos respectivos con la red urbana del M-26-7 y lo condujeron, luego de extenuantes jornadas, hasta el cuartel general, donde logró entrevistar a Fidel y al Che. A partir de esta experiencia, Masetti escribió el libro *Los que luchan y los que lloran. El Fidel Castro que yo vi*, otro testimonio sobre la gesta de los revolucionarios cubanos. Masetti quedó enganchado con el Che, y en años posteriores sería una pieza fundamental en el intento de llevar la revolución a todo el continente, en particular a Argentina.

El Ejército Rebelde ya estaba organizado en dos columnas, al mando de Fidel en la Columna 1 y el Che al frente de la Columna 4; en marzo, Raúl y Juan Almeida fueron ascendidos a comandantes y se crearon la columna 6, "Frank País", y la 3, "Santiago de Cuba", bajo la conducción de los dos nuevos comandantes. Ya la guerrilla contaba con la emisora Radio Rebelde, que transmitía desde la Sierra Maestra, más concretamente bajo la responsabilidad de la columna del Che, y

82 Fidel Castro, en Robert Taber, *op. cit.*, p. 155.

era un medio de comunicación eficaz para divulgar los avances de la lucha y para transmitir las directrices del Estado Mayor a las distintas columnas y frentes. Para el 9 de abril de ese año, el M-26-7 y el DR-13 de Marzo convocaron a una huelga general que no dio los resultados esperados; desde la Sierra se hicieron operaciones militares de apoyo pero el sentido insurreccionalista de la huelga no coincidía con los esfuerzos del aún débil Ejército Rebelde.

El fracaso de la huelga general alentó a Batista, que ordenó una ofensiva del Ejército con más de 10.000 efectivos para tratar de establecer un gran cerco en torno a la Sierra: la Operación FF, que significaba Fase Final o Fin de Fidel; los distintos combates dejaron casi 1.000 bajas y unas tropas oficiales que ya presentaban síntomas de desgaste. Fueron setenta días de combate, en los que la guerrilla se fijó al terreno para defender sus posiciones desde trincheras y refugios antiaéreos. A la derrota gubernamental siguió la contraofensiva del Ejército Rebelde, que, junto a otras fuerzas revolucionarias y democráticas, había conformado el Frente Cívico Revolucionario de Oposición, que coordinaba las actividades y apoyaba la insurrección armada como medio para derrocar la tiranía. Las columnas guerrilleras ampliaron su radio de acción hacia otras provincias, formando nuevos frentes hasta alcanzar la Sierra del Escambray. Derrota tras derrota, el Gobierno fue perdiendo apoyo interno e internacional. La desmoralización era evidente en sectores de las Fuerzas Armadas: a diario se registraban deserciones, rendiciones en masa, fuga de armamento e información, y conspiraciones por parte de altos oficiales; otros no resistían los ataques y buscaban treguas o negociaciones con los rebeldes.

Por su parte, Estados Unidos mantenía una política ambigua hacia Cuba: en abril de 1958 prohibió la venta de armas, pero, en defensa de sus intereses económicos en la Isla, apoyaba —y asimismo condicionaba— otros apoyos al gobierno de Batista. A su vez, subrepticiamente, sectores de la administración gringa expresaban simpatías hacia Fidel, los barbudos y la unidad de la oposición, agrupada en el Frente Cívico y en el Pacto de Caracas que firmaron todas las organizaciones antibatistianas, con excepción de los comunistas. El pacto pidió explícitamente al Gobierno de Estados Unidos mantenerse fuera del conflicto y cesar el apoyo a la dictadura. Era tal la ambigüedad, que se recuerda que el embajador, Earl Smith, dejó una corona de flores sobre la tumba de Frank País, el joven dirigente del 26 de Julio asesinado en Santiago a mediados del año anterior. Antes de su asesinato, Frank País le había comunicado a Fidel el interés de Robert Wiecha, vicecónsul estadounidense en esa ciudad, señalado como agente de la CIA, de realizar un encuentro directo; Fidel lo aceptó, pero la muerte de País lo frustró[83].

El Ejército Rebelde contaba ya con casi 1.000 combatientes, que fueron distribuidos estratégicamente por toda la Isla. Ya nada los podía detener. El Che recibió la orden firmada por Fidel de "conducir desde la Sierra Maestra hasta la provincia de Las Villas una columna rebelde y operar en dicho territorio de acuerdo con el plan estratégico del Ejército Rebelde. La Columna N° 8, que se destina a ese objetivo, llevará el nombre de 'Ciro Redondo' [...] Se nombra al comandante Ernesto Guevara jefe de todas las unidades rebeldes del Movimiento 26 de Julio que operan en la Provincia de Las Villas [...] La Columna N° 8 tendrá como objetivo estratégico batir incesantemente al enemigo en el territorio central de Cuba e interceptar hasta su total paralización los movimientos de tropas enemigas por tierra desde occidente a oriente, y otros que oportunamente se le ordenen"[84]. Camilo Cienfuegos fue instruido con órdenes similares, asumiendo el mando de la Columna N° 2, "Antonio Maceo". Esta decisión estratégica de Fidel rompió el equilibrio de fuerzas porque desconcentró a la tropa batistiana, que estaba reducida a la defensa de oriente y la llevó a pelear en el centro y occidente de la Isla. Dispersa, fue más débil.

Para este momento, la suerte de la dictadura de Batista estaba echada. Los acontecimientos de los meses restantes del año 58 mostraron el poderío político y militar que alcanzó la lucha armada revolucionaria dirigida por Fidel, su liderazgo y capacidad para maniobrar en los escabrosos terrenos de la diplomacia y las alianzas, el fervor que despertaba en la gente y la ascendencia de su primera línea de mandos sobre la tropa. El triunfo estaba cerca, y el M-26-7 en la vanguardia de la oposición política y militar, incorporando a esta a los ortodoxos y auténticos, a los vacilantes comunistas y a los insurreccionalistas del Directorio Revolucionario,

83 Jon Lee Anderson, *op. cit.*, pp. 284-285.

84 Facsímil de la "Orden Militar", en *Ernesto Che Guevara*, *op. cit.*, pp. 250-253.

con los que se habían unido en la Sierra del Escambray bajo la consigna "Juntos estamos dispuestos a vencer o morir".

La toma de Santa Clara por parte de las columnas 8 y 2, del Che y de Camilo, en la última semana de diciembre, fue la batalla final y el puntillazo a la tiranía. En esa plaza militar, Batista contaba con 3.200 efectivos provistos de un tren blindado, tanques, tanquetas, morteros, bazucas, ametralladoras... y la aviación; las fuerzas revolucionarias sumaban cerca de 370 combatientes desnutridos y exhaustos: una relación de nueve a uno. Varios elementos jugaron en favor de los rebeldes: el factor sorpresa al llegar por la Ciudad Universitaria —el lugar menos esperado—, el apoyo popular convertido en milicias, la convicción de la victoria a la vuelta de la esquina, la descomposición de las tropas oficiales y la magnanimidad frente al enemigo derrotado. Durante cuatro días se combatió en las calles, casa a casa, fusiles contra tanquetas, pistolas contra morteros: un David contra un Goliat de pies de barro. Para neutralizar el tren blindado, por ejemplo, levantaron los rieles con una especie de retroexcavadora, y cuando trató de replegarse ante el fuego rebelde, se descarriló; ahí fueron rendidos 400 soldados, y dentro del tren, un arsenal como el que nunca habían visto, que serviría para armar a las fuerzas de reserva. A las 12:20 de la tarde del 1° de enero terminó la batalla por Santa Clara. El Che, con su brazo izquierdo fracturado y en cabestrillo con el pañuelo que le facilitó Aleida March, su compañera de vida por los años siguientes[85].

Para el 31 de diciembre, la mitad de la Isla estaba en manos de los rebeldes. Fidel ya se encontraba en Santiago, proclamada Capital Provisional de la República, y había sometido a la guarnición militar; "¡Revolución, sí! ¡Golpe militar, no!" era la consigna. En esas circunstancias, llamó a la huelga general y dio la orden a los mandos y tropas de avanzar hasta llegar a La Habana, hacia donde también se dirigía con 1.000 de sus hombres y 2.000 soldados que se pasaron a las filas rebeldes. Camilo Cienfuegos debía rendir y tomarse el Cuartel Columbia, sede del Estado Mayor del Ejército, y el Che entraría a ocupar la fortaleza de San Carlos de La Cabaña. Así lo hicieron despuntando el

85 Sobre la toma de Santa Clara véase Ernesto Che Guevara, *Pasajes de la guerra revolucionaria*, La Habana, Editorial de Ciencias Sociales, 1985, pp. 76-81. También, Paco Ignacio Taibo II, *op. cit.*

alba del 3 de enero, sin encontrar mayor resistencia, "[...] no tuvieron que disparar un tiro, ya la gente nuestra en La Habana tenía tomado todo; desmoralización total del adversario, el país entero parado, sublevación en la ciudad; en todas partes se sublevaron"[86]. Habían pasado cinco años, cinco meses y cinco días desde el intento de asalto al Cuartel Moncada, el 26 de julio de 1953.

Al amanecer del día siguiente, cuando apenas asomaba el año de 1959, Batista huyó para siempre de Cuba con cuatro aviones; iba con sus familiares y más cercanos colaboradores hacia Ciudad Trujillo, en República Dominicana. Allí lo esperaba su entrañable amigo, el generalísimo Rafael Leónidas Trujillo, quien desde mucho antes le profesó su amistad y apoyo. La entrada triunfal de Fidel Castro a La Habana —el 8 de enero— fue motivo de inmensa alegría para la población. Las banderas rojinegras del M-26-7 ondeaban en manos de alborozados cubanos; era tal la alegría y tal la multitud, que el ingreso de la caravana con Fidel a la cabeza se demoró doce horas en llegar al Palacio Presidencial, donde días antes se habían apostado las fuerzas del DR al mando de Faure Chomón. La magia que siempre acompaña a las revoluciones estaba presente en ese momento: en la Fortaleza Columbia, ante una masa pocas veces reunida, Fidel saludó la victoria con uno de sus maratónicos discursos, desde una de las tarimas instaladas para la ocasión. El mito del líder y su fuerza telúrica se sellaron cuando una de las palomas que por ahí revoloteaban se posó en su hombro izquierdo y permaneció impasible unos minutos; abajo, la muchedumbre atónita e incrédula no paraba de aplaudir.

Las primeras medidas de la Revolución no favorecieron a los latifundistas, ni a grandes propietarios, ni a algunas compañías extranjeras que tenían el 80% del control de los servicios públicos, el petróleo, el turismo y la banca cubanos. Sin embargo, la formación de un gobierno moderado, que tuvo como presidente provisional al magistrado Miguel Urrutia, y que incluía a revolucionarios del Partido Socialista Popular, del DR, del M-26, anticomunistas y hombres de empresa, apaciguó los ánimos dentro y fuera del país, particular y momentáneamente en Estados Unidos. En los primeros meses de 1959 se

86 Fidel Castro, en Ignacio Ramonet, *op. cit.*, p. 185.

intervinieron las propiedades que habían sido malversadas desde el inicio de la dictadura en 1952; los alquileres fueron rebajados en 50%, lo mismo que las tarifas telefónicas; se dictó la Ley de Reforma Agraria; los cuarteles se transformaron en escuelas y se organizaron los cuerpos de las Milicias Nacionales.

De esta manera se materializaba, y tomaba cuerpo, una revolución de carne y hueso. Ya no eran aquellas revoluciones soñadas o añoradas. Cuba demostraba que sí era posible. Sus héroes estaban ahí, desharrapados, irreverentes, sudorosos, victoriosos, barbados, informales, aún oliendo a sangre y pólvora. Una nueva página en la historia de América Latina se escribía, aquí cerca, y todos sentían como propio este triunfo. Ahí estaban la figura estoica y mítica del Che, el carisma y la sonrisa de Cienfuegos, el verbo y figura de Fidel. Ahora sí, los jóvenes decían: ¡la revolución es posible! Estados Unidos aplaudió inicialmente el derrocamiento de Batista. Eisenhower iniciaba el último año de su segundo período presidencial.

Al triunfo de la Revolución, el nuevo Gobierno de Cuba organizó las primeras estructuras del Estado que se encargarían de implementar sus políticas hacia organizaciones populares, grupos guerrilleros activos o en proceso de formación, movimientos de liberación y gobiernos afines en América Latina, África y Asia. Para el caso de grupos revolucionarios en el continente americano, por su proximidad geográfica y el apoyo que brindaron a la lucha del Movimiento 26 de Julio contra la dictadura de Fulgencio Batista, los cubanos crearon una Secretaría de Relaciones Exteriores, que dependía de la Dirección Nacional del 26 de Julio; un año más tarde conformaron el Instituto Cubano de Amistad con los Pueblos (ICAP), un organismo de solidaridad paralelo al Ministerio de Relaciones Exteriores (Minrex). Así mismo, en la promoción del apoyo a las relaciones entre los revolucionarios de diferentes países, y entre estos y los cubanos, se formó la Organización de Solidaridad de los Pueblos de Asia, África y América Latina (OSPAAAL), que impulsó la I Conferencia Tricontinental, en enero de 1966, y la creación de la Organización Latinoamericana de Solidaridad (OLAS) un año más tarde.

A finales de 1961 se organizó el primer "aparato" de inteligencia: el Viceministerio Técnico (VMT) del Ministerio del Interior (MININT), que asumió las tareas de atención a las organizaciones políticas del continente. El organizador y primer viceministro fue el comandante Manuel Piñeiro Losada, conocido con los seudónimos de *Petronio* y *XII*, y a quien sus compañeros de lucha llamaban cariñosamente *Barbarroja*, por eso, por su roja y larga barba. Funcionaban también en el MININT la Dirección General de Inteligencia y la Dirección General de Liberación Nacional; posteriormente tomaron la decisión de separar las tareas propias y altamente especializadas de inteligencia de aquellas relacionadas con el apoyo a los movimientos revolucionarios, y para ello crearon, en 1975, el Departamento América del Comité Central del Partido Comunista, dirigido por Piñeiro hasta su trágica muerte, en 1992.

Por el Departamento América pasaron cuantas conspiraciones y cuantos aprendices de guerrilleros quisieron relacionarse con Cuba, o a través de Cuba, con otras organizaciones u otros gobiernos revolucionarios de cualquier parte del mundo. Miles de intercambios y apoyos, desde América hasta el África, desde el Medio Oriente hasta el Caribe, desde Asia hasta Centroamérica o Suramérica, facilitados por países con embajadas en La Habana. Capítulo aparte fueron las Tropas Especiales de las Fuerzas Armadas Revolucionarias (FAR), que coordinaban con el Departamento América las tareas propias de la capacitación para la lucha clandestina: comunicaciones, artillería, guerra irregular rural y urbana, códigos y claves, inteligencia y contrainteligencia, en fin, todos los aspectos técnicos que pudieran aportar al desarrollo de los movimientos revolucionarios del continente.

El ejemplo cubano se irradió de inmediato y llegó a las manos, las mentes y los corazones de una generación impactada que buscaba horizontes nuevos y renovados. Cuba abrió sus puertas, y en la entrada, con la pluma y la espada, estaba el Che como anfitrión, maestro y ejemplo. El primero en llegar fue Jorge Ricardo Masetti, el periodista argentino que había estado con él dos veces en la Sierra. Se quedó a vivir en La Habana, fundó y fue el primer director de la agencia cubana de noticias Prensa Latina (Prela), que concentró a lo más granado del periodismo latinoamericano. Junto a él se encontraban plumas de la talla del colombiano Gabriel García Márquez, el argentino Rodolfo Walsh y el uruguayo Juan Carlos Onetti. La agencia buscaba "quebrar el monopolio periodístico de agencias 'capitalistas yanquis' como AP y UPI". Para Masetti no fue difícil hacerse buen amigo y confidente del Che. Ya en la Sierra Maestra pudieron compartir pensamientos, angustias y propósitos; ahora lo hacían con regularidad, acompañados de mate en las noches y madrugadas en las oficinas centrales de Prela o en el piso 9 del edificio A, en la Plaza de la Revolución, sede del Ministerio de Industrias, donde el Che ejercía como titular de esa cartera. Desde allí comenzaron a hacer planes y a conspirar en Argentina, su patria natal, y en el resto del continente.

Masetti, aparte de compañero y protegido del Che, como "comandante segundo" se convirtió en su discípulo y *alter ego* en el proyecto del Ejército Guerrillero del Pueblo (EGP), en Argentina; con él estaban otro argentino, Ciro Bustos, y un cubano, Hermes Peña. Por primera vez, y de manera directa, el Che le apostó a su propio proyecto de lucha armada, que no era simplemente poner en marcha un foco guerrillero. No. Con base en la experiencia de una revolución victoriosa, consideraba que las conclusiones y los aportes grandes a los movimientos revolucionarios se sintetizaban en tres: 1. Las fuerzas populares podían ganar una guerra contra un ejército; 2. No siempre había que esperar a que se dieran todas las condiciones para la revolución, el foco insurreccional podía crearlas; 3. En la América subdesarrollada, el terreno de la lucha armada debería ser básicamente el campo. El trasfondo de su gesta estaba en que creía ilimitadamente en una revolución continental y en la necesidad de evitar que el triunfo en Cuba fuera ahogado por presiones internas y de gobiernos latinoamericanos o de Estados Unidos.

Durante los años iniciales, miles de revolucionarios llegaron en busca del sustento político e ideológico, de apoyo económico y de entrenamiento militar para repetir la gesta cubana. Otros criticaban y consideraban que las condiciones en la Cuba de Batista eran excepcionales, y que por eso se había producido la victoria; que no se volvería a dar un proceso así. Los primeros alegaban que muchas de esas condiciones objetivas, políticas y sociales se repetían en el resto del continente y que, por lo tanto, se justificaba la lucha armada para derrotar a las oligarquías. El Che terció con un artículo publicado en abril de 1961 en la revista *Verde Olivo*, de las FAR, al reconocer las especificidades y el contexto de cada país y al resaltar, como factor común, que faltaban las condiciones subjetivas, referidas a la "conciencia de la posibilidad de la victoria por la vía violenta frente a los poderes imperiales y sus aliados internos"; señaló, además, que esas condiciones subjetivas las creaba la lucha misma, "de menos a más". En el mismo trabajo reconoció la validez de la vía electoral para alcanzar el triunfo revolucionario, lo que demostraba que no era *per se* un "tira tiros", como lo presentaban las burguesías latinoamericanas, el militarismo y algunos sectores de la misma izquierda: "Sería error imperdonable desestimar el provecho que puede obtener el programa revolucionario de un proceso electoral dado; del mismo modo que sería imperdonable limitarse a tan solo lo electoral y no ver los otros medios de lucha, incluso la lucha armada, para obtener el poder [...]"[87].

Entre los primeros beneficiados con el apoyo cubano estaban los sandinistas nicaragüenses, dirigidos por el exteniente Rafael Somarriba, que luchaban contra la dictadura de Somoza en la guerrilla de El Chaparral, en la que también participaba Carlos Fonseca Amador, posteriormente fundador del Frente Sandinista de Liberación Nacional (FSLN). Llegaron también estudiantes colombianos, liderados por Antonio Larrota, organizador de las protestas populares contra el alza del transporte; arribaron, igualmente, los peruanos Héctor Béjar y Javier Heraud, con una propuesta de formar el Ejército de Liberación Nacional (ELN)[88], para apoyar las luchas campesinas que dirigía Hugo Blanco, y con ellos, Luis de la Puente Uceda, quien estando en Cuba conformó el Movimiento de Izquierda Revolucionaria (MIR). De Venezuela llegó el ya legendario Douglas Bravo, que sería el comandante general de las Fuerzas Armadas de Liberación Nacional (FALN), en articulación con militares nacionalistas que participaron en el "Carupanazo" y en el "Porteñazo"[89]; los antitrujillistas de Re-

87 Ernesto Che Guevara, "Cuba, ¿Excepción histórica o vanguardia en la lucha contra el colonialismo?", Revista *Verde Olivo*, La Habana, 1961, en http://www.iade.org.ar/modules/noticias/article.php?storyid=2727

88 Tres miembros del ELN del Perú, Juan Pablo Chang, Lucio Galván y Restituto Cabrera, se unieron en 1966 a la guerrilla del Che en Bolivia.

89 Levantamientos cívico-militares del 4 de mayo y del 2 de junio de 1962 en Carúpano y Puerto Cabello.

pública Dominicana, que con 264 combatientes, entrenados en Cuba, iniciaron una expedición por aire y mar en junio de 1959 para derrocar al tirano; a la par, los guatemaltecos avanzaban en la formación del Movimiento Revolucionario 13 de Marzo, una organización en armas que nació del movimiento de militares jóvenes, entre los que destacaron Luis Turcios Lima y Marco Antonio Yon Sosa; igualmente se hicieron presentes los independentistas del Partido Nacionalista de Puerto Rico, que tenían a sus máximas figuras Pedro Albizu Campos y Lolita Lebrón, presos en Estados Unidos; integrantes de las Juventudes del MRL y de la JUCO de Colombia también acudieron a ese llamado de la historia.

Para el caso colombiano, el impacto de la Revolución Cubana fue decisivo en el surgimiento y evolución del movimiento guerrillero. La hora de la nueva izquierda revolucionaria y de la revolución había llegado.

II
Colombia:
los orígenes de las guerrillas revolucionarias

Las guerras decimonónicas y la Guerra de los Mil Días

El siglo XIX en Colombia se caracterizó por sangrientas y permanentes guerras y guerritas civiles entre los Estados soberanos o entre algunos de estos y el poder central; guerras entre liberales y conservadores, otras de liberales contra liberales, y no pocas guerras de conservadores aliados con liberales contra conservadores; guerras, en fin, dirigidas por miembros de las élites que, en sus ejércitos, incluían a los pobres perpetuos[90]. ¿Las causas? Siempre las mismas: la posesión y distribución de la tierra, el centralismo y las provincias siempre olvidadas, las dificultades fiscales, las crisis entre los partidos y los conflictos dentro de estos, la separación de la Iglesia del Estado y la educación laica o religiosa. Casi todas las confrontaciones culminaron con acuerdos de paz entre los bandos enfrentados o en amnistías e indultos para los rebeldes levantados en armas contra el gobernante de turno; en varios

90 Arturo Alape —en su obra *La paz, la violencia: testigos de excepción,* Bogotá, Planeta S. A., 1993— señala que entre 1863 y 1884 se presentaron 54 miniguerras civiles, así: "de conservadores contra liberales 14, de liberales contra conservadores 2 y de liberales contra liberales 38".

casos, al término del conflicto se convocó a una Asamblea Constituyente y se promulgó una nueva Constitución Política.

Las guerras civiles en el siglo XIX

Año	Orígenes/características
1810-1824	Guerra de Independencia. Tratado de regularización de la guerra.
1812	Guerra entre federalistas y centralistas.
1829-1830	Insurrección de José María Córdova contra Simón Bolívar. Asesinato de Córdova.
1839-1841	Guerra de los Conventos o de los Supremos, comandada por José María Obando.
1851	Guerra civil promovida por los terratenientes en contra las reformas del presidente José Hilario López, Revolución de Medio Siglo. En juego la liberación de los esclavos.
1854	Los artesanos pedían protección para sus productos. Las masas urbanas defendían las tierras ejidales, y los terratenientes buscaban adueñarse de ellas. Sociedades democráticas como milicias armadas bajo la consigna "pan, trabajo o muerte". Golpe de Estado del general José María Melo en contra del presidente Obando.
1859-1862	El problema religioso y la autonomía de los Estados. Revolución comandada por Tomás Cipriano de Mosquera contra el presidente conservador Mariano Ospina Rodríguez. Única guerra civil del siglo XIX ganada por los insurrectos. Constitución liberal de 1863.
1876-1877	Control del aparato educativo por parte de la Iglesia, soberanía de los estados. Revolución dirigida por conservadores en contra del gobierno radical de Aquileo Parra.
1884 -1885	Intervención del poder central en los estados. Propiedad de la tierra. Se presentó en la segunda presidencia de Rafael Núñez, abolición de la Constitución de 1863. Nueva Constitución en 1886, que restringió derechos y garantías de anteriores constituciones.
1895	Los artesanos y productores de quina en la quiebra se fueron a la guerra. Propiedad de la tierra. Presidencia de Miguel Antonio Caro.
1899-1902	Guerra de los Mil Días, enfrentamiento partidario abierto. Propiedad de la tierra. Acuerdos de Wisconsin, Chinácota y Neerlandia.

Elaboración del autor.

Los contenidos de los pactos variaban dependiendo de las causas de la guerra y del bando ganador. Los combatientes regresaban a sus actividades en el campo o se reciclaban para las próximas contiendas, sin importar mucho de qué lado iban a estar. Un tema que se hizo recurrente en esos acuerdos fue el trato respetuoso que se debía dar a los prisioneros de guerra, asistencia a los heridos y enfermos y respeto a la población civil. El 26 de noviembre de 1820 se suscribió entre Simón Bolívar, como presidente de la recién creada República de la Gran Colombia, y Pablo Morillo, comandante español del Ejército de Ultramar, el Tratado de Regularización de la Guerra, primero en su género en la historia de la humanidad, que contemplaba el cese de hostilidades entre los ejércitos patriota y español, el canje obligatorio de prisioneros, y las consideraciones a "los habitantes de los pueblos". Durante la guerra que se libró entre 1860 y 1861, guerra en el estado del Cauca contra el Gobierno Central —rebeldes liberales encabezados por Tomás Cipriano de Mosquera contra el gobierno conservador de Mariano Ospina Rodríguez—, se suscribieron el Pacto de Chinchiná, la Esponsión de Manizales y el Armisticio de Chaguaní, tres documentos que contemplaron el derecho de gentes, prohibieron los "actos de atrocidad y muertes en individuos rendidos" y acordaron la suspensión temporal de hostilidades. En la redacción de la Constitución de 1863, Constitución de los Estados Unidos de Colombia, se incluyó una norma que obligaba a las partes enfrentadas en una confrontación a aplicar el derecho de gentes[91].

La Colombia que despierta al siglo XX se encontraba enfrascada en la más violenta de sus guerras civiles: la Guerra de los Mil Días (1899-1902), de 1.131 días de duración, que fue la prolongación de los enfrentamientos de las élites bipartidistas padecidos hacía un siglo. Esta, al igual que las anteriores, trajo en su interior las razones para guerras posteriores. Cuando se inició el conflicto, el 20 de octubre de 1899, gobernaba un sector del Partido Conservador denominado

91 Véase *Las trampas de la guerra, periodismo y conflicto*, Bogotá, Corporación Medios para la Paz, 2001. Igualmente, mi libro *Un adiós a la guerra, memoria histórica de los procesos de paz en Colombia*, Bogotá, Planeta Colombiana Editorial S. A., 1997. Sobre este período, los trabajos contenidos en *Tiempos de paz. Acuerdos en Colombia 1902-1994*, edición de Medófilo Medina y Efraín Sánchez, Bogotá, Alcaldía Mayor de Bogotá, Instituto Distrital de Cultura y Turismo, 2003.

"los nacionalistas", expresión de la Regeneración[92] que concibió la oscurantista Constitución de 1886 en la presidencia de Miguel Antonio Caro, vigente por 105 años, hasta 1991. La crisis de los partidos políticos, reflejada en la negativa del Congreso de reformar la ley de elecciones para otorgar mayores garantías a los liberales, fue una de las causas que desencadenaron la guerra. Como rival de los conservadores nacionalistas, había un sector del mismo partido denominado "los históricos" que proponía mayor descentralización y estaba aliado con "los belicistas" del Partido Liberal en la oposición armada. Estos tenían ya un ejército rebelde, comandado por el general Rafael Uribe Uribe, heredero de la tradición guerrera del siglo que ya moría; en la dirección liberal estaban "los pacifistas" del Olimpo Radical, con Aquileo Parra a la cabeza, que hicieron todo lo posible por evitar la guerra.

Los rebeldes alcanzaron el punto óptimo de la victoria con el triunfo en una de las primeras batallas, la de Peralonso. A continuación fueron derrotados en la de Palonegro[93], la más sangrienta de todas las batallas en la historia de Colombia, en la que se enfrentaron, cuerpo a cuerpo, cerca de 25.000 combatientes y murieron más de 15.000. Este era el momento ideal para entablar una negociación, la cual se intentó, pero ganó la arrogancia gubernamental que reclamaba la humillación de los vencidos. Los campos donde hoy se encuentra el aeropuerto de Bucaramanga fueron el escenario del duelo mayúsculo de Palonegro, y quedaron sembrados de cadáveres insepultos; el hedor a muerte se mantuvo en la zona por muchos meses. Allí se levantó y permaneció durante décadas un monumento piramidal hecho con los huesos y cráneos de los insurgentes, como símbolo y memoria de la vergüenza de la guerra.

Aún lejano el final de la contienda, el fracaso de los liberales insurrectos, encabezados por el general Gabriel Vargas Santos como director general de la guerra revolucionaria, les significó perder la iniciativa, tener que dar un viraje de 180 grados en la táctica, olvidarse de las grandes batallas entre los grandes ejércitos y optar por una guerra

92 Movimiento político conservador dirigido por Rafael Núñez, cuatro veces presidente de Colombia, con participación de liberales moderados; "Regeneración administrativa fundamental o catástrofe" era su lema.

93 Del 11 al 25 de mayo de 1900.

de pequeñas escaramuzas y desgaste: la guerra de guerrillas. Con la batalla de Palonegro se selló la derrota estratégica de las fuerzas liberales; fue un fracaso del que nunca se podrían recuperar. Todo era cuestión de tiempo. Relatan que el general Próspero Pinzón, comandante de las tropas del Gobierno, le manifestó el 26 de mayo al arzobispo de Bogotá que, "Después de un largo y cruento batallar, Dios ha concedido la victoria al ejército defensor de la República Cristiana. Mis votos son que este triunfo sea propicio en bienes para la Iglesia y la Patria"[94].

La guerra se caracterizó por la intensidad de los combates y las atrocidades cometidas por los dos bandos; miles de niños —reclutados de manera forzada— y mujeres —a quienes llamaban "las juanas"— hicieron parte de los ejércitos como auxiliadores, estafetas o combatientes que suplían los escasos recursos bélicos con lo que hubiera a mano, incluso machetes, piedras y palos, además de viejas y oxidadas armas desenterradas de la anterior guerra civil, guardadas posteriormente para la siguiente contienda. La precariedad militar conducía a la inventiva: en algún momento, los generales rebeldes Benjamín Herrera y Lucas Caballero negociaron un pequeño vapor en la república de El Salvador, lo adaptaron con un cañón giratorio, más dos ametralladoras y cuatro cañones en los costados y lo bautizaron con el nombre de *Almirante Padilla*, para que vigilara las costas sobre la provincia de Panamá. Todo un monumento a la improvisación.

El golpe de Estado del 31 de julio de 1900, propiciado por los liberales pacifistas y los conservadores históricos, en favor del vicepresidente José Manuel Marroquín y en contra de presidente constitucional, Manuel Antonio Sanclemente, no ayudó a alcanzar la paz honrosa para parar la guerra, como les había prometido Marroquín; por el contrario, arreciaron los combates y la persecución se hizo más cruel.

Desde el exterior, los rebeldes recibieron apoyos solidarios para reforzar las acciones insurgentes: el primero en brindarlo fue el general ecuatoriano Eloy Alfaro, *El Viejo Luchador*, quien presidía con justicia su país y había liderado la Revolución Liberal de finales del siglo; en su territorio se reorganizaron las fuerzas del general Bustamante y se planeó asaltar la guarnición de Barbacoas, en el departamento de Nariño. El apoyo

94 Citado por María Emma Wills en el informe de la Comisión Histórica del Conflicto y sus Víctimas, *Contribución al entendimiento del conflicto armado en Colombia*, *op. cit.*, p. 763.

esperado de otros gobiernos amigos, como el de José Santos Zelaya, de Nicaragua, no estuvo a la altura de las necesidades de los liberales, pese a que entre este país, Venezuela, Ecuador y Colombia se había firmado el Tratado de los Cuatro, en apoyo de las revoluciones liberales de Colombia y Ecuador. El compromiso era que Nicaragua ponía territorio fronterizo para preparar las tropas, y Venezuela la plata; Alfaro colaboró a fondo, y en la práctica se convirtió en un general de las fuerzas liberales.

En el departamento de Panamá, la guerra tomó dimensiones dramáticas: las batallas del puente de Calidonia y de Aguadulce significaron sinsabores para las fuerzas rebeldes. Desde el exterior, también los ojos se posaron sobre el Istmo, donde los rebeldes, dirigidos por Benjamín Herrera, habían consolidado sus posiciones; ante una posible intervención militar de Estados Unidos, solicitada por el Gobierno de Colombia, Herrera hizo un llamamiento de soberanía a sus contendores: "¿No es cierto que es algo más que una vergüenza, una afrenta imborrable, el que tropas extranjeras vengan a pisar territorio nuestro para 'otorgar' garantías que solo a Colombia incumbe dar? Usted y todos los militares de honor y con ellos todos los patriotas, ¿no hemos sentido el más angustioso de los sonrojos con la lectura del cable en que de Nueva York se transmite la noticia de que el Gobierno de Colombia ha solicitado y obtenido la seguridad del Gobierno americano de que este 'no permitirá' el ataque a Panamá?"[95].

En los momentos de mayor intensidad, la guerra parecía encontrar luces al final del túnel, gestos de paz contrarios a la guerra que permitieron el intercambio de prisioneros como base mínima de la aplicación del derecho de gentes, tan ausente en esta confrontación. En las provincias cundinamarquesas de Tequendama y Sumapaz, con epicentro en el municipio de Viotá, se formó, a finales de 1900, la primera zona de distensión para permitir trabajar en paz en medio del conflicto; fue una decisión de los hacendados ricos de la región que pactaron con las fuerzas guerrilleras y las tropas conservadoras preservar ese espacio desmilitarizado, con propósitos exclusivamente económicos que beneficiaban a ambos bandos. Lentamente, las partes en la contienda tomaban consciencia frente a la inutilidad de la guerra: Uribe Uribe,

95 Lucas Caballero, *Memorias de la Guerra de los Mil Días*, Bogotá, El Áncora Editores Ltda., 1980, p. 106.

por ejemplo, se tomó el municipio de Corozal, y en octubre de 1900 decidió abandonarlo ante el asedio de su rival, y condiscípulo, el general Pedro Nel Ospina. En tono familiar y de despedida le dejó una carta en la que, entre otras cosas, le decía: "Conveniencias de guerra me aconsejan cederte a Corozal. Ahí te lo dejo con sus fiebres, su hambre y su aspecto antipático"[96].

El sinsentido de la guerra llevó al mismo general Uribe a dirigir una proclama a los liberales de Colombia, en la que ya consideraba el cese de la lucha armada: "El objetivo de la apelación a las armas no es la guerra por sí misma sino el triunfo. No se trata de ejecutar hazañas sino de vencer [...] Pero hemos llegado a un punto en que se impone la cesación de la lucha. El Gobierno es impotente para debelar la revolución, pero la revolución es impotente para derribar al Gobierno [...] envainemos los aceros para que el pueblo no diga que los contendores son cuadrillas de locos, igualmente ominosas ambas banderas, funestos sus caudillos, infernales sus armas [...]"[97]. Como tantas guerras, esta no iba para ningún lado.

El 12 de junio de 1902, transcurridos 32 meses de guerra, el gobierno conservador sorprendió con el Decreto 933, por medio del cual concedía indulto condicionado "[...] a todos los colombianos comprometidos en la revolución armada que tuvo principio el 18 de octubre de 1899 que se entreguen también las armas y todos los elementos de guerra que tengan a su disposición"; la medida exceptuaba a los responsables de delitos comunes y "[...] los cabecillas de expediciones organizadas en país extranjero para invadir territorio colombiano"[98]. Los generales Herrera y Uribe, como máximos jefes liberales de la guerra, coincidieron en que el triunfo era imposible y vislumbraron las ventajas de la paz. El 18 de octubre se pactó un armisticio, y, seis días después, se firmó el Tratado de Neerlandia[99], que reconoció a

96 Texto completo de la carta en: http://rafael-uribe-uribe-tw.blogspot.com.co/2009/11/carta-de-rafael-uribe-uribe-pedro-nel.html

97 Extracto de la Proclama citado por Iván Orozco Abad en *Combatientes, rebeldes y terroristas. Guerra y derecho en Colombia*, Bogotá, Editorial Temis S.A., 1992, p. 123.

98 Texto completo del Decreto 933 en: Corporación Medios para la Paz, *op. cit.*, pp. 92-94.

99 Por el nombre de la hacienda Neerlandia, propiedad de un rico holandés ubicada en la Zona Bananera, cercana al municipio de Ciénaga, en el departamento del Magdalena.

los revolucionarios el carácter de beligerantes, ofreció la libertad a los presos políticos y prisioneros de guerra y asignó pasaportes y auxilios de marcha a los combatientes que entregaran las armas.

Un mes más tarde, el general Herrera recibió un telegrama del almirante Silas Casey, comandante de la flota estadounidense fondeada en Panamá, donde le contaba que propuso al Gobierno su mediación y que esta había sido aceptada; lo invitaba al "terreno neutral" del acorazado *USS Wisconsin* a una reunión entre las partes contendoras para buscar un acuerdo. Receloso, el general Herrera acudió a la cita, donde discutió los términos de un acuerdo con los delegados gubernamentales, los generales Vásquez Cobo y Salazar; no fue fácil; hubo momentos de tensión y casi ruptura de las negociaciones. Herrera argumentaba a los suyos lo que suele decirse en estos casos: "¿Cómo es posible y prudente que vayamos a entregar, a cambio de promesas, un tan poderoso ejército como el nuestro, que ha demostrado ser invencible para el Gobierno, que crece fantásticamente cuanto más lo atacan? [...]". Los contraargumentos lúcidos del general Caballero preveían las verdaderas intenciones de Estados Unidos y la razón de sus "buenos oficios" en este conflicto: "[...] Reflexione usted respecto a lo mermada que está la soberanía nacional de Colombia con la intervención americana aquí, en Panamá, donde con estos o los otros pretextos, nos impide decidir de nuestros destinos en nuestro propio territorio. Este debate bélico nuestro va ya largo para la impaciencia de los *yankees* y con cualquier desliz, como usted me lo anunció, Panamá viene a ser dependencia americana". Herrera tenía clara esa situación y toma la decisión de firmar: "Todas las razones que usted me expone son muy poderosas, pero las supera la relativa al peligro en que está nuestra soberanía. Vamos, pues, a firmar el sacrificio, y como sin duda será a usted a quien encargaremos la redacción de lo que convengamos. En forma discreta consigne en la introducción del pacto, como motivo, la libertad para el arreglo del asunto del Canal"[100].

Finalmente, el 21 de noviembre se firmó el Tratado de Wisconsin, y el mismo día se suscribió en Chinácota (Norte de Santander), un tercer acuerdo de paz para así poner fin a la Guerra de los Mil Días.

100 Lucas Caballero, *op. cit.*, pp. 192-199.

El Tratado de Wisconsin contemplaba, en catorce artículos, temas como la libertad de los prisioneros políticos, el desarme de los ejércitos rebeldes, convocatoria a elecciones para el Congreso, que debería estudiar cuestiones de "altísimo interés nacional" como las negociaciones relativas al Canal de Panamá, auxilio económico y atención médica para los miembros del Ejército Rebelde y amplia amnistía. Un día después, el general Herrera ordenó la disolución de Ejército Unido del Cauca y Panamá: "Hoy, al disolveros en cumplimiento de un tratado de paz, volvéis a hogares, volvéis a labores, que están al amparo de las más firmes garantías en un pueblo culto: la promesa de la ley y la promesa de honor de los mandatarios, hecha en forma la más sagrada y solemne. ¡Bienvenida sea la paz! Ella será fruto de bendiciones en cuanto todos contribuyamos con los mejores sentimientos a no renovar causas que llevaban a un suicidio nacional"[101]. La firma de los tres acuerdos que pusieron fin a la Guerra de los Mil Días no significó la culminación de la confrontación de los dos partidos tradicionales colombianos; el siglo XX vivirá la exacerbación de la conflictividad bipartidista, pero también la capacidad de conciliación entre las élites conservadora y liberal, que, finalmente, eran las mismas élites del poder económico en el país.

La Guerra de los Mil Días tuvo una faceta poco conocida, que a veces los historiadores oficiales y oficiosos prefieren pasar de largo: la aplicación de la guerra de guerrillas como forma de lucha, comandada por una pléyade de jefes naturales que se distinguieron por su valor y capacidad de conducción. Los jefes históricos, "generales-caballeros", apegados a la guerra regular de grandes formaciones y poderosos ejércitos, no fueron muy amigos de los guerrilleros, ni de sus líderes; de ahí que en algún momento las guerrillas fueran desautorizadas por el propio general Uribe Uribe, tal como lo hizo el gobierno conservador, que las consideraba cuadrillas de asaltantes, herejes, y ordenó fusilar a sus integrantes.

El indígena panameño Victoriano Lorenzo, de la etnia ngawbé, dirigió una guerrilla que respondía a la indignación de los de su raza frente a la barbarie conservadora que violó a mujeres, ultrajó a sus hijas

101 Darío Villamizar, *Un adiós a la guerra*, Bogotá, Planeta Colombiana Editorial S.A., 1997, p. 32.

y asesinó a familiares y amigos; como estratega de la guerra irregular, conocía y reconocía el terreno palmo a palmo, sabía de la importancia del factor sorpresa y de la red de inteligencia que lo informaba a cada paso de los movimientos del enemigo gubernamental. Sus acciones armadas rebasaban la lucha partidaria para incluir reivindicaciones sociales como la lucha por la tierra. El arrojo y la astucia del indio fueron las cualidades que abrieron las puertas del istmo al Ejército Unido del Cauca y Panamá; por eso, y por su ascendencia en la tropa, Benjamín Herrera lo ascendió a general, con el cargo de jefe supremo de las Operaciones Militares de la Revolución Liberal.

La campaña de Victoriano Lorenzo con los "montañeros" se prolongó más allá de la firma de los acuerdos de paz de 1902; frente a la persecución implacable por parte de los conservadores se refugió en las montañas, en donde fue capturado y acusado de insubordinación, de estar en contra de los acuerdos de paz y de mantenerse en armas. El 14 de mayo de 1903 fue sometido a un consejo de guerra y al día siguiente condenado a muerte, por cholo, por pobre y por rebelde; la sentencia fue ejecutada en Ciudad de Panamá. Una fotografía de la época muestra al pelotón de fusilamiento antes de cumplir el fallo, y frente a ellos, sentado, atado a la silla y con los ojos vendados, estaba el primer guerrillero del siglo XX[102].

Con las mismas tácticas de Victoriano Lorenzo combatían otros dirigentes, hoy olvidados: el hacendado Tulio Varón, *El Machetero*; Avelino Rosas y *El Negro* Ramón Marín, que entendieron que los pactos firmados no satisfacían las demandas de las mayorías por tierra y pan. Para ellos, la guerra continuó. Varón se hizo general ante sus tropas de macheteros en la zona plana del norte del Tolima con la Columna Ibagué, a su vez compuesta por los batallones Rosas, de infantería, y Conto, de caballería, formaciones precarias, pero audaces, que nunca pasaron de 150 combatientes, en su mayoría campesinos andrajosos y mal comidos pero buenos para el "filo" y el caballo. La ventaja militar sobre las fuerzas conservadoras fue el dominio del terreno en regiones agrestes, desde Doima hasta el Líbano, aunado a las complejas redes de informantes que los mantenían al tanto de todo lo que pasaba y a la

102 Véase, Renán Vega Cantor, en http://www.rebelion.org/noticia.php?id=172945

movilidad clásica en la guerra de guerrillas. La leyenda de Tulio Varón y sus macheteros se inició en la noche del Viernes Santo de 1900, cuando cerca de Ibagué sorprendieron y aniquilaron un destacamento del Gobierno; la acción significó el alto precio que pusieron por su cabeza, vivo o muerto.

El golpe más contundente a las fuerzas conservadoras en toda la región se dio en la hacienda La Rusia, cerca del poblado de Doima. De nuevo, la sorpresa, el silencio y la oscuridad de la noche fueron los mejores aliados de las tropas de Tulio Varón que atacaron sin dar cuartel ni perder la iniciativa. Se habló de ríos y orgía de sangre, de más de 600 muertos, de guerrilleros que se retiraron a la madrugada con sus cuerpos y el de sus cabalgaduras cubiertos de rojo, el rojo de la sangre, el rojo de la bandera partidista. Y el 8 de junio de 1901, de nuevo al ataque, esta vez contra la pieza más codiciada: Ibagué, la capital del departamento, que apenas alcanzaba los 2.000 habitantes. La lucha duró dos días; al final, los rebeldes abandonaron sus posiciones ante la resistencia gubernamental. Un segundo ataque a la preciada fortificación tuvo los mismos resultados, pero dicen que "la tercera es la vencida", y el guerrero, pese a la adversidad, insistía. Para Varón, la toma de Ibagué se constituyó en una de las razones de su lucha; creía que al derrotar esa plaza conservadora podría darle otro rumbo a la guerra. Lo que no sabía es que esa sería su última batalla. El 21 de septiembre de 1901 marcó la fatalidad: animados por el aguardiente de olla que muchos mezclaban con pólvora, Varón y sus hombres dirigieron una nueva incursión contra Ibagué; como posesos, los guerreros se lanzaron al implacable ataque cuando apenas se iniciaba la noche. Las primeras escaramuzas señalaron que los combates serían encarnizados; sin embargo, el exceso de licor y la desmesura hicieron mella en los ebrios combatientes, que se convirtieron en blanco fácil para los francotiradores apostados en los techos y campanarios. Uno de ellos fue el que le causó una mortal herida a Tulio Varón, que permaneció tendido en la calle hasta que fue rematado y su cadáver profanado.

Quienes han estudiado y escrito de manera documentada sobre la Guerra de los Mil Días sostienen que nunca se pudo articular un mando conjunto ni una dirección política entre esas particulares y fraccionadas guerrillas regionales a las órdenes de jefes locales que se mantenían como caudillos en geografías delimitadas por rudos paisajes. Tulio Varón fue uno de ellos; operó de la misma manera, su condición de hacendado, su valor y el carisma —que también hacen jefes— lo mantienen en el recuerdo, generación tras generación. No es casualidad entonces que muchos años después se asentara en el norte y centro del Tolima uno de los grupos más beligerantes de las Fuerzas Armadas Revolucionaria de Colombia —Ejército del Pueblo, FARC-EP—, la Compañía Tulio Varón, que, en octubre de 2003, realizó un violento ataque desde el cerro Pan de Azúcar contra la Sexta Brigada del Ejército, en Ibagué, comparable con aquellos que Tulio Varón organizó un poco más de cien años atrás[103].

Hubo en la guerra de 1895 por la independencia de Cuba un general llamado Antonio Maceo, segundo jefe militar del Ejército Libertador, muy amigo del general Rafael Uribe Uribe. Junto a Maceo participó un colombiano nacido en la población de Dolores, en el departamento del Cauca; su nombre era Avelino Rosas, otro de los ausentes en nuestra frágil memoria histórica[104]. El mito ubica a Avelino al lado de sus hermanos masones en varias conspiraciones internacionales y, por supuesto, como parte de las filas del radicalismo liberal en algunas de las guerras civiles del siglo XIX. Después de muchas peripecias se integró del todo con los *mambises* independentistas cubanos e hizo parte de por lo menos dos intentos de invasiones a la Isla, en donde alcanzó el grado de brigadier general del Ejército Libertador en la lucha contra la Corona española. Al toque de clarines que llamó a la Guerra de los Mil Días en Colombia, Rosas abandonó la Isla, ya cumplida su misión, y se reincorporó a las filas liberales insurrectas, trayendo consigo las enseñanzas de su jefe y maestro Maceo, que convirtió en una herramienta muy útil para ese período de la confrontación: el *Código de Maceo*, primer manual en la historia de América Latina sobre las tácticas de la guerra de guerrillas, con 32 puntos que abarcan aspectos

103 Fuentes consultadas: Andrés Felipe Ospina Enciso, "Lugares cruzados, relatos comunes: el general Tulio Varón, de paso por mis pasos", *Maguaré*, N° 22, 2008, pp. 117-139. Carlos Eduardo Jaramillo, *Los guerrilleros del novecientos*, Bogotá, Cerec, 1991. Jorge Villegas y José Yunis, *La Guerra de los Mil Días*, Bogotá, Carlos Valencia Editores, 1979. Daniel Ángel, "La guerra de los mil olvidos", *Desde Abajo*, N° 223, 2016, p. 5.

104 Hoy municipio de Rosas, en su honor.

esenciales, desde la actitud ética del guerrillero, su entrenamiento y cualidades, hasta la organización interna, las tácticas militares y la estrategia del grupo en su conjunto: "Molestar, sorprender y destruir. No desalentarse nunca, no creer en noticias y bolas. Jamás rendirse, solo si es indispensable para salvar la vida. Marchar en silencio, hablar solo al oído. No tomar licor ni gastar tiempo y fuerza en placeres. Siempre preparar trampas al enemigo, arreglar caminos para posibles retiradas y evitar la huida enemiga al caer en trampas o emboscadas. No gastar una bala en balde [...]"[105].

Para Rosas, experto en la temible táctica de los 32 lances del uso del machete, la guerra terminó en el sur del país al intentar una batalla regular que contradecía sus prédicas guerrilleras: oponer su fuerza de 700 rebeldes a los casi 4.000 asentados en el poblado de Puerres. Cuando trataban de llegar al Cauca fue herido y hecho prisionero, rematado cuando fue identificado, y su cadáver vejado por los sedientos de venganza.

Al general Ramón Marín, *El Negro*, trabajador minero y capataz, convertido en jefe guerrillero ante la desbandada de los grandes caudillos liberales que buscaron refugio temporal luego de la derrota en Palonegro, le preguntaron una vez por qué no fusilaba a sus prisioneros como lo hacían los conservadores: "No lo haré, porque entonces, ¿en qué está la diferencia?"[106]. Los elementos de una "guerra caballeresca" de los inicios del conflicto desaparecieron rápidamente, por lo que la respuesta gallarda de El Negro llama la atención en un mar de barbaridades a los derrotados. Su genio militar se puso a prueba el 14 de enero de 1901, cuando acaudilló la toma de Honda, una ciudad que se mantenía como punto divisorio entre el Alto y el Bajo Magdalena y puerta de entrada y de salida desde Bogotá hacia la costa caribe. La acción fue intrépida y propia de quien confía en sus tropas; el resultado fue positivo, y los arsenales insurgentes se acrecentaron con una gran cantidad de armas "recuperadas" de las tropas conservadoras. Tal vez fue el único jefe rebelde que se atrevió a practicar el secuestro durante

105 "El guerrillero es un general de sí mismo", en http://www.juventudrebelde.cu/cuba/2012-12-06/el-guerrillero-es-un-general-de-si-mismo

106 Citado por Malcolm Deas en "Reflexiones sobre la Guerra de los Mil Días", *Revista Credencial Historia*, Bogotá, 2000, N° 121.

la Guerra de los Mil Días: el ministro plenipotenciario español Manuel de Guirior fue plagiado, y se pagaron 100 pesos oro por el rescate; esto fue el 1° de febrero de 1900. Ramón Marín se cuenta como uno de los generales que no llegaron hasta la firma de los tres acuerdos que pusieron final a la guerra; pionero en vislumbrar la paz, el 10 de septiembre de 1902 capituló y circuló un manifiesto que llamaba a parar la guerra. Veinte años después de concluida esta, Ramón Marín murió de miseria, de tuberculosis, de olvido o de un triste recuerdo.

Primeras expresiones del comunismo en Colombia

La Guerra de los Mil Días azotó a todo el país. Se calcula que 1 de cada 20 colombianos murió: de una población estimada en 3.700.000 habitantes, hubo entre 150 y 160.000 muertos. Fue una guerra que no la ganó nadie; por el contrario, todos perdimos. Si una de sus causas fue la caída de los precios del café y la consecuente pauperización de la población en las regiones cafeteras, la situación en la posguerra no fue nada mejor: el país estaba desolado, había hambre por doquier, las instituciones quedaron en ruinas, la economía y las finanzas en la crisis más profunda de nuestra historia, las familias desmembradas, Panamá próximo a separase, y los colombianos, aterrados de la barbarie que había cubierto todo el territorio nacional. Los acuerdos de Wisconsin, Neerlandia y Chinácota se cumplieron a medias, la entrega de las armas fue parcial, muchas se enterraron y saldrían a relucir para dirimir nuevos resentimientos y odios. Como consecuencia de la crisis que siguió se incrementaron la desocupación y la mendicidad, crecieron los asaltos en los caminos, así como los suicidios y los crímenes atroces; miles de colombianos lisiados y desvalidos deambulaban por las calles sin recibir alivio.

La pérdida de Panamá, el 3 de noviembre de 1903, completó la tragedia nacional; Estados Unidos, convertido ya en potencia mundial, envió al buque *USS Nashville* a aguas panameñas para evitar un desembarco de tropas colombianas en el Istmo; de esta manera garantizaba sus propósitos expansionistas. El negocio estaba a la vista. Tan solo quince días más tarde se creó la Zona del Canal, bajo la soberanía de

Estados Unidos, y en 1904 se iniciaron los trabajos para la construcción del paso interoceánico. Años después, Colombia recibió la pírrica suma de 25 millones de dólares como pago por el despojo: 331 dólares por cada kilómetro cuadrado panameño recibido tras la aprobación en Washington del Tratado Urrutia-Thompson, en abril de 1921. *"I took Panamá"*, "Yo tomé Panamá", fue la arrogante y lapidaria frase del filibustero que ejercía como presidente de Estados Unidos, Theodore Roosevelt. En el juicio de la historia, los responsables mayores estarían en la dirigencia política de entonces; pero como suele pasar en estos casos, las responsabilidades terminan diluyéndose.

La paz firmada trajo un largo período de calma chicha; las élites gobernantes en disputa durante todo el siglo anterior —es decir, los jerarcas liberales y conservadores— quedaron estupefactas del daño que hicieron, de cómo azuzaron y de todo lo que el odio podía dejar en el alma humana. Y no fue que les ganara el arrepentimiento, era que la economía estaba en crisis por efectos de la guerra, y sus negocios se encontraban en ruinas. Quizá lograron una paz perfecta entre ellos, y por eso, la siguiente confrontación se aplazó por cerca de treinta años, pero el país no gozó de paz social, no se lograron desterrar los odios, ni los conflictos, ni las venganzas. Como señaló Fernán González, gran conocedor del tema, "La memoria de los sucesos de la Guerra de los Mil Días dejaría un recuerdo indeleble en el imaginario de la violencia posterior"[107].

Poco a poco se sucedieron hechos que permitieron la reconstrucción del ser y la consciencia nacional; lentamente, se recuperaron la estabilidad política y el crecimiento económico. Ante la debacle en que se encontraba el país, el presidente conservador Rafael Reyes (1904-1909) intentó un gobierno modernizante, de "concordia nacional", con la participación de un sector de los liberales vencidos, incluido Rafael Uribe Uribe como ministro, pero lo que obtuvo fue la animadversión de sus propios copartidarios. Reyes les respondió cerrando el Congreso por inoperante y convocó a una Asamblea Nacional Constituyente;

107 Fernán González, "De la guerra regular de los generales-caballeros, a la guerra popular de los guerrilleros", en Gonzalo Sánchez y Mario Aguilera (editores), *Memoria de un país en guerra. Los Mil Días (1899-1902),* Bogotá, Editorial Planeta de Colombia S. A. 2001, p. 111.

asumió, en fin de cuentas, formas dictatoriales, lo que le valió una y muchas conjuras que buscaban sacarlo de la Presidencia, vivo o muerto.

La violencia no había desaparecido como mecanismo para dirimir las contradicciones políticas y, en febrero de 1907, un intento de asesinarlo revivió los odios latentes. El país entró en una espiral de violencia y protesta social por la actitud entreguista y sumisa hacia Estados Unidos en el litigio por Panamá; en marzo de 1909 se sucedieron manifestaciones populares de claro contenido antiimperialista en contra del Tratado Cortés-Root, firmado entre Colombia y Estados Unidos el 5 de enero de ese año, en el que se reconoció la separación de Panamá, y el país aceptó la indemnización por 25 millones de dólares, que solo pagarían 12 años más tarde. A partir de estas protestas se formó un incipiente, pero decidido, movimiento estudiantil, artesanal y obrero que recorría las calles, se organizaba en asambleas y sindicatos y se enfrentaba a la represión ordenada desde las autoridades del Gobierno Central. El 13 de marzo se declaró el estado de sitio ante la magnitud de las expresiones sociales de inconformidad, Reyes no aguantó la presión, renunció al Gobierno y reasumió pocas horas después para conjurar el alzamiento popular. Sin embargo, sus días como gobernante estaban contados: el 9 de junio entregó en secreto la Presidencia al general Jorge Holguín Mallarino y furtivamente se fue del país. Con Reyes se afianzó el período conocido como Hegemonía Conservadora, en la que durante 44 años, de 1886 a 1930, gobernó el Partido Conservador, o facciones del mismo aliadas con facciones liberales.

En el período de Reyes se superó en parte la crisis económica heredada de la guerra, con nuevos empréstitos de la banca internacional; el país se abrió a la inversión extranjera para el desarrollo de la incipiente industria manufacturera y para la infraestructura de vías, puertos y ferrocarriles; se reactivaron la producción en el agro y la exportación de café; empresas estadounidenses, como la United Fruit Company, contaron con todas las garantías para producir en el país; se impuso una política de austeridad en el gasto público; se disminuyó el desempleo y mejoraron los ingresos de los colombianos. Reyes intentó un giro a la política de lo militar, con la creación de la Escuela Militar y la Escuela Superior de Guerra como primeros pasos para la formación de un Ejército Nacional.

Entre junio de 1909 y agosto de 1910 se turnan en la Presidencia de la República los conservadores Jorge Holguín y Ramón González; para determinar quién sería el próximo presidente se apeló a la figura de la Asamblea Nacional Constituyente, que reformó la Constitución de 1886 y eligió al conservador Carlos E. Restrepo (1910-1914) en representación de la Unión Republicana, una formación política que incluía a conservadores y liberales y representaba el sentimiento de renovación y unificación nacional de nuevas élites, "inspiradas en la tradición colombiana de asalto al poder", según Torres Giraldo[108]; en estas se perfilaban ya los nombres de futuros gobernantes del bipartidismo como Alfonso López Pumarejo, Laureano Gómez y Eduardo Santos, que pretendían constituirse en alternativa al pasado de guerra, los mismos que conducirían a la Nación a nuevos enfrentamientos.

En 1913 se creó, en Bogotá, la Unión Obrera de Colombia (UOC) como la primera central de coordinación en la incipiente y dispersa clase obrera que, para entonces, ya cargaba con vagas ideas socialistas y protagonizaba esporádicas reivindicaciones por mejoras en las condiciones de trabajo. En su periódico *La Unión Obrera*, la UOC señaló el propósito de esta primera experiencia de carácter nacional: "La Unión Obrera de Colombia es una institución libre e independiente, en la cual tienen cabida todas aquellas personas que, ejerciendo un arte u oficio, o trabajando a salario, estén convencidas de la necesidad de la unión obrera para el mejoramiento moral, intelectual y material de las clases proletarias de Colombia"[109]; tres años más tarde se embarcaría en la formación del Partido Obrero como una expresión de núcleos obreros y un intento transitorio de organización política en torno a difusas ideas sociales, reformistas, religiosas y también patronales. Para Torres Giraldo, no existieron indicios de organización de trabajadores "que merezcan realmente llamarse nacional, antes de 1919". Solo hasta 1919, con la formación del Partido Socialista, la clase obrera rompió la dependencia de los partidos tradicionales y el paternalismo que la Iglesia ejercía sobre un gran número de grupos de trabajadores.

108 Citado en: Ignacio Torres Giraldo, *Los inconformes. Historia de la rebeldía de las masas en Colombia*, tomo 3, Bogotá, Editorial Latina, 1978, p. 616.

109 *Ibid.,* pp. 645-646.

Expresiones de inconformidad se registraron por parte de los indígenas de la nación paez, en la región de Tierradentro, en el Cauca, como continuación de las luchas ancestrales por conservar la propiedad colectiva de la tierra del resguardo, por la autonomía y en contra del terraje, una forma de explotación, despojo y cuasi esclavismo heredada de la Colonia, que los obligaba a trabajar gratuitamente en las haciendas hasta por doce días al mes, pudiendo disponer de zonas libres de cultivos, las menos productivas. Juan Friede, en el prólogo a una obra publicada por la ONIC en 1987, señaló cómo los indígenas eran arrancados de la tierra, una vez las volvían productivas[110].

Los levantamientos armados de indígenas, ocurridos en 1914 y en años siguientes, estuvieron liderados por Manuel Quintín Lame, un indio que en la Guerra de los Mil Días fue enrolado en los ejércitos gubernamentales y que por su cuenta adquirió la formación política y jurídica para ser el jefe de los cabildos del Cauca y lanzarse a la defensa y organización al proponer la creación de una "República India" mediante tomas de haciendas. Las autoridades y terratenientes persiguieron inclementemente a Quintín Lame y a los miles de indígenas movilizados en la "Quintinada"; los encarcelaron y juzgaron, pero la rebeldía y la lucha por el reconocimiento de sus derechos postergados serían, desde entonces y desde antes parte intrínseca de las luchas sociales[111]. En su cruzada por la tierra de la que habían sido desposeídos, Quintín se fue desde el Cauca hacia el Tolima con sus hombres armados, pasó por Tierradentro, cruzó la cordillera y asaltó Coyaima. Después se refugió en Natagaima y, junto con José Gonzalo Sánchez, fundó el resguardo del Gran Chaparral, donde en 1931 fueron asesinados por la Policía 17 indígenas. Setenta años después, los mismos indígenas paeces, sus herederos, tomaron las armas y conformaron el Movimiento Armado Quintín Lame (MAQL), organización guerrillera que surgió en el Cauca en 1984.

En agosto de 1914, el conservador José Vicente Concha asumió la Presidencia[112]; el 28 de julio de ese año había estallado la Primera

110 Juan Friede, *Los pensamientos del indio que se educó en las selvas colombianas*, Organización Nacional Indígena de Colombia, ONIC, Bogotá, 1987, p. 11.

111 Revista *Solidaridad*, N° 63, abril de 1985, pp. 13-16.

112 Primer presidente elegido por voto directo.

Guerra Mundial. La economía colombiana, débil aún y dependiente, registró una parálisis que afectó las importaciones y exportaciones, produjo la escasez de materias primas y artículos de primera necesidad y el aumento de la desocupación; para paliar la crisis fiscal, el Gobierno recurrió a mayores impuestos y buscó nuevos préstamos en la banca internacional. La guerra finalizó el 11 de noviembre de 1918, cuando Alemania pidió el armisticio; la firma del Tratado de Versalles, que puso fin a la guerra, se firmó el 28 de junio del año siguiente por parte de los países que participaron en la gran conflagración.

A las pocas semanas de iniciarse el gobierno de Concha, a plena luz del día y en las gradas del Capitolio Nacional, fue asesinado, con golpes de hachas, el general Rafael Uribe Uribe, líder liberal y senador en ese momento, un radical como pocos, con enemigos en muchos lados, incluso en el liberalismo, que él pretendió reformar para incorporar elementos ideológicos más cercanos al socialismo. Como tantos otros asesinatos políticos en nuestra historia, se trató de un complot diestramente planificado, en el cual estuvieron implicados los intereses diversos de conservadores y liberales, de la Iglesia, de autoridades civiles y de Policía. En el caso de Uribe Uribe, como en otros crímenes políticos, los autores materiales fueron capturados, mientras que los instigadores mantuvieron sus posiciones de privilegio; el acontecimiento conmovió a todo el país, que mantenía intacto su fervor por el caudillo inmolado. "Yo he podido renunciar, como en efecto he renunciado, de una vez y por todas y para siempre, a ser un revolucionario con las armas, pero no he renunciado a ser un revolucionario y un agitador en el campo de las ideas", dijo en uno de sus enérgicos discursos en el Congreso[113]. Uribe Uribe fue un general insurgente, se desmovilizó y dejó las armas después de la Guerra de los Mil Días, fue amnistiado y le cumplió a la paz que otros no respetaron. La vida y las batallas del general Rafael Uribe Uribe inspiraron a Gabriel García Márquez para crear su personaje, el coronel Aureliano Buendía, en la novela *Cien años de soledad*, el mismo que llevó a cabo 32 guerras civiles y todas las perdió.

113 Citado en: Pedro Acosta Borrero, *López Pumarejo, en marcha hacia su revolución*, Bogotá, Universidad de Bogotá Jorge Tadeo Lozano, 2004, p. 97.

El conservador Marco Fidel Suárez fue canciller durante el gobierno de Concha, un personaje muy influyente desde el siglo anterior en la formación de las relaciones internacionales de Colombia, en particular con Estados Unidos, en los difíciles momentos de la separación de Panamá. En 1914 fue el artífice del Tratado Urrutia-Thompson que ponía fin a las diferencias con la superpotencia y que fue convertido en ley de la República en julio de ese mismo año. Suárez fue elegido presidente para el cuatrienio 1918-1922, pero no concluyó su mandato y renunció el 11 de noviembre de 1921, por la defensa de las maltrechas relaciones con Estados Unidos, duramente cuestionadas a raíz del asunto de Panamá. Suárez elevó a categoría de política exterior el lema *respice polum*, mirar hacia el norte, a la Estrella Polar, cuando sentenció: "El norte de nuestra política exterior debe estar allá, en esa poderosa nación que más que ninguna otra ejerce decisiva atracción respecto a todos los pueblos de América"[114].

El siglo XX en la Rusia zarista se inició con huelgas y movimientos de obreros y campesinos que, sumidos en la miseria y el descontento, pedían pan, tierra y mejores condiciones de trabajo. El proletariado se organizaba para la lucha revolucionaria, y en el transcurso de la Primera Guerra Mundial fue tomando forma la revolución dirigida por Vladimir Ilich Uliánov, Lenin, y por León Trotsky, líderes del sector bolchevique del Partido Obrero Socialdemócrata de Rusia (POSR). Ya en enero de 1905 se había presentado una primera revolución, en un intento por derrocar al régimen monárquico de los zares; la antesala de la capitulación del zarismo en ese momento fue una huelga en San Petersburgo, motivada por el despido de trabajadores y el inmediato movimiento huelguístico general que paralizó la ciudad; la violenta represión de las tropas no tardó, y más de 1.000 manifestantes fueron asesinados. La respuesta obrera no se hizo esperar: "El proletariado se ha levantado contra el zarismo. El Gobierno lo ha empujado a la insurrección"[115]. La huelga se extendió a todo el país, y la revuelta

114 Citado por Apolinar Díaz-Callejas, *El lema* respice polum *y la subordinación de las relaciones con Estados Unidos*, Bogotá, Academia Colombiana de Historia XLII, 1996, p. 5.

115 Lenin, citado por Marta Harnecker en *La revolución social: Lenin y América Latina*, en http://www.rebelion.org/docs/89863.pdf En este trabajo, la autora hace un recorrido

armada se hizo imparable; la protesta obrera se convirtió en la lucha política de todo el pueblo; la consigna era derrocar al Gobierno, y fue entonces cuando aparecieron los *sóviets* de diputados obreros como embriones del poder popular[116]. La revolución fue derrotada, pero no así las causas que la alimentaron: la crisis económica, la opresión, el desempleo y el hambre persistieron; el gobierno provisional no fue capaz de conjurar la situación de inconformidad de las masas.

En 1913 se presentó un nuevo ascenso revolucionario, definido por Lenin y los bolcheviques como una "situación revolucionaria", pero no existían lo que llamaron "condiciones objetivas" ni "cambios subjetivos" para avanzar en una amplia movilización; las masas no estaban preparadas y, por el contrario, la Gran Guerra distrajo momentáneamente los afanes de lucha del proletariado e instigó a la represión dentro de Rusia en contra de los militantes revolucionarios opuestos a la guerra. Lenin y los bolcheviques lideraban el sentimiento antibelicista y buscaban la movilización social por la paz. En febrero de 1917, la rebelión proletaria se creía imparable, parecía ser el momento preciso para iniciar el asalto al poder, las amplias masas habían iniciado las acciones insurreccionales… y la burguesía también; juntos, lograron la caída del Imperio ruso pero el gobierno provisional que se organizó a continuación obedecía más a los intereses de la burguesía, y, para conjurar la acción revolucionaria, se ordenó en julio el arresto de Lenin, quien ya se encontraba en la clandestinidad.

Ocho meses más tarde, la Revolución Bolchevique derrocó al gobierno provisional: a las 9:40 de la noche del 25 de octubre en el calendario juliano (7 de noviembre en el calendario gregoriano[117]), desde el crucero *Aurora*, anclado en el río Neva, en San Petersburgo, sonó un cañonazo como señal para atacar el Palacio de Invierno; en otros puntos de la ciudad, las armas bolcheviques apuntaban contra

por el proceso revolucionario a partir de las frases del mismo Lenin, lo que permite una amplia comprensión de los hechos, planteamientos y fases por las que transitó la Revolución Rusa.

116 Asamblea o consejo obrero. El más importante fue el de San Petersburgo, durante la Revolución de 1905.

117 En la Rusia zarista estaba vigente el calendario juliano, que registraba un retraso de trece días con relación al calendario gregoriano, vigente en el resto del mundo; la Revolución implantó el uso del calendario gregoriano.

lo que fue el último baluarte zarista. A esa hora triunfó la primera revolución proletaria mundial, que dio al traste con el régimen feudal de la dinastía Romanov e instauró, en 1922, la Unión de Repúblicas Socialistas Soviéticas (URSS), un hecho de trascendencia mundial solo comparable hasta entonces con la Revolución Francesa de 1789; sus efectos prácticos fueron mucho más profundos y duraderos que los que dieron al traste con el "Antiguo Régimen" en Francia. La Revolución se alcanzó gracias al inmenso apoyo del proletariado como expresión más avanzada de la clase obrera y al respaldo de gran parte del Ejército, ya que contó con "una aplastante superioridad de fuerzas en el momento decisivo y en los lugares decisivos"[118]. Meses más tarde, los bolcheviques en el poder organizaron el Ejército Rojo y llamaron a su facción mayoritaria dentro del POSR con el nombre de Partido Comunista de Rusia (bolchevique), y desde entonces su lema fue: "¡Proletarios de todos los países, uníos!", retomado del *Manifiesto del Partido Comunista*, escrito por Carlos Marx y Federico Engels en 1848. El triunfo bolchevique solo se pudo consolidar en 1920, luego de una guerra civil (1918-1920) promovida por los contrarrevolucionarios "blancos"[119], financiados por los aliados triunfantes en la Primera Guerra Mundial, que pretendían el retorno del zarismo.

La Revolución Rusa despertó grandes simpatías y tuvo repercusiones inmediatas, directas e indirectas, en los procesos políticos en América y en todo el mundo, donde rápidamente se forjaron corrientes socialistas y comunistas inspiradas en el triunfo bolchevique; dio origen al movimiento revolucionario más grande en la historia moderna de la humanidad y pretendió proyectarse como una revolución a escala mundial. Pese a que las comunicaciones a inicios del siglo XX eran muy precarias y la información tardaba varios meses y llegaba fragmentada, la noticia del triunfo revolucionario se extendió con celeridad. Líderes y partidos marxistas, revolucionarios, socialistas, leninistas o comunistas surgieron por doquier. Para garantizar la unidad de los obreros y el desarrollo del comunismo, Marx y Engels

118 Marta Harnecker, *op. cit.*, p. 64. El apasionante relato de John Reed en *Los diez días que estremecieron al mundo* hace parte de los "clásicos" para conocer y comprender ese momento de la historia.

119 Opuestos a los comunistas "rojos", como se les denominó en el mundo entero.

formaron en 1864 una organización internacional (I Internacional) para la preparación de su ofensiva revolucionaria contra el capital. La II Internacional (1889-1914) fue convocada por Engels y agrupó partidarios del socialismo, de la socialdemocracia y del comunismo. La III Internacional o Internacional Comunista o la Komintern[120], por su sigla en ruso, se fundó en Moscú el 4 de marzo de 1919, a instancias de Lenin, con la participación de 39 partidos comunistas de diferentes partes del mundo y funcionó como un Estado Mayor del comunismo internacional; uno de los 21 puntos programáticos o "21 condiciones" acordadas en este cónclave señaló que los partidos denominados "socialistas" debían cambiar su nombre por el de "partidos comunistas", indicando a continuación el nombre del país.

La Revolución de Octubre inspiró en Colombia a dirigentes populares y políticos de pequeños grupos de izquierda, a estudiantes e intelectuales inconformes, a formar núcleos al calor de los movimientos de protesta y reclamos obreros que surgieron a raíz de la crisis económica y social que dejó la Primera Guerra Mundial, y de los que venían de tiempo atrás. En 1919, por primera vez, como expresión del despertar de la conciencia revolucionaria, se conmemoró en Colombia el 1° de mayo como Día Internacional de los Trabajadores. La Asamblea Obrera de Bogotá, reunida el 20 de mayo de 1919, elaboró una Plataforma Socialista y conformó el Partido Socialista Colombiano, de tendencia social-reformista, aunque la Plataforma definió que se "basará en los principios del socialismo moderado" y definió los símbolos: "La bandera del Partido Socialista será roja como emblema de combate, y el lema, Libertad, Igualdad y Fraternidad"; tres meses después realizó su Primer Congreso, con 22 delegados de 8 departamentos[121]. Para ese año, según lo recuerda Torres Giraldo, existían 26 organizaciones de trabajadores inscritas en todo el país. La clase obrera en formación, minoritaria frente el grueso de asalariados, irrumpía con fuerza en el escenario nacional: solamente en 1920 se desarrollaron 32 huelgas

120 Para el presente estudio se utilizará indistintamente cualquiera de los tres términos.

121 Ignacio Torres Giraldo, *op. cit.*, pp. 664-667, 674-678. En el análisis sobre la Asamblea Obrera, su Plataforma, la conformación del Partido Socialista Colombiano y su Primer Congreso, Torres Giraldo cuestionó la representación y condición de los delegados como trabajadores y criticó la organización del Congreso.

obreras[122], entre ellas, la del Ferrocarril de La Dorada, propiedad de una compañía inglesa; la de los zapateros en Medellín y la de los trabajadores de industrias textiles en Bello. La gran huelga de ese año tuvo lugar en Barranquilla y cobijó a los braceros del ferrocarril, de los muelles y compañías fluviales.

En 1920 circulaban en el país sesenta periódicos populares socialistas con nombres, formas y contenidos muy variados, entre ellos: *La Lucha, El Obrero Moderno, La Ola Roja*, *El Sol*[123] y *El Luchador*; de ellos, el principal y de mayor difusión fue *El Socialista* del Partido Socialista Colombiano, fundado en febrero de 1920 y que informaba de manera permanente sobre las huelgas en el país y publicaba textos de Lenin y de los avances de la Revolución Soviética. Los mismos socialistas se inscribieron con listas propias para las elecciones a concejos municipales en 1919 y 1921, ganando algunas curules, sobre todo en poblaciones ribereñas del río Magdalena. Para las elecciones presidenciales de 1922, los socialistas apoyaron al general Benjamín Herrera, candidato del Partido Liberal, que fue derrotado por el conservador Pedro Nel Ospina, hijo del expresidente Mariano Ospina Rodríguez. La Hegemonía Conservadora se acentuaba, y con ella, la violencia desde el poder: en 1924 fue asesinado el general Justo Durán, otro de los jefes liberales de la Guerra de los Mil Días; a propósito del crimen, Herrera le envió una nota al presidente Ospina, en la que hacía un recuento de los 41 municipios en los que entre 1914 —magnicidio del general Urbe Uribe— y 1924 se habían presentado asesinatos de liberales con la complicidad de los conservadores; buena parte de estos 41 municipios serían, en las décadas siguientes, los mismos escenarios de la violencia bipartidista.

El 6 de marzo de 1924 se proclamó la creación del Comité Organizador del Partido Comunista de Colombia por parte del grupo dirigido por el ruso Silvestre Savitsky, que se acercó a la III Internacional

122 Mauricio Archila, *La otra opinión: la prensa obrera en Colombia 1920-1934*, en http://www.bdigital.unal.edu.co/35736/1/36151-150031-1-PB.pdf

123 *El Sol* era dirigido por Luis Tejada, un periodista marcadamente socialista, que se acercó inicialmente a los protocomunistas y luego militó en las filas del Partido Liberal, junto con Jorge Eliécer Gaitán y Gabriel Turbay, ambos candidatos rivales en las elecciones para la Presidencia de la República en 1946.

desde el año anterior solicitando el reconocimiento y diversos apoyos para afianzar las tareas propias de la nueva organización; del grupo inicial hicieron parte Luis Tejada y otros jóvenes intelectuales. Savitsky era un enigmático comunista que llegó a nuestro país procedente de México y Perú. Se decía que fue oficial del Ejército Rojo, que había jugado en la ruleta dineros del naciente Estado soviético y por eso no podía regresar a su país; al parecer, para los comunistas en Moscú, las cosas con él no eran claras, y eso afectó la comunicación. Lo cierto es que a Savitsky se debió la organización del grupo que el 1° de mayo de 1924 declaró fundado el primer Partido Comunista de Colombia, y a finales del mes, en asamblea general de sus miembros, aprobó el programa y los estatutos, "de acuerdo con las ideas, la táctica y las condiciones de organización recomendadas por los congresos de la III Internacional"[124].

Finalmente, la Internacional Comunista hizo un reconocimiento a medias, sin aceptarlo como miembro: ni los admitía, ni los rechazaba, y así fue por varios años, ya que estimaban que tanto el programa como los estatutos eran muy débiles, casi que una copia de los propósitos bolcheviques de 1917, y que en sus concepciones tenían graves fallas organizativas e ideológicas. Lo cierto es que la Komintern y sus órganos en América Latina, como el Secretariado Latinoamericano y el Buró del Caribe, daban órdenes a los partidos afiliados, ejercían influencia y control en aspectos organizativos, administrativos, políticos e ideológicos, intervenían en asuntos internos, cuestionaban o aprobaban, y no pocas veces se alinearon con posiciones que, desde su punto de vista, consideraban correctas, descalificando otras y generando expulsiones y rupturas en las organizaciones; y de parte de los "criollos", con contadas excepciones, había una actitud obsecuente, incondicional y de sometimiento hacia los camaradas soviéticos.

124 Citado en: Lazar y Víctor Jeifets, "El Partido Comunista Colombiano, desde su fundación y orientación hacia la 'transformación bolchevique'. Varios episodios de la historia de relaciones entre Moscú y el comunismo colombiano". Instituto de América, San Petersburgo, Moscú, publicado en *Anuario Colombiano de Historia Social y de la Cultura*, 28, 2001. El autor agradece a los hermanos Jeifets por el envío de este documento y otros desclasificados de los archivos rusos de la Komintern, abiertos al público en 1991.

Ese mismo año estalló en Barrancabermeja la primera gran huelga reivindicativa y políticamente antiimperialista de los 3.000 trabajadores petroleros de la Tropical Oil Company, subsidiaria de la imperial Standard Oil Company, ante la negativa de la empresa de tramitar un pliego de peticiones que buscaba aumento de salarios, mejor trato por parte de los empleados extranjeros hacia los nacionales, reintegro de 100 trabajadores despedidos sin causa justa, cumplimiento de las leyes sobre seguros colectivos y otros puntos en favor del pueblo de Barranca, solidario históricamente con las luchas de los obreros. El movimiento inició el 8 de octubre de 1924 y fue impulsado por la Unión Obrera (posteriormente denominada Unión Sindical Obrera, USO), organización gremial que se formó en la clandestinidad el 12 de febrero de 1923; su principal dirigente fue Raúl Eduardo Mahecha, "nervio de la naciente organización de trabajadores", años después estigmatizado y señalado como traidor por sectores de los mismos trabajadores y por los comunistas. El Gobierno intervino a favor de la empresa buscando romper el sindicato, desconoció lo pactado y ordenó la captura de los directivos, que, acusados de asonada, fueron condenados a varios meses de cárcel; en el caso de Mahecha, la acusación fue de subversión y homicidio, por lo que fue condenado a 17 meses; como señala la misma historia de la Unión Sindical, cientos de obreros fueron expulsados del trabajo y obligados a abandonar la región[125].

El II Congreso Obrero, en julio de 1925, fundó la Confederación Obrera Nacional (CON), que impulsó movilizaciones en las ciudades por mejores condiciones de trabajo y salarios, apoyó las luchas de los campesinos por la tierra y se solidarizó con la lucha de Augusto César Sandino en Nicaragua. El primer Secretario General de la CON fue Ignacio Torres Giraldo, y su vocero, el periódico *La Humanidad*. Invitado de honor al II Congreso Obrero y designado en la Primera Vicepresidencia fue el líder indígena Manuel Quintín Lame, quien, en 1914 y en años posteriores, lideró las luchas indígenas junto a otros reconocidos dirigentes como José Gonzalo Sánchez y Eutiquio Timoté,

125 Fuentes importantes sobre los movimientos huelguísticos de los trabajadores petroleros en: Apolinar Díaz Callejas, *Diez días de poder popular*, *Historia de la rebeldía de las masas en Colombia*, Bogotá, Fescol, El Labrador, 1989. Ignacio Torres Giraldo, *Los inconformes*, tomo 5, Bogotá, Editorial Margen Izquierdo, 1974.

quienes hacían parte de las directivas socialistas y, posteriormente, del Partido Comunista con el que Quintín Lame nunca comulgó. El II Congreso Obrero adhirió a la Internacional Sindical Roja, con sede en Moscú, entidad comunista que buscaba coordinar la labor sindical de los partidos de la Komintern. Ante el auge del movimiento huelguístico en todo el país, el gobierno de Ospina recrudeció las medidas de orden público, centradas en particular en los dirigentes obreros y socialistas; a mediados de agosto se produjeron el arresto y expulsión de Silvestre Savitsky y del alemán Rodolfo von Wedell, que actuaba en medios revolucionarios del departamento del Valle; ambos fueron acusados de conspiración.

Para el 21 de noviembre de 1926, la CON convocó al III Congreso Obrero, que en sus directivas contó con Ignacio Torres Giraldo, María Cano, Raúl Eduardo Mahecha, Tomás Uribe Márquez y Alfonso Romero; el 1° de mayo anterior, los trabajadores habían elegido a María Cano como *Flor del Trabajo*, una luchadora revolucionaria y literata de Antioquia, que se puso al lado de las aspiraciones de los obreros y recorrió el país llevando mensajes de rebeldía. Este evento obrero dio paso a la formación del Partido Socialista Revolucionario (PSR), primera organización política en Colombia con pretensiones marxistas, lo que le valió la aceptación en la III Internacional Comunista durante el VI Congreso Mundial, que tuvo lugar entre julio y septiembre de 1928 en Moscú, evento que significó la apertura hacia nuevos partidos socialistas o comunistas en América Latina[126]. Como secretario ejecutivo del nuevo partido fue elegido Tomás Uribe Márquez, un agrónomo educado en Europa que vivió de cerca la revolución agrarista de México, en 1910; el cargo lo ejerció hasta la Asamblea Plenaria del 29 de julio de 1928. Los electos dirigentes del PSR tenían medianamente claras las ideas que debían orientar a la organización y

126 *Ibid.* Los archivos rusos son la colección más grande del mundo de documentos sobre las actividades de movimientos de izquierda que hicieron parte de la Komintern. La colección la componen cerca de 22.000 folios con varios millones de páginas en casi noventa idiomas. Entre estos folios hay documentos de más de sesenta organizaciones internacionales comunistas y socialistas; los relacionados con las izquierdas latinoamericanas se encuentran en Inventarios; el número 104 corresponde al Partido Comunista Colombiano y contiene más de cien carpetas del período 1923-1938. Véase también Klaus Meschkat y José María Rojas (compiladores), *Liquidando el pasado. La izquierda colombiana en los archivos de la Unión Soviética*, Bogotá, Fescol, Taurus, 2009.

sus luchas; se trataba de los inspiradores de un comunismo temprano o protocomunismo: "Los delegados, en su gran mayoría, estábamos en la brecha del comunismo: éramos socialistas de izquierda, revolucionarios, prosoviéticos. Sin embargo, recelamos de crear un partido comunista, ¡sentimos temor de que pudiera aislarnos de las masas, de que llegáramos a constituir una secta!"[127].

En septiembre de 1927, el PSR convocó a una Convención Nacional que se realizaría en La Dorada, puerto sobre el río Magdalena; los asistentes fueron capturados y enviados a la cárcel, en donde continuaron sus deliberaciones en torno a las luchas obreras y al diseño de un plan insurreccional para la toma del poder que finalmente fue aprobado. Ese sería el "pecado" más grave de las directivas del PSR. En la Asamblea Plenaria del 29 de julio de 1928 declararon a las organizaciones militantes del partido en pie de guerra para una "revolución social armada": asumieron la organización de un Ejército Rojo con una Jefatura Suprema llamada Comité Central Conspirativo Celular (CCCC), con distribución por escuadras, compañías, pelotones, batallones y regimientos. De esta experiencia y este intento insurreccional original no salieron bien librados, ni frente al Gobierno que los perseguía, ni frente a sus propios camaradas, que más tarde iniciarían juicios de responsabilidades y verdaderas cacerías de brujas. Sectores del liberalismo también estaban empeñados en promover una revolución en contra del régimen de Abadía Méndez, que arremetió contra los socialistas; el propio Uribe Márquez fue encarcelado al poco tiempo tras la delación de uno de sus compañeros[128]. El Senado ya había aprobado, en octubre de 1928, la "Ley Heroica" que prohibía la propaganda comunista, ataques a la religión y a la propiedad privada, y permitía la detención de sospechosos de cometer alguno de estos delitos.

En el Magdalena funcionaba la United Fruit Company, un enclave agrícola que ocupaba extensos terrenos entre las poblaciones de Ciénaga y Fundación para el negocio del cultivo y la exportación del banano. En 1928, la *Yunai* obtenía una ganancia de 100% por cada racimo que vendía, contaba con unos 30.000 trabajadores, y ya

127 Ignacio Torres Giraldo, *op. cit.,* volumen 4, p. 8.

128 Klaus Meschkat y José María Rojas, *op. cit.*, pp. 107-111.

era un monopolio levantado mediante el control del ferrocarril y del transporte marítimo, la quiebra y compra de pequeñas empresas bananeras, el acaparamiento de tierras y de mano de obra contratada a través de terceros, la construcción de una ciudadela dentro de Santa Marta, los bajos salarios y la modalidad de pago mediante vales canjeables en comisariatos de su propiedad. Un verdadero Estado dentro del Estado colombiano. Ese comportamiento imperial sería el preludio de la huelga y tragedia de diciembre de 1928.

Frente a la negativa de la United Fruit Company de negociar un nuevo pliego de peticiones, la Unión Sindical de Trabajadores, con Mahecha a la cabeza, ordenó un paro general a partir de noviembre. La revolución social se iniciaba. El 5 de diciembre fue declarado turbado el orden público en la zona, y los trabajadores fueron considerados "cuadrilla de malhechores" por un decreto del general Carlos Cortés Vargas, enviado del gobierno de Abadía Méndez como jefe civil y militar al lugar, y meses después nombrado director general de la Policía Nacional. Al día siguiente fue reprimida con violencia una concentración de obreros de las plantaciones que se encontraban en Ciénaga en protesta pacífica; el general Cortés ordenó disparar contra la multitud. El diario *La Prensa* tituló dos días después que hubo 8 muertos y 20 heridos, "en el combate de antenoche en las bananeras". Por su parte, el embajador de Estados Unidos en Colombia, Jefferson Caffery, le informó al Secretario de Estado, en febrero del año siguiente: "Tengo el honor de informar que el representante en Bogotá de la United Fruit Company me dijo ayer que el número total de huelguistas muertos por el Ejército colombiano superó el millar"[129].

La tradición oral dice que cientos de cadáveres fueron cargados en vagones del tren para ser luego lanzados al agua desde el muelle, que a otros los sepultaron en fosas comunes. Nunca se supo a ciencia cierta cuántos fueron los asesinados en lo que se conoce como la "Masacre de las Bananeras". Mucho se ha escrito al respecto; para la historia quedan la oralidad y las frases escritas, entre ellas las de Gabriel García Márquez, oriundo de la zona: "La huelga grande estalló. Los cultivos se quedaron a medias, la fruta se pasó en las cepas

129 *El Espectador*, en http://www.elespectador.com/noticias/judicial/el-tamano-si-importa-articulo-342860

y los trenes de ciento veinte vagones se pararon en los ramales. Los obreros ociosos desbordaron los pueblos [...] El capitán dio la orden de fuego y catorce nidos de ametralladoras le respondieron en el acto. Pero todo parecía una farsa. Era como si las ametralladoras hubieran estado cargadas con engañifas de pirotecnia, porque se escuchaba su anhelante tableteo, y se veían sus escupitajos incandescentes, pero no se percibía la más leve reacción, ni una voz, ni siquiera un suspiro, entre la muchedumbre compacta que parecía petrificada por una invulnerabilidad instantánea"[130].

Jorge Eliécer Gaitán ya era un prestigioso abogado, líder del Partido Liberal y representante a la Cámara, donde asumió la defensa de los cerca de 600 detenidos por los sucesos de las bananeras que fueron sometidos a consejos verbales de guerra y condenados a penas de entre cinco y veinticinco años de prisión. Gaitán hizo uso de su exquisita oratoria; con una voz que de tanto usarla se le adelgazaba o enronquecía, señaló las responsabilidades del Gobierno y de la Compañía y realizó un detallado relato de los sucesos del 5 y 6 de diciembre y la forma cómo los heridos fueron rematados a punta de bayoneta. En septiembre de 1929, la Cámara aprobó una ley para la revisión de los procesos y los condenados por la justicia penal militar quedaron en libertad. Mientras tanto, Mahecha y la mayoría de los líderes huyeron hacia la Sierra Nevada o se refugiaron en las plantaciones y fueron protegidos por campesinos de la región.

La agitación social de esos años no concluyó con la huelga y la Masacre de las Bananeras. La protesta popular se trasladó a las mismas calles de Bogotá, donde el alcalde Luis Augusto Cuervo había sido destituido el 5 de junio de 1929 por las medidas que adoptó en su lucha contra la corrupción, las "roscas manzanillas" y la burocracia. Las expresiones ciudadanas en apoyo del singular alcalde se extendieron por toda la capital, la protesta se generalizó, y la represión también. Los estudiantes, empleados y obreros se fueron a la huelga y el día 8 fue muerto por los policías que hacían la guardia en el Palacio Presidencial el joven pastuso Gonzalo Bravo Pérez[131], estudiante del Colegio

130 Gabriel García Márquez, *Cien años de soledad*, Bogotá, Grupo Editorial Norma, 1996.

131 Su segundo apellido ha sido nombrado indistintamente como Pérez o Paez.

Mayor de Nuestra Señora del Rosario. Su entierro, al día siguiente, fue una manifestación silenciosa, encabezada por los dirigentes de la Federación de Estudiantes, que recorrió, solemne, durante horas y horas las solitarias calles de la ciudad. Era la expresión de indignación y rechazo a un régimen moribundo. Desde entonces, y año tras año, los estudiantes de todo el país conmemoran esta fecha como el Día del Estudiante[132].

Los planes insurreccionales del PSR continuaron pese al revés y a la feroz persecución que se desató en contra de los dirigentes; se encontraban, en su gran mayoría, detenidos en diferentes cárceles del país o con problemas para moverse por el hostigamiento que vivían a diario de parte de las autoridades y los rigores de la clandestinidad; en alguna medida, eso explica las dificultades de comunicación y coordinación de las acciones, y fue el argumento de algunos líderes para salvar su responsabilidad en sucesos posteriores.

Para julio de 1929 programaron levantamientos armados en varios puntos del país, en alianza con jefes liberales, entre ellos el general Leandro Cuberos Niño, y antiguos guerrilleros de la Guerra de los Mil Días. A la medianoche del 28 de julio, a pesar de las órdenes y contraordenes que recibieron los mandos y organizaciones de base que estaban listos para el combate, sonaron las primeras descargas en el Líbano (Tolima), donde aún estaban frescos los recuerdos de las campañas guerrilleras de Tulio Varón, treinta años atrás. El zapatero Pedro Narváez, un hombre de espíritu altivo e insurgente, integrante del Comité Ejecutivo del PSR, era el jefe de la revuelta en ese municipio; el segundo al mando hacía honor a su nombre: Segundo Piraquive. Al frente de un pequeño ejército de artesanos, campesinos pobres, asalariados agrícolas y zapateros, armados de coraje, machetes, indignación y algunas viejas escopetas de fisto, asaltaron la población gritando vivas a la revolución y al movimiento bolchevique y se enfrentaron a las autoridades. Tras dos días de combates desiguales, en los que creyeron que la insurrección era en todo el país, se retiraron con el resultado de tres muertos y numerosos heridos, "después el repliegue de los sublevados

132 Mayor información sobre un período del movimiento estudiantil colombiano en: Manuel Ruiz Montealegre, *Sueños y realidades. Procesos de organización estudiantil 1954-1966*, Bogotá, Universidad Nacional de Colombia, 2002, p. 55.

a la región de 'Murillo' en donde empezaron a operar organizados en guerrillas"[133]. Así mismo sucedió con levantamientos en San Vicente de Chucurí, La Dorada, Puerto Wilches y otras poblaciones. Muchos años después, como un homenaje a las jornadas revolucionarias y a la acción de estos conspiradores derrotados, el Ejército de Liberación Nacional denominó a una de sus estructuras en el norte del Tolima "Frente Guerrillero Bolcheviques del Líbano del ELN".

En las elecciones de febrero de 1930, los conservadores participaron divididos; los liberales presentaron como candidato a Enrique Olaya Herrera, exembajador en Washington, y el PSR, en el pleno del 27 de noviembre, proclamó como candidato a Alberto Castrillón, uno de los "reformistas" opuestos en su momento a la insurrección, condenado a diez años de prisión por su participación en la huelga de las bananeras. La Internacional Comunista, en una clara intervención en las decisiones del PSR, se opuso a esta candidatura e impuso, tardíamente, su retiro señalando las posiciones claudicantes de Castrillón, quien apenas obtuvo 512 votos frente a los 370.000 del triunfante candidato liberal.

Los resultados de la huelga de las bananeras, sumados al descalabro insurreccional en Tolima y Santander y al fracaso en las elecciones de 1930, sacudieron a las directivas del PSR, que se lanzaron mutuas acusaciones de "putchistas", "carbonarios"[134], "oportunistas", "reformistas" y "contrarrevolucionarios". La IC produjo "La carta de febrero", un documento analítico enviado a las directivas socialistas, en la que se realizó un examen despiadado de los sucesos recientes y se señaló la línea correcta que deberían seguir los revolucionarios colombianos; se insistió en la necesidad de separar el trabajo sindical del partidario propiamente dicho y se cuestionaron las alianzas con los liberales, que "no hacen más que retardar y trabar la formación de un verdadero partido proletario"[135]. En debates posteriores, indujo a severas autocríticas por parte de los dirigentes Tomás Uribe Márquez,

133 Ignacio Torres Giraldo, volumen 4, *op. cit.*, p. 156.

134 Se refiere a los integrantes de las sectas *Carbonari* de Italia, conspirativas e insurreccionales, del siglo XIX.

135 Véanse la carta completa y algunas anotaciones en: Klaus Meschkat y José María Rojas, *op. cit.*, pp. 151-176.

Ignacio Torres y María Cano, en quienes se centraban las diferencias, y que fueron señalados de anticomunistas. Solamente esta última, en una posición digna y altiva, se enfrentó a los ataques y calificativos definidos por la IC, reconoció errores, defendió a sus compañeros y criticó duramente su injerencia y el sometimiento del partido a esta; incluso, fue electa suplente en el Comité Central Ejecutivo, y ella pidió que se retirara su nombre. Otros dirigentes como Raúl Mahecha y Erasmo Valencia fueron expulsados[136].

Entre el 5 y el 17 de julio de 1930, en medio de la aguda crisis en que se debatía el PSR, se realizó la reunión ampliada de lo que aún quedaba del Comité Ejecutivo Nacional. Siguiendo los dictados de la Komintern de *bolchevizar o purificar* al partido, en la sesión del 13 de julio se le cambió el nombre por el de Partido Comunista de Colombia, se eligió un nuevo Comité Central Ejecutivo, y como secretario general, a Guillermo Hernández, *Guillén*, un comunista dogmático, consentido del Komintern, pocos años más tarde expulsado por sus propios excamaradas. Previamente, la IC había enviado una delegación de Moscú para hacer los cambios orgánicos y políticos que permitieran la reestructuración del socialismo revolucionario para convertirlo en un "verdadero" partido comunista. En las filas del "Partido", como se le llamó coloquialmente en adelante entre la militancia, ya figuraban dirigentes como Gilberto Vieira, el poeta Luis Vidales, nombrado secretario general en 1932, y un joven sindicalista antioqueño, compañero de andanzas de María Cano, orador afiebrado pero de palabra sencilla, llamado Manuel Marulanda Vélez, que había sido miembro del Comité Regional del PSR y presidente de los trabajadores de Cundinamarca, capturado por el tenebroso Servicio de Investigación Criminal el 5 de diciembre de 1951, cuando encabezaba las protestas en contra del envío de tropas colombianas a la Guerra de Corea. Salió de prisión a los pocos días y falleció un mes más tarde, víctima de las torturas a las que fue sometido. Su entierro fue un acto en rechazo a la dictadura de Laureano Gómez y todos sus desafueros. En homenaje a este luchador,

136 Este último fue un reconocido periodista que en 1924 inició el movimiento agrario de Sumapaz y fundó el Partido Agrario Nacional (PAN). Participó en las luchas agrarias junto con el líder Juan de la Cruz Varela.

Pedro Antonio Marín Marín, fundador y jefe de las FARC-EP, llevaría hasta la muerte el nombre de guerra de *Manuel Marulanda Vélez*[137].

El 9 de Abril y los orígenes próximos de las guerrillas revolucionarias

Después de cincuenta años, la Hegemonía Conservadora se rompió con la elección del liberal Enrique Olaya Herrera, presidente para el período 1930-1934, exembajador en Washington en los últimos ocho años y fiel representante de los intereses de los banqueros y petroleros de Estados Unidos en nuestro país. Olaya Herrera inauguró la llamada República Liberal, vigente hasta 1946, y trazó una política de "concertación nacional", con un gabinete paritario formado por cuatro ministros liberales y cuatro conservadores. Esta formalidad, que permitía la coexistencia por lo alto y los pactos entre las élites, no ocultaba el malestar que en los campos y poblaciones se vivía por cuenta de la animadversión entre los adeptos de un partido y de otro.

La crisis mundial de octubre de 1929, sumada a la que se heredó del gobierno de Abadía Méndez, afectó la frágil economía colombiana, con la imposibilidad de nuevos empréstitos por el colapso que sufrió la Bolsa de Nueva York y la caída del precio del café, producto que representaba en ese momento el 90% de las exportaciones. La deuda externa contraída en años anteriores, en lo que se llamó "La danza de los millones", generó mayores intereses, todo esto con graves efectos internos como el descenso de la producción, la parálisis en las obras públicas y un mayor desempleo, que condujo a numerosas huelgas, paros y protestas. El gobierno de Olaya estableció fuertes medidas proteccionistas, aumentó los aranceles para la importación de diferentes productos, logrando así fomentar la industria nacional; pero

137 El nombre lo adoptó por sugerencia de Pedro Vásquez Rendón, comisario político del PC enviado al sur del Tolima hacia 1950, en el desarrollo de una escuela de cuadros, donde se habló de la vida revolucionaria de Manuel Marulanda Vélez. Véase Arturo Alape, *op. cit.* Vásquez Rendón encabezaría en 1965 una fracción que llevaría a la formación del Partido Comunista de Colombia (Marxista-Leninista) en ese año y del Ejército Popular de Liberación (EPL) en 1967. Véase también "El verdadero Marulanda Vélez", *Voz*, en www.semanariovoz.com/2014/07/3

también les dio cabida a las inversiones petroleras norteamericanas con una nueva ley de hidrocarburos que permitió el contrato sobre la Concesión del Catatumbo, una reedición de la Concesión Barco[138], cuya caducidad había sido declarada en 1926 por incumplimiento de las cláusulas acordadas en 1905, ¡veintiún años atrás!

Si a la reanudación de la violencia entre liberales y conservadores, aplazada por casi tres décadas, le quisiéremos poner una fecha, un sitio, y atribuirla a unos hechos, podríamos hablar del 29 de diciembre de 1930 cuando, en Capitanejo (Santander), se presentó una masacre de conservadores a manos de liberales; este fue el detonante del conflicto en la región oriental del país y el hito que marcó el reinicio de la violencia bipartidista. La actitud inicial del conservatismo fue responder con más violencia, pero los hechos que se desatarían en breve con Perú retrasaron los afanes de venganza. Para aumentar las zozobras del Gobierno, el 1° de septiembre de 1932 estalló la guerra con la vecina nación, cuando un grupo de civiles y militares de ese país asaltó la población de Leticia, ribereña del río Amazonas. El incidente sirvió para que el general Luis Miguel Sánchez Cerro, su gobernante *de facto*, desconociera el tratado de límites Lozano-Salomón firmado diez años atrás. La ocupación de la capital de la Comisaría del Amazonas generó un sentimiento de unidad nacional que el presidente Olaya supo capitalizar para paliar los problemas de orden interno y afianzarse mejor en el poder. En el Senado de la República vibró el espíritu patriotero en las palabras de Laureano Gómez: "¡Paz, paz, paz en el interior! ¡Guerra, guerra, guerra en la frontera amenazada!".

En el trasfondo de la acción peruana estaban los intereses comerciales y esclavistas de la Casa Arana que, inmisericordemente, explotaba a los trabajadores de las plantaciones de caucho en toda la región amazónica y que nunca estuvo de acuerdo con la firma del Tratado Lozano-Salomón. Aprovechando el fervor nacionalista, el general colombiano Alfredo Vásquez Cobo organizó una expedición con soldados, mercenarios y voluntarios para recuperar lo invadido; después de algunas escaramuzas y del asesinato de Sánchez Cerro a manos de un militante del opositor partido aprista, se acordó con el

138 Firmada por el Gobierno Nacional con el general Virgilio Barco Martínez, padre de Virgilio Barco Vargas, presidente liberal en el período 1986-1990.

nuevo presidente de Perú el cese de hostilidades, la entrega de Leticia por parte de los peruanos, y a la vez, la devolución de la guarnición de Güeppí, de los prisioneros de guerra y del material bélico que Colombia capturó durante el año que duró la confrontación. La guerra se zanjó con la firma del Protocolo de Amistad y Cooperación de mayo de 1934, conocido como el Protocolo de Río, mediante el cual los dos países "se obligan solemnemente a no hacerse la guerra ni a emplear, directa o indirectamente, la fuerza"[139].

Como quedó demostrado con los hechos de Capitanejo, en el gobierno liberal de Olaya Herrera se percibieron los inicios de la violencia que azotaría al país en las tres décadas siguientes; desde los gobiernos nacional, departamentales y locales se aplicaron las mismas medidas excluyentes que habían utilizado los conservadores durante su hegemonía: se nombraron alcaldes liberales en municipios conservadores, funcionarios públicos fueron despedidos de sus cargos, y la cedulación de conservadores fue obstaculizada por funcionarios liberales. En respuesta, el Partido Conservador se abstuvo de participar en las elecciones presidenciales de 1934; poco a poco, la violencia se enseñoreó en los campos de Boyacá y Santander, "con resonancia en Cundinamarca, Antioquia y algunos lugares del occidente de Caldas"[140].

Para 1934, la economía registraba ya un leve repunte, especialmente por la reactivación de las exportaciones de café, oro y otras materias primas. A las elecciones del 10 de febrero, que llevaron a Alfonso López Pumarejo a la Presidencia, los conservadores no se presentaron, y el Partido Comunista de Colombia lanzó la candidatura de Eutiquio

139 Texto del Protocolo de Amistad y Cooperación entre la república de Colombia y la república del Perú (Protocolo de Río), en: Medófilo Medina y Efraín Sánchez (editores), *op. cit.*, pp. 97-102.

140 Germán Guzmán, Orlando Fals Borda, Eduardo Umaña Luna. *La Violencia en Colombia. Estudio de un proceso social*, tomo I, Bogotá, Monografías Sociológicas, Facultad de Sociología, Universidad Nacional, 1962, p. 22. En 1958 la Junta Militar de Gobierno nombró (Decreto 016 del 21 de mayo de 1958) la Comisión Investigadora de las Causas Actuales de la Violencia, conformada por Otto Morales Benítez (coordinador), Absalón Fernández de Soto, Augusto Ramírez Moreno, los generales Hernando Caicedo López (en servicio activo) y Hernando Mora Angueira (en retiro) y los sacerdotes Fabio Martínez y monseñor Germán Guzmán Campos. La "Investigadora" como se le llamaba, no produjo un informe escrito, gran parte del material y las evidencias reunidas sirvió como fuente para el libro *La Violencia en Colombia.*

Timoté, un dirigente indígena pijao, nacido en Coyaima, que acompañó las luchas del PSR y participó en la fundación del PCC. Se podría decir que la administración Olaya Herrera —que culminaba— fue un período de transición entre el dominio conservador de cincuenta años y la experiencia liberal radical de la "Revolución en Marcha", como se le llamó al primer gobierno de López, que se inauguró el 7 de agosto de 1934.

Un año antes, Jorge Eliécer Gaitán conformó la Unión Nacional de Izquierda Revolucionaria (UNIR), una organización populista de izquierda que aglutinó sectores sociales inconformes y que se situó inicialmente en la oposición a López. Gaitán contaba con un pequeño grupo de leales y combativos adeptos, a quienes llamaban el JEGA[141], que hacía las veces de grupo de choque en las manifestaciones. El paso efímero de la UNIR por la política colombiana llegó a su fin cuando en las elecciones de "mitaca" (término que se refiere a las elecciones que se realizan en la mitad de un período presidencial) de mayo de 1935 alcanzó tan solo 3.800 votos de los electores. Gaitán retornó entonces a las filas del liberalismo de donde había salido en octubre de 1933. Y, como a buen hijo pródigo, el presidente López lo nombró alcalde de Bogotá entre junio de 1936 y febrero de 1937; más tarde sería ministro de Educación en el gobierno de Eduardo Santos y ministro de Trabajo, Higiene y Previsión Social en el segundo mandato de López Pumarejo.

Herbert Braun, en su texto clásico *Mataron a Gaitán*, desarrolla el concepto del *convivialismo* como un estilo político y de determinados códigos, valores y comportamientos de las élites bipartidistas que ejercieron el liderazgo en las décadas del treinta y del cuarenta, a las que Gaitán fustigaba en sus discursos sin importar que fueran conservadores o de su propio partido. Sin embargo, indica Braun, el propio Gaitán se asimiló a los comportamientos convivialistas: "Usaba trajes bien cortados y conducía el último modelo de automóvil americano [...] Adquirió una casa en el nuevo sector residencial a donde se estaban mudando otros convivialistas. Tenía acciones en compañías

141 Acrónimo de Jorge Eliécer Gaitán Ayala. Con el mismo nombre de JEGA surgió, en febrero de 1987, el Movimiento Jorge Eliécer Gaitán por la Dignidad de Colombia, una pequeña organización de guerrilla urbana, escisión del Ejército de Liberación Nacional (ELN), dirigida por Hugo Antonio Toro, alias *Bochica*.

importantes y una prestigiosa compañía de abogados, aunque allí atendiera primero a los pobres mientras les hacía esperar turno a los ricos"[142]. Su regreso al Partido Liberal fue interpretado como el retorno al redil; no fue ni sería el único caso en nuestra historia política tan llena de "díscolos" y "delfines".

López Pumarejo contó con el apoyo y colaboración de los trabajadores que se organizaron en la Confederación Sindical de Colombia (CSC), constituida en agosto de 1935 y que un año más tarde pasó a llamarse Confederación de Trabajadores de Colombia (CTC), con clara influencia del liberalismo de izquierda; también lo acompañaron los sindicatos, que crecían vertiginosamente, así como los comunistas. La participación de estos últimos obedeció a la política internacional lanzada por el Komintern en su VII Congreso, de 1935, para formar "frentes populares" como expresión de una alianza de clases donde se aglutinaban intelectuales, sectores medios y democráticos, en apoyo a gobiernos progresistas y en la lucha contra el fascismo. El 8 de junio de 1936 se instaló en Bogotá el Frente Popular contra el Imperialismo y la Reacción, con un programa definido como democrático-burgués, que contemplaba apoyar a la industria nacional contra la competencia del capital extranjero, la rebaja en el costo de vida y el mejoramiento económico de los trabajadores, apoyar la reforma constitucional y la política internacional por la paz, la soberanía e independencia nacional, y la liquidación del latifundio y de los privilegios feudales en el campo, aspectos contemplados en la "Revolución en Marcha"[143].

"Con López contra la reacción" fue la consigna del PCC para decretar su apoyo a las reformas progresistas del naciente gobierno y el rechazo a aquellas que consideraba contrarias a los intereses populares. Ya en los años cuarenta, bajo la secretaría general de Augusto Durán, los comunistas darían paso a una colaboración reformista y acrítica al liberalismo, en especial al lopismo, producto de la influencia del browderismo, una corriente ideológica que recibió su nombre por

142 Herbert Braun, *Mataron a Gaitán. Vida pública y violencia urbana en Colombia*, Bogotá, Grupo Editorial Norma, 1998, p. 133.

143 Véase la *Historia del Partido Comunista Colombiano*, tomo I, de Medófilo Medina, en: http://www.pacocol.org/es/Inicio/Historia_PCC/index.htm?

su principal promotor, Earl Browder, dirigente comunista de Estados Unidos[144].

El gobierno de López despertó la participación política y social y se lanzó a concretar su proyecto reformista. Primero, mediante la reforma electoral que modernizó el sistema de elecciones; después, con cambios tributarios que modificaron la base de los ingresos estatales. La Ley de Tierras (Ley 200 de 1936) fue un elemento central en sus transformaciones: los movimientos agrarios tuvieron una dimensión nacional, así como la reforma educativa, con propuestas de autonomía, libertad de cátedra e independencia frente a la Iglesia. Pero el fondo de sus cambios lo constituyó la reforma de 1936 a la Constitución, que consagraba la intervención estatal en la economía, unas nuevas relaciones entre la Iglesia y el Estado, y la función social de la propiedad privada. Los campanarios y púlpitos se convirtieron en trincheras y tarimas desde donde aguerridos prelados conservadores, como monseñor Miguel Ángel Builes, llamaron a luchar, hasta la victoria o la muerte, en contra de las reformas y del liberalismo ateo y procomunista, considerado pecado.

Muchos sectores del propio Partido Liberal y de la oposición, así como empresarios y terratenientes, se negaron abiertamente a los cambios, tachados de "ateos y comunistas". Los conservadores, con Laureano Gómez a la cabeza —un anticomunista acérrimo que fungía de vocero e intérprete de la falange española y del nacionalsocialismo en boga en Europa, además de propietario del diario *El Siglo*—, instigaban a acciones violentas mediante consignas en contra de las transformaciones que se realizaban. Los hechos de violencia bipartidista se sucedían uno tras otro: el 21 de octubre de 1936 se presentaron en Pensilvania (Caldas) incidentes en los que la Policía disparó contra manifestantes conservadores, con el resultado de 6 muertos. Eran los síntomas de la "República Invivible" que pregonaba Laureano Gómez.

144 Durante el período que Durán ejerció como secretario general del PCC se produjo el cambio de nombre a Partido Socialista Democrático (PSD); el nombre original se retomó durante el V Congreso, realizado en 1947, cuando Durán se separó del PC, junto con cincuenta delegados de los 176 que asistían, y formaron el Partido Comunista Obrero, de corta duración.

López se alineó con Estados Unidos en los conflictos internacionales que empezaban a surgir y que serían previos al estallido de la Segunda Guerra Mundial. Para entonces, el presidente Franklin D. Roosevelt practicaba con América Latina la "política del buen vecino" ante la proximidad de la confrontación con la Alemania nazi. Efectivamente, había todo un clima internacional que, día a día, amenazaba la frágil paz de esos años convulsos: Italia finalizó su conquista sobre Etiopía; Alemania militarizó de nuevo la zona del Rin y se formó el eje Roma-Berlín. En España se desencadenó una guerra civil entre la derecha nacionalista que defendía a la monarquía, y comunistas, socialistas y anarquistas favorables a la República. Un millón de muertos costó este conflicto. En el plano internacional, los sucesos de España produjeron el alineamiento de Alemania e Italia junto a los ejércitos de Francisco Franco, y el apoyo de la URSS a los republicanos.

Mientras tanto, en Colombia, el periodista y dueño del diario *El Tiempo,* Eduardo Santos Montejo[145], juraba como presidente de la República para el período 1938-1942. Sin el más mínimo obstáculo había ganado las elecciones, ya que Laureano Gómez —como jefe de la oposición— y sus conservadores decidieron abstenerse de nuevo aduciendo la falta de garantías para su participación; los comunistas, por su parte, apoyaron sin condiciones la elección de Santos, aunque su participación en el Gobierno fue marginal. Frente a la conflagración mundial que se desató a partir del 1° de septiembre de 1939, el presidente Santos se declaró neutral, sin ocultar sus preferencias por los Aliados, que luchaban contra el eje Berlín-Roma-Tokio. En términos de la economía, mantuvo las tradicionales buenas relaciones de cooperación con Estados Unidos que sirvieron para paliar la crisis cafetera de 1940 como efecto inmediato del desencadenamiento de la Segunda Guerra Mundial y la consecuente desaparición de la demanda de café en los mercados de Europa; en agosto de ese año, el precio del grano colombiano alcanzó la cotización más baja de la historia: 7,5 centavos de dólar por libra. Estados Unidos propició un acuerdo interamericano que estableció cuotas para los países exportadores

145 Tío abuelo de Juan Manuel Santos Calderón, presidente de la República en los períodos 2010-2014 y 2014-2018.

en los años subsiguientes, lo que permitió el alza en los precios y su estabilización en 1941.

En política interna, la "pausa" anunciada por López a la Revolución en Marcha no significó del todo el freno a las reformas, que continuaron en el gobierno moderado de Santos; significó, sí, la continuación de los cada vez más frecuentes enfrentamientos entre liberales y conservadores. En enero de 1939, en la región conservadora de El Guavio, en el occidente de Cundinamarca, se presentó un hecho que mostró cómo los niveles de violencia arreciaban: ese día, domingo por cierto, se realizó una concentración en el municipio de Gachetá que dejó nueve muertos y numerosos heridos; según la versión de los conservadores, cuando los militantes de su partido llegaron a la plaza principal, fueron requisados por la Policía y hostigados por liberales que por allí se encontraban, y, cuando quisieron responder, la Policía abrió fuego. Los liberales afirmaban que un gamonal del pueblo, el general Amadeo Rodríguez, fue quien hizo el primer disparo, que alborotó a los conservadores que atacaron a sus opositores y fue entonces cuando intervino la Policía. Del hecho no hubo claridad y sirve para ejemplificar cómo estaban los ánimos y la facilidad con que se encendía una hoguera; los editoriales de *El Siglo* se encargaban de atizarla: "Si la convivencia es imposible porque la chusma liberal logra espantar al Gobierno y obligarlo a replegarse con sus ideas de respeto por los derechos de los conservadores, no nos queda más recurso que el derecho natural de la propia defensa [...] mostrando que no somos mancos y que dondequiera que podamos ser fuertes, rescataremos por la fuerza nuestro derecho"[146].

Para las elecciones de 1942, López Pumarejo anunció la decisión de presentarse de nuevo como candidato a la Presidencia; un sector moderado del liberalismo, con el apoyo de empresarios y de los conservadores de Laureano Gómez, contrapuso la candidatura disidente del exministro y exalcalde de Bogotá, Carlos Arango Vélez. Ya con anterioridad, Laureano Gómez había amenazado con la guerra civil y el atentado personal si los liberales apoyaban la reelección de López,

146 Editorial de Aquilino Villegas, político caldense, en *El Siglo*, 16 de enero de 1939; citado en el texto de Alfredo Molano Bravo en Comisión Histórica del Conflicto y sus Víctimas, *Contribución al entendimiento del conflicto armado en Colombia*, *op. cit.*, p. 551.

que resultó ganador, pero no logró la cohesión de su partido frente a una nueva fase de la Revolución en Marcha. El segundo mandato de López (1942-1945), caracterizado por la inestabilidad política, su propio desprestigio y la renuncia temporal entre octubre de 1943 y mayo siguiente[147], fue cuestionado por los opositores conservadores y algunos sectores del liberalismo; constantemente, desde los medios de comunicación, era tildado de "comunista" y considerado parte integral de una "conspiración bolchevique". Al igual que en la primera administración, los trabajadores y los comunistas se la jugaron por apoyarlo y defenderlo políticamente, en especial después del intento de golpe de Estado del 10 de julio de 1944, cuando el presidente fue apresado por un movimiento militar en Pasto. Los militares demostraban así que no estaban al margen de los avatares políticos; el intento de golpe lo dirigió el coronel Diógenes Gil; de nuevo, el designado Echandía asumió la Presidencia y se logró conjurar el cuartelazo.

López intentó y logró, en 1945, una reforma a la Constitución que otorgaba la ciudadanía a la mujer, prohibió a los militares en servicio activo el voto y la intervención en política, incluyó la más importante de las reformas laborales, introdujo modificaciones al régimen territorial y otorgó al Estado nuevas funciones en el sistema económico. Pese a todo, afrontó la encarnizada oposición conservadora dirigida por Laureano Gómez. El sectarismo político de unos y otros se agudizó; de manera creciente se denunciaban matanzas de liberales o de conservadores. La manera irresponsable como se adelantaba el ejercicio de la política y como, desde las clases dominantes, se atendían los reclamos de los más pobres hacía prever las consecuencias que solo unos años después sacudirían a Colombia. La violencia política, económica y social tomó forma de manera acelerada.

Dadas las dificultades propias de la falta de apoyo político, y por problemas de orden familiar, el presidente López presentó renuncia ante el Congreso de la República el 19 de julio de 1945, y como primer designado fue nombrado Alberto Lleras Camargo, exembajador en Washington, que acababa de regresar de San Francisco en donde asistió, en representación de Colombia, al nacimiento de la Organización

147 Reemplazado por el primer designado, Darío Echandía, quien era ministro de Relaciones Exteriores.

de las Naciones Unidas (ONU). En su administración demostró ser un liberal moderado, dispuesto a bajarle el tono a la confrontación partidaria, y por eso dio cabida a los conservadores con tres ministerios. En junio de 1946 se conformó la Unión de Trabajadores de Colombia (UTC), impulsada por los jesuitas como expresión del "sindicalismo clerical", según el profesor Renán Vega Cantor, que sirvió para cooptar líderes sindicales afines al conservatismo y menoscabar las bases de la CTC. Lleras garantizó la tranquilidad en el paso del gobierno liberal a los conservadores, triunfantes en las elecciones de 1946.

La crisis que sufría el Partido Liberal desde 1944 se profundizó para las elecciones del 46; la brecha entre las candidaturas de Gabriel Turbay (oficialista) y Jorge Eliécer Gaitán, que se presentó como independiente, impidió la unidad. La actitud vacilante del comunismo criollo, bajo la influencia aún del browderismo de Augusto Durán, lo puso al lado de la candidatura liberal-moderada de Turbay en contra de Gaitán, a quien consideraban "títere del laureanismo"[148] por el apoyo que Laureano le estaría brindando desde las páginas de *El Siglo*, para así atizar la división liberal.

La figura del *Negro* Gaitán se agigantaba con cada manifestación política a la que convocaba a los oprimidos y con cada ataque al gobierno de turno o a "las oligarquías". Mientras que para unos encarnaba las ideas socialistas y comunistas de avanzada, para los más retrógrados era razón de odios en un mundo donde se intensificaba una cruzada en contra de la expansión soviética: la Guerra Fría. Ante la división liberal, fue elegido con el 40,5% de los votos el conservador Mariano Ospina Pérez, nieto del expresidente Mariano Ospina Rodríguez, sobrino del expresidente Pedro Nel Ospina. Así se hacía entonces —y así se sigue haciendo— la política en Colombia. De esta manera terminó el período que en la historia de Colombia se conoce como "La República Liberal". Gaitán fue electo al Congreso el 16 de marzo de 1947; siete meses después fue nombrado jefe único del Partido Liberal. Durante el mandato de Ospina creció la economía, el precio del café en el exterior

148 *El Partido Comunista Colombiano en sus alianzas con la burguesía: una mirada histórica desde su fundación hasta el Frente Nacional*, en: http://radiomacondo.fm/2014/06/05/el-partido-comunista-colombiano-en-sus-alianzas-con-la-burguesia-una-mirada-historica-desde-su-fundacion-hasta-el-frente-nacional/

se incrementó, aumentaron las exportaciones e importaciones, el poder adquisitivo de la moneda se fortaleció, así como el nivel de consumo por habitante. Creció igualmente la pugnacidad del conservatismo, en particular desde el Ministerio de Gobierno y de Justicia, donde el titular de la cartera, José Antonio Montalvo, incitaba a la violencia política con su expresión "A sangre y fuego".

Un hecho político poco relacionado posteriormente con los sucesos del 9 de abril de 1948 fue la huelga que adelantaron los trabajadores de la Tropical Oil Company en el puerto de Barrancabermeja a partir del 7 de enero de ese mismo año y que se prolongó por 51 días. Ya en seis oportunidades[149], los trabajadores de la *Troco*, hastiados de tanta discriminación racial y social, habían recurrido al derecho de huelga como respuesta reivindicativa y política por la nacionalización del petróleo[150]. En los paros de 1924 y 1927 se destacaron el liderazgo indiscutible de Raúl Eduardo Mahecha y la orientación de María Cano e Ignacio Torres Giraldo; en los siguientes, los trabajadores contaron con la solidaridad de dirigentes políticos comunistas y liberales de izquierda, como fue el caso de Gaitán.

En esta ocasión, la *Troco* estaba detrás de una maniobra claramente capitalista: quería dilatar el proceso de reversión de sus activos y yacimientos al Estado colombiano; el plazo, de acuerdo con la Concesión De Mares[151], se venció en 1946 pero, gracias a asesores habilidosos y autoridades cómplices, se había prorrogado hasta 1951 y querían 5 años

149 "La primera transcurrió entre el 8 y el 14 de octubre de 1924, con una participación de unos tres mil trabajadores; la segunda del 14 hasta el 29 de enero de 1927; la tercera del 7 hasta el 20 de diciembre de 1935 (con 4.000 petroleros); la cuarta del 8 hasta el 12 de abril de 1938; la quinta del 28 de octubre hasta el 23 de noviembre de 1946 (12.000 obreros) y la sexta del 7 de enero hasta el 24 de febrero de 1948 (5.000 obreros)". Citado en: http://www.las2orillas.co/lo-que-no-se-dice-de-la-creacion-de-ecopetrol/

150 El enclave de la Tropical tenía varios "anillos" protegidos por cercas de alambre: en el primero estaban las casas, los campos deportivos y clubes de recreación de los gringos; en otra zona, hacinados en barracas, los trabajadores colombianos; más allá, en espacios mejor dotados, los ingenieros y técnicos colombianos de mayor nivel, fieles a los dictámenes de la empresa; después, los barracones de los negros *yumecas,* traídos de las Antillas como mano de obra barata; cruzando la última cerca estaban las gentes de Barranca. Véase: Apolinar Díaz-Callejas, *op. cit.*, pp. 55-92.

151 Firmada en 1905 durante el gobierno del general Rafael Reyes, traspasada en 1919 a la Tropical Oil Company que implantó una economía de enclave en la región del Magdalena Medio santandereano.

más. Frente a ello, los obreros lanzaron una huelga antiimperialista en defensa de los intereses nacionales que exigía la reversión inmediata y el reintegro de 107 trabajadores que la empresa despidió aduciendo la "baja rentabilidad" por el supuesto agotamiento de los pozos. Como en tantas ocasiones, diarios de circulación nacional informaron tendenciosamente sobre la movilización social. *El Siglo*, vocero del conservatismo más retrógrado, por ejemplo, titulaba: "Gaitán colabora en el paro comunista de los petroleros" (enero 6), "Extranjeros perniciosos ayudan en la organización del paro comunista" (enero 8), "El juez de Barranca comunista integral" (enero 9)[152].

La huelga fue declarada legal por el juez, y, para alcanzar soluciones, se conformó un tribunal de arbitramiento obligatorio que dispuso el reintegro de los trabajadores despedidos y el gobierno conservador de Ospina Pérez reconoció el fin de la Concesión De Mares para 1951 y la creación de la Empresa Colombiana de Petróleos —Ley 165 de diciembre de 1948—. El paro concluyó el 27 de febrero y se resalta la participación digna y combativa de Diego Montaña Cuéllar como asesor jurídico de la USO.

El 7 de febrero anterior, en medio de la huelga en Barranca y del recrudecimiento de la violencia, Gaitán cometió su mayor pecado frente a las oligarquías y a la reacción: convocó a la Manifestación del Silencio en la Plaza de Bolívar de Bogotá, la más significativa y multitudinaria concentración política que se recuerde en el país. Ese día firmó su sentencia. Una muchedumbre atenta a las disposiciones de su caudillo —tan caudillo como lo fue cincuenta años atrás Uribe Uribe—, dispuesta a levantarse después de tantas humillaciones y ofensas, asistió con banderas enlutadas en señal de duelo por los miles de muertos de La Violencia, que ya había comenzado. Allí estaba el país nacional reclamándole al país político. Las cien mil almas que se congregaron al anochecer de ese día no dijeron nada: su "silencio de masas" lo decía todo. Solo se escuchó el clamor por la paz en la voz de Gaitán, quien pedía al presidente Ospina que cesara la violencia oficial contra los campesinos y los militantes liberales: "Bienaventurados los que no ocultan la crueldad de su corazón, los que entienden que las palabras

152 Apolinar Díaz-Callejas, *op. cit.*, p. 78.

de concordia y de paz no deben servir para ocultar los sentimientos de rencor y exterminio. Malaventurados los que en el Gobierno ocultan tras la bondad de las palabras la impiedad contra los hombres de su pueblo, porque ellos serán señalados con el dedo de la ignominia en las páginas de la historia"[153].

Cincuenta días más tarde se instaló en el Capitolio Nacional la IX Conferencia Panamericana con la presencia de los más altos representantes diplomáticos del continente. En Bogotá estaban el mismísimo secretario de Estado de Estados Unidos, George Marshall, el del Plan; el dominicano Joaquín Balaguer; el venezolano Rómulo Betancourt; el nicaragüense Anastasio Somoza y, en otras actividades, el cubano Fidel Castro Ruz, estudiante de la Escuela de Derecho de la Universidad de La Habana, que promovía un congreso estudiantil. La Conferencia sesionó entre el 30 de marzo y el 2 de mayo; fue presidida inicialmente por Laureano Gómez, que se desempeñaba como ministro de Relaciones Exteriores; en sus debates aprobó la carta de la OEA, creó la Junta Interamericana de Defensa como un comité consultivo para la colaboración militar entre las naciones del hemisferio y eligió como su primer secretario general al expresidente Alberto Lleras Camargo. Los ojos del continente estaban puestos en Bogotá y por eso el Gobierno "echó la casa por la ventana", para agradar a tan ilustres visitantes.

A la una y cinco minutos de la tarde del viernes 9 de abril de 1948 cayó asesinado Jorge Eliécer Gaitán, definido como el más grande tribuno y agitador de masas que haya conocido la política colombiana. El crimen repercutió en todo el territorio nacional. Una revolución había comenzado. ¡A la carga! Gaitán no se equivocó cuando sentenció en uno de sus grandilocuentes discursos en la plaza pública: "Ninguna mano del pueblo se levantará contra mí y la oligarquía no me mata, porque sabe que si lo hace el país se vuelca y las aguas demorarán cincuenta años en regresar a su nivel normal".

El magnicidio de Gaitán no fue un hecho aislado de lo que ocurría en Colombia en esos años, no fue por lo tanto el comienzo de La Violencia; el 9 de Abril se inició una nueva fase de la histórica violencia política. No se trató de la decisión individual de un asesino que por

153 Jorge Eliécer Gaitán, "Oración por la paz", en http://www.lacasadelahistoria.com/oracion-por-la-paz-jorge-eliecer-gaitan/

cuenta propia perpetró el crimen; fue una conspiración con múltiples autores, nacionales e internacionales, cobijados por el poder. No fue el primer asesinato político; lo antecedieron los del mariscal Antonio José de Sucre, en los albores de la Independencia; el del general Rafael Uribe Uribe, en los inicios del siglo; y muchos más. No fue obra del comunismo criollo o internacional como, desde la gran prensa, el Gobierno Nacional y otros gobiernos, se quiso presentar el monstruoso crimen; las mismas oligarquías señaladas por Gaitán, ante el temor que les generaba, se regodearon con su muerte. No fue simplemente el origen del conflicto político armado contemporáneo; más allá de esa verdad, representó un nuevo momento en la lucha entre pobres y ricos, más que la confrontación liberal-conservadora que siempre encontraría fórmulas políticas de entendimiento para fortalecer el establecimiento y mantener el *statu quo*.

Con fecha del 14 de octubre de 1948, a seis meses del crimen, el Gobierno de Estados Unidos, a través del Departamento de Estado, elaboró un estudio secreto titulado *"Communist Involvement in the Colombian Riots of April 9, 1948"*. El documento de treinta páginas presenta algunas conclusiones en cuanto a la presunta responsabilidad de los comunistas en sabotajes a la IX Conferencia Panamericana, el asesinato de Jorge Eliécer Gaitán y posteriores disturbios en Bogotá y en otras partes del país:

> Hay abundante evidencia de que los comunistas colombianos, que trabajan principalmente a través de la Confederación de Trabajadores de Colombia, hicieron grandes planes para sabotear la IX Conferencia Internacional de Estados Americanos. Según estos planes, los comunistas estaban aparentemente motivados por dos objetivos principales: ridiculizar el trabajo de la Conferencia y, de este modo, destruir el prestigio de Estados Unidos en los asuntos hemisféricos y mundiales; y agregar dificultades a la administración de Ospina haciendo énfasis, ante una audiencia internacional, en sus supuestos aspectos antidemocráticos y su inhabilidad para lidiar con los serios problemas económicos y políticos.
>
> Los planes discutidos en las reuniones del Partido Comunista Colombiano para desacreditar la Conferencia y a Estados Unidos incluían una "denuncia de la próxima Conferencia Panamericana", el lanzamiento de la 'campaña de

propaganda antiimperialista", la circulación de 3.000 afiches, "especialmente durante la Conferencia Panamericana", la aprobación de una "campaña abierta contra todas las propuestas de la delegación de Estados Unidos" y un "exhaustivo ataque escrito y oral en contra de la Doctrina Truman y del Plan Clayton". El 29 de marzo de 1948, una fuente estadounidense controlada reportó que los partidos Comunista y Comunista Obrero alcanzaron un acuerdo en un programa de "agitación y acoso" contra varias delegaciones, incluida la de Estados Unidos. De acuerdo con este reporte, los comunistas tienen la instrucción de reservar sus esfuerzos para ataques personales en la conclusión de la Conferencia con el fin de dar a los delegados la impresión de fracaso y pérdida de prestigio [...].

El 20 de marzo de 1948, *El Colombiano*, importante diario conservador de Medellín, acusó a Gaitán de juntarse con los comunistas para instigar revueltas y disturbios en todo el país y de crear una "atmósfera de alarma y agitación". *El Siglo* luego denunció que el comunismo nativo estaba "bajo inspiración directa de Moscú y de la facción comandada por Jorge Eliécer Gaitán". Este alegato fue negado por Gaitán el 23 de marzo; aseguró que se había enterado de planes de actos hostiles en contra de los delegados e hizo un llamado a las "muy disciplinadas masas del Partido [Liberal]" para resistir tales estallidos. El 21 de marzo de 1948, *El Colombiano* declaró que los líderes de la CTC trabajaban con los comunistas en ciertas áreas para planear disturbios y que habían distribuido circulares instando a la intensificación de las huelgas, especialmente en la industria del transporte, para 'anular las labores' de la Conferencia Panamericana.

Fuente: Department of State, *Communist Involvement in the Colombian Riots of April 9, 1948*, 14 October 1948. The National Security Archive (NSA), Colombia and the United States: Political violence, narcotics and human rights, 1948-2010. Documentos desclasificados de diferentes agencias de seguridad del Gobierno de Estados Unidos.

Lo que sucedió a continuación fue el caos: una insurrección popular sin antecedentes en la vida nacional, sin norte ni conducción; unas masas adoloridas e informes armadas con palos, machetes y revólveres, con un claro deseo de venganza que, al grito de "¡Mataron a Gaitán!", "¡Mueran los godos!", "¡A Palacio!", "¡Muera el Gobierno!", arrasaban con todo lo que encontraban a su paso. A la protesta espontánea se sumaron líderes gaitanistas, estudiantes universitarios inorgánicos y comunistas que se tomaron radiodifusoras y trataron de capitalizar el desorden llamando a formar una junta revolucionaria. En esa tarea se empeñaron liberales de izquierda como Antonio García, Diego Montaña y Gerardo Molina, ninguno de ellos con capacidad organizativa ni militar para conducir una explosión de esas dimensiones. Nadie lo estaba.

El diario *El Siglo* fue incendiado, al igual que parte del centro de Bogotá; el comercio saqueado, en demostración de una rabia social contenida; iglesias fueron quemadas como respuesta a la complicidad desde las jerarquías eclesiales; el autor material, o uno de los autores materiales del asesinato, fue capturado por la muchedumbre y linchado. Hubo militares insubordinados, como el capitán José Phillips Rincón, amigo personal de Gaitán, o el teniente Tito Orozco, que se acuarteló en la sede de la Quinta División de la Policía a la espera de órdenes, mientras la cúpula le proponía a Ospina Pérez una Junta Militar para solucionar el levantamiento y la jefatura liberal intentaba negociar una propuesta de coalición que finalmente logró incluyendo a Darío Echandía como ministro de Gobierno.

El Ejército salió a las calles y retomó el control; parte de los mandos de la Policía fueron detenidos y procesados, y los dirigentes de los dos partidos entendieron que las consecuencias del levantamiento popular los afectarían a unos y a otros; ante eso, firmaron el llamado "Pacto de Tregua" en el que señalaron: "El grave clima de exacerbación política creado por el excecrable (*sic*) asesinato del señor Jorge Eliécer Gaitán constituye un serio peligro para la paz pública y amenaza con torcer el rumbo histórico de la Nación. Los directorios de los dos partidos se hallan de acuerdo en la necesidad de restablecer la calma y la normalidad, no solo para salvar al país de esos gravísimos peligros, sino también para poder encauzar el esfuerzo unido de todos los colombianos hacia la reconstrucción moral y material del país, tan seriamente quebrantada por designios extraños que sorprendieron a los dos partidos históricos en sus métodos de lucha cívica"[154]. Esta transacción bipartidista no tenía el respaldo pleno de los dirigentes de

154 "Los sucesos del 9 de abril de 1948 como legitimadores de la violencia oficial", en *Historia Crítica*, Universidad de los Andes, julio-diciembre de 1998, pp. 39-46.

los partidos; las élites estaban fracturadas, y, poco tiempo después, el pacto se derrumbaría.

Fidel Castro fue testigo de excepción de aquellas jornadas; se encontraba en Bogotá con Rafael del Pino organizando el Congreso Latinoamericano de Estudiantes, y, días antes, se habían reunido con dirigentes universitarios, con líderes obreros de la CTC y con Gaitán, que los citó de nuevo para el 9 de abril a las dos de la tarde: "La sublevación no la organizó nadie, eso sí lo puedo asegurar ciento por ciento, porque la sublevación fue espontánea y de tipo popular. La violencia con que reaccionó la gente da idea del grado de opresión en que se encontraban las masas, da idea de la simpatía que sentían por Gaitán. Fue la muerte de una esperanza. Fue la gota que colmó la copa. La gente sencillamente estalló. Eso lo vi desde el primer momento. Era la gente de la calle, la gente simple, sencilla del pueblo que se lanzó en todas direcciones gritando, furiosa, furiosa. Es el más increíble estallido popular que puedo imaginar. El pueblo oprimido, el pueblo hambriento, sin una conciencia política, sin una organización, sin una dirección [...] porque incluso mucha parte de la Policía se sumó a la sublevación y el Ejército vaciló porque en las propias filas de los militares había simpatía por Gaitán"[155]. Así fue "El Bogotazo".

Para reforzar a la Policía en Bogotá, el 10 de abril llegaron en destartalados camiones cerca de quinientos campesinos mal armados; venían de la vereda Chulavita del municipio de Boavita, en Boyacá, bajo el mando de Mariano Jiménez, un campesino conservador de la región. Los enviaba el mismísimo gobernador conservador, José María Villarreal. Esta fuerza parapolicial, alimentada por el rencor hacia sus contrarios, fue reclutada para "salvar al presidente Ospina" y para matar campesinos liberales. Desde entonces, el gentilicio de los oriundos de Chulavita —los chulavitas— se convirtió en el terror por los métodos y medios criminales que utilizaron.

Al día siguiente, en medio de la desolación, los restos humeantes, el fango y la sangre, los bogotanos, que tímidamente se atrevieron a asomarse a las esquinas o a las ventanas de las casas agujereadas por los proyectiles, no salían del asombro por la destrucción y muerte que

155 Arturo Alape, *op. cit.*, p. 657.

se alcanzaron. Se calcula que, de una población de 600.000 habitantes, murieron más de 5.000. "Bogotá está semidestruida", tituló el diario *El Tiempo*. Otros diarios fueron más allá al presentar los acontecimientos. *El Colombiano* del sábado 10 de abril encabezó: "Golpe comunista. Sangrientamente se cumplió la consigna roja contra la Conferencia Panamericana. Gaitanistas y comunistas saquearon ciudades y almacenes".

En la apartada provincia, las cosas fueron distintas: los dirigentes, en su mayoría, cumplieron su papel y el pueblo, de manera organizada, ejerció su propio poder. En varios puntos de la geografía nacional, las gentes adoloridas resolvieron conformar juntas revolucionarias y nombrar en ellas a sus más destacados dirigentes locales. Mientras se esperaban las órdenes de "arriba", de la capital, que dada la ambigüedad de la dirección liberal, nunca llegaron, la llama de la rebelión se apagó poco a poco. Barrancabermeja fue la excepción: en las calles polvorientas aún resonaban los ecos de la huelga antiimperialista de los trabajadores petroleros del 7 de enero pasado; con las primeras noticias y los gritos por la muerte del caudillo, se conformaron milicias populares armadas que controlaron el orden público, encarcelaron a los conservadores para evitar linchamientos, impidieron los desmanes y desarmaron a la Policía; esta fue una de las formas del poder popular que se estableció a través del nombramiento de la Junta Revolucionaria de Gobierno y de un alcalde popular, Rafael Rangel Gómez, un enérgico y disciplinado liberal gaitanista que en ese momento hacía parte del Concejo Municipal. Las nuevas autoridades impusieron tributos, la ley seca, destruyeron los depósitos de bebidas alcohólicas, prohibieron el traslado de bultos o paquetes sospechosos y organizaron la vigilancia y seguridad. A su vez, las milicias obreras asumieron la protección de las instalaciones petroleras, las comunicaciones y el control del trasporte aéreo, fluvial y terrestre; además, fabricaron granadas de mano, minas, lanzas con cuchillos viejos, cañones con tubos de acero y escopetas con repuestos de automóviles.

Con el correr de los días, "La Comuna de Barranca" se fue quedando sola; ya en Bogotá, las élites partidistas habían pactado y no cesaban sus llamados al orden. La Junta Revolucionaria en Barranca y los dirigentes obreros establecieron diálogos con el Gobierno Central y se acordó el nombramiento de una delegación para que en el terreno estableciera los términos de un acuerdo que al final no se cumplió. Cuando, en la madrugada del 29 de abril, se inició la represión con la llegada del Ejército, Rafael Rangel se lanzó a la lucha guerrillera y huyó con algunos de sus compañeros hacia las montañas de San Vicente de Chucurí y Puerto Wilches. Los miembros de la Junta Revolucionaria de Gobierno y demás implicados en los "Diez días de poder popular" en Barranca fueron capturados y sometidos a consejos verbales de guerra, unos condenados en ausencia, otros presentes y algunos más absueltos[156].

Después del asesinato de Gaitán, el país sucumbió frente a una horrible noche de muertos por doquier. La violencia entre los seguidores de ambos partidos se instauró en la vida pública. El insulto, el agravio y la agresión se convirtieron en comportamientos cotidianos para acallar e impedir las voces disidentes. Mientras tanto, las comisiones policiales conservadoras y las bandadas incontenibles de "pájaros" y de "chulavitas", a los gritos de "¡Viva la Virgen del Carmen!", "¡Viva Cristo Rey!", "¡Viva Laureano Gómez!", "¡Abajo el Partido Liberal!", recorrían los campos de Santander, Tolima, Valle, Caldas, Antioquia y Boyacá aplicando la consigna "a sangre y fuego" y sembrando el terror. La consigna de los campesinos perseguidos fue organizar la autodefensa y sobrevivir a la barbarie desatada desde las más altas esferas del poder; la única forma de lograrlo era empuñando las armas. Algo similar ocurría en las ciudades capitales y en pueblos de regiones apartadas. Bogotá y otras capitales departamentales también eran escenarios violentos: el 8 de septiembre, en el recinto de la Cámara, el conservador Castillo asesinó a su colega liberal Jiménez; otro de tantos hechos execrables durante La Violencia fue la masacre en la Casa Liberal en Cali, ocurrida en la noche del 22 de octubre de 1949, cuando veintidós liberales fueron asesinados por pistoleros que ingresaron a la sede política luego de una manifestación partidista. El hecho profundizó la animadversión entre los dos partidos. Carlos Lleras Restrepo, que hacía las veces de director liberal, ordenó a sus seguidores romper todo vínculo con los conservadores, "inclusive a nivel personal".

156 Apolinar Díaz-Callejas, *op. cit.*, pp. 98-133.

Las elecciones para Congreso, asambleas departamentales y concejos municipales del 5 de junio de 1949 les dieron la ventaja a los liberales, que convirtieron los cuerpos colegiados en trincheras para, desde allí, oponerse al régimen conservador. Ante el peligro que un poder legislativo en manos del liberalismo representaba para el Ejecutivo y el asesinato de un congresista liberal, el 9 de noviembre Ospina declaró el estado de sitio que limitó las libertades de movilización y reunión, clausuró el Congreso y todas las asambleas departamentales y dictó medidas de control a la prensa. Fue un golpe de Estado. El 27 de noviembre siguiente, sin ninguna oposición, fue elegido Laureano Gómez Castro como presidente de la República con el voto de los conservadores; los liberales optaron por la abstención y retiraron la candidatura de Darío Echandía. Diez días antes de las elecciones se produjo la masacre en El Carmen, al noroccidente de Cúcuta, donde fueron asesinados treinta liberales. Como en la ley del Talión: "ojo por ojo, diente por diente". En su posesión, el 7 de agosto del año siguiente, Laureano manifestó que el suyo sería un gobierno proestadounidense y anticomunista. Durante su mandato, la violencia alcanzó el más alto grado de paroxismo, llegando a extremos inimaginables.

El monitoreo a la situación colombiana le permitía a la Administración de Estados Unidos tomar decisiones en cuanto a suministros y ayudas para fortalecer al Gobierno, en este caso, en momentos en que "no tiene todavía control de la situación":

> La mayor parte de las Fuerzas Armadas parecen ser leales al Gobierno y están, en este momento, comprometidas con la misión primordial del Ejército colombiano —mantener el orden—. En esta misión, ha tenido más éxito en el norte (Magdalena, Bolívar y Antioquia). En el suroriente (*sic*), principalmente en Huila, Cauca, Valle, Tolima y Caldas, hay un aumento limitado de violencia esporádica, pero el Ejército ha podido mantener un adecuado nivel de orden. En el oriente, en cambio, en Meta, Boyacá, Arauca y municipios periféricos de Cundinamarca, el Ejército ha fallado, hasta ahora, en su efectividad, y bandas armadas, con un estimado de 2.000 a 6.000 hombres, han incrementado, aparentemente, en personal y en armamento en los pasados meses. Mil tropas del Ejército fueron supuestamente enviadas al área en enero y febrero. A finales de marzo, una nueva área administrativa se estableció

en el centro de la región afectada, con un oficial del Ejército a cargo como administrador civil y militar. En abril, la Fuerza Aérea llevó a cabo, para cooperar con actividades del Ejército, varias misiones de ametrallamiento con un resultado, sin confirmar, de 200 rebeldes dados de baja. Las actuales preparaciones para una ofensiva indican que el Gobierno no tiene todavía control de la situación.

Fuente: Central Intelligence Agency, Weekly contributions, D/LA, 22-50. CIA Working Paper. Situation Memorandum 32-50. *The current situation in Colombia*, 31 May 1950. The National Security Archive (NSA), Colombia and the United States: Political Violence, Narcotics and Human Rights, 1948-2010. Documentos desclasificados de diferentes agencias de seguridad del Gobierno de Estados Unidos.

Poco a poco, la resistencia armada tomó forma y provino de tres escenarios que se configuraron, simultáneamente, en distintas regiones, con distintos e inconexos liderazgos.

El primer escenario, recién pasado el 9 de Abril, se gestó a partir de la reacción de dirigentes liberales, locales o regionales, que fueron perseguidos y que, para hacerle el quite a la muerte, se fueron al monte a organizar guerrillas como la de Rafael Rangel Gómez, Antonio Pérez Tolosa, Zoilo González y Gustavo González, en la zona montañosa de La Colorada, por los lados de San Vicente de Chucurí. En esta misma región se inició, el 4 de julio de 1964, la marcha guerrillera del ELN con campesinos o familiares de quienes hicieron parte de las huestes de Rangel. González era el tío de Martha González, conocida como la *Mona Mariela*, fundadora del ELN y única mujer que participó en la toma de Simacota, primera acción pública de ese grupo. Rangel Gómez organizó para el 27 de noviembre de 1949, día de elecciones, en el marco de un levantamiento acordado entre liberales y militares, la toma de San Vicente de Chucurí con el propósito de sabotearlas y responder así a los continuos asesinatos que se cometían en contra de los integrantes de su partido. En las filas de Rangel participó también el campesino Julio Guerra, que años después se ubicó en el sur del departamento de Córdoba, en las regiones del Alto Sinú y Alto San Jorge, donde se vinculó al proceso de organización y fundación del Ejército Popular de Liberación (EPL), entre 1965 y 1967.

Sobre los alcances y accionar del grupo de Rangel hay versiones contradictorias: en el libro *La Violencia en Colombia* señalan los autores que en la toma de San Vicente de Chucurí participaron 700 hombres, "con saldo de doscientos muertos entre varones, mujeres y niños"; otras fuentes estiman en 200 los combatientes de Rangel. Lo cierto es que controló extensas zonas del Magdalena Medio santandereano, incluidos tramos de la navegación del río entre La Dorada y Puerto Wilches. El Gobierno, la prensa y el común de la gente bautizaron a las guerrillas liberales como "chusmeros", "nueveabrileños", "bandoleros", "cachiporros" y "cuadrilleros"; a ellos les opusieron la policía "chulavita", los "contrachusmeros", la "Popol" (Policía Política) y los temibles "pájaros"; siendo el más famoso León María Lozano, apodado *El Cóndor*.

Al igual que a Rafael Rangel en Barrancabermeja, el 9 de Abril en Medellín se nombró como alcalde al dirigente liberal Donato Duque y se constituyó una Junta Revolucionaria, presidida por Rubén Uribe, un prestigioso médico local. Pasada la euforia de los primeros días y derrotada la revuelta, el expolicía y dirigente gaitanista Juan de Jesús Franco, un hombre decidido, de mediana estatura, robusto y trigueño, tomó el camino del monte, se fue con algunos de sus compañeros hacia la zona de Pavón, en el municipio de Urrao, y se convirtió en el *Capitán Franco*, comandante mayor del Comando Supremo de las Fuerzas Revolucionarias del Suroeste y Occidente Antioqueños. El del Capitán Franco no fue el único frente armado en Antioquia: por los lados de Dabeiba y de Urabá estaba el Capitán Gordo; el de Camparrusia, en Peque, con el Capitán Penagos; todos eran pequeños ejércitos, conocidos como "los campesinos enmontados", que fueron duramente perseguidos, en algunos casos hasta por los mismos jefes liberales. Del Capitán Franco se recuerda que, a mediados de 1951, se voló la mano izquierda mientras manipulaba explosivos en su campamento.

Sobre jefes guerrilleros como Rangel o el Capitán Franco, los autores de *La Violencia en Colombia* señalaron las circunstancias que los pudieron conducir al alzamiento; anotaron también los impactos de una nueva vida al tener que abandonar familias, en muchos casos propiedades, y la precariedad a la que se vieron enfrentados. Sin justificarlos, explicaron la respuesta violenta en el imprescindible texto: "Al hacer una ponderación imparcial de los acontecimientos, queda para el hombre honrado la certeza de que en la mayoría de los jefes guerrilleros y de pandilla obra casi siempre como causa determinante de su actuación y de su degeneración criminógena un impacto recibido, un golpe contra el honor de sus mujeres, sangre de los suyos derramada, incendio, robo. Su actitud se explica como una reacción feroz, como una brutal respuesta al crimen con el crimen"[157].

Un segundo escenario después del 9 de Abril se constituyó en la región de los Llanos, en el oriente de Colombia, donde la rebelión prendió tan pronto mataron a Gaitán. El alzamiento de los llaneros, al principio un tanto anárquico y disperso, alcanzó dimensiones populares y nacionales conservando sus especificidades territoriales y culturales, y contó con una incipiente ideología revolucionaria más allá de los difusos ideales liberales; así se mantuvo durante cuatro años, hasta 1953. El movimiento fue creciendo en efectivos, en armas y en audacia; se unificó en la acción, en el golpe de mano y en el combate. Cuando alcanzó mayores desarrollos, se denominó Fuerzas Revolucionarias de los Llanos Orientales, un verdadero ejército que alcanzó a tener cerca de 15.000 combatientes, con un Estado Mayor guerrillero y normas, reglamentos y programas como la Primera Ley del Llano del 11 de septiembre de 1952, resultado de la conferencia que reunió a 39 líderes rebeldes, con Eduardo Franco Isaza como jefe del Estado Mayor, y la Constitución de Vega Perdida o Segunda Ley del Llano del 18 de junio de 1953[158], de profundo contenido social, redactada en el marco del II Congreso Guerrillero del Llano, en el que tuvo un papel preponderante

157 Germán Guzmán, Orlando Fals Borda, Eduardo Umaña Luna, tomo I, *op. cit.*, p. 179.

158 La Primera Ley del Llano se ocupó de organizar a la población civil, de darle una organización militar a la resistencia, trazar políticas para la adecuada administración de justicia y señalar, en un principio, la importancia de planificar la producción en las zonas de influencia de la guerrilla. La Segunda Ley del Llano tenía mayores alcances y fue una especie de Constitución para un Estado embrionario que partiría desde el territorio liberado, que se creía que eran los Llanos, y que contaría con un gobierno popular. Para un análisis más sustentado de las leyes del Llano véase el tomo II de *La Violencia en Colombia*, Bogotá, Ediciones Tercer Mundo, 1964, y el libro de Reinaldo Barbosa *Guadalupe y sus centauros. Memorias de la insurrección llanera*, Bogotá, IEPRI, CEREC, 1992.

el joven abogado José Alvear Restrepo[159]. La expedición de esta normatividad, autónoma y revolucionaria, era de por sí una forma superior de lucha enfrentada de hecho al Ejército, a los hacendados, al gobierno conservador, y profundizaba las contradicciones con la jerarquía liberal.

Tanto en el Llano como en otras partes del país, el Partido Liberal, en cuyo nombre se organizó la rebelión, fue indiferente ante la epopeya de los guerrilleros; como expresó sarcásticamente uno de sus dirigentes, la preocupación fue mínima: "¿Sabe en qué consistió la ayuda de la Dirección Liberal? 25 casquitos .22, seis camisas, doce tiros .44 y siete pares de cotizas pa' llevar pa' la guerrilla del Llano"[160]. Lo que no faltaron fueron las promesas de armas, vituallas, dinero y medicinas que nunca llegaron.

Los nombres de los rebeldes que montaban en sus briosos potros y cruzaban el Llano indómito corrían de boca en boca, de corazón en corazón, de hazaña en hazaña: Eliseo *Cheíto* Velásquez, los hermanos Fonseca, Guadalupe Salcedo, los Villamarín, los Parra, Tulio Bautista y sus cuatro hermanos, el *Pote* Rodríguez, el *Tuerto* Giraldo, Rafael Sandoval *Failache*, Dumar Aljure *El Valiente*, Rosendo *Minuto* Colmenares, Eduardo Franco Isaza, José Alvear Restrepo y tantos otros guerreros. Pese al sentimiento y las querencias por el territorio, desde el inicio de la rebelión se mantuvo la distancia entre los grandes propietarios de las haciendas, por un lado, y los peones y colonos, por otro; cuestión de clases, dirían los más politizados. Para los primeros, la revolución era conveniente hasta cierto punto y hasta ahí llegaron, sin comprometer la propiedad y las formas de servidumbre a las que tenían acostumbrada a la peonada; para estos últimos, era la oportunidad de mejorar con la revolución sus condiciones laborales y de vida. La distancia entre unos y otros se profundizó, y los ganaderos, hacendados y comerciantes se alinearon con la Dirección Liberal, se pusieron del lado del Ejército,

159 José Alvear Restrepo era el intelectual del movimiento. Murió ahogado en extrañas circunstancias el 20 de agosto de 1953, en el sector de Puntiadero, en Puerto López; sus compañeros de entonces, de acuerdo con la ponencia presentada por Reinaldo Barbosa (Medófilo Medina y Efraín Sánchez, *op. cit.*, pp. 112-113), consideraron que "lo dejaron ahogar en el río Guayariba, cuando iban a Puerto López a sacar unas copias de la *Ley Revolucionaria*".

160 Entrevista a Rosendo Colmenares en *El reto de la paz*, Fundación Cultura Democrática, documental N° 2, *La violencia de los años cincuenta y el Frente Nacional*, Bogotá, 1998.

apoyaron las acciones cívico-militares y respaldaron la formación de las "Guerrillas de Paz", verdaderos grupos paramilitares al servicio del Gobierno.

Un elemento fundamental para que la insurrección en el Llano y en otras partes del país tomara cuerpo fue el levantamiento del capitán de aviación Alfredo Silva Romero, comandante de la base aérea de Apiay, el 25 de noviembre de 1949, con la toma de Villavicencio, dos días antes de las elecciones presidenciales. La ocupación de San Vicente de Chucurí, el 27, por parte de los guerrilleros dirigidos por Rafael Rangel Gómez, respondió al mismo levantamiento y dejó en la población más de 100 muertos, la mayoría de ellos conservadores, que se encontraban en la plaza prestos a votar por Laureano Gómez[161]. Se trataba de un intento de golpe de Estado organizado entre el liberalismo y un sector del Ejército; sin embargo, una vez más, las jerarquías liberales se echaron para atrás y dejaron a dirigentes regionales y sus bases embarcadas en una conspiración frustrada; imposible para las jerarquías romper las "buenas maneras" y superar el pacifismo blandengue en el que querían sumir a las bases de su partido. "Ni apruebo, ni desapruebo" había dicho en una oportunidad Lleras Restrepo.

A partir del fracasado alzamiento de Silva se organizaron en firme las guerrillas liberales llaneras, primero en lucha contra la Policía chulavita que, inclemente, las perseguía; luego, al transformarse cualitativamente en una auténtica rebelión. Eliseo Velásquez fue el primer mito guerrillero llanero, un valeroso, exaltado e intransigente jefe liberal, calificado por sus propios compañeros como un hombre dedicado a la venganza, la muerte y el saqueo; era dueño de un aserrío en Santa Helena de Upía, y con sus hombres de confianza organizó ocho zonas guerrilleras en los cauces de los principales ríos de la región. Su misión en el malogrado golpe de Estado del 25 de noviembre fue tomarse Puerto López, tarea que cumplió a cabalidad. *Cheíto*, como se le conocía en toda la llanura, murió asesinado el 4 de septiembre de 1952 cuando fue deportado de Venezuela donde estuvo detenido desde 1950.

Junto a Velásquez descolló Guadalupe Salcedo, el más aguerrido militar en la rebelión contra el terror oficial, un mestizo arrogante e

161 James D. Henderson, *La modernización en Colombia. Los años de Laureano Gómez, 1889-1965*, Medellín, Universidad Nacional de Colombia, sede Medellín, 2006, pp. 469.

intrépido, mujeriego como todos ellos, que supo combinar su malicia con la innata capacidad como estratega de la guerra de guerrillas y su astucia para formar una red de colaboradores y simpatizantes incondicionales de la revolución llanera. En junio de 1952, Guadalupe se tomó el campo de aviación en Orocué dejando 15 soldados muertos; en julio realizó la operación de guerrillas más sonada: una columna de sus combatientes emboscó a más de 200 soldados del Ejército en el sitio llamado El Turpial, a orillas del río Meta, causándoles 96 bajas y recuperando para sus hombres un importante arsenal; nunca en la historia del conflicto armado se presentó un combate con tantas pérdidas oficiales. En el año nuevo de 1953, las guerrillas que operaban en el Magdalena Medio atacaron la base aérea de Palanquero, con cincuenta bajas en la fuerza pública. Para este momento, guerrillas en distintas partes del país adelantaban contactos, como ya había sucedido a mediados del año anterior en Viotá, con la Convención del Movimiento Popular de Liberación Nacional (MPLN), un hecho político de gran importancia que se abordará más adelante. Para entonces había

Enclaves comunistas en Colombia

El embajador Cabot me informa que el área comunista que describió en Santiago, que tanto atrajo la atención del señor Henderson, es el asentamiento de Viotá. Está en una región en el suroccidente de Cundinamarca, en la que un gran grupo de "colonos" se instaló luego de que la Ley 200 de 1936 fuera aprobada. Se apoderaron de algunas parcelas grandes y sin cultivos, comenzaron a hacer trabajos de agricultura y ahí han permanecido desde entonces. Han declarado, repetidas veces, que tienen el apoyo del expresidente Alfonso López.

Gradualmente, esta comunidad se convirtió en una especie de estado socialista, y los comunistas se establecieron entre ellos; poco a poco lograron una posición de influencia dominante. Esto es cierto, en especial, de Víctor Merchán que, prácticamente, parece dirigir sus asuntos; y de Juan de la Cruz Varela, quien durante la administración Rojas fue el líder militar de las guerrillas en el valle del Sumapaz. Cada cierto tiempo, colombianos prominentes, dentro y fuera del Gobierno, han declarado estar alarmados por la existencia de esta comunidad que en los últimos años ha dado muestras de expandirse a zonas aledañas. Un intento de esta clase fue bloqueado, aparentemente, por el presidente Lleras hace algunos meses, cuando movilizó tropas a la región para prevenir futuras invasiones a terrenos cercanos.

Fuente: Confidential, *Communist 'enclaves' in Colombia*, 18 May 1959. The National Security Archive (NSA), Colombia and the United States: Political Violence, Narcotics and Human Rights, 1948-2010. Documentos desclasificados de diferentes agencias de seguridad del Gobierno de Estados Unidos.

expresiones de guerra civil y de equilibrio de fuerzas: mientras que la guerrilla tenía cerca de 15.000 combatientes, la Policía contaba con 25.000 efectivos, y el Ejército con 20.000 hombres en armas.

Guerrillas liberales y comunistas, la guerra entre "limpios" y "comunes" y el golpe de Rojas

El tercer escenario que se configuró, pasado el 9 de Abril, fue en el sur del Tolima, donde se empezó a gestar un movimiento de autodefensas armadas campesinas, en cumplimiento de las decisiones trazadas por el Comité Ejecutivo Central del PCC en un documento del 7 de noviembre de 1949: "Hay que organizar, de inmediato, en todas partes, comités, comandos y brigadas para la defensa de la vida y de las libertades ciudadanas, en los barrios, fábricas, transportes, minas, haciendas, ingenios, veredas, para que las masas obreras y campesinas estén en capacidad de dar una respuesta efectiva y contundente a los agresores reaccionarios"[162]. La consigna era clara: organizar la autodefensa popular. Ya desde años atrás existían sindicatos agrarios, ligas campesinas, había comunidades indígenas organizadas como la de los yaguaras y paeces, grupos políticos gaitanistas y células comunistas con tradición de lucha que ahora, con mayor razón, se unificaban para defender la vida y el territorio.

Uno de los referentes de los liderazgos sociales y de los comandos de autodefensa promovidos por los comunistas en 1949 en Chicalá,

162 Citado por Carlos Medina Gallego, *FARC-EP y ELN. Una historia política comparada (1958-2006)*, Universidad Nacional de Colombia, borrador de trabajo, versión del 31 de julio de 2008.

Horizonte e lrco, en el municipio de Chaparral, fue José Isauro Yosa, un humilde campesino diestro en la recolección de café y en las lides de organizar a otros campesinos en la lucha por la tierra y contra la explotación por parte de los amos de las haciendas. Nacido en Natagaima, pero con actividades laborales y políticas en Chaparral —donde a mediados de los años treinta formó las primeras ligas agrarias en Irco y Limón—, con influencia del pensamiento socialista, del agrarismo revolucionario, del UNIR de Gaitán y, un poco más adelante, de los comunistas, con quienes militó cuando Gaitán regresó a las toldas del liberalismo. En 1936, aún en las filas gaitanistas, fue elegido al Concejo Municipal; tiempo después, en su vida guerrillera, fue conocido como el mayor *Líster*, en homenaje a Enrique Líster, héroe comunista de la Guerra Civil española.

Junto a Yosa estaban José Alfonso Castañeda, con el alias de *Richard*; Jorge Hernández Barrios, un chaparraluno exempleado bancario, enviado por el PCC para orientar políticamente a los comités de autodefensa; su seudónimo era *Eutiquio Leal* o el comandante *Olimpo*; Pedro Pablo Rumique, *Canario;* estaban también Raúl Valbuena, conocido como *Baltazar*; Jesús María Oviedo, apodado *Mariachi*, de Chaparral; y otros jefes de comandos identificados por sus alias: Melco, Fabián, Arrayanales y Timochenko (el primer Timochenko). Una vez agrupados los destacamentos guerrilleros comunistas, organizaron con cerca de 200 familias la Columna de Marcha Luis Carlos Prestes[163], que avanzó penosamente durante tres meses hacia Rioblanco, en medio de enfrentamientos y emboscadas con el Ejército, en la búsqueda de los liberales comandados por los Loaiza que los aguardaban en La Gallera, en las proximidades de Irco. Por sus mentes circulaba la idea de formar un ejército revolucionario de liberación.

Mucho más al sur, en los confines del Tolima, surgió igualmente un movimiento espontáneo de autodefensa comandado por jóvenes campesinos liberales que se asentaron muy cerca de Irco, en la finca El Davis. Entre ellos se destacaron nombres de leyenda: los Loaiza —oriundos

163 En homenaje a quien fuera el secretario general del Partido Comunista Brasileño, que entre 1925 y 1927 organizó y dirigió la llamada "Columna Prestes", que luchaba en contra de las fuerzas gobernantes de ese país aplicando la modalidad de guerra de guerrillas y promoviendo el levantamiento de la población. En marzo de 1927, derrotados y con las tropas mermadas, optaron por el exilio en Bolivia.

de Génova (Quindío)—, Gerardo y sus cinco hijos (Punto Fijo, Veneno, Agarre, Tarzán y Calvario); Jacobo Prías Alape, después conocido como *Fermín Charry* o *Charronegro*, indígena de Natagaima, donde fue dirigente al lado de Manuel Quintín Lame e integrante de las guerrillas del Llano junto a *Cheíto* Velásquez; Juan de Jesús Trujillo Alape, líder campesino de Paujil, quien tomó posteriormente el nombre de *Ciro Trujillo Castaño*; Ignacio Parra, *Revolución*; los García, con Leopoldo García, el general *Peligro*, a la cabeza; Pedro Antonio Marín Marín y algunos de sus familiares, parientes de los Loaiza, aquien apodaban *Tirofijo* por su buena puntería y que adoptaría después el seudónimo de *Manuel Marulanda Vélez*. Para el Gobierno, la chulavita, la Iglesia, los políticos conservadores y la Policía, esos eran la chusma, que a la llegada de los comunistas mantuvieron su cuartel principal en el sitio La Ocasión.

Pedro Antonio Marín nació el 13 de mayo de 1930 en Génova, hoy municipio del Quindío; un joven poco amigo de chanzas y de rostro esquivo, "un hombre serio, reservado, que mira como desde un silencio que tiene atravesado"[164]. El día en que mataron a Gaitán, próximo a cumplir dieciocho años de edad y dedicado a sus actividades de venta de quesos, se encontraba en Ceilán, un poblado sobre la cordillera Central, en el norte del Valle. Como muchos liberales, huyó ante el acoso de los conservadores y de su Policía chulavita; durante varios meses trasegó por distintas poblaciones de la región, siempre palpando el horror que quedaba luego de las incursiones oficiales. De regreso a Ceilán, se vinculó a los guardias cívicos que organizaba un excoronel que participó en la Guerra de los Mil Días; con él aprendió algunas tácticas de combate y se decidió a formar su pequeño grupo con 25 hombres, 14 de ellos primos suyos. A los quince días realizaron el primer ataque contra un puesto de Policía y recuperaron 5 armas largas; en pocas semanas ya eran 50 los integrantes del grupo. Para el 7 de agosto de 1950 organizó la toma de Génova, donde no les fue muy bien; ese día, Laureano Gómez tomaba posesión como presidente de la República. En ese momento decidió buscar a los Loaiza, sus otros primos, para unificar fuerzas. Además, se encontró con Isauro Yosa y sus hombres, que llegaron a integrarse con los liberales en El

164 Alfredo Molano Bravo, *Trochas y fusiles*, Bogotá, IEPRI, El Áncora Editores, 1994, p. 51.

Davis, una hacienda ubicada en el sur del Tolima, en las estribaciones del páramo de Las Hermosas que divide los departamentos de Tolima y Valle, entre los ríos el Cambrí y Amamichú, cerca de la quebrada La Lindosa.

Allí se estableció una metrópolis campesina y guerrillera con más de 2.000 habitantes, una especie de "zona liberada" que tenía un Estado Mayor Unificado del Sur, compuesto por liberales y comunistas, con dos jefes representativos y visibles de esta unidad transitoria: Gerardo Loaiza por los primeros, hombre seco y de carácter reservado, y el comunista Isauro Yosa. Esas fueron las dos vertientes que formaron el Comando de El Davis en 1949; en los primeros meses del año siguiente sufrirían una gran embestida por parte de 1.000 hombres del Ejército en una operación militar que produjo el desplazamiento de la población civil; sin embargo, la guerrilla-autodefensa resistió la acción punitiva ordenada desde el Ministerio de Gobierno.

La vida en El Davis transcurría en medio de las tensiones propias de una confrontación con el gobierno conservador; entre comunistas y liberales, la coexistencia era precaria: juntos, pero no revueltos. A pesar de eso, establecieron una granja comunal, un servicio de Cruz Roja, construyeron casas y un puesto de guardia de dos pisos; a diario, todos realizaban entrenamiento rudimentario para la defensa y el combate, y se enviaban grupos mixtos a "comisionar" a lugares cercanos para organizar emboscadas o prevenir cualquier ataque. Los "combatientes" eran todos muy jóvenes, sin uniformes, mal vestidos, con armas cuasi primitivas: unos pocos fusiles viejos de la Guerra de los Mil Días, algunos revólveres, machetes, lanzas, "catalicones"[165], y muchas ganas de pelear con quien fuera, incluso entre ellos. Las armas llegaron poco a poco; cada nuevo combate con la Policía, o sus enviados, les dejaba una o dos carabinas y algo de parque; así fueron creciendo hasta tener más de 300 "muchachos" listos para la pelea. La disciplina y el orden los trataban de imponer los comunistas; no era fácil frente a una tropa liberal desordenada, sin mayores rudimentos políticos, con un mando

165 Bomba hechiza con un tubo metálico de 1,50 m, al cual se le introducen pólvora y pedazos de hierro; se enciende con una mecha. Véase Luis Alberto Matta Aldana, *Colombia y las FARC-EP. Origen de la lucha guerrillera. Testimonio del comandante Jaime Guaraca*, Navarra, Editorial Txalaparta S.L. 1999, p. 95.

disperso; a algunos liberales, como fue el caso de Marín y de Charronegro, les llamaban la atención el comportamiento y la organización que demostraban los comunistas: asistían a charlas políticas, rendían informes, las armas eran del grupo, producían para las necesidades de todos, eran altamente solidarios y trabajadores; las mujeres y los niños también cumplían con las tareas que les asignaban. En mayo de 1952, el PCC reorganizó la Juventud Comunista de Colombia como su brazo auxiliar dentro del sector juvenil, el cual fue fundado en 1932 como Liga Juvenil Comunista de Colombia (LJCC). Tanto en la ciudad como en las columnas guerrilleras del sur del Tolima se formaron grupos que cumplían tareas propias de los jóvenes y niños vinculados a la guerra.

El comisario político en El Davis era el comandante Olimpo, que formaba a la gente a través de charlas y de un periódico llamado *Frente Rojo.* Intentaron constituir un organismo de vigilancia hacia afuera y hacia adentro para garantizar el orden y el abastecimiento… ahí comenzaron las dificultades: "Cuando en el Estado Mayor Unificado se quiso poner en práctica el tipo de organización militar que rigió la vida de la columna y que se practicaba en los destacamentos comunistas, surgieron conflictos con quienes no estaban habituados a una organización regida por normas de forzoso acatamiento. Estaban acostumbrados a obrar por cuenta propia y hacían las cosas como y cuando querían"[166].

Los primeros conflictos se originaron con Mariachi por cuestiones de mandos: quién le obedecía a quién y cómo se resolvían las diferencias en los conflictos cotidianos; les siguieron los líos de faldas, de platas, y los problemas que surgieron por la posesión de armas. Estos y más inconvenientes separaron poco a poco a liberales de liberales, a liberales de comunistas, y unieron a comunistas con algunos liberales. El hecho que para Tirofijo rebosó la copa con sus propios compañeros liberales fue enterarse de que los Loaiza iban a fusilar a Charronegro como hicieron con su hermano, a quien creyeron infiltrado y lo mataron. Tirofijo lo rescató, les dijo hasta de qué se iban a morir y se lo llevó con su gente a montar Estado Mayor aparte. Este gesto selló la amistad y camaradería entre los dos hasta la muerte de Charro; después se aliarían con el mayor Líster: "Yo llegué al sitio y lo vi amarrado

166 Manuel Marulanda V. *Cuadernos de Campaña*, Bogotá, Ediciones Abejón Mono, 1973, p. 11.

en la proximidad de su agonía y lo vi sin que sus ojos expresaran un pedido de piedad para su vida; lo vi amarrado en su hombría, así era Charro en su orgullo, no era hombre que durmiera con la cobardía, no le importaba que la muerte le acosquillara la nuca, no era hombre para dejar caer las rodillas en tierra en angustia de imploración. Yo ejercía autoridad ante los Loaiza y fue necesaria mi voz para hacerlo liberar"[167].

El tono de las disputas entre liberales y comunistas también subió hasta llegar al enfrentamiento físico: una madrugada, el cuartel en El Davis fue atacado por los liberales "limpios", con saldo de siete "comunes" (comunistas) muertos; después fue el asalto al campamento liberal, con saldo de catorce muertos. Así escalaba la guerra entre limpios y comunes, "La pelea con los limpios, aunque la ganamos, nos derrotó", le dijo Isauro Yosa a Alfredo Molano en entrevista para el libro *Trochas y fusiles*[168]. La Policía, el Ejército y los chulavitas se hicieron a un lado mientras se mataban entre ellos. La derrota, que no alcanzó la política oficial, la logró la confrontación, que, de acuerdo con Eduardo Pizarro, duró veintidós meses y debilitó seriamente a los comunistas, que perdieron audiencia y simpatía entre los campesinos de la zona[169].

La ruptura entre limpios y comunes se protocolizó en la Conferencia de Horizontes, donde definitivamente acordaron separarse: los liberales quedaron en el comando de La Ocasión, y los comunistas, en El Davis. Se definió mantener hacia adelante algunas acciones, pero sin posibilidades de volver a trabajar unidos; la intención de coordinación no les duraría mucho. En la Conferencia, algunos comandantes liberales como Jacobo Prías Alape, Ciro Trujillo, Mariachi y Tirofijo se solidarizaron con las posiciones de los comunistas, y, posteriormente, con 250 combatientes, buscaron acercarse a ellos pese a algunos choques armados. Se produjeron reuniones con enviados de unos y otros, les aclararon que no eran anticomunistas y que no compartían más las conductas y el pensamiento

167 Testimonio de Manuel Marulanda Vélez, en Arturo Alape, *Las vidas de Pedro Antonio Marín, Manuel Marulanda Vélez, Tirofijo,* Bogotá, Planeta, 1989, p. 170.

168 Este texto de Molano, a partir de historias de vida, es indispensable para comprender la cultura que se genera en momentos de La Violencia, como es el período que va desde el 9 de Abril hasta la fundación de las FARC. Como análisis del período está el libro de Eduardo Pizarro Leongómez, *Las FARC 1949-1966. De la autodefensa a la combinación de todas las formas de lucha*, Bogotá, Tercer Mundo, 1991.

169 Eduardo Pizarro Leongómez, *op., cit.* p. 71.

de los Loaiza: "Ya el lenguaje liberal se nos apolilló en el cerebro, se nos salió en definitiva de la boca, dejamos de masticarlo, ya hablábamos un lenguaje más progresista, ya nos entendimos con los comunistas"[170].

A partir de entonces, la presión del Ejército hacia los destacamentos comunistas aumentó al tiempo que los comandos armados de los Loaiza bajaron la combatividad, se alinearon incondicionalmente con la Dirección Nacional Liberal, comenzaron a prestar favores en la lucha contra los comunistas y a recibir un tratamiento distinto por parte de los militares y de voceros de la Iglesia. Uno de los partícipes de ese proceso narraría muchos años después estos cambios: "Ese es el momento cuando Charro, Marulanda y su gente se vinculan al movimiento dirigido por el Partido Comunista. Pero ellos llegan a El Davis siendo todavía liberales. Ya en El Davis comienzan a hacer un trabajo sobre ellos. No fue duro llevar a Marulanda a militar en el Partido, ni fue duro llevar a Charro a militar en el Partido, porque era una cosa ya natural; digo yo, era por naturaleza lo que su capacidad política y su conciencia les dictaba"[171]. En el mismo sentido se expresó uno de los curtidos guerrilleros, hombre muy cercano a Ciro Trujillo Castaño, uno de los fundadores del Movimiento Agrario de Riochiquito: "Yo no podría decir que a un hombre tan inteligente como Pedro Antonio Marín alguien lo llevó a la militancia comunista. Él mismo se fue acercando hasta que llegó a nuestro querido Partido Comunista"[172].

Al mismo tiempo que se producía la ruptura en el sur del Tolima se presentaron avances en la búsqueda de la unificación del movimiento guerrillero en otras partes del país: entre el 14 y el 16 de agosto de 1952 se realizó, en el sitio El Palmar de la vereda Brasil del municipio de Viotá[173], en Cundinamarca, la primera convención del denominado Movimiento Popular de Liberación Nacional (MPLN), promovida por los comunistas y por liberales que ya no obedecían los dictámenes

170 Testimonio de Manuel Marulanda Vélez, en Arturo Alape, *op. cit.*, p. 172.

171 Testimonio de Jaime Guaraca, en Luis Alfredo Matta Aldana, *op. cit.*, p. 65.

172 Ciro Trujillo. *Ciro, páginas de su vida*, Bogotá, Ediciones Abejón Mono, 1974, p. 26.

173 Durante mucho tiempo, este municipio del occidente de Cundinamarca fue conocido como "Viotá la Roja" por la fuerza y presencia política y social del PC, lo que permitió que allí se realizaran escuelas de formación en diversos temas, plenos de la organización y congresos partidarios.

de la dirección de su partido. Por razones de seguridad, y para eludir la persecución, a esta cumbre guerrillera la llamaron "Conferencia de Boyacá"; participaron 33 delegaciones de los principales frentes guerrilleros que operaban en distintas partes y delegados de grupos más pequeños del norte del Tolima, Caldas y Cundinamarca. Asistieron representantes del grupo de los hermanos Bautista de los Llanos, de la guerrilla de los hermanos Fonseca; se hicieron presentes el comandante Juan de Jesús Franco y una delegación de los comunistas de El Davis —que adoptaron el programa del MPLN como suyo, lo que ahondó la guerra con los limpios de Loaiza que se negaron a asistir—. Hubo enviados del grupo del comandante Rafael Rangel de Santander y de las guerrillas del Territorio Vásquez que había dirigido Saúl Fajardo; llegaron también guerrilleros representantes de los grupos de Yacopí, del oriente de Tolima y del Alto Sumapaz, donde Juan de la Cruz Varela —presente en la conferencia— era un connotado líder agrarista. La convención conformó una Comisión Nacional Coordinadora del Movimiento Guerrillero, que se debía encargar de mantener relaciones fluidas con los distintos destacamentos y guerrillas.

Hizo un análisis de la situación política del país, fijó derroteros de unidad para todos los grupos y aprobó el documento que titularon "Declaración Final", en el que propuso un futuro Gobierno Popular Democrático con nueve puntos programáticos: libertades democráticas para el pueblo, reforma agraria, nacionalización de recursos naturales, condiciones de vida, justicia y libertades democráticas, instrucción y cultura, soberanía nacional, Ejército nacional y política internacional; proponían, igualmente, una asamblea constituyente para aprobar una nueva constitución, elegida mediante el voto directo[174]. Estas decisiones guerrilleras, de contenidos revolucionarios y de transformaciones sociales y políticas, preocuparon a las élites, en particular a la DNL, que a toda costa buscaba impedir que sus hombres en armas encaminaran sus luchas más allá del cambio de gobierno conservador y la restitución de su partido en el poder.

174 Documento completo de la Convención del Movimiento Popular de Liberación Nacional (MPLN), en *Las trampas de la guerra*, *op. cit.*, pp. 118-120.

El inicio de la década de los años cincuenta dejó en Colombia profundas huellas. Niveles de fanatismo y crueldad poco conocidos hasta entonces se instauraron en la política nacional como formas cotidianas de expresión y de relación entre liberales y conservadores y entre estos y el resto de los colombianos. No había límites. Las mismas autoridades policiales instigaban a la anarquía y al delito. Así sucedió en la tarde y noche del sábado 6 de septiembre de 1952, cuando militantes conservadores y policías de civil asaltaron y quemaron los edificios de *El Tiempo* y *El Espectador*, las casas de los dirigentes Carlos Lleras Restrepo y Alfonso López, y las oficinas de la DNL en Bogotá. No hubo respuesta gubernamental. Tres días antes fueron asesinados 5 agentes de Policía en La Rivera (Tolima) por parte de guerrilleros liberales. Golpes y contragolpes.

En noviembre de 1951 se había producido el retiro temporal del presidente Laureano Gómez por serios problemas de salud; su corto mandato se caracterizó por los altos niveles de violencia y el corte dictatorial desde el Gobierno Central; sin embargo, esto no significó el alejamiento del poder: desde su lecho de enfermo manejaba gran parte de los asuntos presidenciales y se mantenía enterado de todo por sus hijos Álvaro y Enrique Gómez Hurtado. El designado a la Presidencia era Roberto Urdaneta Arbeláez, un conservador de alta estirpe oligárquica, yerno del expresidente Carlos Holguín Mallarino, que hasta ese momento desempeñaba el cargo de ministro de Guerra, desde donde había intentado, infructuosamente, una campaña punitiva en contra de los guerrilleros liberales y comunistas. Precisamente, uno de los principales proyectos políticos de Gómez, la reforma a la Constitución de 1886, se lo encomendó a su sucesor, quien sancionó el acto legislativo que convocó a la Asamblea Nacional Constituyente (ANC) para 1953. Ante el golpe de Estado del 13 de junio de ese año, Urdaneta devolvió el cargo, y el golpe del general Gustavo Rojas Pinilla, *El Jefe Supremo,* fue contra Laureano, quien reasumió como presidente titular y pretendió destituirlo del cargo que ostentaba como comandante de las Fuerzas Armadas de Colombia. Ese día Colombia tuvo tres presidentes: Urdaneta en la mañana, Gómez al mediodía y Rojas ya dictador en la tarde.

El incruento golpe militar contó con el apoyo de los expresidentes conservadores Mariano Ospina Pérez y Roberto Urdaneta Arbeláez, distanciados de Laureano; además, de los políticos Gilberto Alzate Avendaño y Lucio Pabón Núñez (ministro de Guerra). El golpe sirvió como solución temporal a la grave crisis política y social por la que atravesaba el país. Con el apoyo de los conservadores se conformó el primer gabinete ministerial, y el liberalismo quedó por fuera. A fin de cuentas, Rojas fue pieza clave de los gobiernos conservadores anteriores al golpe. "¡Se cayeron los godos!" fue el grito de júbilo y lo que creyeron en las toldas liberales, desde donde los expresidentes Alfonso López Pumarejo, Alberto Lleras Camargo y los dirigentes Carlos Lleras Restrepo, Darío Echandía y todos los demás ofrecieron su total respaldo al "golpe de opinión", como lo denominó el mismo Echandía. La noticia del cambio gubernamental se regó como pólvora; lo que a primeras horas de ese sábado era un incierto rumor se transformó pronto en realidad, y una sola expresión de regocijo invadió a millones de colombianos. La llegada de Gustavo Rojas Pinilla al poder significó un alivio para muchos.

El mismo 13 de junio ofreció la paz a los alzados en armas y anunció un plan de rehabilitación para las zonas afectadas por la violencia: "No más sangre, no más depredaciones a nombre de ningún partido político. No más rencillas entre los hijos de la misma Colombia inmortal. Paz, derecho, libertad, justicia para todos, sin diferenciaciones y de manera preferente para las clases menos favorecidas de la fortuna, para los obreros y menesterosos"[175]. Tan solo 24 horas después del "cuartelazo", la Asamblea Nacional Constituyente, que se encontraba reunida, le dio piso legal al nuevo régimen mediante el Acto Legislativo N° 1 de 1953.

Dos días después, Rojas ordenó suspender las acciones militares en las regiones más azotadas por la violencia, y desde los aviones de la Fuerza Aérea se lanzaron miles de volantes con mensajes alusivos a la paz. Una semana más tarde se presentaron desde las filas guerrilleras las primeras expresiones en favor del nuevo mandatario; los llaneros suspendieron las hostilidades desde el 22 de junio; diez días después le enviaron una carta al Presidente, en la cual manifestaron estar de acuerdo con los anuncios hechos y dispuestos a la pacificación;

175 Jorge Serpa Erazo, *Rojas Pinilla, una historia del siglo XX*, Bogotá, Planeta Colombiana Editorial S. A., 1999, p. 199.

le pidieron pleno goce de derechos, una ley de amnistía, el retorno de los exiliados y recursos económicos para las zonas afectadas por la violencia. Los hechos se precipitaban. Fue el principio del fin de una revolución. Había muchas promesas de por medio y también muchas amenazas; había incertidumbre y desencanto.

Como ya se dijo, los guerrilleros realizaron el 18 de junio su II Congreso, donde redactaron la Constitución de Vega Perdida o Segunda Ley del Llano o *Ley que organiza la Revolución de los Llanos Orientales de Colombia*, que, según Reinaldo Barbosa, se nutrió del radicalismo de Uribe Uribe, del progresismo de Gaitán y de los postulados del PSR de los años veinte[176]. Pese al nivel de organización y de coordinación que habían logrado, a la efectividad militar alcanzada, a pensarse más como un proyecto nacional que regional, a superar los estrechos marcos de la política liberal para proponerse un horizonte de transformaciones sociales, las guerrillas del Llano comenzaron a negociar en pequeños grupos y por separado. ¿Qué pasó? ¿Por qué las diferentes interpretaciones de las ofertas de paz gubernamentales? Quizá fueron los largos años de lucha o la pérdida del referente gubernamental conservador contra el cual se organizó el levantamiento armado, tal vez las orientaciones ideológicas disímiles o la poca comprensión del momento político y el mismo aislamiento geográfico.

Entre junio y julio de 1953 se produjeron las primeras desmovilizaciones y entregas de armas en Tolima, Santander, Cundinamarca y Antioquia. Los jefes guerrilleros liberales del sur del Tolima se presentaron ante las autoridades civiles y militares con sus hombres y armas y pactaron con el Gobierno la formación de comisiones mixtas de exguerrilleros y Ejército para cazar guerrilleros comunistas. Cientos de combatientes cayeron en manos de las "guerrillas de paz"; a cambio, recibieron alimentos, unas pocas herramientas de labranza y la promesa de préstamos y garantías para trabajar. De acuerdo con un documento de la Casa Militar de la Presidencia de la República de la época, hasta el 27 de julio se habían entregado 2.177 guerrilleros[177].

176 Reinaldo Barbosa, *op. cit.*, p. 190.

177 Citado por César Augusto Ayala en *Tiempos de paz. Acuerdos en Colombia, 1902-1994*, *op. cit.*, p. 152.

La mayor desmovilización y entrega de armas de los llaneros se concretó en septiembre, luego de negociaciones directas con enviados del Gobierno y de la orden de desmovilización emitida por dirigentes liberales. Guadalupe Salcedo se presentó en un puesto militar en Monterrey con once de sus jefes y cerca de 300 guerrilleros para entregar un pliego de exigencias económicas y sociales de veinticuatro puntos que precisaban las condiciones previas para la negociación; tenía el respaldo de otros guerreros como Dumar Aljure, los Parra y Laurentino Rodríguez que expresaban la determinación de deponer las armas y reconocían los esfuerzos del Gobierno y del general Alfredo Duarte Blum, comandante de las Fuerzas Armadas, en pro de la paz. Otros jefes guerrilleros como Rafael Sandoval, Rosendo Colmenares y Eduardo Franco Isaza no se acogieron a las medidas pactadas: "A los pocos días, y en forma sorpresiva para nosotros, la prensa anunciaba la entrega y rendición de las guerrillas en forma fraccionada. Primero los Fonseca en el Llano, enseguida, Guadalupe; después, en Antioquia; de nuevo en los Llanos, grupo aquí y grupo allá, luego de comprometerse, según la propaganda, a perseguir a los grupos que aún se mantenían en rebeldía"[178].

La paz se selló el 15 de septiembre. El desarme mayor se hizo en la hacienda Canta Claro, cerca de San Martín, en el Meta, también en el puesto militar de Las Delicias, en Tauramena, Cupiagua, Tame, Nunchía y Orocué. A Canta Claro llegaron los guerrilleros comandados por Dumar Aljure, que, frente al general Duarte Blum, entregaban su variopinto armamento y recibían salvoconductos para deambular sin ser molestados por las autoridades; se calcula que entre agosto y septiembre se desmovilizaron 6.500 combatientes. La amnistía y el indulto para los delitos políticos llegarían luego. Todo regresaba a la aparente normalidad. La traición y la muerte acechaban.

Mientras tanto, ¿qué sucedió con el movimiento guerrillero orientado por los comunistas que operaba en el sur del Tolima y en otras zonas campesinas? El golpe del 13 de junio creó en el país una nueva situación política. Sin duda, acabar con la violencia era uno de los propósitos centrales del nuevo gobierno, y en esa cruzada lo

178 Eduardo Franco Isaza, *Las guerrillas del Llano. Testimonio de una lucha de cuatro años por la libertad*, Bogotá, Ediciones Hombre Nuevo, 1976, p. 272.

acompañaban por igual civiles y militares. La respuesta desde el movimiento guerrillero no fue del todo homogénea: las guerrillas de los limpios del sur del Tolima, la de los Loaiza, la de los García y otras, entraron en contacto con el Gobierno, y algunas de ellas se pusieron a disposición de las autoridades militares para luchar contra los comunistas. Las guerrillas de los comunes aceptaron la directriz trazada desde el PCC que las transformaba en movimientos de autodefensa campesina, sin desmovilización y sin entrega de armas al Gobierno. Sin embargo, la respuesta de los guerrilleros no fue unificada; obedeció más a la realidad regional donde se desenvolvía cada columna, sin que significara ruptura o distanciamiento entre ellos, como pasó con el grupo que tenía a Juan de la Cruz Varela al mando. También se debió a que dentro del partido existían dos corrientes: una minoritaria, que se inclinaba por un partido clandestino y armado, y una mayoritaria, que proponía "mantener las conversaciones con emisarios del Gobierno para ganar tiempo en el proceso de transformación de la guerrilla en movimiento de masas"[179].

En respuesta a la circular que el teniente coronel Antonio María Convers, comandante de las fuerzas del Ejército acantonadas en Chaparral, envió a los "Jefes subversivos del sur del Tolima" el 25 de septiembre, el comandante José A. Castañeda, *Richard*, cinco días más tarde, señaló que continuaban los campos de exterminio, que se mantenía el estado de sitio, que las cárceles todavía estaban repletas de presos políticos y no había libertad de prensa y tampoco libertades democráticas para el pueblo, que nada de lo dicho después del 13 de junio se había cumplido. Fijaron veintidós condiciones para acogerse a los programas: "No olvidaremos jamás la brutalidad de los verdugos. Por tanto, pedimos del nuevo gobierno la rectificación total de la política anterior para bien de los colombianos si es cierto aquello de que 'todos somos hijos de una misma Colombia inmortal'"[180].

Ya El Davis se había desintegrado. Jesús María Oviedo, *Mariachi*, se abrió de su destacamento, se entregó y puso sus conocimientos

179 Gonzalo Sánchez, *Ensayos de historia social y política del siglo XX*, Bogotá, El Áncora Editores, 1985, p. 267.

180 Texto completo de la carta al teniente coronel Antonio María Convers, en Manuel Marulanda V., *op. cit.*, pp. 121-124.

al servicio del Ejército y de los contrachusmeros; lo mismo hicieron Arboleda y Andrés Bermúdez, *El Llánero.* El grupo comandado por Jacobo Prías Alape y Manuel Marulanda Vélez se transformó en guerrilla móvil con treinta guerrilleros, veintiséis hombres y cuatro mujeres; después de múltiples maniobras y escaramuzas con el Ejército y con los liberales limpios fijaron su pequeña fuerza por los lados de Riochiquito, una región del Cauca, en los límites con Huila y Tolima. En el grupo de Marulanda marchaban su esposa, su padre y dos hermanos; los acompañaban Isaías Pardo, *El Chiquito*, un hermano de Charronegro llamado Santiago Alape y apodado *Virgensanta*, y Tarcisio Guaraca Durán, posteriormente conocido como *Jaime Guaraca*, con apenas quince años de edad. Por su lado, Richard y el mayor Líster formaron una de las llamadas "columnas rodadas" y marcharon hacia Villarrica, en el oriente del Tolima, donde ya se encontraba Ciro Trujillo acompañando a Juan de la Cruz Varela en sus luchas por la tierra. En esta región contaban con una importante retaguardia, situada un poco más al norte, en la provincia del Tequendama, en Cundinamarca, con Viotá como epicentro de actividades.

La II Conferencia Regional del Sur, celebrada el 28 de octubre de 1953, señaló en sus conclusiones el derrotero a seguir por las guerrillas comunistas: "Luchar por la no entrega de las armas y antes, por el contrario, por que todos los campesinos dispongan cada día de mejores elementos de defensa de sus intereses y contra todo intento del Gobierno y la reacción de repetir cualquier forma de violencia contra el pueblo laborioso"[181]. Las guerrillas comunistas de El Davis regresaron a la política de autodefensa de masas y retomaron la propuesta de formar un amplio Frente Democrático de Liberación Nacional. El profesor norteamericano Russell W. Ramsey, en su libro *Guerrilleros y soldados*, define este como el principio de la "segunda guerra de guerrillas", comprendida entre julio de 1953 y mayo de 1957, caracterizada por una "contienda política generalizada"[182].

181 Texto de las Conclusiones de la II Conferencia Regional del Sur, en Manuel Marulanda V., *op. cit.*, pp. 125-128.

182 Russell W. Ramsey, *op. cit.*, pp. 217-261.

En la región comprendida entre el oriente del Tolima[183] y el Sumapaz, en Cundinamarca, se desarrollaron en esos años luchas agrarias dirigidas por Juan de la Cruz Varela, líder político comunista que ocupaba un escaño en la Asamblea Departamental del Tolima. Varela se había formado en los años treinta al lado de Erasmo Valencia y de Jorge Eliécer Gaitán, líderes del PAN y de UNIR, respectivamente. A comienzos de los cincuenta, en plena violencia desatada en su región, se afilió al PC; era un hombre sincero, profundo y elemental, de pequeña estatura y risa franca. Desde el 9 de Abril fue perseguido, y en octubre de 1949 fue víctima de un atentado que lo llevó a la clandestinidad y a organizar la resistencia entre los montes y las casas campesinas, de vereda en vereda. Según Rocío Londoño, autora del libro *Juan de la Cruz Varela. Sociedad y política en la región del Sumapaz (1902-1984)*, la formación de las autodefensas en el Sumapaz se produjo entre 1950 y 1952, alcanzando su mayor desarrollo en mayo de 1953, un mes antes de la llegada de Rojas Pinilla al poder, cuando atacaron el puesto militar de La Concepción —la base militar más importante del Ejército en la zona—, donde murieron casi todos sus ocupantes, y la guerrilla perdió veintidós combatientes[184].

Desde enero de 1952 se registró en El Palmar, municipio de Icononzo, lugar de residencia de Varela, una incursión de cientos de efectivos, entre policías y paramilitares de las llamadas "guerrillas de paz", con el apoyo de la aviación, que bombardeaba y ametrallaba indolente. Fue de tales proporciones el ataque que la población, en su mayoría liberal, huyó a la montaña; algunos dirigentes guerrilleros, venidos del sur del Tolima, organizaron grupos móviles para la defensa y así resistieron hasta la llegada de Rojas al poder. Ante las promesas de paz, la columna guerrillera del Sumapaz, comandada por Varela y los líderes agrarios Salomón Cuéllar, *Vencedor*, y los hermanos Julio y Víctor Jiménez, *Rocerías*, se presentó en la plaza del municipio cundinamarqués de Cabrera el 31 de octubre de 1953, sábado de mercado, para oficializar su desarme ante el brigadier general Duarte Blum. La

183 Municipios de Villarrica, Cunday, Icononzo, Carmen de Apicalá y Melgar.

184 Rocío Londoño, *Juan de la Cruz Varela. Sociedad y política en la región del Sumapaz (1902-1984)*, Bogotá, Facultad de Ciencias Humanas, Departamento de Historia, Universidad Nacional de Colombia, 2014, pp. 486-493.

nota que publicó *El Tiempo* el 2 de noviembre siguiente registró que fueron más de quinientos hombres armados y en riguroso orden los que entregaron sus armas[185].

El 8 de junio de 1954, próximo a conmemorarse el primer aniversario del ascenso de Rojas Pinilla al poder, los estudiantes colombianos recordaban los veinticinco años del asesinato del joven Gonzalo Bravo Pérez, hecho luctuoso ocurrido en 1929 durante el último gobierno de la Hegemonía Conservadora. Como era costumbre en el movimiento estudiantil, ese día se organizaba una peregrinación desde la Ciudad Universitaria hasta el Cementerio Central, donde se colocaría una ofrenda floral como homenaje. El Gobierno no autorizó la marcha, y, a pesar de no contar con el permiso oficial, se realizó inicialmente sin mayores contratiempos. En horas de la tarde, la Policía se hizo presente en la sede de la Universidad Nacional, lo que produjo enfrentamientos, la muerte de Uriel Gutiérrez Restrepo y varios heridos. En la noche, los dirigentes estudiantiles se reunieron con el general Rojas Pinilla, quien prometió una exhaustiva investigación y autorizó el desfile para el entierro de la víctima al día siguiente.

El 9 de junio se concentraron miles de jóvenes en la sede de la universidad y resolvieron marchar hasta la Plaza de Bolívar para exigir del Gobierno claridad en lo sucedido. Ese día la edición de *El Tiempo* tituló a cinco columnas: "Trágicos sucesos ayer en la Ciudad Universitaria"; el diario anunciaba que el Presidente había decretado duelo nacional, e incluía una biografía de Uriel Gutiérrez. Cuando los estudiantes llegaron a la altura de la carrera Séptima con calle 13, un destacamento del Batallón Colombia, recién llegado de la Guerra de Corea, les impidió el paso. A los pocos minutos comenzaron las descargas de fusiles. Nueve estudiantes murieron y veintitrés más resultaron heridos. Funcionarios gubernamentales señalaron que los hechos de junio fueron producto de una conspiración laureanocomunista. "Comunistas y laureanistas buscaban la caída del Gobierno, dice Duarte Blum", fue el titular de *El Espectador* de esa tarde; para el Juzgado Quinto Penal Militar, que se hizo cargo del caso, también fue una "conspiración

185 Rocío Londoño, "De la autodefensa armada a la resistencia cívica en la región de Sumapaz", en Medófilo Medina y Efraín Sánchez, *op. cit.*, pp. 119-135.

comunista" que se planeó en la casa de Diego Montaña Cuéllar[186]. Ante la renuncia del rector de la Universidad Nacional por los luctuosos acontecimientos, el Gobierno nombró temporalmente a un coronel. A raíz de estos hechos, los estudiantes decidieron conformar una federación y declarar el 8 y 9 de junio días de perpetua recordación de sus mártires.

Las huellas del macartismo, que hacía carrera en Estados Unidos, también recorrían a Colombia. Rojas Pinilla era un declarado anticomunista, y en el discurso del 27 de julio de 1954, al inaugurar las sesiones ordinarias de la Asamblea Nacional Constituyente, recomendó a los diputados la ilegalización del comunismo. Días antes, el Consejo de Ministros había enviado una solicitud al respecto a la ANC, que, por mayoría de votos, aprobó en su sesión de clausura el Acto Legislativo N° 6 del 7 de septiembre de 1954: "Queda prohibida la actividad política del comunismo internacional. La ley reglamentará la manera de hacer efectiva esta prohibición"[187]. El decreto reglamentario señaló penas de entre uno y cinco años en Colonia Agrícola Penal, interdicción del ejercicio de derechos e incapacidad para ejercer como dirigente sindical a quienes tomaran parte en "actividades políticas de índole comunista". Con esta herramienta en la mano, el gobierno militar persiguió y detuvo a numerosos simpatizantes, colaboradores y dirigentes comunistas, que fueron sometidos a consejos verbales de guerra, lo que redujo la actividad del partido a pequeños núcleos urbanos clandestinos y al apoyo a las autodefensas. La ilegalización de las actividades comunistas fue una típica medida de la Guerra Fría en Colombia, una disposición obsecuente con los intereses de Estados Unidos y sus aliados.

Entre tanto, las promesas de paz y reconciliación se le iban al Gobierno como agua entre los dedos. El Decreto 1823 del 13 de junio de 1954, de amnistía e indulto, que tanto se había prometido, fue poco efectivo, por cuanto la gran mayoría de los combatientes ya

186 Jorge Serpa Erazo, *op. cit.*, pp. 218-229.

187 Posteriormente, el Gobierno expidió un decreto de cinco artículos, en el que señalaba las sanciones penales por tomar parte en actividades comunistas, de quienes se "presumía legalmente" ser comunistas, y otra serie de consideraciones. Texto completo del decreto en *Documentos Políticos*, N° 136, Bogotá, mayo-junio de 1979, p. 71.

se habían reincorporado a sus antiguas actividades. La amnistía cobijó los delitos políticos cometidos con anterioridad al 1° de enero de ese año, y el indulto a los sindicados que ya estuvieran condenados por los delitos de ataque al Gobierno o en su apoyo; a su vez, rebajó en un año la pena por delitos comunes, por ser "el primer aniversario del gobierno de las Fuerzas Armadas"[188]. El trabajo gubernamental para facilitar esa reinserción, desarrollado desde la Oficina Nacional de Rehabilitación y Socorro y el Instituto de Colonización e Inmigración, no contó con suficientes recursos económicos, fue presa de la burocracia y duró poco. La paz tenía los días contados, los dividendos hasta este momento eran pocos, y los colombianos estaban a la espera de nuevos momentos de confrontación. Lo que vino fue "La guerra de Villarrica", otro despiadado episodio en la larga noche de La Violencia.

Desde mediados de 1954, la región de Villarrica-Sumapaz fue de nuevo el escenario de concentración de efectivos militares que se preparaban para una segunda gran confrontación, esta vez en contra de lo que el Gobierno consideraba un baluarte de las guerrillas comunistas que no se acogieron a la pacificación de Rojas o grupos de guerrillas móviles que se formaron bajo la orientación de los agraristas en la región y que desde allí pretendían "su futura expansión en toda nuestra patria"[189]. Con anterioridad, el Gobierno construyó el aeropuerto de La Pista, que serviría para el transporte de hombres y armamentos y para la llegada y salida de bombarderos. Los municipios del área fueron declarados zona de operaciones militares; en Cunday se estableció la sede de la operación con un campo de concentración a donde eran trasladados los dirigentes y campesinos detenidos, entre ellos el mismo mayor Líster, capturado en noviembre de 1954, sometido a torturas y luego enviado a las cárceles La Modelo y La Picota.

El 4 de abril de 1955 se declaró zona de operaciones militares a las poblaciones de Villarrica, Cabrera, Venecia, Melgar, Icononzo, Pandi, Carmen de Apicalá y Cunday; simultáneamente se establecieron el toque de queda, la obligatoriedad de portar salvoconductos, y se iniciaron los combates por parte del Destacamento de Sumapaz,

188 Texto del Decreto en *Las trampas de la guerra*, *op. cit.*, pp. 127-128.

189 Declaraciones del teniente coronel Hernando Forero Gómez, comandante del Destacamento Sumapaz, citado en Eduardo Pizarro L. *op. cit.,* p. 119.

que, hasta octubre del mismo año, completó diez operaciones tácticas y centenares de misiones de patrullaje de combate con la colaboración de la Fuerza Aérea, que utilizó aviones F-47 y B-26. En total se comprometieron en las acciones cerca de 4.000 soldados de infantería, incluido el Batallón de Infantería Colombia, que había regresado de Corea meses antes[190]. El 8 de junio fue el peor momento de la resistencia campesina cuando el Ejército ocupó Villarrica y se inició el éxodo de 30.000 personas, mientras por aire y tierra eran perseguidos; la diáspora llevó a cientos de familias campesinas a buscar refugio en poblaciones como Melgar y Fusagasugá; hasta la Cruz Roja tuvo que asumir el cuidado de centenares de niños a través de refugios temporales y colectas públicas de dinero; era la política de tierra arrasada[191].

Los abusos por parte de los militares fueron denunciados por la DNL y por unos pocos dirigentes conservadores; también lo hicieron los medios de comunicación que, pese al apoyo inicial al Gobierno y a las operaciones militares para mantener el orden público a cualquier costo, sufrieron los rigores de la censura informativa, con la prohibición expresa de "publicar informaciones relacionadas con el bandolerismo en el Tolima y en otras regiones"[192]. Las bandas de los llamados "pájaros azules y chulavitas", que combatían a favor del Gobierno, comenzaron a aparecer por la zona. Frente a la agresión, los núcleos de autodefensas en el sur del Tolima y en la zona de Riochiquito, en el Cauca, también se reactivaron. Por la misma época apareció en el Sumapaz un personaje enviado por el PCC como comisario político: se trataba de Luis Alberto Morantes, más conocido después como *Jacobo Arenas*, un dirigente de los obreros petroleros de Barrancabermeja, nacido en Bucaramanga en 1917, destacado militante del partido y portador del carnet número 2.429, quien, a la postre, sería pieza fundamental en la relación orgánica del PCC con los frentes armados y en la fundación y el desarrollo de las FARC-EP.

190 *Ibid.*, pp. 119-120.

191 Véase: *La Cruz Roja en la historia de Colombia*, en http://www.cruzrojacolombiana.org/sites/default/files/historia%20cruz%20roja.pdf

192 Eduardo Pizarro L. *op. cit.*, p. 122.

En un intento de negociación, a mediados de 1955, el Gobierno exigió la rendición incondicional de las guerrillas y la entrega de las armas. Estas, a su vez, insistieron en mantenerlas como garantía de supervivencia. Frente al acoso de las Fuerzas Militares y el uso indiscriminado de bombardeos aéreos y artillería, los campesinos y guerrilleros se retiraron de la región en las llamadas "columnas de marcha" para evacuar a la población no combatiente que vivió los rigores del hambre, las enfermedades y toda clase de privaciones y riesgos en travesías que duraron varios meses; el objetivo era no desaparecer como movimiento de resistencia y continuar la colonización armada más al sur, serranía y selva adentro, en las regiones de Pato, Alto Guayabero, el Cañón del Duda y Medellín del Ariari. Motivada por un cerco de hambre y terror, salió de Villarrica una marcha campesina de cerca de 20.000 personas; en la dramática huida, perseguidas por el Ejército y la aviación, se dispersaron las familias hacia el sur para fundar meses después las zonas campesinas conocidas como Pato y Guayabero. De esta manera, el Gobierno consideró conquistado el amplio territorio del oriente del Tolima y Sumapaz, consolidada la pacificación y derrotada la guerrilla comunista en Colombia. En muy corto tiempo los hechos demostrarían que no fue así.

El descontento y la oposición hacia el gobierno de Rojas Pinilla se incrementaron en 1956. Las obras sociales que adelantaba su hija María Eugenia, *La Nena*, desde la Secretaría Nacional de Asistencia Social y Protección Infantil (SENDAS), beneficiaron a una parte importante de la población menos favorecida, pero no fueron suficientes para paliar la inconformidad y el desprestigio. En materia de obras de infraestructura, Rojas —como ningún otro gobernante hasta entonces— transformó la faz del país con un ambicioso programa de construcción de carreteras, aeropuertos, cárceles, viviendas, puentes, puertos, edificios y avenidas que finalmente quedarían como mudos testigos de su aporte a eso que llamaban "progreso". El 7 de agosto de 1956, Cali se estremeció por la explosión de seis camiones del Ejército que, procedentes de Buenaventura, repletos de dinamita, estallaron cerca de la Estación del Ferrocarril. El dantesco hecho produjo la muerte de cerca de 400 soldados y de cientos de personas que habitaban la zona adyacente a la estación; una parte importante de la ciudad fue literalmente borrada por la onda explosiva. El suceso nunca fue aclarado del todo y dejó en la miseria a miles de caleños. Los desafueros del Gobierno no fueron pocos.

A las denuncias de despilfarro, burocracia y favoritismo se sumaron hechos concretos de represión, enriquecimiento injustificado y corrupción, que día a día socavaron la imagen del Presidente y de las Fuerzas Armadas; personas del más íntimo entorno de Rojas se vieron envueltas en escándalos; el caso de su yerno Samuel Moreno Díaz, acusado de recibir sobornos de la Philips por permitir la importación de televisores, no fue el único. La masacre de estudiantes en junio de 1954 había iniciado el lento distanciamiento entre civiles y militares. Otros acontecimientos ocurridos en 1955, como el cierre de *El Tiempo* y la censura a *La República* y a *El Espectador*, y los sucesos en la Plaza de Toros La Santamaría, en Bogotá, a principios de 1956, profundizaron la brecha de la frustración y el descontento. Rojas buscó con afán recomponer su relación con el pueblo, y la de este con las Fuerzas Armadas. Para ello ideó la formación de una Tercera Fuerza, sustentada en lo que llamó Binomio Pueblo-Fuerzas Armadas, que, como tercer partido, les disputaría a liberales y conservadores el apoyo ciudadano. La duración de este experimento político fue corta, pero la decisión de Rojas de conformar y consolidar una alternativa a los partidos tradicionales lo acompañaría hasta la tumba. A tres años de iniciado su gobierno, el divorcio con las jerarquías liberal y conservadora era total.

Caída de Rojas, Frente Nacional, violencia y bandolerismo

Al frente de la oposición al régimen militar se encontraba Alberto Lleras Camargo, instalado de nuevo en Bogotá desde fines de 1954, luego de su renuncia a la Secretaría General de la OEA. Como director del liberalismo, asumió la tarea de pactar un acuerdo con los conservadores con el fin de lograr la salida de Rojas, y para ello viajó a Benidorm, en España, donde vivía Laureano Gómez. El 24 de julio de 1956, en esa pequeña población al pie del Mediterráneo, suscribieron el Acuerdo de Benidorm, una declaración de los dos dirigentes políticos en la que se propuso "el regreso a la normalidad jurídica" y se acordó "crear un gobierno o una sucesión de gobiernos de coalición amplia de los dos partidos"[193]. De esta manera se conformó el Frente Civil y se sentaron las bases de lo que más adelante se llamaría el Frente Nacional. El final de la dictadura estaba próximo. La gran burguesía, la "oligarquía" que Rojas y sus más cercanos atacaron, se mantuvo unida social, política y económicamente para derrocarlo.

A pesar de la determinación de los militares de mantener a Rojas en el poder hasta 1962, la oposición creció y se fortaleció. La alianza bipartidista quedó sellada definitivamente el 20 de marzo de 1957, cuando Lleras Camargo y Ospina Pérez firmaron el Pacto de Marzo en el que propusieron crear un gobierno civil "que ejerza a nombre de los dos partidos, que los represente por igual, en el cual ambos colaboren y que esté sostenido por una sólida alianza"[194]. Los rumores de una huelga general organizada desde la industria, el transporte, el comercio y la banca se tornaron realidad; en las llamadas "jornadas de mayo de 1957" participaron por igual obreros y patronos, estudiantes, conservadores, amas de casa, intelectuales, comunistas, transportistas, religiosos, liberales, comerciantes y hasta militares por debajo de cuerda. Pero, sin lugar a dudas, las palmas se las llevaron los jóvenes, especialmente los estudiantes. Había que ver los titulares y artículos —posteriores a la salida de Rojas— de *Intermedio* y *El Independiente*, nombres con que circularon *El Tiempo* y *El Espectador* en esos años, en los que todo era "Loor a los estudiantes", "Jóvenes: héroes de las jornadas de mayo", "Juventud: orgullo máximo de la Patria". Los honores iban desde saludos a su valor y gallardía hasta propuestas de homenajes y monumentos.

El miércoles 8 de mayo se inició el paro bancario e industrial; en paralelo se reunió la Asamblea Nacional Constituyente —reorganizada por Rojas—, que lo reeligió para un nuevo mandato que iría hasta 1962; la reacción en su contra se generalizó, el Ejército estaba en acuartelamiento de primer grado, y sectores liberales y conservadores estaban dispuestos a lanzarse a la rebeldía. A las diez y cinco minutos de la

193 Texto completo del Pacto de Benidorm en Jorge Serpa Erazo, *Rojas Pinilla, op. cit.*, pp. 503-505.

194 *Ibid.*, pp. 506-507.

mañana del viernes 10 de mayo de 1957, el general Gustavo Rojas Pinilla dimitió en favor de una Junta Militar de Gobierno, como figura de transición, compuesta por los oficiales de más alto rango. "Los Quíntuples", los llamó la picardía urbana: el mayor general Gabriel París era el oficial de mayor antigüedad y fue nombrado presidente de la Junta; el mayor general de la Policía, Deogracias Fonseca; el contralmirante Rubén Piedrahíta Arango; el brigadier general Rafael Navas Pardo, que en ese momento ejercía como comandante del Ejército; y el brigadier general Luis Ernesto Ordóñez, director del funesto Servicio de Inteligencia Colombiano (SIC), entidad que en poco tiempo sería reemplazada por el Departamento Administrativo de Seguridad (DAS), por sugerencia de la misión militar de Estados Unidos. "Esta Junta Militar deberá presidir las elecciones en las cuales el pueblo colombiano elija el mandatario que ha de regir los destinos de Colombia en el período constitucional de 1958 a 1962"[195]. En su programa de gobierno, la Junta declaró "que sus integrantes son todos católicos, apostólicos y romanos"[196]. ¡Más regocijo y tranquilidad aún!

La recomendación de la misión estadounidense se concretó luego, durante el gobierno del presidente Alberto Lleras Camargo: el SIC fue sustituido por el Departamento Administrativo de Seguridad (DAS) mediante el Decreto 1717 del 18 de julio de 1960. Durante muchos años, la AID fue el principal soporte —económico y técnico— para el DAS. En el año fiscal de 1964 se contemplaron 150.000 dólares para entrenamientos, equipos de comunicaciones y armas (ver cuadro p. 175).

A la caída de Rojas Pinilla, la explosión de júbilo fue nacional, las gentes alborozadas salieron a las calles. Con el arribo de la Junta Militar llegaron la apertura política y el disfrute de las libertades que estuvieron conculcadas durante el gobierno anterior. El Partido Comunista se legalizó de hecho y empezó a luchar por la derogatoria de los actos legislativos promulgados por la Asamblea Nacional Constituyente, en especial el número 6, que lo había declarado por fuera de la ley; se legalizó igualmente su brazo juvenil, que pasó a llamarse Unión de la Juventud Comunista de Colombia (UJCC). El

195 Alocución de despedida de Rojas. *Ibid.*, p. 293.

196 Texto completo del Programa de Gobierno de la Junta Militar, en Jorge Serpa Erazo, *op. cit.*, pp. 507-508.

1. Adjunto a este aerograma hay un borrador titulado "El papel de la Alianza para el Progreso en el nuevo DAS", preparado por el asesor de Investigaciones para su inclusión como capítulo final de su informe con recomendaciones sobre el DAS al presidente Valencia.
2. El propósito de presentar esta parte del informe a AID/Washington por adelantado es obtener una aprobación tentativa del programa allí descrito, que solicitará fondos de AID todavía no programados para el año fiscal 1964.

Ayuda ya garantizada

Como paso preliminar, antes de que estas recomendaciones fueran formuladas, una subvención fue acordada entre AID y Seguridad Pública, con el propósito de proveer al DAS, durante el año fiscal en curso, de 26 artículos de necesidad urgente, varios materiales y partes de reemplazo. En abril, siete oficiales del DAS fueron enviados para entrenamiento en procedimientos de desactivación de bombas en Fort Gulick, en la Zona del Canal, con el patrocinio del Ejército de Estados Unidos, y a un curso general en asuntos policiales y de seguridad en AID, patrocinado por la Academia Interamericana de Policía en Fort Davis, en la Zona del Canal. El costo de este curso de entrenamiento de trece semanas, con excepción de los gastos del viaje internacional, es financiado por AID. El director del DAS y la Oficina de Seguridad Pública están seleccionando y procesando candidatos adicionales para entrenamientos similares y de otra clase.

Fuente: Department of State, Confidential Aerogram, Subject: Administrative Department of Security, "The Role of the Alliance for Progress in New DAS", 3 May 1963. The National Security Archive (NSA), Colombia and the United States: Political Violence, Narcotics and Human Rights, 1948-2010. Documentos desclasificados de diferentes agencias de seguridad del Gobierno de Estados Unidos.

plebiscito que se realizó el 1° de diciembre de 1957 anuló las decisiones tomadas por la ANC, incluida esa ilegalización del PCC. En el liberalismo, un grupo de jóvenes, entre quienes se encontraban Alfonso López Michelsen, hijo del expresidente López Pumarejo; Álvaro Uribe Rueda y Ramiro de la Espriella, se agruparon en torno al semanario *La Calle* y a una organización que llamaron Movimiento de Recuperación Liberal (MRL), en abierta oposición a las tesis de la alternación bipartidista en el poder. Por otra parte, intelectuales como Gerardo Molina, Luis Villar Borda y Jorge Child, en contradicción con *La Calle*, considerado por ellos un medio elitista y prooligárquico, publicaron *La Gaceta*, revista que pretendía servir de vocero a movimientos populares y de izquierda.

Los exguerrilleros liberales de los Llanos, entre expectantes e incrédulos, habían iniciado en silencio un proceso de reorganización y acercamiento a las guerrillas comunistas. En esas andaban Guadalupe Salcedo y algunos de sus compañeros desmovilizados. El 28 de febrero habían suscrito un documento en el que declararon su "total solidaridad con los movimientos alzados en armas", en particular con el movimiento del Sumapaz, encabezado por Juan de la Cruz Varela. Guadalupe había sido comisionado por sus hombres para realizar una "asamblea que ha de ser constitutiva del gobierno provisional revolucionario, con comando nacional, civil y de la guerra"[197]. Por eso lo mataron.

Antes de completarse el primer mes de la salida de Rojas, el capitán Guadalupe Salcedo fue asesinado; su muerte conmovió a muchos colombianos, se temió el inicio de una nueva revolución en los Llanos, y los procesos de pacificación que se habían adelantado hasta entonces quedaron en veremos. En la fría madrugada bogotana del 6 de junio, un grupo de hombres fue obligado por la Policía a desalojar un céntrico café luego de que se presentara una riña dentro del establecimiento. Uno de ellos era el excomandante guerrillero "El Terror del Llano", como se le nombraba. Medio borrachos, abordaron un taxi y —de acuerdo con la versión policial— más adelante atacaron a tiros una radiopatrulla que pasaba; vino un intercambio de disparos tras el cual resultaron muertos Salcedo y uno de sus acompañantes, y heridos tres agentes; luego, su abogado sostuvo que fue acribillado a sangre fría cuando se encontraba desarmado y con las manos en alto. En esa ocasión, como en tantas otras, se anunció la designación de investigadores especiales para esclarecer el suceso "hasta las últimas consecuencias". La muerte de Guadalupe Salcedo, en circunstancias que siempre fueron confusas, se convirtió desde entonces en un pésimo

197 *La Violencia en Colombia*, tomo II, *op. cit.*, pp. 201-202.

referente para los insurgentes cuando se trataba de adelantar negociaciones y acuerdos con un gobierno, dejar las armas y acogerse a programas de reincorporación a la vida civil. Su asesinato no fue el primero y tampoco sería el último.

La llegada de la Junta Militar y su decisión de parar los operativos de combate en contra de las guerrillas facilitó los contactos, negociaciones y entendimiento con los grupos armados comunistas que, dirigidos por Juan de la Cruz Varela, se mantenían en la región del Sumapaz. A tan solo dos meses del 10 de mayo se iniciaron reuniones en el área rural de Pasca entre el líder agrario, el ministro de Gobierno, José María Villarreal, y el gobernador de Cundinamarca, con el apoyo del sacerdote Jaime Betancur, párroco del municipio. Los guerrilleros reclamaban el levantamiento del cerco militar, créditos gubernamentales, amnistía e indulto y garantía de no ser molestados; el Gobierno exigía la entrega de las armas y el cese de toda actividad considerada delictiva. Finalmente se llegó a un acuerdo que significó un nuevo programa de rehabilitación y la desmovilización de las guerrillas, sin dejar las armas. La amnistía y el indulto serían elementos centrales en el proceso que se establecería en el gobierno siguiente, el de Lleras Camargo.

En el sur del Tolima permanecían en armas antiguos guerrilleros liberales como Leopoldo García, general *Peligro*; Aristóbulo Gómez, general *Santander*; Gerardo Loaiza y Jesús María Oviedo, *Mariachi*, que finalmente también alcanzaron pactos con la Junta Militar. Hasta entonces, y durante mucho tiempo más, estarían dedicados a hacerle favores al Ejército en la persecución de comunistas. Los guerrilleros liberales se organizaron en el Movimiento Liberal Nacional Revolucionario del Sur del Tolima, que el 21 de agosto tuvo su "reunión organizacional" y aprobó un reglamento interno, nombró a Peligro brigadier general, jefe de todas las guerrillas liberales del Tolima, estableció grados entre los combatientes, realizó ascensos, distribuyó el territorio entre los jefes y, como en tantos códigos y leyes militares, estableció normas que restringieron derechos de los civiles.

Como parte del programa de paz de la Junta Militar, un año después de asumir el poder se firmó el Decreto 942 del 27 de mayo de 1958, que creó la Comisión Nacional Investigadora sobre las Causas y Situaciones Presentes de la Violencia en el Territorio Nacional, conocida como "La Investigadora", que, además de esclarecer e investigar lo sucedido, tenía entre sus funciones dialogar y negociar con grupos alzados en armas. La comisión estuvo vigente hasta enero de 1959; la presidió Otto Morales Benítez y la integraban Augusto Ramírez Moreno, Absalón Fernández de Soto, los sacerdotes Fabio Martínez y Germán Guzmán Campos, los generales Hernando Mora Angueira (en retiro) y Ernesto Caicedo López (jefe del Estado Mayor de las Fuerzas Militares). Como apoyo a las actividades de La Investigadora participaron el abogado Eduardo Umaña Luna y el sociólogo Orlando Fals Borda, decano de la recién fundada Facultad de Sociología de la Universidad Nacional, coautores posteriormente del libro *La Violencia en Colombia,* junto con monseñor Guzmán Campos. La comisión tenía "el encargo de visitar las zonas afectadas, constatar los problemas y necesidades de las gentes e informar al Gobierno para establecer las bases de una nueva y más racional acción oficial"[198]. Durante ocho meses sus miembros viajaron por casi todo el país para recoger evidencias y reunir materiales; se cuenta que sostuvieron 20.000 entrevistas personales y firmaron cincuenta y dos pactos de paz. No hubo un informe oficial de la comisión; lo que sí hizo fue presentar informes verbales a Lleras Camargo cuando ya era presidente de la República. El libro *La Violencia en Colombia,* de grandes repercusiones en el ámbito de la política nacional, tuvo como una de sus fuentes gran parte del material que acopió la comisión, y contó también con la participación del sacerdote Camilo Torres Restrepo, profesor de la Facultad de Sociología, años después dirigente y fundador del Frente Unido del Pueblo e integrante del ELN, cuando la persecución oficial lo llevó a las armas.

El 20 de julio de 1957, Alberto Lleras y Laureano Gómez se encontraron de nuevo en España, esta vez en Sitges, hasta donde se trasladó el dirigente liberal para acordar con Gómez los procedimientos que adoptarían para establecer el gobierno bipartidista. Allí firmaron el Acuerdo de Sitges, en el que básicamente señalaron las bases del sistema y estipularon que estas serían sometidas a un plebiscito. Se trataba de continuar y profundizar los contenidos de los

198 *La Violencia en Colombia*, tomo I, *op. cit.*, p. 14.

pactos y acuerdos anteriores que buscaban establecer la paridad en las corporaciones públicas y la alternancia en la Presidencia de la República de mandatarios de uno y otro partido[199]. Pero en el fondo habían vuelto a un ambiente propicio para el dominio y manejo exclusivos de las dos colectividades, situación que de tajo cercenaba la posibilidad de otras apuestas políticas. En esas circunstancias se empezó a incubar el germen de futuras insurgencias…

La Junta Militar consideró y aprobó lo pactado en Sitges y procedió a convocar el plebiscito para el 1° de diciembre siguiente. El objetivo era reformar la Constitución Política otorgando a las mujeres los mismos derechos políticos de los hombres; establecer la paridad entre liberales y conservadores hasta 1968 en las corporaciones públicas, ministerios, Corte Suprema de Justicia y Consejo de Estado. El plebiscito consideraba, también, que futuras reformas constitucionales solo podían hacerse por la vía del Congreso mediante los mecanismos establecidos en la misma Constitución. Este último aspecto, contemplado en el Artículo 13 del Decreto 0247 del 4 de octubre de 1957, mediante el cual se convocó al plebiscito, se constituyó durante décadas en una talanquera permanente para impedir procesos de reforma y ampliación de la democracia por la vía constitucional. El domingo 1° de diciembre, 4.169.294 colombianos le dijeron sí a las propuestas plebiscitarias, mientras que 206.864 votaron negativamente. Por primera vez en nuestra historia, las mujeres participaron en un proceso electoral; tres años antes, la Asamblea Nacional Constituyente había reconocido a la mujer el derecho al voto. En este plebiscito, el PCC instruyó a sus militantes para votar en blanco, sin alcanzar un apoyo significativo para su propuesta.

Los acuerdos que habían firmado los dirigentes liberal y conservador en Benidorm y Sitges, en 1956 y 1958, dieron pie al establecimiento del Frente Nacional que contemplaba el ejercicio conjunto del poder presidencial por parte de los dos partidos. El plebiscito de diciembre de 1957 —que dispuso la paridad—, y el Acto Legislativo N° 1 del 15 de septiembre de 1959, aprobado en el Congreso Nacional —que estableció la alternación de los partidos en la Presidencia—, fueron

199 Texto completo del Pacto de Sitges en *Tiempos de paz. Acuerdos en Colombia, 1902-1994*, *op. cit.*, pp. 259-256.

los mecanismos concebidos para reglamentar el funcionamiento del Frente Nacional que fijó el monopolio del poder durante dieciséis años en manos de los dos partidos tradicionales, excluyó a cualquier otra colectividad política e impuso la medida excepcional del estado de sitio como norma para gobernar. Por supuesto, estos mecanismos políticos de entendimiento no se reflejaron en lo social y con rapidez se convirtieron en fermento de la inconformidad. La intolerancia, exclusión y antidemocracia que sembró el Frente Nacional solo podían fructificar en más violencia.

El calendario electoral de 1958 indicaba que el 16 de marzo se realizarían las elecciones parlamentarias, y el 4 de mayo, los comicios para elegir al primer mandatario del Frente Nacional. El Partido Liberal, que se presentó monolíticamente unido en el proceso electoral del 16 de marzo, alcanzó 2.132.741 votos, superando ampliamente la votación conservadora, de 1.556.273, distribuida entre laureanistas, valencistas y alzatistas[200]. Pasadas las elecciones legislativas, los resultados favorables a los liberales colocaron a esa agrupación en la ventajosa posición de escoger su candidato a la Presidencia a nombre del Frente Nacional. Para sorpresa de todos, fue Laureano Gómez, el jerarca conservador, quien propuso la candidatura de Alberto Lleras Camargo como presidente para el período 1958-1962. A él se opuso el conservador Jorge Leyva, que en las elecciones del 4 de mayo alcanzó una votación de 614.861 votos frente a los 2.482.948 que obtuvo Lleras como candidato del Frente Nacional. Los comunistas apoyaron la elección de Lleras, considerando que con él se restauraba la legalidad y volvían a su normal funcionamiento las instituciones "democrático-burguesas".

Dos días antes de las elecciones, en la madrugada del 2 de mayo, se produjo un intento de golpe militar al frente del cual se encontraba el coronel Hernando Forero Gómez, comandante del Primer Batallón de la Policía Militar, un oficial afecto a Rojas Pinilla que se encontraba en República Dominicana presto a regresar al país. Era Rojas quien, desde el exilio, armaba conspiraciones y buscaba acercarse de nuevo al poder. Los militares sublevados, entre los que se encontraba el teniente Alberto Cendales Campuzano, lograron apresar a cuatro de los

200 Denominados así los seguidores o las corrientes favorables a Laureano Gómez, Guillermo León Valencia y Gilberto Alzate Avendaño, respectivamente.

Quíntuples y a Lleras Camargo, en vísperas de su elección. Antes del mediodía siguiente, los golpistas fueron derrotados en su intención, muchos detenidos, y algunos lograron el refugio en las sedes diplomáticas de El Salvador, Guatemala, Paraguay y Perú. El teniente Cendales se convirtió desde entonces, y por muchos años, en un personaje de leyenda: encabezaba rebeliones, peleaba por los desprotegidos, protagonizaba espectaculares fugas, propiciaba alzamientos y buscaba unirse a las guerrillas. Varias veces lo dieron por muerto y varias veces resucitó de sus cenizas a la lucha. Su personalidad y la prensa contribuyeron a realzar el mito.

El 7 de agosto de 1958 se inauguró el pacto de élites conocido como Frente Nacional con el gobierno del liberal Alberto Lleras Camargo. Una de las primeras medidas del nuevo gobierno fue conservar el estado de sitio vigente en todo el territorio nacional desde los primeros días de junio. Era la herencia del período dictatorial precedente. La medida se prolongó por 66 días, hasta el 27 de agosto, cuando se decidió no levantarlo en cinco departamentos (Valle, Cauca, Tolima, Huila y Caldas), considerados los más afectados por La Violencia. En esa segunda etapa, el estado de sitio parcial duró 98 días, hasta el 3 de diciembre siguiente.

Desde el mismo momento en que fue derrocado Rojas Pinilla se inició en su contra una investigación, que llegaría a la máxima expresión en el juicio a que fue sometido. Para ello se creó, mediante decreto de la Presidencia, la Comisión Nacional de Instrucción Criminal, que le estableció tres cargos en contra: abuso de autoridad, referida a una orden suya al administrador de Aduanas de Cali para devolver 180 cabezas de ganado decomisadas al padre de su edecán; el segundo cargo se relacionaba con el incremento injustificado de su patrimonio en 8 millones de pesos; el tercero tenía que ver con que habría participado en dejar en libertad al pájaro León María Lozano, más conocido en el historial de La Violencia colombiana como *El Cóndor*. El juicio se inició el 19 de agosto de 1958 en la Cámara de Representantes. Doce días más tarde, el general se presentó a rendir indagatoria ante la Comisión Instructora del Senado. Rojas era considerado un peligro para la estabilidad alcanzada por el Frente Nacional. Su presencia en Colombia llegó a ser un asunto de seguridad interna. El 3 de diciembre, el presidente Lleras declaró turbado el orden público y en estado de sitio todo el país. La medida estuvo vigente hasta el 12 de enero de 1959 —cuarenta días—, y se tomó al ser descubierto un nuevo intento de golpe que produjo la inmediata captura del general y su reclusión en la fragata *Capitán Tono*.

El 22 de enero de 1959 comenzó la audiencia pública en el recinto del Senado. Durante cuatro semanas hubo un duelo oratorio entre acusadores y defensores del expresidente; un mes más tarde, él mismo tomó la palabra para dar comienzo a su alegato. Veinte días duró la defensa. Los acusadores optaron por votar apresuradamente para retirar el uso de la palabra a Rojas; aprobado lo anterior, pasaron a proferir veredicto condenatorio, y, más tarde, el 2 de abril, a declararlo indigno y condenarlo a la pérdida perpetua de sus derechos políticos. "El pueblo por encima de las oligarquías" fue la frase que utilizó para cerrar su último discurso.

El reactivado movimiento estudiantil, que con todos los honores había participado en la caída de Rojas, se agrupó inicialmente en la Federación de Estudiantes de Colombia (FEC) y la Federación Universitaria de Colombia (FUC), donde participaban por igual liberales, comunistas, conservadores y jóvenes sin militancia política. El crecimiento de esas luchas dio pie a la formación de la Unión Nacional de Estudiantes de Colombia (UNEC) durante el Primer Congreso Nacional Estudiantil que se instaló el 27 de junio de 1957 en Bogotá, con la participación de representantes de distintas universidades del país; la UNEC se definió como una organización gremial de los estudiantes, independientemente de cualquier filiación religiosa o política, aunque respetuosa de las preferencias ideológicas y políticas de los que en ella participaban; convergían en la agremiación la UJCC, el MOE 7 de Enero, las Juventudes del MRL y las Juventudes Liberales. La derecha estudiantil, bastante combativa, por cierto, se encontraba organizada en el periódico *Fuego*, y tenía el apoyo de las Juventudes de la Acción Católica, las Congregaciones Marianas y hasta de los Boy Scouts. Dirigentes en primera línea de la naciente UNEC fueron los ya consagrados líderes de las jornadas de mayo: Pedro Bonnet, Armando Yepes, Manuel Vásquez Castaño y Antonio Larrota, quien participaba en representación de los estudiantes de bachillerato de Bogotá y fue escogido para hacer parte del primer Comité Ejecutivo de la naciente UNEC. El Congreso evidenció un movimiento estudiantil con pensamiento crítico frente al sistema bipartidista que ya se entreveía; de igual forma, reafirmó el compromiso de los estudiantes frente a los problemas nacionales. De ese movimiento estudiantil renovado se nutrirían en poco tiempo las primigenias guerrillas revolucionarias surgidas a raíz o bajo el influjo de la Revolución Cubana del 1° de enero de 1959[201].

Entre tanto, el gobierno de Lleras propició el acercamiento con el movimiento armado de inspiración comunista, que había adquirido mayor protagonismo, y con aquellos grupos liberales que se mantenían en armas. La política de paz trajo de la mano la pacificación, medida que sería aplicada a quienes persistieran en las acciones violentas; esa era la estrategia diseñada por el Frente Nacional para alcanzar la concordia. Y ante la nueva coyuntura política, los alzados aceptaron iniciar negociaciones con el Gobierno: "Cesa toda acción militar contra la guerrilla y sobreviene lo que los guerrilleros y los campesinos llaman la tregua. Se suspende la lucha armada de hecho y se mantienen las guerrillas como organizaciones de autodefensa armada"[202]. En el caso de los guerrilleros dirigidos por Charronegro, Marulanda Vélez y Ciro Trujillo, se realizaron conversaciones en el sur del Tolima y una conferencia guerrillera para analizar la situación. Entre las conclusiones se destacaba la decisión de transformar de nuevo la guerrilla en movimiento de autodefensa con los campesinos de la región y con los combatientes, licenciar al personal militar que así lo solicitara, distribuir los bienes de la organización entre sus miembros, abolir los grados militares y los nombres ficticios, entregar tierras a los combatientes que desearan quedarse en el área de El Támaro, que ahora llamaban *Marquetalia*, por decisión de Charronegro; las armas quedarían en posesión de la dirección del partido. Se propuso solicitar a las autoridades créditos para labores agrícolas y vivienda en favor de los excombatientes, y ayuda económica para viudas y huérfanos.

201 Sobre el rol del movimiento estudiantil, véase el texto de Manuel Ruiz Montealegre, *Sueños y realidades. Procesos de organización estudiantil 1954-1966*, *op. cit.*

202 Testimonio de Gilberto Vieira en Arturo Alape, *La paz, la violencia: testigos de excepción*, *op. cit*, p. 211.

Una vez desmovilizados, los exguerrilleros se dedicaron al trabajo de la agricultura en sus tierras y zonas de influencia y a colonizar terrenos baldíos; entre tanto, los comandantes atendían aspectos organizativos y políticos del movimiento agrario, pero también desempeñaron labores propias que les permitían la subsistencia. Charronegro, por ejemplo, se dedicó al negocio de ganado en Gaitania y, con los 1.500 pesos que el Gobierno le dio para su rehabilitación, compró un equipo de proyección de cine con el que recorría pueblos y veredas presentando películas de mariachis y charros: lo que le gustaba. El mayor Líster vendía quesos y otros productos en el mercado de Gaitania. Marulanda fue nombrado inspector y jefe de trabajo en el tramo en construcción de la carretera de El Carmen, en el Huila, a Gaitania, en el Tolima; en ese cargo permaneció durante casi dos años mientras desarrollaba actividades como dirigente en la región. Ciro Trujillo se ubicó en el Cauca, muy cerca de Riochiquito, donde reorganizó el trabajo con campesinos e indígenas. Richard permaneció en la región de El Pato, adonde había llegado con la columna de marcha desde el Sumapaz, Juan de la Cruz continuó como líder político en esa región, y en 1960 fue elegido suplente de Alfonso López Michelsen a la Cámara de Representantes por el MRL. Por el lado de los grupos guerrilleros liberales, la cosa fue bastante diferente. Las quejas de los comunistas eran por las mayores garantías que el Gobierno entregaba a los limpios, muchos de ellos al servicio del Ejército o de gamonales locales y regionales para continuar atacando al movimiento agrario comunista o para acabar con sus propios excompañeros de armas. Los temidos Peligro, Mariachi, Loaiza, Vencedor y Arboleda se ubicaron en el sur del Tolima y desde allí acechaban a los guerrilleros comunistas desmovilizados.

Así llegó la amnistía que el Gobierno concedió mediante el Decreto Legislativo 0328 del 28 de noviembre de 1958, que suspendía la acción penal contra las personas comprometidas con la rebelión. En septiembre anterior, mediante el Decreto 1718, había organizado una Comisión Especial de Rehabilitación y propuesto un plan para las zonas más afectadas, el cual se adelantaría desde la Oficina Nacional de Rehabilitación; esta medida, concebida como el complemento de las anteriores, pretendía llevar los beneficios del Estado a aquellas zonas cuyo desarrollo se vio afectado por La Violencia. Muchos de los recursos destinados para estos fines terminaron siendo presa de los apetitos de los políticos locales, quienes, en forma antitécnica, y no pocas veces deshonesta, malograron una adecuada inversión en favor de las comunidades. En síntesis, la rehabilitación funcionó a medias: benefició a unos pocos jefes de las guerrillas liberales, conservadoras o comunistas; llevó obras a algunas de las comunidades golpeadas por La Violencia, pero para los más pobres no hubo tal.

El Decreto 0328 fue una medida tendiente a la suspensión de la acción penal, siempre y cuando los que acataran la disposición se reincorporaran a la vida civil se sometieran a la Constitución y a la observancia de la buena conducta. Este y otros decretos estuvieron acompañados de una campaña de rehabilitación que, a la larga, se transformó en el desarrollo y reubicación del gamonalismo liberal y conservador: "Con el decreto de Lleras lo que se hizo fue suspender los procesos penales, condicionar la entrega de los guerrilleros y hacer un jugoso negocio de rehabilitación para los futuros enfrentamientos civilizados entre los partidos [...] Lleras se enfrentó a las fuerzas guerrilleras andinas cuando guerrilleros comunistas y bandoleros fueron objeto de los decretos"[203].

La venganza y la crueldad eran las sombras trágicas que se cernían sobre el país en los tiempos nuevos, los tiempos turbulentos del advenimiento de la democracia y del Frente Nacional. De acuerdo con Ramsey, "a finales de agosto el Gobierno presentó un informe según el cual 128.000 personas habían muerto durante La Violencia", y las muertes causadas entre el 1° de julio y el 31 de diciembre de 1958 ascendían a 1.203[204]. El grado sumo del horror se vivía en los campos de los departamentos de Tolima, Caldas, Valle, Santander, Quindío y Risaralda, y con menor intensidad en Boyacá, el sur de Antioquia y el nororiente de Cundinamarca, regiones que ya habían sido sacudidas por las luchas guerrilleras y agraristas de la primera etapa de La Violencia (1948-1953). En medio de la paz y de la pacificación se engendró una nueva fase de violencia en la que reinaron la vindicta, la traición, el odio y el pillaje; fue la violencia de los desadaptados sociales, de

203 Arturo Alape, *Las vidas de Pedro Antonio Marín, Manuel Marulanda Vélez, Tirofijo*, *op. cit.*, p. 275.

204 Russell W. Ramsey, *op. cit.*, pp. 281, 284.

aquellos que nada aceptaron: de *Chispas*, quien tomó las armas cuando vio morir a su madre asesinada; de *Desquite*, que presenció cómo su padre y hermano fueron decapitados; de *Sangrenegra,* que bebió la sangre de quienes mataron a su familia; de Medardo Trejos, el capitán *Venganza,* que hizo lo que su apodo le reclamaba; de *Zarpazo*, a quien se le acusó de la muerte de 144 personas; de Efraín González, el *Siete Colores,* quizás el más recordado y venerado de todos ellos por el valor con que se enfrentó a 1.200 soldados y por sus capacidades para transformarse en árbol, en mariposa o simplemente en mito. Los que no atendieron el llamado a la amnistía de Rojas Pinilla en 1954 o a la de Lleras Camargo en 1958 porque no creían en las promesas gubernamentales; los que se acogieron a alguna de ellas y regresaron a las armas porque fueron perseguidos, traicionados o defraudados y sus compañeros asesinados; o los nuevos reclutas que se enlistaron en estos grupos, en particular jóvenes hijos de La Violencia que, de niños, vivieron el terror de la primera fase, y ahora, en esta segunda etapa, con sus "odios heredados" a cuestas, solo creían en el poder de la retaliación; fueron llamados "bandoleros", y sus cabezas puestas bajo la ley de la oferta y la delación.

A ellos y a cientos más, una parte importante de la literatura de La Violencia se ha encargado de presentarlos como un fenómeno disociado de ese pasado reciente de violencia política. Gonzalo Sánchez y Donny Meertens, en su estudio clásico *Bandoleros, gamonales y campesinos*, reivindican el carácter social y político del bandolerismo en Colombia entre 1958 y 1965. Si bien es cierto que ya no se trataba de individuos y bandas al servicio de liberales y conservadores, sí mantenían vínculos y relaciones de dependencia con caciques políticos locales de uno y otro partido, además de gozar del apoyo de los campesinos que por admiración o temor los consideraban sus protectores. La crisis del bandolerismo y su pérdida de legitimidad se perfiló desde 1963 por el combate que contra ellos se desató desde el poder central y por el distanciamiento de los poderes locales que antes los acogían. Los héroes de antes eran los bandoleros de ahora, y contra ellos solo valían la persecución y la eliminación. El riesgo para las clases dominantes en el marco del entendimiento del Frente Nacional fue mayor cuando algunos de ellos, como Efraín González, el *Siete Colores*, y Roberto

González Prieto, *Pedro Brincos*, sin parentesco conocido, dieron a sus luchas un contenido revolucionario. No en vano, el primero de ellos reivindicaría sus acciones como Frente de Liberación Nacional, y Pedro Brincos haría parte de las filas del Movimiento Obrero Estudiantil Campesino (MOEC) 7 de Enero, tendría contactos con el Frente Unido de Acción Revolucionaria (FUAR), y en la segunda mitad de 1961 habría fundado en Turbo (Antioquia) el Ejército Revolucionario de Colombia que expresaba sus ideas en el periódico *Cordillera Central*, a través del cual llamaba a la "¡Unidad y Organización para la Acción Armada!"[205].

En paralelo se afianzaba otra forma de confrontación que trascendía el marco del estrecho sistema bipartidista. En ella, los partidos tradicionales y las élites gobernantes no participarían como dirección política o militar, sino como razón y objetivo de nuevos alzamientos. Los enunciados partidistas liberales-conservadores desaparecerían de los programas y plataformas políticas de aquellos grupos guerrilleros que continuarían o que emergerían a partir de 1959 para dar paso a contenidos revolucionarios, reivindicativos, sociales y de liberación nacional.

205 El perfil completo de célebres "bandoleros" de la época se encuentra en: Gonzalo Sánchez y Donny Meertens, *Bandoleros, gamonales y campesinos. El caso de La Violencia en Colombia*, Bogotá, El Áncora Editores, 1983, pp. 63-177.

III
Tiempo de guerrillas revolucionarias

Las luchas estudiantiles y el MOEC 7 de Enero. Larrota y Bayer, dos personajes de leyenda[206]

El triunfo revolucionario en Cuba produjo en Colombia y en el resto de América una euforia que cobijó por igual a gobernantes, ciudadanos y medios de comunicación. Las salas de cine del país exhibieron durante varias semanas un cortometraje realizado por Bernabé Muñiz, enviado especial a La Habana por parte de *El Tiempo* y de *Actualidad Panamericana*, un noticiero que se exhibía en los teatros antes de la proyección de una película. En ese documental se muestran la felicidad de los cubanos en las calles, las piras de muebles y enseres de los derrotados agentes de la dictadura de Batista, los primeros y ya

206 Para este apartado, en lo referente a Antonio Larrota, el MOE 7 de Enero y el MOEC 7 de Enero, me he apoyado en el libro *Jaime Bateman. Biografía de un revolucionario*, de mi autoría; en el texto de Manuel Ruiz Montealegre, *Sueños y realidades. Procesos de organización estudiantil 1954-1966*; en los documentos de José Abelardo Díaz Jaramillo, *El Movimiento Obrero Estudiantil Campesino 7 de Enero y los orígenes de la nueva izquierda en Colombia 1959-1969*, y *"Si me asesinan, vengadme". El gaitanismo en el imaginario de la nueva izquierda colombiana: el caso del MOEC 7 de Enero.* Igualmente, en el valioso trabajo académico de Ricardo Franco Mendoza, *El MOEC 7 de Enero, origen de la guerrilla revolucionaria en Colombia.* Con relación a Tulio Bayer, ver sus propios textos *Carretera al mar* y *Carta a un analfabeto político,* y los libros *Uisheda* y *Testimonio de una época,* del general Álvaro Valencia Tovar; también el artículo "El levantamiento del Vichada", en revista *Trópicos* N° 2.

maratónicos discursos de Fidel, las figuras y semblanzas de Raúl y del Che y el mensaje del presidente Miguel Urrutia en el que agradeció la solidaridad de Colombia con Cuba. Paradójicamente, ese periódico, uno de los más representativos de la derecha y del establecimiento, fue el primer propagandista del triunfo de la Revolución Cubana, y el documental fue presentado en más de cincuenta salas de cine.

El recuerdo de la dictadura militar en Colombia y la lucha adelantada desde los jóvenes en su caída estaban aún muy frescos; por lo tanto, la solidaridad hacia quienes en otras latitudes buscaban derrocar tiranías permanecía a flor de piel. Los estudiantes agrupados en la UNEC dieron a conocer el mismo 1° de enero de 1959 un comunicado de apoyo al pueblo cubano, titulado "Mensaje del estudiantado colombiano a Cuba", en el que celebraban el triunfo. Fue tanto el fervor que generó la victoria de los barbudos en Cuba, que un personaje de Colombia y del mundo, como fue la hermosa pereirana Luz Marina Zuluaga, elegida Miss Universo en 1958, fue invitada por Fidel a visitar la Isla, y lo hizo en marzo de 1959, a escasos dos meses del triunfo revolucionario.

Por todo el continente surgieron frentes guerrilleros guiados por el ejemplo de la Revolución Cubana; fueron esas las primeras expresiones de la "nueva izquierda", que, entre reforma y revolución, optaba por esta última, un tendencia claramente antiimperialista, antioligárquica, contraria a los procesos electorales y en favor de la lucha armada, surgida como crítica a lo que se consideraba el inmovilismo desde la "izquierda tradicional" que encabezaban algunos partidos comunistas y socialistas.

En la línea de movimientos de la nueva izquierda, en Argentina apareció a finales de 1959 el grupo Uturuncos, de tendencia peronista, que un año más tarde ya habría sido desarticulado. En Venezuela se produjo en 1960 una ruptura dentro del partido Acción Democrática (AD), dando origen al Movimiento de Izquierda Revolucionaria (MIR), que, junto al Partido Comunista, comenzó a preparar sus propias guerrillas después de participar activamente en la caída de la dictadura de Marcos Pérez Jiménez. En Brasil, las Ligas Campesinas dirigidas por Francisco Julião iniciaron la formación guerrillera con miras a establecer un foco de resistencia armada. En Guatemala, el 13 de noviembre de

1960, un grupo de oficiales jóvenes organizó un levantamiento contra el gobernante Ydígoras, que prestaba su territorio a tropas extranjeras y respaldaba los planes de la CIA para invadir a Cuba; en recuerdo de esa insurrección, y en homenaje a uno de los caídos en la acción, se formó el Movimiento Revolucionario 13 de Noviembre, Alejandro de León, MR-13, dirigido por el capitán Marco Antonio Yon Sosa y los tenientes Luis Turcios Lima y Luis Trejo. Otros núcleos guerrilleros estaban ya en proceso de maduración: en Nicaragua, el Primer Ejército de Liberación Nacional, del coronel Ramón Raudales, se alzaba en armas en el departamento de Nueva Segovia; otro tanto ocurría en el Cerro Tute, en Santafé de Veraguas (Panamá), con el Movimiento de Acción Revolucionaria, MAR, de Floyd Britton; en Paraguay, el Partido Comunista conformó el Frente Unido de Liberación Nacional (FULNA), que lanzó su primera proclama en febrero de 1959.

En Colombia, la mayor preocupación del momento se centraba en los hechos que se presentaban en el interior del país y que afectaban la seguridad y las maltrechas economías de los más pobres. El 1° de enero de 1959, la Superintendencia Nacional de Transportes autorizó, mediante la Resolución N° 1, las nuevas tarifas en el servicio del transporte público en Bogotá. El aumento fue de más de 70% en las empresas privadas, y de 150% en los buses municipales, de tal manera que el pasaje se fijó en 25 centavos para los usuarios en general y 12,5 centavos para los estudiantes. La medida comenzó a regir a partir del miércoles 7 de enero, y como para ese día se temían protestas en contra de tan desmesurados aumentos, la Policía y el Ejército fueron acuartelados. En efecto, la ciudadanía de la capital de la República, y en particular los jóvenes, desempeñaron un rol de primera línea en las manifestaciones contra las alzas, así como en las huelgas de los empleados bancarios y de las empresas Icollantas, La Garantía y Avianca, entre junio y agosto siguientes. En el calor de la lucha callejera fueron definiendo, junto con integrantes de distintos partidos y movimientos políticos, obreros y empleados públicos, sus apreciaciones sobre la realidad nacional y perfilando posibles salidas a la crisis que abatía al país; una de ellas, la primera, consistió en organizar un movimiento que coordinara esa efervescencia social. La propuesta, aceptada por los jóvenes radicalizados, llevó a conformar el Movimiento Obrero

Estudiantil 7 de Enero (MOE 7 de Enero), en homenaje al día en que se inició la protesta popular[207].

Pese al agitado enero y a las protestas sociales, el 12 de ese mes fue levantado el estado de sitio, con excepción de cinco departamentos donde las acciones violentas se habían reducido, pero persistían: Tolima, Caldas, Valle, Cauca y Huila. Según Russell W. Ramsey, las muertes violentas en esos territorios, entre el 1° de enero y el 31 de julio de 1959, ascendieron a 1.253, cincuenta más que en el semestre inmediatamente anterior, pero mucho menos que las 2.477 que se registraron en el período de enero a junio de 1958[208].

Sin lugar a dudas, el dirigente más destacado de las jornadas de enero fue Antonio María Larrota González, quien siempre se mantuvo en la primera línea de la lucha; el año anterior había sido presidente de la UNEC en representación de los estudiantes de la Universidad Libre de Bogotá, a donde entró a cursar la carrera de Derecho. Larrota era oriundo de Bucaramanga, un estudiante tímido y conservador, de familia de clase media, un excelente agitador que participó en las protestas estudiantiles que llevaron a la caída de Rojas cuando apenas tenía veinte años; dicen que las gentes sucumbían al escuchar sus discursos en la plaza pública. Su paso por la UNEC y el mismo movimiento popular de enero de 1959 lo radicalizaron al punto de convertirlo en un fogoso orador y dirigente de izquierda; en su condición de líder de la UNEC, fue invitado a visitar la URSS, Checoslovaquia, Hungría, Alemania Oriental y la República Popular China. "En síntesis, el paso de Larrota por la UNEC fue decisivo: le permitió relacionarse con colegas del país y del mundo y conocer distintos procesos estudiantiles. En cerca de dos años en que estuvo vinculado a la agremiación,

207 Para José Abelardo Díaz, en su trabajo *El Movimiento Obrero Estudiantil Campesino 7 de Enero y los orígenes de la nueva izquierda en Colombia 1959-1969,* no es posible establecer la fecha de aparecimiento del MOE 7 de Enero; su formación correspondió a un proceso de, quizá, varias semanas; sostiene que, en todo caso, fue después del 12 de enero de 1959. Igualmente, afirma que la aparición del MOE 7 de Enero pudo ser inicialmente una respuesta de algunos revolucionarios a las intenciones hegemónicas del PCC sobre el movimiento popular en contra de las alzas en el transporte. No es gratuito que, seis años más tarde, el 7 de enero de 1965, el Ejército de Liberación Nacional (ELN) retomara esa fecha para iniciar la lucha armada y presentar su *Manifiesto y Programa de Simacota.*

208 Russell W. Ramsey, *op. cit.*, pp. 278, 284, 287.

Larrota tuvo la oportunidad de probarse entre los suyos como orador y organizador. Su carácter como dirigente se fue fortaleciendo y llegó a convertirse en uno de sus más visibles líderes. Además, su cultura política se enriqueció gracias al contacto que tuvo con corrientes ideológicas de izquierda provenientes de los países socialistas de Europa, Asia y Latinoamérica"[209].

Las jornadas contra el alza del transporte fueron de continua agitación durante los dos meses siguientes, de permanentes concentraciones en la Plazoleta de Las Nieves y de manifestaciones casi a diario en la carrera Séptima con Avenida Jiménez, exactamente en el sitio donde once años atrás había sido inmolado Gaitán; hubo enfrentamientos fuertes que significaron apedreamiento y quema de vehículos, marchas donde miembros de la Policía y del SIC, con su jefe, el coronel Willy Hollman al frente, atacaron con bolillo y sable en mano a los manifestantes, con el lógico resultado de heridos y detenidos. Finalmente se logró mantener la tarifa en 0,15 centavos. Los estudiantes, que unos meses antes eran calificados de héroes por el gobierno del Frente Nacional y la gran prensa, empezaron a ser tildados de "agitadores comunistas" y "rojaspinillistas". En estas jornadas se destacaron, junto a Larrota, otros dirigentes como Eduardo de Jesús Aristizábal, Jorge Bejarano y Luis Alfredo Sánchez.

El MOE 7 de Enero se presentó como una organización ajena a otros partidos o movimientos políticos; su primer Comité Ejecutivo estuvo integrado por Antonio Larrota, Jorge Alfonso Bejarano, Álvaro Santofimio, Alejandro Páez, Pedro Cormane Lara, Patricio Larrota, Luis Eduardo Granados, Eduardo Aristizábal, Luis Alfredo Sánchez y Efraín García, casi todos estudiantes universitarios o de bachillerato. Para orientar el quehacer del Movimiento y normar sus actividades políticas, se dotaron de dos documentos: las Bases o Estatutos y el Programa de Lucha Inmediata del MOE 7 de Enero, en los que proponían la revolución social como objetivo estratégico, planteaban una dirección revolucionaria integrada por jóvenes de clase media, obreros, estudiantes y campesinos de "todos los partidos políticos y tendencias ideológicas en un frente único de combate"[210].

209 *Ibid.*, pp. 57-58.

210 *Ibid.*

Para el 20 de julio de 1959 se programó en Barranquilla el III Congreso Estudiantil de la UNEC. El temario del encuentro comprendía aspectos relacionados con prensa y propaganda, organización estudiantil, la universidad colombiana y la UNEC, necesidades de los estudiantes, problemas nacionales y de la universidad, el trabajo y los estudios nocturnos. En el nuevo Comité Ejecutivo fueron elegidos, entre otros, Manuel Vásquez Castaño, Pedro Bonnet, Deyanira Barrero, Alejandro Gómez, Adolfo Altman y Jaime Fajardo. Durante las deliberaciones del III Congreso se presentaron divergencias entre los dirigentes estudiantiles, y un sector se retiró. Distintas circunstancias determinarían que este fuera el último Congreso de la UNEC, que desapareció pocos años más tarde.

Entre el 26 de julio y el 4 de agosto del mismo año se realizó en Viena (Austria) el VII Festival Mundial de la Juventud, convocado por la Federación Mundial de la Juventud Democrática, organización internacional vinculada a partidos comunistas, socialistas y de trabajadores cercanos a la URSS. El MOE 7 de Enero hizo parte del comité promotor, junto con grupos de estudiantes, trabajadores y movimientos políticos como las Juventudes del MRL y la UJCC. Simultáneamente, ese 26 de julio se conmemoró en La Habana el sexto aniversario del asalto al Cuartel Moncada, el Día de la Rebeldía Nacional: fue una ocasión muy especial, por ser la primera celebración después del triunfo revolucionario. Antonio Larrota fue invitado, viajó en representación de su organización y permaneció en la Isla durante seis meses, hasta febrero de 1960. Ya era un revolucionario reconocido por dirigentes cubanos, por las tareas de solidaridad que había desarrollado en favor de los guerrilleros de la Sierra Maestra. Larrota se integró a la instrucción política que recibían las milicias estudiantiles cubanas, siendo el primero o uno de los primeros colombianos en recibir entrenamiento militar en la Cuba de Fidel. En charlas y conversaciones informales comentó los avances de su movimiento, al señalar que estaban dispuestos a ir a las armas para defender al pueblo de las oligarquías; consecuente con lo anterior, y aprovechando la afluencia de visitantes extranjeros y la presencia de miles de cubanos en la celebración del 26 de julio, institucionalizada desde entonces, publicó y vendió bonos para financiar la lucha guerrillera en Colombia.

Gracias a la estimación que le tenían los cubanos, Larrota estableció relaciones formales y acuerdos con el M-26 y con organizaciones y dirigentes de otros países que igualmente se encontraban en Cuba; luego de una larga espera logró entrevistarse con el Che Guevara, quien le tomó gran aprecio después de escuchar el proyecto que tenía el MOE 7 de Enero de montar un frente guerrillero en la parte montañosa del corregimiento de Tacueyó, municipio de Toribío, en el Cauca. En el trabajo ya reseñado de Ricardo Franco Mendoza, *El MOEC 7 de Enero, origen de la guerrilla revolucionaria en Colombia,* el autor realizó importantes entrevistas a los fundadores del Movimiento, en particular a Raúl y Yolanda Alameda y a Antonio Pinzón, a quien también se conoció como *Mauro Torres*; un aspecto que le aclararon quedó registrado en su texto, y tiene que ver con la posible venida del Che a Colombia: "En la entrevista, Yolanda y Antonio revelaron un dato que no había quedado registrado en las primeras entrevistas. Según el testimonio de las fuentes consultadas, el Che Guevara, además de desarrollar una gran empatía personal y revolucionaria con Larrota, convino con este en venir personalmente a Colombia para iniciar el foco guerrillero en Tacueyó, para lo cual solicitó que un miembro directivo del Comité Ejecutivo Nacional del MOE 7 de Enero, además de Larrota, viajara a Cuba para definir la alianza"[211]. Meses más tarde se efectuaría su segunda visita a La Habana.

El proceso de paz y pacificación que adelantaba el gobierno de Lleras Camargo desde 1958, y que condujo a la transformación de las autodefensas comunistas en movimientos agrarios, sufrió un duro golpe cuando el 11 de enero de 1960 fue asesinado Jacobo Prías Alape, el legendario comandante guerrillero de ascendencia indígena, conocido también como el coronel *Fermín Charry* o *Charronegro*; en el VIII Congreso del PCC, realizado en 1958, fue elegido miembro del Comité Central. Decían sus compañeros que era un hombre con instinto animal, que podía ver, olfatear y escuchar como un puma... El mito de Charronegro había nacido. El crimen se cometió en la plaza del

211 Ricardo Franco Mendoza, *El MOEC 7 de Enero, origen de la guerrilla Revolucionaria en Colombia*, Bogotá, Pontificia Universidad Javeriana, Facultad de Ciencias Sociales, Departamento de Historia, 2012, p. 121.

corregimiento de Gaitania y lo ordenó Jesús María Oviedo, *Mariachi*, un pastor protestante con quien compartió en El Davis las primeras experiencias guerrilleras liberales después del asesinato de Gaitán; muchos años después, los guerrilleros de Marulanda, organizados en las FARC, cobraron en Oviedo este asesinato. Charronegro murió a manos de un grupo de veinte de los hombres de Mariachi, que estaban al servicio del Ejército y de la Policía. Los "mariachistas" llegaron al amanecer de ese martes aciago, taponaron las entradas y salidas del pueblo y se dirigieron hacia la vivienda de Charronegro, donde lo increparon y persiguieron hasta dispararle por la espalda; junto a él, dos de sus compañeros también fueron asesinados, luego de un nutrido combate en el que participó el mayor Líster: "[…] a solo dos horas de haber muerto Charro, nos encontramos allí mismo, al pie de Gaitania, o sea, en El Jordán, el camarada Marulanda, Isauro Yosa, y yo, Jaime Guaraca. Nos reunimos de emergencia y surgió la idea de poner en conocimiento de las autoridades competentes del Gobierno lo sucedido. Marulanda fue designado para tal misión y nos dijo: 'Porque se trata de una tarea voy a ir, pero tengan en cuenta que la respuesta del Gobierno va ser que el Ejército entre a ocupar toda la región. Esto es un plan del Gobierno, el pretexto que buscaban en primer lugar lo han encontrado y muy a su favor'. A los tres días, cuando regresó nos dijo: '¿Se acuerdan de lo que les dije? Pues el Ejército viene para acá con el cuento de que son los únicos que pueden mediar en esta situación'"[212].

A raíz de la muerte de Charronegro, el nuevo jefe de las autodefensas campesinas comunistas fue Manuel Marulanda Vélez, su cuñado, amigo y segundo al mando. De inmediato dejó su puesto como inspector en la construcción de la vía de El Carmen a Gaitania, reanudó con mayor énfasis sus tareas políticas y dio la orden a sus hombres, dedicados a las actividades del campo, de desenterrar, engrasar y poner a punto las viejas armas que tenían escondidas hacía más de dos años e internarse por el cañón del río Atá, hacia las estribaciones del Nevado del Huila. Allá los esperaría, en ese punto perdido de la geografía llamado el Cañón del Támaro, bautizado por el mismo Charronegro como *Marquetalia*, un sitio protegido por una selva espesa a

212 Jaime Guaraca. *Así nacieron las FARC. Memorias de un comandante marquetaliano*, Bogotá, Ocean Sur, 2015, p. 156.

sus espaldas, que jamás figuró en mapa alguno, donde los campesinos estaban organizados como Movimiento Agrario de Marquetalia. Ante la traición, un nuevo ciclo de violencia.

La Conferencia Regional del Partido en Marquetalia, en septiembre del mismo año, llamó a las masas de la región para que organizaran la autodefensa regular campesina y guardó un minuto de silencio como homenaje al camarada Charronegro[213]; no había duda alguna de que el asesinato del líder comunista hacía parte de un proceso de agresiones progresivas en contra de los agraristas. Marulanda formó una pequeña guerrilla, conocida como "la Móvil", con treinta de sus hombres más cercanos, dotados de las mejores armas, con autonomía para hacerse presentes donde se intuyeran ataques inminentes, prestos a cualquier confrontación y a cumplir tareas de patrullaje, vigilancia y seguridad; muy pronto pasarían a las primeras acciones ofensivas, en especial para obtener armas del Ejército, como efectivamente sucedió entre El Carmen y el Alto de Pinares, cuando en un combate se apoderaron de seis fusiles. Sin embargo, las provocaciones y agresiones contra ellos continuaron, con la complicidad de las autoridades militares y de Policía: un mes más tarde resultó gravemente herido Teodosio Varela en un atentado perpetrado contra su padre, el dirigente agrario Juan de la Cruz Varela, que estaba en plena actividad proselitista como candidato a la Cámara de Representantes.

El 20 de marzo de 1960 hubo elecciones para Congreso, asambleas y concejos municipales. El tema electoral y la participación o no en las corporaciones públicas fueron uno de los elementos del debate dentro de las fuerzas de izquierda, particularmente —y con más ardor— entre los jóvenes. Un sector opinaba que podían ser utilizadas como tribunas para denunciar las políticas antipopulares del Gobierno y organizar a las masas; consideraban que toda brecha y todo "resquicio burgués" debía ser aprovechado para acumular fuerzas hacia nuevas coyunturas de lucha; en esa línea se encontraban el PCC y, por consiguiente, la UJCC. Otros estaban por la abstención electoral, por organizar al pueblo hacia formas más elevadas de lucha, en especial la lucha armada. Esa era la tónica del MOE 7 de Enero, del Movimiento Popular Revolucionario

213 "El partido de la esperanza nacional. Estimulados por el Gobierno los bandoleros hacen la violencia", en *Voz de la Democracia*, Bogotá, 24 de septiembre de 1960.

y de los grupos que proponían la revolución socialista, algunos de ellos provenientes de la intelectualidad, otros expulsados o disidencias de las filas comunistas, como fueron Acción Revolucionaria Colombiana (ARCO) y el Partido de la Revolución Socialista (PRS).

La capacidad de un revolucionario se medía por su adhesión a las tesis electorales o su rechazo; la abstención se convirtió para muchos en un elemento doctrinal y de principios. Lucha armada y boicot electoral fueron el común denominador de lo que se llamó "nueva izquierda", que basaba su credencial revolucionaria en la crítica a las tácticas impulsadas desde el PCC. Vieja y nueva izquierda, reformismo o revolución, eran los extremos en que se debatía la militancia política al iniciarse la década de los años sesenta. Las críticas y los epítetos iban y venían. Se hablaba de "electoreros", "pacifistas" y "reformistas", o de "aventureros", "izquierdistas" y "pequeñoburgueses". Unos y otros enfrascados en luchas ideológicas que fácilmente se transformaban en confrontación física. A pesar de la rudeza de los análisis y de los términos desobligantes, los señalamientos a los disidentes como "agentes de la CIA" o "revisionistas" aún no eran tan comunes en el lenguaje. El conflicto chino-soviético serviría para agudizar el debate.

En estos comicios, los liberales oficialistas obtuvieron 1.106.678 votos; el MRL alcanzó 354.560, suma bastante importante para un movimiento que por primera vez medía su aceptación en las urnas; en sus listas figuró y resultó electo a la Cámara de Representantes por la circunscripción de Cundinamarca el dirigente agrario Juan de la Cruz Varela como parte de la lista del MRL encabezada por Alfonso López Michelsen. En las filas conservadoras, divididas en ospino-alzatistas y laureanistas, los resultados fueron de 567.087 y 446.393 votos, respectivamente. Una semana antes, el general retirado Gustavo Rojas Pinilla, a pesar de las restricciones que tenía para actuar en política, regresó a la plaza pública en un acto de desagravio que le organizaron sus copartidarios en Medellín. Ese fue el nacimiento del rojismo, que muy poco después se llamó Frente Nacional Popular, en clara oposición al Frente Nacional. Los comunistas participaron en este debate electoral en alianza con el MRL, organización que en su convención, realizada el 1° de mayo siguiente, adoptaría el nombre de Movimiento Revolucionario Liberal, cambiando la palabra "recuperación", significado de la R, por "revolucionario". En ese momento, las bases y dirigencia del MRL defendían con ardor y pasión la Revolución Cubana y los procesos tercermundistas; fue entonces cuando López, para afirmar su compromiso con el cambio, lanzó la consigna: "Pasajeros de la revolución, ¡a bordo!".

A partir del miércoles 20 de julio de 1960, cuando el MOE 7 de Enero realizó en la clandestinidad su primer congreso en Cali, tomó el nombre de *MOEC 7 de Enero, Movimiento Obrero Estudiantil Campesino 7 de Enero,* agregando la palabra y la C de Campesino, para denotar la más amplia unidad popular. Para entonces se perfilaba como la primera organización político-guerrillera que surgió *bajo* la influencia de la Revolución Cubana, aunque no *por* efectos de ese proceso revolucionario. El MOEC 7 de Enero fue pionero en proponer y en llevar a la práctica la vía armada con el objetivo de la toma del poder; por los distintos orígenes de la militancia, tuvo desde los inicios fuentes político-ideológicas diversas, entre las que se destacan el gaitanismo, el marxismo-leninismo y el maoísmo, influencias que se evidenciaron, con mayor o menor énfasis, en distintos momentos del desarrollo de la organización.

En el evento de Cali se aprobaron los estatutos, el programa y la resolución política, donde se consideraba que Colombia vivía una etapa de "preparación para la revolución" y se proponía "conquistar el poder para las clases trabajadoras y explotadas, mediante el derrocamiento de la oligarquía y el imperialismo"; el mismo documento estableció la identidad y el carácter insurreccional y radical del MOEC 7 de Enero, y trazó los objetivos que se proponía de manera inmediata, a mediano y largo plazos: "Somos una beligerante respuesta a las vacilaciones, a la indefinición teórica y al seguidismo que han practicado los grupos dirigentes de la democracia colombiana"[214]. Otro texto, de amplia discusión y circulación entre sus miembros, que sirvió de base para los debates en el desarrollo del Primer Congreso, fue el libro de Pinzón titulado *La naturaleza de la revolución colombiana*, cuyo autor se conoció bajo el seudónimo de *Mauricio Torres*, y que abordaba la historia reciente de Colombia entre 1930 y 1960, el desarrollo de las clases sociales, los

214 Ricardo Franco M., *op. cit.*, p. 105.

principales aspectos de La Violencia y las responsabilidades de la oligarquía y de los intereses extranjeros en los hechos de los últimos quince años, sin echar de lado las propias responsabilidades de la izquierda, "en el descenso del movimiento revolucionario y muy particularmente la responsabilidad de los dirigentes 'derechistas' del Partido Comunista los cuales han contribuido a frenar el avance de la revolución"[215].

En los informes presentados se pudo constatar el rápido crecimiento que registraba el grupo, con comités en Cali, Bogotá, Villavicencio y Medellín; igualmente, la llegada de militantes procedentes del PCC, la UJCC y otros sectores que aportaron elementos de organización y serían definitivos en posteriores desarrollos del Movimiento: Raúl Alameda Ospina, Antonio Pinzón Sarmiento —excapitán del Ejército y expiloto de Avianca—[216] y su compañera Yolanda Alameda Ospina[217], los hermanos Gleidys e Idolfo Pineda y el poeta Leonel Brand. Al MOEC 7 de Enero arribaron también algunos exguerrilleros liberales que se integraron al Comité Ejecutivo, como Roberto González Prieto, *Pedro Brincos*, Eduardo Franco Isaza y Rafael Colmenares —conocido como *Minuto*—. Estos dos últimos fueron destacados dirigentes de los guerrilleros en los Llanos Orientales. Otros líderes incluyen a Armando Valenzuela, Efraín García, Jaime Galarza, Gustavo Soto Rojas, Jaime Zuloaga, William Ospina Ramírez y Francisco Mosquera. En la línea de Antonio Larrota se encontraban, entre otros, Brand, Aristizábal, Valenzuela y los hermanos Pineda, que formaban parte del ala más radical del movimiento, abogaban por asumir la lucha armada de manera inmediata y realizaban ya las tareas para establecer frentes guerrilleros en Urabá, Vichada y Cauca, en donde habían reclutado

215 Citado por Ricardo Franco M., *op. cit.*, pp. 114-116.

216 Antonio Pinzón fue el autor del Himno del MOE 7 de Enero, que en sus estrofas decía: "¡Salud a las huestes gloriosas que un día,/ siguiendo el camino/ del bravo Galán/ cruzaron los ríos, las altas montañas/ llevando la chispa de la libertad!/ ¡Oh, roja bandera, nosotros llevamos/ en tus pliegues rotos/ la patria, el honor!/ ¡Por ti lucharemos, unidos y firmes/ contra los baluartes de la reacción!/ ¡Campesino, estudiante y obrero/ vamos todos juntos a partir/ cuando suene el clarín que nos llama/ nuestra lucha es vencer o morir!/ ¡De tiranos la patria se libra,/ al llegar el día de la liberación/ y nosotros portamos airosos/ la roja bandera de la revolución!".

217 Con el seudónimo de *Andrés Caribe* el primero; Antonio Pinzón adoptó los nombres de *Mauricio* o *Mauro Torres* y *Juan Tayrona*; el seudónimo de Yolanda Alameda era *Adriana Infante*. Fuente, José Abelardo Díaz, *op. cit.*, p. 9.

a Adán de Jesús Aguirre, *Aguililla*, y a *Tijeras*, exguerrilleros liberales devenidos en bandoleros, sin formación política alguna, a los cuales Larrota intentaba redimir social e ideológicamente.

En la reunión se evidenció la existencia de por lo menos dos tendencias que se personificaron en Larrota y Alameda y se expresaron en duros debates sobre el nuevo programa y el inicio de la lucha armada: mientras que Larrota y sus compañeros "históricos" —los jóvenes que se forjaron en las jornadas de enero de 1959— consideraban que el momento de la lucha guerrillera había llegado, Alameda, su hermana Yolanda[218] y su compañero Pinzón, con experiencia política por su militancia comunista anterior, lideraban una posición marxista que consideraba la necesidad de avanzar en la formación política de los militantes, en el trabajo social y en la preparación de las condiciones para efectivamente iniciar la lucha armada. Los asistentes al congreso, en número estimado de veinte militantes, recibieron el informe de Larrota sobre los desarrollos del trabajo que realizaba en Tacueyó para montar allí un frente guerrillero junto con Aguililla. Ese sería el primero de varios intentos insurgentes que lideraría el MOEC 7 de Enero y la razón para la posterior profundización de las contradicciones internas.

El segundo viaje de Antonio Larrota a Cuba, como había acordado con el Che Guevara, tuvo lugar en los primeros meses de 1961, y lo hizo en compañía de Raúl Alameda, secretario político del movimiento y su principal contradictor. El objetivo era concretar los apoyos que se necesitaban para montar el frente guerrillero en Tacueyó: "[…] ya en Cuba, las contradicciones entre Larrota, que defendía el suministro de armas y la presencia del Che para iniciar el foco, y Raúl que abogaba por privilegiar el apoyo a la tarea preparatoria, léase material educativo, determinaron que el Che, al ver que en el seno de los dirigentes revolucionarios colombianos del MOEC 7 de Enero había tal nivel de contradicción, decidió no venir a Colombia"[219]. La versión de Díaz Jaramillo, basada en la entrevista realizada en febrero de 2008 a Raúl

218 De acuerdo con los textos de Díaz Jaramillo, fue la única mujer que participó en el Primer Congreso del MOEC 7 de Enero; en 1964 viajó a Corea del Norte a recibir capacitación militar.

219 Entrevista personal concedida por Yolanda Alameda y Antonio Pinzón a Ricardo Franco Mendoza, abril de 2012. Ricardo Franco Mendoza, *op. cit.*, p. 122.

Alameda Ospina —el protagonista de parte de esta historia— coincide en algunos aspectos: "En Cuba la situación se volvió incómoda para Alameda, quien no compartía los ímpetus de Larrota y creía que este utilizaba la amistad que de tiempo atrás mantenía con la dirigencia cubana para promover sus planes en Colombia. Luego de varios días de espera, Larrota y Alameda lograron entrevistarse con Ernesto Guevara en dos ocasiones, a quien le detallaron el estado del MOEC 7 de Enero, la situación política del país y las posibilidades de proyectar la guerra de guerrillas"[220]. Según Alameda, lo que Larrota planteó al Che fue una visión exagerada de la situación nacional y de las fuerzas populares, además de que magnificó las posibilidades militares del movimiento, mientras que él hizo énfasis en la cualificación de la militancia antes de emprender la acción armada.

En esa época, el Che Guevara atendía personalmente a dirigentes y delegaciones revolucionarias que, a diario, llegaban a La Habana con las más diversas propuestas para adelantar la guerra de guerrillas en sus países y para recabar el apoyo político, económico y militar de los cubanos. A todos los escuchaba. A varios les propuso ir a participar del proceso revolucionario en sus países; pero en los hechos, el principal compromiso que tenía era con la Revolución Cubana y con lo que podía hacer respecto a Argentina, su país de origen. Para ello, apoyó a su compatriota Masetti en el montaje de la agencia de noticias Prensa Latina, que contaba igualmente con el respaldo de Fidel, Camilo Cienfuegos y el comandante Barbarroja; no así de los comunistas del Partido Socialista Popular (PSP) que se habían instalado en la agencia, algunos de ellos celosos por trabajar bajo las orientaciones de un periodista argentino y, para más señas, guevarista hasta la médula. A comienzos de 1961 se presentó una crisis política en Cuba que se reflejó en muchos centros de trabajo, incluido Prensa Latina, a raíz del sectarismo y las críticas que se hacían desde sectores radicales; la Revolución pasaba por el llamado "período sectario" en el que los comunistas del PSP coparon posiciones dominantes desplazando a históricos integrantes del M-26-7 y del DR. Una verdadera lucha por la hegemonía política en el nuevo poder revolucionario. El colombiano Gabriel García Márquez,

220 José Abelardo Díaz, *op. cit.*, p. 99.

quien trabajaba en Prensa Latina, vivió ese palpitante momento, y así lo dejó escrito: "En un momento dado, debe de haber sido en 1961, cambian a Masetti o renunció por la situación que había con un grupo sectario". El debate significó la salida de Masetti y su compromiso total con el proyecto del Che respecto a Argentina. Todo esto sucedía en vísperas de la invasión de Playa Girón. En solidaridad con el director saliente, la mayoría de la planta de periodistas internacionales renunció: "A mí me cogió la invasión estando allí. Pero me cogió además en estas circunstancias, que ya se había armado el problema dentro de Prensa Latina, ya Masetti se iba, entonces yo renuncié, pero cuando vino la invasión me quedé porque no quería dejar la impresión de que yo abandonaba el barco por la invasión"[221].

Con el triunfo de la Revolución Cubana, la tensión entre Este y Oeste se había centrado en el Caribe. En efecto, la Guerra Fría adquirió una nueva dinámica que, en poco tiempo, puso a Cuba en la órbita de la URSS. Esta situación, unida al anuncio del derribo de un avión de reconocimiento U-2 de Estados Unidos, generó nuevas tensiones en las débiles relaciones entre las dos superpotencias. No hay que olvidar que 1960 fue año electoral en Estados Unidos y que el demócrata John F. Kennedy, electo el 8 de noviembre como el presidente número 35 desde 1789, todavía consideraba la amenaza comunista durante el período de su mandato. El régimen cubano profundizó la Revolución. Primero fue la intervención estatal en fábricas, establecimientos agrícolas o ganaderos y latifundios; luego vendría la nacionalización sin indemnización de aquellas empresas pertenecientes a batistianos, norteamericanos o contrarrevolucionarios. Rápidamente, las relaciones con Estados Unidos se deterioraron aún más. A mediados de 1960, Cuba contaba con armas y asesores soviéticos para enfrentar cualquier ataque interno o externo. Los atentados e incursiones organizados por la CIA iban en aumento y hacían presagiar una intervención armada en mayor escala. Ya en Miami y Guatemala, la "Compañía" había iniciado la tarea de reclutar y entrenar una fuerza de cerca de 1.000 mercenarios y exiliados cubanos para infiltrarlos en la Isla y, así, iniciar una rebelión.

221 Gabriel García Márquez en Conchita Dumois y Gabriel Molina, *Jorge Ricardo Masetti, El comandante Segundo*, La Habana, Editorial Capitán San Luis, 2012, p. 173.

Para el 26 de julio de 1960 se organizó en La Habana el Primer Congreso Latinoamericano de la Juventud, evento que congregó a miles de jóvenes provenientes de todo el continente. En representación de Colombia hubo una delegación muy numerosa, donde participaron miembros de la UNEC, JUCO, Juventudes del MRL, Juventud Socialista, MOEC 7 de Enero, Club Democrático Voces, Juventud Colombianista, Comando Universitario Liberal, Juventud Católica, Juventud Conservadora Progresista y otras agrupaciones. Entre los delegados se encontraban María Elena de Crovo, Guillermo Nannetti, Luis Villar Borda, Fabio Lozano Simonelli y Alejandro Gómez Roa. Este último, con su acordeón a cuestas, llevó una canción que se hizo muy famosa y que cantó junto con Fidel Castro: "¡Cuba, sí. Yanquis, no!". Las coplas fueron compuestas por Jorge Rodríguez; el estribillo, autoría del mismo Gómez; la música propuesta por un joven samario, dirigente de la JUCO, Jaime Bateman Cayón, era la misma música de "La cachucha bacana" de Alejo Durán. El *Flaco* Bateman, como lo llamaban cariñosamente sus compañeros comunistas, sería posteriormente el fundador y comandante del Movimiento 19 de Abril (M-19), primera guerrilla urbana en Colombia.

El 2 de septiembre de 1960 se reunió en la Plaza Cívica de La Habana la Asamblea Nacional General del Pueblo, y en repudio a la Declaración de San José, aprobada por los cancilleres de América en la VII Reunión de Consulta, dio a conocer el texto de la Declaración de La Habana en el que condenaron la intervención "abierta y criminal" de Estados Unidos, proclamaron los principios políticos de la nueva Cuba y asumieron públicamente los estrechos lazos que ya existían con la URSS. A renglón seguido, Estados Unidos decretó el embargo sobre el comercio con Cuba y retiró a su embajador. Fidel Castro les respondió con la nacionalización de 166 empresas. El enfrentamiento apenas comenzaba.

El estado de sitio en Colombia, vigente en forma parcial desde el 12 de enero de 1959, se amplió en octubre de 1960 a trece municipios de Santander en los que la violencia se había agudizado. De esta manera, continuaban bajo el régimen de excepción Huila, Tolima, Cauca, Valle y Caldas, y se agregaba una extensa zona del oriente del país. En este nuevo período, la medida duraría 368 días seguidos.

Antonio Larrota regresó de La Habana en abril de 1961; casi le toca en la Isla el 17 de ese mes, cuando 1.500 invasores anticastristas, con el apoyo de bombarderos provenientes de Estados Unidos, desembarcaron y fueron derrotados en la Playa Girón de la Bahía de Cochinos, 150 kilómetros al sur de La Habana. Al día siguiente de su llegada emitió en nombre del movimiento un comunicado titulado "Con Cuba, hasta la muerte", en el que llamó a todo el pueblo de Colombia "a defender la decencia de América"[222]. Cumplida esa tarea de solidaridad con Cuba, se trasladó a Tacueyó a continuar con los preparativos para montar el frente armado; sus compañeros de la tendencia marxista, abiertamente opuestos a esa "aventura extremoizquierdista", citaron al Primer Pleno de MOEC 7 de Enero, y, con medidas estatutarias en la mano y la formación de un nuevo Comité Ejecutivo Nacional, intentaron persuadirlo. Ya no había caso, Larrota trabajaba con más empeño en sus actividades en el Cauca.

En la práctica, el MOEC 7 de Enero se precipitó en el abismo de las descalificaciones, los epítetos, señalamientos, y, finalmente, vino la separación, antesala de una profunda división. Por lo pronto, la obstinación y decisión de Larrota generaron la marginación temporal de Raúl Alameda y un documento de su parte, titulado "La suerte está echada", en el que hizo un duro cuestionamiento al "aventurerismo", "caudillismo" e indisciplina de Larrota, sin mencionarlo: "Un hombre que, de 29 meses de movimiento, ha viajado por el exterior veinte meses, se considera un 'factor histórico' porque dizque es miembro del Estado Mayor del Che, su mano derecha. Un hombre al que Latinoamérica le queda chiquita. Un hombre que se siente superior al movimiento, a la organización jerárquica, que hace lo que le da la gana gústele o no a los demás compañeros de dirección. Un hombre que le impone, por la vía de los hechos, su personal orientación al movimiento el cual se somete o perece. Un hombre al cual siguen dócilmente unas cuantas personas porque tiene dinero (no mucho al parecer), uniformes, promesas y buenas relaciones internacionales"[223]. Efectivamente, su suerte estaba echada.

222 "Con Cuba, hasta la muerte", comunicado del MOEC 7 de Enero, 18 de abril de 1961, archivo del autor.

223 Ricardo Franco Mendoza, *op. cit.,* p. 125.

El 13 de mayo de 1961, en una nota en la primera página de *El Tiempo*, se informó del asesinato de Antonio Larrota, ocurrido unos días antes; la noticia indicaba que el cadáver fue hallado por campesinos en un sitio denominado "El Salado", en jurisdicción de Corinto, en el Cauca, "parece que fue muerto por otro facineroso", concluía el titular del diario capitalino; el comunicado oficial del gobernador de ese departamento lo señaló como emisario del régimen de Cuba. Su cuerpo registraba varios impactos de bala, múltiples puñaladas y cortes de machete en el cráneo; fue entregado a las autoridades en un viejo costal y sepultado el 18 de mayo en Popayán. Las aparentes causas de ese asesinato fueron las discrepancias y los celos de poder, aunque siempre se dijo que la organización estaba bastante infiltrada. Se comentó que su muerte pudo ser producto de una delación por parte de Raúl Alameda y que el presidente Lleras Camargo había ofrecido una recompensa por él; la versión más cierta es que Aguililla dio la orden o lo asesinó personalmente para congraciarse con gente del Gobierno y poderosos terratenientes de la zona. Entre sus pertenencias se encontró el siguiente mensaje: "Señor Comandante de Patrulla hay le dejo ese comunista por si les dolía enberraque que la vida de nosotros no bale nada solo. estamos. Para. lo que nos toque la cuadrilla de Aguililla. Sin más Resuelva el problema Se despide Adán de Jesús Aguirre Alias *Aguililla*. hoy muerto. el Capitán Antonio María Larrota comunista (*sic*)"[224].

Los comunistas del departamento del Valle, pese a las discrepancias históricas con Larrota, levantaron su voz de protesta por el aleve asesinato: "Su muerte es un nuevo crimen oficial, ejecutado por elementos de las fuerzas armadas en convivencia con una banda de asesinos que acaudilla un asesino que se hace llamar Aguililla. La noticia dada por el Gobierno es repugnante y cínica, sobre todo cuando pretenden que 'descubrió semienterrado' el cadáver de su propia víctima"[225].

El golpe que significó la muerte de Larrota llevó al Comité Ejecutivo Nacional del MOEC 7 de Enero a convocar, en agosto de 1961, el Segundo Congreso, que se realizó en octubre del mismo año en

224 Citado por José Abelardo Díaz Jaramillo, *op. cit.*, p. 108.

225 Declaración del Comité Comunista del Regional del Valle del 13 de mayo de 1961, en *Voz de la Democracia*, N° 128, 15 de mayo de 1961, p. 3.

Bogotá. Como temario se trazaron los siguientes puntos: situación nacional e internacional; coyuntura revolucionaria insurreccional; política de aliados; plan organizacional; agitación, divulgación y educación; política y organización militar; organización de vanguardia y de masas; plan financiero; análisis constructivo de los errores cometidos. El cónclave modificó algunos aspectos de los estatutos aprobados en el Primer Congreso de julio del año anterior y ratificó el carácter del movimiento: "[...] es un movimiento revolucionario que agrupa a todos los colombianos sin distingo de partido político, raza o religión y que busca la toma del poder por medio de la Insurrección armada, instaurando un gobierno representativo de todas las clases explotadas y oprimidas bajo la dirección de la clase obrera y campesina, para lograr la liberación social y económica definitiva del pueblo colombiano"[226]. Un aspecto llamativo del congreso fue la consolidación de la tendencia de izquierda, que se constituyó en mayoría en el Comité Ejecutivo y expulsó a sus contradictores de la tendencia marxista encabezada por Pinzón y Yolanda Alameda, quienes llegaron al evento planteando como tesis central la unión de todos los revolucionarios de los diferentes grupos que actuaban entonces, con la esperanza de crear un verdadero y único partido marxista-leninista[227].

Muerto Larrota, los afanes insurreccionalistas de sus compañeros se concentraron en la región estratégica de Dabeiba, en el Urabá antioqueño. A mediados de 1962, establecieron allí un pequeño foco guerrillero bajo el mando militar de Roberto González Prieto, *Pedro Brincos,* con la orientación política de Armando Valenzuela y William Ospina y la participación de Gleydis e Idolfo Pineda, Leonel Brand, Octavio Retailat, Pedro Torres y su hijo Pedro Nel, entre otros; el grupo alcanzó a realizar un par de acciones, como el asalto a un puesto de Policía cerca de Dabeiba, donde tomaron 32 fusiles viejos. El campamento guerrillero fue asaltado por la Policía en los primeros días de octubre; los sucesivos combates dejaron tres guerrilleros muertos.

226 *Hagamos del MOEC un auténtico partido marxista-leninista*, octubre de 1965, p. 7, archivo del autor.

227 Información sobre el II Congreso del MOEC 7 de Enero, en *Mauricio Torres* (Antonio Pinzón), *Democracia burguesa o democracia revolucionaria*, Medellín, Editorial 8 de Junio, Editorial La Pulga, 1973.

Cuatro días más tarde, en un nuevo enfrentamiento, murieron otros tres integrantes del grupo, entre ellos Gleydis —con apenas veinte años—, señalada de ser la enfermera de Pedro Brincos, quien alcanzó a huir junto con Valenzuela, que narró así lo sucedido: "Después tuvimos otro encuentro en Caucheras y luego en Apartadó, donde nos traicionó un campesino de apellido Sepúlveda, allí mataron a Idolfo, a Pedro Torres, a Octavio Retailat el muchacho de Cali, Leonel Brand, y luego más arriba asesinaron a Gladys (*sic*), a este muchacho Leonel Brand, cuyo cadáver nunca apareció, nunca lo vimos"[228]. Gleydis, junto con Yolanda Alameda, fueron las mujeres de mayor renombre en el movimiento; ambas se destacaron por su valor y sus aportes al proceso revolucionario. En el "santoral" de los héroes y mártires de la nueva izquierda en Colombia y América Latina, los nombres de Gleydis e Idolfo Pineda y del poeta Leonel Brand ocuparon un sitial por encontrarse entre los primeros en ofrendar sus vidas. Este fue el segundo intento insurreccional del MOEC 7 de Enero.

En paralelo, el movimiento apoyaba con varios de sus miembros la tentativa de formar otro foco guerrillero en Santa Rita, intendencia del Vichada, punto cercano a Puerto Ayacucho, en Venezuela, sobre el río Inírida. Se trataba de una nueva intentona armada, en la que intervinieron miembros del PCC, de lo que luego sería el Frente Unido de Acción Revolucionaria, además de integrantes del MOEC 7 de Enero, entre los que sobresalían Ramón Larrota, hermano de Antonio; Efraín García y *Minuto* Colmenares, experimentado jefe de las guerrillas liberales del Llano que nunca se acogió a la amnistía de Rojas Pinilla "[...] con cierta intuición de buen combatiente, Rosendo Colmenares no entregó las armas"[229]; participaban también Leonidas Castañeda, un comunista al parecer expulsado del partido; los hermanos Ernesto y Flavio Barney, este último exsuboficial del Ejército que había hecho parte del Batallón Colombia —que combatió en Corea—, y los hermanos Marín. La figura principal y el ideólogo del grupo era Tulio Bayer Jaramillo, oriundo de Riosucio (Caldas), médico de la Universidad de

228 Testimonio de Armando Valenzuela, en Ricardo Franco M., *op. cit.*, p. 139.

229 Tulio Bayer, "El levantamiento del Vichada", revista *Trópicos* N° 2, Bogotá, octubre-noviembre de 1979, pp. 90-107.

Antioquia, un hombre flaco y de estatura descomunal, inconforme e inteligente, "blanco como un cirio", diría el exguerrillero Eduardo Franco Isaza, entre genio incomprendido e idealista.

El 11 de octubre, apelando al Artículo 121 de la Constitución, el Gobierno declaró turbado el orden público, y en estado de sitio todo el territorio nacional, arguyendo los hechos en el Quindío, el episodio en Gachetá, con el intento de alzamiento de algunos militares[230], y el descubrimiento de un foco guerrillero en la comisaría del Vichada, comandado por Tulio Bayer. La medida de excepción se mantuvo en esta ocasión durante dos meses y medio.

Bayer era un personaje de película, un hereje, un ácrata. Durante su vida se burló de mil maneras de los prejuicios sociales, en particular de la pacata sociedad manizaleña, con sus autoridades y sus curas; como quijote, combatió la corrupción donde estuvo y donde pudo; fue estudiante de Farmacología en Harvard y profesor en la Universidad Nacional, excónsul de Colombia en Puerto Ayacucho, y por ese lado se vinculó a los integrantes del MOEC 7 de Enero y al proyecto guerrillero que armaba *Minuto* Colmenares en el Vichada: "Mi principal contacto era con el grupo de Santa Rita, dirigido por un hombre que tuvo el mérito de no entregar sus armas cuando los engañó el capitán retirado Juan Lozano y Lozano, esto es, cuando los oligarcas liberales, que nunca tuvieron el coraje de ponerse al frente de las guerrillas, fueron regresados al país desde París, de México o comenzaron a salir desde sus cómodos palacetes de Bogotá"[231].

La "acción de guerra" más connotada resultó ser una operación sin violencia: mediante engaños capturaron a un teniente, un cabo y quince infantes de marina que habían sido designados en un puesto en la pequeña población de Santa Rita; una vez rendidos, los despojaron de 3 fusiles ametralladoras, 2 subametralladoras, 15 fusiles M-1,

230 Nuevamente, el teniente Alberto Cendales Campuzano encabezó una sublevación militar, conocida como "La rebelión de los tenientes", que pretendía derrocar el gobierno de Lleras Camargo; para ello se fugó de la Escuela Blindada del Norte, donde estaba preso, y, junto con el subteniente Enrique Escobar (muerto en la acción), 5 suboficiales, 130 soldados y 8 tanques se fueron a buscar a la guerrilla de Tulio Bayer; en la ruta se accidentó el tanque en que viajaba, quedó gravemente herido y fue recapturado.

231 Tulio Bayer, *op. cit.*, p. 91.

25 granadas, 5.000 cartuchos, un equipo de radio y material de intendencia. Los guerrilleros aceptaron que un avión civil aterrizara en una pista improvisada del poblado y entregaron sanos y salvos a los soldados. Fue un gesto humanitario apegado al Derecho de Gentes que Bayer reclamaba también para los suyos. De inmediato, bajo el mando del coronel Álvaro Valencia Tovar, uno de los oficiales más preparados en contraguerrilla y operaciones psicológicas, se montó el Plan Ariete, con tropas de los batallones Vargas y Colombia que establecieron un cerco por los ríos Orinoco y Guaviare para cortarles a los guerrilleros sus vías de abastecimiento y comunicaciones; cuando las tropas aerotransportadas ocuparon el caserío de Santa Rita, ya no encontraron a nadie; tampoco en los poblados cercanos, tradicionalmente habitados por indígenas guahibos.

En medio de la operación militar, y mientras se realizaban algunos contactos con el fin de parar las acciones y conseguir la devolución del material de guerra, se presentó una nueva emboscada por parte de las guerrillas que dejó muerto a un médico civil y heridos a un capitán, un cabo y dos soldados. Bayer le propuso al coronel Valencia "un acuerdo para tratamiento y canje de heridos y prisioneros conforme a la Convención de Ginebra"[232]; en esas estaban cuando, en la noche del 28 de octubre, se produjo el asalto al cuartel de la Policía de Puerto López, en el Meta.

En los primeros días de noviembre, comandando una guerrilla perseguida y dispersa, rezagado y en lamentables condiciones anímicas y físicas, fue capturado el legendario Tulio Bayer. Durante varios meses estuvo preso en la cárcel La Modelo de Bogotá; un nuevo levantamiento del estado de sitio —dos meses después de su captura— colocó el proceso en manos de la justicia ordinaria, y al reo en libertad. Después se asiló en México y regresó de manera clandestina al país para organizar un nuevo foco armado, esta vez en las estribaciones de la Sierra Nevada de Santa Marta, en compañía de varios alumnos y profesores del Liceo Nacional Padilla de Riohacha. De ahí lo sacaron enfermo y se fue para Francia, donde la muerte lo encontró a mediados de la década

232 El libro del general Valencia entrega un relato pormenorizado de los sucesos en el Vichada y la acción del Ejército. Véase Álvaro Valencia Tovar, *Testimonio de una época*, Bogotá, Planeta Colombiana Editorial S. A., 1992, pp. 370-396.

de los setenta. Como parte de su testamento politicoliterario quedaron varios libros: *Carretera al mar*, *Gancho ciego* y *Carta a un analfabeta político*, una larguísima epístola fechada el 20 de enero de 1964 y dirigida a un amigo suyo a manera de reflexiones sobre sus vivencias: "Comprende que llegar a ser revolucionario es difícil para un muchacho de 'buena familia'. Llegar a serlo de veras requiere un proceso intelectual en el que están involucrados la corteza cerebral, el hipotálamo y el corazón. Después todo el cuerpo. Los procesos incompletos producen pseudorrevolucionarios tan pintorescos como el 'burgués progresista', tan dudosos como el guerrillero de café"[233]. Con el paso de los días, los restantes miembros del grupo fueron arrestados, algunos alcanzaron a huir y unos pocos murieron en el transcurso de las operaciones militares. Este fue el tercer intento insurreccional del MOEC 7 de Enero, el menos cruento, el que selló su tránsito hacia un lánguido final.

Tras la gesta cubana: el FUAR, las FAL-FUL y otras guerrillas menores

Entre tanto, las guerrillas comunistas, comandadas por Manuel Marulanda Vélez, después del asesinato de Charronegro se asentaron en Riochiquito, El Pato, Guayabero y Marquetalia, donde realizaron la I Conferencia Nacional de Autodefensas, en abril de 1961, a instancias del PCC, que envió una delegación encabezada por el camarada Manlio Lafont. Ciro Trujillo, en su libro *Ciro, páginas de su vida*, cuenta que en la conferencia, los guerrilleros explicaron a la dirigencia comunista su decisión de no dejarse matar, narraron los múltiples ataques recibidos por parte de patrullas del Ejército, hablaron de los allanamientos, de los hostigamientos y de las prácticas de tierra arrasada que contra ellos se empleaban. Ante esa situación propusieron que el partido diera amplio apoyo a la autodefensa; así lo consignó en sus memorias: "En el caso de que fuerzas armadas oficiales ataquen a una región campesina

233 Francisco José Trujillo, "Tres cartas, tres épocas. Tulio Bayer, Julio César Cortés, Camilo Torres", periódico *Desde Abajo*, 19 de marzo de 2007, en https://www.desdeabajo.info/ediciones/item/643-tres-cartas-tres-%C3%A9pocas-tulio-bayer-julio-c%C3%A9sar-cort%C3%A9s-camilo-torres.html

a pesar de los esfuerzos que se hayan hecho por impedirlo, se debe organizar la más amplia solidaridad nacional a través de la organización y contando con sus directivas. Lo primero en materia de solidaridad con una región que sea colocada en tales condiciones, es una campaña nacional denunciando la agresión por todos los medios de propaganda y de la acción política"[234]. La agresión en contra de las autodefensas campesinas estaba a la vuelta de la esquina.

La conferencia acordó que cuadros del PCC y de la JUCO[235] visitaran diversas regiones campesinas donde antes se había desarrollado la resistencia guerrillera y ahora se afrontaba la autodefensa de masas; el propósito era conocer de cerca la experiencia, hacer cursillos políticos y discutir las perspectivas de la lucha. Por parte de la JUCO, el honor le cupo a cuatro entrañables amigos y compañeros: el *Flaco* Jaime Bateman y Hernando González Acosta[236], que fueron enviados a Riochiquito, en el noreste del Cauca, y a Carlos Ruiz[237] y Omar Bernal[238], que viajaron hacia Marquetalia. Era su primer contacto con una realidad que a diario defendían, de la cual habían escuchado innumerables historias de valor y sacrificio. "Irse para el monte" era la realización del sueño tantas veces acariciado; palpar y conocer directamente el entorno de esos campesinos era la aspiración de casi todos ellos. El encuentro con los guerrilleros los impactó profundamente, de

234 Ciro Trujillo, *Ciro, páginas de su vida*, *op. cit.*, p. 85.

235 A partir del Primer Congreso de la Juventud Comunista Colombiana, realizado el 28 de noviembre de 1962 en Bogotá, la UJCC pasó a llamarse Juventud Comunista (JUCO); el Congreso eligió un nuevo Comité Ejecutivo, conformado por Manuel Cepeda Vargas, Carlos Romero, Hernando González, Fred Kaim, Jorge Molano, Omar Bernal, Carlos Ruiz, Francisco Garnica, Manuel Romero y Edelberto López; algunos de ellos, como Kaim y Garnica, integrarían más adelante los nacientes grupos guerrilleros.

236 Luis Hernando González Acosta había nacido en Bogotá el 20 de mayo de 1941. De extracción popular, la primaria la hizo en la escuela República Argentina, tres años de bachillerato en el San Bartolomé y tres en el Aurelio Tobón de la Libre. Era un joven fogoso, estudiaba el primer año de Derecho en la Universidad Libre y militaba en la UJCC desde 1958. Más adelante se vincularía al Bloque Guerrillero del Sur, a partir del ataque a Marquetalia, en mayo de 1964.

237 Posteriormente conocido como *Arturo Alape* a través de las crónicas que comenzó a escribir sobre estas experiencias guerrilleras y sus dirigentes.

238 Miembro del Comité Central de la Juventud Comunista, murió junto con dos de sus compañeros en un accidente aéreo entre Pekín y Moscú, cerca de la ciudad soviética de Irkutsk, a mediados de 1963.

repente despertaban en el mundo que soñaban. Bateman y González se encontraron con el grupo del mayor Ciro y del capitán Richard; Ruiz y Bernal compartieron con Manuel Marulanda Vélez, Isauro Yosa y Jaime Guaraca. Al fin se rompía el aislamiento que existía entre los hombres del campo y los de la ciudad, la inmensa montaña que se interponía entre unos y otros había sido atravesada.

El PCC realizó su IX Congreso, en junio de 1961, en la más absoluta clandestinidad por la situación de orden público y las amenazas que sobre ellos existían. El evento estudió a fondo las limitaciones democráticas del régimen del Frente Nacional y la situación en las zonas campesinas donde se aplicaba la autodefensa de masas. El debate se centró en las posibles formas de afrontar la acción legal, mediante vías pacíficas, y la necesidad de consolidar las zonas de autodefensa armada; en las deliberaciones salió a flote y se "oficializó" la discutida tesis de la "combinación de todas las formas de lucha", que permanecería como política de relaciones entre el partido y el movimiento guerrillero durante décadas, lo que significaba la ejecución de sus proyectos, en lo legal o ilegal, dependiendo del momento político. Al respecto, la resolución política de la reunión señaló que "[...] la revolución puede avanzar un trecho por la vía pacífica. Pero, si las clases dominantes obligan a ello, por medio de la violencia y la persecución sistemática contra el pueblo, este puede verse obligado a tomar la vía de la lucha armada, como forma principal, aunque no única, en otro período. La vía revolucionaria en Colombia puede llegar a ser una combinación de todas las formas de lucha"[239]. El congreso comunista planteó, como táctica para el período, una coalición electoral con el MRL de López y recomendó a su militancia y sus amigos apoyar esa candidatura. La alianza entre comunistas y emerrelistas no giraba solamente en torno a las aspiraciones de López, el "compañero jefe"; tenía mayores alcances. Había coincidencias en cuanto a la formación de un frente democrático, opuesto al Frente Nacional, que liderara las políticas de justicia social.

Cuando entre octubre y noviembre de 1961 se adelantaban las operaciones militares en el Vichada, en el Congreso de la República

239 Citado por Eduardo Pizarro Leongómez en: "Marquetalia: el mito fundacional de las FARC", *UN Periódico* N° 57, mayo 9 de 2004.

el senador conservador Álvaro Gómez Hurtado, el hijo de Laureano, en un incendiario debate adelantado el 29 y 30 de noviembre en contra del gobierno del presidente Lleras, denunció la existencia de unas "repúblicas independientes" en el territorio nacional. Dijo que la soberanía estaba amenazada, que no reconocían al Estado y no permitían la presencia del Ejército. Señaló, además: "Hay la república independiente del Sumapaz; hay la república independiente de Planadas, la de Riochiquito, la de este bandolero que se llama Richard, y ahora, tenemos el nacimiento de una nueva república independiente anunciada aquí por el ministro de Gobierno: la república independiente del Vichada. La soberanía nacional se está encogiendo como un pañuelo. [...] El señor presidente Lleras va a pasar a la historia como el fundador de cinco repúblicas independientes, porque la soberanía nacional se ha quebrantado"[240]. Ya desde mediados de 1960, el senador Gómez insistía en el tema: "El Gobierno tolera a las 'repúblicas independientes' librando contra ellas una miserable acción de periferia y limitándose a mantener los puestos de guardia, en donde la rutina termina por liquidar la disciplina militar, en donde más bien se vuelve un problema la convivencia de los militares con los civiles [...] Ahora este primer gobierno del Frente Nacional no hace sino tolerar las 'repúblicas independientes'"[241].

En la noche del viernes 19 de enero de 1962, fuerzas combinadas del Ejército y la Policía pertenecientes a los batallones de artillería Tenerife, infantería Juanambú, e ingenieros Rook, más una unidad de lanceros y otra de carabineros, iniciaron el asalto para ocupar militarmente las zonas de San Miguel, Peña Rica y Marquetalia, ubicadas en el cañón del río Atá, en el sur del Tolima. Tan solo veinte días antes, el Gobierno había levantado el estado de sitio. El ataque militar fue la primera reacción gubernamental frente a la denuncia del senador Gómez de la existencia de "repúblicas independientes";

240 Arturo Alape, *La paz, la violencia: testigos de excepción,* Bogotá, Planeta Colombiana Editorial S. A., 1985, pp. 244-249.

241 Anales del Congreso N° 265. Sesión del Senado, 25 de julio de 1965, citado en: Pablo Andrés Nieto Ortiz, "¿Subordinación o autonomía? El Ejército colombiano, su relación política con el gobierno civil y su configuración en la violencia (1953-1965)", tesis presentada para obtener el título de Magister en Historia, Universidad Nacional de Colombia, Bogotá, 2010, pp. 198-199.

así mismo, fue la primera de varias ofensivas, y comprometió directamente a 5.154 soldados, 1.154 suboficiales y 189 oficiales, "quienes integraban las unidades antiguerrilleras de muy reciente creación, 'Lanceros' y 'Flechas'"[242]. La región estaba compuesta, en su mayoría, por indígenas paeces y campesinos desplazados del Huila y Tolima; allí se encontraban organizados los grupos de autodefensas dirigidos por Marulanda; estos, enterados de lo que se preparaba, utilizaron técnicas guerrilleras que consisten en hostigamientos a las tropas, emboscadas y breves escaramuzas militares; la Móvil fue probada en el enfrentamiento directo y contraatacó varios flancos. Tal como se había acordado en la I Conferencia de las Autodefensas y en el IX Congreso del PCC, se generó, en las principales ciudades del país, un amplio movimiento de solidaridad con los campesinos del sur del Tolima; en las manifestaciones participaron estudiantes y trabajadores, las Juventudes del MRL, el MOEC y el Movimiento Nacional Popular Gaitanista, que dirigían Luis Emiro Valencia y Gloria Gaitán, la hija del caudillo. El semanario del Partido Comunista, *Voz de la Democracia*[243], tituló a propósito del ataque: "Monstruoso plan de violencia oficial". Gracias a las acciones de solidaridad, esa primera operación contra Marquetalia fue suspendida y serviría de ejemplo de lo que ocurriría dos años después.

El PCC no fue la excepción en su impulso a la lucha guerrillera y a la autodefensa de masas. A partir de 1962, algunos partidos comunistas en América Latina hicieron más evidentes sus vínculos con procesos de lucha armada o de apoyo a grupos que por entonces la emprendieron. El Partido Guatemalteco del Trabajo (Comunista) resolvió un año antes iniciar el camino de las armas como la vía revolucionaria para Guatemala; su primera columna fue prácticamente diezmada a comienzos de 1962. Ese mismo año se produjo la unificación del Movimiento Revolucionario 12 de Abril (MR-12) y el MR-13, que también había sufrido una derrota significativa. De esa alianza surgieron las Fuerzas Armadas Rebeldes (FAR), que en su primera etapa estuvieron activas

242 Eduardo Pizarro Leongómez, *ibid.*, p. 182.

243 A partir de finales de 1963 pasó a llamarse *Voz Proletaria*.

hasta 1966; el momento coincidió con la trágica muerte de Luis Turcios Lima, su principal dirigente.

En Venezuela, una escisión juvenil del gobernante partido Acción Democrática (AD) tomó el nombre de Movimiento de Izquierda Revolucionaria (MIR) y se pronunció en favor de la lucha armada. El Partido Comunista de Venezuela (PCV) proponía su propia "combinación de todas las formas de lucha", al señalar la vía de las armas para acceder al poder, pero mediante la movilización de masas. Las sublevaciones militares de Carúpano y Puerto Cabello, en el primer semestre de 1962, organizadas por altos oficiales de las Fuerzas Armadas y apoyadas por reconocidos comunistas y miristas, sirvieron para engrosar las filas guerrilleras. Los dirigentes comunistas Douglas Bravo y Teodoro Petkoff instalaron una primera guerrilla en el estado de Falcón. El MIR y el PC participaron en la formación de las Fuerzas Armadas de Liberación Nacional (FALN).

La lucha armada, no exenta de dificultades, avanzaba igualmente en otras partes: en Perú, una fracción juvenil de la Alianza Popular Revolucionaria Americana (APRA), denominada APRA Rebelde, dio origen en junio de 1962 al Movimiento de Izquierda Revolucionaria (MIR), dirigido por Luis de la Puente Uceda. A la vez insurgía el Ejército de Liberación Nacional (ELN), formado en su mayoría por jóvenes procedentes de la Juventud Comunista peruana. En Nicaragua, antiguos sandinistas conformaron el Frente de Liberación Nacional (FLN) que un año más tarde pasó a llamarse Frente Sandinista de Liberación Nacional (FSLN) e inició la guerra de guerrillas en la zona de los ríos Coco y Bocay, donde sufrieron su primer descalabro. La resistencia a la tiranía somocista crecía.

El fracaso de Playa Girón de abril pasado agudizó las contradicciones entre Estados Unidos y Cuba, y entre Estados Unidos y la URSS. Las agresiones verbales aumentaron y adquirieron mayor dramatismo con el triste y vergonzoso levantamiento de un muro infame que partió en dos a Berlín, símbolo desde entonces de la Guerra Fría desatada desde el fin de la Segunda Guerra Mundial. La pesadilla de una confrontación atómica se hizo más evidente. Alemania había sido dividida después de la Segunda Guerra Mundial. Las superpotencias consideraron desde entonces una Alemania Oriental "Democrática" y una Occidental "Federal". El 13 de agosto de 1961 comenzó la construcción del Muro de Berlín: primero pusieron alambradas que luego fueron sustituidas por tabiques y cercas electrificadas vigiladas por soldados y perros amaestrados. Se pretendía así contener la huida de alemanes del Este hacia el Oeste. "Actualmente la frontera de la libertad se encuentra en el Berlín dividido", sentenció el presidente Kennedy, quien buscaba de los gobiernos de América Latina la aprobación de la política de la Alianza para el Progreso.

Kennedy se apoyó en el incondicional gobierno de Alberto Lleras Camargo que, con antelación, había recibido uno de los primeros préstamos para un programa de vivienda en los terrenos del viejo aeropuerto de Techo. El presidente colombiano impulsó la convocatoria a la reunión del Consejo Interamericano Económico y Social (CIES) de la OEA, en el balneario uruguayo de Punta del Este, donde el 17 de agosto se constituyó formalmente la Alianza para el Progreso. De la reunión salió la firma de los representantes de veintidós países miembros, estampada en la Carta de Punta del Este; solo faltó la del delegado del Gobierno de Cuba, Ernesto Che Guevara, que desde el inicio denunció la existencia de maniobras de la política exterior de Estados Unidos para aislar a Cuba del resto de América. Su voz solitaria resonó en el recinto cuando, como una premonición, señaló el rotundo fracaso de la Alianza para el Progreso a mediano plazo.

El evento en Punta del Este selló la suerte de Cuba frente a los gobiernos de América Latina. Los recursos que ofrecía el nuevo programa de Estados Unidos, 20.000 millones de dólares en los siguientes diez años, no eran nada despreciables. El 1° de diciembre de ese año, Castro anunció su lealtad al marxismo-leninismo "hasta la muerte" y la hermandad con el bloque soviético. En la misma semana, Lleras Camargo, obsecuente con las políticas kennedianas de contención del comunismo, y denunciando las amenazas de una "intervención extracontinental", solicitó de la OEA una acción colectiva contra el Gobierno cubano y propició la convocatoria de la Octava Reunión de Consulta de Ministros de Relaciones Exteriores de la OEA para el 10 de enero siguiente. Según *El Siglo*, Colombia anunció que llevaría las pruebas reina de la "amenaza": "Colombia reforzará su posición anticomunista y particularmente anticastrista en la próxima asamblea de consulta de la Organización de Estados Americanos en Punta del Este, Uruguay, exhibiendo allí toda la documentación hallada en el cuartel general de los revolucionarios comunistas del Vichada que dirigía Rosendo Colmenares, donde queda comprobada la financiación, ayuda técnica y suministro de armas para subvertir el orden colombiano"[244]. Fidel le respondió con un fogoso discurso público, y Lleras Camargo, siguiendo el ejemplo de Costa Rica y Venezuela, procedió a la ruptura unilateral de las relaciones diplomáticas el 9 de diciembre de 1961. Ese mismo mes lo hicieron Panamá, Nicaragua y El Salvador; los demás lo harían en los meses siguientes, con excepción de México. De nuevo Colombia, como ocurrió con su presencia en la Guerra de Corea, como sucedería años más tarde en la Guerra de las Malvinas, se colocaba al lado de los intereses de las grandes potencias y sería tildada de "el Caín de América".

"Colombia era uno de los mayores beneficiarios de la Alianza para el Progreso, su vitrina; y el presidente Lleras Camargo, el mejor aliado de Estados Unidos en la política contra Cuba. La reunión del Grupo de Cancilleres de la OEA, del 30 de enero de 1962, en Punta del Este, argumentando que el Gobierno de Cuba era incompatible con el sistema interamericano, expulsó a la Isla y acordó medidas conjuntas contra posibles acciones cubanas en la región"[245]. Con la ayuda económica y militar de Estados Unidos y el apoyo de la OEA, los ejércitos latinoamericanos profundizaron la coordinación, el intercambio de información y el adiestramiento conjunto en contrainsurgencia para contrarrestar los movimientos revolucionarios. Tres días más tarde, el 2 de febrero, se conoció la Segunda Declaración de La Habana, en la que el pueblo de Cuba rechazaba la acusación de exportar su revolución: "Lo que Cuba puede dar a los pueblos, y lo ha dado ya, es su ejemplo. Y, ¿qué enseña la Revolución Cubana? Que la revolución es posible, que los pueblos pueden hacerla, que en el mundo contemporáneo no hay fuerzas capaces de impedir el movimiento de liberación de los

244 *El Siglo*, edición del martes 16 de enero de 1962.

245 Sobre el tema véase Apolinar Díaz-Callejas y Roberto González Arana, *Colombia y Cuba: del distanciamiento a la cooperación*, Barranquilla, Ediciones Uninorte, 1998, pp. 74-82.

pueblos"[246]. El 15 de abril del año siguiente haría el reconocimiento del carácter socialista de su revolución. No había marcha atrás.

El 18 de marzo de 1962 se realizaron elecciones para concejos municipales, diputados departamentales, senadores y representantes a la Cámara. Los conservadores participaron como unionistas (793.976 votos) y laureanistas (488.170); los liberales se presentaron como oficialistas (1.083.797 votos) y emerrelistas (601.926); la naciente Alianza Nacional Popular (ANAPO), del general Gustavo Rojas Pinilla, solamente inscribió listas conservadoras y alcanzó 115.587 votos. La oposición aumentó: del total de sufragios, cerca del 24% correspondió a listas opuestas al Frente Nacional. Había un importante sector ciudadano, disperso e inorgánico, que no compartía ese sistema.

En la elección de presidente de la República, llevada a cabo el 6 de mayo siguiente, hubo una alta abstención: más de la mitad de los electores no concurrió a las urnas. Guillermo León Valencia fue elegido presidente número noventa y uno desde la Independencia, con un total de 1.636.081 votos; Jorge Leyva obtuvo 308.992. Los votos por López y Rojas, 625.630 y 54.562, respectivamente, fueron invalidados, el primero por ser liberal, y los del general, por haber perdido sus derechos políticos. El 7 de agosto tomó posesión el nuevo mandatario que nombró un gabinete "milimétrico", como lo consagraban los principios del Frente Nacional. El mandatario era de la más rancia estirpe conservadora, nacido en Popayán, hijo del poeta y político Guillermo Valencia. La alta votación que alcanzó el MRL en esta y en las anteriores elecciones le permitió tener un ministro que, ante la oposición de sectores del mismo MRL, duró muy pocos días; en Senado y Cámara de Representantes contó con 12 y 33 congresistas, respectivamente, entre ellos Gerardo Molina, Luis Villar Borda y Juan de la Cruz Varela.

Como era de esperarse, a las Juventudes del MRL llegó también el debate ideológico: una corriente oficialista seguía atentamente los postulados de Alfonso López Michelsen y era claramente la minoritaria; la segunda tendencia —mayoritaria— defendía a capa y espada la

246 "Segunda Declaración de La Habana", en Olga Cabrera, *El antiimperialismo en la historia de Cuba*, La Habana, Editorial de Ciencias Sociales, 1985, pp. 198-237.

Revolución Cubana y consideraba válidas las tesis de lucha armada; la tercera corriente adquirió fuerza a partir de las divergencias en el campo socialista, alineándose con las posiciones del Partido Comunista Chino. Al mediodía del 24 de agosto de 1962, en el salón de la Cámara de Representantes, se instaló el Primer Congreso de las JMRL. El evento sirvió para oficializar una posición basada en principios marxistas-leninistas y para plantear la constitución de un grupo independiente de las políticas "oficiales" del MRL. En el evento se ratificaron las tesis revolucionarias de rechazo a la colaboración con el Gobierno y de apoyo a Cuba. Entre los dirigentes de las JMRL se encontraba Manuel Vásquez Castaño, miembro del Comité Ejecutivo y delegado en la Federación Mundial de las Juventudes Democráticas, con sede en Budapest; coeditor, junto a Luis Villar, del periódico *Vanguardia* del MRL, y quien años más tarde se convertiría en uno de los fundadores y líderes del ELN, junto a sus hermanos Fabio y Antonio.

El *Frente Unido de Acción Revolucionaria* (FUAR) —una organización que se proclamó más como frente que como partido o movimiento, y más por la lucha política que por la vía de las armas, aunque sin negarla— surgió de una Conferencia Nacional realizada en Bogotá entre el 30 de marzo y el 1° de abril de 1962, en la que participaron miembros del Movimiento Nacional Popular Gaitanista, liderado por Gloria Gaitán, la hija del caudillo asesinado, y Luis Emiro Valencia, secretario de Gaitán, ideólogo del socialismo colombiano, y grupos autodefinidos como nacionalistas y revolucionarios con trabajo en la Costa Atlántica, Antioquia, Valle y Cundinamarca. En el FUAR participaron también excomunistas como Alfonso Romero Buj, sindicalistas como Andrés Almarales Manga e independientes como Francisco Trujillo y Francisco Caraballo, todos ellos a la postre dirigentes de distintas propuestas guerrilleras. Trujillo, por ejemplo, hizo parte del ELN, al igual que su hijo Mauricio; su esposa, María Tila Uribe, hija del dirigente Tomás Uribe Márquez, fue sindicada de pertenecer a la misma organización. El FUAR tuvo una existencia efímera; creyó en la posibilidad de revivir el movimiento gaitanista y para ello divulgó ampliamente la Plataforma del Teatro Colón de enero de 1947; integrantes del FUAR participaron en el intento insurreccional de Tulio Bayer en el Vichada y con el MOEC 7 de Enero en el proyecto de un frente guerrillero en el departamento del Valle. "Todos los miembros del FUAR se unían no solo por su crítica a la 'farsa electoral', también por la simpatía que tenían respecto a la lucha armada, simpatía que no fructificó como otras experiencias del momento, básicamente por las discrepancias que existieron entre los militantes del FUAR sobre las tácticas, estrategias y mecanismos a seguir para llegar a la revolución"[247]. Para Valencia, su principal impulsor, el FUAR "fue más un título que una realidad política"[248].

Los estudiantes en todo el país, como parte de un amplio movimiento juvenil, iniciaron desde mediados de 1962 importantes jornadas en sus luchas prorreforma universitaria. En la segunda semana de junio, coincidiendo con un aniversario más de la masacre de 1954, se realizó un paro nacional en el que participaron cerca de 20.000 alumnos de distintos centros educativos. El 6 y el 10 de junio hubo fuertes disturbios en el centro de Bogotá, en rechazo a la represión y a las políticas frente a la educación; el Gobierno cerró la Universidad Nacional y el rector Ramírez Montúfar procedió a cancelar la matrícula a 5 estudiantes de distintas facultades acusados de "graves actos de indisciplina": María Arango Fonnegra, alumna de Sociología y reina de los estudiantes; Julio César Cortés, Hermías Ruiz[249], Guido Lastra y Gabriel Guerrero, todos ellos alumnos de la Facultad de Medicina y editores del periódico *Bisturí*. Días después fueron expulsados igualmente Guido Gómez, Joaquín Gómez, Lesby Ramos y Mary Romano.

La defensa que entonces emprendió el popular capellán auxiliar del Departamento de Culto de la Universidad Nacional y profesor en la Facultad de Sociología, el sacerdote Camilo Torres Restrepo, produjo un fuerte debate con las jerarquías eclesiales. Los estudiantes

247 Luis Emiro Valencia, en http://palabrasalmargen.com/index.php/articulos/item/luis-emiro-valencia biografía preparada por Sonia Jaimes y María Elena González, Universidad ICESI, Cali.

248 Intervención de Luis Emiro Valencia en el conversatorio "Nuevas izquierdas en Colombia, años sesenta y setenta", Bogotá, 16 de noviembre de 2016.

249 A María Arango y a su compañero Álvaro Marroquín se les conocía como los *Marrocos* en los predios universitarios; ella usaba el pelo a ras y fumaba pipa, algo insólito para la época. Cortés y Ruiz tendrían años más tarde un triste final en las filas del Ejército de Liberación Nacional (ELN), cuando fueron fusilados por orden de Fabio Vásquez Castaño.

desconocieron el cierre y, en una asamblea especial, lo nombraron su rector. En respuesta, el cardenal Luis Concha Córdoba lo destituyó de la capellanía y lo envió a la parroquia del barrio de La Veracruz, en el centro de Bogotá. La actitud de Camilo produjo en los estudiantes un sentimiento de aprecio y solidaridad; además de buen mozo, era un hombre simpático, carismático, excelente conversador, no un gran orador, pero sí un buen analista y expositor de la realidad nacional, lo que hacía a menudo en la cafetería donde el singular cura comía con los estudiantes, hacía chistes de grueso calibre, y en el ambiente dejaba el olor a picadura de su inseparable pipa. No era marxista como muchos pensaban, ni siquiera cercano al marxismo; como sociólogo lo conocía, pero era un ser convencido y comprometido con el testimonio del verdadero cristiano. Dentro de la Nacional fundó el Movimiento Universitario de Promoción Comunal (Muniproc), una especie de "voluntariado" para quienes desearan comprometerse con la realidad de los más pobres. El destino de Camilo comenzó desde entonces a tomar un camino sinuoso, su propio camino.

Por la época regresó de Estados Unidos Federico, el hermano de María Arango Fonnegra, a quien sus familiares y amigos llamaban cariñosamente *Fico*. Había estudiado allí el bachillerato y la carrera de Ingeniería Mecánica, en la Universidad de Indianápolis, de donde se graduó con todos los honores. Vino contratado por una empresa de tejidos y como profesor del Departamento de Física de la Universidad Nacional; luego gerenció una fábrica que ya se precipitaba a la quiebra, y, tocado por el romanticismo de esos años, se solidarizó con la petición de alza en los salarios que hicieron los trabajadores, lo que disgustó a otros directivos y propietarios. Federico renunció a un "brillante" porvenir, a las comodidades del ejecutivo y al alto sueldo que devengaba en la empresa. Tenía entonces muchas ilusiones en la cabeza: vendió su automóvil Chevrolet Bell Air, lo dejó todo y se fue a trabajar en el Territorio Vásquez, una región campesina cercana a Puerto Boyacá; antes de partir, su hermana María le organizó una despedida con los más íntimos amigos.

Fico no volvió a aparecer por la Nacional ni a frecuentar los amigos y sitios habituales. Nadie preguntó. Para la época no era extraño. Muchos presentían lo que pasaba, algunos lo sabían. Federico Arango

Fonnegra montó en el Territorio Vásquez una pequeña guerrilla, muy al estilo de los focos que insurgían en todo el continente. El grupo se estableció en una amplia zona rural del municipio del Puerto Boyacá, en el Magdalena Medio, región de colonización, refugio de antiguos guerrilleros liberales y en donde eran frecuentes las luchas por la propiedad de la tierra entre colonos y latifundistas; uno de ellos, Germán Mejía Duque, fue secuestrado por el grupo el jueves 12 de septiembre en su hacienda La Linda. A raíz de este suceso se organizó contra ellos una persecución sin cuartel; la petición inicial por la libertad de Mejía fue de $250.000.

Al amanecer del domingo 15 fue ubicado el campamento y se intentó el rescate del latifundista: el Ejército ocupó la región campesina con el apoyo de bandas armadas de civiles, rodeó el sitio donde se encontraban guerrilleros y secuestrado, se realizaron negociaciones entre el propio *Fico* Arango y los militares; acordaron que procederían a liberar a Mejía Duque a cambio de que se les respetara la vida. Cuando Federico y uno de sus hombres intentaban la entrega, un sargento disparó a quemarropa al compañero de Arango. Decían sus familiares y amigos que, en el mismo momento, desde un helicóptero que se acercaba, el teniente coronel José Joaquín Matallana, comandante del Batallón de Infantería Colombia, disparó y lo mató. Junto con Fico fueron muertos siete de sus compañeros y capturados once. Consumados los hechos, las fuerzas del orden procedieron contra los campesinos señalados de hacer parte de la guerrilla o colaborar con Arango Fonnegra. Hubo denuncias de casas incendiadas, de violaciones y asesinatos, de desplazamientos y detenidos trasladados a Puerto Boyacá y a la base de Palanquero, entre ellos el vicepresidente y el fiscal del sindicato de trabajadores de la Texas. Según el boletín de la VI Brigada, con sede en Ibagué, en el golpe de mano que efectuaron las tropas se encontró gran cantidad de uniformes, armas, municiones, bombas y “Una biblioteca completa, con más de 400 volúmenes, de literatura comunista, castrista y revolucionaria”[250]. Germán Mejía Duque fue rescatado sano y salvo el 17 de septiembre.

250 Con información del diario *El Espectador* entre el 16 y 19 de septiembre de 1963. Artículos del semanario *Voz de la Democracia* del 3 de octubre del mismo año: “Continúa represión en el Territorio Vásquez” y “El coronel Matallana, con sus propias manos, mató a Federico Arango”.

A los tres intentos iniciales del MOEC 7 de Enero por establecer focos guerrilleros les seguirían otras tentativas, todas ellas fracasadas: en enero de 1962, en Bolo Azul, una población del municipio de Pradera, en el Valle del Cauca, sobre la cordillera Central; en Puente Tierra, en el norte del mismo departamento, en julio de 1963; y en la zona rural del municipio de Ciudad Bolívar, en Antioquia, en mayo de 1965. La muerte de varios dirigentes, como Pedro Brincos, contribuyó igualmente a precipitar la debacle. Después de huir herido del asalto al campamento en Dabeiba, buscó ubicarse en el norte del Tolima para allí levantar un foco guerrillero; en poco tiempo fue ubicado y abatido por tropas del Batallón Colombia junto con Ricardo Otero, estudiante de Economía de la Universidad Jorge Tadeo Lozano de Bogotá[251]. Con estos antecedentes, los debates internos se profundizaron. De acuerdo con las tesis de Díaz Jaramillo, ya expuestas, el MOEC 7 de Enero se desintegró para dar paso a nuevas expresiones de izquierda, armada o no: el Frente Unido de Liberación-Fuerzas Armadas de Liberación, conocido como FUL-FAL (también FAL-FUL), el Movimiento Camilista Marxista Leninista y el Movimiento Obrero Independiente y Revolucionario (MOIR). La importancia del MOEC 7 de Enero, como precursor en la guerra de guerrillas en Colombia, la señala el informe de la Comisión Histórica del Conflicto y sus Víctimas de febrero de 2015: "El MOEC no solamente es importante históricamente por haber constituido el primer grupo que buscó replicar la experiencia de la Revolución Cubana (crear una 'Sierra Maestra en los Andes'), sino debido a que, de una u otra manera, incidió en el origen de otras experiencias guerrilleras frustradas en la misma época (el FUAR, las FUL-FAL) e incluso en dos de los grupos guerrilleros que lograron echar raíces y subsistir: el EPL y el ELN"[252] (ver cuadro p. 225).

El proceso de constitución del *Frente Unido de Liberación-Fuerzas Armadas de Liberación* (FUL-FAL) estuvo a cargo de Mario Giraldo Vélez, activista y asesor en sindicatos en Antioquia, y del "veterano" Antonio Pinzón Sarmiento, quienes concebían una organización por

251 Sin ninguna conexión, las muertes de Pedro Brincos y Otero ocurrieron el mismo día en que cayó abatido *Fico* Arango.

252 Citado por Eduardo Pizarro en: *Contribución al entendimiento del conflicto armado en Colombia*, *op. cit.*, *p.* 23.

Violencia en Colombia (apartes)

La actividad terrorista urbana era mucho más intensa en 1963 que en los últimos años, particularmente durante la segunda mitad de este año. En contraste con la violencia de larga duración en las zonas rurales, los terroristas urbanos han atacado ante todo propiedades, y no personas. El terrorismo urbano ha sido programado para coincidir con eventos de significado nacional. Entre sus objetivos ha habido establecimientos públicos y semiprivados, personalidades prominentes colombianas, empresas, y personal e instalaciones extranjeras, particularmente de Estados Unidos. Desde hace poco, los terroristas han venido utilizando explosivos y bombas más poderosos, lo que pareciera predecir un aumento en el nivel de actividad.

Extremistas de los partidos de vanguardia de izquierda MOEC, FUAR y MRL son responsables del grueso del terrorismo, aunque los miembros de derecha de la ANAPO del exdictador Rojas Pinilla, también han estado activos.

Fuente: Central Intelligence Agency, CIA, Office of Current Intelligence, *Violence in Colombia*, Weekly Summary, 7 February 1964. The National Security Archive (NSA), Colombia and the United States: Political Violence, Narcotics and Human Rights, 1948-2010. Documentos desclasificados de diferentes agencias de seguridad del Gobierno de Estados Unidos.

encima de las prácticas que habían condenado al MOEC 7 de Enero al fracaso. Ambos, integrantes de la tendencia marxista, mantuvieron las críticas al guerrillerismo del sector de izquierda o anarquista, que había expulsado a Pinzón durante el Segundo Congreso de octubre de 1961. En contrapropuesta al foquismo vivido en el MOEC 7 de Enero, formulaban la necesidad de desarrollar la lucha armada bajo las tesis de la guerra popular prolongada, sustentadas por Mao; otro concepto del maoísmo ilustrado didácticamente con tres varitas mágicas: frente, partido y ejército, les indicó que el FUL, como organización política, debía llevar a la conformación de las FAL como ejército de liberación. En el proyecto participaron exdirigentes del MOEC 7 de Enero y nuevos cuadros como Armando Orozco y Germán Rojas Niño, más adelante miembros del M-19.

El grupo contó inicialmente con núcleos en Bogotá, Medellín y Cali y, pese a que inició sus actividades en 1963, tan solo hasta julio de 1967 convocó en Medellín a la I Conferencia por la Segunda Independencia como evento constitutivo. Para entonces se había nutrido de revolucionarios procedentes no solo del MOEC 7 de Enero, sino de otras corrientes como el Frente Unido del Pueblo, organización política conformada por Camilo Torres a mediados de 1965, que había entrado en un proceso de crisis a raíz de la muerte del sacerdote guerrillero. Los lineamientos políticos y militares del FUL-FAL eran una síntesis de los complejos debates que rondaban a la izquierda: la liberación nacional, por ejemplo, debía ser fruto de una larga guerra que tendría como escenario fundamental el campo y que posteriormente se extendería a las ciudades. En términos de la actividad guerrillera, consideraban que esta sería el resultado de un amplio trabajo político de penetración en zonas adecuadas para la lucha armada, y así lo intentaron en contactos con grupos constituidos y en trabajos nuevos como el que realizaron en Chocó.

La propuesta del FUL-FAL hacia el movimiento revolucionario colombiano para lograr un partido único estaba sintetizada en siete puntos básicos, de acuerdo con lo que anota Díaz Jaramillo: "1. Con base en la práctica de la lucha armada y el programa del FPL, crear el Frente Unido Revolucionario y un comité de coordinación revolucionario; 2. Que las organizaciones comprometidas en la lucha armada revolucionaria, al tenor de la anterior consideración, elijan libremente un delegado al comité; 3. Que se garantice la autonomía de cada organización en el seno del comité; 4. Que las bases de cada organización no se entrecrucen, a no ser por necesidades concretas en el cumplimiento de las tareas especiales de coordinación, con previo acuerdo unánime de los miembros del comité, en cuyo caso este organismo tendrá especial cuidado en cuanto a las implicaciones que esta pueda tener sobre la clandestinidad y sobre la seguridad de las organizaciones representadas y del comité mismo, frente al enemigo; 5. Que en el seno del comité se desarrolle una lucha fraternal ideológica… en el seno del comité se coordinarán permanentemente acciones de acuerdo con las condiciones objetivas y las exigencias fundamentales de la revolución; 6. El comité editará una revista propia, de circulación amplia y a períodos fijos, con carácter específicamente analítico, partiendo del principio de que no se tratará de un medio informativo, sino formativo; 7. El nombre de la revista la definirá el comité y estudiará la conveniencia o inconveniencia de que aparezca en la revista la planta de redacción que estará compuesta por las siglas de las organizaciones que coordinan sus acciones a través del comité".

En cuanto al carácter de la sociedad colombiana, tesis estratégica para definir el tipo de revolución, se consideró que era predominantemente capitalista, dependiente del imperialismo norteamericano, con rasgos semifeudales, lo que debía conducir a la construcción de una sociedad socialista, hacia la independencia nacional, para instaurar una dictadura del proletariado en alianza con campesinos y estudiantes. Entre los amigos de la revolución contaban con la pequeña burguesía, compuesta por profesionales e intelectuales ricos, industriales y comerciantes, altos funcionarios públicos y privados de elevados ingresos, los campesinos ricos, transportadores y mineros ricos, que estarían más cerca del pueblo; para el FUL-FAL, el declarado enemigo de la revolución sería la oligarquía compuesta por burgueses y latifundistas entregados al imperialismo[253].

253 Véase José Abelardo Díaz Jaramillo, *op. cit.,* pp. 130-133.

IV
ELN, FARC Y EPL, LOS MITOS FUNDACIONALES

La Brigada Pro Liberación José Antonio Galán, el ELN y Camilo Torres[254]

En 1962, una oleada guerrillera recorría el continente americano y muchos otros países del mundo. El eje de las luchas anticolonialistas que impulsaban los países no alineados (NOAL) se encontraba en ese momento en el norte de África, donde los musulmanes de Argelia,

254 La literatura sobre el ELN es muy extensa. Para esta parte se han utilizado como textos básicos, además de otros que aparecen debidamente referenciados en la bibliografía, los siguientes: *Ejército de Liberación Nacional, notas para una historia de las ideas políticas*; *ELN: una historia contada a dos voces* y *Conflicto armado y procesos de paz en Colombia*, de Carlos Medina Gallego; *El guerrillero y el político*, conversación de Óscar Castaño con Ricardo Lara Parada; *El guerrillero invisible*, de Walter J. Broderick; de Olga Behar, *Las guerras de la paz*; *La guerrilla por dentro* de Jaime Arenas; *Las verdaderas intenciones del ELN*, compilación del Observatorio para la Paz. Por supuesto, el libro *oficial* del ELN, *Rojo y negro: Una aproximación a la historia del ELN*, de Milton Hernández, comandante de esa organización.
Sobre las actividades políticas de Camilo Torres Restrepo, el Frente Unido del Pueblo y su participación en el ELN, el clásico *Camilo, el cura guerrillero*, de Walter J. Broderick; *El padre Camilo Torres* de Germán Guzmán Campos; *¿Qué es el Frente Unido del Pueblo?* de William Ospina R.; *Camilo Torres Restrepo, profeta para nuestro tiempo* de Gustavo Pérez Ramírez; *El final de Camilo* del general Álvaro Valencia Tovar; *Camilo Torres, escritos políticos*, selección de Ignacio Escobar Uribe. Importante también la consulta a las páginas web http://www.eln-voces.com, http://www.ranpal.net, http://www.patrialibre.info, http://www.foriental.org, http://www.foccidental.org, y la página del Centro de Documentación de los Movimientos Armados, CEDEMA: http://www.cedema.org

agrupados en el Frente de Liberación Nacional (FLN), conformado en 1954, adelantaban la guerra por la independencia contra el colonialismo francés. El creciente rechazo en la misma Francia y en el resto de Europa, sumado a los avances alcanzados por un pueblo en armas, obligaron al gobierno de Charles de Gaulle a negociar y, tras un plebiscito, a conceder la independencia y soberanía al pueblo argelino a partir del 5 de julio de 1962. La nueva república, socialista y no alineada, se puso al servicio de los movimientos de liberación del tercer mundo. En la península de Indochina, la guerra contra el colonialismo había recrudecido luego de la derrota de los franceses en 1954; el Frente de Liberación Nacional (Vietcong) de Vietnam del Sur, con el apoyo de los comunistas del Norte, avanzaba en una guerra de guerrillas en contra del imperialismo norteamericano que ya contaba con 16.000 "asesores" y cada día se involucraba más en la región.

Desde el triunfo de la Revolución Cubana, uno de los comandantes más connotados, Manuel Piñeiro Losada, conocido como *Barbarroja*, había asumido la tarea de organizar las estructuras de seguridad y la creación del Ministerio del Interior (Minint). Ya antes, en medio de la lucha contra Batista, organizó el primer aparato de inteligencia del M-26; junto a él, otro comandante inolvidable: Ramiro Valdés Menéndez. El 6 de junio de 1961, con la puesta en marcha del Minint, Barbarroja ocupó el cargo de jefe de la Dirección General de Inteligencia, que tenía entre sus tareas las relaciones con los movimientos revolucionarios de América Latina y del resto del Tercer Mundo. Desde esa posición trabajaba muy cerca del Che Guevara y de Fidel en la atención a dirigentes revolucionarios y a sus propuestas y requerimientos. Todos los líderes de la naciente nueva izquierda que visitaron Cuba se entrevistaron en algunas oportunidades con el Che o con Fidel, dependiendo de sus ocupaciones, pero siempre con Piñeiro o con alguno de sus más cercanos compañeros.

El Che tenía clara la idea de formar una columna guerrillera integrada por revolucionarios de varios países latinoamericanos, que se consolidaría en algún país con ciertas condiciones sociales, políticas y geográficas, de donde se pudieran desprender otras columnas que combatirían por todo el continente. En eso trabajaba día y noche, era en parte la supervivencia de la revolución. En su plan, Argentina y el periodista Jorge Ricardo Masetti eran fundamentales: serían su puerta de entrada al proyecto de revolución continental y ya estaban dando los primeros pasos que consistían en adiestramiento guerrillero, acopio de recursos, estudio de zonas y tantas tareas que demandaba una empresa de ese tipo. El nombre de la naciente guerrilla, donde el Che utilizaba el seudónimo de comandante *Primero*, era Ejército Guerrillero del Pueblo (EGP).

En la República Oriental del Uruguay tomaba forma un grupo que se denominó Movimiento de Liberación Nacional Tupamaros[255], liderado por el dirigente de los cañeros Raúl Sendic, *El Bebé,* quien consideraba posible que, en un país llano, sin selvas ni montañas, se podría desarrollar la guerrilla urbana con base en el gran Montevideo. "No quedará piedra sobre piedra, no habrá árbol que dé sombra ni semilla que germine ni planta que dé frutos: habrá patria para todos o no habrá patria para nadie", sentenciaron los Tupamaros, que tenían como jefes a Eleuterio *El Ñato* Fernández Huidobro, Julio Marenales, Pedro Almirati, Mauricio Rosencof, Jorge Zabalza y José *Pepe* Mujica, presidente de su país muchos años más tarde. En Perú actuaba el ELN; uno de sus primeros focos guerrilleros se quiso instalar en Puerto Maldonado, en la frontera con Bolivia, pero fue detectado, y allí murió el joven poeta Javier Heraud Pérez.

El respaldo de los cubanos estaba presente en todas estas gestas. La posibilidad real de un ataque a la Isla y el bloqueo a que estaba sometida llevaron al gobierno revolucionario a buscar nuevos aliados en la región. Ante la actitud "entreguista y proyanqui" de los gobiernos de casi todo el continente, Cuba sentía que nada les debía. Las relaciones políticas y diplomáticas estaban rotas. Y aliados no podían ser otros distintos a aquellos que propiciaban la idea de la revolución y que ya contaban con unas mínimas bases y experiencias para llevar adelante la acción. "Cuba jugaba cada día un papel más preponderante en el surgimiento y apoyo a las expresiones de la lucha armada. Era su respuesta a la agresión que a diario recibía de la mayoría de gobiernos latinoamericanos y de Estados Unidos. No le debía nada a nadie. Sin ambages, los cubanos sostuvieron años después que su solidaridad con

255 Nombre en homenaje a Túpac Amaru, cacique inca, símbolo de resistencia frente al Imperio español.

el movimiento guerrillero de América Latina obedecía a identidades y a la lucha que debían adelantar contra quienes los atacaban y aislaban. Y dicho y hecho. Cuba entrenó, apoyó y colaboró con casi todos los movimientos guerrilleros que por entonces fueron apareciendo en el continente, con excepción de los grupos clandestinos de México, ya que este fue el único país que no cedió a las presiones de Washington"[256].

Para romper ese "aislamiento", en 1962, el Gobierno de la Isla ofreció 1.000 becas para estudiantes, miembros de partidos comunistas y organizaciones de izquierda de América Latina que desearan iniciar o continuar sus estudios técnicos y profesionales y conocer de primera mano lo que sucedía con la Revolución. Fuera este o no un plan concebido por el Che Guevara, "para reclutar y organizar aspirantes a guerrilleros entre los centenares de estudiantes latinoamericanos que iban a Cuba con becas revolucionarias"[257], lo cierto es que muchos de los participantes decidieron aprovechar la ocasión para asimilar la experiencia cubana, aprender de ella y regresar al país de origen para hacer su propia revolución. Entre los visitantes había bolivianos, argentinos, uruguayos, nicaragüenses, peruanos, guatemaltecos, y más de sesenta colombianos pertenecientes a la JUCO y a las Juventudes del MRL, muchachos, la gran mayoría, entre los diecisiete y veintidós años, estudiantes de secundaria o de los primeros semestres de universidad, interesados en conocer la realidad del proceso cubano.

Ricardo Lara Parada[258], en su conversación con Óscar Castaño, cuenta que el 24 de junio de 1962 viajó con destino a La Habana en compañía de su amigo Víctor Medina Morón que integraba las filas de la JUCO en Santander; en el grupo estaban también Fabio Vásquez Castaño —que por entonces era un modesto empleado bancario, hijo de una familia campesina del Quindío, que viajó animado por su hermano Manuel—, Luis Rovira, José Merchán, Jorge Castrillejo,

256 Darío Villamizar, *Jaime Bateman, biografía de un revolucionario*, *op. cit.*, p. 125.

257 Jon Lee Anderson, *Che*, 4a edición, Buenos Aires, Emecé Editores, 1997, p. 550.

258 Oriundo de Barrancabermeja, su padre fue dirigente de la USO. Como estudiante de la UIS militó en las filas de las JMRL. Fue miembro del Estado Mayor del ELN y asumió como segundo al mando tras el fusilamiento de Víctor Medina Morón, en 1968. Desertó en noviembre de 1973, y fue capturado y condenado a cuarenta y dos años por el Consejo de Guerra del siglo; fue "ajusticiado" por la propia organización en noviembre de 1985.

Heriberto Espitia, Raimundo Cruz, Mario Hernández, Libardo Mora Toro, los samarios Oliverio del Villar, Alfonso Ibarra y Salvadorcito Sánchez, unos jóvenes campesinos de Viotá y de Santander, entre muchos otros. "Nos esperaron en vehículos oficiales, las limusinas que dejaron los potentados cubanos vencidos por la revolución, y eran carros manejados por choferes uniformados y de barba [...] Esa noche, mucho antes de pegar los ojos, cristalizamos el más caro sueño que teníamos todos desde que supimos de la existencia de Fidel: el hombre apareció inesperadamente en nuestro alojamiento y nos regaló un vibrante discurso de una hora larga"[259].

Cuando el grupo estaba en Cuba estalló la "crisis de los misiles". La URSS había aceptado la petición de las más altas jerarquías cubanas para instalar proyectiles balísticos de medio alcance en su territorio. Ya en la Declaración de La Habana del 2 de septiembre de 1960, los cubanos agradecieron el apoyo de la Unión Soviética, dado el caso de que su territorio fuera invadido por fuerzas militares de Estados Unidos. Para los cubanos, Bahía de Cochinos fue exactamente eso. La URSS buscaba mejorar el equilibrio nuclear con Estados Unidos, y qué mejor que hacerlo en el Caribe, en su área de influencia. La crisis, también conocida como "de Octubre" o "del Caribe", comenzó el 14 de ese mes cuando un avión de reconocimiento americano U2 detectó la construcción de bases de misiles en Cuba. A las 7 de la noche del 22 de octubre de 1962 el presidente Kennedy se dirigió a la nación en un discurso televisado en el que anunció que existían evidencias de bases soviéticas en territorio cubano, ordenó cuarentena y cerco naval a la Isla para evitar que ingresaran más armas nucleares e instó a sus Fuerzas Armadas a que se prepararan para "cualquier eventualidad". En respuesta, Jruschov alegó que se trataba de armas defensivas, ignoró el bloqueo y se negó inicialmente a desmantelar los cohetes. En las dos semanas siguientes, el mundo entero fue testigo del enfrentamiento entre Estados Unidos y la Unión Soviética, una confrontación que pudo haber culminado en una guerra nuclear. Para completar el escenario de preguerra, un proyectil ruso Sam derribó un avión espía U2 de Estados Unidos y mató a su piloto.

259 Óscar Castaño, *El guerrillero y el político, Ricardo Lara Parada*, Bogotá, Oveja Negra, 1984, p. 61.

Las superpotencias se alistaron para una conflagración a gran escala: 200.000 soldados estadounidenses se concentraron en Florida, decenas de barcos procedieron a interceptar a todo carguero que fuera hacia la Isla. El bloqueo había comenzado y la Guerra Fría estaba próxima a pasar de la retórica discursiva a los hechos militares. Cuarenta y ocho horas más tarde, sin tomar en cuenta a los cubanos, Jruschov cedió y aceptó el retiro de los misiles a cambio del compromiso de Estados Unidos de no invadir a Cuba y de retirar a su vez los cohetes Júpiter, emplazados en Turquía, que apuntaban hacia Moscú. La decisión soviética ofuscó profundamente a los dirigentes cubanos, en particular al Che, que había organizado las tropas para la resistencia: como "un intolerable acto de traición" calificó la actitud de Nikita. Se dice que Fidel, perturbado por la traición, "putió" a Jruschov y que la consigna que por entonces coreaban los cubanos, "Nikita, mariquita, lo que se da no se quita", fue de autoría del Che. Desde entonces, sus relaciones con los soviéticos serían bastante traumáticas; tanto así que, en la disputa chino-soviética, el Che sería visto como prochino, lo que a su vez le generó algunos contratiempos con otros dirigentes de la Revolución Cubana.

Muchos de los estudiantes extranjeros becados en Cuba se presentaron de manera voluntaria para ingresar a las milicias revolucionarias con la esperanza de poder combatir cuando el "imperialismo norteamericano" invadiera la Isla. Para su desilusión, solo recibieron tareas de organización de brigadas para la vigilancia de los edificios públicos en La Habana. No era eso lo que querían. Pasada la crisis, Barbarroja se reunió con ellos y les ofreció la posibilidad de realizar cursos para entrenarse como guerrilleros. La efervescencia del momento, acompañada de la mística que emanaba de niños, jóvenes y viejos en Cuba, hicieron que la gran mayoría aceptara. "El día 11 de noviembre de 1962 tiene lugar una reunión memorable en La Habana. Ese día dimos por constituida la Brigada Pro Liberación José Antonio Galán"[260]. La primera fase del adiestramiento consistió en técnicas de guerrilla en

260 Nombre en homenaje al líder de la insurrección de los comuneros de 1781, encabezada por José Antonio Galán. Capturado, fue condenado a la pena de muerte y al desmembramiento de su cadáver. Testimonio de Ricardo Lara Parada en revista *Trópicos* N° 3, citado por Ulises Casas en *De la guerrilla liberal a la guerrilla comunista*, Bogotá, sin editor, 1987, p. 171.

la selva; les pusieron como meta llegar a la cumbre del pico Turquino, el más alto de Cuba, en la Sierra Maestra, al sitio exacto donde se encuentra el busto de José Martí, a 1.974 metros sobre el nivel del mar. Algunos abandonaron las prácticas desde las primeras marchas; fueron jornadas extenuantes, con uniformes y pesados equipos. Del grupo solamente llegaron veintidós, que de inmediato iniciaron una segunda escuela en Pinar del Río donde la preparación fue más fuerte: tiro, manejo de armas, fabricación de explosivos, teoría de la guerra de guerrillas, comunicaciones, códigos y claves. Las medidas de seguridad eran estrictas, no podían salir del campamento, la noticia sobre su preparación no se podía filtrar. Así pasaron ocho meses, hasta quedar un pequeño núcleo de once. De ellos, siete dieron el paso para conformar la Brigada y juraron "adelantar la Revolución Colombiana, cumplir con el reglamento, mantener la disciplina prusiana y ser fieles a las estrategias tecnicomilitares"[261]. Lara propuso a Víctor Medina como comandante; este declinó en favor de Fabio Vásquez y quedó como segundo al mando[262]; los restantes eran Heriberto Espitia, Luis Rovira, Mario Hernández, José Merchán y Ricardo Lara Parada[263]. Durante el segundo semestre de 1963 comenzaron a retornar a Colombia.

Coincide el período con la revitalización y politización del movimiento estudiantil y la formación de la Federación Nacional Universitaria (FUN), como resultado del Tercer Congreso Nacional Estudiantil, celebrado en Bogotá en noviembre de 1963[264]. La FUN tenía un Consejo Directivo, en el que sobresalía la figura del estudiante de Medicina Julio César Cortés quien, junto con otros dirigentes de la

261 Óscar Castaño, *op. cit.,* p. 65.

262 Víctor Medina Morón tuvo muchos conflictos con Fabio Vásquez; ejerció como segundo al mando hasta septiembre de 1967 cuando fue removido, juzgado y condenado a muerte en un consejo de guerra impulsado por Vásquez y el Estado Mayor, y fusilado el 22 de marzo de 1968 junto a Julio César Cortés y Heliodoro Ochoa. Cuenta Joe Broderick en su libro *El guerrillero invisible* que Cortés alcanzó a enviar una nota a su madre implorándole no guardar odio contra los guerrilleros.

263 El listado citado de los siete se retoma del texto *Ejército de Liberación Nacional, una historia de los orígenes* de Carlos Medina Gallego; coincide con el registro de Jaime Arenas en su libro *La guerrilla por dentro*. En *El guerrillero y el político*, Ricardo Lara incluye a Roberto Reina y Martínez, mientras que excluye a Mario Hernández y José Merchán.

264 Véase Manuel Ruiz Montealegre, *op. cit.,* pp. 149 y siguientes.

Universidad Nacional y de universidades de otras ciudades, ya expresaba sus simpatías por la lucha armada; los debates de la izquierda a nivel internacional impregnaron los ambientes estudiantiles. De igual manera, dentro del movimiento sindical se debatían líneas de derecha y de izquierda: en el seno de la Confederación de Trabajadores de Colombia (CTC), de clara estirpe liberal y formada en 1936 durante el gobierno de Alfonso López Pumarejo, se presentó una crisis que produjo la salida del sector comunista, agrupado inicialmente en el Comité de Unidad de Acción y Solidaridad Sindical (CUASS), que en 1964 pasó a conformar la procomunista Confederación Sindical de Trabajadores de Colombia (CSTC).

A su llegada a Colombia, los integrantes de la Brigada José Antonio Galán profundizaron las relaciones con dirigentes de las Juventudes del MRL que, en los hechos, habían roto con el sector "blando", acaudillado por López Michelsen, y habían optado, en su II Congreso de agosto de 1962, por posiciones revolucionarias proclives a impulsar el movimiento guerrillero. Los nacientes elenos[265] creían en la posibilidad de transformar a las JMRL en una especie de brazo político suyo; sin embargo, discrepancias y malentendidos de parte y parte los llevaron a un distanciamiento que precipitó el fin del grupo juvenil y la salida de algunos de sus cuadros más radicalizados, que fueron a engrosar las incipientes estructuras urbanas de la organización que más tarde se conocería como ELN. Los primeros núcleos se organizaron como redes logísticas en Bucaramanga, donde mantenían contactos con la Asociación Universitaria de Santander (AUDESA), con jóvenes de la Universidad Industrial de Santander (UIS) y con miembros de la JUCO; en Barrancabermeja[266], por intermedio de Juan de Dios Aguilera, dirigente sindical de los trabajadores petroleros, y en Bogotá, a través de líderes estudiantiles de la Universidad Nacional. Las "redes"

265 Nombre, entre cifrado y coloquial, para designar a los integrantes del ELN.

266 En mayo de 1963, el puerto de Barrancabermeja, sobre el río Magdalena, vivió el primer paro cívico regional, motivado por reclamos de la población por dotación o mejora en los servicios públicos; la protesta popular generó la declaratoria del estado de sitio por siete días en cuatro municipios de Santander. Entre el 20 de julio y el 30 de agosto se decidió la primera huelga en la empresa petrolera Ecopetrol, por parte de los 3.500 trabajadores agrupados en la USO; el movimiento huelguístico duró cuarenta y un días; como en anteriores oportunidades, contó con el apoyo solidario del pueblo de Barranca.

llevaron a cabo las primeras acciones urbanas, una de ellas, un ataque con explosivos contra el Club del Comercio en Bucaramanga en solidaridad con los campesinos de Marquetalia sometidos a continuos bombardeados en el sur del Tolima[267]. Estas actividades, sumadas al surgimiento de la fracción maoísta dentro del PCC y de la JUCO, fueron detectadas por el partido que no tardó en tildarlas de "extremoizquierdistas"; ya en el 29 Pleno del Comité Central, de septiembre de 1963, se denunció la actividad "fraccional" y "antipartido" por parte de dos de los miembros del Comité Central que fueron expulsados: Pedro Vásquez Rendón y Carlos Arias.

Los "protoelenos" hicieron exploraciones en varias áreas rurales de Boyacá, Quindío, Bolívar y Caldas en busca del sitio ideal para preparar la actividad guerrillera. Al final se decidieron por el área rural del municipio de San Vicente de Chucuirí, en Santander, donde pasado el 9 de abril de 1948 se estableció la guerrilla de Rafael Rangel; esa fue una de las razones para la escogencia de la zona. Otras fueron de orden sociohistóricas, relacionadas con la tradición de organización y lucha de los habitantes de la región; pesaron también consideraciones que tenían que ver con la geografía del lugar, la relativa cercanía de Barranca, importante puerto petrolero del país con presencia del movimiento obrero más combativo, y de Bucaramanga, epicentro de las luchas estudiantiles de la época.

Según el testimonio de Nicolás Rodríguez Bautista, *Gabino*, a Medina Gallego, en el libro *ELN: una historia contada a dos voces*, Fabio Vásquez —conocido en ese momento como *Carlos*— llegó al área haciéndose pasar por familiar de Pedro Gordillo, a quien llamaban *Parmenio*, un campesino vecino de los Rodríguez en la vereda La Fortuna, y junto a Heliodoro Ochoa y José Ayala fueron la "base inicial" para hacer el trabajo político en la región. El primer grupo de la guerrilla del ELN comenzó a operar en las veredas del Cerro de los Andes y La Fortuna, distantes entre sí a siete horas de camino: "en la primera se formó la guerrilla y en la segunda se realizaban los entrenamientos".

A las ocho de la noche del 4 de julio de 1964, desde un rancho abandonado cerca de la casa de los padres de Parmenio, se inició la

267 En la acción murió Reynaldo Arenas, uno de los primeros integrantes de las redes urbanas del ELN.

primera marcha guerrillera. Al mando del grupo estaban Fabio Vásquez y, con él, 18 campesinos aprendices de combatientes armados con una carabina San Cristóbal calibre punto 30, cuatro escopetas de fisto calibre 12 y revólveres viejos; el más joven de todos era Nicolás Rodríguez, con escasos trece años. Era un grupo compacto de campesinos de la región o de veredas cercanas, conocidos entre sí, algunos con lazos familiares, con elementos políticos básicos que los unificaban, con un mando reconocido por todos, grandes precariedades logísticas y la decisión de arrancar desde cero. Durante seis meses recorrieron el territorio, se prepararon militarmente, afinaron la disciplina y la puntería, la mística y las normas de la clandestinidad; se relacionaron con otros campesinos que los apoyaban y cuidaban, y recibieron alguna capacitación política de la lectura de dos documentos básicos: el *Manual de táctica guerrillera* y el Código guerrillero. Desde los primeros días lo simbólico y el espíritu de unidad y reconocimiento del mando adquirieron dimensiones cuasi religiosas; la consigna adoptada, "Ni un paso atrás, liberación o muerte", se convirtió en una norma de vida. Esas palabras lo encerraban todo: compromiso, lealtad, entrega, fe, confianza, sacrificio, valor, lo más parecido a las antiguas vivencias cristianas en las catacumbas.

Víctor Medina Morón se incorporó a la guerrilla en los últimos meses de ese año, por problemas de seguridad en Bucaramanga; "se quemó", de acuerdo al argot revolucionario. Su proceso de integración al grupo no fue fácil, había una brecha entre algunos de la ciudad y los campesinos. Llegó a reemplazar a Fabio, que salió hacia Cuba, y cuando regresó, en diciembre, se iniciaron los preparativos para la primera operación del ELN: la toma de una pequeño pueblo llamado Simacota, operación narrada por *Gabino* en distintas oportunidades: "El 20 de diciembre de 1964 se pone en marcha hacia Simacota la columna guerrillera inicial, a la cual, en el transcurso de esos seis meses de asentamiento, se habían sumado nuevos hombres y mujeres; sus nombres de guerra: Andrés, Alberto, Wilson, Camilito, Ricardo, Libardo, Alí y Mariela (Paula [*sic*] González Rojas, conocida como *La Mona Mariela*, primera mujer vinculada al ELN). En la mañana del 7 de enero de 1965 la guerrilla entró en Simacota, después de haber dado muerte al sargento de la Policía que comandaba el puesto y a tres agentes de esa misma institución; uno más logró salvarse porque se encontraba dormido en una residencia y pudo ocultarse durante el tiempo que duró la toma. Antes de la llegada al pueblo, cuatro guerrilleros que portaban armas cortas y vestidos de civil localizaron a los agentes de la Policía y les dieron muerte. Una vez eliminada toda posibilidad de resistencia, la guerrilla se hizo dueña de la población, se ubicó estratégicamente y convocó al pueblo a una reunión en la plaza principal"[268]. Víctor Medina arengó a la población mientras los guerrilleros gritaban vivas al ELN, y Fabio Vásquez leía el *Manifiesto de Simacota*[269], un documento breve, de contenidos reivindicativos, antioligárquicos y antiimperialistas, que remata con un llamamiento a la unidad y a la lucha y la consigna "¡Liberación o muerte!". La fecha del 7 de enero fue escogida como un homenaje a Antonio Larrota y al MOEC 7 de Enero.

Después de casi tres horas en el pueblo, los guerrilleros se replegaron en medio de dificultades; se registró la baja de Pedro Gordillo, desde entonces llamado capitán *Parmenio*: "Para mí es un impacto muy grande, es el primer compañero que cae pero, además, Parmenio, quien era mi amigo, amigo. El hombre estaba partido, el tiro le entró por la columna y le salió por el abdomen… estaba destrozado, muerto"[270]. La ocasión fue aprovechada por dos guerrilleros que desertaron; se presentó la muerte de un suboficial, tres policías y dos soldados y la captura de significativo material de guerra: cuatro fusiles 7.62 mm, dos fusiles punto 30 y algunas armas cortas. Los objetivos de la acción estaban cumplidos, la moral del grupo de veinticuatro combatientes se elevó; recuperaron además víveres, drogas y dinero; el *Ejército de Liberación Nacional* (ELN) comenzó a existir para el país y se conocieron sus propuestas y planteamientos; se conoció igualmente su bandera en los brazaletes que portaban los guerrilleros con la sigla del grupo

268 Nicolás Rodríguez Bautista, *Toma de Simacota*, Portal Voces de Colombia, ELN, en https://www.eln-voces.com/index.php/voces-del-eln/comando-central/articulos/78-toma-de-simacota

269 Firmado por *Carlos Villarreal* (Fabio Vásquez) y *Andrés Sierra* (Víctor Medina) del Frente José Antonio Galán del ELN. Véase Anexo 2.

270 Nicolás Rodríguez Bautista, *Gabino*, en *ELN: una historia contada a dos voces*, Carlos Medina Gallego, Bogotá, Rodríguez Quito Editores, 1996, p. 57.

y los colores rojo y negro como identidad de los revolucionarios del mundo: el rojo, que significa libertad, y el negro, que simbolizaba el luto por los caídos[271].

La toma de Simacota y la irrupción del ELN en la vida política nacional no pasaron desapercibidas para el Gobierno de Estados Unidos. El Resumen Semanal, calificado como secreto, preparado por la Agencia Central de Inteligencia (CIA), fechado el 6 de agosto de 1965, señaló:

> El Ejército de Liberación Nacional (ELN), surgido en enero, tiene varios líderes formados en el extranjero —la mayoría de ellos en Cuba— y parece tener acceso a fondos y consejeros. Aún pequeño —de menos de 500 miembros—, está prácticamente inactivo desde enero; el ELN parece tener el potencial de convertirse en la mayor fuerza insurgente si los grupos en competencia, que son en su mayoría ineficaces excepto por sabotajes esporádicos, aceptan el liderazgo del ELN.

Fuente: Central Intelligence Agency, Office of Current Intelligence, Weekly Summary, 6 August 1965. The National Security Archive (NSA), Colombia and the United States: Political Violence, Narcotics and Human Rights, 1948-2010. Documentos desclasificados de diferentes agencias de seguridad del Gobierno de Estados Unidos.

271 Himno del ELN. "Es América el cimiento milenario/ de Colombia y nuestra historia nacional/ donde indígenas y esclavos iniciaron/ las batallas contra el yugo colonial./ Con las armas de Galán y de Bolívar/ hoy combate nuestro pueblo con valor/ en la gesta/ inclaudicable y decidida/ contra siglos de miseria y opresión./ Avancemos al combate compañeros/ que están vivas la conciencia y la razón/ de Camilo el comandante guerrillero/ con su ejemplo en la consigna NUPALOM (bis)./ En las manos del obrero y campesino/ tiene América Latina un nuevo sol/ que ilumina nuestros pueblos oprimidos/ contra el yanqui y el lacayo explotador (bis).CORO:/ ¡ADELANTE... SIMACOTA!/ Son semillas que van sembrando la libertad/ es el pueblo con sus luchas/ señalando el sendero triunfal (bis)./ ¡ADELANTE... COMBATIENTE!/ El Ejército de Liberación Nacional/ rojo y negro el horizonte/ y mañana brillará la libertad (bis)./ ¡NI UN PASO ATRÁS... LIBERACIÓN O MUERTE!/ ¡NI UN PASO ATRÁS... LIBERACIÓN O MUERTE!/ La mujer alza su voz firme y rebelde/ como pueblo construyendo el ideal/ que palpita en el clamor del continente/ y germina hacia el futuro de igualdad (bis)./ La unidad es un gran Parte de Victoria/ al calor de nuestra guerra popular/ y la sangre proletaria va sembrando/ los caminos de justicia y dignidad (bis)./ CORO:/ ¡ADELANTE... SIMACOTA !/ Son semillas que van sembrando la libertad/ es el pueblo con sus luchas/ señalando el sendero triunfal (bis)./ ¡ADELANTE... COMBATIENTES!/ El Ejército de Liberación Nacional/ rojo y negro el horizonte/ y mañana brillará la libertad (bis)./ ¡NI UN PASO ATRÁS... LIBERACIÓN O MUERTE!/ ¡NI UN PASO ATRÁS... LIBERACIÓN O MUERTE!/ ¡NI UN PASO ATRÁS... LIBERACIÓN O MUERTE!

La reacción del Gobierno y sus fuerzas militares fue inmediata; en medio del estupor que causó la intrépida acción guerrillera se organizó un cerco militar en la región que obligó a la pequeña fuerza del ELN a permanecer escondida durante las siguientes semanas; para bajar la presión y romper el cerco, Fabio ordenó a la red urbana realizar una acción de distracción. El 3 de febrero de 1965, 8 guerrilleros se tomaron la estación de Policía de Papayal, un pequeño caserío retirado de Simacota, en el noroeste de Santander; esta operación dio la imagen de un grupo con amplia capacidad de movilidad y un gran número de integrantes. La acción suicida fue dirigida por Ricardo Lara Parada, quien resultó herido levemente; se recuperaron dos armas largas, fueron dados de baja el inspector, un auxiliar y dos agentes de la Policía. Entre los integrantes del ELN que participaron estaban Julio Portocarrero, José Antonio Rico Valero, *El Pollo* —de diecisiete años de edad—, Heliodoro Ochoa, Heriberto Espitia y Rodolfo León.

Estas primeras acciones del ELN generaron gran expectativa, simpatía e interés en muchos sectores, a lo que la organización respondió con un documento conocido como el *Programa de Simacota*, que elaboró Jaime Arenas Reyes por encargo de la comandancia. El documento programático, de corte reformista y revolucionario, constaba de doce puntos básicos de lucha: toma del poder por las clases populares, revolución agraria, desarrollo económico e industrial, plan de vivienda y reforma urbana, sistema popular de crédito, plan nacional de salud pública, plan vial, reforma educacional, incorporación de la población indígena a la economía y a la cultura, libertad de pensamiento y de cultos, política exterior independiente y formación de un ejército popular permanente. La amplia difusión del programa abrió las puertas al ELN en organizaciones sindicales, estudiantiles y campesinas y en áreas rurales y urbanas de ciudades como Cali y Medellín, que hasta entonces se mantenían al margen de las actividades del grupo; el mismo propósito cumplió el boletín *Insurrección*, que salió a la luz pública a mediados de 1965 como su órgano oficial de información. "Con gente como esta, se podría trabajar", cuentan que dijo Camilo Torres cuando leyó el *Manifiesto de Simacota*[272].

272 Walter J. Broderick, *op. cit.*, p. 192.

Entretanto se presentaban varios hechos de impacto nacional y de profundas repercusiones positivas para el naciente ELN. En la UIS, los estudiantes, con el apoyo de la AUDESA, adelantaban desde el 25 de mayo de 1964 un movimiento huelguístico en contra de la "fascistización" de la universidad y de la expulsión de doce miembros del Consejo Estudiantil, entre los que se encontraba Jaime Arenas Reyes, presidente del Comité de Huelga y del propio Consejo Estudiantil, ya vinculado a las actividades urbanas de lo que sería el ELN. Los estudiantes ocuparon el claustro y salieron a las calles de Bucaramanga; la ciudadanía se identificó con ellos; en los barrios se crearon comités de defensa que organizaban las actividades y estaban pendientes de la seguridad. La FUN, el Consejo Superior Estudiantil de la Universidad Nacional, la Universidad Femenina de Santander, el Colegio Santander, la Federación de Trabajadores y el Concejo Municipal de Barrancabermeja salieron en apoyo de las demandas de los estudiantes. En la madrugada del 16 de junio, por orden del gobernador, tropas de la V Brigada se tomaron por asalto las instalaciones de la UIS. Los habitantes de la ciudad respondieron con un paro cívico que paralizó toda actividad. En Bogotá, Cali, Barranquilla y Cartagena hubo manifestaciones en rechazo a la actitud del gobernador Silva Valdivieso y por la renuncia del rector Villarreal. Las movilizaciones y protestas crecieron por todo el país.

Como parte de la protesta, 27 estudiantes marcharon a pie desde Bucaramanga hacia Bogotá; durante catorce días recorrieron los 415 kilómetros que separan las dos ciudades. En el trayecto fueron alentados y saludados como héroes. El 21 de julio, en horas de la tarde, llegaron a la capital y marcharon en silencio hasta la Plaza de Bolívar, donde la multitud los ovacionó; allí hablaron Germán Sarmiento, Julio César Cortés y Jaime Arenas, los tres en las filas del ELN. Los huelguistas fueron recibidos por comisiones del Senado y de la Cámara, y hasta por el presidente de la República[273]. La marcha estudiantil marcó un hito en las luchas sociales a nivel nacional; sin lugar a dudas, el proyecto guerrillero del ELN se fortaleció con el desarrollo del movimiento estudiantil en la UIS. Entre el 11 y el 13 de octubre del mismo año,

273 Véase el capítulo "El papel del movimiento estudiantil", en Jaime Arenas, *La guerrilla por dentro*, Bogotá, Ediciones Tercer Mundo, 1971, pp. 25-40. Así mismo, Manuel Ruiz Montealegre, *op. cit.,* pp. 168-186.

la FUN organizó su Segundo Congreso Nacional en Bogotá donde Arenas Reyes, en cabeza de la línea inclinada a la insurrección, consolidó su liderazgo y fue nombrado presidente del Congreso y Cortés, presidente del Comité Ejecutivo. En el debate afloró la pugna interna que se vivía entre distintas tendencias políticas, y que se centraba en el apoyo a las tesis insurreccionalistas, por un lado y, por otro, a planteamientos considerados como "reformistas", en defensa de la FUN desde el punto de vista de gremio estudiantil, posición que esgrimían los miembros de la JUCO que vivía sus propios dramas por discusiones internas con sectores "chinistas" que también propugnaban el desarrollo de la lucha armada.

En efecto, en el seno del PCC y de la JUCO había una lucha ideológica con quienes enarbolaron las tesis maoístas y defendían las posiciones del PC chino en el debate internacional con el PCUS. Se criticaban del partido la línea política y sus posiciones "evolucionistas", "pacifistas", "reformistas" y "revisionistas"; se atacaba a las autodefensas organizadas en Marquetalia y Riochiquito como una forma de lucha armada conservadora y burguesa, se proponía la "abstención electoral beligerante" y se calificaba a los dirigentes de "agentes del socialimperialismo soviético" y "delatores". Los señalamientos y expulsiones iban y venían; la palabrería de parte y parte no podía sino conducir a una profunda división. El debate era cruel e intenso, y la confrontación entre ellos arreció.

El PCC realizó en septiembre de 1963 el 29 Pleno del Comité Central; en el evento se denunció la actividad "izquierdista", "fraccional" y "antipartido" por parte de dos integrantes de esa máxima instancia: Pedro Vásquez, que había sido comisario político en el sur del Tolima hacia 1950, y Carlos Arias, dirigente del regional en el Magdalena; ambos fueron expulsados en el transcurso de la reunión. Un mes más tarde conformaron el Comando de Integración de Movimientos Revolucionarios Colombianos (CIMREC), que agrupaba sectores maoístas dentro del PCC y la JUCO, y exmiembros del MOEC y de las JMRL. Quienes impulsaban esta propuesta eran Vásquez Rendón, Pedro León Arboleda y un destacado dirigente juvenil comunista, Francisco Garnica, secretario político de la JUCO en el Valle que, alineado en la posición "chinista", encabezaba la aguda polémica desde propuestas políticas por ellos definidas como verdaderamente "marxistas-leninistas". En esas circunstancias, la JUCO decidió convocar para los días 21, 22 y 23 de febrero al V Pleno de su Comité Central que culminó con la expulsión de Francisco Garnica, Fred Kaim, Uriel Barrera, César Uribe y Édison Lopesierra; este sector se mantuvo temporalmente como JUCO (Marxista-Leninista).

En marzo de 1964 se realizaron las elecciones llamadas de "mitaca", en las que el PCC participó en alianza con el MRL; el número de votos disminuyó a 381.847, cifra similar a la obtenida en 1960. En esta jornada electoral se presentó una de las más altas abstenciones de la historia: el 64% de los electores habilitados no asistió a las urnas; sectores de la izquierda partían del supuesto de que se trataba de un abstencionismo consciente, sin entender distintos fenómenos sociales que llevan a la abulia frente a los temas electorales. Estas elecciones dieron un triunfo evidente al Frente Nacional, con 1.532.437 votos, y mostraron el avance inusitado de la ANAPO, que alcanzó 309.678 votos, 160% más con relación a las elecciones de 1962; con esa votación, el partido del general Rojas, absuelto por la Corte Suprema de Justicia de los cargos imputados cuatro años atrás, eligió 27 representantes a la Cámara, el 15% del total, y 49 diputados a las asambleas departamentales. De la noche a la mañana, la ANAPO se había convertido en un fenómeno político, lo que causaba honda preocupación a los jerarcas liberales y conservadores del Frente Nacional.

A estas alturas, el cura Camilo Torres Restrepo, luego de su destitución como auxiliar en la capellanía de la Universidad Nacional, trabajaba en la Escuela Superior de Administración Pública (ESAP) como decano del Instituto de Administración Social; igualmente era suplente en la Junta Directiva del Instituto Colombiano de la Reforma Agraria (INCORA)[274], actividades que combinaba con su puesto de vicario coadjutor de la parroquia de La Veracruz, donde confesaba

274 En ese espacio, Camilo sostuvo agrias discusiones con el senador conservador Álvaro Gómez Hurtado por la aplicación de la ley de Reforma Agraria con respecto a la extinción de dominio sobre baldíos. Por supuesto que la posición de Camilo se colocaba siempre en favor de los campesinos despojados y en contra de los terratenientes, que recibían buenos precios por sus tierras. Véase Gustavo Pérez Ramírez, *Camilo Torres Restrepo, profeta para nuestro tiempo*, Bogotá, CINEP, 1999, pp. 173-174.

beatas, oficiaba la misa, bautizaba niñas y asistía a enfermos casi moribundos. Pero lo mundano lo atraía más: las interminables charlas con sus amigos, los estudiantes, los encuentros con los consabidos conspiradores, las tertulias con los dirigentes de izquierda y una que otra reunión para echarse unos aguardientes y cautivar a mujeres y hombres, especialmente a mujeres. Camilo estaba en todo. Junto con Fals Borda y otros colegas había organizado, en marzo del año anterior, el Primer Congreso Nacional de Sociología, donde presentó su trabajo *La Violencia y los cambios socioculturales en las áreas rurales colombianas*, en el que "mostraba que La Violencia acabó, no solamente con miles de vidas humanas, sino con todo un engranaje de estructuras sociales hasta entonces inmutables. Afirmó que, con la formación de cuadrillas de campesinos armados, se había establecido una nueva jerarquía que desafiaba a las élites del poder tradicionales"[275]. Otros trabajos de la época como "La desintegración social en Colombia: está gestando dos subculturas", publicado en *El Espectador* el 5 de junio de 1964, provocaron reacciones contrarias por parte de las jerarquías de la Iglesia y el malestar en las élites empeñadas en mantener el *statu quo*.

El ataque contra Marquetalia en mayo de 1964 provocó una reacción de solidaridad nacional e internacional: en universidades y sindicatos se discutía y protestaba a diario; cartas y comunicados iban y venían pidiendo el cese de las hostilidades en la región y reclamando el apoyo a los campesinos de las autodefensas; desde Francia, un grupo de intelectuales y políticos, encabezado por los escritores Jean-Paul Sartre, Simone de Beauvoir y el dirigente comunista Jacques Duclos, en misiva al Gobierno colombiano, expresaron su solidaridad y exigieron parar la agresión. Por su parte, sacerdotes y civiles colombianos, entre quienes se encontraban el padre Camilo, monseñor Guzmán Campos, Gerardo Molina, Hernando Garavito Muñoz, Orlando Fals Borda, Gustavo Pérez Ramírez y Eduardo Umaña Luna, formaron una comisión de estudio de carácter socioeconómico para analizar la situación de la región, ofrecer su mediación e impedir la denominada Operación Soberanía. La comisión, a pesar de contar con el visto bueno del ministro de Guerra y su oferta de transporte para los integrantes,

275 Walter J. Broderick, *Camilo, el cura guerrillero*, Bogotá, Editorial El Labrador, 1987, p. 149.

no pudo cumplir con su objetivo porque el cardenal Luis Concha Córdoba, sin mayor explicación, se negó a autorizar a los sacerdotes. Como era de esperarse, sin su participación, la comisión se desintegró. En todo caso, Camilo les siguió la pista a los marquetalianos. A través de sus amigos de la JUCO, en la Nacional, se mantenía al tanto de los avances, y por esa vía conoció el Programa Agrario de los guerrilleros, del 20 de julio de 1964.

Día a día su desencanto se acentuaba. Cada iniciativa suya era bloqueada por las burocracias de la Iglesia o del Gobierno. Así le sucedió con la propuesta que presentó al INCORA para montar en Yopal un espacio que permitiera capacitar a los campesinos y antiguos combatientes de la región: era el trabajo con la base, con los más pobres, que tanto le interesaba. Pese a ser parte de la Junta Directiva del Instituto, su propuesta no fue aprobada. Obstinado como era, inició el proyecto de la mano del legendario jefe guerrillero del Llano, y exintegrante del MOEC 7 de Enero, Eduardo Franco Isaza; de ahí nació la Unidad de Acción Rural de Yopal, que finalmente recibió el apoyo del Ministerio de Agricultura. Sin embargo, el proyecto no produjo el impacto que Camilo esperaba; los llaneros ya se habían "enfriado", ahora les ganaba el escepticismo pese a los buenos deseos que acompañaban a Franco y a otros dirigentes que querían despertarlos para la revolución que se proponían.

Camilo leyó con avidez tanto el *Manifiesto* repartido a los pobladores por parte del naciente ELN en Simacota, como la posterior *Proclama* del grupo; los temas abordados, así como el lenguaje directo y sencillo, lo impactaron. De inmediato comenzó a "tirar anzuelos" para ver cómo contactaba a alguno de sus miembros sin saber que desde hacía algún tiempo lo observaban y acompañaban, los tenía más cerca de lo que pensaba. Un mes más tarde fue la toma de Papayal por parte del ELN la que lo convenció de que era la hora de llamar a la formación de un movimiento amplio; así, comenzó a delinear los contenidos del documento que se conocería como la *Plataforma para un Movimiento de Unidad Popular* o *Plataforma del Frente Unido*, que se hizo público el 17 de marzo de 1965 en Medellín, donde atendía una invitación de las juventudes conservadoras, las mismas que filtraron los contenidos de la plataforma. Sin lugar a dudas, entre la *Plataforma del Frente Unido* y el *Manifiesto de Simacota* del ELN existían elementos comunes, lo que molestó a derechistas e izquierdistas. Como era de esperarse, los conflictos con las directivas de la ESAP y de la Iglesia se agudizaron, no había tregua; su posición política era incompatible con los dictados eclesiales; así lo dejó por escrito el cardenal Concha Córdoba: "En la plataforma de acción politicosocial presentada o suscrita por el padre Torres, hay puntos que son inconciliables con la doctrina de la Iglesia"[276]. La controversia entre la Curia y el sacerdote fue mayúscula; cartas iban y venían, sin embargo, el cardenal fue enfático y no dio pie atrás en los señalamientos que hizo sobre la actividad emprendida por Camilo, quien fue conminado a renunciar a la decanatura del Instituto de Administración Social y a asumir una posición laboral en la Arquidiócesis, oferta que rechazó por considerar que lo separaría "del mundo y de los pobres para incluirme en un grupo cerrado de una organización perteneciente a los poderosos de este mundo"[277]. ¡A ese nivel llegaba la radicalidad de Camilo! En búsqueda de una salida "decorosa", y para evitar una ruptura de fondo con las jerarquías de la Iglesia, se decidió por esos días su viaje a Europa para optar, en la Universidad Católica de Lovaina, en Bélgica, al título de Doctor en Sociología.

Eran los días de la protesta en contra de la invasión de Estados Unidos a República Dominicana. Desde 1963, cuando un golpe de Estado de derecha y de claro sabor trujillista derrocó al presidente democrático Juan Bosch, se vivía una crisis política y militar. En abril de 1965 surgió, dentro de las filas de las Fuerzas Armadas dominicanas, un amplio sector constitucionalista que propugnaba el retorno al Gobierno del presidente Bosch. Fue ahí cuando irrumpió la figura del coronel Francisco Caamaño Deñó a la cabeza de los oficiales que optaron por armar al pueblo y combatir al sector reaccionario del Ejército. Estados Unidos se decidió por la intervención militar, que fue anunciada el 28 de abril por el propio presidente Johnson; la decisión era "no permitir otro Castro en la región". La presencia norteamericana se materializó de inmediato con el masivo desembarco de miles de infantes de marina

276 Mensaje del cardenal, arzobispo de Bogotá, Luis Concha Córdoba, del 26 de mayo de 1965, citado en: Gustavo Pérez Ramírez, *op. cit.*, p. 216.

277 Carta de Camilo Torres al obispo auxiliar, en Walter J. Broderick, *op. cit.*, p. 202.

que llegaron a sumar 42.000 hombres. La lucha se transformó en una guerra por la soberanía y en contra del invasor extranjero; la Asamblea Parlamentaria eligió como presidente a Caamaño. Tras cuatro meses de enfrentamientos, la OEA intervino con una Fuerza Interamericana de Paz; Caamaño aceptó dimitir a condición del retiro de las tropas estadounidenses y del retorno a la democracia. Los acuerdos fueron incumplidos y Caamaño marchó al exilio.

La invasión generó el rechazo en todo el continente. En las principales ciudades de Colombia se organizaron manifestaciones de protesta en contra de la agresión a República Dominicana. Ese clima de rebeldía y represión fue el pretexto para que, una vez más, el 21 de mayo de 1965, mediante el Decreto 1.288 de la fecha, se declarara turbado el orden público y el estado de sitio en todo el país. Apenas un año, once meses y veintiún días habíamos pasado sin el uso de la medida excepcional.

¿Cuáles eran esos aspectos que abordaba la plataforma de Camilo y que causaron tanto escozor en la Curia y en la llamada "clase dirigente" del país? En primer lugar, era una convocatoria amplia dirigida "a todos los colombianos, a los sectores populares, a las organizaciones de acción comunal, a los sindicatos, cooperativas, mutualidades, ligas campesinas, comunidades indígenas y organizaciones obreras, a todos los inconformes, a todos los no alineados en los partidos políticos tradicionales". La parte motivacional se refería a aspectos políticos y sociales y a la necesidad de un cambio en las estructuras del poder. La plataforma señaló diez objetivos: reformas rural y urbana, planificación, política tributaria, nacionalizaciones, relaciones internacionales, seguridad social y salud pública, política familiar, fuerzas armadas, derechos de la mujer[278].

El masivo homenaje de despedida que le organizó la FUN el 22 de mayo de 1965 en la Universidad Nacional, coincidente con el entierro simbólico del estudiante Jorge Enrique Useche, asesinado dos días atrás, se convirtió en el espacio propicio para presentar oficialmente la *Plataforma del Frente Unido*. Con la puesta en público de su pensamiento, Camilo dio un paso fundamental en la política: "Necesitamos una

278 Texto de la *Plataforma del Frente Unido*, en Jaime Arenas Reyes, *La guerrilla por dentro*, Bogotá, Ediciones Tercer Mundo, 1971, pp. 67-71.

entrega total de los revolucionarios hasta las últimas consecuencias. Ya se han superado muchas etapas legales e ilegales en el proceso de la conquista por el poder. Lo que queda por hacer es todavía más arduo y no sabemos hasta dónde piense resistir la clase dirigente a las justas presiones de la clase popular. El último recurso que nos queda es la violencia revolucionaria. Esto no es en sí un credo especial. Y si se produce será una guerra defensiva contra una clase agresiva"[279].

Un hecho de orden público, que significó el final del "bandolerismo", ocurrió en Bogotá cuando, en la mañana del 9 de junio de 1965, se inició una operación militar para "cazar" a Efraín González, también conocido como el *Hermano Juanito* o *El Siete Colores*, toda una leyenda; odiado, admirado y respetado, gozaba del don de la ubicuidad y así, aparecía y desaparecía, asaltaba, robaba y daba a los pobres. La operación, conducida por el coronel José Joaquín Matallana, jefe del Estado Mayor de la Brigada de Institutos Militares (BIM) —el mismo que estuvo al frente de la Operación Soberanía en Marquetalia y de las acciones que acabaron con la vida de Federico Arango Fonnegra en el Territorio Vásquez—, se realizó contra una vivienda de la calle 26 A con carrera 14 sur, en el barrio San José, donde se parapetó el célebre bandolero. Cerca de quinientos integrantes de las tropas especializadas del Ejército y la Policía participaron directamente en la acción y otros mil aseguraron el área. Más de dos mil curiosos, como testigos mudos del inusitado despliegue de artillería pesada y vehículos blindados, se apostaron en las esquinas o en las bocacalles durante toda la tarde a esperar el desenlace. Varias horas duró el combate, que dejó 4 soldados muertos y 10 más heridos. Efraín González, que había sembrado el terror en Boyacá y Santander, cayó bajo las balas gubernamentales cuando ya había anochecido. El último bandolero había muerto, el mito popular había nacido.

En ese "tira y afloje" con el cardenal, Camilo concedió una entrevista para la Radio HJCK, el 20 de junio de 1965; el periodista le preguntó: "Padre Torres, si se llevara a cabo una revolución por la fuerza, ¿usted sería partidario de la expropiación de bienes de la Iglesia?". A lo que Camilo respondió: "Yo soy partidario de la expropiación de

279 *Ibid.*, p. 211.

bienes de la Iglesia aun en el caso en que no se diera ninguna clase de revolución"[280]. La intransigencia del prelado llegó al extremo de no recibirlo y de emitir, el 22 de junio, una declaración en la que rompía con Camilo definitivamente: "El cardenal arzobispo de Bogotá se cree en la obligación de consciencia de decir a los católicos que el padre Camilo Torres se ha apartado conscientemente de las doctrinas y directivas de la Iglesia católica. Basta abrir las Encíclicas de los sumos Pontífices para darse cuenta de esta lamentable realidad. Realidad tanto más lamentable por cuanto que el padre Torres preconiza una revolución, aun violenta, con la toma del poder en momentos en que el país se debate en una crisis causada en no pequeña parte por La Violencia, que con grandes esfuerzos se está tratando de conjurar. Las actividades del padre Camilo Torres son incompatibles con su carácter sacerdotal y con el mismo hábito eclesiástico que viste. Puede suceder que estas dos circunstancias induzcan a algunos católicos a seguir las erróneas y perniciosas ideas que el padre Torres propone en sus programas"[281].

El respaldo que a diario recibía de estudiantes, campesinos, profesores, trabajadores y comunidades, y el contacto posterior con integrantes del ELN, lo llevaron a tomar la decisión de cancelar el viaje a Lovaina, lanzarse a la lucha revolucionaria en las plazas públicas y quemar las naves con las jerarquías de la Iglesia. Dos días después de la declaración del cardenal Concha Córdoba, Camilo convocó a una rueda de prensa en la que entregó a los periodistas la carta en la que pidió su reducción al estado laical y la exoneración de sus obligaciones sacerdotales tras dieciocho años en el seno de la Iglesia. Con dolor, pero con decisión, Camilo tomó el camino de la fidelidad a sus creencias: "Por eso he pedido a su eminencia, el cardenal, que me libere de mis obligaciones clericales para poder servir al pueblo en el terreno temporal. Sacrifico uno de los derechos que amo más profundamente —poder celebrar el culto externo de la Iglesia como sacerdote—, para crear las condiciones que hacen más auténtico ese culto. Creo que mi

280 Entrevista a Camilo Torres para Radio HJCK, 20 de junio de 1965, en *El rastro de Camilo*, documental de Señal Colombia, Laberinto Producciones y Les Films Grain de Sable, dirigido por Diego Briceño Orduz, en http://www.senalcolombia.tv/programas/el-rastro-de-camilo

281 Citado en Gustavo Pérez Ramírez, *op. cit.*, p. 193.

compromiso con mis semejantes de realizar eficazmente el precepto de amor al prójimo me impone este sacrificio. La suprema medida de las decisiones humanas debe ser la caridad, debe ser el amor sobrenatural. Correré con todos los riesgos que esta medida me exija"[282].

Las principales ciudades del país atestiguaron en las semanas y meses siguientes el crecimiento del Frente Unido del Pueblo, un movimiento que "no solo recogía a los estudiantes y sindicalistas radicalizados en torno a sus tesis, sino también a los sectores urbanos marginados"[283], vinculado a la figura y al prestigio de Camilo, ahora elevado a la categoría de dirigente nacional. El 4 de julio de 1965, cuando el ELN conmemoraba el primer aniversario del inicio de la marcha guerrillera, en compañía de Galo Burbano y José Manuel Martínez Quiroz, llamado en el grupo *Martín*, emprendió su primera travesía clandestina hacia el campamento donde estaba Fabio Vásquez Castaño, a quien por seguridad llamaba *Helio;* conversaron durante dos días y una noche en un sitio llamado Loma de Tunja, en el municipio de San Vicente de Chucurí. Llegaron a acuerdos y, a partir de ese encuentro, su seudónimo sería Alfredo Castro, solo conocido por la más alta dirigencia, así como su nueva condición de militante "en comisión en la ciudad", le aclaró Helio. Le asignaron también una persona del grupo para que lo acompañara de manera permanente, una especie de secretario, que fue Jaime Arenas Reyes, el joven dirigente de la FUN y del movimiento estudiantil en la UIS; junto a ellos estaba Álvaro Marroquín, *Marroco*, delegado por el PCC y la JUCO y, más que esto, amigo de Camilo. Entre Alfredo y Helio hubo una fluida correspondencia en los meses siguientes; Camilo, con entusiasmo, le contaba de los avances del Frente Unido y de sus giras por distintas ciudades; Fabio lo orientaba, y constantemente se mostraba receloso y desconfiado de los aliados en el Frente Unido. En este momento, el ELN realizó el primer ataque contra la infraestructura petrolera:

282 Declaración del 24 de junio de 1965 en Walter J. Broderick, *Camilo y el ELN, Selección de escritos políticos del cura guerrillero*, Bogotá, Icono Editorial, segunda reimpresión, 2015, pp. 111-112.

283 Centro Nacional de Memoria Histórica. *¡Basta ya! Colombia, memorias de guerra y dignidad*, Informe general Grupo de Memoria histórica, Bogotá, 2013, p. 124, en http://www.centrodememoriahistorica.gov.co/descargas/informes2013/bastaYa/basta-ya-colombia-memorias-de-guerra-y-dignidad-2016.pdf

el 17 de agosto, en inmediaciones de Bucaramanga, en instalaciones que pertenecían a la estadounidense Texas Petroleum Company, detonaron una carga explosiva.

Desde que regresó de su encuentro con la cúpula del ELN, la actividad política de Camilo fue imparable. Se calcula que más de medio millón de personas acudieron a sus impactantes concentraciones públicas en barrios, plazas y calles de pueblos y ciudades, entre marzo y octubre. Asistió a foros, reuniones, encuentros, conferencias y manifestaciones multitudinarias, organizados por obreros, estudiantes, profesionales y campesinos en las principales capitales de departamentos y en ciudades intermedias como Barrancabermeja, Ocaña, Palmira, Buenaventura, Convención, Socorro, Líbano, San Gil, Buga, y muchas más. Su periódico, *Frente Unido*, vio la luz el jueves 26 de agosto de 1965 con una tirada de 50.000 ejemplares semanales para un total de 12 ediciones y una última extraordinaria el 9 de diciembre de ese mismo año. En la primera página del número 1, en plena campaña para las elecciones legislativas de marzo y presidenciales de mayo siguiente, se publicó su artículo "Por qué no voy a elecciones", en el que asumió una postura abiertamente abstencionista que no fue del gusto de los camaradas del PCC; con ellos y los demócratas cristianos las distancias políticas se ampliaban día a día. El *Frente Unido* publicó en sus distintas ediciones los afamados y discutidos mensajes de Camilo que condensan su pensamiento político revolucionario: a los cristianos, a los comunistas, a los militares, a los No Alineados, a los sindicalistas, a los campesinos, a las mujeres, a los estudiantes, a los desempleados, a los presos políticos, al FUP, y su mensaje final a los colombianos desde las montañas.

Dos hechos precipitaron en Camilo la decisión de ingresar a la guerrilla: el primero sucedió a fines de agosto, y fue la captura de Martín[284],

284 José Manuel Martínez Quiroz, *Martín*, primer jefe de la red urbana del ELN en Bogotá, fue juzgado junto con veintidós de sus compañeros —muchos de ellos ausentes— en el Consejo Verbal de Guerra del Siglo que se inició en abril de 1966 en la ciudad de Pamplona (Norte de Santander), y condenado a seis años de cárcel; junto con él se encontraban Jaime Arenas Reyes y el médico Heliodoro Ochoa, quien se fugó de la cárcel de Pamplona y se incorporó a las actividades del ELN. Al quedar en libertad, volvió a las filas y fue recapturado en 1973, en el desarrollo de la Operación Anorí, cuando se encontraba herido.

encargado de la red urbana del ELN, a quien le decomisaron, entre otras cosas, armas, documentos y cartas, algunas de las que se habían cruzado Alfredo y Helio; los organismos de seguridad poseían serios indicios del vínculo de Camilo con el ELN. El segundo hecho fue la ruptura dentro del Frente Unido, ocurrida en el desarrollo del Primer Encuentro Nacional de Estudiantes, Obreros y Campesinos, que se realizó en Medellín los días 17, 18 y 19 de septiembre de 1965, actividad organizada por el Partido Social Demócrata Cristiano (PSDC), en la que se evidenciaron las grandes diferencias políticas que existían entre el grupo de los No Alineados —Camilo y sus más cercanos colaboradores— y el PCC y los demócratas cristianos, diametralmente opuestos ellos dos pero aliados en esta ocasión en la condena a las posiciones antielectoreras; el evento se terminó con el retiro de estas dos colectividades. La ruptura por parte del PSDC se formalizó en la reunión que se hizo al finalizar septiembre, y en un comunicado en el que señalaron que no podían hacerle el juego al marxismo. El FU comenzó a declinar, no así el prestigio y compromiso de Camilo que, ya lo había dicho, iría hasta las últimas consecuencias.

En las ciudades, el cerco en torno a él se cerraba. En la manifestación del 1° de octubre se apreció claramente que no había respeto a su condición de exsacerdote o de dirigente político: sin contemplación, esta fue reprimida por la fuerza pública, y él mismo fue objeto de la agresión. Ya en septiembre había ocurrido lo mismo en Girardot, cuando la Policía disolvió violentamente una manifestación; los heridos y contusos fueron varios, entre ellos el propio Camilo. Para entonces, ya el Gobierno tenía pruebas de su estrecha relación con el ELN. El 7 de octubre se publicó en el periódico *Frente Unido* su "Mensaje a los campesinos", donde hizo un anuncio velado de su próximo paso: "Cuando la oligarquía no deje otro camino, los campesinos tendrán que darnos refugio a los revolucionarios, a los obreros y estudiantes. Por el momento deben unificarse y organizarse para recibirnos con el fin de emprender la larga lucha final"[285]. El 18 de octubre, Camilo emprendió su marcha final, lo dejó todo para irse con la guerrilla. Dejó el movimiento del FU y a sus seguidores, que lo aclamaban en

285 Mensaje a los campesinos, en William Ospina R. *Qué es el Frente Unido del Pueblo*, Bogotá, Ediciones 7 de Enero, s./f., pp. 44-47.

las plazas públicas; dejó el periódico *Frente Unido* que, desde cuando salió, en agosto, se vendía como pan caliente; dejó a su madre y a sus más inmediatos colaboradores. La noche anterior asistió a la clausura del IV Consejo Directivo de la FUN, en la Universidad Nacional; allí pronunció su último discurso público, en el que reafirmó que los caminos legales estaban cerrados y que era necesario dejarlo todo para la entrega de lleno a la lucha, hasta la muerte. Horas más tarde desapareció del escenario político nacional; muchas fueron las conjeturas sobre su paradero.

El 7 de enero, cuando el ELN conmemoraba el primer aniversario de su aparición pública, se conoció la proclama de Camilo Torres desde las montañas, acompañada de una fotografía en la que se veía con las armas en la mano, junto con Vásquez Castaño y Medina Morón, y otras en compañía de guerrilleros del Frente José Antonio Galán. Era la reaparición de Camilo y la confirmación de su presencia en las filas guerrilleras. Su última proclama fue muy precisa: en ella buscaba unir los principios del ELN con la práctica política del FU. Camilo ya no dejaba opción para la duda ni para la especulación, de nuevo asumía su compromiso… hasta la muerte. "Hasta la muerte porque estamos decididos a ir hasta el final. Hasta la victoria porque un pueblo que se entrega hasta la muerte siempre logra la victoria"[286]. Camilo se llamó *Argemiro* en la guerrilla.

Sus 115 días en el monte no fueron fáciles, como nunca lo fueron para un citadino sin experiencia en el campo. El proceso de adaptación fue lento y no lo completó. Le ayudaban su permanente disposición a entender y aprender las técnicas militares, y también la solidaridad que recibió por parte de sus compañeros, en particular de Gabino, próximo a cumplir los quince años: "La llegada de Camilo a la guerrilla es un acontecimiento de mucha trascendencia. Así lo vivimos nosotros en ese momento. Él se presenta como un militante del ELN y nos explica en una reunión, muy sencilla, por qué se incorpora a la guerrilla [...] Camilo llega y se gana sin mucho esfuerzo, con naturalidad, la simpatía y el cariño de la gente, porque era alguien sin ostentaciones, que compartía los problemas, que los sentía con más pasión, incluso más

286 "Mensaje de Camilo a los colombianos", en William Ramírez R. *op. cit.,* pp. 83-86.

que Manuel Vásquez, quien era para ese momento lo que llamaban en las novelas rusas el comisario político"[287].

El bautizo de fuego y combate final de Camilo fue a las nueve de la mañana del martes 15 de febrero de 1966, en un punto perdido de la agreste topografía de Santander llamado Patio Cemento, donde el ELN malemboscó lo que creía era una patrulla y resultó ser la sección de una compañía de la V Brigada del Ejército que, en ese momento, comandaba el coronel Álvaro Valencia Tovar. Treinta guerrilleros estaban a la espera del paso de un grupo de soldados al que consideraban menor numéricamente; en la cabeza de la emboscada estaba Helio, junto a Camilo y otro dirigente. Distintas fuentes coinciden en la disposición de Camilo de ir al combate, pese a su elemental preparación y la oposición de algunos de sus compañeros pero, una vez más, demostró que su decisión y compromiso eran inquebrantables. Finalmente, los emboscados resultaron contraemboscados, y cuando sonaron los tiros y cayeron los primeros soldados, Camilo quiso recoger uno de los fusiles, pero lo alcanzó un disparo y en cinco minutos fueron abatidos otros 6 guerrilleros, entre ellos un niño de trece años al que llamaban Camilito. La intensidad del fuego "enemigo" impidió el rescate del cuerpo de Camilo. El combate fue el primer revés político y militar del grupo comandado por Fabio Vásquez Castaño. En la foto oficial de Camilo muerto, publicada por la prensa nacional dos días más tarde, se le veía diferente, un poco más delgado, barbado y con el pelo ensortijado y más largo que de costumbre, tenía los ojos ligeramente abiertos y el rostro tranquilo; parecía somnoliento, beatificado, tenía 37 años. La imagen recordaba la de Fico Arango, su amigo muerto en septiembre de 1963, y sería recordada posteriormente cuando, en octubre de 1967, se publicaron las fotos del Che muerto en Bolivia, con los ojos igualmente abiertos, crucificados todos ellos.

Sobre el primer y único combate en el que participó Camilo, el ELN, en un comunicado público, manifestó: "Con profundo dolor y concentrado rencor contra las clases oligárquicas, el Ejército de Liberación Nacional informa al pueblo colombiano y a los revolucionarios del mundo entero la muerte del gran líder revolucionario CAMILO

287 Nicolás Rodríguez Bautista, *Gabino*, en Carlos Medina Gallego, *op. cit.*, pp. 69-70.

TORRES RESTREPO, ocurrida el 15 de febrero del presente año en un fatal combate entre las fuerzas propias y destacamentos punitivos del Ejército vendepatria del Frente Nacional. En dicho encuentro nuestros heroicos combatientes hicieron frente a las armas oficiales causándoles numerosos muertos y heridos, confiscándoles varias armas de largo alcance, diverso equipo militar y rechazando una vez más los intentos de aniquilamiento total efectuados por el ejército oficial. Sin embargo, tuvimos la irremediable pérdida de cinco valerosos patriotas, entre los cuales cayó el irremplazable Camilo, abatido por la fusilería reaccionaria junto con otros aguerridos compañeros"[288].

Para el general Álvaro Valencia Tovar, que en el momento de los hechos había sido designado comandante de la V Brigada del Ejército, la presencia de Camilo en el ELN podía ser un "fenómeno sicológico capaz de atraer juventudes románticas y campesinos ingenuos a la guerrilla, era el mito, el símbolo, el imán de innegable poder". Por eso lo persiguió hasta darle muerte, y aun después de muerto secuestró su cadáver, hasta hoy: "La muerte de Camilo Torres representó para la guerrilla del ELN una pérdida irreparable. Comprometer prematuramente en combate a un dirigente de su representación fue un error de dimensión solo comprensible a la luz de la personalidad desorbitada de Fabio Vásquez, que lo llevaba a considerar al Ejército como enemigo despreciable para su ego agigantado. Sacrificó lo que hubiese podido ser el mascarón de proa, el estandarte humano, el elemento mítico que una revolución latinoamericana requiere como aliento para poner en marcha sus energías pasionales"[289].

El informe de febrero de 1966, elaborado por Herbert O. Hardin, Jefe de la División de Seguridad Pública de USAID en la Embajada de los Estados Unidos en Bogotá, clasificado como confidencial y fechado el 18 de marzo de 1966, reportó a su oficina en Washington D.C. la muerte del sacerdote Camilo Torres Restrepo en los siguientes términos:

288 "El día en que fue abatido el cura Camilo Torres", *Semana*, en http://www.semana.com/nacion/articulo/camilo-torres-la-vida-del-cura-contada-por-pedro-vargas-alias-pele/460701

289 Álvaro Valencia Tovar, *op. cit.*, p. 504.

La muerte de Camilo Torres estuvo en primera plana en las noticias durante la última parte del mes. Tuvo lugar temprano, en la mañana del 15 de febrero, en un lugar llamado Cañón del Pilar, cerca del municipio de San Vicente, en el departamento de Santander. San Vicente está en la ruta entre Socorro y Barrancabermeja, y se sabe que es un centro importante de actividades e influencia del ELN. De acuerdo a un reporte recibido por un asesor de Seguridad Pública Rural de USAID, que estaba en la zona en ese momento, una patrulla del Ejército, con aproximadamente veinticinco oficiales y dirigida por un teniente, estaba de patrullaje temprano en la mañana y, al no haber encontrado nada, había emprendido su regreso, para lo cual debía pasar por un estrecho barranco. El teniente y varios soldados iban en la punta, adelante del grueso del cuerpo; el primer grupo recibió una descarga que venía del matorral. Los del cuerpo principal se desplegaron y se refugiaron a la espera. Luego de un breve silencio, un grupo de cinco bandidos emergió del matorral y se aproximó a los muertos y heridos, de quienes comenzaron a tomar las armas, municiones y otro equipo. Uno de los bandidos, al parecer al ver que el teniente todavía seguía con vida, se paró sobre él y le apuntó con el arma a la cabeza, aparentemente para darle un tiro de gracia. Sin embargo, un soldado disparó cuatro veces, dando de baja al bandido que luego fue identificado positivamente como Camilo Torres. Otros bandidos cayeron en el tiroteo y otro grupo, encabezado por una joven mujer vestida con pantalones rosados de mezclilla, apareció para recolectar armas. Se cree que la mujer es Mariella (*sic*), la villana del ataque de Simacota (6 de enero de 1965), quien mató con una ametralladora a un sargento de Policía, a sangre fría, en dicho asalto. Alguna vez se había reportado como muerta como resultado de un aborto, sin embargo, más tarde se declaró que ese reporte era falso. Los soldados abrieron fuego sobre el grupo, se reportó que Mariella soltó el arma que había tomado y corrió al bosque agarrándose una mano que sangraba. No se sabe si el soldado era un mal tirador o si la mezclilla rosada lo distrajo y lo hizo desviar el tiro.

Entretanto, algunos campesinos que viven en las proximidades, al escuchar disparos, corrieron al puesto de Policía Nacional y notificaron al personal que ahí se encontraba, el cual lanzó una alerta a través de la red táctica de radio rural recientemente instalada y proporcionada por AID. [...]

Pareciera que, en un futuro inmediato, excluyendo una huelga civil y el terrorismo relativo a las elecciones, el panorama de seguridad interna en Colombia está mejor de lo que ha estado en algún tiempo. La muerte de

Camilo Torres pareciera ser un golpe severo para las fuerzas combativas de la extrema izquierda. Sin embargo, la violencia de la extrema derecha (ANAPO rojista), que se levantó el 20 de marzo en las elecciones a Congreso, no puede ser descartada, y es razonable creer que el ELN y el MOEC continuarán sus operaciones e intentarán expandirse. Queda la impresión de un incremento del estado de alerta por parte de las fuerzas de seguridad colombianas, así como de una determinación a contrarrestar y suprimir la violencia de cualquier forma.

Fuente: Department of State. Airgram. Date sent March 18, 1966. The National Security Archive (NSA), Colombia and the United States: Political Violence, Narcotics and Human Rights, 1948-2010, documentos desclasificados de diferentes agencias de seguridad del Gobierno de Estados Unidos.

En el homenaje que el ELN le rindió a Camilo cincuenta años después de su muerte, el ahora curtido responsable político del grupo, Nicolás Rodríguez, *Gabino*, el mismo niño que lo acompañó y lo orientó en sus primeros pasos en la guerrilla, con mapas y nuevas fotografías en la mano, recorrió Patio Cemento para explicar la vinculación de Camilo y los detalles del combate en que murió: "Planteó Camilo, al llegar a la guerrilla, la importancia de graduarse de guerrillero, y nos decía entonces que quería foguearse en el combate para ir luego a los Llanos Orientales a repetir la hazaña de Bolívar y Guadalupe Salcedo de insurreccionar a los llaneros para la lucha revolucionaria. Fue así entonces que Camilo añoró el momento del combate, y aunque había muchas debilidades en la fuerza guerrillera, porque la mayoría de compañeros no habían ido en ninguna ocasión al combate, y por supuesto Camilo tampoco, sin embargo la convicción de la urgencia de ser un buen guerrillero lo hizo caminar junto al resto de guerrilleros, aún inexpertos la mayoría, al combate aquí en Patio Cemento, donde dejara su vida pero también su legado de auténtico sacerdote, de auténtico cristiano y de precursor de la Teología de la Liberación"[290]. No lo dijo en esta ocasión, pero para el ELN fue una pérdida irreparable que

290 Ejército de Liberación Nacional, ELN, "Homenaje en el 50 aniversario de la partida del sacerdote y guerrillero Camilo Torres Restrepo", Presentación de Nicolás Rodríguez Bautista, *Gabino*, febrero de 2016, en www.contagioradio.com/eln-revela-detalles-de-la-muerte-de-camilo-torres-articolo-20521/

lo sumió en una profunda crisis; los resultados saldrían a flote poco tiempo después.

La muerte de Camilo causó estupor, pero no provocó la reacción en cadena que se esperaba: en Bogotá se organizó un lánguido "entierro simbólico" con una marcha de estudiantes desde la Universidad Nacional hasta la iglesia de San Diego, donde la fuerza pública cercó a los asistentes. Muchos catalogaron a Camilo de "bandolero", justificaron su muerte y hasta se alegraron. Otros, silenciosos, se prepararon para seguirlo. Los integrantes del FU estaban consternados, al igual que todos los jóvenes comunistas que en la Universidad Nacional enarbolaron banderas a media asta, colocaron crespones negros en los edificios y salieron a las calles lanzando piedras y gritando consignas.

Después de su siembra ingresaron al ELN decenas de cristianos, seminaristas, sacerdotes y monjas, tanto colombianos como de otros países, convencidos de la compatibilidad entre marxismo y cristianismo. Estaba claro que la opción era por los pobres, y la muerte de Camilo señalaba el camino a seguir. La Teología de la Liberación fue el sustento de grupos como el Movimiento de Sacerdotes para el Tercer Mundo de Argentina, en los que se discutía en torno a las resoluciones del Concilio Vaticano II, las jerarquías eclesiales y la Iglesia más progresista, la lucha armada y las tesis de Teilhard de Chardin. Tras las huellas de Camilo, muchos de ellos fueron a engrosar las filas de nacientes guerrillas en el continente: en Brasil, un grupo de frailes dominicos, integrantes de las Comunidades Eclesiales de Base, participó activamente en la lucha contra la dictadura militar desde las filas de la guerrilla urbana promovida por la Alianza Libertadora Nacional (ALN) de Carlos Marighella; el más conocido de ellos fue Frei Betto. En Argentina, desde las páginas de la revista *Cristianismo y Revolución*, que dirigía el exseminarista Juan García Elorrio, surgió, en 1967, el Comando Camilo Torres; algunos de sus integrantes serían los fundadores, en 1970, del grupo Montoneros; durante muchos años el guía espiritual del grupo fue el padre Carlos Mugica, que había participado en el Consejo Episcopal Latinoamericano (CELAM), en Medellín, en 1968. Un año antes se conoció en Santiago de Chile el manifiesto que en la noche de Navidad distribuyó el Movimiento Camilo Torres, que reafirmaba la decisión de promover con los hechos el diálogo marxismo-cristianismo.

En julio de 1968 se reunió en Colombia un grupo de sesenta sacerdotes vinculados a actividades de pastoral social en una finca que la Diócesis utilizaba para retiros espirituales. El lugar se llamaba Golconda y quedaba muy cerca del municipio cundinamarqués de Viotá. Entre los asistentes se encontraba monseñor Gerardo Valencia Cano, obispo de Buenaventura. Desde ese momento, al grupo se le conoció como Golconda. Dos de sus principales impulsores fueron el sacerdote René García y el matemático Germán Zabala, quienes mantenían nexos con el ELN y con la ANAPO del general Rojas Pinilla. Colombia vivía entonces un ambiente de religiosidad y regocijo por la inminente visita del papa Pablo VI, que el 22 de agosto pisó suelo colombiano para, entre otras actividades, inaugurar el XXXIX Congreso Eucarístico Internacional y la II Asamblea General del CELAM, inspirada en las reformas modernizantes de Juan XXIII, plasmadas en el Concilio Vaticano II. Por invitación de monseñor Valencia, Golconda se volvió a reunir en noviembre, y el 13 de diciembre se conoció el *Manifiesto de Buenaventura*, firmado por Valencia y 34 de los 49 sacerdotes asistentes, que dieron a conocer su identidad. Entre ellos se encontraba Domingo Laín Sáenz, un cura español bastante radical que oficiaba en una parroquia de Bogotá: "En Buenaventura, junto con otros compañeros sacerdotes, hice pública mi voluntad decidida de entregar mis esfuerzos, mi vida entera por la liberación del pueblo colombiano y por la construcción de una sociedad socialista, al firmar el documento revolucionario llamado 'Golconda'"[291]. Otros dos sacerdotes españoles que trabajaban en los barrios Olaya Herrera y Chambacú, en Cartagena —Manuel Pérez Martínez y José Antonio Jiménez Comín—, decidieron mantener el anonimato y no firmaron el manifiesto; estaban próximos a ingresar a las filas del ELN y les interesaba un perfil bajo. En marzo siguiente, Pérez y Jiménez serían capturados y deportados por "intervención en política". En abril fue el turno de Laín.

291 Carta abierta de Domingo Laín, en http://www.cedema.org/ver.php?id=1793

Marquetalia, del símbolo a la fundación de las FARC[292]

En el preciso momento en que el futuro ELN se organizaba en el centro-oriente del país para iniciar la marcha guerrillera que arrancó el 4 de julio de 1964, en el centro-sur de Colombia se adelantaba, con mayor rigor, la guerra contra las "repúblicas independientes". El ataque no fue solo contra Marquetalia, aunque sí fue este el primer blanco. La denominada Operación Soberanía se inició el 18 de mayo de 1964[293].

Ese perdido punto en la geografía nacional había sido fundado por el legendario Charronegro y el propio Manuel Marulanda Vélez años atrás. Ubicado un poco más arriba del antiguo destacamento de San Miguel-Peña Rica, era un sitio privilegiado por lo intrincado del terreno, una zona poblada por colonos e indios paeces o nasa que vivían en el pequeño caserío enclavado en la cordillera Central, entre las sierras de Atá e Íquira, en el sur del Tolima. Muy cerca de allí están

292 El período específico del ataque a Marquetalia y la fundación de las FARC se encuentra ampliamente documentado. Para este apartado se utilizaron como base los siguientes textos, algunos de ellos testimonios directos de fundadores de las FARC: *El diario de la resistencia de Marquetalia* de Jacobo Arenas; *Ciro, páginas de su vida* de Ciro Trujillo Castaño; *Así nacieron las FARC* de Jaime Guaraca; de Arturo Alape, *Diario de un guerrillero*, *Las vidas de Pedro Antonio Marín, Manuel Marulanda Vélez, Tirofijo* y *Manuel Marulanda Tirofijo Colombia: 40 años de lucha guerrillera*. El libro de Luis Alberto Matta Aldana que recoge el testimonio del "marquetaliano" Jaime Tarsicio Guaraca. Por otro lado, textos académicos como *Las FARC, de la autodefensa a la combinación de todas las formas de lucha* de Eduardo Pizarro; *FARC-EP Temas y problemas nacionales 1958-2008* de Carlos Medina Gallego y *El orden de la guerra. Las FARC-EP: entre la organización y la política* de Juan Guillermo Ferro y Graciela Uribe Ramón. Muy oportuno resulta el libro *Militares y guerrillas* de Juan Esteban Ugarriza y Nathalie Pabón, que explora a fondo los archivos militares de esta etapa. "Así fueron las conferencias de las FARC" de Ariel Ávila en la web de la Fundación Paz y Reconciliación, http://www.pares.com.co/wp-content/uploads/2016/09/Conferencias-de-las-Farc.pdf La página web de las FARC-EP tiene amplia información sobre el período, así como la revista *Resistencia* y el mismo "Esbozo histórico de las FARC-EP", elaborado por la Comisión Internacional en 2005. Importante también la consulta de las páginas web http://www.pazfarc-ep.org, http://www.farc-ep.co, http://www.resistencia-colombia.org, http://www.mujerfariana.org, y la página del Centro de Documentación de los Movimientos Armados, CEDEMA: http://www.cedema.org

293 "En el marco de la Operación Soberanía, las Fuerzas Militares desarrollaron un plan que correspondía específicamente a una de sus fases, llamada Gama, dentro del cual se desarrolló la Operación Marquetalia". Juan Esteban Ugarriza y Nathalie Pabón, *Militares y guerrillas*. Bogotá, Editorial Universidad del Rosario, 2017, p. 13.

los nacimientos de los ríos Saldaña y Atá, que bajan del Nevado del Huila a nutrir el río Magdalena.

La Operación Soberanía contra Marquetalia registró varios antecedentes: en primer lugar, el mencionado debate de Álvaro Gómez Hurtado en noviembre de 1961, cuando en sesiones del Congreso de la República denunció la existencia de unas "repúblicas independientes" que amenazaban la seguridad nacional —Sumapaz, Planadas, Riochiquito, Marquetalia, Vichada, Medellín del Ariari y Guayabero—. Estas "revelaciones" del dirigente conservador tuvieron eco en el Gobierno Nacional que, con apoyo de Estados Unidos, comenzó a diseñar una ofensiva militar sobre las zonas donde los campesinos se habían organizado bajo la forma de movimientos agrarios y de autodefensas con influencia comunista. Como ya se dijo, el primer ataque a gran escala ocurrió el 19 de enero de 1962 y, después de varias operaciones puntuales, fue suspendido; fue una especie de ensayo para probar reacciones y calibrar aspectos propios de la operación. A partir de entonces —segundo antecedente— hubo continuos hostigamientos contra los campesinos: el 26 de septiembre de 1963, tropas del Batallón Caicedo sorprendieron en el cañón de La Troja, jurisdicción del municipio tolimense de Natagaima, a un grupo de las autodefensas, miembros de las cooperativas agrícolas La María y El Plomo, y en un combate desigual dieron muerte a dieciséis de sus integrantes. Estos, en represalia, conformaron el movimiento armado 26 de Septiembre y, tres meses después, el 29 de diciembre, emboscaron en la vía entre Planadas y Gaitania a una columna de abastecimiento del Ejército. El enfrentamiento dejó 5 soldados muertos, y los guerrilleros se llevaron armas y víveres; en esta, su primera acción ofensiva, se encontraban al mando Carlos Julio Rodríguez, a quien le decían *Televisión*, y Pedro Villalba, veteranos de la guerra de Villarrica que dirigió Juan de la Cruz Varela.

Un antecedente más ocurrió el 2 de marzo de 1964, cuando ya empezaba la operación: en el sitio conocido como el Alto de Chapinero se estrelló una avioneta de Aerotaxi que cubría la ruta de Planadas a Neiva; los guerrilleros se percataron del accidente, llegaron al lugar después de tres horas de camino y se encontraron con un helicóptero de la FAC que acudió a auxiliar a los tripulantes de la avioneta. Hubo un cruce de disparos y los dos militares murieron. La guerrilla secuestró al piloto y copiloto de la avioneta y pidió a la empresa un rescate de $300.000. La negociación duró varios días y finalmente les cancelaron $200.000; fue el primer secuestro por parte de la guerrilla que pronto se llamaría FARC: "Finalmente, en el asalto al helicóptero de la Fuerza Aérea Colombiana, que se disponía a recuperar el cadáver del piloto de una avioneta de Aerotaxi (Capitán Reyes), fue además muerto un suboficial del Ejército (el capitán Hernando López Uribe) y secuestrado el piloto de Avianca (el capitán Tulio Giraldo), por cuyo rescate se cobró la suma de doscientos mil pesos"[294].

Antes del inicio "formal" de la Operación Soberanía, y como parte de esta, llegó a la región la acción cívico-militar, una estrategia contrainsurgente copiada de los manuales gringos y desarrollada por el Ejército colombiano que tenía como finalidad —mediante la atención de necesidades primarias y la acción psicológica— ganarse las mentes y los corazones de los campesinos que servían de apoyo a las autodefensas. Marulanda describió así esa etapa previa, de "ablandamiento" a la población: "Distribución de centenares de miles de hojas volantes y carteles dirigidos a la población, solicitando respaldo para la 'acción civicomilitar', mostrando fotografías, tanto de los dirigentes como de las presuntas víctimas; fotografías de soldados, suboficiales y altos oficiales ayudando al campesino en sus quehaceres domésticos, librándolo de los peligros y asechanzas de los 'bandoleros', prometiendo paz, tierra, escuelas, carreteras, ayudas en general"[295].

La acción cívico-militar censaba a los campesinos y sus animales, hacía labores de inteligencia, controlaba el ingreso de provisiones, arreglaba vías, vacunaba niños, sacaba muelas, cortaba el pelo y distribuía volantes en los que se ofrecían recompensas por los "bandoleros". Manuel Marulanda Vélez era uno de los buscados, el más buscado, por cierto: "Ciudadano, evite el asesinato de honestos campesinos

294 Arturo Alape, *Las vidas de Pedro Antonio Marín, Manuel Marulanda Vélez, Tirofijo*, *op. cit.*, p. 300. Véase también "Asesinados dos oficiales en asalto a un helicóptero", *El Tiempo*, marzo 4 de 1964, p. 27. "Campesinos en el sur del Tolima. Estudio de caso 1960-1965", Aurora Moreno Torres, en: https://dialnet.unirioja.es/descarga/articulo/4015139.pdf

295 Jacobo Arenas, *Diario de la resistencia de Marquetalia*, Bogotá, Ediciones Abejón Mono, 1974, pp. 47-60.

denuncie los bandoleros a las autoridades y gánese la recompensa que el Gobierno ofrece: Pedro Antonio Marín Marín (a. *Tiro Fijo* o *Marulanda*) Cincuenta mil pesos ($ 50.000.00). El Gobierno ha pagado entre otras muchas las siguientes recompensas: Por José William Ángel Aranguren (a. *Desquite*) $ 100.000.00. Por Roberto González Prieto (a. *Pedro Brincos*) $ 50.000.00. Por Marcos Guaraca (a. *Cariño*) $ 20.000.00. Por José Andrés Padilla (a. *Póker*) $ 10.000.00. El dinero se ha pagado, pero nadie lo ha sabido, ni lo sabrá, solo quien dio la información. Queremos su seguridad y la de su familia"[296].

Desde los primeros meses de 1964 aumentó la presión de las autoridades militares sobre las zonas campesinas en el sur del Tolima y en los departamentos del Cauca, Huila y la intendencia del Caquetá, especialmente en las regiones de Marquetalia, Riochiquito, El Pato, Guayabero, y en el Sumapaz: "Todo planificado como una operación de alcance continental 'Latin America Security Operation' —LASO— diseñada en tres etapas: la primera, de guerra psicológica tendiente a infiltrar, cooptar la población y contratar delatores, apoyándose en los Cuerpos de Paz y organizaciones humanitarias; la segunda, bloqueo económico y alimentario del área; y la tercera, de agresión militar abierta de aniquilación"[297]. Tal como habían acordado con anterioridad, los comunistas en las ciudades reaccionaron y levantaron un movimiento nacional e internacional de solidaridad con Marquetalia. El PCC y la JUCO decidieron enviar a dos de sus dirigentes para respaldar el movimiento de autodefensa: por el Partido fue designado Luis Alberto Morantes, que ya usaba el seudónimo de *Jacobo Arenas*, como un homenaje a Jacobo Prías Alape; Arenas era miembro del Comité Ejecutivo del PCC y secretario de Finanzas. El año anterior había estado en Riochiquito como comisario político y había publicado en *Voz Proletaria* crónicas y entrevistas sobre la vida guerrillera. Era un comunista recio, dogmático, de verbo encendido y de risa amplia, siempre enmarcada en un delgado bigote bien cuidado. Por los lados de la JUCO fue más difícil decidir quién debía irse para el monte; la

296 *Voz Proletaria,* N° 229, 14 de mayo de 1964.

297 Javier Giraldo Moreno, S. J., "Aportes sobre el origen del conflicto armado en Colombia, su persistencia y sus impactos", Informe de la Comisión Histórica del Conflicto y sus Víctimas, *Contribución al entendimiento del conflicto armado en Colombia*, *op. cit.*, p. 422.

designación debía recaer en uno de los siete integrantes del Comité Ejecutivo, y cada uno de ellos quería ser el elegido; finalmente escogieron a Hernando González Acosta, quien asumió el seudónimo de *Leovigildo Gutiérrez*. En la madrugada del 10 de abril partieron para la guerrilla, entraron por La Cinta, durmieron donde Mundoviejo, y después de tres días de lluvia y trocha se encontraron frente a frente con el mítico Manuel Marulanda Vélez. A partir de entonces, los destinos de Arenas y Marulanda Vélez estarían ligados.

La Operación Soberanía, bajo el mando de la Sexta Brigada, con el coronel Hernando Currea Cubides al frente, se inició el 18 de mayo de 1964; los generales Gerardo Ayerbe Chaux y Alberto Ruiz Novoa eran el comandante del Ejército y ministro de Guerra, respectivamente. El 27 del mismo mes se produjo el primer combate en un sitio conocido como La Floresta, en la parte media del cañón del río Atá. Para el grupo, que después se denominó Fuerzas Armadas Revolucionarias de Colombia (FARC), esa fue la fecha fundacional oficial, pues simboliza su respuesta a la agresión gubernamental. Frente al ataque, el Secretariado para la Resistencia, compuesto por Manuel Marulanda Vélez, Isauro Yosa, Isaías Pardo, Jacobo Arenas y Hernando González, decidió evacuar a las familias; después se acordó adoptar la guerra de guerrillas móviles: los guerrilleros tenían la ventaja de conocer cada palmo y cada piedra del terreno, contaban con el apoyo de los demás pobladores organizados en una extensa red de colaboradores y amigos, y eso les permitió resistir. Se convino, de igual forma, enviar mensajes para buscar solidaridad nacional e internacional y se determinó unificar la dirección política y militar en un Estado Mayor guerrillero, personificado en la dirección del partido. Mientras tanto, en Bogotá y otras ciudades del país se producían frecuentes atentados con bombas; eran las estructuras comunistas clandestinas que apoyaban a los campesinos de Marquetalia.

El ataque duró hasta septiembre del mismo año. No cabe duda de que hubo asesoría de oficiales de Estados Unidos, al menos en el diseño de los planes de operación y en el oportuno suministro del material logístico. En lo que nunca existió consenso fue en la magnitud de la operación, en el número de efectivos empleados y en el tipo de armamento que se utilizó. Para la guerrilla, en ese entonces y aun ahora, la operación involucró una fuerza combinada de cerca de 16.000 hombres, y participaron la artillería, infantería, ingenieros y la aviación, que incluso usó bombas incendiarias con napalm y bombas bacteriológicas, según denuncias de los propios guerrilleros y pobladores de la región. Según la versión oficial, representada por el entonces coronel Álvaro Valencia Tovar, uno de los más altos oficiales en la conducción de la Operación Soberanía, en ella participaron un total de 2.400 hombres y no se usó napalm ni ningún tipo de arma química o bacteriológica, como se ha dicho. Aseguró también que el "Plan Laso" no existió, o por lo menos que no tenía —según sus palabras— la "connotación de imperialismo yanqui" que le darían "los consabidos radicales de izquierda". Se trataba de una estrategia diseñada por el mayor general Alberto Ruiz Novoa, comandante del Ejército Nacional, llamada Plan Lazo, para unir (por eso lo de "lazo") las acciones del Gobierno y las Fuerzas Armadas con el fin de sustraer a los campesinos de la influencia de los comunistas.

El extenso documento fue elaborado en 1962 bajo el nombre de Plan de Operaciones Lazo y tenía como misión "Emprender y realizar la acción civil y las operaciones militares que sean necesarias para eliminar las cuadrillas de bandoleros y prevenir la formación de nuevos focos o núcleos de antisociales a fin de obtener y mantener un estado de paz y de tranquilidad en todo el Territorio Nacional"[298].

El plan consideraba cinco fases que deberían adelantarse entre junio de 1962 y marzo de 1963. La primera contemplaba acciones preparatorias como el entrenamiento de todas las Fuerzas Militares y de Policía, así como la "iniciación del adoctrinamiento, selección y organización de unidades civiles de autodefensa… y la iniciación de los programas de acción civil". En la segunda fase, se consideraba la ejecución del plan con programas de inteligencia, campañas psicológicas, medidas de control de la población y acciones de información para conocer la identidad y la localización de las "cuadrillas"; en esta fase se iniciaría el entrenamiento de las unidades civiles de autodefensa. La ofensiva se efectuaría en la tercera fase con operaciones de campaña, el aislamiento de las llamadas cuadrillas y operaciones de

298 Plan de Operaciones Lazo, Ejército Nacional, 1962.

búsqueda para dar captura y destruir a quienes abastecían a las cuadrillas. En la cuarta fase se buscaría la destrucción de las cuadrillas y de las fuentes locales de abastecimiento y logística. La quinta fase, de reconstrucción, comprendía programas y actividades que permitieran ambientes políticos, económicos y sociológicos favorables para así impedir que se repitieran las actividades de las "cuadrillas". Se preveía, también, el desmantelamiento de las autodefensas: "Se retienen las unidades civiles de autodefensa con su organización (recogiendo y almacenando el armamento) y pueden ser empleadas en siniestros naturales, programas de acción civil o acción comunal y emergencias militares"[299].

En Marquetalia se utilizó la fuerza en forma desproporcionada frente a un grupo de campesinos mal armados, sin recursos y con una precaria organización; no pasaban de cincuenta individuos, muchos de ellos con sus familias. Sin importar la fuerza que se utilizó, no fue posible derrotar a los guerrilleros. En la mañana del 14 de junio se cumplió la Operación Cabeza: la ocupación y recuperación del diminuto poblado. El teniente coronel José Joaquín Matallana, comandante del Batallón Colombia, dirigió el desembarco aéreo saltando de un helicóptero; junto a él descendieron más de 100 soldados que encontraron vacío el caserío que, en la retirada, fue reducido a cenizas por sus propios pobladores.

Cuatro días después, en una ceremonia cargada de simbolismo y triunfalismo, en presencia de ministros del despacho, del comandante de las Fuerzas Militares, general Gabriel Rebeiz Pizarro, y de altos mandos militares se cantó el Himno Nacional y se izó la bandera de Colombia como muestra del ejercicio de soberanía sobre todo el territorio nacional. De esta forma se consideró recuperada la "república independiente" de Marquetalia, rebautizada entonces como Villa Susana[300]. Las apreciaciones del Departamento de Estado de

299 Ibíd. p.4.

300 Véase: "Marquetalia 35 años después", *Semana*, 28 de junio de 1999, en http://www.semana.com/especiales/articulo/marquetalia-35-anos-despues-seccion-especiales-edicion-891-jun-28-1999/39734 consulta del 18 de julio de 2016. El nombre, en homenaje a la esposa del presidente Valencia.

Estados Unidos diferían radicalmente: "La campaña de Marquetalia está lejos de terminarse. Las principales fuerzas comunistas están en general intactas y el Gobierno solo puede controlar el área a través de incesantes esfuerzos"[301].

Según un informe presentado años después por la revista *Semana*, basado en documentos del Departamento de Estado desclasificados tras el levantamiento del restrictivo sello de *Secreto*, durante el gobierno de Valencia se llegó a considerar seriamente el envío de tropas de ese país a Colombia. Las tensiones políticas, sumadas a la crisis económica y a la consabida protesta social, presagiaban negros nubarrones que hacían prever que el huésped del Palacio de San Carlos, autodenominado el "Presidente de la Paz", no terminaría su período. Había incertidumbre en el Gobierno de Estados Unidos, y consultaron con el embajador Covey Oliver si era procedente proceder. "Estoy en completa oposición a la entrada en Colombia de cualquier personal militar", respondió en un telegrama del 26 de agosto de 1965 y elaboró un documento en el que consideraba la posibilidad de que el presidente Valencia renunciara y se diera un eventual levantamiento de fuerzas de extrema derecha y extrema izquierda. El informe señaló que "a partir de este momento la Embajada empezó una campaña de persuasión dirigida a su Gobierno para lograr la aprobación del envío urgente de helicópteros, equipos de comunicación y el aumento del presupuesto de ayuda militar para el año siguiente"[302].

En los cuarteles generales de la CIA en Washington D.C. había preocupación por los pocos resultados de la Operación Soberanía. El informe semanal del 25 de septiembre de 1964 de la Oficina de Inteligencia Actualizada, que analizaba los países del hemisferio occidental, expresó esa y otras inquietudes:

301 Informe de la Embajada de Estados Unidos en Colombia, junio de 1964. Citado en "Marquetalia vista por los gringos", *Semana*, 31 de mayo de 1999.

302 *Ibid.*

Campaña colombiana anticomunista

El Ejército de Colombia está en el quinto mes de campaña en Marquetalia contra las guerrillas comunistas lideradas por Tirofijo. En mayo, el Ejército ocupó casi el 70% de la región bajo control de Tirofijo, y el público comenzó a esperar una victoria rápida.

Sin embargo, desde mediados de junio, el Ejército no ha ganado terreno y ha sido objeto de críticas cada vez más implacables. Las emboscadas de la guerrilla, las trampas y los francotiradores han causado bajas en el bando del Gobierno. Más importante todavía es el problema de la moral que decae. Algunas críticas radican en la ignorancia de la naturaleza de la campaña y del enemigo.

El Ejército se mueve con lentitud en Marquetalia por varias razones. Las tropas operan en una de las zonas montañosas más accidentadas de Colombia, con altitudes de entre 9.500 y 14.000 pies (2.900 y 4.300 metros). La ausencia de carreteras representa problemas de abastecimiento. Es más, el Ejército ejerce con cierta precaución para evitar la retirada de Tirofijo hacia las cercanías de Riochiquito o Guayabero, donde podría contactar con otras fuerzas dirigidas por los comunistas.

Fuente: Central Intelligence Agency, CIA, Office of Current Intelligence, "Weekly Summary", OCI N° 0350/64, 25 September 1964. The National Security Archive (NSA), Colombia and the United States: Political Violence, Narcotics and Human Rights, 1948-2010, documentos desclasificados de diferentes agencias de seguridad del Gobierno de Estados Unidos.

El problema que para el Estado colombiano era Marquetalia no culminó con la toma protagonizada por el teniente coronel Matallana. En realidad, ahí comenzó. Recién pasada la ocupación se presentaron combates en la región que duraron varios meses hasta cuando, de manera sorpresiva, los guerrilleros decidieron desplazarse hacia Riochiquito. A pesar del cerco del Ejército, la gran mayoría salió hacia allá. Nadie se explicaba cómo la guerrilla hizo un repliegue estratégico por senderos ancestrales que no figuraban —ni figuran aún— en los mapas "oficiales", por la "trocha central", que ellos llamaban: "Era una trocha ancha, estructurado su piso… oculta a la observación aérea… una obra con una magnitud verdaderamente estratégica. Además, con gran acierto, ellos concibieron la trocha de tal manera que no salía propiamente del puro Marquetalia, sino de bien adentro de la selva"[303]. Después hubo muchas emboscadas y contraemboscadas, choques armados, escaramuzas, combates a campo abierto y cuerpo a cuerpo, ametrallamientos, más bombardeos, capturas, heridos y muertos, entre ellos Isaías Pardo, cuñado de Marulanda, como también lo había sido Jacobo Prías Alape. Cuentan que la pérdida de Pardo fue un duro golpe, el más duro durante la operación contra Marquetalia; que muy pocas veces en la vida se le ha visto tan triste a Tirofijo… El *Chiquito* Pardo había ingresado con su padre y todos sus hermanos a la guerrilla después del asesinato de Gaitán. Analistas y estudiosos de estos temas consideran que la Operación Soberanía significó un grave error histórico de las élites nacionales que entregaron a un puñado de campesinos levantados en armas el *leitmotiv* para su desarrollo y existencia.

Pasada la parte más agresiva de toda la operación, el PCC reunió a su Comité Central en el XXX Pleno, entre el 27 y el 29 de junio siguientes; se buscaba hacer un balance de lo ocurrido en las zonas campesinas bajo su influencia y tomar las medidas necesarias para garantizar la conducción del movimiento guerrillero. Con mayor razón, el evento ratificó la combinación de todas las formas de lucha. La XXXI reunión plenaria del Comité Central y el X Congreso del PCC, que se celebró meses más tarde, corroboraron la "combinación" y el paso definitivo a la guerra de guerrillas; las nueve "Tesis sobre el movimiento armado", aprobadas en ese pleno, señalaron el derrotero a seguir: "Entre la lucha de masas y la lucha guerrillera no hay contraposición alguna. La guerra de guerrillas es una de las formas más elevadas de la lucha de masas y solo se consolida y avanza allí donde tiene carácter de masas, donde brota materialmente de las masas, donde expresa sus intereses inmediatos e históricos […] En las zonas agredidas por la política oficial de sangre y fuego que se adelanta con el pretexto de exterminar supuestas 'repúblicas independientes', la acción guerrillera se ha convertido en la forma principal de lucha"[304].

303 General José Joaquín Matallana, en Alfredo Molano Bravo, "50 años de conflicto armado", Ebook, capítulo 5, *El Espectador*, Bogotá, 2016.

304 Tesis sobre el movimiento armado, XXXI Pleno del Comité Central del Partido Comunista, en Eduardo Pizarro, *op. cit.*, pp. 228-230.

La guerrilla de Manuel Marulanda Vélez quedó sana y salva después del ataque a Marquetalia; para demostrarlo, realizó el 20 de julio siguiente una asamblea, que aprobó el *Programa agrario de los guerrilleros,* documento fundacional de lo que, a renglón seguido, serían las FARC, elaborado por el Secretariado para la Resistencia y leído en la reunión por Hernando González Acosta. El programa fijó los puntos de la lucha: por una reforma agraria revolucionaria, por la tierra para quien la trabaja, por créditos y asistencia técnica, educación y salud en el campo, precios básicos para los productos agropecuarios, protección y respeto a las comunidades indígenas y la formación de un amplio frente único del pueblo. "Contra nosotros se han desencadenado en el curso de quince años cuatro guerras. Una a partir de 1948, otra a partir de 1954, otra a partir de 1962, y ésta que estamos padeciendo a partir del 18 de mayo de 1964, cuando los mandos militares declararon oficialmente que ese día había comenzado la Operación Marquetalia"[305]. Los guerrilleros adoptaron la consigna "¡Resistir y vencer!".

En Riochiquito, oriente del Cauca, ya empezaban las dificultades. El cerco militar se fue cerrando sobre Barbacoas, La Ceja, El Colorado, El Palmito y El Quicuyal; en este último sitio fueron asesinadas siete personas, el 6 de mayo, entre ellas Habacut y Jair Trujillo, hijo y sobrino de Ciro Trujillo Castaño, dirigente del movimiento agrario de la región: "Mi hijo nació en la maldita guerra traidora, y así como nació y se desarrolló en ella, en ella entregó su vida", fueron las palabras del líder campesino. La resistencia en Marquetalia influyó notoriamente en Riochiquito; el mayor Ciro, previendo que en algún momento llegaría la acción militar directa, puso en marcha un plan para resistir y pasar al contraataque.

Mientras tanto, en las ciudades, los comunistas organizaban manifestaciones de protesta, y en secreto recolectaban ropa, víveres y medicinas para enviar a los guerrilleros. Los jóvenes de la JUCO formaron sus propios grupos de acción clandestinos; uno de ellos, al que llamaron Justicia Patriótica Juvenil, sería una de las primeras propuestas de guerrilla urbana; en secreto, "sembraban" de bombas las ciudades y hacían propaganda a las guerrillas; los medios de comunicación comenzaron a

305 El Programa agrario de los guerrilleros fue corregido y ampliado por la VIII Conferencia Nacional de las FARC-EP que se realizó entre el 27 de mayo y el 3 de abril de 1993.

registrar ataques dinamiteros por doquier... en esas y otras tareas se fueron cualificando futuros cuadros que contaban con el guiño de algunos dirigentes del partido. Desde el monte, Hernando González los retaba para que asumieran mayor compromiso con el movimiento armado.

La asistencia militar de Estados Unidos a Colombia se canalizaba en ese momento a través de la Agencia de Estados Unidos para el Desarrollo Internacional (USAID, por su sigla en inglés). El ambiente en el país era de mucha tensión; a diario se presentaban atentados dinamiteros. Pocos días antes de la llegada al país del secretario auxiliar de Estado para Asuntos Interamericanos, Mr. Thomas C. Mann, los funcionarios de la División de Seguridad Pública de la Embajada en Bogotá informaron de un intento de atentado con bomba contra sus propias oficinas. El Reporte Mensual de enero de 1965, enviado el 4 de marzo siguiente, precisaba:

> La bomba fabricada con dinamita casera, colocada en el ascensor del *lobby*, afuera de la recepción de USAID el 20 de enero de 1965, estaba programada para explotar a las 6:30 p.m. Una aseadora la descubrió, y esta fue desactivada por el celador del edificio de Seguros Bolívar, en el que se encuentra la sede de la embajada. Junto con la bomba había un montón de folletos con propaganda denunciando la visita del asistente del secretario de Estado, Thomas Mann. En este momento, el DAS está analizando la bomba e investigando el caso. El DAS tomó precauciones especiales, en colaboración con la Policía Nacional, en cuanto a la seguridad del señor Mann durante su estadía.

Fuente: Department of State, *Monthly Report* – Public Security Division, January, Date sent March 4, 1965. The National Security Archive (NSA), Colombia and the United States: Political Violence, Narcotics and Human Rights, 1948-2010, documentos desclasificados de diferentes agencias de seguridad del Gobierno de Estados Unidos.

El 20 de septiembre comenzó el cerco militar contra El Pato y Guayabero, que fueron ocupados por la tropa el 22 de marzo del año siguiente; al igual que en Marquetalia, el ataque militar significó la transformación inmediata de la autodefensa en guerrillas ofensivas que opusieron una tenaz resistencia. Cuando ya Manuel Marulanda Vélez y sus "marquetalianos"[306] se afianzaron como guerrilla móvil,

306 Nombre dado desde entonces a quienes estuvieron en Marquetalia durante los ataques y en la I Conferencia del Bloque Guerrillero del Sur.

decidieron convocar, para finales de septiembre de 1964, en la región de Riochiquito, la primera conferencia guerrillera. Acudieron los grupos más consolidados: Marquetalia y Riochiquito, y los movimientos 26 de Septiembre, Santa Bárbara y 9 de Junio; los de El Pato y Guayabero no asistieron pues tenían el cerco encima, y apenas estaban dando los pasos hacia la conversión en guerrillas. La reunión consideró la importancia de unificar todas esas fuerzas dentro de un solo bloque geográfico, político y militar para actuar a nivel nacional y así desarrollar mejores y más contundentes acciones. Con esos postulados, la guerrilla se denominó Bloque Guerrillero del Sur. Arturo Alape registró en uno de sus libros su propia experiencia, aunque no se identificó; en ese momento, y durante mucho tiempo, a través de sus escritos, fue el historiador de la guerrilla comunista y biógrafo "autorizado" de Manuel Marulanda Vélez. Era, además, responsable de las escuelas de formación en Viotá: "Duramos en la preparación de la conferencia quince días. La reunión duró seis días, tres días se invirtieron en la Asamblea Guerrillera y ocho días en reuniones del Estado Mayor, discutiendo la planeación general y la salida de los distintos destacamentos. Un verdadero foro en la selva, en condiciones difíciles. Más de un mes discutiendo los problemas de la revolución, las experiencias de la lucha, la guerra preventiva y la acción civicomilitar, la política de masas, la construcción del Partido; y la situación del movimiento revolucionario de América Latina"[307].

La conferencia realizó un balance de lo acontecido en Marquetalia y aprobó un plan de organización política y de masas, de educación, finanzas y propaganda, y de accionar armado en esa y otras regiones amenazadas por la presencia militar. Se redefinieron las relaciones políticas entre el PCC y la estructura guerrillera propiamente dicha y se adoptó una dirección político-militar en cabeza de la Dirección del partido. La novena conclusión de la conferencia estableció como principio la necesidad de llevar a cabo una audaz política de frente amplio con otros núcleos en armas que estuvieran enfrentados al Gobierno: "Lo más importante es ayudar a estos grupos a que combatan cada vez más resuelta y eficazmente al enemigo dentro de su propia organización

307 Arturo Alape, *Diario de un guerrillero*, Bogotá, Ediciones Abejón Mono, 1973. pp. 108-109.

y métodos"[308]. La reunión dirigió una carta de reconocimiento a la militancia de la JUCO y ratificó a Marulanda como comandante y a Ciro Trujillo como segundo al mando. Dos hechos preocuparon y enlutaron la reunión: el cerco y avance militar contra El Pato por parte de las tropas del Batallón Colombia, con sede en Melgar, y la información que les llegó sobre la muerte de José A. Castañeda, *Richard*, comandante en jefe del movimiento revolucionario de El Pato; su muerte ocurrió por un accidente al manipular explosivos.

La primera gran acción ofensiva de estos "protofarianos" tuvo lugar el 17 de marzo de 1965 sobre el poblado de Inzá, cuando las autoridades apenas se recobraban de la sorpresa que causó el ataque, el 7 de enero anterior, en Simacota, protagonizado por el ELN. Muchos interpretaron la toma de Inzá como un acto de emulación ante el despliegue que habían tenido las recientes actuaciones de los elenos. Ese día de marzo, los integrantes del Bloque Guerrillero del Sur, comandados por Manuel Marulanda Vélez, incursionaron en esa población caucana luego de una marcha que iniciaron en Riochiquito. La acción pretendía mostrar que la guerrilla no estaba derrotada, que salió fortalecida luego del ataque a Marquetalia y que podía realizar operaciones ofensivas de mayor envergadura. Horas antes, cuando la fuerza calculada en 145 guerrilleros se aproximaba a la población, dieron muerte en un cruce de disparos con la Policía a dos monjas de la compañía de las madres misioneras de María Inmaculada que se trasladaban en una chiva. En la plaza del pueblo concentraron a la gente que, entre asustada y curiosa, no paraba de comentar en voz baja lo acontecido. De inmediato, tanto Marulanda como Jacobo Arenas y Hernando González arengaron a los atónitos pobladores que por allí se encontraban. Después fue el saqueo a la Caja Agraria y a los almacenes para aprovisionarse de todo; luego vendría la retirada hacia Riochiquito atravesando los páramos de Moras y Santo Domingo. El diario *El Espectador* del día siguiente tituló en primera página: "16 muertos en asalto de Tirofijo a Inzá. Alcalde y personero, dos monjas y dos policías entre las víctimas", y resaltaba que fueron 120 los "forajidos" que sometieron a la población[309].

308 Ciro Trujillo, *op. cit.*, p. 78.

309 *El Espectador*, jueves 18 de marzo de 1965, p. 1.

La toma del municipio de Inzá, en el Cauca, fue registrada en el Informe Mensual de marzo de 1965, enviado por la División de Seguridad Pública de USAID en la Embajada de Estados Unidos en Bogotá, a su oficina principal en Washington D.C.; con fecha 27 de abril fue remitido el extenso documento confidencial firmado por Oliver y aprobado por James R. Fowler —director de la División—, en el que hacen su propia interpretación de los hechos:

> A las 3:30 de la mañana del 17 de marzo, cerca del pueblo de Inzá, José Antonio Marín Marulanda (*sic*), alias *Tirofijo*, bandido comunista líder del área de Marquetalia, al mando de aproximadamente 120 bandidos, emboscó un bus que acababa de salir de Inzá, en donde asesinó y mutiló a trece personas, incluidos dos monjas y un agente de la Policía Nacional. Otro agente de Policía saltó por una ventana mientras disparaba. Logró descargar 17 tiros sobre los atacantes antes de que su arma se atascara. Aunque herido, corrió hasta encontrar un teniente del Ejército con veinte soldados. Luego de notificar a estos elementos, fue a reportar a sus superiores. Los bandidos avanzaron hasta el pueblo de Inzá, asesinaron al alcalde, al tesorero, al carabinero y a un agente de Policía Nacional que había salido a investigar el tiroteo. La población se concentró en la plaza y fue arengada por Tirofijo y su segundo al mando, al que se referían como El Cubano. La banda saqueó almacenes de comida, ropa, y otras provisiones, robó dinero a las instituciones financieras, y luego hizo una retirada sin prisa, tomando como rehén a un policía. Este fue liberado luego y reportó sus experiencias. Se cree que el ataque fue preparado en Riochiquito, fortificación del líder comunista Ciro Castaño Trujillo, y que Tirofijo y su banda están de regreso en Marquetalia, a donde llegaron en grupos de a diez. Otro reporte de este incidente se está preparando para su transmisión a AID/W.

Fuente: Department of State, *Monthly Report* – Public Security Division, March, sent April 27, 1965. The National Security Archive (NSA), Colombia and the United States: Political Violence, Narcotics and Human Rights, 1948-2010, documentos desclasificados de diferentes agencias de seguridad del Gobierno de Estados Unidos.

Semanas más tarde, el general Jaime Fajardo Pínzón, comandante general del Ejército, señaló a un grupo de periodistas que "los planes estructurados por los altos mandos militares continúan desarrollándose normalmente y en estos días no se han tenido informes sobre alteraciones del orden público en ningún lugar de Colombia"[310]. En su libro *A lomo de mula*, Alfredo Molano relata que el mismo general Pinzón afirmó "que en ese asalto estaba ni más ni menos que el Che Guevara, que iba bajando hacia Bolivia". Pese a que una versión parecida la recogen otros autores nacionales que hablan de un cubano en la toma de Inzá, se trataría de Hernando González Acosta; los biógrafos del Che Guevara lo ubican por la época —marzo de 1965— en La Habana, en plenos preparativos de su viaje al Congo, que iniciaría unos días después; como diría uno de ellos, "El fantasma del Che galopaba por el planeta"[311]. Ninguno de sus biógrafos, por lo menos los más leídos —Anderson, Kalfon, Castañeda, Taibo—, contempla una referencia a una posible estadía del Che en Colombia por esos años. Mucho tiempo después, en 2014, el periodista colombiano Darío Arizmendi publicó un libro titulado *Gabo no contado*; en el capítulo siete se refiere a la amistad entre el comandante Fidel Castro y el escritor colombiano. En el treinta aniversario del triunfo de la Revolución Cubana —1989—, cuenta Arizmendi, se encontró una noche con Fidel en la casa de Gabo en La Habana: "En una de esas sesiones largas, quizá la misma noche de los tragos cuando se explayó sobre la exportación de la revolución, me increpó: 'Arizmendi, por ejemplo, tú sabes una cosa: el Che Guevara estuvo en el Tolima, fue guerrillero con las FARC en las montañas, porque lo preparamos allá unos meses. En Cuba no se podía por la geografía. Él quería meterse a la guerra de guerrillas para liberar a Bolivia y a Argentina"[312]. Palabras de Fidel, ¡ni más ni menos! Fuentes de las FARC-EP consultadas al respecto niegan esa posibilidad.

Por los mismos días de la toma de Inzá, pero en circunstancias muy distintas, se produjeron los secuestros de Harold Éder, propietario del Ingenio La Manuelita y de grandes extensiones de tierra en el Valle del Cauca, y el de Oliverio Lara Borrero, dueño de la hacienda Larandia,

310 "En Colombia ya no tenemos 'Repúblicas independientes'", *El Colombiano*, 18 de abril de 1965, en http://www.elcolombiano.com/blogs/casillerodeletras/en-colombia-ya-no-hay-republicas-independientes/17925

311 Paco Ignacio Taibo II, *Ernesto Guevara, también conocido como el Che*, Bogotá, Editorial Planeta Colombiana S. A., 2014, p. 651.

312 Darío Arizmendi, *Gabo no contado*, Bogotá, Aguilar, 2014, p. 129.

de 57.000 hectáreas, en el Caquetá. El rapto de Harold Éder obedeció a móviles económicos pero fue ejecutado por un grupo dirigido por Telmo Abilio Fernández, apodado *Tijeras*, con vínculos a lo que ya era el Bloque Guerrillero del Sur, que operaba por los lados del municipio de Corinto, en el Cauca. Ocurrió el 20 de marzo en la casa de la hacienda Santa Elena, tres días después de la toma de Inzá, en la misma región. Éder fue herido en el momento del secuestro y llevado por cerca de treinta hombres que tomaron rumbo a la montaña junto con el mayordomo, a quien liberaron con la exigencia de 2 millones de pesos; a las pocas horas el empresario murió desangrado y su cuerpo fue rescatado de una fosa tres semanas más tarde[313]. En el caso de Lara, el rapto sucedió el 28 de abril de 1965; los captores eran trabajadores de confianza que se lo llevaron y lo asesinaron a machete cuando se sintieron cercados por el Ejército.

Por instrucciones del PCC, la II Conferencia Nacional de Autodefensas tuvo lugar en Viotá los días 25 y 26 de septiembre siguientes; la primera se había realizado en abril de 1961. Asistieron representaciones de El Pato, Sumapaz, Guayabero y el oriente del Tolima. El evento destacó el papel del partido en la denuncia y solidaridad frente a la agresión contra Marquetalia. La ponencia central contempló diferentes temas: las zonas de "reserva" —como sitios para la evacuación masiva de la población desarmada—, la unificación de los grupos guerrilleros, la unidad entre lo político y lo militar, los "renegados" del partido y las posibilidades de la lucha urbana, criticando lo que entonces eran consideradas desviaciones. Al respecto se dijo: "La experiencia del movimiento revolucionario está demostrando que es posible que surja y se desarrolle la lucha armada también en las ciudades. Esta organización debe tomar como base la clase obrera y los sectores combativos más firmes y consecuentes para ser desarrollada, al principio como pequeños grupos que tengan vida y actividad permanentes y que sepan

313 Sobre el caso del secuestro de Harold Éder, véase el texto *Política y armas* de Alejo Vargas Velásquez, Bogotá, Universidad Nacional de Colombia, 1995, pp. 117-151. Vargas hace un estudio de las causas del secuestro, los implicados y capturados, que eran en su mayoría indígenas de la región, y el dirigente departamental del MRL y diputado a la Asamblea Gustavo Mejía, posteriormente uno de los fundadores del Consejo Regional Indígena del Cauca (CRIC) e impulsores de la autodefensa indígena.

tomar la iniciativa para conducir a grandes sectores de masas en los momentos oportunos. Hasta ahora la autodefensa en las ciudades está en un proceso embrionario y es necesario preservarla de tendencias nocivas que impedirán su desarrollo como lucha de masas"[314].

Quince días antes se había iniciado el ataque militar sobre Riochiquito, considerado por su importancia como "la segunda república independiente". Perruzco, uno de los guerrilleros allí presentes, lo dejó escrito en su diario: "Era el 9 de septiembre cuando ordenaron el avance de las tropas contra Riochiquito, una inmensa región, rica en su economía, habitada por centenares de campesinos. Así fue que ese día señalado se dio toque de alarma. ¿Qué era lo que ocurría? Que el enemigo avanzaba sobre esta humilde región, con pasos precipitados, sin saber qué pudiera ocurrir con los colonos de la región. Los campesinos esperaban a los invasores con un talento de organización. Muchos ya no eran meros campesinos agrícolas, tenían otro carácter, eran guerrilleros con sus armas para defenderse. Principiaron los primeros combates, empezaron a agonizar los primeros soldados"[315]. Con base en las lecciones aprendidas de Marquetalia, la operación fue diseñada de manera cuidadosa por los altos mandos militares, conservando el esquema de la acción cívico-militar inicial. El Movimiento Agrario de Riochiquito, con Ciro Trujillo a la cabeza, era el blanco de los ataques de las autoridades y latifundistas caucanos que exigían a viva voz una acción armada. Desde 1964, la región estaba bloqueada económica y militarmente. Con saña, el senador y miembro de la DNL Víctor Mosquera Chaux se empeñaba en acabar con el grupo del "estado soberano de Riochiquito", al que acusaba de servir a las guerrillas de Marquetalia, e incluso de participar en la toma de Inzá. Ante la inminencia del ataque, Trujillo fue enfático en afirmarle al general Gerardo Ayerbe Chaux, comandante general del Ejército, su decisión de resistir: "En Riochiquito, señor general, los mandos militares y el Gobierno van a sufrir una nueva equivocación, porque de la misma manera que hemos defendido con pasión y ardentía la paz, vamos a demostrar

314 Ciro Trujillo, *op. cit.,* p. 105.

315 Arturo Alape, *op. cit.*, p. 76.

de lo que somos capaces si nos es impuesta la guerra"[316]. La acción contra Riochiquito incluyó desembarcos, así como ametrallamientos y bombardeos desde helicópteros y aviones T-33. Los combates y emboscadas se prolongaron durante quince días, y luego la guerrilla se retiró hacia el Tolima y Huila, organizada en siete destacamentos.

Antes de comenzar las acciones gubernamentales contra Riochiquito ingresaron en la región los cineastas franceses Jean-Pierre Sergent y Bruno Muel, acompañados de Pepe Sánchez, interesados en hacer un documental sobre la situación de los campesinos de la zona y el modo cómo las autodefensas se preparaban para responder al ataque. En plena actividad fílmica comenzó la arremetida militar. Todo quedó grabado y, además, registrado en el diario de Hernando González Acosta: "El día 15. Hoy desde las 5:30 de la mañana vuelan aviones por nuestra región. A las seis y veinte minutos de la mañana comienza el bombardeo y ametrallamiento. Participan en esta acción 4 aviones de tipo caza, 4 aviones bombarderos grandes y 3 helicópteros. Bombardean y ametrallan los filos y los lugares donde creen encontrar los guerrilleros. El pueblo, a las 10 de la mañana, fue destruido con bombas Napalm quemando las 32 casas que había. Nuestra avanzada se enfrenta a las tropas y enfrenta el avance. Van a ser las dos de la tarde y no nos dejan descansar, muchas veces nos ha tocado tendernos y regresar a la máquina de escribir. Por hoy no más"[317].

El resultado del trabajo de los franceses, en medio de las familias campesinas que huían de los bombardeos, de las amenazas de enfrentamientos y del vuelo rasante de helicópteros y aviones, fue un documental de diecinueve minutos que se ganó un premio en Francia. En la película, por primera vez, se muestran al mundo lo que sucedía en esa región de Colombia y el rigor de la acción gubernamental; comienza con una fotografía de Hernando y una leyenda que dice: "Esta película está dedicada a la memoria de Hernando González... estudiante colombiano que fue muerto cerca de Riochiquito el 22 de septiembre de 1965"[318]. Terminada su labor casi un mes después,

316 Ciro Trujillo, *op. cit.*, p. 69.

317 Arturo Alape, *op. cit.*, p. 85.

318 Jean-Pierre Sergent y Bruno Muel, "Río Chiquito", versión original de 1965 en francés, en https://www.youtube.com/watch?v=OeMRiZgM5_M

había que sacar a los franceses. Para ello, el Estado Mayor comisionó a Hernando González, quien debía llevarlos hasta Mazamorra, un poblado cercano donde la guerrilla tenía algunas caletas con alimentos, para que desde allí continuaran con una columna hacia la parte plana del Tolima y salieran rumbo a Ibagué. Como el cerco militar ya estaba sobre la zona, Marulanda y Jacobo Arenas acordaron con Hernando encontrarse en Mazamorra. Cuando llegaron, este había partido hacia Riochiquito a buscarlos. Minutos más tarde se escuchó un intenso tiroteo por el filo Los Inocentes: Hernando y sus tres acompañantes cayeron en una emboscada del Ejército. El fuego oficial se concentró sobre él. Cuentan que a Manuel Marulanda lo impactó la noticia: "Me ha dolido hasta el corazón que hayamos perdido un cuadro político para el futuro", fue la frase que soltó frente a Jaime Guaraca. Por su parte, Jacobo Arenas escribió en su diario: "La muerte del querido dirigente de la Juventud Comunista nos dejó atónitos. Ningún otro muchacho de la ciudad, hasta entonces, se había adaptado tanto a la vida con los guerrilleros como él. En la guerrilla tuvo el nombre de Leovigildo Gutiérrez. Aunque había sido comisionado para cumplir labores de educación política entre los campesinos, prontamente aprendió el arte de la guerra y se ganó la amistad y la admiración de todos sus compañeros, repitiendo en el campo lo que había sido en la ciudad, al frente del movimiento estudiantil y juvenil. Hernando tenía apenas veinticuatro años"[319]. Pasados los ataques, los combatientes bajo el mando del mayor Ciro se retiraron hacia la cordillera Oriental con los destacamentos armados de Guayabero y Marquetalia. La orden para todos ellos era dirigirse hacia el cañón del río Duda, en donde realizarían la II Conferencia del Bloque Guerrillero del Sur.

Entre el 3 y el 14 de enero de 1966 se realizó en La Habana la I Conferencia Tricontinental que contó con la presencia de 483 representantes de partidos políticos, guerrillas revolucionarias, movimientos de liberación nacional y organizaciones de 82 países de Asia, África y América Latina. Entre los más importantes dirigentes presentes en el encuentro estaban el chileno Salvador Allende, que lo presidió; el

319 Jacobo Arenas, *Diario de la resistencia de Marquetalia*, *op. cit.*, p. 76.

caboverdiano Amílcar Cabral; Luis Augusto Turcios Lima, de Guatemala; el guyanés Cheddi Jagan; Pedro Medina Silva, de Venezuela; Nguyen Van Tien, de Vietnam; John William Cooke, por Argentina; además de numerosos periodistas y otros invitados. La reunión rindió un sentido homenaje al marroquí Mehdi Ben Barka, integrante del Comité Preparatorio, secuestrado en París por los servicios de seguridad de su país y asesinado en vísperas de llegar a La Habana. En el evento se formó la Organización de Solidaridad de los Pueblos de Asia, África y América Latina (OSPAAAL), que desde entonces tendría un papel preponderante en el apoyo a la lucha armada en los tres continentes. La delegación colombiana era una mezcla de integrantes del PCC y del Bloque Guerrillero del Sur, ya que asistieron, entre otros, Jaime Guaraca y Raúl Valbuena (*Baltazar*) en su representación. El encuentro de la Tricontinental se desarrolló en un momento de mucha tensión en las relaciones entre los cubanos y los soviéticos y los partidos comunistas que seguían fielmente los lineamientos del PCUS; hubo enfrentamientos verbales que denotaban las diferencias entre la nueva izquierda y la llamada "izquierda reformista" que cada vez se alejaba más de las posiciones "guerrilleristas" del Gobierno de Cuba.

Para este momento, el comandante Guevara ya había publicado su extensa carta a Carlos Quijano, editor del semanario uruguayo *Marcha*, quien la dio a conocer en la edición del 12 de marzo de 1965 bajo el título "El socialismo y el hombre en Cuba", una profunda reflexión sobre el papel de los individuos en la construcción del socialismo, "como ser único y miembro de la comunidad". Las palabras del Che fueron faro y guía de quienes militaban en la nueva izquierda en todo el continente: "Déjeme decirle, a riesgo de parecer ridículo, que el revolucionario verdadero está guiado por grandes sentimientos de amor. Es imposible pensar en un revolucionario auténtico sin esta cualidad. Quizá sea uno de los grandes dramas del dirigente; este debe unir a un espíritu apasionado una mente fría y tomar decisiones dolorosas sin que se contraiga un músculo. Nuestros revolucionarios de vanguardia tienen que idealizar ese amor a los pueblos, a las causas más sagradas y hacerlo único, indivisible [...] Los dirigentes de la revolución tienen hijos que en sus primeros balbuceos, no aprenden a nombrar al padre; mujeres que deben ser parte del sacrificio general de su vida para llevar la revolución a su destino; el marco de los amigos responde estrictamente al marco de los compañeros de revolución"[320].

Al finalizar el mandato del conservador Guillermo León Valencia —segundo gobierno del Frente Nacional—, la violencia había recrudecido en todo el país y se vivía, además, una fase de recesión económica; para intentar calmar la situación se recurrió de nuevo a la figura del estado de sitio, esta vez acompañado de medidas tendientes a superar la crisis financiera y presupuestal. En el mismo período, las Fuerzas Armadas ampliaron su influencia en las esferas gubernamentales y en la sociedad, hecho que quedó plasmado en el Estatuto Orgánico de la Defensa Nacional, expedido en diciembre de 1965, que reformó el Ministerio de Guerra, llamado desde ese momento de Defensa. De manera simultánea, se impulsó el sistema de la Defensa Civil como cuerpo paralelo a las Fuerzas Armadas, bajo su orientación; la Policía tuvo su propio Estatuto Orgánico, en concordancia con el de Defensa Nacional. No es casual que toda esa reorganización del concepto de la defensa nacional coincidiera con el desarrollo de la guerra de guerrillas; respondía a la concepción continental de controlar al "enemigo interno" para evitar nuevas expansiones de los llamados "sistemas totalitarios" hacia Occidente.

En las elecciones legislativas del 20 de marzo de 1966 se depositaron 2.939.222 votos —la abstención llegó al 56%—, de los cuales el liberalismo oficialista alcanzó el 38%, equivalente a 1.120.824 sufragios; la sorpresa de la jornada fue la ANAPO, el partido del general Rojas Pinilla, que obtuvo 523.102 votos. Los conservadores ospinistas y laureanistas llegaron a 821.061 sufragios, y el MRL logró 369.957 votos a su favor. Los comunistas, por su parte, variaron de posición frente a la ANAPO: de considerarla un grupo conformado por desclasados, pasaron a reconocer ahora la existencia de sectores populares, democráticos y antioligárquicos, con quienes se podría trabajar en la formación del Frente Democrático de Liberación Nacional. Sin embargo, en esta ocasión, llamaron "a sufragar caudalosamente por las listas populares que apoya el PCC". La significativa votación

320 Ernesto Che Guevara, "El socialismo y el hombre en Cuba", en https://www.marxists.org/espanol/guevara/65-socyh.htm

por la ANAPO le permitió a este partido contar con 18 senadores y 37 representantes a la Cámara. Sin lugar a dudas, se trataba de la fuerza política de oposición con mayor expansión e importancia; en muchos aspectos su discurso se identificaba con las necesidades y el descontento de la mayoría de los colombianos.

El 1° de mayo siguiente fue electo el candidato liberal Carlos Lleras Restrepo como presidente de la República —tercer presidente de Frente Nacional— con 1.891.175 votos; José Jaramillo Giraldo, candidato de la ANAPO, alcanzó 742.131 votos, correspondientes al 28,2% del total: no había duda, la ANAPO se encontraba en pleno ascenso político[321]. En esta ocasión, la abstención subió al 63% del potencial electoral; esa constante en la historia electoral colombiana expresaba que los mandatarios del Frente Nacional eran elegidos por una minoría, que la participación política de los ciudadanos era limitada. Algunos grupos de la izquierda que se manifestaban en contra de las elecciones intentaban capitalizar y explicar la abstención como una expresión política de adhesión a sus tesis en favor de la lucha armada. Una de esas agrupaciones, con dirigentes surgidos de las entrañas del PCC, en el marco de la lucha ideológica entre las líneas pro Moscú y pro China, denominada Partido Comunista de Colombia (Marxista-Leninista), PCC (M-L), estaba en proceso clandestino de organización y preparaba la realización de su primer congreso, al que denominaron X Congreso, en clara competencia con el tradicional Partido Comunista Colombiano.

A estas alturas, cada uno de los grupos que un año atrás conformaron el BGS había ganado en experiencia militar, en número de hombres y armas, en apoyo de las comunidades, y logrado una alta sincronía entre la conducción política que estaba en manos de cuadros del PCC designados para ello y los comandantes y estados mayores de los distintos destacamentos. El Estado Mayor general, dirigido por Manuel Marulanda Vélez, consideró necesario dar un

321 Para estas elecciones presidenciales, la ANAPO —más concretamente el general Rojas— tenía su "gallo tapado"; el 2 de abril dio a conocer el nombre de su candidato a la Presidencia; era José Jaramillo Giraldo, un abogado manizaleño, excelente orador, que había presidido el Congreso de la República en 1946.

paso más que significara fortalecer la unidad, ya que todavía no tenían una buena coordinación en las operaciones guerrilleras, y la conducción del movimiento no funcionaba para todos. El mismo X Congreso del Partido Comunista, realizado en la clandestinidad a finales de enero de 1966, en el municipio de Viotá, ratificó la decisión de realizar la Conferencia Guerrillera, y contó con una amplia representación del grupo, integrada por Jacobo Arenas[322], Isauro Yosa, Martín Cruz y Jaime Guaraca, de Marquetalia; por Riochiquito asistieron Ciro Trujillo y Tobías Lemos; hubo delegados de Guayabero, del Movimiento 26 de Septiembre y de El Pato, de donde llegaron Ezequiel Gallo y uno de sus compañeros, al que llamaban *Víctor*. Los ya curtidos dirigentes guerrilleros fueron recibidos y tratados como héroes por sus camaradas del PC; presentaron un extenso informe de los acontecimientos que se presentaron en Marquetalia, Riochiquito, El Pato, y ahora en Guayabero. En ese espacio de deliberaciones se decidió que los guerrilleros convocaran una segunda conferencia del Bloque Sur: "El camarada Marulanda tomó muy en serio las recomendaciones emanadas del congreso y comenzamos a marchar; bajamos a la jurisdicción del 26 de Septiembre. Los compañeros del 26 de Septiembre nos colaboraron y pusieron guías en esos planes y comenzamos esa travesía; recuerdo que en Dolores casi chocamos con una patrulla del Ejército. El grueso de la gente la llevábamos nosotros; quedaba por fuera Ciro, que estaba por allá por Vuelta Acuña, que iba con unos trece guerrilleros. Así fue como marchamos a esa región de la hoya de Palacios. Llegando a esa región nos pusieron otros guías, nos encumbraron en la Cordillera Oriental y nos mandaron a esas profundidades de la región del Duda, que fue precisamente donde se realizaría la II Conferencia Guerrillera del Bloque Sur y sería constitutiva de las FARC"[323].

A la conferencia llegaron casi todas las estructuras que se consolidaron durante los últimos dos años, un total de 350 combatientes,

322 Jacobo Arenas instaló el X Congreso comunista en nombre del Comité Ejecutivo Central; en su discurso señaló la importancia del encuentro, cuando el movimiento armado de la resistencia registraba ya un alto desarrollo.

323 Jacobo Arenas, *Diario de la resistencia de Marquetalia*, Bogotá, Editorial Abejón Mono, 1973, pp. 135-138.

aproximadamente: Manuel Marulanda Vélez, junto con Jacobo Arenas y los marquetalianos, los de mayor prestigio y experiencia; Ciro Trujillo y los hombres de Riochiquito; los integrantes de las autodefensas del Guayabero y los del Movimiento 26 de Septiembre, y un pequeño grupo al mando del liberal José de Jesús Rojas Rivas, *Cartagena*, acusado posteriormente de provocador y delator. El propósito era unificar bajo un solo Estado Mayor las distintas fuerzas que estaban en resistencia: "El Estado Mayor que habíamos creado en Marquetalia solamente tenía jurisdicción sobre los guerrilleros procedentes de allí, y en consecuencia se hacía urgente fundir todos los comandos en un solo Estado Mayor y desarrollar el plan previsto para la nueva fase que se abría"[324].

Los asistentes a la Conferencia eran, en su gran mayoría, campesinos, algunos pequeños propietarios, otros asalariados; la excepción la constituyeron unos pocos hombres de ciudad, entre ellos Jacobo Arenas, dirigente del grupo desde tiempo atrás; Arturo Alape, vinculado a la guerrilla de Guayabero; y el *Flaco* Jaime Bateman Cayón, delegado por la JUCO. Se destacó también la presencia de un médico barranquillero llamado Jaime Velásquez García, quien competía en estatura con Bateman; fue el autor de un libro que circuló profusamente años más tarde, llamado *Contrainsurgencia y guerra revolucionaria*, un verdadero manual sobre la guerra de guerrillas que fue editado en París, en 1971, bajo el seudónimo de Pablo Torres y prologado por el dominicano Juan Bosh. En 1970, Velásquez se vinculó en Ecuador al naciente Movimiento Revolucionario Rumiñahui, MRR: "Un viernes 4 de diciembre de 1970 se hizo la primera acción militar del movimiento, que fue la incursión a la sucursal del Citybank en Quito. La acción fue exitosa, se la ejecutó con la disciplina y táctica aprendida en la militancia y gracias a la supervisión militar de hombres experimentados como Jaime Velásquez García. Sin embargo, la tragedia estaba a la vuelta de la esquina. El 19 de diciembre el médico colombiano fue emboscado por un grupo militar de élite en su domicilio en Quito (calle Caamaño y Avenida Colón), y fue baleado cuando estaba indefenso"[325].

324 Véase FARC-EP, "Manuel Marulanda Vélez, el héroe insurgente de la Colombia de Bolívar", s./f. p. 232.

325 Relato inédito de Raúl Borja enviado al autor el 17 de mayo de 2019.

Desde mediados de abril arribaron los distintos destacamentos guerrilleros a La Francia, un pequeño caserío en el cañón del río Duda, donde estaban antiguos guerrilleros de Villarrica. Allí se hizo la reunión. Marulanda llegó con una lesión por una bala en el brazo derecho, una de las pocas veces que lo hirieron.

Con las palabras inaugurales de Jacobo Arenas y de Manuel Marulanda Vélez, y un homenaje al cura Camilo Torres, muerto en combate dos meses antes como integrante del ELN, el lunes 25 de abril de 1966 se inició la II Conferencia del BGS. Jacobo presentó el saludo del PCC y las conclusiones de su reciente X Congreso, además del análisis de rigor, que se incluyó en la Declaración Política: "La Segunda Conferencia Guerrillera del Bloque Sur se ha reunido para estudiar la situación política nacional y las perspectivas de la lucha revolucionaria, frente a los planes del imperialismo yanqui de apoderarse definitivamente de nuestro país, engullirse lo que queda de industria nacional, el comercio y el trabajo de todos los colombianos, suprimir la fuerza, los últimos vestigios de libertad, oprimir aún más bajo su bota a todos los trabajadores de la ciudad y el campo, someternos con mayor fuerza al hambre, a la desocupación, a la miseria y al terror"[326]. Por su parte, Marulanda presidió todo el evento y señaló las necesidades para el grupo en esta nueva etapa: Estado Mayor único, nuevo plan de acción, reglamento y estructura militar y orgánica para el movimiento. En la mesa directiva estaban el mayor Ciro, Jacobo, Isauro Yosa y Juan de la Cruz Varela. La estrategia que definieron insistió en la necesidad de asumir la concepción de guerrilla ofensiva, rompiendo así la modalidad de autodefensa que caracterizó las luchas anteriores; se afirmó que el proceso sería de largo tiempo por el triunfo de la revolución y la toma del poder, y que para ello debían contar con revolucionarios profesionales. La conferencia estudió la conveniencia de adoptar un nuevo nombre para el grupo guerrillero, un nombre que recogiera esa tradición de lucha y resumiera los dos últimos años de guerra de guerrillas; por unanimidad se adoptó el nombre de *Fuerzas Armadas Revolucionarias de Colombia, FARC.* Manuel

326 "Declaración política de la II Conferencia Guerrillera del Bloque Sur", véase el anexo 1.

Marulanda Vélez fue designado comandante del Estado Mayor, y Ciro Trujillo, segundo al mando.

En términos de la nueva estructura organizativa aprobaron el estatuto de reglamento de régimen disciplinario y las normas de comando; aparecieron los comandantes de escuadra, que dirigían grupos de 12 hombres; los comandantes de guerrilla, al mando de 25; los comandantes de compañía, con 50 hombres, y los comandantes de destacamento. Se eliminaron los grados militares y los apodos vigentes desde los años cincuenta; a partir de entonces, al mayor Ciro le dirían comandante Ciro, y a Marulanda no le volverían a decir Tirofijo, sobrenombre que nunca le gustó. La conferencia culminó el 5 de mayo; la declaración política emanada del evento fue un documento bastante escueto que resalta el paso de la autodefensa a la guerrilla. Dice en su párrafo final: "Frente a todo lo anterior los destacamentos guerrilleros del Bloque Sur nos hemos reunido en esta conferencia y constituido las Fuerzas Armadas Revolucionarias de Colombia, FARC, que iniciarán una nueva etapa de lucha y unidad con todos los revolucionarios de nuestro país, con todos los obreros, campesinos, estudiantes e intelectuales, con todo nuestro pueblo, para impulsar la lucha de las grandes masas hacia la insurrección popular y la toma del poder para el pueblo"[327]. Arturo Alape relató sus apreciaciones sobre la conferencia en el libro ya citado: "La Segunda Conferencia del Bloque Sur ha terminado. Ahora todas las fuerzas están unidas bajo la dirección de las FARC. Un mes largo convivimos en medio de los combatientes de Marquetalia, Riochiquito, Pato, Guayabero, 26 de Septiembre. Las charlas, las discusiones, las anécdotas. La amistad profunda que une a los revolucionarios. Por fin, después de mucho tiempo, conocimos la voz hermana. Salieron a relucir pasajes de sus vidas, en momentos apacibles y en estado de furor"[328].

La Segunda Conferencia del Bloque Guerrillero del Sur y la fundación de las FARC a partir de entonces no pasaron desapercibidas para el Gobierno de Estados Unidos:

327 *Ibid.*

328 Arturo Alape, *op. cit., p.* 119.

Entre el 25 de abril y el 1° de mayo de 1966 tuvo lugar el II Congreso Revolucionario en la población de Sumapaz, Cundinamarca, cuyo propósito era unificar todas las fuerzas guerrilleras independientes en lo que los comunistas llaman Bloque Sur, un área que comprende los departamentos de Huila, Cundinamarca, Tolima, Meta y la intendencia de Caquetá. Estos son los departamentos en los que las llamadas Repúblicas Independientes han existido por varios años. Han tenido una orientación comunista, y se ha practicado un sistema de gobierno comunal, colectivizado [...]

Poco después de que finalizara el segundo congreso se dio a conocer una declaración conjunta con el propósito de anunciar que, a partir de ese momento, las FARC se graduaban como una fuerza regular y que podían y serían capaces de una confrontación con otra fuerza regular. Desde entonces, estas bandas se han tornado más agresivas. Por ejemplo, hace dos semanas, una patrulla armada, compuesta por cincuenta soldados, fue emboscada y se vio envuelta en un tiroteo. Como resultado, hubo quince soldados muertos y quince heridos. El 6 de septiembre, la Compañía Pantera, una unidad muy resistente, compuesta por un total de 120 hombres entre oficiales del Ejército y carabineros de la Policía, fue emboscada en Jaramillo, Huila. El resultado: dos soldados y dos guías civiles fueron asesinados y un carabinero herido.

La situación se ha tornado seria para el Ejército y la Policía, al punto que deberán actuar con rapidez para contraatacar el creciente poder de las bandas. El Ejército y la Policía recomendaron llevar a cabo pronto una acción ofensiva, pues cabe la posibilidad de que las bandas retomen la iniciativa. Un factor importante que tuvieron en consideración las Fuerzas Armadas es el hecho de que, durante su congreso, las FARC establecieron que cualquier acción guerrillera se acompañaría de un programa socioeconómico, siendo el objetivo el establecimiento de una base sólida. Esto es, cooperación y aceptación de las bandas por parte del campesinado.

Se tomaron medidas con rapidez con la Operación Cometa: el Ejército hará arduos esfuerzos para eliminar de una vez por todas las bandas. La operación entró en vigencia el 11 de septiembre. Esta operación tiene la aprobación del presidente Lleras, de los gobernadores de los departamentos donde se llevará a cabo y, lo más importante, de las Fuerzas Armadas de Colombia [...]

Todo el personal que pertenece a los dos escuadrones, y los Granaderos, fueron entrenados personalmente por asesores de Seguridad Pública de USAID en tácticas de combate contra guerrilla en su base de Suba, en Bogotá, y en El Espinal, en Tolima. Antes del 9 de septiembre, las armas principales del Comando de Policía eran el San Cristóbal y el Madsen, ambos en poca cantidad. Alrededor de 550 carabinas M-1 de calibre punto 30 le fueron despachadas por USAID al Comando. El comandante de Policía prometió que las distribuiría al personal de los puestos de avanzada tan pronto como llegaran.

Fuente: Department of State, *Monthly Report* – Public Security Division, September, sent November 4, 1966. The National Security Archive (NSA), Colombia and the United States: Political Violence, Narcotics and Human Rights, 1948-2010, documentos desclasificados de diferentes agencias de seguridad del Gobierno de Estados Unidos.

El nuevo método militar de las nacientes FARC contemplaba expandir la guerrilla a otras áreas del país. Era básicamente un plan de acción con mucho despliegue de fuerza; para ello se distribuyeron en seis destacamentos, dirigidos cada uno de ellos por Ciro Trujillo, Joselo Lozada, Carmelo López, Rogelio Díaz, José de Jesús Rojas y Manuel Marulanda en compañía de Jacobo Arenas, quienes marcharon con un grupo de cincuenta hombres a la región del río El Pato, donde tenían planificado integrar a los guerrilleros de esa zona, comandados por Januario Valero, y formar un nuevo destacamento con los combatientes que no pudieron asistir a la conferencia. Joselo se desplazó hacia la cordillera Central; otros destacamentos marcharon al Huila y al centro del Tolima, por los lados de Ortega.

A Ciro Trujillo le correspondió salir hacia el sur de Caldas —la región que ese mismo año sería nombrada departamento del Quindío— con el grupo más numeroso y la mayoría de las armas, que para el momento eran fusiles de perilla, unos pocos FA, uno que otro M1, revólveres y algunas metralletas y escopetas hechizas. Este fue el primer "desdoblamiento" de un frente que se trasladó hacia una zona nueva[329]. Ciro reconocía que era un hombre difícil como mando, con un carácter bastante explosivo y por lo general demasiado tolerante con la gente nueva, lo que le acarreaba muchos contratiempos con los guerrilleros curtidos o en el Estado Mayor. Era común que los combatientes estuvieran de acuerdo en que era un mando de trato afable, que no creaba barreras con sus subalternos. Tenía una estampa inconfundible: cuerpo mediano y grueso, rostro ovalado con la frente amplia, bigote delgado

329 Esta táctica sería muy utilizada posteriormente: cuando un frente se consolidaba en una región, daba origen a otro frente con hombres, armas y apoyo en general.

y bien pulido, sombrero de ala ancha; en ocasiones se le veía montando un hermoso caballo. Con el correr del tiempo había ganado respeto como cuadro político y militar destacado aunque, como la mayoría de sus compañeros en esa etapa incipiente, carecía de una concepción estratégica. Ciro y sus hombres, en particular, pagaron caro ese proceso de aprendizaje inicial.

La marcha de la columna hacia el sur de Caldas se inició la tercera semana de mayo. Se trataba de cruzar el departamento del Tolima por la parte central, atravesar el río Magdalena y el municipio de Roncesvalles para entrar en lo que hoy es el Quindío por el páramo de Cumbarco, a donde había convocado a otros mandos de destacamentos con sus tropas; cuando en octubre llegó al área de operaciones, concentró una fuerza guerrillera bastante importante. Nunca fue claro por qué se tomó esa decisión. Lo cierto es que rápidamente los detectaron, y el Ejército lanzó sobre ellos amplias y sostenidas operaciones durante los meses siguientes. La situación más grave se le presentó en abril de 1967, cuando uno de sus grupos fue detectado por unidades del Batallón Vencedores de Cartago, muy cerca de ese municipio, en el norte del Valle. Los enfrentamientos duraron varios días y finalmente el grupo fue diezmado. Durante las operaciones se produjeron muchas capturas, y los detenidos, en su mayoría miembros del Partido Comunista, fueron sometidos a torturas. El caso de Mariela López Rendón, campesina de Montenegro y colaboradora de las FARC, fue muy publicitado, por la crueldad como fue tratada cuando estuvo detenida. El plan de respuesta no estaba diseñado para una fuerza tan grande, sino para grupos de guerrilla muy móviles. Por eso, en el desordenado repliegue, perdieron hombres y el 70% de las armas. Ahí murió, por ejemplo, José Gabriel Ruiz, *Joselito*, uno de los primeros guerrilleros de Guayabero. De la época son el asalto al campamento en La Legiosa (municipio de Chaparral, en el Tolima) y la muerte de Carmelo Perdomo, conocido como el teniente *Gilberto López*, secretario nacional de Finanzas y miembro del Estado Mayor. Junto con él cayeron Norberto Saín, Dagoberto, Jerónimo y Myriam Narváez, guerrillera marquetaliana, firmante del Programa Agrario, primera mujer que murió en combate como integrante de las FARC.

En la historia de esta guerrilla no hubo otro descalabro militar de la magnitud del que se presentó con la columna de Ciro Trujillo en el Quindío, sumado a los golpes que recibieron simultáneamente los destacamentos de Joselo, en la cordillera Central; Abanico, en el norte del Tolima; Cesario Bahamón, *Arrayanales* —reemplazante de Ciro—, en Piedra de Moler, una zona del Viejo Caldas; y el ya señalado teniente Gilberto. En análisis posteriores, Marulanda diría que el problema había sido que todo el mundo sabía dónde vivía la guerrilla y cuáles eran sus planes, que no se cumplió con aquello —fundamental— de la movilidad y la clandestinidad. Calificaba esos fracasos no como mayor capacidad del Ejército ni como debilidades de sus propias fuerzas, sino como resultado de no cumplir los planes y violar las normas de disciplina, era "la práctica de una guerrilla muy liberal…; sin cumplirse los lineamientos de una guerrilla móvil y muy clandestina", señaló en la III Conferencia de las FARC, realizada en 1968 en la región de Guayabero[330]. Otros conceptuaron que, como el campesinado de la Zona Cafetera acababa de salir de la etapa del bandolerismo, se entusiasmó poco con el nuevo fenómeno de violencia.

El liberal Carlos Lleras Restrepo se posesionó el 7 de agosto de 1966. De Valencia heredó el estado de sitio vigente a partir del 21 de mayo del año anterior. Lleras implantó de entrada medidas restrictivas al derecho de reunión (Decreto 2.285) y a expresiones consideradas "subversivas", como el cierre de vías públicas o la inscripción de letreros —consignas— o frases "injuriosas" que incitaran a turbar el orden público. La mayoría de estas medidas tenía como fin acabar con la protesta universitaria, a la que el Presidente llamó "guachafita"; para ello, ya había expedido el Decreto 2.128, que prohibía las huelgas estudiantiles. La pelea del Presidente con los estudiantes apenas comenzaba. El lunes 24 de octubre tuvo la brillante idea de visitar la Universidad Nacional en compañía del banquero norteamericano John D. Rockefeller con el fin de inaugurar un laboratorio de investigaciones veterinarias. El repudio fue general, los visitantes fueron expulsados de

330 Véase FARC-EP, "Manuel Marulanda Vélez, el héroe insurgente de la Colombia de Bolívar", s./f. p. 234.

los predios por estudiantes, trabajadores y profesores que les arrojaron tomates, consignas y piedras. Miembros del Ejército acudieron en auxilio del Presidente y su ilustre visitante, allanaron la Universidad y la sede de la FUN y detuvieron a casi un centenar de estudiantes. La respuesta gubernamental buscó descabezar el movimiento estudiantil, en particular, liquidar la FUN: el Decreto 2.687 declaraba cesante el Consejo Superior Estudiantil de la Universidad Nacional y suspendía de sus funciones a los dos representantes de los estudiantes en el Consejo Superior Universitario; además, autorizaba medidas para garantizar el orden en el claustro. Los detenidos fueron más de 100; finalmente, a seis estudiantes que permanecieron en la Cárcel Distrital los sometieron a consejos de guerra, y, por la presión del movimiento, los cobijó una amnistía el año siguiente[331].

Según el Gobierno Nacional, como siempre se dijo, existía una conjura internacional. En su lucha contra los grupos subversivos, este adoptó nuevas disposiciones que limitaban las libertades

Conferencia Nacional de Guerrilleros

Conferencia N°	Fecha y sitio	Temario
I Conferencia del Bloque Guerrillero del Sur	Septiembre de 1964, en Riochiquito	Se constituyó el Bloque Guerrillero del Sur (ubicado en el sur del Tolima y en la confluencia de los departamentos de Huila, Cauca y Valle).
II Conferencia del Bloque Guerrillero del Sur	Entre abril 25 y mayo 5 de 1966, en la región del río Duda	Constitutiva de las FARC. Se discutieron un reglamento interno y aspectos estatutarios, de régimen disciplinario y normas de comando. Se dio un nuevo plan militar nacional.
III Conferencia de las FARC	Del 14 al 22 de abril de 1969, en la región del río Guayabero	Se examinó a fondo la situación que se presentó con el destacamento de Ciro Trujillo.

331 Decreto 2.090 del 15 de noviembre de 1967.

individuales. Prohibió, por ejemplo, visitar Cuba; autorizó al DAS a elaborar listas de ciudadanos considerados sospechosos de estar vinculados con actividades subversivas, y al Ministerio de Gobierno, a cancelar la licencia a aquellas publicaciones que atentaran contra la paz pública. Una constante durante el "Gobierno de Transformación Nacional" fue el hecho de considerar "subversiva" toda expresión de inconformidad y protesta. Para ese momento, el Gobierno ya tenía informaciones ciertas sobre un nuevo grupo que se organizaba en el noroeste del país con el propósito de iniciar la lucha armada. Se trataba de militantes del Partido Comunista de Colombia (Marxista-Leninista) que se habían adentrado en la región de los ríos Sinú y San Jorge, en los límites de los departamentos de Córdoba y Antioquia. Desde el año anterior contactaban a dirigentes campesinos y a algunos viejos guerrilleros liberales que se mostraron dispuestos a retomar las armas y conformar el grupo que pronto se conocería como Ejército Popular de Liberación (EPL).

Observaciones
Asistieron las autodefensas de Marquetalia, Riochiquito, y los movimientos 26 de Septiembre, Santa Bárbara y 9 de Junio. Se ratificó a Manuel Marulanda Vélez como comandante y a Ciro Trujillo como segundo al mando.
"Nos hemos unido en esta conferencia y constituido las Fuerzas Armadas Revolucionarias de Colombia, FARC, que iniciarán una nueva etapa de lucha y unidad con todos los revolucionarios de nuestro país, con todos los obreros, campesinos, estudiantes e intelectuales, con todo nuestro pueblo". Ratificado el Programa Agrario de los guerrilleros del 20 de julio de 1964. Para las FARC, se convierte en la Ley 001.
Nuevo frente en Antioquia, sería el Frente 4. Se constituye la escuela nacional de formación ideológica y para el estudio de la "guerra preventiva" y la "guerra del pueblo", con base en la experiencia internacional.

Conferencia Nº	Fecha y sitio	Temario
IV Conferencia de las FARC	20 al 29 de abril de 1971, al margen del río Coreguaje, en la región de El Pato, Caquetá.	Reajuste del Estado Mayor y de todo el mando, nuevas promociones y una redistribución de las fuerzas guerrilleras. Nuevos planes militares.
V Conferencia de las FARC	4 al 10 de septiembre de 1974	Disponibilidad de una fuerza guerrillera semejante a la que se hizo presente por intermedio de sus delegados en la Segunda Conferencia.
VI Conferencia de las FARC	18 al 26 de enero de 1978	Cinco meses de preparación; se llevó a los diversos frentes, además de las tesis, los proyectos de Estatutos, el Reglamento de Régimen Disciplinario y las Normas Internas de Comando.
VII Conferencia de las FARC-EP	Mayo 4 al 14 de 1982, en la quebrada La Totuma, Meta, región del Guayabero	Se formula el Plan Estratégico para la toma del poder, al que luego se le llama "Campaña Bolivariana por la Nueva Colombia"
VIII Conferencia de las FARC-EP	27 de mayo al 3 de abril de 1993, Guaviare	Participan delegados de los sesenta frentes que ya tenía el movimiento. Se presenta la "Plataforma para un gobierno de reconstrucción y reconciliación nacional". Declaración Política: "Nuevo gobierno para alcanzar la paz"
IX Conferencia de las FARC-EP	9 de abril de 2007 (virtual). Reuniones por bloques y por frentes.	Declaración política: "Por la Nueva Colombia, la Patria grande y el socialismo"
X Conferencia de las FARC-EP. ÚLTIMA	Del 17 al 23 de septiembre de 2016. Llanos del Yarí, municipio de San Vicente del Caguán	Ratificación del Acuerdo General para la Terminación del Conflicto y la Construcción de una Paz Estable y Duradera en Colombia

Elaboración del autor con base en la bibliografía y otras fuentes citadas.

Observaciones
Formación de los frentes V en el Magdalena Medio y VI en el Cauca. "En el futuro, o comenzando desde ahora, toda nuestra política, nuestros lineamientos deben ir enderezados a golpear las partes nerviosas del país". MMV.
Hasta la V Conferencia pudo decir Manuel Marulanda Vélez: "Ahora sí cálculo que nos hemos repuesto de esa terrible enfermedad que casi nos liquida a todos; es decir, volvimos a ser más o menos, la misma guerrilla anterior [...]", refiriéndose a la derrota sufrida por Ciro Trujillo en el Quindío en 1966-1967.
Se constituye el Secretariado de Estado Mayor Central. Jaime Guaraca, segundo al mando. Se aprueban las Normas Internas de Comando
Delegados de 27 frentes, cerca de 100 participantes Se constituyen como FARC-EP (Ejército del Pueblo). Desdoblamiento de frentes.
Nuevo Estado Mayor Central de siete miembros: Manuel Marulanda Vélez, Raúl Reyes, Alfonso Cano, Timoleón Jiménez, Iván Márquez, Jorge Briceño y Efraín Guzmán. Se establecen bloques, comandos conjuntos, columnas y compañías móviles. Guerra de movimientos. "Comandante Jacobo Arenas estamos cumpliendo" "En las FARC-EP es obligatoria la planificación familiar. La Conferencia recomienda el uso del anticonceptivo NORPLAN, salvo prescripción médica autorizada" (de la Declaración Final). Ruptura con el Partido Comunista Colombiano
"Plan Renacer de Masas"
Convocada el 27 de agosto de 2016. Participaron 200 delegados, entre ellos 29 integrantes del Estado Mayor Central y 50 invitados nacionales e internacionales Se vota el SÍ a los acuerdos firmados en La Habana. Aprobada la conformación de un partido político.

El Partido Comunista de Colombia (Marxista-Leninista), el EPL y sus luchas contra el "revisionismo"[332]

En las filas de Partido Comunista Colombiano —como aún se llamaba— surgieron voces críticas y disidentes a partir del conflicto chino-soviético, que se agudizó en 1961 con la ruptura entre los comunistas de Moscú y los maoístas, cuando Chou En-lai, en representación del Partido Comunista de China, abandonó las sesiones del XXII Congreso del PCUS con duras críticas a Nikita Jruschov y al modelo político de coexistencia pacífica con Estados Unidos como principal país capitalista y cabeza del imperialismo. Los ataques en el seno del PCC se centraban en los dirigentes a los que acusaban de "traidores", "burócratas", "pacifistas" y "reformistas", por empeñarse sistemáticamente en la revisión —por eso lo de *revisionistas*— de los principios del marxismo-leninismo, por defender la campaña de "desestalinización" que se adelantaba en la URSS en contra de los aportes y el legado de Stalin y por su falta de compromiso con las formas superiores de lucha —léase guerra popular prolongada, tesis maoísta—, pese a que los comunistas apadrinaban y estaban comprometidos con las FARC.

Como se indicó en páginas anteriores, estos debates condujeron a la expulsión de algunos dirigentes del PCC que serían quienes darían forma a la organización que a partir de 1964 se conocería como Partido Comunista de Colombia (Marxista-Leninista), PCC (M-L). Aunque se ha dicho que en 1958 ocurrió la primera expulsión de un maoísta, Pedro León Arboleda, entonces periodista del diario *El Relator* de

332 Para estudiar la historia del PCC (M-L) y del EPL es necesario recurrir al libro *Para reconstruir los sueños*, de Álvaro Villarraga y Nelson Plazas, así como a los textos de Fabiola Calvo, *Diez hombres, un ejército* y *Colombia: EPL, una historia armada*. Los libros de Fabio López de la Roche, *Izquierdas y cultura política. ¿Oposición o alternativa?*; de María Victoria Uribe, *Ni canto de gloria, ni canto fúnebre*; y de Olga Behar, *Las guerras de la paz*, son importantes en las narraciones e interpretaciones de la historia de esta organización; así mismo, las entrevistas a Óscar William Calvo y Ernesto Rojas, realizadas por Jaime Montoya Candamil, que figuran en su libro *En pie de guerra*. Los documentos internos del EPL y del PCC (M-L) consultados hacen parte del centro de documentación de la Fundación Cultura Democrática http://www.fundacionculturademocratica.org. Importante también la consulta a las páginas web del Partido Comunista de Colombia (Marxista-Leninista) http://www.pcdecml.org y del Centro de Documentación de los Movimientos Armados, CEDEMA http://www.cedema.org

Cali, no está claro que en ese momento sus inclinaciones ideológicas se acercaran al pensamiento del camarada Mao. Afirman Villarraga y Plazas, en su libro *Para reconstruir los sueños*, que esta expulsión fue "porque se manifestó abiertamente contra la posición de que se había cerrado, en el mundo, la etapa de las luchas armadas"[333].

Las primeras expulsiones "oficiales" datan de septiembre de 1963, cuando el 29 Pleno del Comité Central del PCC resolvió sacar de sus filas a Carlos Arias y a Pedro Vásquez Rendón; este último envió una extensa carta al partido, con fecha del 3 de diciembre, cuestionando la medida y señalando las "desviaciones" del PCC, que se manifestaban en sus alianzas con la burguesía, la participación electoral, la política de autodefensa para el movimiento campesino porque impedía el avance de la lucha guerrillera, y las críticas que el partido hacía a las revoluciones Cubana y China: "Soy testigo de que ustedes no solo se equivocan frente a los problemas nacionales, como lo reconocen a veces y con bemoles, después de cada bandazo quinquenal, y que detestan la discusión de carácter ideológico porque siempre los pone en peligro de que se vea su esencia revisionista. Partidos para esperar la revolución no son revolucionarios sino evolucionistas, es decir, burgueses. Y las luchas populares, aún armadas, para conservar la situación existente, como las que ustedes plantean al erigir la autodefensa en forma superior de lucha, no son revolucionarias sino conservadoras"[334]. Posteriormente, la "purga" llegaría a la JUCO, cuando el V Pleno del Comité Central, realizado en febrero de 1964, decidió la expulsión de Francisco Garnica, destacado dirigente juvenil en el Valle, y de Víctor Medina Morón, de Santander, a la postre uno de los fundadores del ELN; de igual forma, sancionó con expulsión a Fred Kaim, Uriel Barrera, Édison Lopesierra y Libardo Mora Toro[335]. Tanto en el partido

333 Álvaro Villarraga y Nelson Plazas. *Para reconstruir los sueños (Una historia del EPL)*, Bogotá, Fundación Progresar, Fundación Cultura Democrática, 1994 p. 33.

334 Pedro Vásquez Rendón, carta al Comité Ejecutivo del Comité Central del Partido Comunista de Colombia, Santa Marta, diciembre 3 de 1963, en *Los fundamentos del revisionismo*, Medellín, Ediciones Proletarias, 1973.

335 Destacado atleta colombiano: en los VI Juegos Deportivos Nacionales, realizados en Santa Marta en 1950, ganó cuatro medallas de oro; hizo parte del grupo que se entrenó militarmente en Cuba en 1962, del cual salió la Brigada Pro Liberación Nacional José Antonio Galán, antecedente inmediato del ELN.

como en su brazo juvenil, las expulsiones se contarían por decenas en meses posteriores, debilitando los regionales de Magdalena, Bolívar, Valle y La Guajira.

Los expulsados, junto con integrantes de otras corrientes políticas de izquierda que estaban en proceso de disolución o ya extinguidas, como ARCO, Juventudes del MRL y MOEC, conformaron, en las primeras semanas de 1964, el CIMREC, que buscaba la unidad de acción de todos los marxistas-leninistas-maoístas en un solo partido y adelantar la lucha armada bajo la estrategia revolucionaria de la guerra popular prolongada puesta en práctica por Mao en la China y aplicada con éxito en el Sudeste Asiático con la incorporación masiva del pueblo en la lucha. El dirigente más destacado de los ML[336] era Pedro Vásquez Rendón por su experiencia anterior en el partido y su condición de comisario político en las primeras autodefensas en el Tolima, en 1950. Un "camarada" de aspecto bonachón y siempre de buen humor. Junto a él había cuadros destacados como el periodista Arboleda y Garnica, organizador nato —aparte de ideólogo—, con trabajo social en algunas regiones del Valle.

Fue precisamente Pacho Garnica uno de los primeros ML en teorizar sobre la importancia de conformar el PCC (M-L) como un partido de cuadros, clandestino, selecto y secreto, de tipo bolchevique, con dirección colectiva, en síntesis, un partido radicalmente distinto al PCC pero que conservara su nombre: "Algunos sectores del Partido han alzado voces encaminadas al cambio del nombre propuesto para el Partido. Argumentan ellos que el nombre Comunista dificulta la penetración en las masas y que, además, debemos diferenciarnos del grupo político que dirige Vieira. En primer lugar, la experiencia ha derrotado prácticamente a quienes hacen del nombre un problema para el desarrollo del Partido y un obstáculo para su vinculación con las masas. Movimientos con más antigüedad y con nombres por demás brillantes, no presentan un tan rápido fortalecimiento como el

336 Sigla de la corriente marxista-leninista, denominación de sus seguidores. En el debate chino-soviético fue común que los grupos maoístas, salidos o escindidos de los partidos prosoviéticos, adoptaran o continuaran con el nombre de Partido Comunista, acompañado de la definición de "marxista-leninista" como "profesión de fe" a los principios políticos e ideológicos de Marx y Lenin. De esta manera se conformó el Movimiento Comunista Internacional que aglutinó a partidos ML de todo el mundo.

de nuestro Partido Comunista de Colombia (Marxista-Leninista). El problema no consiste en cómo llamarse, sino en cómo actuar. Además, para nosotros está abolida en general la práctica de presentarnos a las masas con la etiqueta de 'comunistas' e incluso se sancionará el denunciar la propia militancia en el Partido sin autorización expresa. Lo importante no es proclamarse comunista sino actuar como tal"[337].

La conferencia constitutiva del *Partido Comunista de Colombia (Marxista-Leninista), PCC (M-L)*, se cumplió en La Ceja (Antioquia), entre el 5 y el 8 de marzo de 1964; el evento fue citado inicialmente como una primera conferencia de los marxistas-leninistas. La reunión optó eufemísticamente por la "reestructuración" del partido, aunque en la práctica se trató de una organización nueva: "La fisionomía del nuevo Partido Comunista, ahora como Partido Comunista de Colombia (Marxista-Leninista), no implicaba para el imaginario de la militancia prochina una división del Partido, sino una reconstitución", señala Rodolfo Antonio Hernández en su escrito "Los orígenes del maoísmo en Colombia"[338]. Se eligió un Comité Central de veintitrés miembros, y la tarea central que se fijó fue la realización del X Congreso mediando una etapa de elaboración de documentos centrales[339] para adelantar discusiones en conferencias regionales y previas elecciones de delegados al evento. Culminado el encuentro ML, algunos cuadros se fueron al campo a preparar lo que más adelante llamarían *zonas de guerra*; una de ellas, donde se formó el primer núcleo guerrillero, fue denominada la "Zona X", con Libardo Mora Toro a la cabeza. Estaba ubicada en el Magdalena Medio, entre el Sur de Bolívar y Santander, donde después del asesinato de Gaitán se desarrolló la guerrilla de Rafael Rangel, y muy cerca se encontraban ya los primeros combatientes del naciente ELN, con Fabio Vásquez Castaño como jefe.

337 Francisco Garnica, "Hacia una política revolucionaria en materia de organización", documento del 1° de enero de 1965, en CEDEMA http://www.cedema.org/ver.php?id=3681

338 Rodolfo Antonio Hernández Ortiz, "Los orígenes del maoísmo en Colombia: La recepción de la revolución de nueva democracia 1949-1963", tesis presentada para optar al título de Historiador, Universidad Nacional de Colombia, Bogotá, 2016, p. 139.

339 Se publicaron cuatro números de los documentos llamados "Tribuna del Congreso Marxista-Leninista".

Sobre el Partido Comunista de Colombia (Marxista-Leninista), dirigentes y posibles centros de actividades se ejerció una constante vigilancia desde sus inicios como organización clandestina. Un informe de la CIA del 14 de abril de 1965 dio cuenta de los preparativos que realizaban para "actividades guerrilleras en las provincias de la costa colombiana". Este documento desclasificado, al igual que millones más, registra tachones en frases o palabras consideradas lesivas para la seguridad de Estados Unidos; en este caso los he reemplazado por xxx.

1. Los preparativos para el combate de guerrilla en la región de la costa atlántica de Colombia se discutieron en una reunión en xxx del comité ejecutivo del Comité Regional de la Costa Atlántica del Partido Comunista de Colombia (Marxista-Leninista) (PCC-ML). A la reunión asistieron Pedro León Arboleda, miembro del Comité Central del PCC (M-L), y una persona no identificada de Cartagena.
2. En la reunión se reveló que el PCC (M-L) dividió la región de la costa en dos áreas, a las que se refieren como las áreas "A" y "B". El área "A" está localizada en el Magdalena, alrededor de Codazzi, Villanueva y la sierra del Perijá. Esta área recibirá $50.000 en los próximos seis meses para poder comenzar operaciones en coordinación con guerrillas en el estado de Zulia, Venezuela. Comentario de xxx: Un dólar americano equivale a más o menos 14.oo pesos. Comentario de xxx: Uriel Barrera, quien se cree está al mando del aparato militar del PCC (M-L), envió $10.000 a Francisco Caravallo, a cargo de las actividades guerrilleras del PCC (M-L) en la costa atlántica.
3. El área "B" es una región extensa que comprende el norte del departamento de Antioquia y el sur de los departamentos de Bolívar y de Córdoba. Se centra alrededor del Alto San Jorge. Comentario de xxx: Se cree que el Alto San Jorge está localizado en el sur de Córdoba, cerca de la frontera con Antioquia, a lo largo del río San Jorge. El área "B" recibirá $5.000 a mediados de mayo. Cinco trabajadores profesionales asalariados del PCC (M-L) en la región están listos para comenzar operaciones.
4. El PCC (M-L) decidió no usar la Sierra Nevada de Santa Marta como base de operaciones porque se cree que no recibiría ayuda de la población local. El área podría utilizarse, sin embargo, como refugio y fuente de provisiones. Posteriormente, se podría usar como base contra centros urbanos como Santa Marta y Ciénaga.

5. El PCC (M-L) ha estado usando como zona de entrenamientos un rancho localizado al lado de la carretera principal entre Barranquilla y Cartagena que le pertenece al doctor Gómez Restrepo, un simpatizante activo del PCC (M-L). Roberto Púa Fernández y Bernardo Ferreira Grandett, líderes del PCC (M-L), planean ir hasta un sitio propuesto por la guerrilla para tomar parte en las actividades guerrilleras. Roberto Bonnett, un líder del PCC (M-L), planea trasladarse a Magangué, departamento de Bolívar, para organizar el PCC (M-L) en esta área.

Fuente: Central Intelligence Agency, CIA, *Preparations of the Communist Party of Colombia – Marxist/Leninist for Guerrilla Activities in the Coastal Provinces of Colombia*, 11 April 1965. The National Security Archive (NSA), Colombia and the United States: Political Violence, Narcotics and Human Rights, 1948-2010, documentos desclasificados de diferentes agencias de seguridad del Gobierno de Estados Unidos.

Un año más tarde, entre el 17 y el 22 de julio de 1965, se realizó, en una vieja casa del municipio cundinamarqués de Soacha, el X Congreso del PCC (M-L) que aprobó la Resolución Política[340] y decidió dar los pasos necesarios para conformar el Ejército Popular de Liberación (EPL)[341]. Asistieron delegados de los partidos "hermanos" de Chile y Ecuador; el Partido Comunista de España (Marxista-Leninista), representado en el evento por Raúl Marco, su secretario general, fue decisivo hasta en la definición del nombre del nuevo partido en Colombia y ejerció una importante influencia durante algún tiempo; aportó desde sus conocimientos en la lucha clandestina contra la dictadura de Francisco Franco, y posteriormente, desde su propia experiencia armada a través del Frente Revolucionario Antifascista y Patriota (FRAP).

El informe central a los asistentes al X Congreso fue presentado por Pedro Vásquez Rendón, quien defendió la propuesta estratégica de una revolución democrática en marcha al socialismo y habló de la situación organizativa en varios departamentos, con una base cercana a los 170 militantes; los debates se hicieron intensos, y las condiciones físicas en las que se realizó eran bastante precarias, ya que los 95 delegados se encontraban hacinados en una casa que no tenía garantías mínimas de seguridad. En los muchos aspectos políticos que se

340 Véase el anexo 3.

341 Para el PCC (M-L), la fecha de su fundación es el 17 de julio de 1965.

discutieron no hubo identidades o propósitos comunes, lo que dificultó los acuerdos y permitió que se gestaran allí mismo las expulsiones de Fred Kaim y Alfonso Cuéllar, y los inicios de una primera fracción conocida como "la de La Negra", compañera de Aldemar Londoño, un destacado dirigente.

En la historia del PCC (M-L) y del EPL fue una característica la facilidad con que se producían divisiones, escisiones, rupturas y tendencias; también, las marginaciones, los señalamientos y expulsiones constantes. Los orígenes estaban en discrepancias con la línea política, entendida esta como los lineamientos ideológicos, las tesis políticas y la práctica social que impulsaban (línea de masas). De igual forma, pesaban en los debates otros factores como los aliados y enemigos, la validez y el momento de impulsar la lucha armada y el carácter de la revolución (si era democrática en marcha al socialismo, democrático-burguesa, de nueva democracia o democrático-popular). A partir de las distintas escisiones de ese "tronco común" que fue el PCC (M-L) se conformó lo que se denominó el Campo ML, un conjunto de corrientes con mínimas identidades políticas y fuertes contradicciones que solamente se reconocían en ese origen común.

El PCC (M-L) nació con concepciones dogmáticas, vanguardistas, hegemónicas y sectarias, que no daban paso a las discrepancias y divergencias; los que disentían o contradecían la "línea política" eran tildados de "contrarrevolucionarios" y enmarcados dentro de lo que dieron en llamar "línea oportunista de izquierda" o "línea oportunista de derecha". Así lo reconocen en su libro Villarraga y Plazas, quienes fueron parte de la organización durante muchos años: "La 'reestructuración' pretendió ser, y en cierto modo fue, un triunfo de los sectores radicalizados del PC, pero no logró desmoronarlo. Ni siquiera hubo resolución pública de expulsión de 'la camarilla de Vieira White y Compañía'. En verdad, las conclusiones del evento expresaron el fuerte grado de maniqueísmo, maximalismo y mesianismo existentes: 'Crisis general e irreversible', 'dictadura sanguinaria y terrorista', 'situación insurreccional incipiente', 'semiconciencia de las masas', 'cerrado el camino reformista en Colombia'. Esta apreciación llevó a escoger como 'forma principal de lucha: la armada' y a definir como 'tarea central: construcción del Partido del Proletariado, es decir, todos los

M-L en un solo Partido', 'todos los revolucionarios en un FPL', 'todos los combatientes populares en un solo ejército'"[342].

A pesar de esas concepciones de supremacía y negación de lo que fuera contrario a sus apreciaciones, los M-L se aproximaron a los nacientes proyectos de las FARC y del ELN. En el primer caso, siendo aún Bloque Guerrillero del Sur, designaron a Aldemar Londoño, un médico oriundo de Cartago (Valle) que había participado en las guerrillas liberales del Tolima, para entrar en contacto con los guerrilleros de Manuel Marulanda Vélez. De acuerdo con lo que indican Villarraga y Plazas, acababa de pasar la toma de Inzá; era entonces el primer semestre de 1965[343]; Londoño y la militante Amelia Mora se trasladaron hacia la zona del BGS y desaparecieron, "Lamentablemente perdimos el contacto con él y de esa forma nos vimos privados de un gran dirigente"[344]; "Siempre se pensó, en el EPL, que fueron retenidos y muy posiblemente ajusticiados por las FARC"[345].

Con el ELN no fue muy diferente el resultado: Pedro Vásquez Rendón visitó en enero de 1966 el campamento central y mantuvo reuniones con Fabio Vásquez Castaño, Víctor Medina Morón y otros dirigentes. Camilo Torres se encontraba ya en las filas de la organización pero su presencia se ocultó inicialmente a Vásquez Rendón; el recuerdo de Gabino sobre la visita del dirigente M-L es muy preciso: "Me acuerdo de una anécdota muy bonita y particular, es que allí, en aquel campamento, estuvo el compañero Pedro Vásquez Rendón, dirigente del PCML (Partido Comunista Marxista Leninista), y para ese momento entiendo que ya él había definido su estadía en el Ejército Popular de Liberación, y subió a hablar con la dirigencia del ELN. Rendón tenía dos días de estar allí en el campamento conviviendo con

342 Álvaro Villarraga y Nelson Plazas. *op. cit.*, p. 46.

343 Se recuerda que la toma de Inzá fue el 17 de marzo de 1965.

344 Partido Comunista de Colombia (Marxista-Leninista) "Sobre la historia del EPL", en http://www.pcdecml.org/index.php?option=com_content&view=article&id=97&Itemid=135&showall=1 Sobre la misma historia véase "Anotaciones sobre la historia del Partido Comunista de Colombia (Marxista-Leninista) en *Revolución*, Órgano Central del Partido Comunista de Colombia (Marxista-Leninista), Edición especial de julio de 2015 http://www.cedema.org/uploads/Revolucion_506.pdf

345 Álvaro Villarraga y Nelson Plazas. *op. cit.*, p. 49.

Camilo y no lo identificaba, entonces Fabio, antes de despedirlo, le dijo: 'Pedro, te voy a presentar un amigo' y llamó a Camilo cuyo seudónimo era *Argemiro*. Solo cuando estaban muy cerca el uno del otro, y Camilo se sonrió y lo miró, Pedro Vásquez lo reconoció y se fundieron en un abrazo; se emocionaron ambos y se reconocieron, lo que muestra que Camilo había cambiado físicamente bastante, en un mes largo de vida guerrillera"[346]. La historia más "oficial", contada por el comandante Ernesto Rojas y publicada en la web del PCC (M-L), señala: "Debido a contradicciones de diverso tipo, no se consolidaron los acercamientos, sino más bien hubo un distanciamiento. Los Vásquez Castaño consideraron que los Pedros, Mora Toro y Francisco Caraballo pretendían o capitalizar o hegemonizar el desarrollo del ELN"[347].

De este contacto queda un episodio oscuro que se contradice con el tono afable con que los elenos se refieren a la "visita" de Vásquez Rendón al campamento donde se encontró con Camilo. Lo cuentan Villarraga y Plazas: "Existe además un acontecimiento poco conocido: el Ejército de Liberación Nacional, en 1966, retuvo por ocho días al propio Pedro Vásquez Rendón. Los mandos del naciente EPL, que todavía no se llamaba así, lograron un acuerdo y Vásquez fue liberado"[348]. Más compleja aún resulta la versión que Jaime Arenas Reyes consignó en su libro *La guerrilla por dentro*; en una carta con fecha de abril de 1966, Pedro Vásquez le señala a Fabio Vásquez las grandes diferencias que existen ente el PCC (M-L) y el ELN en cuanto al papel del partido, la disciplina y el concepto del *foco insurreccional* aplicado por los elenos, en contradicción con las tesis de *bases de apoyo* y *zonas liberadas* del PCC (M-L) y del EPL. Señala: "Ustedes han condenado a muerte a varios miembros de nuestro Partido, incluyendo a nuestro secretario político. ¿Qué podemos pensar de ustedes? Ustedes secuestraron a uno de nuestros dirigentes. ¿Piensan que esto es correcto? Nuestro Partido repudia enérgicamente estos procedimientos y los califica como actos

346 Nicolás Rodríguez Bautista, *Gabino*, "Mis recuerdos de Camilo", en Portal Voces de Colombia, Ejército de Liberación Nacional, https://www.eln-voces.com/index.php/voces-del-eln/comunicados-entrevistas/entrevistas/139-mis-recuerdos-de-camilo-primera-parte

347 Partido Comunista de Colombia (Marxista-Leninista), *op. cit.*

348 Álvaro Villarraga y Nelson Plazas. *op. cit.*, p. 49.

reaccionarios, que perjudican gravemente a la Revolución Colombiana". En la nota al pie, Arenas aclara que "El dirigente secuestrado a que se refiere es Francisco Garnica, quien fue retenido varios días por el ELN en la montaña"[349].

Lo cierto es que el hegemonismo, el vanguardismo y la decisión de mantenerse cada uno con sus supuestas verdades afectaban a todos los proyectos armados por igual; Ciro Trujillo expresaba en una carta interna del 15 de octubre de 1966 su desconfianza hacia los elenos que se le acercaban buscando aislarlo de las directrices del PCC: "En relación con el ELN, nuestras relaciones han sido amistosas, hasta ahora y de ayuda unilateral de nuestra parte hacia esa organización, aunque no compartimos sus actitudes antiunitarias y soberbias. Hay que poner en claro, sí, que esa organización o mejor algunos de sus dirigentes, han pretendido desvincular las relaciones de nuestro movimiento guerrillero con la organización política que lo dirige, esto es con nuestro Partido Comunista"[350].

Desde su creación, el PCC (M-L) asumió como parte de sus responsabilidades desarrollar principios del maoísmo, tales como la guerra popular prolongada, la formación del Frente Patriótico de Liberación y el Ejército Popular de Liberación, para completar una de las enseñanzas básicas de Mao, las "tres varitas mágicas" de la revolución: *partido*, *frente amplio* y *ejército*. En las tareas de construcción del brazo armado se destacaron Libardo Mora Toro, en la Zona X, junto con Uriel Barrera y Aldemar Londoño; Francisco Garnica y Jesús María Alzate, encargados de preparar las condiciones para abrir un frente en el área que denominaron "Zona H", en la cordillera Central, cerca del municipio de Guacarí, en el Valle del Cauca; en estas actividades los acompañaban Ricardo Torres y Carlos Alberto Morales, exintegrantes de la JUCO. La "Zona Flor", ubicada en Córdoba, en la región montañosa de los ríos Sinú y San Jorge, terminó siendo la más importante. Paradójicamente, el PCC (M-L), que inspiraba su proyecto de EPL en los preceptos maoístas de la guerra popular prolongada, terminó por impulsar en esta primera fase un plan "foquista", aislado de la

349 Jaime Arenas Reyes, *op. cit.*, pp. 162-163, 178.

350 Ciro Trujillo, *op. cit.*, p. 79.

población, con pequeños núcleos dispersos, soportado en alianzas con antiguos guerrilleros liberales.

El primer gran revés se les presentó en la Zona H, el 14 de diciembre de 1965, cuando fueron capturados Garnica, Torres y Morales por un inspector de Policía en una vereda de Guacarí; trasladados a las instalaciones de la III Brigada, en Cali, fueron sometidos a interrogatorios y torturas, y en la noche del 15, asesinados. La muerte de Garnica fue muy lamentada entre sus excamaradas dirigentes de la JUCO. A pesar de las divergencias políticas, reconocían en él a "un revolucionario sincero" que supo ir hasta las últimas consecuencias en defensa de sus ideales; con la muerte de los tres dirigentes, la actividad en esta región fue abandonada. En la Zona X, el trabajo fue desmontado poco tiempo después, y todos los esfuerzos se concentraron en la llamada Zona Flor, en el noroccidente del país, a donde llegaron varios dirigentes simulando ser maestros, médicos y trabajadores de la cultura, entre ellos los máximos: Vásquez Rendón, Arboleda y Francisco Caraballo; este último había militado en las filas del MRL y de la JUCO, y se hizo amigo de Camilo Torres antes de que el cura se convirtiera en un líder nacional: "Conviví un tiempo con él en su casa, en ese momento de duda entre su formación cristiana y su anhelo de participar más activamente en la lucha revolucionaria. Recuerdo que nos tocó formar juntos un movimiento que no tuvo mayor desarrollo, en el cual estuvieron vinculados algunos que luego se integraron como cuadros en el Partido. Ese movimiento se llamó Movimiento de Liberación Nacional (MLN). Fue la primera militancia revolucionaria de Camilo"[351]. En la Zona Flor coincidían las tradiciones culturales de los colonos del norte de Antioquia y del sur de Córdoba; la lucha campesina por la tierra no les era ajena, ya que en los años veinte un dirigente de origen italiano, Vicente Adamo, organizó tomas de tierras y una comuna llamada Baluarte Rojo en abierta inspiración del comunismo primario de inicios del siglo XX[352].

Ante las dificultades para establecer relaciones con el ELN y las nacientes FARC, así como con el fracaso a cuestas en los intentos por

351 Fabiola Calvo. *EPL, diez hombres, un ejército, una historia*, Bogotá, ECOE, 1985, p. 21.

352 Gonzalo Sánchez, *Las ligas campesinas en Colombia*, Bogotá, Ediciones Tiempo Presente, 1977, p. 62.

montar focos insurreccionales, los M-L llevaron a cabo, al promediar el año de 1966, un proceso de reflexión y cambios en sus planes, en el marco del II Pleno del Comité Central. El evento denunció la existencia de una "fracción antipartido de carácter izquierdista", a la que llamaron "La aldea de los tres traidores", como fiel copia de una situación similar que se presentó en el Partido Comunista Chino; los complotados en el PCC (M-L), es decir, "los tres traidores", eran Carlos Arias, Aumerle de la Vega y Fred Kaim, "tres sujetos corrompidos miembros del Comité Central —de los cuales uno, el cabecilla, es un agente comprobado de la Policía internacional y criolla—, a la cual han sido arrastrados dos camaradas más del mismo Comité Central"[353]. Como era de esperarse, los "fraccionalistas" fueron expulsados; todo esto dicho en un lenguaje ampuloso y triunfalista, en una fraseología cargada de epítetos y calificativos a los contrarios y términos elogiosos y de victoria hacia sus lentos avances.

Imbuidos como estaban del maoísmo, rompieron los intentos foquistas y se aferraron al precepto de guerra popular prolongada buscando ampliar y profundizar el trabajo de masas, entendiendo que la guerrilla debía ser el resultado de un quehacer político. Con esas premisas, iniciaron la labor silenciosa y paciente en los límites de Córdoba y Antioquia, municipios de Montelíbano, Puerto Libertador, Tierralta, Carepa, Chigorodó, Turbo, Ituango y Tarazá, para impulsar la formación de Juntas Patrióticas con dirigentes campesinos y con algunos viejos guerrilleros liberales que se mostraron dispuestos a retomar las armas, entre ellos Luis Manco David y Julio Guerra, quien fue dirigente en la región, integrante del MRL, y todavía guardaba escopetas y revólveres viejos utilizados más de quince años atrás, en los inicios de La Violencia.

Las primeras actividades comprendieron la organización de los colonos y campesinos a través de las Juntas Patrióticas para iniciar levantamientos en la lucha por la tierra y la formación de las primeras bases guerrilleras con personas del campo y otras llegadas de la ciudad en calidad de maestros de escuela, jornaleros o dirigentes que impulsaban cooperativas y Juntas de Acción Comunal. Este sería el

353 "Combatiendo Unidos Venceremos", Documentos 2, Partido Comunista de Colombia (M-L), Editorial, 8 de Junio, mayo de 1975, p. 179.

primer frente armado que se constituiría en proximidades a la costa atlántica y al golfo de Urabá, zona estratégica en las comunicaciones hacia Centroamérica o el interior del país. El campamento central fue ubicado en la finca de Luis Manco, en los Llanos del Tigre, donde impartían instrucción militar, dictaban charlas y cursillos políticos y enviaban comisiones hacia otras áreas.

Algunos autores sitúan el nacimiento del *Ejército Popular de Liberación, EPL,* como brazo armado del PCC (M-L), el 28 de abril de 1967[354]; para otros, "Es en febrero de 1967 que se constituye el EPL, ahí juramos bandera Pedro Vásquez, Caraballo, Ferreira, Pastor, como unos ocho compañeros más y yo. Tres mujeres: la *Gorda* María, Virginia y Cecilia. Dos costeñas y una del Valle. En ese momento nacemos simplemente como EPL, a los pocos días se adopta el nombre de Francisco Garnica, Destacamento Francisco Garnica"[355]. La fecha del 17 de diciembre de ese mismo año también es considerada, incluso por dirigentes como Ernesto Rojas[356] y Francisco Caraballo: "Estuve vinculado a la formación de los primeros núcleos del Ejército Popular de Liberación en el río Sinú y en el río San Jorge, en Córdoba. El EPL aparece en el ámbito nacional en diciembre de 1967. He sido comandante del EPL desde su nacimiento, aunque en algunas ocasiones cumplí funciones como comisario político"[357]. El Programa del Frente Patriótico de Liberación (FPL) lleva como fecha el 17 de diciembre de 1967; para efectos del presente trabajo, retomamos esa como la fecha fundacional del EPL, ya que se relaciona directamente con los dos primeros levantamientos campesinos promovidos por las Juntas Patrióticas, hechos estos que causaron honda preocupación en terratenientes y políticos de la región y pusieron en alerta al Gobierno

354 Véase Fabiola Calvo, *EPL, una historia armada*, Madrid, Ediciones VOSA SL, 1987, p. 110.

355 Álvaro Villarraga, Nelson Plazas. *op. cit.*, p. 57.

356 *Ernesto Rojas*, alias de Jairo de Jesús Calvo Ocampo, en Olga Behar, *Las guerras de la paz*, Bogotá, Planeta Colombiana Editorial S. A., 1990, p. 45.

357 "Soy un rebelde consciente, revolucionario, consecuente y comunista convencido". Apartes de la indagatoria de la Fiscalía General de Colombia al comandante del EPL y primer secretario del Partido Comunista de Colombia (M-L), Francisco Caraballo, junio de 1994, en http://www.cedema.org/ver.php?id=2357

Nacional sobre un posible brote armado, y de inmediato inició una operación cívico-militar, preludio de algo más grande…

Al igual que había ocurrido un par de años antes en Marquetalia, a la región comenzaron a llegar "funcionarios" de distintos programas gubernamentales de la mano de integrantes de las Fuerzas Militares que censaban, calzaban muelas, desparasitaban niños, atendían mujeres embarazadas y todo lo anotaban. Después, el presidente Carlos Lleras Restrepo envió a María Elena de Crovo, la aguerrida y rebelde exdirigente del MRL, a contactar a Julio Guerra para conocer sus inquietudes y colocarlo del lado de los intereses oficiales. Como no les dio resultado, comenzaron a llenar la región de panfletos amenazantes y a reforzar con nuevos batallones.

Los levantamientos estaban ligados a viejas reivindicaciones por la tierra y a cuentas pendientes que los dueños de la tierra tenían con campesinos de la zona, en particular de los Llanos del Tigre y del Alto San Jorge, por despojos, maltratos y una ancestral explotación; la furia de los campesinos incluyó la "recuperación" de tierras, ganado, alimentos y elementos de labranza y el "ajusticiamiento" de algunos terratenientes. Así, se declaró la guerra popular prolongada que el EPL pregonaba: del campo a la ciudad y buscando crear embriones de poder popular o bases de apoyo en zonas liberadas. Luego vendría la primera acción propiamente dicha: la incursión sobre la población de Uré, el 6 de enero de 1968, con el fin de pasar por las armas a otro hacendado. Desde sus inicios, el EPL creó en torno a sí el mito de ser una guerrilla victoriosa y con todo el poder, por ser el brazo armado del PCC (M-L), poseedor, a su vez, de la verdad que le otorgaban el marxismo-leninismo y el pensamiento de Mao Tse Tung. De manera constante, en todos sus escritos, reclamaba esa condición; así formaban a los nuevos militantes y estos, a su vez, lo reproducían en los espacios del trabajo político[358].

358 Himno del EPL, adaptado de la canción folclórica rusa "Canción de los partisanos": "Por llanuras y montañas/ Guerrilleros libres van,/ Los mejores luchadores/ Del campo y de la ciudad,/ Los mejores luchadores/ Del campo y de la ciudad./ El partido nos ordena/ Luchar sin desfallecer./ Adelante camaradas,/ Nuestra consigna es vencer./ Venceremos al fascismo/ También al explotador./ ¡Abajo el imperialismo… Muera! / ¡Viva la revolución!/ ¡Abajo el imperialismo… Muera! / ¡Viva la revolución!".

La relación entre el PCC (M-L) y el EPL estaba clara en cuanto a que era el partido el que mandaba sobre el ejército; pero en la concepción maoísta, la formación de otros organismos como las Juntas Patrióticas a nivel nacional, regional y veredal, sumada al concepto de Frente Popular de Liberación, hacían complicados el funcionamiento y desarrollo de los planes, que muchas veces se frustraban por el burocratismo. Existían miembros del Comité Ejecutivo Central, del Comité Central, del Estado Mayor, de la Dirección Nacional, secretario general, comisario político, secretarios de agitación y propaganda, de finanzas, todo un andamiaje que dificultaba las relaciones entre unos organismos y otros. El EPL se dotó de unos estatutos que definían el carácter del grupo y su misión, el centralismo democrático, la disciplina, las faltas y sanciones, los miembros del EPL designados como combatientes en fila, en brigada de producción o en comisión, de acuerdo con su actividad principal. Aspecto fundamental de dichos estatutos eran las dieciséis normas morales, que debían ser asumidas al pie de la letra, como el Catecismo del padre Astete por parte de los católicos. El juramento establecía un compromiso de vida y muerte: "¿Juras y prometes por la revolución dedicar tu vida y tu acción enteramente al servicio del pueblo y usar las armas exclusivamente para tal fin? ¿Juras y prometes por el pueblo colombiano combatir hasta la victoria contra la oligarquía y el imperialismo y por la revolución popular de Colombia? ¿Juras y prometes por la causa de la República Popular de Colombia respetar y defender la vanguardia del proletariado y combatir con toda decisión por los integrantes del proletariado y del pueblo?"[359]. A la vez, la consigna de combate adoptada por el PCC (M-L) fue desde entonces: "¡Combatiendo unidos venceremos!", y para el EPL: "¡Combatiendo venceremos!".

Lo que siguió para el grupo guerrillero fue lo que ellos mismos denominaron la "Primera Campaña de Cerco y Aniquilamiento", una arremetida del Ejército realizada entre mayo y agosto de 1968, con cerca de 8.000 efectivos distribuidos en toda la región; al igual que lo ocurrido años antes en Riochiquito con el destacamento de Ciro Trujillo, hubo desplazamientos de la población civil que huyó en medio de los enfrentamientos. En el transcurso de las operaciones militares murió

359 Estatutos del EPL, documento mimeografiado, en Fundación Cultura Democrática, Bogotá.

Pedro Vásquez Rendón, en ese momento secretario político del PCC (M-L) y comandante del EPL. Su muerte fue otro de esos episodios oscuros en la historia de las organizaciones guerrilleras en el país: no ocurrió en combate contra las tropas, como dijeron sus compañeros. El 5 de agosto de 1968, Vásquez Rendón logró romper el cerco, pero se quedó solo y recibió apoyo de una familia campesina —los Graciano— que lo mató a machete, le cortó la cabeza y la entregó al Ejército, en busca de una recompensa que nunca le pagaron. "Pedro Vásquez era nuestro principal dirigente y su muerte, ocurrida en el río Sinú, fue muy sensible. La organización siguió adelante. Habíamos perdido veinte combatientes en los tres meses, contando a guerrilleros locales, pero su recuerdo era para nosotros un nuevo aliciente de lucha"[360].

En la crisis en que quedó sumido, el PCC (M-L) nombró como nuevo secretario general, y a la vez comisario político del EPL, a Pedro León Arboleda, *Alejandro* o comandante *Iván*, un veterano comunista oriundo de Yarumal, filósofo y periodista de la Universidad de Antioquia, dogmático, fundamentalista y triunfalista hasta más no poder, apegado, como el que más, a la letra de los preceptos maoístas. En el tiempo en que ejerció en esos cargos enfrentó otras fracciones y tuvo fuertes debates con Libardo Mora Toro y varios miembros del Comité Central. Mientras que Arboleda defendía la militarización del partido y del ejército en el campo, Mora Toro insistía en bolchevizar y proletarizar los cuadros enviándolos al trabajo político en las fábricas, es decir, en acercarse a la clase obrera, si querían ser consecuentes con aquello de que eran la vanguardia de la revolución.

Hasta aquí, el balance para el EPL era bastante negativo en cuanto a pérdida de dirigentes de primera línea: Garnica, Torres y Morales, asesinados en Guacarí; Aldemar Londoño, desaparecido cuando buscaba acercamientos con el BGS; Pedro Vásquez y Bernardo Ferreira, muertos mientras comandaban la estructura armada en pleno cerco militar; además de dos fracciones, contradicciones internas en las máximas instancias —debates en el III Pleno del Comité Central con Alfonso Romero Buj— y no pocas deserciones, expulsiones y traiciones. En la Zona Flor persistieron durante algún tiempo las secuelas represivas, lo

360 Partido Comunista de Colombia (Marxista-Leninista), *op. cit.*

que dio pie al retiro temporal por parte de algunos dirigentes y medidas para redoblar la seguridad y asumir la más rigurosa clandestinidad. Sin embargo, el PCC (M-L) y el EPL habían logrado desplegar el trabajo campesino y sentar las bases para la formación de estructuras político-militares más sólidas.

En medio de las dificultades que afrontaba el movimiento guerrillero colombiano, en 1967 se presentó un hecho que estremeció los cimientos políticos y sociales del continente, sin exagerar: la muerte en estado de indefensión del comandante Ernesto Che Guevara, el 9 de octubre de ese año. El 23 de octubre del año anterior, 1966, había partido de La Habana hacia Bolivia: "Otra vez siento bajo mis talones el costillar de Rocinante, vuelvo al camino con mi adarga al brazo"[361]. Iniciaba un largo periplo que lo llevaría a Moscú, de allí a Praga, luego en tren a Viena y Fráncfort, después a París, Madrid y São Paulo, hasta llegar a la frontera boliviana el 3 de noviembre, desde donde lo conducirían a La Paz, y dos días más tarde, por la vía Oruro-Cochabamba, hacia Ñancahuazú, su destino final. El Che estaba desde hacía varios años en la tarea de instalar una "columna guerrillera madre", con revolucionarios de varios países, que foguearía combatientes y formaría dirigentes que posteriormente se desprenderían en destacamentos hacia otras partes de la región. Para el Che, era la hora de la inaplazable revolución continental.

En otra carta y otro momento de despedida a Fidel, escrita en los últimos días de marzo de 1965, entregada "en sus manos" en la noche del 31 de marzo, antes de partir hacia el Congo[362], el Che le expresó: "Otras tierras del mundo reclaman el concurso de mis modestos esfuerzos. Yo puedo hacer lo que te está negado por tu responsabilidad al frente de Cuba y llegó la hora de separarnos. Sépase que lo hago con una mezcla de alegría y dolor; aquí dejo lo más puro de mis esperanzas de constructor y lo más querido entre mis seres queridos... y dejo un pueblo que me admitió como un hijo; eso lacera una parte de mi espíritu.

361 Ernesto Che Guevara, Carta de despedida a sus padres del 1° de abril de 1965, en http://www.americas-fr.com/es/historia/guevara-padres.html

362 El momento preciso de la despedida, con Drek y Martínez Tamayo, dos de los más cercanos colaboradores del Che, se relata en Paco IgnacioTaibo II, *op. cit.*, pp. 593, 594.

En los nuevos campos de batalla llevaré la fe que me inculcaste, el espíritu revolucionario de mi pueblo, la sensación de cumplir con el más sagrado de los deberes: luchar contra el imperialismo dondequiera que esté; esto reconforta y cura con creces cualquier desgarradura"[363].

A mediados de abril de 1967 se reunió de nuevo la Tricontinental en La Habana. Hasta allá llegaron las palabras del Che que, en esos momentos, estrella solitaria, libraba sus últimos combates al frente del ELN boliviano. En el "Mensaje a la Tricontinental" lanzó su famosa frase: "Crear dos, tres, muchos Vietnam, es la consigna"; y concluyó: "Toda nuestra acción es un grito de guerra contra el imperialismo y un clamor por la unidad de los pueblos contra el gran enemigo del género humano: Estados Unidos de Norteamérica. En cualquier lugar que nos sorprenda la muerte, bienvenida sea, siempre que ese, nuestro grito de guerra, haya llegado hasta un oído receptivo y otra mano se tienda para empuñar nuestras armas, y otros hombres se apresten a entonar los cantos luctuosos con tableteo de ametralladoras y nuevos gritos de guerra y de victoria"[364]. La epopeya del Che comenzaba su cuenta regresiva. Los *rangers* del Ejército boliviano, apoyados y entrenados por hombres de la CIA, estaban tras él. En círculos del Gobierno de Estados Unidos y de gobiernos de América Latina se hacían apuestas sobre el tiempo que le quedaba. El asesinato del Che se produjo en la perdida escuelita de La Higuera, luego de ser capturado herido tras un combate; la orden de asesinarlo la dio el dictador, general René Barrientos. La resurrección y el mito comenzaron en ese instante. Su muerte impactó a toda una generación, a millones de jóvenes del mundo entero, a los movimientos revolucionarios y estudiantiles del continente, a las guerrillas de Colombia y de América Latina. El Che se elevó a la categoría de símbolo y leyenda.

Antonio Arguedas, exministro del Interior de Barrientos, en una acción heroica, le envió a Fidel el diario y las manos del Che, que se las habían cortado al cuerpo sin vida; tres años y medio después del

363 Texto completo en http://www.radiorebelde.cu/especiales/che/la-carta-despedida-che-salir-cuba-20131003/

364 Ernesto Che Guevara, "Mensaje a los pueblos del mundo a través de la Tricontinental", revista *Tricontinental*, Secretariado Ejecutivo de la Organización de Solidaridad de los Pueblos de África, Asia y América Latina (OSPAAAL), La Habana, 16 de abril de 1967.

asesinato del líder guerrillero de América, el 11 de abril de 1971, en Hamburgo (Alemania), una joven mujer le descargó tres disparos al cónsul general de Bolivia y lo mató; Roberto Quintanilla Pereira era uno de los responsables de la muerte del Che, y fue quien ordenó que le amputaran las manos. Monika Ertl, conocida como *India* en el ELN de Bolivia, alemana de nacimiento, se encargó de accionar la Colt Cobra .38 especial para vengar la muerte del comandante Ernesto Che Guevara.

En la historia de las revoluciones de la segunda mitad del siglo XX hay hechos que están ligados cronológica y políticamente a la muerte del Che, y así quedaron grabados en la conciencia y en el corazón de millones. En ellos el Che-ícono, el Che-símbolo, el Che-mito, el Che-ejemplo estaban presentes: el 29 de enero de 1968, los guerrilleros del FLN de Vietnam y tropas del Norte lanzaron la ofensiva del Tet (Año Nuevo) contra 34 capitales provinciales de Vietnam del Sur. La sorpresa para las fuerzas estadounidenses fue mayúscula, era lo que menos esperaban. El furioso ataque de los comunistas sobre Saigón y las principales ciudades generó una reacción desesperada de los soldados estadunidenses y sus aliados del Sur, que bombardearon y destruyeron sin compasión. La masacre en la aldea de My Lai, donde asesinaron a 128 civiles, entre niños, mujeres y hombres, simbolizó la máxima degradación de la guerra. La opinión pública inició en Estados Unidos una enorme campaña antibélica.

Para el Vietcong, los resultados de la ofensiva del Tet fueron más políticos que militares. La teoría del presidente Lyndon Johnson de que sus fuerzas estaban ganando la guerra se fue a pique y se vio obligado a disminuir ostensiblemente los bombardeos y reducir el envío de más reclutas. La nueva situación obligó a que se iniciaran en París las primeras conversaciones de paz. Para ese momento había más de medio millón de soldados estadounidenses en Vietnam del Sur, el costo de la guerra ascendía a 30.000 millones de dólares anuales, y las bajas superaban los 200.000 soldados y asesores, incluidos 30.000 muertos. Las manifestaciones en contra de la intervención de Estados Unidos en Vietnam se sucedieron en todas las capitales europeas: en Grosvenor Square —Londres—, millares de estudiantes marcharon a los gritos de “Ho, Ho, Ho Chi Minh”; en Berlín, cerca de 30.000 manifestantes, que ondeaban banderas rojas, recorrieron las calles de la ciudad. Al frente de ellos iba Rudi Dutschke, dirigente de la organización de izquierda de los estudiantes.

En esa primavera de mayo de 1968, Europa hervía en una revolución de jóvenes con *jeans,* minifaldas y cabellos largos, que ese día, a esa hora y en ese instante querían tomarse el poder. En París, Daniel Cohn-Bendit, dirigente estudiantil de origen judío, apodado *El Rojo*, para entonces estudiante de Sociología en la Universidad de Nanterre, irónico y desafiante, enfrentaba a las autoridades en las calles mientras miles de sus compañeros entonaban "La Internacional". Las paredes se llenaron de consignas; una de ellas era la síntesis del pensamiento y la acción: "¡Queremos el mundo y lo queremos ahora!". Nada parecía inalcanzable. Todo se cuestionaba y todo debía ser transformado. A la revuelta de los estudiantes se sumó la inconformidad de los empleados de la banca y de las líneas aéreas, y con ellos, los obreros de las fábricas de automóviles. La piedra y las barricadas en la Sorbona y en el Barrio Latino y las sentadas en el Arco del Triunfo y en los Campos Elíseos se sucedieron cada día de mayo. La huelga general comenzó el 13 y abarcó a 10 millones de trabajadores. El viernes 24 fue la jornada decisiva: París estaba insurreccionada; los estudiantes, intelectuales y obreros franceses quedaron a un paso de la toma del poder. Pasados quince días de huelga, el gobierno del general De Gaulle disolvió la Asamblea Nacional, aumentó salarios y amenazó con sacar al Ejército. Todo fue un sueño, una gran ilusión.

En Estados Unidos se produjo desde el 3 de abril una oleada de violencia, generada por el asesinato de Martin Luther King en Memphis (Tennessee); en 1964 le habían otorgado el Premio Nobel de la Paz. Con su muerte, los guetos negros volvieron a explotar en revueltas urbanas que recordaban las confrontaciones raciales de 1965 y 1967. El Poder Negro se hizo sentir a través de grupos nacionalistas como las Panteras Negras y la Organización por la Unidad Afro-Americana; la lucha por los derechos civiles y las libertades estaba en primeria línea. Dos meses más tarde, la mano asesina de un joven palestino dio muerte a Robert Kennedy cuando participaba en la campaña electoral como candidato favorito a la Presidencia de su país. Kennedy era un hombre comprometido con la lucha por los derechos civiles, había condenado la guerra de Vietnam, la misma que su hermano, el presidente asesinado cinco años atrás, contribuyó a iniciar.

El 21 de agosto, decenas de aviones AN-12 y vehículos blindados procedentes de la Unión Soviética o instalados en bases militares interrumpieron "La Primavera de Praga", el más hermoso experimento del socialismo con rostro humano que impulsaba el mandatario Alexander Dubček. Una larga columna de tanques y tropas del Pacto de Varsovia llegó hasta el centro de la capital de Checoslovaquia, donde miles de personas maldecían su paso. 650.000 soldados fueron necesarios para acallar las reformas democráticas y de participación, catalogadas como contrarrevolucionarias por el Gobierno de la URSS y sus satélites.

En América Latina, las cosas no eran distintas: el 2 de octubre, en vísperas de que se encendiera la llama de los Juegos Olímpicos organizados en Ciudad de México, un mitin de estudiantes, maestros y trabajadores, que protestaban contra la eliminación de los subsidios a las universidades, fue brutalmente reprimido. La masacre de la Plaza de las Tres Culturas del barrio Tlatelolco marcó el inicio de un movimiento de protesta estudiantil en el continente. La cifra de muertos calculada por el diario inglés *The Guardian* fue de 325; la cifra oficial fue de 27. Las paredes de Tlatelolco guardan sus nombres. Solo pedían el respeto a la autonomía universitaria y el fin de la represión.

El golpe de Estado contra el presidente Fernando Belaúnde Terry, que el 3 de octubre protagonizaron en el Perú los generales Juan Velasco Alvarado, Francisco Morales Bermúdez, Mercado Jarrín y Fernández Maldonado, se inscribió dentro de las doctrinas militares que buscaban un nuevo rol de dicho estamento en la sociedad. La Revolución Peruana planteó reivindicaciones que golpeaban los intereses de monopolios nacionales y extranjeros: nacionalización de la International Petroleum Company, de las industrias más importantes y la defensa de las doscientas millas costeras para los buques pesqueros. Los militares lograron el apoyo de amplios sectores de la población al plantear una reforma agraria y organización social. "No somos marxistas, pero estamos haciendo una revolución, y eso es lo que importa", fueron las primeras palabras del general Velasco Alvarado al asumir el Gobierno reformista, que quebró el tradicional dominio oligárquico. Los partidos tradicionales quedaron casi desactivados y se abrieron nuevos espacios para la lucha política y social, con protagonistas que históricamente habían estado marginados.

Una semana más tarde, en Panamá, en esa "delgada cintura del sufrimiento", como la llamara el poeta chileno Pablo Neruda, el entonces teniente coronel Omar Torrijos Herrera encabezó un movimiento militar nacionalista que derrocó al presidente Arnulfo Arias, un declarado pronazi y anticomunista que se había posesionado el 1° de octubre anterior en su tercer mandato. Torrijos era un militar de escasos 39 años, hijo de padre colombiano y madre panameña, un confeso "tercermundista", admirador de las doctrinas del líder nacionalista Gamal Abdel Nasser, presidente de Egipto, amigo de revolucionarios y de revoluciones, y hacia adelante protector y promotor de estas. En la alta oficialidad de la Guardia Nacional se percibía un verdadero hastío por los manejos corruptos y la represión orquestada por las clases dirigentes; el dominio yanqui sobre la Zona del Canal causaba disgusto en la población, y eso lo tenía muy claro el coronel Torrijos.

La agonía de esta década de rebeldías[365]

De acuerdo con las "periodizaciones", "olas", "generaciones" o "etapas" que sobre la evolución de los fenómenos guerrilleros en América Latina han utilizado diferentes investigadores y analistas (Castañeda,

365 Para el estudio de este período se pueden consultar los textos: *ELN: una historia contada a dos voces* de Carlos Medina Gallego; *El guerrillero invisible* de Walter J. Broderick; *Las guerras de la paz* de Olga Behar; *La guerrilla por dentro* de Jaime Arenas; *Para reconstruir los sueños* de Álvaro Villarraga y Nelson Plazas; de Fabiola Calvo, *Diez hombres, un ejército* y *Colombia: EPL, una historia armada*; de Fabio López de la Roche, *Izquierdas y cultura política. ¿Oposición o alternativa?*; de María Victoria Uribe, *Ni canto de gloria, ni canto fúnebre*; *Así nacieron las FARC* de Jaime Guaraca; *Diario de un guerrillero, Las vidas de Pedro Antonio Marín, Manuel Marulanda Vélez, Tirofijo, La Paz la violencia: Testigos de excepción* y *Manuel Marulanda Tirofijo Colombia: 40 años de lucha guerrillera* de Arturo Alape; *FARC-EP Temas y problemas nacionales 1958-2008* de Carlos Medina Gallego; y *El orden de la guerra. Las FARC-EP: entre la organización y la política* de Juan Guillermo Ferro y Graciela Uribe; igualmente, el libro del Centro Nacional de Memoria Histórica *Guerrilla y población civil*; la revista *Resistencia* y el *Esbozo histórico de las FARC-EP* de la Comisión Internacional de esa guerrilla. Los documentos internos del EPL y del PCC (M-L) hacen parte del centro de documentación de la Fundación Cultura Democrática http://www.fundacionculturademocratica.org Importante también la consulta a las páginas web http://www.pazfarc-ep.org, http://www.farc-ep.co, http://www.el-voces.com, http://www.ranpal.net, y la página del Centro de Documentación de los Movimientos Armados, CEDEMA: http://www.cedema.org

Harnecker, Rodríguez Helizondo, Pizarro, Waldmann, Medina y otros), la irrupción del ELN, las FARC y el EPL en la vida nacional hace parte de una primera generación que corresponde a decenas de guerrillas surgidas en el continente después de la Revolución Cubana, con diferentes niveles de aceptación de su ejemplo, casi todas ellas asumiendo inicialmente la tesis o teoría del foco, con claros rasgos vanguardistas y militaristas que las alejaban de ser proyectos populares, como pregonaban. Aparecen estas guerrillas en momentos álgidos de la Guerra Fría y de la confrontación entre Pekín y Moscú por el predominio de sus modelos en el tercer mundo; guerrillas con altos contenidos ideológicos y la radicalidad propia de la generación de la posguerra mundial que todo lo quería cambiar.

La línea divisoria entre lo que fue la euforia de los momentos fundacionales de las tres guerrillas pioneras en el accionar armado contemporáneo colombiano y lo que vino a continuación, fueron los años de 1967 y 1968. Cada uno de los grupos guerrilleros vivió y padeció, después del éxito inicial del surgimiento, períodos de crisis —más militar que política—, de reflujo y de cuasi exterminio, como ocurrió con muchas guerrillas del continente que no lograron superar la fase de alistamiento.

El ELN comenzaba a recorrer su propio calvario. Después de la muerte de Camilo, el Ejército montó una gran operación en la región que lo obligó a abandonar el histórico cerro de Los Andes para ubicarse por los lados del río Opón: "En ese mismo año, se produce una serie de hechos donde están mezclados operativos militares, errores de carácter táctico-operativo, problemas de indisciplina; se conjugan estos elementos que van deteriorando el grupo"[366]. Es el primer semestre de 1967 y, a pesar de las adversidades, la organización se mostraba consolidada y crecía en número de combatientes; el 9 de marzo, después de las tomas de Simacota y Papayal, dos años atrás, el Frente José Antonio Galán[367], al mando de Fabio Vásquez Castaño, protagonizó

366 Nicolás Rodríguez Bautista, *Gabino*, en Carlos Medina Gallego, *op. cit.*, p. 85.

367 En el momento ya funcionaba el Frente Camilo Torres Restrepo (FCTR), comandado por Ricardo Lara Parada, con actividades en el Magdalena Medio, entre los departamentos de Santander y Cesar; en su proceso de desarrollo había tenido acciones a su favor, como fue la emboscada a una patrulla militar en julio de 1966, y otras que

una espectacular acción de amplia difusión nacional e internacional por la cobertura propagandística que le dio el periodista Mario Renato Menéndez, director de la revista *Sucesos* de Ciudad de México, presente en el hecho. En el sitio denominado Las Montoyas, entre los ríos Carare y Opón, en Santander, el ELN emboscó y asaltó el tren pagador del Ferrocarril del Magdalena, dejó muertos a 6 policías y 3 civiles y se llevó abundante material de guerra. El reportaje ocupó catorce páginas de la revista *Punto Final* de Chile, con entrevistas a los líderes y detalles y fotografías de la que llamaron Operación Camilo Torres[368]. Para el periodista mexicano, la odisea terminó con su detención temporal en Bogotá e interrogatorios por parte del DAS en los que fue presentado como un delator. Para el ELN, en ese momento y posteriormente, fue un montaje de los organismos de seguridad, no hubo tal delación, y el de Menéndez fue un trabajo con ética profesional.

Hasta aquí el grupo, dentro de su propio balance, y pese a los golpes recibidos, contabilizaba más triunfos que derrotas; su trabajo con la población en la región del Opón oscilaba entre lo clandestino y actividades legales que fueron detectadas, lo que produjo la persecución del Estado a los campesinos que se mostraban dispuestos a colaborar con la guerrilla. Del "frente madre" se había desprendido el FCTR, y de este habían salido comisiones que permitieron que la guerrilla ampliara sus horizontes. Una de ellas, denominada la Guerrilla Libertad, comandada por José Ayala —integrante de la primera marcha del 4 de julio, tres años atrás—, había realizado en enero de 1966 una primera emboscada en Los Aljibes, con resultados positivos. En octubre siguiente, la suerte no estuvo de su lado y fueron delatados y atacados en Sangilito, corregimiento de Simacota, donde murieron once guerrilleros; solo sobrevivió Ayala, quien, tras una aparatosa huida, se integró al Frente José Antonio Galán. Coincidente o no con los interrogatorios a que fue sometido el periodista mexicano, pocas

significaron serios reveses, como el ataque del cerro de La Paz, donde perdieron la vida 5 guerrilleros. En el momento en que hacía presencia el periodista de *Sucesos*, este frente se tomó la población de Vijagual —27 de febrero— y envió una carta informe a Fabio que fue publicada en el reportaje.

368 "El Ejército de Liberación Nacional de Colombia", revista *Punto Final*, edición N° 34, suplemento especial, primera quincena de agosto de 1967, Santiago, Chile. El reportaje fue publicado en *Sucesos* N° 1774 del 1° de julio de 1967.

semanas después se produjo la estrepitosa caída de la red urbana del ELN: decenas de militantes en Bucaramanga, Barrancabermeja, San Vicente y Bogotá fueron detenidos y decomisadas varias "caletas" con documentos, armas, planes y bienes de la organización.

Otro capítulo de la ignominia estaba por escribirse en el historial de la guerrilla en Colombia. En su haber, el ELN tenía los fusilamientos de dos integrantes que traicionaron; en la que sería una larga lista, les siguió Heriberto Espitia, segundo al mando del FCTR, integrante de la Brigada Pro Liberación en los tiempos del primer entrenamiento en Cuba en 1962; su muerte no tuvo explicaciones para el resto de la organización y mostraba que la crisis de conducción comenzaba a aflorar. Las contradicciones entre Fabio Vásquez y Víctor Medina iban en aumento; este último contaba desde hacía varios años con la crítica y las observaciones del jefe por su bajo nivel militar; las tensiones se fueron acumulando: "Podríamos decir que había dos grupos. Uno, compuesto por: Víctor Medina, Juan de Dios Aguilera[369], Heliodoro Ochoa y Julio César Cortés; y en el otro, donde estaban: Fabio, Manuel, José Ayala, Luis José Solano Sepúlveda y Julio Portocarrero"[370]. De Heliodoro Ochoa recuerdan muchos guerrilleros de la primera época el episodio cuando, meses atrás, había criticado y confrontado físicamente a Fabio Vásquez por su autoritarismo; algunos aseguran que ese día firmó su sentencia de muerte.

Para agravar la crisis interna, durante el segundo semestre de 1967 se presentaron de nuevo decenas de detenciones de militantes en todo el país y de activistas estudiantiles, dirigentes de los trabajadores y personalidades políticas del PCC y del MRL sospechosos de colaborar con el ELN. Las debilitadas estructuras urbanas y rurales fueron duramente golpeadas; las deserciones, traiciones y delaciones eran constantes, así mismo, las dudas y resquemores entre los dirigentes. En octubre, Fabio Vásquez regresó a la guerrilla después de permanecer cinco meses en tratamiento médico en Bucaramanga. Al llegar, tomó la decisión de destituir a Medina Morón como segundo responsable y ubicó a Lara Parada en esa posición, dividió la totalidad de la fuerza

369 Juan de Dios Aguilera era un dirigente de los petroleros en Barrancabermeja; fue detenido por los organismos de seguridad y se fugó, llegando a las filas de la guerrilla.

370 Nicolás Rodríguez Bautista, *Gabino*, *op. cit.*, p. 92.

de aproximadamente 65 combatientes en cuatro grupos, con distintos rumbos y tareas, bajo el mando de Manuel Vásquez, Víctor Medina, Fabio Vásquez y José Ayala. Este último tenía a Aguilera en sus filas, y como segundo al mando, a Portocarrero. La crisis se precipitó en forma de complot: Aguilera se rebeló junto con sus hombres de confianza, se constituyeron en el Frente Guerrillero Simón Bolívar por fuera del ELN, asesinaron a Ayala, dejaron herido a Portocarrero, acusando al primero de maltrato, faltas a la moral y malversación de fondos; de inmediato buscaron aliarse con Medina Morón. De todo eso se enteró Fabio que procedió a "arrestar" a los acusados sin mayores fundamentos: Víctor Medina, Julio César Cortés, Heliodoro Ochoa, Pedro Vargas, conocido como *Pelé,* y un guerrillero llamado Alfonso. Contra estos dos últimos finalmente no hubo cargos.

El juicio de responsabilidades contra los tres dirigentes fue breve, y las posibilidades de defensa, escasas; el mismo Jaime Arenas Reyes, con apenas tres meses en la guerrilla, hizo de fiscal del caso. Los acusados reconocieron cargos, pero nunca aceptaron estar comprometidos en una conspiración. Al final fueron fusilados; esto ocurrió el 22 de marzo de 1968. "Víctor Medina Morón, yo que lo conocí personalmente y estuve con él, era un personaje de una capacidad tremenda, intelectual, tenía una proyección política a nivel del país. Propuso que se hiciera trabajo político en la clase estudiantil, en la clase obrera, en las ciudades para tener una retaguardia fuerte. Eso lo llevó a que lo mataran, o sea a que lo matara Fabio Vásquez Castaño. Fabio era un caudillista, un tipo que quería el mando único, entonces de una vez un juicio, se dijo que se iba a volar, lo trajimos, lo amarramos, le hicimos un juicio de quince días y fue eliminado; con él Heliodoro Ochoa y Julio César Cortés, un médico de Bogotá"[371]. Se cuenta que este último, cuando supo de la sentencia, le envió una nota a su madre en la que le decía: "Si mi muerte contribuye al triunfo de la revolución, no tengo nada que lamentar"[372].

A estas alturas de la historia sería ingenuo desvirtuar las causas políticas e ideológicas de esta y de las subsiguientes crisis en el ELN;

371 Testimonio de Ovidio Martínez en: Fundación Cultura Democrática, documental *El reto de la paz*, capítulo 3, "El conflicto armado con las guerrillas", Bogotá, 1997.

372 Walter J, Broderick, *El guerrillero invisible*, Bogotá, Intermedio Editores, 2000, p. 24.

la "historia oficial" daba cuenta de un complot, de una infiltración por parte de la CIA, como llegó a afirmar Fabio Vásquez. Así fue presentado ante los militantes y organizaciones nacionales e internacionales. Podría resultar un contrasentido, pero el grupo registró en los tres años siguientes un significativo crecimiento como estructura militar y se consolidó en una extensa zona de influencia entre los límites de los departamentos de Santander —municipio de Cimitarra, al mando de Ricardo Lara—, Bolívar —Yondó, San Pablo y Santa Rosa del Sur, a cargo de Fabio Vásquez— y Antioquia —Puerto Berrío, Maceo, Remedios y Segovia, bajo el mando de Manuel y Antonio Vásquez—: "Yo diría que son cuatro elementos básicos que se alcanzan en ese momento: uno, el ensanchamiento geográfico; dos, el crecimiento; tres, un salto a la tenencia de logística de guerra como armas y municiones; y cuatro, un dinero básico que permita tener un desarrollo y una proyección sin que tuviéramos que depender de todo lo que nos proporcionaban las masas, sino que ya comenzaba a haber recursos para financiar y sostener los planes que se realizaban"[373].

Con las pruebas que tenían los organismos judiciales contra 215 dirigentes, miembros y simpatizantes del ELN, convocaron en Bogotá para el 13 de diciembre de 1968 al que se conoció como el "consejo de guerra del siglo": 88 de los inculpados se encontraban presentes, y los demás fueron juzgados como reos ausentes. En las declaraciones afloraron las fortalezas y debilidades de los elenos enjuiciados: hubo delaciones, arrepentimientos y defensas de las políticas del grupo. Allí fue juzgado de nuevo Jaime Arenas Reyes, quien había desertado de la guerrilla diez meses antes. A partir de su huida, el ELN lo condenó a muerte; la orden la impartió el propio Vásquez Castaño, y tarde o temprano tenía que ser cumplida: en eso eran inflexibles, como ya lo habían demostrado. La izquierda y los militantes de otros grupos guerrilleros calificaron la actitud de Arenas como cobardía y traición, que afectaba en su conjunto al movimiento armado. Tal apreciación se acentuó aún más cuando, en enero de 1971, publicó su libro *La guerrilla por dentro*, en el que hizo un pormenorizado análisis del ELN, de los errores cometidos desde la fundación, sus

373 Nicolás Rodríguez Bautista, *Gabino*, citado en Carlos Medina Gallego, *op. cit.*, p. 247.

crisis y divergencias, y la compleja personalidad de su comandante. La publicación impactó por tratarse de una radiografía de la guerrilla, para muchos una verdadera delación.

Coincide el momento —1969— con el regreso clandestino de los tres curas españoles: Laín, Pérez y Jiménez, que habían sido deportados entre marzo y abril anteriores. Con el mayor sigilo, lograron contactar al ELN y ganarse la confianza de Fabio Vásquez para que aceptara su incorporación. Llegaron por separado, con identidades falsas, muy seguramente después de una corta estadía en Cuba. El ingreso a la guerrilla no fue fácil porque les falló el contacto, Rómulo Carvalho, dirigente estudiantil de la Universidad Nacional y primer responsable del trabajo urbano del grupo en Bogotá, asesinado por esos días. Y si no fue fácil el contacto inicial, tampoco lo sería la estadía, particularmente para los curas Jiménez y Pérez, que, como dice Joe Broderick de este último en su libro *El guerrillero invisible*, era torpe, "Andaba cayéndose entre las lianas y raíces de los árboles, caminaba en las aguas de las ciénagas envuelto en nubes de zancudos, hostigado por sanguijuelas, tratando de mantener el equilibrio sobre un resbaloso tronco para atravesar un río, con el inminente peligro de precipitarse entre las aguas turbulentas y sufrir una herida al golpearse contra las rocas. Las marchas eran largas, larguísimas, de nunca acabar; pero lo peor era que Manuel no les veía ningún sentido, José Antonio tampoco"[374]. En las filas del ELN estaba también otro sacerdote español, Carmelo García, que años más tarde se retiró.

A mediados de marzo de 1968 se habían realizado las elecciones para escoger a los miembros de Senado y Cámara de Representantes, concejos municipales y diputados a las asambleas departamentales; el 61,5% de los aproximadamente 6,5 millones de potenciales votantes no lo hizo. Del total de votos depositados, los liberales oficialistas colocaron 988.540, correspondientes al 39,6%; los conservadores unionistas (ospinistas) alcanzaron 578.485 votos (23,18%); los anapistas obtuvieron 401.903 sufragios, que equivalían al 16,10%; los conservadores independientes (alvaristas), 203.499 votos (8,26%), y por el MRL depositaron 51.174 votos, equivalentes apenas a un 2,33%. Dos

374 Walter J. Broderick, *op. cit.*, pp. 21-22.

aspectos llamaron la atención en estas elecciones: la ANAPO disminuyó el total de sus votantes en relación con las elecciones presidenciales de 1966, pero los aumentó frente a las elecciones similares de 1964; en estas elecciones resultó elegido al Congreso por la ANAPO (liberal), en la circunscripción electoral de Santander, el médico Carlos Toledo Plata, de 35 años, uno de los fundadores del Movimiento 19 de Abril (M-19), próximo a debutar.

La baja votación por el MRL demostraba la casi extinción de ese grupo: López Michelsen pensaba ya en su candidatura a la Presidencia a la República y entendía que esa aspiración no podía tenerla por fuera de las filas del Partido Liberal. Así las cosas, el retorno del hijo pródigo al oficialismo era ya inevitable. Los votos del MRL en el Senado de la República y en la Cámara de Representantes le sirvieron al presidente Lleras para aprobar, en marzo y septiembre, respectivamente, el primer paquete de su reforma constitucional. En contraprestación, López fue nombrado primer gobernador del departamento del Cesar, creado a finales de 1967; además, Lleras sugirió a sus congresistas tener en cuenta a López en el momento de elegir los miembros de la Comisión Asesora de Relaciones Exteriores. Por esa vía se consumaron su reintegro formal y definitivo al oficialismo y el abandono de las veleidades izquierdistas que lo acompañaron en los primeros años de la década del sesenta.

En abril de 1968, el PCC (M-L) denunció públicamente, a través de otro de sus órganos informativos, *Orientación*[375], la existencia de una nueva fracción, encabezada por Simeón y Hugo —esta vez calificada de derecha—, quienes estaban a cargo del aparato de propaganda y que, de acuerdo con los informes, malversaron fondos, se apoderaron del 90% de los equipos de impresión del partido, amenazaron de muerte a miembros del Comité Ejecutivo Central, y decenas de cargos más que los colocaban como enemigos del pueblo y de la revolución[376]. Frente a las constantes "desviaciones" se concluyó que el problema estaba en

375 Conclusiones del III Pleno del Comité Central de Partido Comunista de Colombia (M-L), en *Orientación* N° 5, marzo de 1968, Órgano de la Dirección Nacional del Partido Comunista de Colombia Marxista-Leninista, p. 187.

376 *Ibid.*, pp. 278-317.

la "defectuosa composición de clase" de la organización, esto es, que una gran mayoría de la militancia provenía de la "pequeña burguesía" y del movimiento estudiantil, y que la participación de la clase obrera era mínima. La salida fue lanzar la "campaña de bolchevización"[377] para que los militantes se integraran a los sectores populares, encontraran nuevos adeptos en la clase obrera y, así, adoptaran la ideología proletaria; muchos entendieron que la campaña era buscar trabajo en alguna fábrica o ir a vivir a algún barrio marginal... Abanderado de esta campaña fue Libardo Mora Toro, que registraba constantes contradicciones con Arboleda, el nuevo secretario general. Para este momento ya se encontraban en las filas los hermanos Óscar William y Jairo de Jesús Calvo, *Ernesto Rojas*, jóvenes oriundos de Cartago (Valle) con alto compromiso y entrega y, años más tarde, vocero público del PCC (M-L) y comandante del EPL, respectivamente.

Entre tanto, el EPL, que había sorteado con algo de suerte la primera campaña de cerco y aniquilamiento por parte de la fuerza pública, se preparaba para recibir una nueva ofensiva: "Apenas se produjo la primera salida del Ejército, comenzaron a planear el segundo cerco de aniquilamiento. En el cerco hay cosas que no cambian: la primera es la fase del trabajo de inteligencia, el penetrar a la gente para buscar información sobre la ubicación del grupo guerrillero, sus características, su influencia y demás detalles de su interés. Luego viene la labor de propaganda sicológica y de intimidación. En estos aspectos el segundo cerco fue idéntico al primero. Pero lo militar fue diferente"[378]. Entre agosto de 1968 y febrero del año siguiente aumentó sustancialmente la presencia de tropas del Ejército en las regiones del Alto Sinú y San Jorge, en el Bajo Cauca y zonas de Urabá. La sorpresa fue un elemento que jugó en contra de los noveles guerrilleros, que de nuevo salieron de la zona acosados y aislados; de los campesinos, que fueron obligados a concentrarse, especialmente mujeres, niños y ancianos, "A raíz de los cercos todo el mundo se metió hacia el monte, es decir, se aisló de la comunidad misma. Entonces se redujeron las Juntas Patrióticas.

377 Derivado del término *Bolchevique,* partido político surgido en Rusia a comienzos del siglo XX como sector mayoritario dentro del Partido Comunista que representaba los intereses del proletariado o clase obrera.

378 PCC (M-L), "Sobre la historia del EPL".

La de San Jorge, por ejemplo, quedó compuesta por unos siete; en las demás sería muy difícil calcular, pero no muchos. La Junta local del Tigre y las de Alto Sinú eran tres, pero no mucha gente"[379]. Según la historia que relata el mismo PCC (M-L), le hicieron unas 200 bajas al Ejército, "aunque cometimos el error de no aprovechar las condiciones para pasar del hostigamiento hacia acciones de aniquilamiento, ya que teníamos la posibilidad de concentrar fuerzas para operar. De todas formas, después de seis meses de enfrentamientos, el Ejército invasor se retiró una vez más, sin lograr sus objetivos"[380]. La crisis más profunda, que se gestaba desde su fundación y se reflejaba en las continuas divisiones y fracciones, llegaría tres años más tarde colocándolos al borde de la extinción.

La marcha emprendida por los guerrilleros de las FARC después de la conferencia constitutiva —II Conferencia—, realizada entre el 25 de abril y el 5 de mayo de 1966, los llevó por distintos caminos, de acuerdo con los planes que establecieron: Manuel Marulanda Vélez salió con una comisión de 32 guerrilleros a los Llanos del Yarí, y de allí regresaron hacia Algeciras (Huila), donde los esperaba Jacobo Arenas; en total, sumaba cincuenta hombres bajo su mando. Con ellos marchaba *Efraín Guzmán*, el camarada *Nariño*, guerrillero desde Riochiquito que ahora venía de El Pato; su nombre, Noel Matta Matta. En el recorrido de Marulanda se presentaron varios enfrentamientos, entre ellos, uno en zona rural del municipio de Baraya (Huila), en el que murieron el capitán Faruc Londoño y 27 soldados[381]; el comandante estaba en búsqueda de Januario Valero para plegarlo a las directrices emanadas de la conferencia. El rumbo de Ciro Trujillo y el grueso de la tropa fue hacia el Quindío, donde se concentraron otros mandos con sus combatientes. La debacle no pudo ser mayor: muertos, heridos, desaparecidos, capturados y torturados. El 10 de julio de 1967 se inició el consejo verbal de guerra de Las Coloradas contra 61 acusados, 19 de

379 Entrevista a Miguel Galeano, *Darío Masa*, citado por Álvaro Villarraga y Nelson Plazas, *op. cit.*, p. 65.

380 Relato de Ernesto Rojas, en Fabiola Calvo, *op. cit.*, p. 94.

381 Jaime Guaraca, *Así nacieron las FARC*, *op. cit.*, p. 165.

los cuales fueron juzgados en ausencia; entre los condenados figuraba el *Flaco* Jaime Bateman Cayón[382].

Según Marulanda, faltaban conocimientos sobre lo que debía ser la guerrilla móvil y madurez en los mandos que continuaban aplicando los mismos métodos que se utilizaron en los años cincuenta. Ante esta realidad, se vieron obligados a cambiar los planes militares que se trazaron en la II Conferencia. Ya no era posible mantener una fuerza menguada que había perdido hombres valiosos, el caudal político que tenía en el departamento y una parte importante de las armas en su poder. Los nuevos planes contemplaron varias decisiones que fueron trascendentales para el futuro de la guerrilla: la más importante, abrir dos frentes (que posteriormente se conocerían como IV y V frentes) en el Magdalena Medio y en Urabá, donde ya contaban con algunos hombres. La segunda decisión, que permitió mayor coordinación, fue el traslado de Jacobo Arenas a Viotá y la reubicación de varios dirigentes. El nuevo frente en el Magdalena Medio estaba comandado por alias Televisión, y se reforzó con alias Ricardo Franco[383], Jaime Guaraca, Ezequiel Gallo y Carlos Ruiz —*Arturo Alape*—, encargado de la parte política. A la región del Urabá antioqueño enviaron a Alberto Martínez y a Iván Marino Ospina, que se encontraba en el destacamento de alias Cartagena. Finalizaba ya el primer semestre de 1967.

Ciro regresó con su menguada tropa y propuso trasladarse a una zona inexplorada por la guerrilla, pero con grandes perspectivas para la organización de los campesinos: el sur de Boyacá, por los lados del municipio de Miraflores, con salida a los Llanos del Casanare. Se trataba de abrir un nuevo frente en momentos en que el concepto de *destacamento* cambiaba para dar paso a la *fundación de frentes*. Su propuesta fue aceptada. A los pocos meses, el proyecto de las FARC sufrió un nuevo golpe,

382 Con el levantamiento del estado de sitio por parte del presidente Pastrana, el 17 de noviembre de 1970, los procesos que adelantaba la justicia penal militar pasaron a la ordinaria, y los condenados en ese consejo verbal de guerra quedaron en libertad, entre ellos Iván Marino Ospina, que ya no hacía parte de las FARC.

383 Gilberto Álvarez, *Ricardo Franco*, era un dirigente muy apreciado en el BGS y posteriormente en las FARC; murió en 1979 siendo mando del IV frente, cuando examinaba una granada de fragmentación recién comprada que le estalló en las manos; se sospechó que era una granada "arreglada". En su homenaje, un grupo fraccional de las FARC-EP, de ingrata recordación, se denominó Frente Ricardo Franco.

cuando el 10 de octubre de 1968 fueron "dados de baja" —decía la información—, cerca del municipio de Aquitania, en Boyacá, el mayor Ciro, junto con Ciprián Álvarez y otros combatientes que se habían desplazado a esa región: "Ciro Trujillo fue un buen cuadro y un hombre valiente y audaz pero no tuvo idea clara de la táctica de guerrillas móviles"[384], diría años más tarde su compañero Jacobo Arenas, convertido desde entonces en el segundo al mando de las FARC y *alter ego* de Marulanda Vélez.

Seis meses antes, las FARC se preparaban para la III Conferencia, que se realizó en la región del río Guayabero entre el 14 y el 22 de abril de 1969; en la cumbre guerrillera se examinó a fondo la situación que se presentó con el destacamento de Ciro; hubo críticas y autocríticas y se hicieron modificaciones para corregir los errores. "La Conferencia busca soluciones; penetrar de nuevo en las mismas áreas con grupos menores, más ágiles, más operativos y más actuantes; la fuerza se despliega sobre el Tolima, Huila y el Cauca. En Magdalena Medio se están sentando bases para el Cuarto Frente"[385].

Esta Conferencia hizo enmiendas e introdujo nuevos conceptos político-militares en el Reglamento Interno que aprobó la reunión anterior. Se elaboraron planes y se debatió a fondo la difícil situación por la que atravesaban en el campo político, con muy pocos aliados, mucha represión y poca participación de la población, que no prestaba atención a sus propuestas. La III Conferencia hizo una severa crítica a la comandancia de la guerrilla, por cuanto no tuvo la capacidad para interpretar y poner en marcha las conclusiones de la conferencia anterior. Para superar las deficiencias y cambiar la concepción autodefensiva que prevalecía en la mayoría de los mandos y, por supuesto, en los combatientes, se impulsó la Escuela de Comandantes, concebida como un espacio de formación ideológica, política y militar, en donde se estudiaban filosofía, economía, historia y teoría militar. Por allí tendrían que pasar en adelante todos los comandantes de destacamentos y los jefes de grupos de guerrillas. En torno a la muerte de Ciro hubo siempre un manto de misterio. Hay quienes creen que su presencia fue delatada; otros llegaron a afirmar que su misma organización lo

384 Jacobo Arenas en *Resistencia* N° 36, Revista Internacional de las FARC-EP, octubre de 2006.

385 *Ibid.*

dejó a la deriva después de sus fracasos en el Quindío, dos años atrás. Lo cierto es que su muerte fue un nuevo descalabro para las FARC.

Uno de los cuadros con mayor proximidad al Estado Mayor, en particular a Marulanda y Jacobo, era Jaime Bateman, conocido internamente como *Alonso,* quien hacía las veces de enlace con la ciudad, muy activo en la preparación de la III Conferencia; en ese trabajo alcanzó el aprecio de "los viejos", como los llamaba, y con ellos compartía sus inquietudes políticas y militares. Consideraba que la guerra había que llevarla a donde más le "doliera al enemigo", que la ciudad podía cumplir un papel mayor en el desarrollo de la lucha revolucionaria, que las acciones militares de la guerrilla no se estaban transformando en acciones políticas, que la unidad del mando político y militar no era aún una realidad, que en eso de la combinación de todas las formas de lucha, la lucha armada no se había transformado en la forma fundamental, y que *la toma del poder para el pueblo* era un concepto que no estaba claramente enraizado en el pensamiento estratégico de las FARC. Algunas de esas apreciaciones eran compartidas por Jacobo y por Marulanda; donde no tenían mayor acogida era en las estructuras de la dirección del partido que trataba de imponer sus propios ritmos al desarrollo de la guerrilla. Las contradicciones se hicieron fuertes con algunos jerarcas del partido y de la JUCO, más cuando el *Flaco* Bateman enviaba a la guerrilla a compañeros del brazo juvenil; era un militante crítico, con alto sentido de la disciplina y de pertenencia al grupo; exteriorizaba sus desacuerdos permanentemente, muchas veces mamando gallo, pero siempre por los canales regulares, en su célula o ante los dirigentes, sin plantear en ningún momento rupturas.

El debate sobre la conveniencia o no de formar grupos urbanos tocaba las puertas de las organizaciones guerrilleras. El énfasis del trabajo de Bateman en las FARC fue la formación de una red urbana que cumpliera tareas de propaganda, tales como la edición y distribución del periódico *Resistencia*, y apoyar actividades logísticas de la guerrilla, por ejemplo, conseguir botas, lonas, explosivos, uniformes y medicinas; también cuidaban a guerrilleros enfermos, los traían de la montaña, y en la ciudad los atendían médicos amigos. Álvaro Vásquez del Real, miembro del Comité Central del PC, los definía como un grupo especial, que tenía cierta autonomía pero que seguía sus instrucciones y las de Jacobo Arenas a través del Flaco, quien organizó pequeños grupos conspirativos que trabajarían en Bogotá, Cali y otras ciudades. En función de las nuevas labores de logística y propaganda, escogió a sus colaboradores entre compañeros y amigos de la JUCO; algunos de ellos, como Álvaro Fayad, Jorge Torres, Luis Alfonso Ospina, Luis Otero, Elvecio y Humberto Ruiz y Carlos Pizarro, ingresaron a las filas de las FARC de la mano de Bateman a cumplir tareas de formación a los campesinos vinculados a la guerrilla[386].

Por su parte, el ELN hacía el trabajo en Bucaramanga y Barrancabermeja desde antes de su fundación, en 1964, a través de la llamada "red urbana", que fue duramente golpeada y se encontraba en proceso de reorganización. La actividad principal consistía en acercarse a sectores sociales y políticos para ganar nuevos simpatizantes o militantes, en especial a trabajadores de la industria petrolera, pobladores de barrios populares, estudiantes universitarios y profesionales; era lo que llamaban "trabajo de masas". También realizaban asaltos a entidades comerciales o bancarias, atendían heridos o enfermos, editaban los periódicos *Insurrección* y *Simacota* y realizaban "inteligencia" sobre posibles blancos de secuestro. Desde 1969, el ELN comenzó a hacer "retenciones con fines económicos", en su lenguaje; el primero se llamó Misael Tamayo y se lo llevaron cerca de Puerto Berrío.

Para el EPL, la acción urbana estaba supeditada al apoyo logístico, al reclutamiento de nuevos miembros y al trabajo político que realizaba el PCC (M-L): "Sobre el trabajo militar urbano: 1 Es una necesidad la creación de organizaciones armadas en la ciudad, con vista al desarrollo de la guerra popular. 2 En la actualidad, debido a la situación del Partido, no hay condiciones para la creación de brigadas urbanas militares. 3 El desarrollo de la campaña de bolchevización irá llenando estas condiciones"[387]. El EPL asumió el secuestro como medio para

386 Carlos Pizarro era el tercero de los cinco hijos de un almirante de la Armada Nacional, todos ellos militantes de la JUCO; era lo que se podría llamar "un muchacho bien", de buena familia, estudiante de buenos colegios, alumno en la Facultad de Derecho de la Universidad Javeriana entre 1969 y 1970, cuando lo expulsaron junto a su hermano Eduardo por protagonizar la primera y única huelga que se ha dado en los claustros jesuitas. La mayoría de edad —veintiún años— la alcanzaría en las filas de la guerrilla.

387 "Combatiendo Unidos Venceremos", *Documentos 3*, Partido Comunista de Colombia (M-L), Editorial 8 de Junio, julio de 1975, p. 179.

solucionar sus carencias económicas en el mismo 1969: "Los secuestros de personalidades importantes del enemigo o de grandes capitalistas pueden ser una fuente para las finanzas, pero debemos ser prudentes en la aplicación de este medio. Cuando se trate de utilizarlos con fines económicos, debe ponerse en consideración del Comando Nacional del EPL y esperar el visto bueno de este"[388].

En ese entonces, la guerra revolucionaria, en particular la modalidad de la guerrilla urbana, había alcanzado un punto alto en América Latina, en especial después de casi una década de intentos foquistas rurales, muchos de ellos derrotados. Los defensores de "lo urbano" consideraban que en las ciudades se podía desarrollar, hasta extremos insospechados, la lucha clandestina armada en contra del establecimiento, que no se trataba de pequeños grupos armados —foquismo urbano—, sino de formar embriones del ejército para oponerlos a las fuerzas represivas. Pero fue en el Cono Sur —Brasil, Uruguay y Argentina— donde se presentaron los mayores desarrollos. La Alianza Libertadora Nacional (ALN) y el Movimiento Revolucionario 8 de Octubre (MR-8), en Brasil, secuestraron al embajador de Estados Unidos, Charles Elbrick, lograron la libertad de quince presos políticos y la difusión de un comunicado; dos meses después, el 4 de noviembre de 1969, sufrieron un duro revés con la muerte de Carlos Marighella, a quien muchos consideraron "el padre de la guerrilla urbana en América Latina". En junio de ese año había publicado su *Minimanual del guerrillero urbano*, en el que conceptualizó sobre esta forma de lucha, elevándola a la categoría de forma principal, sin negar el rol de la guerrilla rural, "que está destinada a cumplir un papel decisivo en la guerra revolucionaria". Pocos meses más tarde, en un hecho insólito, el capitán Carlos Lamarca desertó del Ejército alzándose con un poderoso arsenal para instalar una guerrilla rural, a la que llamó Vanguardia Armada Revolucionaria-Palmares (VAR-P). En Argentina, el Movimiento Peronista Montoneros, una organización que se definía como nacionalista, se dio a conocer el 29 de mayo de 1970 con el secuestro y posterior "ajusticiamiento" del general Pedro Eugenio Aramburu, uno de los jefes del golpe militar que derrocó a Perón en 1955. Entre los

388 "Conclusiones del IV pleno del Comité Central: Lanzamiento de la campaña de Bolchevización: Sobre la rectificación en el frente de finanzas", *Orientación* N° 9, agosto de 1969, p. 36.

fundadores de Montoneros se encontraban Mario Eduardo Firmenich, Fernando Abal Medina, Carlos Gustavo Ramus y Emilio Ángel Maza. Por otro lado, el Partido Revolucionario de los Trabajadores, encabezado por Mario Roberto Santucho, optó en ese año por desarrollar la lucha armada y procedió a organizar el Ejército Revolucionario del Pueblo (ERP). En Uruguay, el accionar de los Tupamaros desencadenó la simpatía popular: a la toma de la Cárcel de Mujeres, de donde fueron liberadas quince tupamaras, y al asalto del Centro de Instrucción de la Marina, que les dejó sin disparar un solo tiro centenares de armas y equipos, el Gobierno respondió con el estado de sitio; prohibió, además, el uso en los medios de comunicación de las palabras "célula", "comando", "subversivo", "tupamaro", "delincuente político" y otras afines.

Con base en la Ley 135 de 1961, el gobierno de Carlos Lleras Restrepo diseñó una estrategia para impulsar un proyecto de reforma agraria que pretendía la redistribución de la tierra; para ello, fomentó la organización campesina a través de las asociaciones de usuarios que se organizaban a partir de la expedición de la Resolución 061 de febrero de 1968, que reglamentó el registro y señaló los requisitos para la formación de asociaciones en los órdenes municipal, departamental y nacional. De esta manera, desde el mismo Gobierno, se impulsó, a comienzos de 1970, la formación de la Asociación Nacional de Usuarios Campesinos (ANUC), que realizó su primer congreso a mediados de ese año en Bogotá, en la sede del Capitolio Nacional. La ANUC estableció desde entonces la necesidad de impulsar un proceso "drástico, masivo y rápido" de reforma agraria. Tres meses antes de comenzar la administración de Misael Pastrana Borrero, en agosto de 1970, la ANUC contaba con 980.358 inscripciones de usuarios, 529 asociaciones reconocidas y 354 con personería jurídica; las recuperaciones de tierras estaban en el orden del día, y regiones de Sucre, Córdoba, Bolívar y Antioquia registraban, día a día, ocupaciones por parte de cientos de campesinos que practicaban, así, una reforma agraria; el informe *¡Basta ya!* del Centro de Memoria Histórica registró "la gran oleada de invasiones campesinas, que llegó a ocupar 984 predios entre 1971 y 1974"[389].

389 *¡Basta ya!*, Centro de Memoria Histórica, *op. cit.*, p. 126.

Con el ánimo de controlar políticamente a la ANUC concurrieron los más variados grupos y subgrupos de las distintas expresiones de la izquierda colombiana, legal e ilegal: el Bloque Socialista y las diferentes tendencias trotskistas, los comunistas, las múltiples fracciones en que ya se debatía el campo M-L, y en menor grado el ELN, cada uno de ellos con sus particulares y no siempre acertadas valoraciones sobre el papel del campesinado en un proceso revolucionario. Para todos ellos, era el escenario ideal para captar nuevos miembros y materializar las consignas de los M-L de "la tierra para el que la trabaja" y "tierra sin patronos" de los socialistas. La excesiva afluencia de militantes llegó a ser un tema de debate en los espacios propios de discusión de los campesinos. Esta controversia, por ejemplo, se presentó en el Congreso de Sincelejo de julio de 1972 y fue motivo de divisiones posteriores en la ANUC.

A mediados de 1971, la IV Junta Nacional dio a conocer el *Mandato campesino*, un documento programático que marcaría la orientación del movimiento. Coincide el momento con la nueva oleada de invasiones de tierra: para octubre se habían registrado 135 tomas en los departamentos de Tolima, Antioquia, Huila, Cauca, Valle y Cundinamarca. Muy poco tiempo después, el gobierno de Pastrana iniciaría la contrarreforma agraria con la Declaración de Chicoral, un pacto bipartidista sobre el proyecto de modificación de la Ley de Reforma Agraria que fomentó la división del movimiento campesino y de la ANUC. Surgió la "Línea Armenia" —gobiernista—, enfrentada a la "Línea Sincelejo" —que representaba los intereses de la gran mayoría de usuarios—. Estudios de la época indican que, a raíz de esta división, cerca de 500.000 campesinos abandonaron las filas de la ANUC. La Línea Sincelejo quedó con aproximadamente 300.000 afiliados, mientras que el sector gobiernista debió conformarse con solo 10.000 campesinos.

V
La guerrilla urbana

M-19, la combinación de lo urbano y lo rural[390]

La década de los años setenta inició con una noticia para esta historia: cuando se cumplía el cuarto aniversario de la muerte de Camilo Torres en combate, se conoció la carta abierta que "desde las montañas de Colombia" envió el sacerdote español Domingo Laín Sáenz para anunciar su vinculación a la guerrilla: "Siguiendo un imperativo moral, nacido de la conciencia de no pertenecerme a mí mismo como revolucionario

390 Sobre el M-19 existe una amplia literatura consultada para este escrito, entre otros: el texto de Ángel Beccassino *M-19 el Heavy Metal latinoamericano*; los libros de Darío Villamizar, *Aquel 19 será*, *Jaime Bateman, profeta de la paz*, *Sueños de abril* y *Jaime Bateman, biografía de un revolucionario*; de Vera Grabe, *Razones de vida*; de María Eugenia Vásquez, *Escrito para no morir*; de Olga Behar, *Las guerras de la paz*; de Arturo Alape, *La paz, la violencia, testigos de excepción*. Sobre momentos específicos en la historia del M-19, como fueron la toma de la Embajada de República Dominicana y del Palacio de Justicia, se utilizaron los libros *Así nos tomamos la embajada*, de Rosemberg Pabón, y *Noche de lobos*, de Ramón Jimeno; *El Palacio de Justicia, una tragedia colombiana* de Ana Carrigan; y *El palacio sin máscara* de Germán Castro Caycedo. El trabajo de grado "Militancia urbana y accionar colectivo del M-19 en Cali, 1974-1985" de Jorge Albeiro Holguín y Miguel Ángel Reyes Sanabria; *¡Tenga...! Esta es Colombia* de Ramón Jimeno, y *Siembra vientos y recogerás tempestades* de Patricia Lara. Los documentales de Rafael Vergara *Colombia en guerra por la vida* y *Ellos dijeron sí a la paz*, el documental *Pizarro* de Simón Hernández y María José Pizarro. Los documentos del M-19 consultados pertenecen al Centro de Documentación para la Paz, http://www.pensamientoculturaypaz.org Otros se encuentran en la página web del Centro de Documentación de los Movimientos Armados, CEDEMA: http://www.cedema.org

sino a las masas explotadas de Colombia y a las de todos los países oprimidos, a la vez que respondiendo al carácter público que en nuestra sociedad reviste la función sacerdotal, cumplo con un deber de orientador del pueblo al incorporarme a las guerrillas del ELN a su línea de acción y a sus programas politicosociales [...] Me he incorporado precisamente al ELN porque en su línea de acción y pensamiento, en sus programas politicosociales, en sus combatientes sigue creciendo y desarrollándose el pensamiento y la figura de Camilo"[391].

Su compañero en el sacerdocio Manuel Pérez Martínez, inmerso en su propio martirio, prefería el silencio de una militancia compleja: había sido incorporado al grupo de Ricardo Lara Parada, segundo al mando, y por ser crítico a ciertos privilegios del jefe fue sometido a un "juicio revolucionario" en el que se le declaró culpable y fue sentenciado a morir fusilado, junto con otros compañeros; finalmente, su pena fue conmutada por la de expulsión de la organización y, poco tiempo después, fue reintegrado al trabajo; corría el mes de marzo de 1970, y su "bautizo de fuego" en las filas del ELN sería pocas semanas más tarde, en el ataque al puesto de Policía en San Juan del Carare, de donde los guerrilleros se llevaron todo el armamento. El otro compañero de Laín y de Pérez desde el seminario, y ahora en la guerrilla, José Antonio Jiménez Comín, de 34 años, no corrió con tan buena suerte: en ese mismo año murió por la mordedura de una serpiente en la serranía de San Lucas, entre Antioquia y Bolívar.

La Colombia de inicios de la década de los años setenta había registrado cambios sustanciales en las dinámicas de la población, en particular al pasar de ser una sociedad básicamente rural a una urbana, que observó importantes crecimientos entre 1951 y 1973, lapso en el que el país pasó de tener un 40 a un 60% de su población viviendo en ciudades grandes e intermedias. Entre 1950 y 1965, Bogotá y Medellín duplicaron sus poblaciones a causa de éxodos por razones del conflicto armado y por situaciones propias de la maltrecha economía agraria. Las migraciones hacia las ciudades estaban compuestas básicamente por campesinos en condiciones de pobreza, con bajos niveles educativos y con conocimiento de los oficios propios del campo; esto

391 Carta abierta de Domingo Laín, en http://www.cedema.org/ver.php?id=1793

produjo el aumento de la marginalidad y la exclusión, con todas las tensiones sociales derivadas.

El gobierno del liberal Carlos Lleras Restrepo llegaba a su final luego de cuatro años de autoritarismo, soberbia, exclusión y profundas brechas en lo económico y lo social; a la cabeza de las luchas populares se encontraba no solamente la ANUC, sino también los estudiantes, que asistían a la disolución de la FUN y al cierre de la Universidad Nacional. Por otro lado, las guerrillas del EPL, el ELN y las FARC parecían recuperar la iniciativa en sus frentes de Córdoba, Antioquia, Santander, Magdalena Medio, Tolima y Huila. Para el cuatrienio 1970-1974, el cuarto y último del Frente Nacional, le correspondía el turno a un conservador; en la baraja de precandidatos estaban los nombres de Misael Pastrana, Evaristo Sourdís y Belisario Betancur, quien había sido ministro de Trabajo en la administración de Valencia; paradójicamente, la decisión fue tomada por la Convención Liberal, que escogió a Pastrana como candidato oficial. La ANAPO, con un programa populista de diez puntos, inscribió al general Gustavo Rojas Pinilla como candidato conservador-anapista.

La campaña del General fue particularmente intensa: las manifestaciones en plazas públicas y recintos cerrados convocaron a miles de colombianos que veían en él una esperanza de redención; nunca antes un debate electoral estuvo tan polarizado, y tampoco se había visto que una fuerza política, diferente a liberales y conservadores, irrumpiera con tal vigor en ciudades y campos y que pusiera a temblar a sus poderosos adversarios. El domingo 19 de abril de 1970 se realizaron las elecciones, hasta hoy las más reñidas y cuestionadas en la historia nacional. A las cuatro de la tarde se cerraron las urnas y desde las mesas de votación se comenzaron a conocer datos que colocaban a Rojas Pinilla como virtual ganador. El primer boletín de la Registraduría Nacional, emitido a las ocho y media de la noche, sobre 239 de los 920 municipios existentes entonces, indicaba como resultados parciales: Rojas Pinilla, 312.278; Pastrana, 298.571, y Betancur, 84.074 votos. De persistir la tendencia, Rojas sería el nuevo presidente.

El pánico se apoderó del oficialismo, y "misteriosamente" se suspendió la transmisión electoral por las emisoras; el ministro de Gobierno, Carlos Augusto Noriega, apodado el *Tigrillo*, quien asumió en persona la divulgación de los datos, tarea de competencia de la Registraduría, se movió esa noche por entre los micrófonos de la radio en Bogotá logrando "apaciguar" los ánimos de exaltados locutores y las informaciones sobre resultados; "El 19 de abril, por la noche, la gente se concentró en las casas de ANAPO. Estaba convencida de que tenía el poder [...] el pueblo bailó en las calles [...] Después informaron por la radio que el Gobierno había suspendido en todo el territorio nacional la transmisión de los escrutinios, los cuales estaban dándole la mayoría a la ANAPO. Me comuniqué por teléfono inmediatamente con Samuel Moreno, el yerno del general, quien había viajado a Bogotá. Él me dijo que se estaba preparando un fraude y que debíamos movilizar a la gente a fin de tenerla alerta"[392].

El boletín número 3, de las 11:45 p.m., mantenía la diferencia de 21.000 votos de Rojas sobre Pastrana; la información correspondía a 497 municipios. A eso de las tres de la mañana del día siguiente se conoció el cuarto boletín, y ya Pastrana superaba a Rojas por 2.617 votos. Todelar era, en esos años, la emisora más sintonizada en el país; durante la jornada hizo sus propios conteos con base en los boletines emitidos por las delegaciones de la Registraduría en los distintos departamentos. Según sus cuentas, Rojas llevaba 1.235.679 votos, contra 1.121.958 de Pastrana, una ventaja de más de 113.000 votos. Veintisiete años después, el exministro Noriega reveló en el libro *Fraude en la elección de Pastrana Borrero* que un diligente empleado de la Registraduría Distrital, cuando esa noche accionaba la sumadora, de manera "involuntaria" le computó 30.000 votos de más al candidato Pastrana, y con ese error salieron los cuatro boletines de esa noche y cuatro más de los días siguientes[393]. En el sexto boletín, de las 8:45 de la noche del 20 de abril, Pastrana mantenía su ventaja sobre Rojas, y se hacía una corrección en Sucre, donde la votación del primero bajaba de 25.948 votos a 24.017, y la de Rojas, de 24.017 a 7.519 votos, 16.498 menos.

392 Testimonio de Carlos Toledo Plata, en Patricia Lara, *Siembra vientos y recogerás tempestades*, Bogotá, Planeta Colombiana Editorial, S. A., 1986, pp. 35-40. Toledo Plata hizo su carrera de Medicina en Argentina; allí vivió de cerca el fenómeno del peronismo. A su regreso a Colombia militó en la ANAPO y alcanzó un escaño en el Concejo de Bucaramanga; en 1968 fue elegido a la Cámara de Representantes.

393 Carlos Augusto Noriega, *Fraude en la elección de Pastrana Borrero*, Bogotá, La Oveja Negra, 1998.

En los boletines 7 y 8, del 22 y 23 de abril, se notaron irregularidades similares; transcurrían las horas y los días, y los votos por Rojas, en lugar de aumentar, disminuían.

En Nariño fue violada el arca triclave que guardaba los pliegos municipales y se cambiaron votos en favor de Rojas por votos de Pastrana; este hecho fue divulgado quince años más tarde por el exministro Lucio Pabón Núñez: en una entrevista para la revista *Cromos*, contó que un día salía del Capitolio con su colega Bertha Hernández de Ospina y el senador Luis Avelino Pérez, y que este les confirmó que él había sido el autor del fraude en Nariño en favor de Pastrana. Les reveló que "el elegido era Rojas, pero que como él (Pérez) tenía la llave del arca triclave de Nariño, llegó a Pasto, abrió el arca y cambió los votos favorables a Rojas por votos de Pastrana"[394]. Las irregularidades fueron tan evidentes en ese departamento, que desde el principio se impugnó la elección.

El mayor fraude en la historia política colombiana estaba consumado: "A Rojas le robaron las elecciones, él permitió que se las robaran: a ese robo no respondió con violencia. Y si a usted le roban las elecciones, su respuesta tiene que ser violenta [...] Con esa actitud débil de Rojas, el pueblo recibió una ofensa. Su cobardía, su vacilación, se debilidad, todo, constituyó una afrenta a la voluntad popular. Nosotros protestamos con la gente. Pero no teníamos el poder, ni la organización, ni la fuerza interna para imponer un hecho violento. Rojas dijo que con su actitud había evitado un derramamiento de sangre. Yo creo que lo que realmente evitó fue que el pueblo encontrara su alternativa política. Eso fue lo que Rojas evitó"[395]. Lo que no pudo evitar fue la rabia popular de miles de sus seguidores que salieron a las calles de las principales ciudades, ocuparon plazas y parques, apedrearon el transporte público y saquearon el comercio. Se cuenta que, bajo detención domiciliaria, el general y su hija María Eugenia

394 "Aquel 19", *Semana*, 2 de febrero de 1995, en http://www.semana.com/nacion/articulo/aquel-19/24826-3 En el diario *El Tiempo* del 20 de abril de 1997, el exministro publicó un artículo titulado "Fraude del 19 de abril en Nariño. ¿Arca triclave violada?", en el que dio una extensa versión sobre los hechos y ratificó la versión del Lucio Pabón Núñez. Véase http://www.eltiempo.com/archivo/documento/MAM-511481

395 Testimonio de Jaime Bateman, en Patricia Lara, *op. cit.*, p. 115.

intentaron contactar al ELN a través del cura René García, uno de los fundadores de Golconda, pero que Fabio Vásquez manifestó no estar interesado para nada en ese sector político.

En la noche del martes 21, el presidente Lleras, en alocución televisada, mirando su reloj, fijó el plazo de una hora para que todos los colombianos se resguardaran en sus casas; anunció el toque de queda a partir de las ocho de la noche y el estado de sitio en todo el territorio nacional. La medida excepcional se mantuvo durante 24 días, hasta el 15 de mayo siguiente. En su intervención dio a conocer un comunicado que calificó como "subversivo", en el que la ANAPO acusaba de fraude al Gobierno, desconocía cualquier fallo diferente al triunfo del general y señalaba que se estaban tomando medidas "para impedir que la oligarquía le robe el poder al pueblo". Lo cierto es que Rojas, "para evitar derramamientos de sangre", no actuó como sus bases lo esperaban, no se decidió a pelear el triunfo y se mantuvo dentro de los límites que el establecimiento le impuso.

Ochenta y siete días luego de aquel 19 de abril, la Corte Electoral dio a conocer el acta número 90, referida a los escrutinios definitivos de los votos válidos emitidos, así: Belisario Betancur, 471.350; Misael Pastrana, 1.625.025; Gustavo Rojas, 1.561.468; Evaristo Sourdís, 336.286 votos; la abstención fue del 53,6%. En las corporaciones públicas, la ANAPO logró importantes resultados: de los 118 escaños del Senado, alcanzó 38 (32,2%); en la Cámara de Representantes obtuvo 71 curules, de un total de 210 (33,8%). Uno de los más radicales congresistas electos fue un joven de Marinilla (Antioquia), llamado Israel Santamaría Rendón; desde su posesión, trabajó en la Comisión Séptima de la Cámara por la formación de un frente de oposición popular; en la misma circunscripción electoral de Antioquia fue elegido Andrés Almarales, un fogoso dirigente anapista, oriundo de Ciénaga, con amplia experiencia en la lucha sindical y política. Entre otros seguidores de Rojas figuró de nuevo Carlos Toledo Plata, en la Cámara; ellos tres estarían años más tarde en las filas del M-19. Al Senado llegaron María Eugenia Rojas, su esposo Samuel Moreno y Jaime Piedrahíta Cardona.

El 7 de agosto de 1970 tomó posesión el conservador Misael Pastrana Borrero, último presidente del Frente Nacional, de acuerdo con el pacto de élites de 1958. La ANAPO le había declarado la oposición desde el 20 de julio, fecha de instalación de las sesiones formales del Congreso; el gran reto que tenía era consolidar un movimiento que gozaba de amplio respaldo popular, pero que también se debatía en sus propias contradicciones. Para ese momento, el elemento aglutinante y de mayor liderazgo era María Eugenia, la hija del general, que asumió la dirección desde el 20 de junio con una propuesta política difusa a la que denominaba "socialismo a la colombiana". El estado de sitio, vigente esta vez desde el 19 de julio, se mantuvo hasta el 13 de noviembre, cuando fue levantado por el nuevo mandatario.

Rojas conciliaba con los sectores de derecha e izquierda, que difícilmente convivían dentro de la ANAPO; sin duda alguna, llegaba al final de su carrera política, pero aún le faltaba dar un paso más: cimentar el rojaspinillismo y el anapismo como la "tercera fuerza". El 13 de junio de 1971, en coincidencia con los dieciocho años del golpe de Estado, se realizó en Villa de Leyva el congreso del partido. Pocas veces en la historia de Colombia, un caudillo y un movimiento político habían logrado movilizar, desde todos los rincones del país, tal cantidad de seguidores. Allí se congregaron 100.000 personas a aplaudir y a escuchar a un Rojas eufórico que arribó a la plaza en hombros de sus partidarios. El Congreso dio a conocer la *Plataforma de Villa de Leyva*, documento que definía a la ANAPO como un partido nacionalista, revolucionario y popular, que fundamentaba su lucha en la defensa de la soberanía nacional, la aplicación del socialismo a la colombiana y la existencia de explotados y explotadores; estos eran los principales lineamientos políticos de un sector que se consolidaba internamente, en las bases, muy cercano a María Eugenia y muy distante de la dirigencia de los gamonales del partido.

La ANAPO se constituyó en un fenómeno político al que grupos de izquierda comenzaron a mirar con interés. Dentro del mismo había posiciones radicales decididas a conformar una organización revolucionaria e impedir que les arrebataran el triunfo de nuevo; en eso estaban, entre otros anapistas, Santamaría, Almarales y Toledo. Este último era el secretario de Agitación y fue encargado por el general para formar un aparato militar; el problema era que no sabía cómo hacerlo: "Mi función era crear grupos de choque en cada departamento, en cada municipio, a fin de estar listos para actuar con las armas en caso de que nos quisieran robar el triunfo otra vez. Alcanzamos a comprar armas cortas, subametralladoras... Se crearon varios grupos armados... Pero la idea no funcionó en la práctica. No supimos organizar los grupos clandestinamente: ellos se financiaban legalmente con el dinero que aportaban los anapistas"[396].

Las conspiraciones estaban en el orden del día. El movimiento estudiantil de 1971, que estalló en Cali con las huelgas de la Universidad del Valle, el colegio Santa Librada y el SENA, se generalizó el 26 de febrero con manifestaciones en toda la ciudad. El Ejército intervino y el conflicto dejó 15 muertos, 49 heridos y cientos de detenidos. Ese día, el presidente Pastrana ordenó el toque de queda y restableció el estado de sitio total, que se mantuvo durante dos años, diez meses y tres días, hasta el 29 de diciembre de 1973. La medida gubernamental contempló la prohibición de reuniones, desfiles o manifestaciones, y penas de hasta 180 días de cárcel a quienes promovieran el cese de actividades o reuniones sin autorización. El 13 y 14 de marzo siguientes, durante el Encuentro Nacional Universitario, se aprobó el Programa Mínimo de los Estudiantes Colombianos, que logró amplia aceptación.

Por su parte, los indígenas del Cauca luchaban por recuperar y ampliar las tierras de los resguardos, el fortalecimiento de los cabildos, el no pago del terraje y la defensa de sus usos y costumbres. Esas reivindicaciones y dicho programa sirvieron para convocar, en febrero, a una gran asamblea a la que asistieron más de 2.000 indígenas de nueve comunidades que dieron origen al Consejo Regional Indígena del Cauca (CRIC). Las luchas por la tierra desde los pueblos originarios los acercaron a los campesinos de la ANUC en los enfrentamientos en contra de los terratenientes.

Por la época aparecieron, en distintas partes del país, pequeños proyectos armados con cobertura local, conformados en su mayoría por estudiantes y trabajadores del campo, críticos y sin conexiones con las organizaciones mayores, léase FARC, EPL o ELN. Estos núcleos conspitarivos se ubicaron en ciudades intermedias y en áreas

396 Testimonio de Carlos Toledo Plata, en Darío Villamizar, *Aquel 19 será*, Bogotá, Planeta Colombiana Editorial S. A., 1996, p. 42.

rurales cercanas, contaban con arrojo y mínimas infraestructuras para realizar operaciones de mediana envergadura. Un claro ejemplo de estas formaciones silenciosas fue el grupo que se denominó Activos Revolucionarios que operó entre el norte del Valle y Risaralda. Nunca superó los 35 combatientes. Inició sus actividades con la toma de dos veredas del municipio de Mistrató y, ante la imposibilidad de trascender, pasados varios años, sus integrantes decidieron parar las actividades y dirigirse a Nicaragua a apoyar la lucha de los sandinistas.

En otro rincón de Colombia, en el nororiente donde la serranía del Perijá marca límites fronterizos con la República de Venezuela, se gestó en el año de 1970 un grupo armado que se denominó Frente de Liberación Nacional, FLN. Esta pequeña agrupación guerrillera, conformada por una treintena de combatientes, estaba dirigida por un vasco llamado Pedro Baigorri Apezteguía, chef de profesión, quien, según Alfredo Molano, había sido amigo y cocinero del Che y de Fidel Castro en La Habana. Paradójicamente, una de las veredas del departamento del Cesar, por donde abrió y recorrió trochas este grupo, se llamó Estados Unidos[397]. Baigorri llegó a Colombia en 1967; venía de la mano de William Ramírez Tobón y de otro aventurero ya nombrado: Tulio Bayer, quien pretendía apostarle nuevamente al foco guerrillero, esta vez en la mítica Sierra Nevada de Santa Marta. De esa intentona se desprendieron rápidamente Baigorri y Ramírez. En las poquísimas narraciones orales y escritas sobre Baigorri y sus aventuras en Colombia no queda clara la relación que tendría su organización con el ELN que ya se movía por los lados de la Serranía del Perijá. En los primeros días de octubre de 1972, los guerrilleros atacaron una farmacia en el corregimiento de San Roque; lo que siguió fue una feroz persecución por parte de unidades del Ejército, combates, emboscadas y muertes, entre ellos la del vasco Pedro Baigorri Apezteguía. Ocurrió cuando caía la tarde del viernes 6 de octubre de 1972, muy cerca al municipio de Curumaní, cuando estaba próximo a cumplir los 33 años de edad[398].

397 Alfredo Molano Bravo, *Sin derecho a ser civil*, El Espectador, edición del 28 de diciembre de 2013

398 Véase el texto revelador escrito por Marco Tobón, *Baigorri. Un vasco en la guerrilla colombiana*, publicado en el País Vasco por la Editorial Txalaparta en 2017.

La comisión militar urbana que coordinaba Jaime Bateman en las FARC, dirigida desde el monte por el propio Jacobo Arenas, se abocó a una tarea delicada y compleja: la edición y distribución del periódico *Estrella Dorada*, "órgano de difusión de las ideas patrióticas de las Fuerzas Armadas". Para ello elaboraron un fichero con nombres, direcciones, grados, promociones, cambios, ubicación, actividades de oficiales y suboficiales, a quienes les hacían llegar el pequeño periódico con artículos y comentarios que muchas veces elaboraban integrantes de las mismas fuerzas; el contenido se refería en general a situaciones propias de los cuarteles, de los altos mandos militares o aspectos nacionales. El primer número apareció pocos días después del 7 de agosto de 1970; en un aparte, el editorial señalaba: "Por primera vez llegamos a ustedes desde estas páginas con nuestro cálido saludo, con nuestra voz encendida para que haya un espíritu de comprensión entre todos. Con nuestra firme voluntad sobre la meta que nos hemos fijado para que cada uno, desde el puesto que ocupe, medite sobre nuestros objetivos y vea claramente el futuro que nos espera. Desafortunadamente tenemos que hacerlo desde la clandestinidad. Ustedes conocen las razones". En las páginas siguientes hablaban de los grandes "latifundios" de propiedad de las Fuerzas Armadas, peculados dentro de estas e intereses económicos que estarían detrás de un conflicto entre Colombia y Venezuela.

Las siguientes ediciones de *Estrella Dorada*, hasta el número 7, publicado en abril de 1971, conservaron contenidos similares, nacionalistas y revolucionarios; el efecto que causaba la publicación fue tal que los organismos de inteligencia, ante la imposibilidad de encontrar a quienes lo hacían y distribuían, decidieron falsificarlo utilizando lenguaje y contenidos contrarios a los propósitos de los autores: "Los militares en uniforme siguen violando muchachas universitarias...", "seguiremos buscando el desprestigio de quienes nos obligaron a retirarnos del Ejército y combatiremos a los que se quedaron con uniforme...", "el liberalismo y el conservatismo se destruyen a sí mismos en tanto que nosotros avanzamos inconteniblemente para aplastar a quienes no acojan de manera absoluta nuestras ideas...", "Con el triunfo de la revolución todo eso se acabará y no habrá pensiones, ni privilegios, ni cesantías para los llamados oficiales...". Para los encargados del boletín, la falsificación fue un golpe bastante fuerte, tanto, que decidieron terminar su publicación[399].

Pese a que estas actividades eran "reservadas", y muy pocos las conocían, directivos del PCC se expresaban críticos e inconformes con lo que hacían Bateman y sus compañeros. Los mismos Jacobo y Marulanda le habían advertido sobre unos cuantos dirigentes que serían contrarios al trabajo urbano clandestino que competiría con las actividades legales de los comunistas. El Flaco se movía mucho por Cali, y le dijeron que tuviera cuidado con José Cardona Hoyos, secretario político del Regional. La ira de Cardona fue monumental cuando se enteró de que cuadros de la JUCO como los Ruiz, los Victoria, Pabón, y hasta el propio secretario político de la Juventud Comunista en el Valle, Omar Vesga, pertenecían a la estructura de Bateman, y algunos ya habían tomado el camino de las armas. La ruptura se precipitaba, y el Flaco estaba en una intensa búsqueda por contribuir a la unidad y a superar la crisis y marginalidad en que se debatían las guerrillas, particularmente las FARC.

La red urbana del ELN no solo cumplía tareas de apoyo a la guerrilla en el campo; ahora era una estructura con mayor radio de acción, y recursos económicos y logísticos propios. Eso les permitió realizar en Bogotá dos acciones de repercusión nacional: el domingo 28 de marzo de 1971 fue "ajusticiado" Jaime Arenas Reyes, el exeleno que dos años atrás se había entregado a una patrulla del Ejército después de huir del campamento central de la guerrilla, cuando lo iban a fusilar: "Yo soy Jaime Arenas, el guerrillero, me entrego", fue lo que se le ocurrió decir ante la patrulla militar para salvar su vida. Aparte de los señalamientos que le hicieron antes y después de su deserción, el ELN lo acusó de ser el secretario privado del general Álvaro Valencia Tovar y de suministrar información estratégica sobre el grupo. Los elenos manejaron la versión de que el libro *La guerrilla por dentro*, publicado un mes antes, contó con el financiamiento y la difusión del Ministerio de Defensa. Un cargo más. Seis meses más tarde, el 7 de octubre de 1971, frente al Ministerio de Defensa Nacional, guerrilleros del ELN atentaron e hirieron al general Álvaro Valencia Tovar, que se había

399 *Estrella Dorada*, en Centro de Documentación para la Paz.

convertido en su implacable perseguidor, su sombra de día y de noche; la fecha no era casual, se conmemoraban cuatro años de la caída en combate del Che Guevara en las selvas bolivianas.

Las exiguas filas del EPL mantenían su crisis: en diciembre de 1971, en un combate en el Nordeste Antioqueño, murió Libardo Mora Toro, que en esos momentos se dirigía al IV Pleno del Comité Central del PCC (M-L). Según testimonio de Bella Gómez en el libro de Villarraga y Plazas, Mora había enviado una carta a la Dirección, en la cual fijaba su posición sobre el pleno que se iba a realizar: "Si no asisto a este pleno, mi posición es que bajen, de la Secretaría Política, a Pedro León Arboleda por ser un oportunista de izquierda"[400]. La muerte de Mora Toro se presentó en un momento álgido de las contradicciones en el PCC (M-L) y en el EPL: un sector encabezado por el mismo Mora, Francisco Caraballo y Diego Ruiz estaba por la destitución de Pedro León Arboleda y su reemplazo por Mora, previa su restitución al Comité Central; por otro lado, Arboleda era señalado de izquierdista. La renovación se frustró por la muerte de Libardo Mora Toro.

Las FARC, por su parte, remontaban la crisis y se preparaban para realizar la IV Conferencia, que tuvo lugar del 20 al 29 de abril de 1971, en las márgenes del río Coreguaje, en la región de El Pato, en el Caquetá. "A esta conferencia acudieron como frentes establecidos: el Segundo Frente de El Pato y el Cuarto Frente del Magdalena Medio, más las comisiones que recorrían la Cordillera Central y otras; al mismo tiempo participaron los que estaban designados para crear otro frente, como es el caso del Quinto Frente"[401]. Con respecto al Frente IV, dirigido por Ricardo Franco, ubicado en la región de Calderón del Territorio Vásquez, que colindaba con territorios donde operaba el ELN, Jacobo propuso desmontarlo y trasladar sus efectivos a la cordillera Central para evitar confrontaciones con los elenos, como ya se habían presentado. La decisión fue, más bien, reforzarlo con algunos dirigentes como Guaraca, quien mantenía una buena relación con Franco: "Me sentí orgulloso de que un hombre como Franco, valiente, combatiente de primera línea, de aspecto

400 Entrevista a Bella Gómez, en Álvaro Villarraga y Nelson Plazas, *op. cit.*, p. 88.

401 Jaime Guaraca. *op. cit.*, p. 38.

serio pero sincero, que le brindaba a uno el apoyo político, moral y revolucionario en el momento de que (*sic*) se le asigna una misión de tanta responsabilidad, tiene un significado y un valor muy profundo, que le da más entusiasmo y ánimos para pensar que se debe salir lo mejor posible y cumplir"[402].

La IV Conferencia fue un evento definitivo en la historia de la guerrilla comunista; aún no se había recuperado del todo de los golpes recibidos años atrás, pero ya estaba fortaleciendo esos pequeños frentes. Marulanda Vélez expresaba que, por primera vez, se reunían no a contar muertos y pérdidas de recursos, sino a pensar en la construcción de la guerrilla que tenían en mente; planteó la conveniencia de llevar la lucha armada a los centros neurálgicos del país, a los centros estratégicos de la producción; en otras palabras, llevarle la guerra a la oligarquía donde más le doliera y la sintiera: a las ciudades. En su discurso, el comandante guerrillero subrayó: "Logramos encontrar que es necesario que, en el futuro, o comenzando desde ahora, toda nuestra política, nuestros lineamientos deben ir enderezados a golpear las partes nerviosas del país. Esas partes están en la economía, en el transporte, en las comunicaciones y todo el movimiento guerrillero debe golpear en dirección a ellos"[403].

Esas palabras fueron el *leitmotiv* de Bateman y sus compañeros para continuar con las tareas que se habían trazado. Consideraban que el propio Marulanda echaba por tierra la vieja tesis que planteaba la lucha armada exclusivamente en el campo, reservando a las ciudades el papel de centros de apoyo logístico y de formación de militantes para

402 *Ibid.*, p. 40. Después de permanecer algunos años en el Frente IV, Guaraca regresó a trabajar al lado de Marulanda, y, en cumplimiento de algunas tareas, fue capturado en Cali el 5 de junio de 1973; fue el primer preso político de las FARC, torturado moral, psicológica y físicamente; fue condenado en consejo verbal de guerra y estuvo en varias cárceles del país, entre ellas, en la isla Gorgona; quedó en libertad el 27 de abril de 1977, y de inmediato se reintegró a sus tareas en el Estado Mayor. En el Pleno ampliado del Estado Mayor Central, realizado entre el 25 y el 29 de diciembre de 1987, lo retiraron de toda responsabilidad por incumplimiento de órdenes, cuando asumió responsabilidades en las relaciones internacionales de la organización: "participa del mercado negro en el cambio de dólares y el negocio con oro apoyándose en elementos vinculados a la contrarrevolución en Nicaragua Sandinista"; véase http://www.farc-ep.co/pleno/pleno-ampliado-diciembre-25-29-de-1987.html

403 *Voz Proletaria*, suplemento del 16 de diciembre de 1971.

la guerrilla rural. El discurso de la IV Conferencia se convirtió en el principal argumento contra aquellos que renegaban de la lucha armada o la posponían; en la práctica, la IV Conferencia aceptaba la guerrilla urbana y, como es lógico suponer, estas actividades no eran del agrado de algunos dirigentes del PCC que convocaban a su XI Congreso para el 10 de diciembre de 1971, en Bogotá. En el informe central y la resolución política partidaria, presentados por el secretario general, Gilberto Vieira White, se hizo un amplio análisis sobre la situación nacional e internacional, particularizando en el significado de las luchas de la clase obrera, el movimiento agrario contra el latifundio y los avances del movimiento guerrillero. En cuanto a este, se hicieron algunas críticas al ELN y al EPL, "con los cuales los comunistas tenemos divergencias, pero con cuya resistencia nos solidarizamos…". Sobre las FARC, señalaron que el movimiento "se ha mantenido y desarrollado en estos años con singular firmeza, haciendo frente a condiciones muy difíciles, determinadas no por la potencia del enemigo sino por determinados cambios transitorios en la situación política nacional"[404].

Sobre el trabajo del *Flaco* Bateman y las posibilidades de conformar un aparato urbano, el propio Marulanda, en una carta del 16 de agosto de 1971, dirigida a los "Camaradas del secretariado auxiliar", precisó su posición: "Carlos me comunica que El Flaco me manda a decir que le avise cuándo vamos a hacer algunas acciones para así ellos hacer otras, en forma coordinada. Eso es bueno […] Aunque manifesté estar de acuerdo con la creación de grupos urbanos para golpear al enemigo, y todo ese trabajo corresponde a una misma organización, se deben cumplir las normas de que cada cual por su lado, por separado y solo conociendo lo necesario para su trabajo […] De acuerdo con las consultas de El Flaco, usted sí puede darle una idea de cuándo son las acciones. Finalmente, sobre ese tema de la creación y desarrollo de la lucha armada en las ciudades, a la vuelta de un tiempo podremos charlar más ampliamente y examinar si están dadas las condiciones objetivas o subjetivas necesarias para ello"[405]. En cartas posteriores,

404 *Ibid.*

405 Carta de Manuel Marulanda Vélez del 16 de agosto de 1971, en *Resistencia de un pueblo en armas, una parte de los diarios y la correspondencia de Manuel Marulanda Vélez*, tomo 1, Bogotá, Ocean Sur, 2015, pp. 142-145.

Marulanda distinguía entre la guerrilla urbana y la red de guerrilla urbana "para la realización de una serie de tareas que tenemos que llevar a cabo, puesto que, si esta no se crea con tiempo, nos veremos abocados a situaciones más difíciles que las que tenemos"[406].

Bateman había consolidado una pequeña organización dentro del Partido y la JUCO, con algunos de sus compañeros en las FARC y otros en lo urbano en Bogotá y Cali; por eso proponía a Marulanda realizar otras acciones en coordinación. Su trabajo era valorado de manera positiva por los dirigentes en la guerrilla y por los jefes comunistas que conocían en qué andaba; los que no lo sabían o no lo compartían miraban con recelo. Ya estaban enfrascados en la tarea de formar una organización clandestina, como los Montoneros en Argentina, o los Tupas en Uruguay o la guerrilla de Marighella en Brasil. Querían llevar la guerra a las ciudades, dejar a un lado los debates estériles de la izquierda y armar a la gente para que un fraude como el de 1970 no volviera a ocurrir. En ese propósito se encontraban también Iván Marino Ospina[407], Carlos Pizarro, Álvaro Fayad, Luis Otero, el *Mono* Gabriel Gómez, los Carvajalino, Rosemberg Pabón, Esmeralda, Elvecio y Humberto Ruiz, Germán Rojas, María Eugenia Vásquez, Otty Patiño, Augusto Lara, Gustavo Arias, Carmen Lidia, Yamel Riaño, Ómar Vesga, el *Negro* Argemiro, Fernando Orozco, Slendy Puentes, y por lo menos dos docenas más... En las filas anapistas, liderando un proceso revolucionario, se debatía un grupo compuesto por Carlos Toledo, Jaime Piedrahíta, Andrés Almarales, Israel Santamaría, José Roberto Vélez, Jaime Jaramillo, José Cortés y Everth Bustamante, entre otros. En el posterior encuentro entre estas dos búsquedas —la de los anapistas que desconfiaban del rumbo que tomaba su partido con unas directivas sometidas a la derecha política, y la del desencanto militante de quienes consideraban que las guerrillas tenían una oportunidad en la historia por encima de personalismos y anquilosamientos eternos— está el origen del Movimiento 19 de Abril (M-19).

406 Carta de Manuel Marulanda Vélez del 29 de junio de 1972, *op. cit.*, pp. 174-178.

407 Expulsado de las FARC en 1968, se enroló con las FALN venezolanas, y a su regreso a Colombia, en 1970, fue capturado. Bateman estuvo atento a su proceso y lo vinculó tan pronto salió de la cárcel de Cartago.

A mediados de 1972, las contradicciones del Flaco con los dirigentes comunistas se hicieron evidentes. La cuerda se rompió por el regional del Valle, que dirigía Cardona Hoyos, quien pidió al Partido una investigación de lo que ocurría. En el seno del Comité Ejecutivo Nacional se formó una comisión, que tuvo por lo menos dos reuniones, en las que se cuestionó su trabajo. Bateman aclaró que de sus actividades tenía conocimiento, entre otros, un miembro del Comité Central, Álvaro Vásquez del Real, y que tenía el consentimiento de la dirigencia de las FARC para hacer lo que hacía. En su momento, Vásquez no lo reconoció, aunque en algunos dirigentes quedó la sensación de que lo negaba para protegerse. Posteriormente se reunió con el Flaco y le pidió que le regresara las cosas que tenía y que eran propiedad del partido.

En el informe que presentaron los dirigentes e integrantes de la comisión, Alberto López, Héctor Herrera, Efrén Fernández, Alcibíades Paredes y José Cardona Hoyos, calificaban a Bateman de fraccionalista y de realizar "entrismo" y "paralelismo". Su trabajo era calificado como "una acción divisionista, en virtud de la cual militantes del Partido, haciendo trabajo clandestino ante sus propios organismos de dirección, se dedican, bajo el pretexto de que es necesario 'acelerar' el proceso revolucionario, a formar una organización 'paralela' encargada de realizar tareas de apoyo logístico al movimiento armado o de guerrilla urbana"[408].

Lo que siguió fueron las expulsiones de miembros de la JUCO en el Valle y la del propio Bateman: "En 1970, ese proyecto de un aparato militar urbano y rural principió a tomar fuerza. Marulanda y Jacobo lo estimularon. Ellos también eran miembros del Partido. Todavía lo son [...] Cada vez que venía a Bogotá, permanecía más tiempo: la organización del aparato urbano implicaba mucho trabajo [...] Un día, estando aquí, me llamó un dirigente comunista para decirme que debía devolver las cosas del Partido que tuviera en mi poder [...]

408 José Cardona Hoyos, *Ruptura*, Cali, Ediciones Rumbo Popular, 1985, p. 173. Años más tarde, en 1983, Cardona Hoyos fue expulsado del PCC por sus diferencias con la "combinación de todas las formas de lucha"; el 8 de mayo de 1986 fue asesinado en Cali. Sus allegados, en particular su hijo José, reconocido como víctima del conflicto, consideran que el crimen de su padre tuvo que ver con su posición crítica frente a las FARC-EP.

El Partido Comunista había resuelto expulsarme públicamente de sus filas. Se me acusaba de desarrollar una labor divisionista y de enviar a la guerrilla gente por mi cuenta. Yo no sé si el Partido tenga o no algo que ver con las FARC. Él dice que no. En todo caso, como ese no era ni es problema mío, respondí que yo no tenía un túnel para que la gente se fuera a escondidas para la guerrilla. Le devolví al Partido todo lo suyo: papeles y una pistola quizás. La expulsión me golpeó, tengo que reconocerlo"[409]. Y siguieron también los señalamientos públicos a la "minifracción", las estigmatizaciones y los epítetos de "guerrilleristas" que descalificaban sus actuaciones; sin embargo, Bateman y sus compañeros tenían claro que los problemas del momento no pasaban por agudizar esas contradicciones. A Marulanda Vélez le llegó el rumor de la expulsión del Flaco y pidió explicaciones a sus camaradas del partido: "Sugiero al c. Emiliano una mayor claridad sobre algo que tratamos con relación a El Flaco, puesto que a mí se me informó que este quedaba retirado de todos los cargos de dirección, sin embargo el c. Chaparral le dijo a Jorge que no se podía tener ninguna relación con él o que esto no era bueno. Medidas como estas solo se dan con los expulsados del Partido y como yo no conozco la última determinación sobre él, si ha sido expulsado o no, necesito claridad sobre ello. Porque entiendo que algunos de los nuestros todavía continúan en estrecho contacto con él, ya por amistad o por otras causas"[410]; es claro que se refería a "la amistad" con Fayad, Pizarro, Luis Alfonso Gil y otros que aún permanecían en las filas de las FARC.

Convencidos como estaban de que existían condiciones para adelantar tanto la lucha rural como la urbana, se replegaron en silencio a planear lo que seguía, identificados en propósitos de lucha por la liberación nacional, unidad guerrillera, rescate de los valores nacionales, lucha contra el sectarismo, el esquematismo y el dogmatismo. Ese fue el programa mínimo adoptado por el grupo, que al finalizar 1972 se llamó Comuneros, antecedente inmediato del M-19. "Nuestro concepto era

409 Entrevista a Jaime Bateman, en: Patricia Lara, *op. cit.*, pp. 116-117.

410 Carta de Manuel Marulanda Vélez del 6 de octubre de 1972, *op. cit.*, pp. 186-191. La carta aparece firmada por Cristóbal, uno de los seudónimos que utilizaba Marulanda; otros eran Honorio y Agustín Moreno.

que nosotros teníamos que hacer una organización que resolviera los problemas que la izquierda no había podido resolver a nivel militar. Pensábamos que la política en Colombia había que hacerla no solo con movilización de masas, con conciencia de masas, sino armando a las masas, como un derecho elemental frente a lo que había sido un gran fraude electoral"[411].

La reunión fundacional de Comuneros, considerada como la primera conferencia del M-19, fue en enero de 1973, en una finca de propiedad del senador Milton Puentes, en Cundinamarca. Participaron unas veinte personas, todas provenientes de los trabajos que habían logrado fusionar y existían en Cali y Bogotá. Los propósitos políticos del grupo se reafirmaron en este encuentro, y la consigna trazada fue la de unidad guerrillera. Para entonces ya habían hecho un par de "recuperaciones" y un secuestro en Valledupar, en asocio con un grupo de las FARC en el que militaba Afranio Parra, próximo a retirarse para ingresar el proyecto del Flaco. Como grupo de izquierda que se respetara, editaron una publicación en mimeógrafo que se llamó *Cuadernos*; en el segundo número la llamaron *El Comunero*, con la consigna "Unión de los oprimidos contra los opresores", e incluyeron el discurso de Manuel Marulanda en la IV Conferencia de las FARC, un extracto de la entrevista de Vásquez Castaño con el mexicano Menéndez, y al final, un artículo sobre armas cortas, pistolas y revólveres, sus partes y distintos modelos.

El tercer número apareció en febrero de 1973 y, por su contenido, mereció bastantes comentarios: un artículo de autocrítica, un escrito contra el sectarismo, una declaración política del EPL, un artículo sobre "explosivos y demoliciones" y otro titulado "Polémica", primera y única teorización que se ha hecho sobre la guerrilla urbana en Colombia, firmado por Baltazar de la Hoz, un escrito de diez páginas que resultó de muchas conversaciones entre el Flaco y Enrique Santos Calderón, entonces columnista de *El Tiempo*. Sobra decir que el tal *Baltazar* era Santos Calderón (Enrique, por las dudas). El artículo plantea dos cuestiones centrales y les da respuesta: si la guerrilla rural —léase FARC, ELN y EPL—, como funcionaba en ese momento,

411 Entrevista a Jaime Bateman, en Germán Castro C., *Del ELN al M-19*, Bogotá, Carlos Valencia Editores, 1980, p. 68.

estaba o no acelerando las condiciones revolucionarias, y si la creación de la guerrilla urbana incidiría en acelerar esas condiciones revolucionarias: "En Colombia se puede pensar en una combinación original y propia de la guerrilla urbana y rural. No parece que una de las dos formas de lucha pueda progresar aisladamente. La lucha armada en el campo, sin el respaldo correspondiente urbano, parece condenada a permanecer en cierto aislamiento, o a una expansión demasiado lenta. Paralelamente, una guerrilla urbana, totalmente desvinculada de una organización armada en el campo, se coloca en una posición de extrema vulnerabilidad y recorta innecesariamente su radio de acción y de movilidad. En este sentido, la tesis tupamara de un foco armado urbano totalmente independiente y autónomo no resultaría necesario ni recomendable en las circunstancias colombianas"[412].

El escrito se convirtió en referente y texto de estudio obligado para los integrantes de Comuneros. En los círculos conspirativos de la izquierda, la propuesta fue discutida, descalificada y tildada de aventurera por muchos: "En Colombia se viene repitiendo con insistencia en los últimos años, una misma pregunta relacionada con el ámbito general de la lucha revolucionaria: ¿por qué no se ha intentado seriamente, ni se ha logrado consolidar ninguna forma de acción revolucionaria armada en las ciudades? [...] La pregunta es si ha llegado el momento de revisar este planteamiento y comenzar a pensar más seriamente en la creación de movimientos armados que operen por sí solos en las ciudades y lleven a estas todo el impacto de la lucha guerrillera. Porque si bien es cierto que la guerrilla rural ha demostrado ser inextirpable, ya que se nutre de una realidad social que le es favorable y se mueve dentro de una población campesina que simpatiza fundamentalmente con ella, tampoco es menos evidente que esta no ha ofrecido ni se ha expandido al ritmo deseado, ni al punto que haya golpeado en forma visible la estructura política, social y económica del país"[413].

La publicación y el debate coincidieron con el retiro de Fayad de las FARC; lo hizo el 9 de abril de 1973. La vida en la guerrilla se le había convertido en una pesada carga, en especial cuando supo de la

412 "Polémica", en *El Comunero* N° 3, edición mimeografiada, s. f., p. 8, archivo del autor.

413 *Ibid.,* p. 7.

expulsión de Bateman y de otros compañeros: el tiempo transcurría lentamente y las ilusiones se esfumaban. Había llegado a las FARC junto con Luis Alfonso Gil, a quien en la guerrilla llamaban *Orlando,* y quien por sus críticas e inconformidad fue acusado de disociador y fue sometido a un "juicio revolucionario" y condenado a muerte el 31 de diciembre del año anterior. Tiempo después, Fayad contaba, con los ojos aguados, uno de los episodios más amargos de su vida: cuando Gil supo que lo iban a ahorcar —porque no fue fusilado—, caminó entonando una canción de su gusto: "No puedo vivir sin ti, mi angustiado corazón, todita la noche, cariñito, me la paso en vela, mi amor, por ti sufriendo y por ti llorando". Era un tema de Celina y Reutilio, y cada vez que Álvaro lo escuchaba se ponía nostálgico.

El segundo semestre de 1973 fue letal para la estructura del ELN, luego de los días de gloria vividos en 1972 tras la toma de los municipios antioqueños de Otú, Remedios y Santa Isabel, y de San Pablo, en el sur de Bolívar. Desde marzo se adelantaba en Socorro (Santander) el consejo verbal de guerra contra los capturados el año anterior[414] y se había realizado a mediados del año la asamblea de Campo Línea, en el sur de Bolívar, un evento interno de balance y crítica de los errores cometidos, en particular por parte del grupo de Ricardo Lara Parada, acusado de autoritarismo, desmoralización, y de lo que en el código eleno consideran como faltas a la moral; lo anterior, sumado a errores militares, configuraron un cuadro complicado para quien era el segundo a bordo en el grupo: "Ricardo fue sancionado, quedó sin responsabilidad, con un fusil punto 30, diez tiros y reducido a la cocina [...] para él debió ser muy difícil, un hombre que había nacido con la organización, responsable de prácticas de combate, miembro del Estado Mayor [...] una situación bastante seria para un cuadro como él"[415]; pasados unos meses, desertó, y en la huida fue detenido por tropas del Ejército en la finca Mala Noche en la vereda Tabretera, Montecristo, en el sur de Bolívar; junto con él estaban tres guerrilleros más.

414 Cerca de 200 personas fueron capturadas después del 26 de junio de 1972, cuando el Ejército incautó importantes documentos, cartas y planes en una mochila perteneciente a Fabio Vásquez en la quebrada Inanea.

415 Manuel Pérez Martínez, *Poliarco*, en Carlos Medina Gallego, *op. cit.*, p. 183.

Los golpes más demoledores para la organización comenzaron en agosto, cuando se inició la Operación Anorí, en el Nordeste Antioqueño, una acción militar que involucró a miles de efectivos de las Fuerzas Armadas con el propósito de cercar y aniquilar la columna del ELN que comandaban los hermanos Manuel y Antonio Vásquez Castaño, tal vez la más desarrollada en ese momento, con cerca de 120 combatientes, cuando la fuerza total del grupo era de aproximadamente 250 hombres. Adicional al número de efectivos estaban el liderazgo y visión de Manuel Vásquez, llamado en la guerrilla *Jerónimo*: "además de ser un destacado intelectual y jefe guerrillero, era un estratega militar, su presencia en esa zona de Anorí era de paso, pues su propósito era cruzar los ríos Porce, Nechí y Cauca así como la carretera Medellín-la costa y ubicarse en las regiones del Nudo de Paramillo sobre la Cordillera Occidental, pues desde entonces estaba el plan de asentarnos sobre las tres cordilleras"[416].

La zona rural del municipio de Anorí no había sido lo suficientemente explorada por la guerrilla, y el ataque del Ejército, con participación de la Fuerza Aérea, la Armada Nacional, la Policía y el DAS, fue por tierra, agua y aire y, según el ELN, contó —una vez más— con la presencia de asesores norteamericanos. Tras dos meses de actividad contraguerrillera por ríos, selvas y carreteras y un hostigamiento permanente a las comunidades, se reportó la muerte de 27 combatientes, entre ellos los hermanos Vásquez[417] y José Solano Sepúlveda, *Pedrito*, uno de los fundadores del grupo.

416 Entrevista al comandante Nicolás Rodríguez, Sistema Informativo Patria libre, octubre 16 de 2007, Indymedia Colombia, en http://web.archive.org/web/20091219121642/http://colombia.indymedia.org/news/2007/10/73698.php

417 Muertos el 18 de octubre de 1973, cuando ya sus tropas habían sido diezmadas. A Antonio se le conocía en la guerrilla como *Emiliano*.

Desde julio y agosto, cuando el Gobierno desintegró gran parte de la red de apoyo del Ejército de Liberación Nacional en Bogotá y en otras ciudades, los militantes rurales del grupo han sido duramente presionados para conseguir financiación y suministros. Han sido culpados de secuestros, manipulados para adquirir dinero en efectivo, y seguramente les han asegurado que liberarán a sus colegas urbanos prisioneros. Además, los tradicionales ataques a las patrullas del Ejército y a los pequeños puestos de Policía para obtener armas y suministros han incrementado.

La semana pasada, la tendencia comenzó a cambiar. José Solano Sepúlveda, el segundo líder del grupo, fue asesinado en un combate en la selva con tropas del Ejército; este hecho al parecer fue el resultado de un nuevo fenómeno —informantes pagados entre los campesinos—. Desde la muerte de Solano, más campesinos se han presentado con información, y puede que no pase mucho tiempo antes de que Fabio Vásquez Castaño, el enfermo comandante del grupo, sea asesinado o capturado. La presión que ahora está obligada a soportar la guerrilla ha reducido su fuerza a su punto más bajo de decadencia en años.

Fuente: Central Intelligence Agency, CIA, Directorate of Intelligence, Weekly Summary, *Colombia: New Guerrilla Activity*, 2 February 1973. The National Security Archive (NSA), Colombia and the United States: Political Violence, Narcotics and Human Rights, 1948-2010, documentos desclasificados de diferentes agencias de seguridad del Gobierno de Estados Unidos.

La situación desató una crisis interna que se agravó un par de meses después con la deserción y captura de Ricardo Lara Parada. La confusión y baja moral entre los elenos fueron mayúsculas, los señalamientos de culpabilidades por el desastre eran muchos, los juicios iban y venían. Parecía que el final se acercaba. "El ELN, en el balance que hace de los enfrentamientos de Anorí, señala la realización de 39 combates, con 178 bajas causadas al Ejército entre oficiales, suboficiales y soldados, y más de 400 heridos. La guerrilla tuvo 27 bajas en los dos meses de combates de agosto a octubre"[418]. Como parte de la represión desatada contra el grupo se registró, el 15 de octubre, el asesinato, en una calle

418 Carlos Medina Gallego, *ELN, una historia de los orígenes*, Bogotá, Rodríguez Quito Editores, 2001, p. 318.

de Medellín, de Luis Carlos Cárdenas Arbeláez, un activo dirigente obrero, miembro del ELN.

No lejos del escenario de derrota en que se convirtió la región de Anorí, el EPL estaba reducido a su más mínima expresión. En el mismo año, 1973, se presentaron nuevos fraccionamientos y la muerte de varios comandantes y combatientes, que hacían presentir su definitiva desaparición. Las contradicciones afloraron en los regionales del PCC (M-L), y las críticas al inmovilismo, a la debilidad militar y a la ausencia de lineamientos políticos manifestaban la inconformidad que existía en la militancia. La polémica fue dura y presagiaba rupturas irreconciliables.

Solamente las FARC vivían un franco proceso de consolidación de sus incipientes frentes, y de nuevo tenían la iniciativa en sus manos. La toma del municipio de Colombia, en el nororiente del Huila, el 23 de mayo de 1973, cuando conmemoraban nueve años de existencia, reflejaba que esa guerrilla finalmente regresaba a la iniciativa político-militar. La población fue ocupada durante cinco horas; en la acción se destacó Carlos Pizarro, encargado de arengar a la población desde el atrio de la iglesia. Pese a ser considerado un buen guerrillero, mantenía constantes contradicciones con los mandos, al igual que Fayad; por ser amigos y reclutados por el Flaco, eran sospechosos. El 11 de septiembre decidió abandonar la guerrilla; dejó su arma, su uniforme y una nota que decía "Ya vuelvo". Y volvió... catorce años después como comandante del M-19.

El mismo 11 de septiembre, en Santiago, la capital de Chile, con el pretexto de acabar con la "dictadura marxista" y con todo el apoyo del Gobierno estadounidense de Richard Nixon y de la CIA, se dio un golpe de Estado contra el gobierno popular del socialista Salvador Allende que impulsaba "la vía chilena al socialismo". Antes de suicidarse, el "compañero presidente" alcanzó a arengar al pueblo en un discurso para la historia, emitido por la radio: "Superarán otros hombres este momento gris y amargo, donde la traición pretende imponerse. Sigan ustedes sabiendo que, mucho más temprano que tarde, de nuevo abrirán las grandes alamedas por donde pase el hombre libre para construir una sociedad mejor"[419]. La Junta Militar, encabezada

419 Discurso de Salvador Allende, 11 de septiembre de 1973, en https://www.youtube.com/watch?v=g1QJ-y_xUmk

por el general Augusto Pinochet, exilió, encarceló, torturó, secuestró y asesinó de inmediato a sus opositores; ilegalizó los partidos políticos e impuso una censura y un control férreos sobre la economía. El golpe frustró las ilusiones de quienes pensaron que era factible el tránsito al socialismo por la vía pacífica como lo preconizaron Allende y sus aliados de la Unidad Popular; a la vez, reafirmó en sus propósitos a los amigos de la vía armada como único camino para la toma del poder.

A estas alturas, el sueño de Manuel Marulanda Vélez era ampliar la fuerza guerrillera, que buscaba convertir en un ejército revolucionario. Para ello, decidió romper el síndrome de la derrota y retornar a sus orígenes, a la cordillera Central, donde muchos guerrilleros creían que no podrían volver tras los reveses que sufrieron allí. Con treinta de sus mejores combatientes, a los que reentrenó durante dos meses, conformó una pequeña columna, a la que llamó "La Móvil", y arrancó desde la cordillera Oriental hacia el occidente, bajando al plano y remontando después hacia lo más profundo de la cordillera Central, siempre en marchas nocturnas y secretas. Tres guerrilleros de leyenda hacían parte de esa pequeña tropa: Balín, Joselo y Efraín Guzmán. Fue una travesía difícil desde El Pato, atravesando el río Magdalena por el sur del Tolima y tomando la ruta de Planadas y Gaitania para cruzar el Nevado del Huila y caer al Cauca, a la región de Marquetalia que vio nacer la resistencia armada de los comunistas; su presencia en el área permitió sentar las bases para la formación del VI Frente. Marulanda reflexionó mucho sobre esta travesía y los errores que habían cometido las distintas comisiones que con anterioridad intentaron el paso de la Oriental a la Central; su principal conclusión fue que en los que antes lo intentaron había mucha indisciplina: en la clandestinidad residió su mayor aliada. Una de las primeras acciones en la región fue la emboscada a una patrulla militar en la que marchaba también un viejo exguerrillero liberal, Luis Carlos Ospina, *El Gringo*, enemigo de la guerrilla y que ahora servía como guía al Ejército; ese mismo 13 de octubre se inició la Operación Sonora, una reedición de la Operación Soberanía, adelantada nueve años antes contra Marquetalia. A la cabeza de las tropas del Gobierno estaba de nuevo el general José Joaquín Matallana, ahora inspector general del Ejército. Durante casi cuatro meses se maniobró y combatió en regiones del Valle, Cauca y Tolima, con permanentes enfrentamientos, emboscadas, contraemboscadas y repliegues que les permitieron a las tropas farianas romper el cerco[420].

La segunda reunión de Comuneros —considerada la segunda conferencia del M-19— se realizó a finales de octubre de 1973, de nuevo en la finca Jalisco del senador por la ANAPO Milton Puentes, padre de Slendy, una de las integrantes del grupo, que era ahora más numeroso y compacto; durante los tres días del encuentro se aplicaron drásticas medidas de seguridad; la clandestinidad y la compartimentación fueron rigurosas; el ambiente era de camaradería, confianza e identidad política en torno a los elementos comunes que facilitaron el proceso de integración. La discusión giró alrededor de la coyuntura nacional, marcada por las elecciones que se avecinaban, la movilización social, la situación de los grupos guerrilleros y las perspectivas políticas en el nuevo gobierno. María Eugenia Rojas era la candidata a la Presidencia por la ANAPO desde el 22 de junio, cuando presentó la *Plataforma de gobierno* de doce puntos; se habló mucho sobre los vínculos que el nuevo movimiento tendría con ese partido, aunque ambientar la idea no fue fácil. Los temas internacionales que se abordaron fueron el fracaso del gobierno de la Unidad Popular en Chile y los golpes militares en el continente, sumados al estado en que se encontraban los distintos movimientos guerrilleros en América Latina y las repercusiones que tendrían políticas de corte nacionalista en Perú y Panamá: "Nos habíamos reunido para ponernos de acuerdo sobre una nueva concepción de la lucha pero, fundamentalmente, para encontrar una nueva manera de avanzar en la revolución. Entonces no teníamos demasiado claro qué debíamos hacer, pero sí qué no queríamos hacer: no queríamos conformar una simple guerrilla para sobrevivir; ni un movimiento popular, como el de la ANAPO, que no fuera capaz de enfrentar los fraudes de la oligarquía; ni un movimiento obrero dividido, que no saltara a la lucha política; ni un movimiento campesino de toma de tierras solamente, que no se expresara en lo político ni en lo militar.

420 Jesús Santrich y Rodrigo Granda, "Serie Memorias Farianas: la Operación Sonora", en https://otramiradadelconflicto.wikispaces.com/file/view/SERIE+MEMORIAS+FARIANAS-+LA+OPERACI%C3%93N+SONORA-+Jes%C3%BAs+Santrich+y+Rodrigo+Granda.pdf

Quienes concurrimos a esa reunión no éramos veinte individuos aislados, sino la suma de experiencias políticas, militares y populares"[421].

Bateman, apelando al arte de lo simple, sostenía que la ANAPO representaba en ese momento la mejor expresión de la lucha popular antioligárquica. Decía que la lucha armada había que llevarla al plano de la liberación nacional y que al mismo tiempo tenía que ser una forma que adoptara la lucha reivindicativa de los trabajadores y los explotados. Planteaba que había que aparecer públicamente y comenzar un accionar diferente, insólito y sorprendente, clandestino pero amplio. Su liderazgo dentro del grupo no se cuestionaba; de manera natural era reconocido por todos como el organizador. En eso ayudaban su experiencia y su mayor formación política. Cuando se dijo que el surgimiento debía darse con una acción espectacular, Lucho Otero les recordó que años antes se propuso a la comisión militar de las FARC sacar la espada del Libertador Simón Bolívar de la Quinta y llevar el símbolo a Manuel Marulanda, pero que en ese entonces no se aprobó. En todo caso, opinó que el tema se debía tratar aparte; "reglas de la conspiración", señaló. Algunos de los que no estaban muy convencidos discutieron y contraargumentaron, pero la verdad es que en ese entonces los debates se hacían entre muy pocos, eran más las identidades que las razones para contradecir.

Los grandes acuerdos de la reunión fueron tres: el primero tenía que ver con aspectos político-ideológicos: ya no se trataba de apelar a referentes externos, ahora se debían retomar los símbolos patrios y la tradición de lucha de los colombianos; fue una decisión de consenso, radical. En segundo lugar, el legado de Comuneros: la lucha debía ser en las ciudades, retomando el planteamiento que había hecho Marulanda en la IV Conferencia de las FARC. El tercer elemento resumía todo lo anterior: el nombre de la naciente organización, no más referencias a partidos, ni más siglas largas que a nadie le decían nada. Varios nombres estaban en la baraja: unos insistían en continuar como Comuneros; otros hablaban de formar el Movimiento 13 de Junio o Movimiento 10 de Mayo, fechas muy presentes en el sentimiento anapista. Se mencionó también el nombre de Ejército de los Pobres

421 Álvaro Fayad en Patricia Lara, *Siembra vientos y recogerás tempestades*, sexta edición, Bogotá, Planeta Colombiana Editorial, 1986, p. 126.

y el de M-04-19, como referencia a la fecha del 19 de abril de 1970. Fayad fue quien lo propuso, lo sustentó y lo sintetizó para que quedara M-19, Movimiento Anapista 19 de Abril, que fue el nombre inicial. De la conferencia salió una dirección conformada por Bateman, Fayad, Ómar Vesga, Iván Marino y el *Mono* Pedro.

Las conclusiones de la reunión se plasmaron en dos documentos internos que dieron cuerpo a lo que serían los lineamientos teóricos iniciales del naciente M-19. Bateman y Fayad fueron los principales artífices de los textos, que tenían circulación restringida, máximo tres copias de cada uno. En el *Documento Nº 1* reafirmaban el triunfo de la ANAPO el 19 de abril de 1970 y señalaban que el debilitamiento de ese partido obedecía especialmente "a la ausencia de una respuesta popular para respaldar las decisiones populares", y a que muchos de los dirigentes estaban más preocupados por las curules y prebendas oficiales. En otra consideración se referían a María Eugenia Rojas, que con su carisma recogería las aspiraciones del pueblo y, por tanto, debía contar con el apoyo del partido y de "una organización militar que responda a las actitudes represivas del sistema oligárquico". Con base en lo anterior —señalaron— se acordó la organización de "una fuerza de choque capaz de hacer respetar, con la organización popular, los movimientos y luchas de las clases oprimidas. Decididos a cumplir esta misión de llegar con el pueblo y las armas al poder, adoptamos el nombre de Movimiento 19 de Abril como símbolo permanente de que nuestro pueblo no permitirá otro 19 de abril"[422].

El *Documento Nº 2* mostraba con claridad el anclaje socialista y marxista que en ese momento tenía la propuesta política del M-19, además de las consideraciones "tácticas" para vincularse a la ANAPO y la relación con las guerrillas rurales: "Un paso táctico consiste en ligarnos con las masas de la ANAPO, fortalecer la formación del frente legal, realizar acciones politicomilitares ligadas a las necesidades de las masas y a la lucha armada en general. Seguiremos siendo una organización marxista-leninista que desarrollará la lucha armada en los centros urbanos, trabajaremos por el aglutinamiento y la unidad de acción del movimiento revolucionario nacional como condición para

422 *Documento N° 1*, en Darío Villamizar, *Aquel 19 será*, Segunda edición, Bogotá, Planeta Colombiana Editorial S.A., 1995, pp. 581-584.

la toma del poder [...] Las acciones serán de carácter espectacular, pero que no pueden ser relacionadas, en lo posible, con el concepto negativo que sobre la lucha armada existe; procurando que no sean de tipo sangriento, ya que se busca atraer la atención sobre nuestra organización. Para que las masas nos acepten es imprescindible que las acciones se realicen al nivel de sus necesidades inmediatas (alimentación, salubridad, transporte, educación, etc.). Al hecho político de la permanencia de tres movimientos armados en el campo, sin la actividad en la ciudad, se le va a agregar una nueva práctica de lucha armada urbana, partiendo de momentos tácticos y sin ligazón orgánica con ellas. Esta acción va a llenar un vacío manifiesto al traer la lucha armada del puro nivel estratégico a la vida cotidiana de las masas que de hecho liga también en la acción de las masas, la significación de las luchas armadas rurales"[423].

A continuación, se profundizaron los contactos iniciales con el sector de la ANAPO que se mostraba proclive a avanzar en la formación de un aparato político-militar que trabajara dentro del partido y que, sin desconocer a la dirección oficial, mantuviera su independencia como grupo. El primer contacto había sido unos meses antes con Andrés Almarales, un hombre con amplia formación marxista, un sindicalista de gran facilidad de palabra, recién elegido a la Cámara de Representantes. Luego, la relación fue con Carlos Toledo Plata: "Cuando conocí a Jaime yo era un médico de provincia en la ciudad de Bucaramanga, capital del departamento de Santander. Se iniciaba la década después de las elecciones fraudulentas del 19 de abril de 1970. Bateman conocía mi participación en la ANAPO por ser yo un activo dirigente de los sectores populares y por mi participación en las corporaciones públicas como crítico opositor al sistema. Esta fue la razón para interesarse en conversar conmigo"[424]. Ambos se mostraron de acuerdo con el proyecto y comenzaron a vincular a otros anapistas inconformes.

Antes de finalizar el año de 1973, el gobierno de Lleras Restrepo levantó el estado de sitio para favorecer la campaña electoral que se avecinaba y mostrar ante el mundo la faz "democrática" de un

423 M-19, *Documento N° 2*, en Centro de Documentación para la Paz.

424 Carlos Toledo Plata, prólogo en "El camino del triunfo: Jaime Bateman". Informe de Jaime Bateman en la VIII Conferencia Nacional del M-19, Caquetá, 7 de agosto de 1982.

presidente que, en su administración de cuatro años, tan solo durante diez meses no hizo uso del Artículo 121 de la Constitución, y para dar a entender que, luego del éxito militar en la campaña contra el ELN, la medida no era necesaria.

El paso siguiente de los proto M-19 fue trabajar sobre los dos objetivos definidos para aparecer públicamente: la toma de la Quinta de Bolívar para sacar de allí la espada del Libertador y la toma del Concejo de Bogotá, donde se discutía la construcción de la Avenida de los Cerros. Se definió el 17 de enero de 1974 como fecha para las acciones y, previamente, se lanzó una campaña de expectativa: durante tres días publicaron en la primera página de los principales medios del país avisos con fondo negro y letras blancas que anunciaban un extraño producto: "¿Parásitos… gusanos? Espere M-19"; "¿Decaimiento… falta de memoria? Espere M-19"; "¿Falta de energía?… Espere M-19"; en la edición del miércoles 17 se leía: "Ya llega, M-19".

El primer documento público, que condensaba el pensamiento de la nueva organización, fue la proclama titulada "A los patriotas", que dejarían en la Quinta de Bolívar: "M-19 es el Movimiento 19 de Abril. Ese día, abril 19 de 1970, el país entero presenció horrorizado el fraude más escandaloso y descarado de que se tenga noticia en todo el continente. Los personajes centrales del monstruoso robo político fueron: Carlos Lleras Restrepo, Carlos Augusto Noriega y Misael Pastrana Borrero. El primero como ideólogo del fraude infame, el segundo como su vulgar ejecutor y el tercero como beneficiario directo de una presidencia espuria que colma de indignidad a la clase que Pastrana representa"[425]. Con la consigna "Con el pueblo, con las armas, con María Eugenia ¡¡al poder!!", reivindicaron su condición de "movimiento anapista". El otro documento, llamado "Bolívar, tu espada vuelve a la lucha", estaba encabezado por una cita tomada del discurso del Libertador del 2 de enero de 1814: "No envainaré jamás la espada mientras la libertad de mi patria no esté completamente asegurada"; al lado, la sigla M-19, el mismo logotipo que apareció en los periódicos anunciando la inminente llegada de un nuevo producto… El texto mostraba los contenidos ideológicos bolivarianos

425 Véase el anexo 4.

del grupo: "La lucha de Bolívar continúa, Bolívar no ha muerto. Su espada rompe las telarañas del museo y se lanza a los combates del presente. Pasa a nuestras manos. A las manos del pueblo en armas. Y apunta ahora contra los explotadores del pueblo. Contra los amos nacionales y extranjeros. Contra ellos, los que la encerraron en museos, enmoheciéndola"[426].

A las cinco de la tarde del 17 de enero, cuando salieron los últimos turistas de la quinta-museo, ubicada en el centro-oriente de Bogotá, se inició el operativo para "recuperar" la espada de Bolívar. Los participantes procedieron a reducir al vigilante y al personal administrativo; posteriormente, Fayad rompió la urna de vidrio donde se encontraba la reliquia, junto a los espolines y los estribos que pertenecieron al Libertador. Esparcidas por el suelo de la habitación y en los corredores quedaron decenas de hojas con la proclama impresa y la sigla *M-19 del Movimiento 19 de Abril*, que acababa de hacer su primera aparición pública, una organización de guerrilla urbana, en contraste con los grupos armados que operaban en el campo. La toma del Concejo fue el operativo central, aparentemente el más peligroso, por tratarse de una edificación ubicada en una zona concurrida y vigilada. Por esa razón, participaron los más experimentados; Iván Marino los comandaba. Boris fue el encargado de desarmar al policía y al vigilante que custodiaban la entrada; los sorprendió con su porte militar y su uniforme de mayor del Ejército, diciéndoles que tenían que revisar la edificación porque había rumores de un atentado o un golpe de Estado. Rápidamente controlaron la situación, y con pintura escribieron consignas en las paredes. En el suelo dejaron decenas de volantes con las anteriores proclamas y una nueva: "El Consejo del Común decide: congelamiento de arriendos... aumento de salarios...". Desde entonces, el paradero de la espada de Bolívar se convirtió en un misterio, fue el secreto mejor guardado entre el estrecho círculo de dirigentes que podían saber dónde se encontraba.

Los documentos que el M-19 dio a conocer desconcertaron por igual a las autoridades y a sectores de derecha y de izquierda: en sus esquemas no cabía un grupo que operara inicialmente en zonas urbanas,

426 "Bolívar tu espada vuelve a la lucha", en Darío Villamizar, *Jaime Bateman, biografía de un revolucionario*, Bogotá, Taller de Edición Rocca, tercera edición, 2015, p. 393.

que actuara política y militarmente para participar en elecciones en función de un movimiento populista como la ANAPO y en favor de una candidata como María Eugenia. Esas tres características no fueron comprendidas, y menos ese lenguaje, calificado de "gaseoso", que no tomaba partido en la disputa internacional y que rescataba el "difuso" planteamiento bolivariano, no incorporado en el altar de los "clásicos" Trotski, Marx, Engels, Lenin, Stalin y Mao. Bolívar era para muchos izquierdistas uno de aquellos "héroes" cuyo pensamiento no se podía ubicar dentro de las teorías revolucionarias. Las capillas de la izquierda, frente a tanta "vaguedad ideológica", decretaron la excomunión.

Las especulaciones acerca de quiénes podían ser los integrantes de ese nuevo grupo eran diversas: se decía que era algo montado por la CIA, que eran empleados oficiales o exmilitares, que se trataba de diecinueve hijos de oligarcas que pretendían mamarle gallo a todo el mundo. Hasta de "maniobras alvaristas" calificó María Eugenia el hecho. Ante la confusión, tres días más tarde, don Hernando Santos, director de *El Tiempo*, escribió un editorial titulado "¿Qué es el M-19?", en el que señalaba que podía tratarse de una campaña para lanzar un novedoso producto al mercado, que bien podría ser una gaseosa, "o tal vez la presentación de una píldora estimulante testicular". El jefe del Estado Mayor del Ejército, general Alberto Camacho Leyva, dijo que eran "grupos de locos que sufren una desviación mental en alto grado". El M-19 nada respondió.

Días más tarde, en el marco de la Operación Anorí, y en medio de la profunda crisis que padecía el ELN, se supo de la muerte en combate del sacerdote español Domingo Laín, el amigo del cura Manuel Pérez, integrantes del grupo desde 1969. El hecho ocurrió el 20 de febrero, en el municipio antioqueño de El Bagre. En su homenaje, en 1980, con la toma del corregimiento de Betoyes, en Tame (Arauca), un frente del ELN tomó el nombre de Domingo Laín, convirtiéndose desde entonces en una de las estructuras más poderosas de esa organización.

En simultánea con el surgimiento del M-19 hizo su aparición la revista *Alternativa*, con la consigna "Atreverse a pensar es empezar a luchar", con los propósitos de aglutinar algunas fuerzas de la dispersa izquierda y como laboratorio para realizar un periodismo distinto, ágil y comprometido. En ese esfuerzo participaban Gabriel García

Márquez, la Fundación Rosca de Investigación y Acción Social, de Orlando Fals Borda, y la Fundación Pro-Artes Gráficas, dirigida por Enrique Santos Calderón. El 15 de febrero, en el octavo aniversario de la muerte de Camilo, circuló la primera edición; en el editorial se anunciaba el carácter de prensa independiente y comprometida "a servirle en una forma práctica, política y pedagógica a todos los sectores de la izquierda colombiana", frente a "la progresiva concentración de los medios masivos de información en manos de quienes detentan el poder político y económico". Ese mismo día, el M-19 realizó su segunda incursión armada: la noche anterior, dos comandos ingresaron en la sede principal de la Universidad Santiago de Cali, redujeron a los guardias, sustrajeron archivos y pintaron en las paredes del corredor y de los salones las consignas que también se encontraban en muros de Bogotá y Cali, sus principales centros de actividad: "Con el pueblo, con las armas, con María Eugenia ¡¡Al poder!!", "M-19… ¡Prepárate!".

Bateman tenía a algunos de sus amigos dentro de *Alternativa*; no solo estaba Enrique Santos como socio principal, sino también Carlos Duplat, que hacía las veces de director de Artes; precisamente en ese ejemplar, bajo el título "La espada libertadora está ya en manos del pueblo", se publicó como "primicia" la primera de las dos únicas fotografías que se le tomaron a la espada de Bolívar mientras estuvo en poder del M-19. La revista se convirtió en un medio de amplia circulación. En muy corto tiempo alcanzó un éxito sin precedentes: en tan solo cuatro entregas, su tiraje se triplicó sin colocarse del lado o ponerse al servicio de agrupación política alguna. La presencia y colaboración de "cuadros" provenientes de partidos y movimientos de izquierda, legal o armada, entre quienes se encontraban algunos del clandestino M-19, daban cuenta de su diversidad y amplitud; sin embargo, en su seno se fueron incubando las contradicciones propias de la misma izquierda de entonces, que siempre buscaba alineamientos orgánicos y definiciones ideológicas.

A mediados de octubre de ese año, cuando apenas habían editado 18 números de la revista, se presentó la primera crisis interna —no la única—, que se expresó en la salida de dos revistas con el mismo nombre y formato parecido. Simultáneamente circularon *Alternativa* y *Alternativa del Pueblo*[427]; los primeros insistían en el carácter independiente de la publicación, mientras que la nueva revista consideraba que debía ser una publicación al servicio de las clases trabajadoras. Las críticas de estos últimos, agrupados en la Fundación Rosca, estaban dirigidas contra Bernardo García —el director— y Enrique Santos, a quienes calificaban de "pequeñoburgueses" y "liberales progresistas", los clásicos debates de la izquierda... La vida de *Alternativa del Pueblo* no alcanzó el año, circuló en forma limitada, y al parecer registraba importantes pérdidas económicas. En el número 38, publicado el 4 de agosto de 1975, anunció su final.

Como las "elecciones de los delfines" podría llamarse al proceso electoral de 1974, en el que participaron tres hijos de expresidentes: Alfonso López Michelsen por el liberalismo, María Eugenia Rojas en representación de la ANAPO y Álvaro Gómez Hurtado por el Partido Conservador; el cuarto candidato fue Hernando Echeverri Mejía, de la Unión Nacional de Oposición (UNO), grupo que aglutinaba a comunistas, exanapistas e independientes. López Michelsen, con su propuesta de un "mandato claro", fue elegido el 21 de abril al lograr el mayor número de votos en la historia colombiana hasta entonces: 2.929.718, que equivalían al 56% del total de los sufragios depositados. La votación por Gómez fue de 1.634.879, mientras que María Eugenia apenas obtuvo 492.166 votos; el proceso de desarticulación anapista continuaba: la participación en el Congreso bajó a 7 senadores y a 15 representantes en la Cámara. La UNO alcanzó 137.054 votos, una cifra importante para los grupos más radicalizados de la oposición política; en el Congreso de la República obtuvo dos senadores y cinco representantes. Por su parte, el índice de abstención se redujo significativamente al 40%, otorgando mayor legitimidad al mandatario electo. El nuevo presidente era un abogado constitucionalista de 62 años, egresado de la Universidad del Rosario y formado en Europa, primer gobernador del Cesar y amante de la música vallenata; en su discurso de posesión prometió mayor aplicación del Artículo 122 de la Constitución, sobre emergencia económica, que del 121, sobre estado de sitio.

427 La consigna que utilizó *Alternativa del Pueblo* fue: "Atreverse a luchar es empezar a pensar".

¿Repunte y unidad guerrillera?

La lucha armada por parte de grupos de guerrillas urbanas en el sur del continente sufría los más duros reveses, en algunos casos conducentes a la extinción de las organizaciones por la vía de las detenciones, delaciones, tortura, muerte o exilio de dirigentes y militantes. Ese fue el ciclo fatídico. En los inicios de 1974 se conformó la Junta de Coordinación Revolucionaria (JCR), una experiencia unitaria que produjo una declaración conjunta —11 de enero— del Movimiento de Liberación Nacional Tupamaros (Uruguay), el Movimiento de Izquierda Revolucionaria, MIR (Chile), el Ejército de Liberación Nacional, ELN (Bolivia) y el Ejército Revolucionario del Pueblo, EPR (Argentina), en la que anunciaron su decisión de unidad: "Este importante paso es la concreción de una de las principales ideas estratégicas del comandante Che Guevara, héroe, símbolo y precursor de la revolución socialista continental [...] Nos une la comprensión de que no hay otra estrategia viable en América Latina que la estrategia de la guerra revolucionaria. Que esa guerra revolucionaria es un complejo proceso de lucha de masas, armado y no armado, pacífico y violento"[428]. Ya en noviembre de 1972 habían realizado una primera reunión en Santiago de Chile, en la que participaron la Comisión Política del MIR, tres miembros del Buró Político del PRT y tres integrantes de los Tupamaros. En realidad, la unidad fue más declarativa que en los hechos. Estos últimos, por ejemplo, sufrían ya una grave derrota militar de la que no lograron recuperarse; gran parte de la dirección y un sinnúmero de militantes estaban presos o muertos, nueve de los principales líderes eran considerados "rehenes de la dictadura", y quienes firmaron la declaración conjunta hacían parte de una de las tres fracciones en que estaba dividido el MLN. Tras el golpe de 1974, miles de uruguayos salieron al exilio, y la población de la llamada "Suiza de América" se redujo significativamente.

En el Cono Sur estaban en marcha la Operación Cóndor y los planes Phoenix y Aquarium, nombres en clave de los proyectos que establecieron la colaboración entre los regímenes dictatoriales de Chile,

428 JCR, Declaración conjunta, en "Chile en la resistencia", *Cuadernos ETA*, Bogotá, 1974, pp. 37-43.

Argentina, Uruguay, Paraguay y Bolivia, con ramificaciones hacia Ecuador, Colombia, Venezuela y Perú, para acabar con la oposición de izquierda. Se trataba de equipos de agentes especiales para localizar y perseguir internacionalmente a activistas; así, fueron asesinados el expresidente boliviano Juan José Torres, el general Luis Carlos Prats y su esposa, en Buenos Aires; el exministro de Defensa y excanciller de Chile, Orlando Letelier, en Washington D.C., y cientos más, registrados en los informes de las comisiones de la verdad que se crearon cuando cayeron las dictaduras.

En Chile, luego del golpe de septiembre de 1973, grupos político-militares como el MIR pasaron a dirigir la resistencia desde la clandestinidad y, para ello, decidieron mantener su estructura y cuadros dentro del país, en abierta oposición a quienes proponían el repliegue en el exilio. Sin embargo, todo intento de organización fue desvertebrado por la acción de las fuerzas militares en el poder. A corto plazo, el MIR fue prácticamente diezmado; el mayor golpe lo recibió en octubre de 1974, cuando su secretario general, Miguel Enríquez, murió en un enfrentamiento con la Policía en Santiago. Era el inicio del final de una aventura marcada por el heroísmo y por una alta dosis de entrega y generosidad. La revista *Alternativa* se preocupaba por registrar en cada edición, con lujo de detalles, estos acontecimientos. El mismo García Márquez hacía reportajes sobre la situación de los perseguidos en el Cono Sur; fue muy leído su trabajo titulado "El combate en que murió Miguel Enríquez", realizado a partir del relato de su compañera Carmen Castillo[429]. Otros periódicos de izquierda, que abundaban en ese momento, reflejaban las más diversas y distantes posiciones políticas: *Siete, El Manifiesto, Batalla del Pueblo, Tribuna Bolchevique, Desafío, Jornada Camilista, Pueblo, Revolución Socialista y Marcha*, cada uno se consideraba portador de la verdad y de la "línea" correcta. Otra de esas publicaciones fue el semanario *Mayorías*, definido como "el vocero del Frente de Clases Trabajadoras de la ANAPO", que aglutinó a todo el sector "socialista" afín al M-19 y crítico de la tradicional conducción rojista. Desde el primer número, que circuló a mediados de agosto de 1974, una semana después de la posesión del presidente López

429 *Alternativa* N° 28, Bogotá, abril de 1975.

Michelsen, *Mayorías* expresó su orientación izquierdista e identidad con las actividades que adelantaban las organizaciones guerrilleras en Colombia y en el mundo. El gobierno de López se convirtió en el centro de sus críticas y denuncias; así mismo, de manera permanente, informaba sobre la organización popular, los paros, huelgas y mítines en distintos puntos del país. Detrás estaba el M-19, con hombres y mujeres, recursos económicos y orientación política.

La llegada de Alfonso López Michelsen a la Presidencia de la República, con su lema del "Mandato claro", interpretado por la sabiduría popular como el "Mandato caro", trajo consigo una cascada de decretos —estado de emergencia económica por 45 días— que produjo las mayores alzas en el costo de la vida en los últimos diez años y la disminución de los salarios en términos reales, pese a que el país "disfrutaba" de la bonanza cafetera y la avalancha de capitales provenientes del narcotráfico y el contrabando, avalados por la "ventanilla secreta" del Banco de la República. Sin lugar a dudas, en los primeros meses de la administración de López se evidenció una leve apertura democrática que marcó la distancia con el gobierno anterior de privilegios y exclusión: medidas como el nombramiento del marxista Luis Carlos Pérez en la rectoría de la Universidad Nacional, el otorgamiento de la personería jurídica a la comunista confederación sindical CSTC, el reintegro de maestros despedidos y estudiantes expulsados, sumados estos hechos a la atención que prestó inicialmente a los directivos de la ANUC, fueron bien recibidas en los ámbitos progresistas y de izquierda.

La protesta social se intensificó en la lucha contra el paquete de decretos económicos y fiscales y las medidas que significaron el aumento en el costo de vida. La respuesta gubernamental fue la de siempre: acudir al Artículo 121 de estado de sitio: el 12 de junio de 1975 se decretó la medida por catorce días en Antioquia, Atlántico y Valle; luego se extendió a la totalidad del territorio nacional durante once meses y veintiséis días, hasta el 22 de junio de 1976. La nueva declaratoria llegó acompañada de la Operación Tricolor, que permitía las requisas de personas como práctica corriente y a discreción del Ejército y de la Policía; por otro lado, se restablecieron los consejos verbales de guerra y la transferencia a la isla Gorgona de los condenados por delitos de secuestro y extorsión. El círculo de las medidas gubernamentales restrictivas se cerró con la expedición del Decreto 1533, que limitaba aún más el derecho de movilización y reunión: "Considerando, que hay actos subversivos de orden social que constituyen contravenciones en que ni la sanción ni el procedimiento asegurarán el pronto restablecimiento del orden público"[430]; este contrasentido sería la antesala de determinaciones mucho más drásticas durante esta y las siguientes administraciones.

Pese a las nuevas gabelas para los militares, la relación con ellos tuvo sus altibajos. En mayo de 1975 se presentó un episodio que finalmente fue calificado como "acto de indisciplina", aunque tuvo sus ribetes de intento de golpe de Estado. El aparente "ruido de sables" se originó con el traslado del general Gabriel Puyana García, comandante de la Brigada de Institutos Militares (BIM) a la Inspección General del Ejército, cambio que fue interpretado como una cuasi destitución. Altos oficiales, entre los que se encontraban el comandante del Ejército, general Álvaro Valencia Tovar, y el comandante de la Escuela de Infantería, general Valentín Jiménez, se solidarizaron con Puyana. Algunos medios de comunicación publicaron versiones sobre el supuesto pronunciamiento militar, tanto el ministro de Defensa, general Abraham Varón Valencia, como Valencia Tovar dieron a conocer sus propias y discrepantes versiones, frente a lo cual el presidente López le pidió a Valencia la renuncia; ante su negativa, fue llamado a calificar servicios.

En materia internacional, este gobierno quiso distanciarse de su antecesor, pero el voto negativo de la representación colombiana en la ONU frente a la moción de pedirle a Pinochet respeto por los derechos humanos marcó las ambivalencias propias del mandato de López y de otros gobernantes. En contracara, las relaciones con Cuba, suspendidas quince años atrás, se restablecieron plenamente en marzo de 1975; seis meses más tarde, presentó sus cartas credenciales el embajador Fernando Ravelo Renedo, que se reunió con López para expresar que Cuba no apoyaría actividades subversivas y solicitar el apoyo a las aspiraciones de los cubanos para acabar con el infame

430 Texto del Decreto 1533 del 5 de agosto de 1975, en https://www.redjurista.com/Documents/d1533_75aspx

bloqueo norteamericano a que estaban sometidos desde hacía más de diez años.

En su propósito de ampliar la fuerza insurgente hasta convertirla en un gran ejército, las FARC realizaron la V Conferencia Nacional de guerrilleros, entre el 4 y el 10 de septiembre de 1974; la crisis de los años anteriores había quedado resuelta, y así lo expuso Marulanda en el transcurso del evento con un símil que ya había utilizado en las dos conferencias anteriores, el de un enfermo que empieza a recuperarse y que ahora está convaleciente: "Nos repusimos, ahora sí calculo que nos hemos repuesto de esa terrible enfermedad que casi nos liquida a todos; es decir, volvimos a ser, más o menos, la misma guerrilla anterior"[431]. También recuerda Jacobo Arenas que "Se requirió mucho tiempo, mucho trabajo, poner mucho cerebro en esa reconstrucción, porque se había perdido el 70% de la fuerza humana y el 70% del armamento. Se había recuperado armamento, y estábamos de nuevo con la iniciativa en nuestras manos [...] Volvíamos a la misma situación que tuvimos en el momento de la Conferencia Constitutiva"[432]. La crisis orgánica de las FARC estaba resuelta y vendrían los tiempos de crecimiento sostenido y consolidación del sueño de Marulanda.

Pasado el desastre de Anorí, el ELN, más concretamente su comandante, único miembro que quedó del Estado Mayor, se abocó a la tarea de reagrupar las fuerzas dispersas, que no sumaban más de setenta combatientes. Durante casi un año, hasta mediados de 1974, tras nuevas desmoralizaciones, deserciones y pérdidas en vidas humanas, juntó los retazos que quedaron de su organización y los concentró para realizar la primera asamblea nacional del ELN que se conoció como la Asamblea de Anacoreto. Concebida como un espacio para el análisis de lo acontecido, fue un tribunal de señalamientos y descargas del que salieron las acusaciones y, finalmente, las órdenes de fusilamiento contra "Los Bertulfos"[433], responsables del trabajo urbano y con una historia de varios años de

431 Recuerdo de Jacobo Arenas, en Arturo Alape, *Tirofijo: los sueños y las montañas*, Planeta Colombiana Editorial S.A., tercera edición, 1995, p. 103.

432 *Ibid.*

433 Armando Montaño, Orlando Romero y Carlos Uribe Gaviria, alias *Bertulfo*, un obrero petrolero; pasados los años, fueron reivindicados por la organización.

militancia, convertidos por las circunstancias en nuevos "chivos expiatorios" y supuestos culpables de la derrota, entre otros cargos: "el juicio, por llamarlo de alguna manera, fue arbitrario y subjetivo, se les inculpó de cosas que en términos prácticos era muy difícil de demostrar o de negar"[434].

Sin embargo, la autocrítica en Anacoreto no marcó un punto de inflexión en los comportamientos erráticos del ELN, ni en sus debilidades organizativas, políticas e ideológicas. A la situación interna y la carga emocional que le significó la derrota en Anorí y la muerte de sus hermanos Manuel y Antonio, se sumaron la precaria salud de Fabio Vásquez y la intensa persecución desatada sobre él; en su círculo más inmediato se discutió y se tomó la decisión de sacarlo del país para que, de manera temporal, cumpliera con sus responsabilidades desde el exterior. Al frente de la organización, como responsable a cargo, quedó Nicolás Rodríguez Bautista, *Gabino*, uno de los campesinos que dieron origen al grupo en 1964. Corría el mes de noviembre de 1974. La salida de Vásquez hacia Cuba sirvió para profundizar las reflexiones sobre lo sucedido, los errores, excesos y privilegios del jefe, y la necesidad de seguir la lucha, en cumplimiento de la consigna acordada diez años atrás de "Ni un paso atrás…".

> Como el jefe máximo del ELN, Fabio Vásquez Castaño, estaba padeciendo un serio problema en su columna vertebral que solo podía solucionarse mediante una operación quirúrgica, a solicitud de esa organización se tomó la decisión de trasladarlo clandestinamente para Cuba. Llegó en noviembre de 1974, cuando ya se estaban realizando las primeras conversaciones con representantes del gobierno colombiano que, pocos meses después, condujeron al restablecimiento de las relaciones diplomáticas con nuestro país. A las pocas semanas, empecé a atender personalmente a Fabio y al grupo que aún estaba aquí, incluyendo a Jairo su hermano menor. Los atendí hasta que se tomó la decisión de que me incorporara al grupo de compañeros designados para abrir nuestra Embajada en Colombia.
>
> Antes de referirme a las tareas que cumplí en esa misión diplomática, me parece necesario resaltar que, en razón de la ética que siempre ha guiado nuestra política exterior, al presidente López Michelsen se le informó que,

434 Testimonio de Manuel Pérez, *Poliarco*, en *ELN: Una historia contada a dos voces*, *op. cit., p.* 190.

junto a otros compañeros de su organización y por razones humanitarias, Fabio Vázquez estaba recibiendo atención médica en Cuba; lo que implicaba un compromiso de no continuar bridándole ayuda política y militar a esa, ni a ninguna otra organización guerrillera colombiana. Ese compromiso se cumplió hasta 1980, cuando ya ocupaba la presidencia de Colombia el liberal derechista Julio César Turbay Ayala, quien se sumó a la política agresiva contra nuestro país desplegada por sucesivos gobiernos de Estados Unidos.

Fuente: "Las relaciones con sectores de la derecha también han contribuido al cumplimiento de los objetivos de la política internacionalista de la Revolución Cubana", entrevista a Alberto Cabrera Barrio, funcionario en la Embajada de Cuba en Colombia entre octubre de 1975 y marzo de 1981, en Luis Suárez y Dirk Kruijt. *La revolución cubana en nuestra América: el internacionalismo anónimo*, E-book, La Habana, Ruth Casa Editorial, 2014.

No obstante las difíciles condiciones en que se encontraba el ELN, algunas estructuras continuaron operando, casi todas sin contacto con los dirigentes que quedaron en la montaña; en el primer semestre del año siguiente —1975— se registraron acciones que harían pensar que la guerrilla se había reactivado: el 8 de junio, una columna guerrillera se tomó el corregimiento de Arenales (Bolívar), dio de baja a tres agentes secretos del B2 y se llevó su armamento; cinco días después raptaron en Bogotá a Camila Sarmiento, la hija de un acaudalado importador de licores. El 8 de septiembre, en la Operación Manuel Vásquez Castaño, dieron muerte al general Ramón Arturo Rincón Quiñones, inspector de las Fuerzas Militares, que había sido comandante de la V Brigada de Bucaramanga, con jurisdicción y mando sobre el área del Magdalena Medio, señalado por los elenos de ser el directo responsable de la planeación y el desarrollo de la Operación Anorí. Las "retenciones" por parte de la guerrilla estaban en el orden del día: el 4 de agosto de ese año, dos comandos del M-19 secuestraron al gerente de los almacenes Sears Roebuck en Colombia, el estadounidense Donald Cooper; fue el primer secuestro de un ciudadano estadounidense en nuestro país por parte de un grupo guerrillero[435]. Seis meses antes, las FARC se llevaron,

435 La acción solamente fue reivindicada por Bateman en 1980 en la primera entrevista que concedió, a Germán Castro Caycedo; le contó que cobraron un rescate de más de un millón de dólares.

cerca de la población nortecaucana de Tacueyó, al cónsul honorario de Holanda en Cali, Eric van Leupin.

Con el paso del tiempo, los secuestros o "retenciones" de ciudadanos de Estados Unidos se incrementaron. La Embajada en Bogotá produjo el 1° de abril de 1998 un informe detallado de 92 casos ocurridos entre 1980 y 1998, el primero de ellos fue el embajador Diego Asencio en la toma de la Embajada de República Dominicana en Bogotá. La mayor parte eran directivos o trabajadores de compañías petroleras, mineras y empresas constructoras; entre los secuestrados hubo cuatro observadores de aves migratorias (ver cuadro p. 372).

Por su parte, el PCC (M-L) y el EPL padecían un nuevo fraccionamiento en su interior, preludio de inmediatas y severas divisiones: la llamada fracción "1° de Mayo", por el nombre de uno de los zonales del Regional Francisco Garnica[436], basaba sus críticas a la Dirección en la ausencia de democracia interna, el inmovilismo político y militar, y

> Desde 1980, cuando el secuestro se convirtió en un problema serio en Colombia, la Embajada ha sabido de 92 ciudadanos estadounidenses víctimas de secuestro en Colombia. De esos 92, 11 rehenes —ciudadanos estadounidenses— han sido asesinados, uno murió en cautiverio por desnutrición, y el paradero de varios otros es desconocido. La gran mayoría de los casos de secuestro que involucran ciudadanos estadounidenses han sido perpetrados por la guerrilla de las Fuerzas Armadas Revolucionarias de Colombia (FARC) o por el Ejército de Liberación Nacional (ELN). Estadounidenses de todos los rangos de edad y con diferentes ocupaciones han sido secuestrados en todas las grandes regiones de Colombia.

Fuente: Amembassy Bogotá, Document BOGOTA 03592, Subject: *Sensitive but Unclassified Colombia: AMCIT Kidnap Case Since 1980*, 1 April 1998. The National Security Archive (NSA), Colombia and the United States: Political Violence, Narcotics and Human Rights, 1948-2010, documentos desclasificados de diferentes agencias de seguridad del Gobierno de Estados Unidos.

436 El PCC (M-L) había organizado varios regionales con los nombres de sus dirigentes caídos en combate: regional Ricardo Torres, en los departamentos del Valle y Cauca; regional Carlos Alberto Morales, en el Viejo Caldas; regional Pedro Vásquez Rendón, en Medellín; regional Francisco Garnica, en Antioquia; regional Enver Hoxha, en

en la aplicación mecánica de las políticas de "los chinos", y proponía una mirada diferente sobre las FARC; como ya era costumbre, la respuesta oficial fueron los epítetos y señalamientos, la intolerancia, la demonización y descalificación de sus planteamientos, la negativa a sus propuestas y la expulsión sin fórmula de juicio. Con respecto a las FARC, el PCC (M-L) hizo una dura afirmación en el volumen 3 del texto *Documentos PCC M-L*, que servía para difundir los lineamientos políticos del grupo: "Las FARC son una organización contrarrevolucionaria al servicio directo de los revisionistas, de la oligarquía y del imperialismo, en contra del movimiento revolucionario"[437].

Para inicios de 1975 se perfilaban en el seno del PCC (M-L) tres sectores claramente identificados: el primero era el "Oficial" y estaba representado por el debilitado Comité Central, con el control de lo que aún quedaba del EPL e influencia minoritaria en los distintos regionales; otra corriente era la llamada "Línea Proletaria", impulsada por el regional del Viejo Caldas, que publicaba el periódico *Tribuna Bolchevique*; un tercer sector, mayoritario, optó por llamarse "Tendencia Marxista-Leninista-Maoísta" (TMLN), con fuerza en los regionales de Antioquia, Valle y Cundinamarca[438]. Pocos meses más tarde, en julio de 1975, en plena crisis y división, murió en desigual combate contra tropas de la III Brigada el dirigente del EPL Pedro León Arboleda Roldán; la caída del comandante guerrillero fue obra de una delación, que produjo una masiva captura de miembros de la organización y un nuevo consejo verbal de guerra; entre los capturados estaba Ernesto Rojas, responsable del trabajo militar urbano y quien hacía parte del proceso de reconstrucción del grupo; posteriormente fueron trasladados a la cárcel de la isla Gorgona. El 28 de ese mes, en horas de la madrugada, fue cercada por efectivos militares la casa del barrio Vipasa,

Cundinamarca, y el Bernardo Ferreira, en la Costa Atlántica. Algunos de estos apenas estaban en proceso de formación cuando se presentó la división de 1975.

437 Citado por Villarraga y Plazas, *op. cit.*, p. 101.

438 Las divisiones en este sector de la guerrilla colombiana no siempre significaron nuevos grupos o movimientos proclives a la lucha armada. La excepción fue la TMLM, que se constituyó con críticas al EPL pero sin negarlo; mantuvo comportamientos y contactos clandestinos tanto nacionales como internacionales como organización guerrillera, y más adelante conformó el Partido Revolucionario de los Trabajadores (PRT), una de las agrupaciones políticas que asumieron la lucha armada en Colombia.

en Cali, en la que se encontraba hospedado Pedro León, junto con otros compañeros; era uno de los hombres más buscados del país. La hora de la debacle les había llegado; sin embargo, en la literatura del PCC (M-L) y del EPL de la época, es cuando se encuentran mayores referencias y análisis triunfalistas; se hablaba del alto desarrollo y generalización de la guerra popular, de bases de apoyo, de los gérmenes de la República Popular de Colombia, del partido del proletariado y de vanguardia, de los levantamientos campesinos y mil ilusiones más.

Por la época, el M-19 estaba conformado por unos sesenta combatientes entre hombres y mujeres, divididos en tres columnas: una en Cali, encabezada por Yamel Riaño, y dos en Bogotá, manejadas por Carlos Pizarro y Élmer Marín, respectivamente. En otras partes, como Medellín y Bucaramanga, apenas se iniciaba el trabajo político-militar, aunque en estas dos ciudades sobresalía la actividad de los cuadros del M-19 dentro de la ANAPO. Se trataba de un trabajo febril: venta de periódicos, organización de los grupos de base, tareas clandestinas y búsqueda de nuevos integrantes. Presionado por los dirigentes "socialistas" en su seno —Almarales, Toledo, Santamaría y otros—, el M-19 inició el proceso de distanciamiento y críticas a María Eugenia y al sector de derecha en el Comité Ejecutivo Nacional de la ANAPO. La pugna condujo a la expulsión de Andrés Almarales e Israel Santamaría, acusados por María Eugenia y los rojaspinillistas de divisionismo y de querer tergiversar el pensamiento del general[439]; internamente fueron señalados de ser los mentores del M-19. Toledo Plata fue excluido del Consejo Político Nacional y destituido como coordinador en Santander; las directivas desautorizaron la publicación del periódico *Mayorías*, y con medidas draconianas prohibieron su lectura entre la militancia. La ruptura formal con las directivas de la ANAPO también tuvo consecuencias en el M-19; la primera de ellas, eliminar de su consigna —Con el pueblo, con las armas, con María Eugenia ¡¡Al poder!!— el nombre de la capitana.

Los expulsados de la ANAPO, integrantes todos del M-19, conformaron un sector que al interior se denominó ANAPO Socialista, pero que en la práctica era otra organización, con sus propias

439 Al cumplirse un año del surgimiento del M-19, el 17 de enero de 1975, falleció Rojas Pinilla. Su hija, María Eugenia, asumió la jefatura única de su partido.

directivas, normas y estructura. Eran la cara legal del M-19, que en su IV Conferencia, realizada a mediados de enero de 1976, eligió una Dirección Nacional, compuesta por Jaime Bateman, Iván Marino Ospina, Álvaro Fayad, Élmer Marín, Carlos Pizarro, Carlos Toledo, José Cortés, Everth Bustamante, Israel Santamaría y Andrés Almarales. Los cinco primeros estaban relacionados con las tareas político-militares, mientras que los cinco restantes tenían entre sus responsabilidades atender el frente político en la ANAPO Socialista. A esta conferencia del M-19 asistieron veinticinco de los principales dirigentes, que debatieron si se participaba o no en el debate electoral de marzo siguiente; se discutió sobre el gobierno de López y las medidas antipopulares que estaba tomando, se examinó el funcionamiento de los regionales en que estaba organizado el movimiento y se insistió en la necesaria unidad guerrillera para poder avanzar en los propósitos revolucionarios; a grandes rasgos se informó que el M-19 preparaba una acción político-militar de envergadura para ampliar su influencia en el movimiento obrero y popular.

El llamamiento que el M-19 hacía a la unidad guerrillera era el producto de algunos avances, en particular con la TMLM, una de las más recientes fracciones del PCC (M-L), y con el ELN, que buscaba mantener la continuidad histórica del proyecto, corregir los errores pasados y ampliar sus contactos políticos. Ya desde el año anterior habían formado una Dirección Nacional Provisional (DNP), comandada por Gabino y por responsables de los frentes. A principios de 1976, Gabino viajó a Bogotá con el fin de entablar relaciones políticas diversas; estaba acompañado de dos dirigentes del grupo: el *Paisa* Medardo Correa y Alonso Ojeda Awad, *Genaro*, recientemente excarcelado. En la relación que establecieron con el *Flaco* Bateman, este llegó a hacerles una propuesta audaz e histórica: la fusión del M-19 y el ELN bajo una sola sigla y una sola bandera, la del ELN, propuesta que no caló en las filas elenas. Gabino iba rumbo a Cuba a encontrarse con Fabio Vásquez Castaño y a comunicarle que quedaba como militante de base y sin autorización para representarlos; que estaban propiciando cambios en la estructura orgánica, la concepción política, el trabajo de masas, la formación política revolucionaria, el centralismo democrático y la democracia interna: "Estos puntos fueron discurriendo en un entrelazamiento crítico de la historia del ELN, asignando a Fabio su responsabilidad como primer mando de la organización. La reunión transcurrió tensa, Fabio fue bastante parco; en lo que menos coincidimos fue en el análisis crítico, esto es entendible, pero yo estaba apasionado en el análisis, fui escueto y duro, él estaba más a la defensiva"[440]; lo que cuenta Broderick en su libro *El guerrillero invisible* es que el encuentro Gabino-Fabio se produjo en Praga.

A partir de entonces, Vásquez Castaño vivió de manera austera en La Habana, se hacía llamar Oscár Montes y mantenía contactos esporádicos con miembros de la organización que lo visitaban. Nunca quiso referirse a ese pasado, tampoco a las circunstancias que lo llevaron a su particular exilio. En diciembre de 2019 lo sorprendió la muerte cuando estaba próximo a cumplir 84 años de edad. En un escueto comunicado, sus compañeros del ELN le rindieron homenaje y dispusieron que la bandera roja y negra ondeara a media asta en los campamentos guerrilleros[441].

Luego del primer año del gobierno de López Michelsen se vivía en el país un complejo panorama laboral: "En 1975 hubo 109 huelgas de trabajadores y 58 en 1976, con un promedio de 45,6 días en este último año"[442]. Los 3.500 trabajadores del ingenio Riopaila, ubicado en el centro del Valle, se fueron a paro general el 14 de noviembre de 1975 por la violación de la convención colectiva; la huelga fue declarada ilegal, la UTC —conservadora— se puso del lado de la empresa, y las instalaciones fueron militarizadas. A principios de diciembre habían sido despedidos 800 obreros; transcurridos setenta días del paro, las autoridades reprimieron una marcha, en la que murió un adolescente y hubo más de treinta heridos. Próximo a cumplir 100 días, el conflicto se agravó cuando diecisiete de sus dirigentes fueron sometidos a consejo verbal de guerra, acusados de asonada, incendio y asociación para delinquir. En condiciones similares se encontraban los 1.200 trabajadores de Vanitex, en Bogotá; los empleados del Hotel Bolívar, en Medellín; de

440 Entrevista a Nicolás Rodríguez Bautista, *Gabino, op. cit.*, p. 140.

441 ELN, revista *Insurrección* 717, 16 de diciembre de 2019, en https://eln-voces.net/

442 Darío Villamizar, *Aquel 19 será, op. cit.*, pp. 81-82.

las fábricas de calzado Grulla, Bronx y Andino, de ladrillos El Progreso y Flam. Por lo menos en diez conflictos más, los obreros se preparaban para discutir pliegos de peticiones o iniciar la hora cero: Coltabaco, Fruco, Gaseosas Colombiana, Sofasa, Texas, Idema e Italgraf; en estado de alerta estaban los bancarios[443] y maestros. Por otro lado, proliferaban los paros cívicos en ciudades como Bucaramanga, Barbosa y Barrancabermeja, en Santander, y en regiones como el Oriente Antioqueño.

En medio de tan agitado panorama social, el 15 de febrero, cuando se conmemoraban diez años de la muerte de Camilo Torres, fue secuestrado José Raquel Mercado, presidente de la CTC. Dos días después, el M-19 informó que "fue detenido y puesto en prisión" para ser sometido a un "juicio popular", acusado de "traición a la patria, traición a la clase obrera y enemigo del pueblo"[444]. Así mismo, convocó a decidir la aplicación de la "justicia popular" mediante un plebiscito de SÍ o NO culpable frente a doce cargos relacionados con vínculos con el Gobierno de Estados Unidos, organizaciones gremiales de ese país y alianzas con los patronos y gobiernos de turno. Federaciones regionales de la misma CTC cuestionaban la dirección de Mercado y lo señalaban como uno de los dirigentes sindicales más corruptos.

El secuestro y juicio a Mercado marcaron un hito en la lucha guerrillera urbana: era la primera vez que se hacía una operación de este tipo, muy al estilo de lo que había ocurrido y todavía ocurría con organizaciones como los Montoneros, Tupamaros y otras en Centroamérica. Desde las filas de la izquierda hubo voces de apoyo y otras críticas; el periódico del PC señaló como autor al "aparato golpista que continúa poniendo bombas, que asesinó al inspector general de las Fuerzas Armadas y que busca desorientar la lucha de nuestro pueblo para poder propinarle golpes fulminantes"[445]. En las semanas siguientes, el M-19 hizo llegar pruebas de supervivencia, fotografías, cartas y comunicados a diversos medios de comunicación reafirmando el juicio a que era sometido: "Durante el cautiverio Mercado se deprimió, casi

443 Los 5.000 empleados del Banco Popular se declararon en paro indefinido desde el 25 de febrero de 1976; la huelga bancaria tuvo el apoyo de sectores de la Iglesia católica y fue levantada el 28 de mayo con una eucaristía en el atrio de la Iglesia de San Francisco en Bogotá.

444 M-19, *Boletín* N° 13, 17 de febrero de 1976, en Centro de Documentación para la Paz.

445 Semanario *Voz Proletaria*, edición del 17 de febrero de 1976.

no comía, bajó de peso, pidió la Biblia y permanentemente la leía. Se sumió en un estado de mutismo que de vez en cuando interrumpía para maldecir a la mujer que lo había engañado. Días más tarde llegaron con la espada de Bolívar para tomar algunas fotos en las que aparecía Mercado con dos de sus captores. Fueron enviadas a distintos medios de comunicación en Bogotá y Cali con una carta de su puño y letra, un parte médico y algunas pertenencias. Las fotos hablaban por sí solas: Mercado estaba abatido"[446]. En el proceso investigativo fueron detenidos por sospecha cientos de activistas y dirigentes de la ANAPO Socialista, incluidos los parlamentarios vinculados al M-19, así como líderes sociales y políticos; las investigaciones del caso las asumió el jefe del DAS, general José Joaquín Matallana, el mismo que estuvo al frente del cerco en el que murió Federico Arango, el que encabezó el desembarco en Marquetalia en la Operación Soberanía, y que luego dirigió la Operación Sonora contra las FARC.

Pasados cincuenta días, el grupo informó que el veredicto era culpable y que había sido condenado a muerte, y lo testificaban con fotografías de pintas con el SÍ en muchas paredes de la capital; proponían conmutar la pena por el reintegro de los trabajadores despedidos de Riopaila y otras empresas, la derogatoria de los decretos contra la estabilidad laboral y contra las libertades sindicales y políticas, y la publicación de un manifiesto en la prensa titulado "¡Empuñe su mano y decida! Sí o No". El plazo fijado fue el 19 de abril siguiente; el presidente López se negó a cualquier negociación: "El Gobierno mal podría abdicar de sus prerrogativas con una amenaza de este género. Si diéramos este paso, mañana, con el secuestro de una u otra persona, se le exigiría al Gobierno Nacional o a los tribunales, o a la Corte Suprema de Justicia, o al Congreso, que decidieran en determinado sentido, so pena de darle muerte a la persona secuestrada. No estoy dispuesto a transigir"[447]. Cumplido el plazo estipulado, el cuerpo sin vida del dirigente sindical apareció en la glorieta de El Salitre, en el noroccidente de Bogotá.

446 Véase Darío Villamizar, *Jaime Bateman, biografía de un revolucionario*, *op. cit.*, p. 445.

447 Presidencia de la República, "El gobierno del mandato claro", Alfonso López Michelsen, Bogotá, Secretaría de Información de la Presidencia de la República, 1977, pp. 115-116.

A pesar de la grave situación de orden público, en la noche del 22 de junio, luego de dos meses de la muerte de José Raquel Mercado, el presidente levantó el estado de sitio; sin embargo, esta vez la pausa no duró sino tres meses y medio: el 7 de octubre, ante la parálisis en la mayoría de los hospitales a causa de la huelga en el Seguro Social, el Gobierno echó mano del Artículo 121 de la Constitución, con el argumento de siempre: la existencia de un plan terrorista, que nunca se dio a conocer. La medida de excepción se mantuvo durante un año y diez meses, hasta el 7 de agosto del año siguiente, cuando asumió el nuevo presidente de la República. Como tantas veces, en esta ocasión el estado de sitio estuvo acompañado de restricciones a derechos y libertades constitucionales, reinicio de los consejos verbales de guerra que habían pasado a la justicia ordinaria y la militarización de la vida diaria, acompañada de denuncias sobre violaciones a los derechos humanos.

La situación del movimiento guerrillero en el campo era sumamente difícil. Por un lado, el EPL vivía su peor crisis y se encontraba reducido en el Nordeste Antioqueño a una decena de combatientes sin trabajo político ni orientaciones precisas; la muerte en China del presidente Mao, en septiembre de 1976, las posiciones que adoptó el Partido Comunista Chino con su "teoría de los tres mundos", y las contradicciones de este con Albania, generaron en el EPL y el PCC (M-L) el distanciamiento del maoísmo y el alineamiento con los albaneses, que se oficializó unos años después. En noviembre de ese mismo año, las delegaciones de ocho partidos comunistas (marxistas-leninistas) de América Latina, presentes en el VII Congreso del Partido del Trabajo de Albania, emitieron una declaración conjunta en la que condenaron los regímenes dictatoriales instaurados en el continente, llamaron a la unidad de los ML en el mundo, lamentaron la muerte de Mao y señalaron una vez más al socialimperialismo soviético y al imperialismo norteamericano de ser los peores enemigos de la humanidad[448].

Las FARC, por su parte, avanzaban en el propósito de formar lo que llamaban un "pequeño ejército", con mandos capacitados, mejores armamentos y escuelas en los siete frentes guerrilleros

448 "Declaración conjunta de las delegaciones de ocho partidos marxistas-leninistas de América Latina", documento mimeografiado, en Fundación Cultura Democrática, FUCUDE.

que ya existían. Por otro lado, el M-19 se preparaba para nuevas y llamativas demostraciones en el accionar político-militar; por lo pronto, se abocó a la tarea de realizar su V Conferencia Nacional, en febrero de 1977. El evento interno produjo dos documentos de conclusiones: "Elementos para la construcción de una organización politicomilitar" y "Elementos para la construcción de una estrategia de poder"; se aprobaron nuevos estatutos que definieron qué era el M-19 y cuáles sus propósitos: "El Movimiento 19 de Abril, M-19, es una organización politicomilitar, patriótica, antioligárquica, antiimperialista, que lucha por la construcción de un poder de obreros, campesinos y trabajadores en general, el cual, destruyendo el actual estado oligárquico mediante una guerra en donde participen todos los explotados, logre la liberación de nuestra patria y la instauración del socialismo"[449]. Otro aspecto de la conferencia y sus conclusiones fue un nuevo llamamiento a la unidad guerrillera, siempre presente en los pronunciamientos del grupo: "A los compañeros del ELN, de las FARC, del EPL que, desde todos los rincones de la patria, aunque con limitaciones y diferencias, trabajan por el poder armado del pueblo, el M-19 reitera su compromiso revolucionario de luchar por la unidad de las fuerzas revolucionarias"[450].

En el ELN, los intentos de rectificación produjeron nuevos debates y distanciamientos: "Replanteamiento" fue el nombre que adoptó un sector del grupo, bastante crítico con las formas organizativas, políticas y militares adoptadas por la organización; la discusión se llevó por cauces adecuados, por lo menos no hubo muertos ni fusilados de por medio, como en los días "gloriosos" de Fabio Vásquez. Esta vez, entre la "línea oficial" y Replanteamiento decidieron partir cobijas; sin embargo, existieron algunos malos manejos en ese proceso, de parte y parte, y en octubre de 1976, a través de *Insurrección*, se hicieron públicas esta nueva división del ELN y la expulsión de sus principales dirigentes: el Paisa, Genaro, y otros que mantenían buenas relaciones con Bateman y el M-19 y con la llamada "Tendencia", salida de los ML. El ELN sufrió en febrero de 1977 un nuevo golpe, conocido como el

449 M-19. *Estatutos*, documento mimeografiado, en Centro de Documentación para la Paz.

450 *Boletín-periódico* del M-19, N.° 22, marzo de 1977, en Centro de Documentación para la Paz.

"Febrerazo", esta vez en Bogotá y otras principales ciudades, donde las Fuerzas Militares realizaron un operativo simultáneo de allanamientos y capturas contra las estructuras urbanas; el propio Gabino alcanzó a huir de una de las casas allanadas.

Autodefensa Obrera (ADO) y el foquismo urbano[451]

El Movimiento de Autodefensa Obrera —MAO, como lo llamaron los medios de comunicación—, o simplemente *Autodefensa Obrera* (ADO) —como ellos se denominaron—, se inició con mínimas actividades en 1974. En distintos espacios reivindicaron su nacimiento desde 1976, en pleno florecimiento de la guerrilla urbana en Colombia, aplicada como una modalidad que, a diferencia de las FARC, el ELN o el EPL, privilegió las ciudades para su acción armada, y la ciudad no como simple "auxiliar" o "red urbana", sino como el epicentro principal de la lucha. Al principio se trató de un pequeño núcleo formado por integrantes de algunos sindicatos, estudiantes de universidades o colegios y barrios populares. Entre 1974 y 1976 realizaron un trabajo silencioso, de acumulación de fuerzas; inicialmente su accionar lo reivindicaban con el nombre de Comando de Autodefensa Obrera Camilo Torres Restrepo: "Aproximadamente en el año de 1977 se produce un cambio: el Comando Camilo Torres Restrepo pasa a llamarse Autodefensa Obrera como producto de una cualificación identitaria y no como resultado de algún tipo de ruptura. El núcleo fundador y los grupos que se venían organizando alrededor de la

451 Existen algunos estudios sobre el grupo Autodefensa Obrera (ADO): el trabajo de grado para optar al título de Historiador de Carlos Daniel Chaves Avellaneda, "Iglesia y militares. Actores en conflicto. 1976-1979"; la monografía de grado "La rebelión del alicate: Un estudio de caso sobre la organización Autodefensa Obrera" de Iván Darío Pulido, Julián Jair Reinoso, Ricardo Alfonso Garzón, estudiantes de la Universidad Distrital Francisco José de Caldas, presentado para optar al título de licenciados en Educación Básica con Énfasis en Ciencias Sociales. Otras referencias: las entrevistas de Olga Behar a Adelaida Abadía Rey, Héctor Fabio Abadía y Carlos Efrén Agudelo, en *Las guerras de la paz*; así mismo, la entrevista titulada "A Pardo Buelvas le hicimos un juicio popular", en el libro *La paz, la violencia: testigos de excepción* de Arturo Alape. El símbolo de ADO era una bandera roja y negra, y en el medio, un alicate abierto, que simbolizaba la fuerza de los trabajadores.

apuesta organizativa iniciada en el año 1974 comienzan a generar un profundo debate interno referente a la simbología y elementos de identidad que poseía la estructura"[452]. ADO se dio a conocer con ese nombre por algunas acciones armadas que realizaron en Bogotá; la primera fue en julio de 1977, la toma del salón cultural del barrio San Carlos, en el sur de Bogotá, donde repartieron volantes. Se cuenta también, entre sus acciones iniciales, la toma de oficinas del Ministerio de Trabajo, el 2 de mayo de 1978.

El fundador de ADO fue un brasilero llamado Giomar O'Beale, que usaba el seudónimo de *Juan Manuel González Puentes* y que huyó de su país después de la derrota de las guerrillas urbanas, a comienzos de los años setenta, primero a Venezuela, donde estuvo preso y se fugó de la prisión, y luego a Colombia; con esas experiencias pudo aportar los primeros conocimientos de las técnicas de la lucha en las ciudades: "Era muy celoso con todas las cosas, tanto que muy pocos compañeros conocimos su verdadero nombre. Yo sabía que él tenía una esposa boliviana y creo que una niña. Siempre le mandaban fotos, yo vi algunas porque fui compañera de él [...] De él aprendimos no solo su gran experiencia, sino también su calidad humana. Él planteaba que la revolución no solo se hacía para lograr el poder, sino para transformar al hombre y sus valores, nos enseñaba normas de comportamiento, insistía en valores como la honestidad y nos exigía tenerlos como parte fundamental de nuestra formación"[453]. Bajo el liderazgo del Brasilero, como también se le conoció, se fue formando el grupo urbano que aglutinó a estudiantes y trabajadores, entre ellos los hermanos Héctor Fabio, Edgardo y Adelaida Abadía Rey y su esposo, Alfredo Camelo Franco. "Al principio nos llamábamos así, sencillamente 'Grupo de Autodefensa' y nos empezamos a preparar militarmente para defender

452 Iván Darío Pulido Castro, Julián Jair Reinoso Muñoz, Ricardo Alfonso Garzón Riveros, "La rebelión del alicate: Un estudio de caso sobre la organización Autodefensa Obrera". Monografía de grado para optar al título de licenciados en Educación Básica con Énfasis en Ciencias Sociales, Universidad Distrital Francisco José de Caldas, Bogotá, 2015, p. 100.

453 Relato de Adelaida Abadía Rey, en Olga Behar, *op. cit.*, pp. 87-93.

nuestros intereses concretos en una fábrica, a la vez que conquistar nuestras reivindicaciones"[454].

En la única entrevista que concedió el Brasilero, publicada en el periódico de su organización, afirmó: "Nuestro nombre de AUTODEFENSA se refiere al aspecto estratégico, a la situación del pueblo delante de la oligarquía y la burguesía que nos explota, nos ataca, nos obliga a la lucha armada en defensa de nuestros derechos como seres humanos. Somos AUTODEFENSA porque no somos los que desatamos esta guerra; ellos son los agresores, ellos son los que violan los derechos del pueblo; ellos son los que responden a las huelgas y a las manifestaciones pacíficas con la violencia; ellos son los que torturan y asesinan. Cuando los obreros realizan una huelga, están manifestándose de manera pacífica, luchando pacíficamente, porque nadie puede afirmar que los brazos caídos son violencia; sin embargo, ¿qué hace la clase patronal? Lanza sus aparatos represivos para golpear, encarcelar, atemorizar e incluso eliminar físicamente a los trabajadores. Entonces, ¿quién ataca militarmente? ¿Quiénes son los violentos? ¿Quiénes son los que inician la guerra? ¿Quiénes son los que atentan contra la paz? La clase explotadora y su sistema capitalista. Nuestro deber de hombres agredidos es DEFENDERNOS de esa minoría rapaz y belicosa, porque entre otras cosas, sale más barato en vidas para nosotros una guerra revolucionaria que los cien mil muertos anuales por desnutrición"[455].

Su proyecto estratégico consistía en conformar las Fuerzas de Autodefensa Popular (FAP), que comprendía la organización de autodefensas en espacios estudiantiles, campesinos y obreros; por la misma coyuntura política y social en el gobierno de López, y el desarrollo de la protesta popular, fueron las autodefensas obreras las que tomaron mayor fuerza, y a partir de las cuales comenzó el proceso de articulación de la organización político-militar. Su énfasis en el trabajo con la clase obrera hizo que muchos los encasillaran como una organización trotskista, aunque ellos se definían sencillamente como marxistas. El concepto de la OPM estaba intrínsecamente ligado al

454 "El ADO: A Pardo Buelvas le hicimos un juicio popular", en Arturo Alape, *op. cit.*, p. 334.

455 *Boletín ADO*, marzo de 1980.

desarrollo de la nueva izquierda y de la guerrilla urbana; era un tipo de organización que en sus lineamientos generales y composición —dirigencia, militancia y base social— combinaba los aspectos políticos y militares, a diferencia de otras que separaban las tareas políticas del partido y militares del ejército o grupo armado, o de las organizaciones de la izquierda legal —maoístas, comunistas y trotskistas, que solamente contemplaban lo político—. La concepción y estructura de la OPM fueron ampliamente desarrolladas en el Cono Sur por los Montoneros, Tupamaros y el ERP argentino; en Colombia fue el M-19 la organización que más insistió en la necesidad de superar el trabajo del aparato político-militar —clandestino, con experticia en las acciones armadas y buenos recursos técnicos y logísticos— para descubrir nuevas proyecciones políticas y superar el aislamiento. A diferencia de las guerrillas rurales, y de las tesis de la guerra popular prolongada que planteaba el avance del campo a la ciudad, ADO proponía consolidarse en la ciudad para luego trasladarse al campo y conformar un ejército revolucionario; de hecho, en algún momento de su existencia quiso formar autodefensas campesinas para fortalecer su idea de las FAP.

Durante la conmemoración del 1° de mayo de 1977 fue evidente el llamado desde distintas organizaciones de trabajadores y empleados para llevar a cabo un paro cívico nacional en contra de las políticas económicas y sociales del gobierno de López; los precios de la canasta familiar aumentaron en un 49% entre mayo de 1976 y mayo de 1977; para el mismo mes, los salarios habían bajado en un 22% con respecto a septiembre de 1970. La discusión sobre la convocatoria y los contenidos de la protesta se tomó las reuniones de sindicatos, juntas barriales, asambleas estudiantiles y movimientos y partidos políticos de izquierda. Los debates fueron largos y las vacilaciones muchas, en particular en centrales obreras y sindicatos con un pasado y un presente "patronal" y gobiernista. Finalmente, hubo acuerdo entre las centrales sindicales UTC, CTC, CSTC y CGT y el sindicalismo independiente, y se conformó una instancia de coordinación denominada Consejo Nacional Sindical (CNS), para orientar las acciones y garantizar el éxito del paro. No fue fácil llegar a ese punto, que unificaba en los hechos, aunque temporalmente, a las más diversas líneas políticas de izquierda y de derecha dentro del sindicalismo colombiano. Para la protesta se acordó un programa común de ocho puntos reivindicativos y políticos: aumento de salarios en un 50% mínimo, levantamiento del estado de sitio, congelamiento del precio de los artículos de primera necesidad, derogatoria del Estatuto Docente, entrega a los campesinos de tierra para trabajar, jornada laboral de ocho horas, supresión los decretos de reorganización del Seguro Social y abolición de la reforma administrativa que afectaba a los trabajadores estatales.

En agosto siguiente, los representantes de las centrales obreras ratificaron la decisión de realizar un paro cívico nacional unificado, "cuya fecha y duración ya hemos convenido unánimemente"; desmintieron y rechazaron categóricamente las versiones "en el sentido de calificar el movimiento como subversivo y de inspiración política", y expresaron su solidaridad "con los trabajadores de la construcción y el cemento, con los educadores, con los trabajadores de 'Indupalma' y con los demás sectores que se encuentran en conflicto"[456]. Un día antes del pronunciamiento de los dirigentes obreros, el M-19 secuestró al gerente general de la empresa Indupalma, Hugo Ferreira Neira: "Ahora los patronos no tendrán descanso en sus lujosas mansiones, en sus cómodas oficinas y en sus plácidos lugares de diversión. Hasta ellos llegará el brazo justiciero del pueblo. A los compañeros de Indupalma les pedimos que refuercen sus luchas, aumenten su organización, eleven su combatividad. Al pueblo en general, que exprese y se haga presente moral y materialmente en solidaridad con los obreros de Indupalma"[457]. Por primera vez, una organización política en armas tocaba las puertas de la élite colombiana y a uno de sus más connotados representantes.

La Industria Agraria La Palma (Indupalma S. A.), ubicada en el municipio de San Alberto (Cesar), era propietaria de la plantación de palma africana más grande de América Latina, una empresa con 600 empleados y 170 "intermediarios" que tenían a su cargo 1.500 tra-

456 Véase comunicado de las Centrales Obreras UTC, CTC, CGT y CSTC del 20 de agosto de 1977, en Arturo Alape, *Un día de septiembre*, Bogotá, 1980, pp. 13-15.

457 *Boletín-periódico* del M-19, N° 23, septiembre de 1977, en Centro de Documentación para la Paz.

bajadores permanentes y 600 esporádicos; esta fue la razón para que el 17 de agosto se declarara la huelga por el derecho al trabajo, a salarios justos, estabilidad laboral, prestaciones sociales, es decir, la eliminación del fatídico sistema de contratistas. Con el secuestro de Ferreira Neira, el M-19 pretendía servir de garante en la negociación; el viernes 9 de septiembre, la empresa firmó la convención colectiva con sus trabajadores, y cinco días después publicó un aviso en la prensa nacional para dar a conocer los resultados. 1.022 trabajadores fueron vinculados formalmente a Indupalma, con contrato de trabajo, y les fueron reconocidos las prestaciones y los salarios pendientes.

A la medianoche del martes 13 de septiembre se inició la hora cero del primer paro cívico nacional. La protesta popular no fue pacífica, y tampoco duró las veinticuatro horas programadas. A medida que transcurrían las horas, más y más gente salía a las calles a expresar la inconformidad, represada durante mucho tiempo. A mediodía, y durante el resto del miércoles 14, las manifestaciones fueron incontrolables. El centro de la ciudad y los barrios populares se transformaron en escenario de violentos enfrentamientos. Hacia las 4:30 de la tarde, el alcalde de Bogotá, Gaitán Mahecha, decretó, desde las 8 de la noche hasta las 5 de la mañana, el toque de queda en todo el Distrito, lo que indicaba los resultados del paro y la incapacidad gubernamental para controlarlo. En la noche, el presidente López se dirigió a los colombianos por radio y televisión para negar la existencia del paro y mostrar los clavos y tachuelas que utilizaron los revoltosos para paralizar el transporte. Las cifras oficiales de muertos, heridos, allanamientos y detenidos nunca se conocieron, aunque en un debate en la Cámara de Representantes se presentó una lista con 33 nombres de muertos de manera violenta[458]; el ministro de Gobierno reconoció más de 3.800 detenidos en la jornada. Con distinta intensidad, el paro se sintió en ciudades como Barranquilla, Cali, Barrancabermeja, Cúcuta, Ibagué y Villavicencio. Fue un pequeño 9 de Abril. El doctor Rafael Pardo

458 Lista parcial con diecinueve nombres, lugar y circunstancias de la muerte, en Arturo Alape, *op. cit.*, p. 107-108. Otro listado de 25 muertos con fuente en *Alternativa, Voz Proletaria* y *El Espectador*, en http://revistaciudadpazando.udistrital.edu.co/index.php/43-articulos-revista-6/208-revista-6-articulo-10

Buelvas, ministro de Gobierno, y el general Luis Carlos Camacho Leyva, comandante de las Fuerzas Militares, calificaron al paro de "subversivo y político".

Como diría Bateman, el secuestro de Ferreira Neira fue una acción "pura", "bella", duró veintiocho días, hasta el 15 de septiembre, segunda jornada del paro cívico nacional, cuando todavía estaba vigente el toque de queda, las calles de la ciudad permanecían vigiladas y aún se levantaban barricadas y ardían llantas en los barrios periféricos de Bogotá; en horas de la tarde de ese día fue puesto en libertad dentro de la Iglesia de Santa Ana, en el barrio Teusaquillo de la capital.

Antes del paro cívico, el Gobierno criminalizó la protesta, endureció las medidas del estado de sitio vigente y expidió nuevos decretos que ordenaron "el arresto inconmutable de 30 a 180 días para quienes dirijan, promuevan, fomenten o estimulen en cualquier forma el cese total o parcial, continuo o escalonado de las actividades normales de carácter laboral o de cualquier otro orden"[459]. Igualmente, el Decreto 2066 del 28 de agosto estableció la censura a la radio y la televisión: "no podrán transmitirse informaciones, declaraciones, comunicados o comentarios relativos al cese de actividades, o a paros y huelgas ilegales". Con estas y otras medidas, López creaba las condiciones necesarias para que el siguiente mandatario dictara otras más fuertes, como lo exigieron treinta y tres altos oficiales en servicio activo, encabezados por el general Camacho Leyva, el 19 de diciembre de 1977: "Hemos resuelto solicitarle nuevamente al Gobierno que dicte, por el procedimiento de emergencia, eficaces medidas adicionales para garantizarle a la institución militar y a sus integrantes la honra a que tienen derecho, y a todos los ciudadanos la seguridad que requieren"[460]. De nuevo, los militares le recordaban al "poder civil" que ellos también hacían parte del poder, y que medidas como las que solicitaban no eran concesiones, sino su "derecho".

Durante el período, las FARC realizaron la VI Conferencia Nacional de Guerrilleros, entre el 18 y el 26 de enero de 1978; la preparación

459 Decreto 2004 del 26 de agosto de 1977.

460 *El Tiempo*, 20 de diciembre de 1977, pp. 1A y 6A.

tardó cinco meses, y el debate de los documentos se llevó a los diversos frentes. Además de las tesis, se aprobaron los nuevos Estatutos, que formulaban los fundamentos ideológicos, definían la estructura orgánica, los derechos y deberes de los combatientes y otros principios básicos; el Reglamento de Régimen Disciplinario abordaba cuestiones esenciales de orden militar; las Normas Internas de Comando trataban lo habitual en el ejercicio diario de las diversas unidades: comisiones, misiones y Unidades Tácticas de Combate (UTC). A partir de este evento se institucionalizó el Secretariado de Estado Mayor Central como la instancia superior entre conferencia y conferencia. "La VI Conferencia dice que para crear un ejército es necesario capacitar el mando, crecer en hombres, armas y en finanzas, crear escuelas regionales a nivel de frentes, inclusive del Estado Mayor y del Secretariado. Un mando de hombres que comprenda qué significa la tarea de crear un pequeño ejército revolucionario, capaz de emprender la labor de transformar las relaciones de fuerza en todo el territorio nacional y convertir el proyecto en el centro de la acción revolucionaria nacional"[461].

Como un dato curioso, esta conferencia ordenó redactar una "cartilla ideológica" para la formación de sus combatientes en asuntos tales como nociones elementales de antropología, rudimentos de filosofía marxista y nociones de economía política; el documento, con aproximaciones filosóficas bastante complejas, buscaba "contribuir al desarrollo de la cultura general de obreros y campesinos"[462]; como ejemplo incluía un estudio sobre las leyes fundamentales de la dialéctica: la ley de la unidad y lucha de los contrarios, la ley de la transformación de los cambios cualitativos en cuantitativos y la ley de la negación de la negación...

Coincide el período con la fractura del Frente V en Antioquia, donde dos de sus mandos, Bernardo Gutiérrez y Nahím Piñeros[463], criticaron el manejo de algunos de los comandantes, "armaron tolda

461 Carlos Medina Gallego, "FARC-EP Notas para una historia política 1958-2006", Universidad Nacional de Colombia, Facultad de Ciencias Humanas, Departamento de Historia, s/f, p. 96.

462 FARC, *Cartilla ideológica*, 1980, http://www.farc-ep.co/pdf/Cartilla-ideologica.pdf

463 Considerados como desertores, Naím Piñeros fue muerto poco tiempo después por las FARC.

aparte" como Núcleos marxistas-leninistas de las FARC o Núcleos consecuentes y se vincularon al EPL con hombres, recursos y armas; por supuesto que llegaron a fortalecer al debilitado EPL, que empezó a recuperarse luego de varios años en el ostracismo: "Yo estaba en el V Frente de las FARC en un momento en el cual había discusiones, fue cuando se citó a una conferencia para analizar el crecimiento de la organización [...] En esa conferencia también dimos una discusión en relación a que las FARC necesitaban una dinámica de más capacidad operativa, no simplemente reproducirse como una guerrilla vegetativa [...] Había muchas diferencias, por lo cual Jacobo decidió mandar un hombre al V Frente. Fue cuando llegó Nariño, el Viejo Efraín"[464]. El hecho fue registrado por Manuel Marulanda Vélez en una carta que el 7 de noviembre de 1978 envió a sus camaradas Jacobo y Martín Villa: "El c. Nariño llegó de extra y a gran velocidad, dice que hace cuatro días se vino del Frente [...] Dice que Raúl se fugó llevando armamento y más de 3 millones de pesos y que se pasó al lado de los 'populares', dejando un terrible material escrito contra todo el movimiento en general. Dice que está haciendo estragos con las masas y el Partido. Además, agrega Nariño que hay otros en las mismas filas y por lo que dice la situación no es muy buena, pero agrega que Raúl es agente del enemigo y cuando creyó que sería descubierto organizó viaje"[465].

Para el EPL tuvo un gran significado la "visita" que por esos días y durante un mes y medio hicieron los jefes del ELN, Poliarco y Gabino[466], a su campamento en Córdoba, donde se encontraba el comandante Francisco Caraballo; fue un intercambio de experiencias desde el recorrido militar que tenía esa organización, con sus aciertos y errores, sumado al acumulado político y organizativo del EPL después de diez años de fundación; fue un paso importante en los llamamientos

464 Entrevista a Bernardo Gutiérrez, en *Para reconstruir los sueños*, *op. cit.*, pp. 138-140.

465 Carta de Manuel Marulanda del 7 de noviembre de 1978, en *Resistencia de un pueblo en armas*, *op. cit.*, p. 507.

466 Seudónimos de Manuel Pérez y Nicolás Rodríguez, respectivamente. El primero asumió el seudónimo de *Poliarco* en homenaje a un campesino llamado así, que lo ayudó cuando estuvo perdido tres meses en el monte.

que las distintas organizaciones hacían a la unidad, y sería muy útil para procesos venideros.

En paralelo con la VI Conferencia de las FARC, el M-19 reunió su propia VI Conferencia, en marzo de 1978, para tratar aspectos organizativos y políticos como la estructura jerárquica, examinar la coyuntura nacional, y particularmente las perspectivas hacia las elecciones venideras; de acuerdo con el nuevo reglamento interno se consideró a todos los militantes "oficiales": había oficiales segundos, primeros, mayores y superiores. Se establecieron los grados de los oficiales superiores: Jaime Bateman, Élmer Marín, Iván Marino Ospina, Álvaro Fayad y Carlos Pizarro. Una de las decisiones de la conferencia fue profundizar el trabajo en el movimiento campesino, con miras a vincular el trabajo político-militar urbano con la puesta en marcha de la guerrilla rural, a través —inicialmente— de siete guerrillas móviles que comenzaron a funcionar entre julio y noviembre de 1978 en distintas partes del país, y con resultados muy diversos.

El ambiente político estaba agitado desde el segundo semestre de 1977, en vista de las elecciones de febrero y junio de 1978. Había lluvia de candidatos a la Presidencia: la izquierda intentó un candidato unitario, pero los históricos enfrentamientos entre el PCC y el MOIR, entre estos y los trotskistas, entre comunistas y anapistas, polarizaron de nuevo las posiciones. Cada uno tenía su candidato. La llamada ANAPO Unificada, con el respaldo del MOIR, propuso al senador Jaime Piedrahíta Cardona, en nombre del Frente por la Unidad del Pueblo (FUP). No todos en esta alianza quedaron contentos y, recién unidos... se dividieron. Otro sector proclamó, junto con el PCC, la candidatura del representante a la Cámara Julio César Pernía. El grupo encabezado por Carlos Toledo Plata se marginó de esas dos candidaturas de clara estirpe anapista, pero opuestas entre sí, y propuso la reunificación de la ANAPO después de las elecciones de febrero y un candidato único de oposición. Los trotskistas, que adoptaron el nombre de Partido Socialista de los Trabajadores, propusieron como candidata a Socorro Ramírez, secretaria general de la Federación Colombiana de Educadores (Fecode).

Las elecciones del 26 de febrero de 1978 para Congreso, concejos y asambleas fueron un campanazo de alerta para la izquierda, que fue "barrida" en todo el país; los triunfadores de siempre fueron los partidos tradicionales: los liberales, que entre los seguidores de Turbay y de Lleras Restrepo sacaron 2.297.534 votos; los conservadores, unidos en torno a Belisario Betancur, con el apoyo de la ANAPO "oficial", alcanzaron 1.650.429 votos. Los llamados a una candidatura unificada de la izquierda para las elecciones presidenciales tomaron fuerza después de las de "mitaca". Desde sectores sindicales, intelectuales, políticos y de la guerrilla se comenzó a trabajar por un plebiscito unitario, algo simbólico, que facilitara la unidad; desde las páginas de la revista *Alternativa*, con apoyos como el del M-19, se propuso una campaña para recoger 500.000 firmas: "¡Firme!... Por un candidato único de la izquierda" era la consigna. El 19 de abril se inició la campaña por las firmas. De la nada brotaron comités unitarios locales y regionales que recogían adhesiones por todo el país. En diez días tenían ya 100.000, y al mes superaban las 300.000; para el 25 de mayo, a una semana de las elecciones, habían alcanzado 432.000. La decisión era seguir adelante con esa expresión de miles de colombianos que pedían la unidad. El cierre fue un encuentro en el Capitolio Nacional, al cual asistieron más de 400 delegados de todo el país. La campaña derivó en el movimiento político Firmes, que tendría alguna representatividad en los años siguientes y se proponía como un nuevo movimiento nacional, democrático, popular, independiente de las disputas internacionales en el campo socialista; en las menguadas filas de la izquierda legal se dijo que este era una expresión política pública del M-19. Y si bien es cierto que la presencia en él de reconocidos dirigentes del grupo lo comprometía demasiado, también lo es que destacados dirigentes de Firmes no tuvieron nada que ver con el M-19: los casos de Gerardo Molina y Luis Carlos Pérez, exrectores de la Universidad Nacional, lo confirman. Bateman concebía un movimiento estrictamente legal de la izquierda democrática, no un instrumento del M-19 o de otras organizaciones guerrilleras.

En las elecciones del 4 de junio, el liberal Julio César Turbay fue electo presidente, con 2.502.681 votos, contra los 2.356.620 del conservador Belisario Betancur; como ya se presentía, los resultados para la izquierda fueron catastróficos: sus tres candidatos apenas llegaron a un 2,5% de la votación: Pernía obtuvo 97.234 votos, Piedrahíta alcanzó 27.059, y Socorro Ramírez, cerca de 6.000. Turbay Ayala era el hijo de Antonio Amín Turbay, un inmigrante libanés, y de la señora Rosaura Ayala, "una virtuosa mujer de la provincia cundinamarquesa", como se refirió a ella en el discurso de posesión, el 7 de agosto de 1978. Gracias a sus hábiles manejos en los vericuetos de la política y de la administración, especialmente en las intrincadas filas del bipartidismo, siempre ocupó posiciones públicas como concejal, alcalde, diputado, senador, ministro de varias carteras, embajador y designado a la Presidencia, además de director del Partido Liberal. Su primer gabinete repitió el esquema aplicado durante el Frente Nacional: 5 ministros conservadores, 7 liberales, y en la cartera de Defensa, el general Luis Carlos Camacho Leyva, un militar calificado por sus colegas como hombre recio y autoritario, lo que se dice un "tropero", caracterizado exponente de la derecha militarista.

El régimen de Turbay buscó armarse de inmediato de instrumentos coercitivos para acallar las voces de protesta de las organizaciones populares y de la oposición, que ya se sentían frente a las alzas desmedidas en los artículos de primera necesidad, y para controlar el continuo accionar guerrillero. No había transcurrido un mes desde su posesión cuando expidió el Decreto 1923 del 6 de septiembre, "por el cual se dictan normas para la protección de la vida, honra y bienes de las personas y se garantiza la seguridad de los asociados", mejor conocido como Estatuto de Seguridad. Las medidas contemplaban penas, o el aumento de las ya existentes, en los casos de secuestro con móviles "puramente políticos o de publicidad", rebelión, asociación para delinquir, perturbación del orden público o "alteración del pacífico desarrollo de las actividades sociales", daño en cosa ajena, extorsión, distribución y porte de armas. Además, establecía la censura a la radio, la televisión y los medios escritos, y otorgaba nuevas competencias a la Justicia Penal Militar, con la ampliación de sus funciones, que pasaron al ámbito judicial, con la aplicación de la Justicia Penal Militar para civiles. Como ejemplos del aumento de penas, basta señalar dos situaciones: el delito de rebelión, definido en el Estatuto de Seguridad como "cualquier acto organizado que busque el derrocamiento o cambio del gobierno legítimo", que tenía pena de cuatro a seis años en la normatividad anterior, contemplaba ahora penas de ocho a catorce años de prisión; "causar o participar en alteraciones del orden público o alterar el desarrollo de actividades sociales", que era penado hasta con treinta días de arresto, según el Estatuto de Seguridad sería de uno a cinco años de prisión. De acuerdo con el informe *¡Basta ya!* del Centro de Memoria Histórica, durante su vigencia se denunciaron 82.000 casos de detenciones arbitrarias y torturas en guarniciones militares[467].

Durante la segunda semana de septiembre, ADO desplegó acciones político-militares de solidaridad con los huelguistas de Croydon, asaltó uno de los almacenes de la empresa, luego se apoderó de un furgón de Carulla cargado de alimentos y repartió el contenido entre los trabajadores de Croydon; lo mismo hizo en la pasteurizadora Prodelbo, de donde se llevó cinco toneladas de leche. El primer gran reto al Estatuto de Seguridad fue el asesinato de Rafael Pardo Buelvas, exministro de Gobierno en la anterior administración de López Michelsen. El Comando 14 de Septiembre de ADO fue el autor del crimen. A las 8:40 de la mañana del 12 de septiembre, dos días antes de conmemorarse el primer aniversario del paro cívico nacional, un comando compuesto por cuatro personas, dos de ellas disfrazadas de militares, penetraron en la casa del exministro con el pretexto de realizar una inspección de seguridad, lo localizaron en el interior y le dispararon en cinco ocasiones causándole la muerte. "¿Por qué Pardo Buelvas? Por lo que significaba, por lo que simbolizaba. Con su muerte le aclararíamos al pueblo las causas de la masacre del 14 de septiembre, y le mostraríamos que en este país la oligarquía tiene total impunidad. El ministro de Gobierno había ordenado masacrar al pueblo y había recibido solo felicitaciones"[468].

El asesinato de Pardo Buelvas por parte de ADO fue incluido en el informe Bogotá 8859, titulado "Political/Economic Summaries: This Week in Colombia", que el embajador de Estados Unidos, Diego Asencio, envió el 15 de septiembre de 1977 al Departamento de Estado; aparte del registro de la noticia, hizo el siguiente comentario:

467 Véase: *¡Basta ya!*, Centro de Memoria Histórica, *op. cit.*, p. 133.

468 Testimonio de Héctor Fabio Abadía Rey, en Olga Behar, *op. cit.*, pp. 143-148.

Las medidas de seguridad tomadas por el Gobierno probaron ser efectivas para prevenir desórdenes el 14 de septiembre, sin embargo los asesinos de Pardo (y de los hermanos Mejía) siguen a sus anchas. La autoridad del Gobierno ha sido desafiada y tal vez incluso debilitada hasta cierto punto, y hay una creciente preocupación acá acerca de la capacidad de las autoridades colombianas para proteger a la ciudadanía adecuadamente (para más detalles ver Bogotá 8712, 8762 y 8825).

Fuente: Document Number 1977BOGOTA8859, *Political/Economic Summaries: This Week in Colombia*, 15 September 1977. The National Security Archive (NSA), Colombia and the United States: Political Violence, Narcotics and Human Rights, 1948-2010, documentos desclasificados de diferentes agencias de seguridad del Gobierno de Estados Unidos.

La condena fue unánime. Desde los más diversos sectores políticos de derecha, centro e izquierda, medios de comunicación, eclesiales, sociales y económicos del país se reprobó el hecho, calificado de abominable: "El asesinato del doctor Pardo Buelvas típicamente político, pero político de un extremismo que bien sabe lo que procura, no solo justifica el Estatuto de Seguridad ya expedido, sino que debe obligar al Gobierno a ampliarlo contra otras zonas de la ofensiva desatada que busca romper nuestro régimen de vida económico, social y nuestra orgullosa y real juridicidad. Si el Gobierno acepta el desafío de una izquierda anárquica puede estar seguro de que una acción no solo jurídica sino plenamente aguerrida tendría el apoyo unánime no solo de cuantos elegimos al doctor Turbay Ayala como jefe del Estado sino también de quienes sienten vivamente amenazada la tradición secular de un pueblo y una república fundados en base de intangibles valores éticos y claros fueros humanos"[469].

Los efectos del Estatuto de Seguridad se comenzaron a sentir de inmediato; arreciaron las detenciones arbitrarias, los atentados, allanamientos, redadas, desapariciones, torturas, vejámenes y asesinatos, que venían desde antes. Contra los autores de la muerte de Pardo Buelvas, que reivindicaron el hecho a los pocos días, se inició una cacería que dio sus frutos en los primeros meses de 1979 con la captura de

469 *El Tiempo*, 13 de septiembre de 1978, p. 4A: Citado en Carlos Daniel Chaves Avellaneda, *op. cit.*, p. 91.

varios de los participantes, todos ellos acusados de pertenecer a ADO: Manuel Bautista, Armando López Suárez y Alfredo Camelo Franco. Este último había trabajado como investigador social en el Centro de Investigación y Educación Popular (CINEP), en Bogotá, bajo el nombre de Federico Yáñez. Las cárceles estaban llenas de presos de diferentes organizaciones políticas y guerrilleras que, una vez pasados los duros momentos de la tortura física y psicológica, convirtieron las prisiones en trincheras de lucha.

Por las declaraciones de Camelo ante las autoridades militares fueron detenidos y sometidos a interrogatorios los sacerdotes jesuitas Luis Alberto Restrepo y Jorge Arango, investigadores del CINEP, lo que suscitó un debate sobre quién tenía la competencia para juzgar a los prelados dada la vigencia del Concordato firmado entre el Gobierno y la Santa Sede. Hubo protestas, pronunciamientos y comunicados solicitando la libertad, y de rechazo a la medida: "De igual manera se pronunciaron los miembros de Sacerdotes para América Latina (SAL), Organización de Religiosas para América Latina (ORAL), Cristianos Por el Socialismo (CPS) y grupos cristianos por la Liberación Nacional y el Socialismo, en su comunicación estas organizaciones defendieron el carácter del Artículo 20 del Concordato y afirmaban que los cuarteles militares se habían convertido en 'cárceles comunes a donde llevan todo tipo de detenidos y criminales comunes y presos políticos'"[470]. Pese a que no existían pruebas contra Restrepo y Arango, el ministro de Justicia, Hugo Escobar Sierra, llegó a manifestar: "Hay plena prueba de que Camelo fue el asesino de Pardo Buelvas, los jesuitas, si no participaron directamente, les garantizo que tienen parte como cómplices"[471].

La captura de González Puentes se produjo el 26 de abril de ese mismo año, en una cafetería del centro-occidente de Bogotá; se le sindicó de ser el autor de un atentado contra la Empresa Distrital de Buses y de liderar el grupo. Otro detenido que iba rumbo a la tortura: "Me acaban de sacar de las caballerizas donde me tuvieron vendado, sin alimentación y esposado, sometido a torturas. Me obligaron a decir

470 *El Espectador*, 31 de mayo de 1979, p. 10A., citado en Carlos Daniel Chaves Avellaneda, *op. cit.*, p. 91.

471 *Ibid.*, p. 95.

cuestiones que no corresponden a la verdad. Cuando me tuvieron en Puente Aranda me golpearon con objetos duros especialmente en los testículos y en la caballeriza me pusieron choques eléctricos en las partes nobles. Me quisieron obligar a firmar un papel en que constaba que me habían dado buen trato, pero yo me negué"[472]. Una gran parte de ADO estaba en la cárcel, y los militares se aprestaban para un nuevo consejo verbal de guerra.

Entre tanto, otras guerrillas vivían la represión desatada desde el alto gobierno: el 28 de septiembre fue encontrado en un basurero, en el municipio cundinamarqués de Sibaté, el cadáver de José Manuel Martínez Quiroz, dirigente y fundador del ELN, exdirigente estudiantil y jefe nacional de la red urbana de su organización, quien había sido detenido en 1968 y en 1973, en el desarrollo de la Operación Anorí. Dos días antes de su muerte fue capturado de nuevo y trasladado a las instalaciones del Batallón de Inteligencia y Contrainteligencia Charry Solano, donde lo sometieron a intensos interrogatorios y torturas. Sobre su muerte, el ELN manifestó: "Coincide su desaparición y asesinato con la convocatoria a la 'Segunda Reunión Nacional de Responsables', en la que el comandante Martínez Quiroz debía participar. La reunión se llevó a cabo los primeros días del mes de octubre de 1978 en el departamento de Huila"[473].

En medio de esas circunstancias, el M-19 estaba concentrado en una de las operaciones más audaces que emprendería en su existencia como guerrilla: el asalto al Cantón Norte de Bogotá, unas instalaciones militares en donde había un gran depósito con armas de todo tipo. El objetivo de la que llamaron Operación Colombia era sacarlas para armar las guerrillas móviles que crecían en aceptación, pero que limitaban su accionar por no contar con el equipamiento adecuado. Por otro lado, a través del general Omar Torrijos, el hombre fuerte de Panamá, y de García Márquez, había entrado en contacto con los nicaragüenses integrantes del Frente Sandinista de Liberación Nacional (FSLN), que adelantaban la lucha popular en contra de la dictadura de Anastasio Somoza, y que también necesitaban armas.

472 *El Tiempo*, 1° de agosto de 1979, pp. 1A y 2C.

473 Ejército de Liberación Nacional, *ELN, 47 años de historia*, 2011, p. 107.

Bateman estaba dispuesto a darles una buena cantidad y concibió la construcción de un túnel desde una casa comprada por los esposos Rafael Arteaga y Esther Morón, militantes del M-19, para desde allí excavar los ochenta metros que los conducirían al sitio donde había cientos de armas. Una acción compleja, "una pulga que parió un elefante", diría posteriormente. Durante dos meses y medio, cerca de sesenta personas trabajaron sin descanso; la compartimentación fue total, y solo unos pocos conocían detalles de la operación que directamente coordinaba el Flaco.

El 31 de diciembre de 1978 "coronaron" y sacaron entre 5.000 y 7.000 armas, que distribuyeron en algunas caletas que tenían en Bogotá; otra gran cantidad la enviaron al Caquetá, Cauca, Valle, Santander y Antioquia. Los dirigentes y participantes en la acción se fueron a otras ciudades, a las zonas donde operaban las guerrillas móviles; los que "frentiaron", Rafael Arteaga y Esther Morón, salieron del país. Con el título "Todo ciudadano debe armarse como pueda"[474], dieron a conocer al día siguiente el *Boletín-periódico* N° 37, firmado por Carlos Toledo Plata, *Pablo García* y *Felipe González*; estos dos últimos eran los seudónimos del Flaco y de Iván Marino Ospina, en el que reivindicaban la acción y le proponían al presidente Turbay Ayala llegar a acuerdos para un alto en las operaciones, tras considerar las aspiraciones del país sobre reforma agraria democrática, las peticiones de las cuatro centrales sindicales que dieron origen al paro cívico nacional de 1977, recoger las amplias aspiraciones por el respeto a los derechos humanos, el levantamiento del estado de sitio, la derogatoria del Estatuto de Seguridad y la separación entre la justicia civil y la Justicia Penal Militar: "Comandos del Movimiento 19 de Abril, M-19, recuperaron para el pueblo los días 30 y 31 de diciembre y 1° de enero una cantidad superior a las 5.000 armas, entre morteros, bazucas, fusiles, carabinas, escopetas, ametralladoras, pistolas

474 Palabras del ministro de la Defensa Nacional, general Luis Carlos Camacho Leyva, a propósito del atentado y muerte del exministro Pardo Buelvas: "Todo ciudadano debe armarse como pueda"; a lo cual el M-19 agregó en su boletín del 1° de enero de 1979: "... ¡Y lo hicimos! 5.000 armas para el pueblo".

y revólveres. Se recuperó abundante munición y proveedores para todas las armas"[475].

La reacción de las Fuerzas Armadas, amparadas en el Estatuto de Seguridad, fue inmediata. Sin contemplaciones pasaron a la ofensiva y procedieron a allanar, detener y aplicar refinadas formas de tortura, como más adelante lo pudieron constatar organismos públicos y privados, nacionales e internacionales. En dos semanas, los detenidos se contaban por cientos. Al M-19 le capturaron caletas, escondites y "cárceles del pueblo", recuperaron gran parte de las armas, apresaron a decenas de militantes y dirigentes, entre ellos a Iván Marino, segundo a bordo; detuvieron a centenares de personas vinculadas a organizaciones políticas o sin vínculo alguno. La "cacería" contra el M-19 se utilizó para golpear todo lo que oliera a oposición, izquierda, sindicalismo, etcétera. Las detenciones continuaron con la misma intensidad durante los seis primeros meses de 1979: artistas, indígenas, políticos, estudiantes, religiosos, amas de casa, ancianos, niños, maestros, intelectuales, nadie se salvó.

El análisis del embajador de Estados Unidos en Colombia, Diego Asencio, posteriormente rehén del M-19 en la toma de la Embajada de República Dominicana en Bogotá, enviado a la Secretaría de Estado (Cancillería) de su país en el documento secreto 1979Bogotá01410 del 6 de febrero de 1979, con el tema "Derechos Humanos: estimación de la situación actual en Colombia", daba cuenta de más de 200 personas arrestadas y, con una frase de antología, exponía su pensamiento sobre lo que era una violación a los derechos humanos: "Ninguno de los detenidos ha sido torturado, aunque algunos, supuestamente, han sido maltratados":

475 M-19, comunicado a la opinión pública, enero 1° de 1979, en Darío Villamizar, *Aquel 19 será*, *op. cit.*, pp. 585-586.

> En el último mes, el Gobierno de Colombia ha estado comprometido en una operación masiva contra el grupo terrorista del M-19. La mayor parte de las armas robadas de un arsenal del Ejército entre el 30 de diciembre y el 1 de enero se ha recuperado y más de 200 personas han sido arrestadas. A la fecha, tres terroristas han muerto como resultado de las operaciones del Ejército. Ninguno de los detenidos ha sido torturado, aunque algunos, supuestamente, fueron maltratados. En las acciones contra el M-19, el Gobierno de Colombia ha cumplido con las normas constitucionales. Un estado de sitio, autorizado por el Artículo 121 de la Constitución, se hizo efectivo y, desde que el presidente Turbay tomó posesión, tres decretos de seguridad han sido emitidos conforme al Artículo 121. Adicionalmente, el Gobierno de Colombia ha recurrido al Artículo 28 de la Constitución para justificar la retención de sospechosos por hasta diez días sin una audiencia. Dos organizaciones militares colombianas por aparte, la Brigada de Institutos Militares (BIM) y el Batallón Único de Inteligencia y Contrainteligencia del Ejército Nacional (BINCI, en inglés), han tomado parte en la campaña en contra del M-19. De acuerdo con el ministro de Defensa, Camacho Leyva, los interrogadores asignados a esas unidades han recibido entrenamiento en técnicas de interrogatorio que hacen énfasis en el respeto de los derechos del prisionero. El general Robledo Pulido, comandante del Ejército, aprobó un plan para dar la impresión de que la alianza anticomunista estadounidense se ha establecido en Colombia y se está preparando para tomar acciones violentas contra los comunistas locales. Las actividades llevadas a cabo para apoyar este plan, sin embargo, podrían ser descritas como trucos sucios, más que como violaciones a los derechos humanos. Un funcionario de la Fiscalía General ha estado trabajando con los militares y, de acuerdo con una declaración de Presidencia, no ha recibido quejas de maltrato por parte de los detenidos. Creemos que la política del Gobierno de Colombia sigue siendo una política que protege los derechos humanos y que, cuando ocurren violaciones, estas deben interpretarse como el resultado de que haya individuos que actúan por su propia cuenta.

Fuente: Amembassy Bogotá, Document 1979BOGOTA01410, Subject: *Human Rights: Estimate of the Present Situation in Colombia*, 6 February 1979. The National Security Archive (NSA), Colombia and the United States: Political Violence, Narcotics and Human Rights, 1948-2010, documentos desclasificados de diferentes agencias de seguridad del Gobierno de Estados Unidos.

Las denuncias sobre permanentes violaciones a los derechos humanos rebasaron las fronteras nacionales, y desde instituciones y países diversos comenzaron a escucharse las voces de protesta por la situación en Colombia. Con todo y eso, el presidente Turbay repetía y repetía que tales derechos no eran violados, y que el único preso político era él. Uno de los hechos más significativos del momento fue la amplia convocatoria al Primer Foro Nacional por los Derechos Humanos. Dirigentes liberales, conservadores y de izquierda, organizaciones sindicales, universitarias y de profesionales, juristas, obispos, catedráticos y periodistas, destacados artistas y literatos, figuras del cine y la televisión, se unieron para analizar el estado de la incierta democracia existente, cada vez más militarizada. En el foro, toda forma de violación de las libertades individuales fue condenada. Para garantizar las labores en pro de la defensa y el respeto de las garantías constitucionales se conformó la Comisión Permanente por la Defensa de los Derechos Humanos, presidida por el conservador Alfredo Vásquez Carrizosa. Ante los señalamientos, el presidente Turbay respondió: "Las autoridades de la República no están torturando a nadie [...] Las tesis sobre la tortura corresponden a una estrategia encaminada a distraer al país sobre la verdadera gravedad de los hechos delictivos cometidos por aquellas personas"[476].

PLA, LA TÁCTICA DEL "DIEZ POR UNO"[477]

La crisis del EPL y del PCC (M-L) de mediados de la década de los años setenta trajo consigo no solo el debilitamiento de su estructura política y militar, sino también diversas miradas sobre el camino a seguir, lo que ocasionó el surgimiento en sus filas de grupos opuestos a los lineamientos originales. En Bogotá y Medellín hizo su aparición el *Destacamento*

476 *El Espectador*, Bogotá, 18 de febrero de 1979.

477 La información sobre este grupo guerrillero urbano es escasa, salvo la de algunas acciones que fueron registradas en medios de comunicación, y breves comentarios o menciones en libros. El texto de Villarraga y Plazas, *Para reconstruir los sueños, una historia del EPL*, le dedica algunas páginas; documentos internos del PCC (M-L) y del EPL también se refieren a ellos para rechazar sus acciones "anarquistas" y "desesperadas".

Urbano Pedro León Arboleda, DU-PLA, conocido simplemente como PLA[478], un grupo bastante radicalizado, formado inicialmente por el EPL para realizar el trabajo militar urbano. Uno de los impulsores fue precisamente Pedro León Arboleda, máximo dirigente del PCC (M-L) pero, tras su muerte, el grupo se distanció, tomó su nombre y empezó a operar autónomamente, reivindicándose como parte del EPL. Entre los fundadores y dirigentes iniciales del PLA estaban Hugo Patiño, conocido también como *Jorge Franco*, *Mono Franco* o *Mono Bomba*, y Carlos Reyes Niño, capturado por el F-2 en Bogotá el 25 de octubre de 1977, luego de un enfrentamiento con la Policía. La historia de este dirigente fue bien compleja pues, ya detenido, fue torturado durante varios días, le arrancaron las uñas, le fracturaron los dedos y le quemaron las manos con parafina en la prueba del guantelete. Se cuenta que, durante la tortura, al tratar de mitigar el intenso dolor en sus manos, se quitó dos pequeños huesos y los conservó muchos años, como símbolo de la infamia y el terror; ya en la cárcel de La Picota se vinculó al ELN y, al quedar en libertad, en 1983, se unió a la guerrilla en el campo[479].

El PLA estaba compuesto por estudiantes y profesionales que consideraban que las ciudades eran el escenario principal de la lucha, y colocaban la actividad militar urbana por encima de cualquier otra. Sus primeras acciones consistieron en detonar bombas, asaltos a vigilantes y policías para robarles las armas, y perseguir y dar muerte a exmiembros del EPL considerados "oportunistas y traidores de la revolución", como fue el caso de Nicolás Santana, dirigente sindical, exmilitante del PCC (M-L), a quien mataron en su propia casa. El asesinato de Alfonso Romero Buj, uno de los fundadores del FUAR en 1962 y del PCC (M-L) en 1965, fue otra de esas muertes a sangre fría: en julio de 1976, cuando caminaba por el centro de Bogotá junto a su acompañante, Amparo Silva, fueron baleados por un comando del PLA. Romero era abogado laboralista y profesor universitario,

478 Dentro de la izquierda, también los llamaban Los Pedritos.

479 Carlos Reyes Niño, *Ubaldo,* y Édgar Amilkar Grimaldos, *Rafael*, integrantes del ELN, fueron asesinados en la mañana del 28 de marzo de 1995 a la entrada del Centro Comercial Plaza de las Américas, en Bogotá. Los dos homicidas huyeron a bordo de una motocicleta que, se estableció, pertenecía al Ejército Nacional y estaba asignada a la Brigada 20.

participó en la fundación del Instituto Nacional Sindical y de la Federación Nacional de Trabajadores al Servicio del Estado; el repudio por el crimen fue generalizado. "El PLA, aunque nació más pequeño que las otras fracciones, tuvo acogida en algunas ciudades y sobre todo en el movimiento estudiantil, porque colocaba en primer plano la actividad militar urbana; 'valía más una acción de propaganda armada que un paciente trabajo de masas'. Con mucha convicción se consideraban la guerrilla más valiente del país"[480]. El PLA publicó un pequeño boletín informativo llamado *Diez por uno*, nombre que sintetizaba su táctica de enfrentamientos permanentes con la Policía utilizando fuerzas mayores. También significaba que por cada uno de los suyos muerto... matarían a diez del "enemigo".

El PCC (M-L), matriz de donde surgió el PLA, realizó en abril de 1980 el XI Congreso. En las conclusiones se dio a conocer el *Programa para la revolución democraticopopular en marcha al socialismo*, en el que se incluyeron consideraciones sobre aspectos políticos, el trabajo de masas, en el campo y en la clase obrera, analizaron los partidos políticos, el movimiento guerrillero y el trabajo militar urbano, que, consideraron, debía ser objeto de una juiciosa racionalización: "Es incorrecto valorar el desarrollo de la lucha armada en las ciudades como algo aislado, tomando en cuenta solo el número de combatientes organizados, de operaciones realizadas, al margen del desarrollo del movimiento revolucionario, y de las luchas concretas de las masas"[481]. Unos meses antes, en el Informe Político Central al VII Pleno del Comité Central, criticaron con dureza a organizaciones guerrilleras como las FARC y a fracciones políticas salidas de su seno como la TMLM, la Organización Comunista Ruptura, a la que auguraron una lánguida muerte, y al PLA: "La facción acaudillada por Jorge Franco quien, usurpando el nombre de nuestras organizaciones, se ha lanzado a acciones de claro corte anarquista y terrorista, despreciando las masas y negando el verdadero camino de la guerra popular en nuestro país, no correrá mejor suerte. El llamado 'Comando-PLA' es típica muestra del desespero pequeñoburgués, no solo por su naturaleza y acciones,

480 Véase, Álvaro Villarraga, *op. cit.*, pp. 126-128.

481 PCC (M-L) XI Congreso, conclusiones, abril de 1980, edición mimeografiada, en Fundación Cultura Democrática.

sino por su composición. Florecen dentro de él el arribismo y el caudillismo y tienen en la calumnia y el chisme contra nuestro Partido, sus dirigentes y el Ejército Popular de Liberación y las Juntas, su método preferido de lucha"[482].

Su mínima estructura organizativa apenas le dio para conformar en Bogotá los comandos Francisco Garnica y Héctor Tibaduiza, de diez miembros cada uno, más algunos apoyos periféricos, especialmente de estudiantes. En esas condiciones, el PLA ejecutó operativos audaces y sorpresivos como el triple y simultáneo asalto bancario en la Avenida Jiménez con carrera 30 en Bogotá, "en el que participaron treinta personas entre guerrilleros y estudiantes", según Villarraga y Plazas; la ocupación del diario *El Espectador* en vísperas del 1°de mayo de 1981 y el ataque a un microbús militar en la misma fecha, dando muerte a un suboficial del Ejército. Ya en el ocaso, hacia 1984, cuando se adelantaban negociaciones y acuerdos entre el gobierno de Belisario Betancur y algunos grupos guerrilleros, Los Pedritos realizaron un espectacular asalto a las oficinas de unos corredores de la Bolsa en pleno centro de Bogotá, y en el enfrentamiento con la Policía murieron 2 uniformados y 3 guerrilleros. A estas alturas, sus principales dirigentes, Patiño y Reyes Niño, ya se encontraban en las cárceles, otros habían muerto, y el intento de montar un grupo armado en el campo con aproximadamente 50 combatientes, el Frente Ernesto Che Guevara, activo primero en la intendencia del Caquetá y luego en el norte del Tolima, había fracasado[483].

Las dictaduras en el continente se fortalecían sobre miles de desaparecidos y muertos. La guerra sucia estaba en marcha. En Argentina gobernaba desde el 24 de marzo de 1976 la Junta Militar presidida por el general Jorge Rafael Videla, artífice de una de las dictaduras más temibles de América Latina. Los grupos guerrilleros ERP y Montoneros estaban derrotados, y los sobrevivientes permanecían en las cárceles clandestinas o habían marchado al exilio. A la "retirada táctica" de

482 *Orientación* N° 13, órgano del Comité Central del PCC (M-L), Colombia, febrero de 1979, p. 66.

483 "Asalto a la Bolsa ¿Qué es y qué quiere el PLA?", *Semana*, agosto 27 de 1984, en http://www.semana.com/nacion/articulo/asalto-la-bolsa/5583-3

Montoneros en 1977, le siguieron una primera contraofensiva en 1979 y la segunda de 1980; ambas fracasaron, con el nefasto resultado de más de 6.000 combatientes muertos o desaparecidos. Pocos lograron sobrevivir. Muy al contrario, en Centroamérica, pese a las dictaduras sangrientas, las guerrillas se consolidaban con la aceptación de sus respectivos pueblos. El FSLN, en Nicaragua, tenía ahora un proyecto común para la derrota de la dictadura de Somoza y había logrado reunificar las tres tendencias en que se dividió años atrás: Guerra Popular Prolongada, Proletaria y Terceristas. A mediados de octubre de 1978 desplegaron una ofensiva militar —rural y urbana—, con ataques a las tropas de la Guardia Nacional y tomas de cuarteles. La guerra civil se había iniciado con fuerza, era la guerra contra un Goliat que contaba con todo el poderío militar, de un David que peleaba con adoquines de las calles, caucheras, rifles de bajo calibre y pistolas casi de juguete. El asesinato del periodista Pedro Joaquín Chamorro, ocurrido el 10 de enero de 1978, fue uno de los desencadenantes del conflicto. Sectores de la burguesía nacional apoyaban las acciones tendientes a derrocar la dinastía somocista, y en la comunidad internacional crecía la opinión favorable para acabar con el régimen de represión y muerte.

La dictadura de Somoza, cada vez más debilitada, recibió un nuevo golpe el 22 de agosto, cuando un grupo de 25 sandinistas se tomó las instalaciones del Palacio Nacional, en la denominada Operación Chanchera, dirigida por Edén Pastora, el célebre comandante *Cero*. Los rehenes se contaron por cientos, entre ellos los 67 miembros de la Cámara de Diputados, el Ministro del Interior y varios familiares cercanos de Somoza. Las peticiones centrales del FSLN fueron la liberación de los presos políticos, la difusión de una declaración política, el retiro de los guardias de los alrededores, la aceptación de las demandas de los trabajadores en huelga, 10 millones de dólares y garantías para que los integrantes del comando y los presos liberados salieran hacia Panamá. Antes de 48 horas habían ganado las principales peticiones. Al día siguiente iban rumbo a Panamá, donde Torrijos les brindó asilo político.

Varios países de la región iniciaron entonces acciones tendientes a aislar al régimen de Somoza, que aún contaba con el apoyo político y militar de Estados Unidos, Israel, Guatemala, Honduras, Argentina y El Salvador. El 16 de junio de 1979, en un hecho histórico sin precedentes, los miembros del Pacto Andino (Colombia, Bolivia, Venezuela, Perú y Ecuador) reconocieron el estatus de beligerancia al FSLN. De inmediato se conformó una Junta de Reconstrucción Nacional como gobierno en el exilio; Panamá fue el primero en reconocerla, recibirla en su territorio y romper relaciones con el gobierno de Somoza. Una semana más tarde ya lo habían hecho Ecuador, Costa Rica, Granada, Brasil y Libia. Con todo el apoyo del general Torrijos, Panamá era la principal base de apoyo para los sandinistas. Ningún otro mandatario de la región se comprometió tanto y tan a fondo con la causa antisomocista, sin desconocer el papel que desempeñaron los gobiernos de Costa Rica y Venezuela. En Panamá, el FSLN y la oposición a Somoza dispusieron permanentemente de espacios para establecer relaciones políticas y diplomáticas, negociar armas e insumos para la guerra y organizar la solidaridad internacional. Apoyar la causa de los *nicas* se volvió una de las obsesiones de Torrijos, así como también dio su respaldo a causas democráticas y revolucionarias en otras naciones de la región.

La huida de Anastasio Somoza el 17 de julio de 1979[484], la rendición de la Guardia Nacional al día siguiente y el ingreso de los guerrilleros a Managua el jueves 19 fueron celebrados con alborozo en todo el continente. Un extraño sentimiento de unidad y admiración por los sandinistas abarcó por igual a laicos y cristianos, a gobiernos revolucionarios, demócratas, progresistas, liberales y centristas. El triunfo sandinista le dio un nuevo aliento a la lucha armada en el continente; fue el nacimiento de un nuevo paradigma y la reedición de la epopeya cubana veinte años más tarde. A la lucha de los sandinistas, antes y después del triunfo, se vincularon combatientes de otras guerrillas latinoamericanas que habían fracasado o estaban en auge. Allí estuvieron combatiendo también militantes del M-19 y del ELN que encontraban identidades con esa revolución, por la amplitud de las alianzas para alcanzar el triunfo, la fusión de la lucha de masas con los combates político-militares, los discursos ajenos al dogmatismo, la formación

484 Se estableció en Paraguay con el apoyo del dictador Alfredo Stroessner. El 17 de septiembre de 1980, en una calle de Asunción, fue "ajusticiado" por militantes del ERP argentino dirigidos por Enrique Gorriarán Merlo, el *Pelado*.

ya no de pequeñas unidades propias de la guerra de guerrillas sino de estructuras armadas de mayor tamaño y capacidad de enfrentamiento y maniobra, los enfoques políticos nacionalistas y democráticos y, cuando se requiriera, la búsqueda de salidas negociadas a las confrontaciones. Era la reafirmación de la nueva izquierda.

En El Salvador, las organizaciones guerrilleras dieron origen a frentes políticos íntimamente ligados con las luchas sindicales y con las reivindicaciones populares: el Bloque Popular Revolucionario (BPR) y el Frente de Acción Popular Unificada (FAPU) fueron expresiones políticas de grupos armados, ligados a federaciones campesinas y sindicales, grupos cristianos, culturales y barriales. El "Pulgarcito de América"[485] era en el plano internacional el foco de todas las miradas, por efecto de la represión y por la presencia de bandas paramilitares de derecha, vinculadas a los gobiernos de turno, que intensificaban la violencia y los enfrentamientos armados. Las fuerzas populares y de oposición, por un lado, y los grupos guerrilleros, por otro, propiciaban procesos de unificación en la lucha en contra del sistema. El compromiso con ese momento de la historia incluía a prelados de la Iglesia como monseñor Óscar Arnulfo Romero quien, desde el púlpito de la catedral y en cada homilía, exigía que otras naciones no intervinieran en su país y anunciaba la existencia de una preinsurrección, justificada por la ineficacia de los métodos pacíficos. La denuncia y el valor de monseñor Romero lo elevaron a la condición de mártir y beato de las causas de los pobres, cuando fue asesinado el 24 de marzo de 1980 mientras oficiaba la misa.

En la clandestinidad y el secreto más absolutos por la persecución de que era objeto, bajo la consigna "Por la democracia y la independencia nacional", el M-19 realizó su VII Conferencia Nacional, en los primeros días de junio de 1979. Con todas las medidas de seguridad que el evento ameritaba, cerca de sesenta dirigentes regionales y nacionales se reunieron en una finca cercana al municipio de Mesitas del Colegio, en Cundinamarca. Para el comandante Pablo era un reto llevar a cabo esta conferencia en medio de los golpes que a diario

485 El nombre "Pulgarcito de América" se le atribuye indistintamente al escritor salvadoreño Julio Enrique Ávila, así como a la poetisa chilena Gabriela Mistral, Premio Nobel de Literatura.

recibía la organización; entre los torturados y capturados en esos días se encontraba Élmer Marín, tercero al mando después de Bateman y de Ospina. Pese a todo el acoso por parte de la fuerza pública, en su gran mayoría los integrantes del Comando Superior y de la Dirección Nacional se encontraban libres y estaban dedicados a las tareas de ajustar las estructuras a partir de lo que significó el militarismo en el gobierno del presidente Turbay Ayala.

Durante el cónclave se evaluaron los resultados de la Operación Colombia, se definió un plan político, militar, organizativo, propagandístico y financiero de acuerdo con las nuevas realidades. Así mismo, se reafirmaron como ejes políticos la independencia nacional, la justicia social y, desde entonces, su más importante búsqueda y reivindicación, la lucha por la democracia, "a secas", como la definiera Jaime Bateman. De esta manera, el M-19 abandonaba definitivamente la lucha por el socialismo. En términos militares se ratificaron en la necesidad de ampliar los espacios geográfico y político de las guerrillas móviles, aunque el Flaco ya concebía que se debían concentrar fuerzas hacia la formación de un ejército guerrillero. Con la toma de Belén de los Andaquíes (Caquetá), en mayo de ese año, había hecho su debut como guerrilla rural el Frente Sur del M-19, dirigido por Boris; otras acciones el mismo día y en la misma área fueron la toma del caserío de Yurayaco, el hostigamiento a un puesto militar en la vía de Belén a San José y el ataque con granadas al cuartel de la Policía en Florencia. En lo organizativo se insistió en el mando jerarquizado verticalmente, Bateman fue ratificado como comandante general, y en el Comando Superior fueron confirmados Iván Marino Ospina, Álvaro Fayad, Carlos Pizarro, Carlos Toledo Plata —nombrado vocero público y representante del grupo— y Gustavo Arias, todos ellos con el grado de oficiales superiores; por su parte, la Dirección Nacional se amplió con nuevos oficiales mayores.

El *Boletín* N° 42 publicó el discurso de clausura, que estuvo a cargo de Carlos Toledo, sin lugar a dudas la figura más sobresaliente en ese momento; en sus palabras recogía el reto que tenían de enfrentar la acción del Gobierno: "Nuestra organización hasta hoy mantuvo como posición no enfrentar al Ejército sino en legítima defensa. Pero las condiciones han cambiado. Ningún pueblo, ninguna organización de hombres dignos puede aceptar en silencio que se torture, se viole o se asesine a sus integrantes. Asumimos con valor nuestra defensa, que es la defensa del pueblo. Golpearemos sin temores a los torturadores y asesinos. Nuestras acciones militares no serán solamente de propaganda o de ataques a los oligarcas, sino también abarcarán a las Fuerzas Armadas, sostén fundamental del actual régimen de opresión y miseria. Desde luego, y esto es una orden para todos los integrantes del M-19, nuestra conducta en el combate y en el enfrentamiento contra las Fuerzas Armadas, y en general contra nuestros enemigos, es diferente a la de ellos: nadie puede ser torturado, ni el peor y más peligroso enemigo"[486].

Por esos días se conoció una entrevista al general Miguel Vega Uribe, comandante de la Brigada de Institutos Militares, en la que reconoció que se habían realizado, entre el 2 de enero y el 13 de agosto, 977 allanamientos y detenido en estos a 646 personas[487]. El descrédito del gobierno de Turbay Ayala, dentro y fuera del país, era innegable; pese a las reiteradas negativas sobre violaciones sistemáticas a los derechos humanos, las evidencias eran abrumadoras y las habían ratificado, *in situ*, organismos internacionales como la Comisión Interamericana de Derechos Humanos, la Oficina en Washington para Asuntos Latinoamericanos (WOLA, por su sigla en inglés) y otras misiones que llegarían más tarde. De la misma manera, medios de comunicación, como *El Espectador*, denunciaban las permanentes arbitrariedades. A las nueve de la mañana del 21 de noviembre, en la capilla de la Penitenciaría Central de Colombia La Picota, comenzó el consejo de guerra contra 219 sindicados de pertenecer al M-19. En la primera sesión, los 166 prisioneros no pararon de gritar consignas y entonar el himno nacional; entre la multitud se destacaba la frágil figura de María Etty Marín, una de las mujeres más torturadas durante ese período.

La situación para ADO, tras la captura de su jefe, el Brasilero, y de una parte importante de sus integrantes, se hizo más difícil. Los detenidos Alfredo Camelo Franco, Manuel Bautista González y Armando López Suárez, *Coleta,* fueron juzgados bajo la Justicia Penal Militar

486 Documentos M-19, *Boletín* N° 42, julio de 1979, en Centro de Documentación para la Paz.

487 Entrevista al general Miguel Vega Uribe, *El Siglo*, 19 de agosto de 1979, p. 3.

en consejo verbal de guerra, por la muerte de Pardo Buelvas; como reos ausentes por el mismo delito se juzgó a Héctor Fabio y Edgardo Abadía Rey. Por rebelión, a Juan Manuel González Puentes y Héctor Julio Sierra, quienes se encontraban presentes, y como reos ausentes por ese delito, a Claudio Arturo Medina, Mariana Amaya Rey, Constanza Abadía Rey y Adelaida Abadía Rey. Las penas por el homicidio fueron de entre quince y veinte años de prisión, y de entre tres y doce años por rebelión. Los jesuitas Restrepo y Arango pasaron a la justicia ordinaria y, de acuerdo con lo establecido en el Concordato, quedaron a disposición del Provincial de los Jesuitas; como centro de reclusión se les fijó el Colegio de San Bartolomé; en septiembre siguiente, un juez determinó su inocencia. Un segundo consejo de guerra fue convocado en julio de 1980, en razón a que el anterior fue declarado nulo por el Tribunal Superior Militar por fallas procedimentales del coronel Fernando Gómez, quien presidió el primer consejo verbal.

La historia de ADO no termina allí. El 12 de septiembre de 1979, a un año de la muerte de Pardo Buelvas, una explosión sacudió la cárcel La Modelo de Bogotá. Por el hueco que dejó en uno de los muros se fugaron diez personas: 6 presos comunes, 2 guerrilleros del ELN y 2 de ADO. La acción tenía como propósito principal "rescatar" a González Puentes y a Coleta, y para ello introdujeron la dinamita que les permitió confeccionar una bomba de tiempo. A la hora determinada la colocaron al pie del muro y, al explotar, los que alcanzaron el boquete de cuatro metros huyeron. Dos meses más tarde, el 19 de noviembre, un comando de ADO asaltó una sucursal del Banco de Colombia, y en la retirada se enfrentaron con la Policía. En la balacera murió Edgardo Abadía Rey; sus dos hermanos, Adelaida y Héctor Fabio, fueron capturados junto con Mariana Amaya Rey, su prima. Como ya era costumbre, se les sometió a intensos interrogatorios y torturas que posteriormente fueron documentadas por Amnistía Internacional (AI) en una visita al país durante la última semana de enero de 1980, para enterarse de las múltiples denuncias de detenciones arbitrarias, desapariciones y asesinatos. Como era de esperarse, las actividades de los miembros de AI fueron descalificadas por autoridades civiles y militares, que los señalaron de estar parcializados y de querer desprestigiar la imagen de Colombia en el exterior.

Las fugas de ADO hicieron historia en el movimiento guerrillero por su audacia y significado para el momento en que se presentaron, o por los personajes que se fugaron. El 30 de enero de 1980 le llegó el turno a otra legendaria militante de ADO, Adelaida Abadía Rey: "Después vino mi propia fuga de la cárcel de mujeres El Buen Pastor. De allí me sacó un grupo comandado por Juan Manuel, cuando yo iba en bus, custodiada por los guardianes, hacia un juzgado que teóricamente había solicitado una diligencia conmigo. La boleta de ese trámite era falsa y los compañeros pudieron rescatarme sin ninguna dificultad"[488]. La intención del grupo era "rescatarla" junto con Mariana Amaya, pero esta decidió a último minuto no participar; fue una operación de muchos detalles: falsificación de documentos y de sellos de juzgados y de la Brigada de Institutos Militares, suplantación de identidades y el bloqueo al vehículo en que las transportaban para una supuesta diligencia judicial.

El ELN renacía de sus cenizas; por lo menos así lo percibieron los estudiantes y sindicalistas que después del triunfo de la Revolución Sandinista se incorporaron a las filas de la guerrilla. Movidos por el fervor de aquellos días, una nueva generación de combatientes llegaba en momentos en que el grupo, bastante reducido por cierto, iniciaba el proceso de reestructuración orgánica y política rescatando la vigencia de la lucha armada y reconociendo que el vanguardismo y la lejanía de las luchas de las masas los habían llevado a este momento de cuasi derrota. Ahí es cuando Manuel Pérez y otros dirigentes se ponen al frente del paciente trabajo de reconstruir y recoger lo que quedaba del ELN en grupos cristianos, en el sindicalismo independiente, en el campesinado de la costa y en el movimiento estudiantil. Fue su labor terca de cura aragonés, junto a la disciplina y constancia de Gabino, las que permitieron sacar de la crisis a la organización y poner a funcionar estructuras como el Comando Central (COCE), la Dirección Nacional Provisional y frentes en formación como el Domingo Laín, el Luis Carlos Cárdenas y el Capitán Parmenio. Ricardo Lara Parada había salido de la cárcel pasados cinco años desde su captura; en la prisión fue autocrítico ante los errores cometidos y había expresado a

488 Relato de Adelaida Abadía, *op. cit.*, pp. 87-93.

su organización el deseo de regresar a las filas. Frente a sus problemas de seguridad se fue a Panamá, con el apoyo de Bateman y de García Márquez, donde fue acogido por Torrijos, que lo puso a trabajar en un proyecto agrario en Coclecito. Después fue a vivir a Nicaragua, país en el que permaneció algunos años, y se vinculó a un grupo disidente del ELN que se llamó Tendencia Camilo Torres. En esas circunstancias era visitado cada cierto tiempo por el *Flaco* Bateman.

Al finalizar la década de los años setenta, las FARC habían encontrado su camino y vivían sus propios desarrollos.

VI
La paz, viejas y nuevas guerrillas

La expansión guerrillera en un nuevo contexto político

La toma de la Embajada de República Dominicana en Bogotá, el 27 de febrero de 1980, denominada Operación Democracia y Libertad, con 13 embajadores y el nuncio papal como rehenes, fue la respuesta que el M-19 concibió para buscar la libertad de sus presos políticos y los de otras organizaciones guerrilleras que se encontraban en distintas cárceles del país. Su otro propósito fue mostrar al mundo las violaciones a los derechos humanos y la "democracia restringida" que imperaban en el país. El semestre anterior fue uno de los más complejos en la historia del grupo armado: prácticamente el único integrante del Comando Superior que se encontraba libre era el *Flaco* Bateman, luego de las capturas de Boris, en el Caquetá; Fayad y la *Mona* Vera, en Bogotá, y Carlos Pizarro, quien fue apresado cuando se encontraba con diez de sus compañeros dirigiendo la "móvil" en una zona campesina cercana al municipio de Bolívar, en Santander. Ellos, al igual que cientos de presos políticos, fueron víctimas de detenciones arbitrarias, torturas, desapariciones forzadas, muerte, y todo tipo de vejámenes y maltratos.

Bateman se había encargado de tejer una red de relaciones que incluía al gobierno de Torrijos en Panamá, al Departamento América en Cuba, a sandinistas del FSLN en Nicaragua, a exilados en México, a sus amigos panameños y a revolucionarios ecuatorianos; como buen director de orquesta, cada uno de ellos tocaba su instrumento en el momento de ejecutar una partitura. Todos conspiraban al unísono y él marcaba el compás. Las guerrillas colombianas gozaban de credibilidad y aprecio entre sus pares latinoamericanos; cada grupo tenía sus referentes y apoyos en otros países: para los elenos, eran los cubanos y organizaciones venezolanas que habían desarrollado la lucha armada en años anteriores; para las FARC, las relaciones que podían abrir a través del PCC; el EPL, por su parte, fiel al principio de que "el partido manda al fusil", mantenía sus contactos con los M-L de otros países, siempre mediados por el PCC (M-L)[489].

Cinco días antes de la ocupación de la embajada, el 22 de febrero, fue detenido en Cali un comando del M-19 que se preparaba para secuestrar a la esposa de un prestigioso constructor; los capturados esa mañana, cuatro en total, fueron sometidos a intensas torturas, y uno de ellos, Jorge Marcos Zambrano, conocido como *Toño* dentro de la organización, fue asesinado al día siguiente en las instalaciones de la Tercera Brigada. En homenaje a su ejemplo y a su memoria, el comando que se tomó la embajada llevó su nombre. El mismo 22 de febrero, organismos de seguridad dieron muerte en Bogotá a Juan Manuel González Puentes, el *Brasilero*, dirigente de ADO. Su muerte marcó "el proceso de declive organizacional, la ruptura y división y, posteriormente, la disolución de ADO como estructura politicomilitar"[490].

En medio de la expectativa que produjo la ocupación de la Embajada de República Dominicana por parte del M-19, el 9 de marzo hubo elecciones de "mitaca". Gran parte de la izquierda y del movimiento popular había reagrupado sus fuerzas en el Frente Democrático, del cual hacían parte Firmes, la ANAPO, el PCC, el Movimiento

489 Al respecto se puede consultar: Darío Villamizar, "Colombia: Organizaciones guerrilleras desmovilizadas en los años noventa, una aproximación a sus actividades internacionales. (Los casos del EPL, CRS, M-19 y PRT)", ponencia presentada en el London School of Economics, Londres, febrero 27 de 2016, y Luis Fernando Trejos Rosero, "Aproximaciones a la actividad internacional de una organización insurgente colombiana, el Ejército Popular de Liberación (EPL). De China a Cuba vía Albania", *Investigación y Desarrollo*, vol. 21, N° 2, 2013, pp. 371-394.

490 Iván Darío Pulido, Julián Jair Reinoso Muñoz y Ricardo Alfonso Garzón Riveros, *op. cit.*, p. 124.

Independiente Liberal y la UNO (Unión Nacional de Oposición); la abstención llegó al 71%: de los 13.772.836 ciudadanos habilitados para votar, lo hicieron 4.105.183.

Lo que sucedía dentro de la embajada se conoció gracias a una edición especial que preparó la revista *Cromos*, con fotografías en las que aparecían los guerrilleros vigilantes y en labores cotidianas, así como los embajadores y demás rehenes, acompañadas de dos extensas entrevistas: una al excanciller Alfredo Vásquez, y la otra, a Rosemberg Pabón, el *comandante Uno*, quien habló de lo "divino y lo humano". Aseguró que el problema eran los más de 1.000 presos políticos que había en Colombia: "El doctor Turbay dijo en la gira que hizo por Europa que el único preso político era él, ¿ya? Entonces queremos demostrarle a la opinión pública que sí hay presos políticos. Y mire la concesión que estamos haciendo: de más de 1.000 presos, nosotros damos una lista de 311"[491].

Pasadas tres semanas de la toma de la Embajada de República Dominicana, sin una solución a la vista, en los círculos diplomáticos se debatía sobre los pasos a seguir. El informe enviado por la Embajada de Estados Unidos en Bogotá, "después de tres semanas", daba cuenta de un plan para asaltar la Embajada dominicana en poder del M-19:

3. Análisis de la situación

A. Política de Estados Unidos

1. El Gobierno de Estados Unidos considera que el Gobierno de Colombia es el único responsable en las negociaciones de la liberación, a salvo, de los rehenes. En este contexto, hemos apoyado a los colombianos y hemos reafirmado nuestra confianza en la manera como han manejado la crisis. Les hemos informado que no pagamos rescate y que no recomendamos que otros lo hagan. En cuanto a la liberación de los prisioneros, creemos que es una decisión que el Gobierno de Colombia debe tomar. Sin embargo, preferiríamos ver una mínima concesión a los terroristas, con

491 Elvira Mendoza, "Hablamos dos horas con el comandante Uno", *Cromos*, 16 de abril de 1980, pp. 72-77.

el objetivo de desalentar la reciente ola de ataques en contra de establecimientos diplomáticos. En el análisis final damos un plazo al Gobierno colombiano para resolver el problema de cualquier manera que considere la más apropiada, siempre y cuando cumpla con sus responsabilidades bajo la ley internacional para proporcionar una liberación segura de los rehenes diplomáticos.

G. Uso de la fuerza para resolver la crisis

1. Todos los gobiernos afectados han insistido al Gobierno de Colombia en no usar la fuerza para resolver la crisis de la Embajada y han recibido altas garantías de que no será así, a menos que haya violencia dentro de la Embajada. Sin embargo, varios rumores que corren por Bogotá, así como reportajes de prensa acerca de planes de un asalto, han servido para que los gobiernos afectados estén nerviosos y aprensivos.

2. Sabemos que un grupo de fuerzas especiales colombiano, aumentado por otras fuerzas, está disponible en el área Bogotá con un plan entero para asaltar la Embajada si fuera necesario. Creemos que esto es planeación normal de contingencia. Estimamos que el presidente Turbay y el ministro de Defensa Camacho Leyva reconocen que un asalto militar a la Embajada, sin una provocación por parte de los terroristas, no es una alternativa viable, ya que podría terminar en una sangrienta masacre de los rehenes.

3. Seguimos preocupados, no obstante, por que algún incidente inesperado y espontáneo pueda ocurrir, lo que desataría un asalto a la Embajada. Esta posibilidad nos ha sido recordada temprano, en la mañana, cuando el embajador uruguayo escapó [...].

Fuente: Amembassy Bogotá, Document Bogota 03006, Subject: *Bogotá Terrorist Incident: Assessment After Three Weeks*, 18 March 1980. The National Security Archive (NSA), Colombia and the United States: Political Violence, Narcotics and Human Rights, 1948-2010, documentos desclasificados de diferentes agencias de seguridad del Gobierno de Estados Unidos.

Los 61 días y noches que duró la toma de la Embajada transcurrieron en medio de tensiones y negociaciones entre dos emisarios por parte del Gobierno, la Chiqui, como delegada del M-19, y el embajador de México, como testigo; en esta ocasión, la mujer guerrillera figuró en toda su dimensión, debatiendo capucha a cara con los delegados de Turbay, rebatiendo sus tesis y hablándole al país a través de los periodistas apostados frente a la embajada en "Villa Chiva", un espacio denominado así por ser el epicentro de la primicia noticiosa a la que denominaban "chiva". Las exigencias se concretaron en la libertad de 311 presos políticos de distintas organizaciones[492], la publicación de un comunicado del M-19 en la prensa nacional y en los países de donde eran originarios los rehenes, y 50 millones de dólares. El 18 y 19 de ese mes fue "retenido" por el M-19 el periodista Germán Castro Caycedo, a quien Bateman le concedió una entrevista de amplia circulación nacional, en la que daba total respaldo a las negociaciones y los acuerdos a los que estaba llegando el comandante Uno, como mando de la operación. "Lo de la embajada planteó un problema central muy claro, y es que en Colombia no hay democracia. Que el estado de sitio nos está asfixiando desde hace treinta años. Y creemos que mientras el país continúe así, se van a profundizar los problemas [...] resuelto el problema central que ha planteado la toma de la embajada ante Colombia y el mundo, hay un buen punto de partida para resolver muchos problemas"[493]. El Flaco, por intermedio de Castro Caycedo, les dirigió una propuesta política al presidente Turbay, a los congresistas, dirigentes de los partidos políticos y del movimiento guerrillero, a personalidades y al Consejo Nacional Sindical: una reunión cumbre en Panamá el 1° de mayo siguiente para discutir hacia dónde iba el país y si había posibilidad de parar la guerra, una invitación que se llamó popularmente el "sancocho nacional" hacia la paz. Se trataba de un encuentro entre muchos para debatir como puntos centrales el levantamiento del estado de sitio, la derogatoria del Estatuto de Seguridad y la amnistía para los presos políticos. Esta fue la primera propuesta de solución política al conflicto armado hecha por un dirigente guerrillero como método de negociación para alcanzar la paz. El domingo 27 de abril, los integrantes del M-19 viajaron a Cuba con

492 En el listado incluyo presos del M-19, PLA, ADO, FARC, ELN y EPL.

493 "Soy el comandante general del M-19", entrevista de Germán Castro Caycedo a Jaime Bateman, en Darío Villamizar (comp.) *Jaime Bateman, profeta de la paz*, COMPAZ, Compañía Nacional para la Paz, Santafé de Bogotá, 1995, p. 27.

algunos de sus rehenes: "Una mañana, estrenando boinas y pañuelos sobre el rostro, con nombres falsos y salvoconductos igualmente falsos, expedidos por la Cancillería colombiana, conduciendo un grupo de rehenes, abandonamos la embajada dominicana quince guerrilleros y guerrilleras que llevábamos la sensación de una victoria a medias"[494].

> A fines de febrero de 1980, participé en las negociaciones para solucionar la crisis que le creó al gobierno colombiano la ocupación de la Embajada de República Dominicana por parte de un comando del M-19. Allí quedaron como rehenes varios diplomáticos latinoamericanos. El propósito de nuestra participación en esas negociones, aceptadas por ambas partes, fue favorecer una salida incruenta, como finalmente sucedió. La autoridad moral de Cuba me permitió mediar entre las partes: guerrilla, gobierno y las misiones diplomáticas que tenían funcionarios secuestrados, logrando una solución política negociada de ese problema. Autorizado por el gobierno colombiano un avión de Cubana de Aviación fue a buscar al comando del M-19 y a los diplomáticos latinoamericanos secuestrados o garantes de ese acuerdo. Yo vine para La Habana en ese avión atendiendo a esos diplomáticos, mientras otros compañeros del DOE del MININT y del Departamento América atendían a los integrantes del comando del M-19.

Fuente: "La política internacionalista de la revolución cubana ha evolucionado acorde con los cambios que se han producido en America Latina y el Caribe", entrevista con Fernando Ravelo Renedo, ministro consejero de Cuba en Argentina, así como embajador en Colombia y Nicaragua, en Luis Suárez y Dirk Kruijt, *La Revolución Cubana en nuestra América: el internacionalismo anónimo*, E-book, La Habana, Ruth Casa Editorial, 2014.

Al inicio de la legislatura de 1980, el Gobierno Nacional presentó a consideración del Congreso de la República el proyecto de ley N° 1 de 1980, "por el cual se declara una amnistía condicional", que cobijaba los delitos de rebelión, sedición y asonada, y excluía los conexos como secuestro, extorsión, homicidio fuera de combate, incendio y envenenamiento de fuentes o depósitos de agua. Fijó un plazo de tres meses para acogerse a la ley, una vez promulgada, y la condición de

494 María Eugenia Vásquez, *Bitácora de una militancia*, Alcaldía Mayor de Bogotá, Secretaría de Gobierno, Bogotá, noviembre de 2011, p. 259.

entrega de armas, municiones y explosivos. El tema de la amnistía se convirtió en el eje del debate político en los meses siguientes. Desde las distintas insurgencias hubo un repudio generalizado a lo que consideraban una propuesta inconsulta, condicionada y recortada, una oferta de rendición que no estaban dispuestos a aceptar; sin embargo, las discusiones en torno a la amnistía fueron una oportunidad en la que se montaron las guerrillas para hacerse escuchar.

El rechazo por parte de las FARC fue categórico: "El movimiento armado no está de rodillas. Está decidido a dialogar. Pero que el régimen no se equivoque hablando en tono de ultimátum, porque eso no corresponde a la situación que hoy reina en Colombia [...] Los guerrilleros estamos aquí en las selvas colombianas. Habría que hablar, discutir y llegar a acuerdos con nosotros y no con míster Carter y sus pupilos de la CIA. Y habría que hacerlo con calma, con sensatez, con inteligencia, con patriotismo y no ignorando qué fenómeno social y político es el movimiento guerrillero colombiano de los últimos tiempos"[495]. Esta organización afrontó, en el segundo semestre de 1980, una nueva ofensiva en contra de sus fuerzas ubicadas en las áreas de los ríos Guayabero y El Pato. El "gigantesco operativo de exterminio" fue denominado oficialmente Operación Anón; fue dirigido por el comandante de la Séptima Brigada y se inició el 19 de agosto con un ataque aéreo que duró hasta el día 25; los mandos de las FARC calcularon que fueron lanzadas, sobre objetivos reales o supuestos, aproximadamente 600 bombas y disparados al menos un millón de proyectiles punto 50.

La operación fue una respuesta de las Fuerzas Militares al denominado Plan Cisne 3 de las FARC, que se realizó del 4 al 25 de agosto, bajo una nueva concepción del modo de operar, más organizado y ofensivo, menos defensivo, que se correspondía con los diez frentes existentes en ese momento y con el acumulado militar después de muchas experiencias. El primer ataque en desarrollo del plan fue el 19 de agosto a la unidad contraguerrillera Águila 2 del Batallón Vargas; en la acción murieron tres soldados, cuatro fueron heridos y "trece soldados reducidos, entre ellos dos suboficiales, en el momento de su rendición

495 "Carta abierta de las FARC al Parlamento colombiano", junio de 1980, en Jacobo Arenas, *Paz, amigos y enemigos*, Bogotá, Editorial La Abeja Negra, septiembre de 1990.

les tributamos homenaje a su heroísmo, les dispensamos el trato que corresponde a los seres humanos, a los heridos, les atendimos de la mejor manera posible. Los trece soldados reducidos fueron puestos en libertad luego de hacerles un gran reportaje colectivo que tenemos grabado y que daremos a la publicidad próximamente"[496]. Durante los 21 días del Plan Cisne 3 se buscaba copar unidades del Ejército sin esperarlas, seguir sus movimientos y atacar en el momento adecuado, en un terreno conocido y dominado por la guerrilla; esa era la nueva concepción operativa de las FARC, sin negar las viejas tácticas que les sirvieron para llegar a este punto de avance. Los nuevos planteamientos los recogieron documentos o tesis preparatorias de la VII Conferencia y significarían una transformación militar de fondo, de acuerdo también con las nuevas formas de la guerra contrainsurgente adoptadas por las Fuerzas Militares.

En el otro lado del país, en el "noro", como denominaban en clave los miembros del EPL la región del Noroeste Antioqueño donde tenían sus principales áreas de influencia, esta guerrilla había reanudado sus actividades militares producto también del liderazgo y dinamismo y de una nueva concepción de dirigentes como Jairo de Jesús Calvo, *Ernesto Rojas*: "No podíamos continuar enamorados de una u otra zona, defendiéndolas incluso con la vida, contrariando los propios criterios de la lucha guerrillera, pasando a defensa de posiciones cuando la correlación de fuerzas no permitía semejante osadía. Eso nos costó muchas vidas, en ocasiones pérdidas por una falsa modestia que no permitía valorar a los dirigentes en su justa dimensión y más aún contribuyó a mitificar lo que es realmente la guerrilla, de creer que la vinculación a ella era un acto heroico, como algunos decían: 'La guerrilla es para quienes están dispuestos a irse a buscar la muerte', cuando es todo lo contrario, el guerrillero es el hombre que combate por el derecho a la vida, por el poder popular"[497]. La primera transformación era buscar "nuevos escenarios geográficos, políticos y de confrontación armada", como subrayan Villarraga y Plazas en su libro. Sin embargo, desde el PCC (M-L), las orientaciones

496 "Amnistía con bombas y metrallas", Declaración del Estado Mayor de las FARC, 30 de agosto de 1980, en *Resistencia de un pueblo en armas, op. cit.*, pp. 511-515.

497 Entrevista a Ernesto Rojas, en Fabiola Calvo, *op. cit.*, p. 124.

hacia el EPL sobre los nuevos momentos políticos eran aún inciertas; rechazaban apoyar los escenarios de lucha por los derechos humanos, que los interpretaban como "derechos burgueses", tampoco aceptaban las luchas democráticas por la ampliación de las libertades y no apoyaron —en principio— las consignas por el levantamiento del estado de sitio y la derogatoria del Estatuto de Seguridad. En nada de eso habían cambiado aún.

Tampoco en su lenguaje vanguardista y de apreciaciones descalificadoras acerca de otras organizaciones guerrilleras o de izquierda; el uso de adjetivos y de etiquetas de reformistas y socialdemócratas estaba dirigido a invalidar posiciones políticas de grupos como el M-19 y las FARC, a definir las posiciones demócratas y revolucionarias entre correctas e incorrectas, propias y ajenas: "Los dirigentes prosocialdemócratas del M-19 han venido ambientando su disposición de participar en la amnistía si esta es negociada para pasar a la 'oposición democrática' como organización socialdemócrata [...] Es este y no otro el verdadero programa que vienen enarbolando los socialdemócratas y los prosocialdemócratas con su 'pacto social', con su anhelada 'concertación', con su clamor por la amnistía general y la lucha por la 'apertura democrática' que propaga el 'Frente Democrático' en el que se agrupan socialdemócratas, reformistas y tercermundistas"[498]. La realización del XI Congreso del PCC (M-L), en abril de 1980, en una zona campesina llamada Tierranegra, entre Tomate y Montería, fue el punto de quiebre de esta organización con el maoísmo y el comienzo de una política mucho más abierta y receptiva a los nuevos vientos que convocaban a la insurgencia, aunque en sus apreciaciones sobre otras guerrilleras reafirmaron su caracterización de las FARC como una organización contrarrevolucionaria y reafirmaron sus alianzas con el ELN.

En el período se registró un intento de división en el M-19, con la autodenominada Coordinadora Nacional de Bases, un pequeño grupo comandado por Everth Bustamante, que se expresó pasada la VII Conferencia con ataques a las conclusiones del evento y a las propuestas de lucha por la democracia esbozadas desde finales de 1978. Las críticas

498 Partido Comunista de Colombia (Marxista-Leninista), conclusiones del II Pleno del Comité Central, revista *Orientación* N° 14, enero de 1981, pp. 2-73.

quedaron plasmadas en un extenso documento titulado "Aportes para la discusión", el cual fue refutado por el *Flaco* Bateman a comienzos de 1980. La misma coyuntura de la amnistía se atravesó en este debate del M-19; los señalamientos de la Coordinadora arreciaron. Esta exigió la convocatoria a una nueva conferencia y asumió formalmente sus propias estructuras. En pleno proceso de discusión del proyecto de ley en el Congreso, el grupo realizó la Operación Derechos del Pueblo: el secuestro del congresista y ponente Simón Bossa López, junto con algunos periodistas, para expresarles una propuesta en nombre del M-19; de inmediato fueron desautorizados por el Comando Superior y llamados a dialogar y a reintegrarse a las filas, lo que se logró luego de varios encuentros. De por medio estaba la realización de la VIII Conferencia.

En esas circunstancias se presentó el secuestro del estadounidense Chester Allen Bitterman, asesor del Instituto Lingüístico de Verano (ILV), reivindicado por un grupo que utilizó el nombre de Coordinadora de Base del M-19. En realidad era un pequeño sector que no se acogió a los acuerdos a que llegaron Bateman y Bustamante para desactivar la Coordinadora. El M-19, en un comunicado público, desautorizó y deslindó responsabilidades en el secuestro; de por medio había una mano siniestra que produjo comunicados, expulsó a Bateman, denigró al M-19 y, el 7 de marzo, asesinó a Bitterman.

El ELN estaba en un franco proceso de reestructuración a partir de la centralización política y orgánica. Sobre la amnistía de Turbay, solamente se pronunció cuando se sancionó la Ley 37 del 23 de marzo de 1981, que ofrecía durante cuatro meses una amnistía condicional, que no cobijaba a los procesados o sentenciados por la justicia penal militar y exigía el desarme ante una autoridad policial, militar o judicial. Quedaba claro que se trataba de una ley de rendición y que ningún combatiente ni grupo guerrillero estaba dispuesto a acogerse a esta. Los elenos señalaron que la propuesta del Estado colombiano buscaba adormecer al pueblo, salvaguardar los intereses de clase de la burguesía y el imperialismo y decapitar física y políticamente a la dirección del movimiento armado revolucionario: "Rechazamos la ley de amnistía para los combatientes revolucionarios por ser un nuevo engaño al pueblo, reafirmando nuestro compromiso de LIBERACIÓN

O MUERTE, sellado con la sangre de heroicos compañeros que han señalado así el único camino para lograr los objetivos libertarios"[499].

Con la expedición de la Ley de Amnistía de Turbay, las posiciones en el movimiento guerrillero se radicalizaron; el presidente chantajeaba y llegó a condicionar el levantamiento del estado de sitio a una respuesta favorable de los alzados en armas hacia la amnistía. Ningún grupo la aceptó. La confrontación armada recrudeció y gran parte del accionar del período estuvo bajo la responsabilidad de los combatientes y las armas del M-19, que adelantó un plan político-militar que debía fortalecer su Frente Sur: el 6 de febrero desembarcó en Chocó una columna de 42 guerrilleros provenientes de Cuba. El grupo fue detectado y durante dos meses se presentaron permanentes combates con el Ejército hasta que fueron prácticamente diezmados, perdiendo la vida cuadros tan importantes como Élmer Marín y Carmenza Cardona, la *Chiqui*. Este episodio de la lucha guerrillera en Colombia —hay que decirlo con claridad— es tal vez uno de los más complejos por sus pretensiones, por el desconocimiento de lo que allí ocurrió y por sus trágicos resultados: combatientes mal preparados, en una región desconocida, sin apoyos de la población y con poca o ninguna adecuación del territorio.

En marzo hubo otro desembarco, esta vez en la zona de Tumaco, en el sur del país, a donde llegaron 86 hombres y mujeres del M-19 fuertemente armados y apertrechados que venían a reforzar el Frente Sur luego de recibir entrenamiento en el exterior. Al igual que en Chocó, fueron ubicados y perseguidos; en su mayoría cruzaron la frontera hacia Ecuador, pero fueron detenidos y entregados a las autoridades colombianas, entre ellos los dirigentes Carlos Toledo Plata, Rosemberg Pabón y Rafael Arteaga, además de cinco panameños y tres costarricenses; en total fueron 66 capturados, algunos de ellos incorporados al consejo verbal de guerra que se celebraba en Bogotá. El descalabro de Nariño y Chocó no tenía precedentes por el alto número de dirigentes y combatientes detenidos y muertos, por los recursos logísticos que allí se perdieron y por los efectos políticos

499 ELN: "Rechazamos la Ley de Amnistía, reafirmamos nuestro compromiso con el pueblo", *Colombia en lucha*, revista de los Núcleos Colombianos de Patriotas Revolucionarios en el Exterior, año 2, N° 7, mayo-junio de 1981, pp. 25-29.

y militares del momento. Quizá fue el golpe más duro que recibió durante su existencia el M-19. Un estruendoso fracaso. Como parte del mismo plan de rechazo a la Ley 37, el M-19 atacó la ciudad de Mocoa, capital de la intendencia de Putumayo, en una operación dirigida por el propio Bateman.

Los hechos de Chocó y Nariño produjeron un lío político y diplomático: el Gobierno de Colombia acusó a Cuba de brindar entrenamiento, suministrar armas al M-19 y organizar el desembarco; lo hizo con base en las declaraciones que dio a la prensa uno de los guerrilleros capturados en Nariño. Esa acusación condujo a "suspender desde la fecha las relaciones con el gobierno del presidente Castro por razones solo imputables a dicho país", como dijo el presidente en el discurso transmitido por radio y televisión el 23 de marzo. Además, al finalizar marzo se produjo la intempestiva salida de Colombia de García Márquez ante su inminente captura para ser investigado por presuntas relaciones con el M-19; una semana más tarde, el 8 de abril de 1981, publicó en *El País* de España un extenso texto en el que aclaraba el "incidente": "Sé que la trampa estaba puesta y que mi condición de escritor no me iba a servir de nada, porque se trataba precisamente de demostrar que para las fuerzas de represión de Colombia no hay valores intocables. O como dijo el general Camacho cuando apresaron a Luis Vidales: 'Aquí no hay poeta que valga'. Mauro Huertas Rengifo, presidente de la Asamblea del Tolima, declaró a los periodistas y se publicó en el mundo entero que el Ejército me buscaba desde hacía diez días para interrogarme sobre supuestos vínculos con el M-19 [...] La verdad es que las voces de que me iban a arrestar eran de dominio público en Bogotá desde hacía varios días y —al contrario de los esposos cornudos— no fui el último en conocerlas"[500]. El caso de Gabo no fue el único, ni el último en contra de artistas e intelectuales: el poeta Luis Vidales había sido detenido dos años atrás y, el 5 de agosto de 1981, la escultora Feliza Bursztyn tuvo que marchar al exilio cuando iba a ser capturada. Nadie estaba a salvo.

El mismo día de la ruptura de relaciones con Cuba, el presidente Turbay sancionó la Ley de Amnistía, que estaría vigente por 120 días,

500 "Punto final a un incidente ingrato", *Las2orillas*, 19 de abril de 2014, en http://www.las2orillas.co/por-que-garcia-marquez-tuvo-que-asilarse-en-mexico/

hasta el 22 de julio siguiente. El M-19 enterró la amnistía el 20 de julio, con tres granadas de mortero de 60 mm, lanzadas contra el Palacio de Nariño, sede del Gobierno. La amnistía había fracasado, y así lo reconoció esa misma tarde el Presidente durante la instalación de las sesiones ordinarias del Congreso de la República: "El Gobierno deplora que la amnistía haya fracasado y que la respuesta a dicha actitud del Estado fuera la que se conoció en la frustrada invasión del Chocó, de Nariño y de Putumayo. A la política de mano tendida se le dio respuesta por boca de los fusiles y de los morteros de la subversión. Desde el punto de vista del interés nacional es preferible haber perdido la batalla de la amnistía que haber destruido las bases morales del Estado"[501].

En otra de sus osadas acciones, el M-19 tenía en la mira ingresar un arsenal al país a través de un barco bautizado *Karina*, que —según dicen— venía con la carga desde un puerto del norte de África. Otras versiones aseguran que las armas se encontraban en Panamá hacía tiempo y que eran propiedad de los guerrilleros salvadoreños, que resolvieron "donarlas" al movimiento guerrillero colombiano. El traslado fue bastante accidentado: el barco salió de Panamá, regresó, volvió a salir, y con tanto movimiento, seguramente fue detectado; una parte de las armas fue trasladada a La Guajira colombiana para luego dirigirla hacia el Caquetá en un avión que los guerrilleros secuestraron en Medellín. Pero aún faltaba la otra mitad. El *Karina* iba y venía. Después de varios días partió con rumbo a un punto de encuentro en el Pacífico colombiano, donde ya lo esperaba el buque *ARC Sebastián de Belalcázar* de la Armada Nacional para capturarlo. Hubo un enfrentamiento desigual de cinco horas y, pasada la medianoche del sábado 14 de noviembre, el *Karina* fue hundido con toda su carga por los tres guerrilleros que iban a bordo; se salvaron y cumplieron la orden del Flaco de hacer naufragar el barco antes de que se capturara su carga (ver cuadro p. 424).

Las peticiones de apertura democrática y reformas no solamente salían de las filas guerrilleras; diversos sectores sociales, expresidentes y otras personalidades políticas, económicas, de la Iglesia y de la cultura se expresaban en favor del diálogo y la paz. En ese marco se reunió en

501 Discurso del presidente Julio César Turbay Ayala, en *El Espectador*, 21 de julio de 1981, p. 1-A.

Estando en todas estas tareas se presentó una situación complicada con un barco cargado de armas que el ERP (Ejército Revolucionario del Pueblo) de El Salvador había comprado en Europa. Por la delicada situación política entonces existente, los sandinistas no podían comprometerse con el traslado de esas armas desde Nicaragua para El Salvador. En vez de hundir el barco, los salvadoreños decidieron entregárselo al M-19 de Colombia. El primer alijo de esas armas se hizo llegar a Colombia mediante el aterrizaje forzado de un avión secuestrado por un comando del M-19 en el lecho del río Orteguaza en el Departamento de Caquetá [...] Con las armas que quedaron en el barco Karina se realizó una segunda operación desde Panamá, para introducir esas armas por las costas colombianas del Océano Pacífico.

Fuente: "La política internacionalista de la revolución cubana ha evolucionado acorde con los cambios que se han producido en America Latina y el Caribe", entrevista con Fernando Ravelo Renedo, ministro consejero de Cuba en Argentina, así como embajador en Colombia y Nicaragua, en Luis Suárez y Dirk Kruijt, *La revolución cubana en nuestra América: el internacionalismo anónimo*, E-book, La Habana, Ruth Casa Editorial, 2014.

agosto el Primer Foro Nacional Sindical, convocado por las centrales y organizaciones independientes, que decidió realizar un segundo paro cívico nacional por el levantamiento del estado de sitio, el fin del Estatuto de Seguridad y de la escalada militarista, y por una amnistía general y sin condiciones para todos los presos y perseguidos políticos[502]. Al final, ante la presión, el Gobierno accedió a crear la Comisión Nacional de Paz[503] y designó al expresidente Carlos Lleras Restrepo como su presidente. Otros miembros de esta primera Comisión de Paz fueron monseñor Mario Revollo; monseñor Rafael Gómez; el general Francisco José Naranjo, director de la Policía; César Gómez

502 El segundo paro cívico nacional se convocó para el 21 de octubre de ese año y fue ilegalizado por el Gobierno y calificado de subversivo; las principales ciudades fueron militarizadas. Días antes se realizaron allanamientos y detenciones que, acompañados de despidos de trabajadores, generaron temor en la ciudadanía que se preparaba para participar en la jornada de protesta.

503 Decreto 2761 del 8 de octubre de 1981.

Estrada; Álvaro Leal Morales; Joaquín Vallejo; John Agudelo Ríos; Guillermo González, gerente de la Caja Agraria; Pedro José Ramírez, gerente del Incora; y Gerardo Molina, candidato a la Presidencia. Distintas organizaciones guerrilleras saludaron la formación de la Comisión y se mostraron dispuestas a dialogar con sus integrantes.

Al igual que en Colombia, los inicios de la década de los años ochenta vieron el renacer del movimiento guerrillero en América Latina y, además, el retorno a las democracias, luego de una larga década de dictaduras militares o cívico-militares, de las cuales se salvaron México, Venezuela y Colombia, que mantuvieron sus democracias representativas bajo figuras de democracias restringidas. Las guerrillas salvadoreñas habían dado el paso final de la unidad al constituirse inicialmente como Dirección Revolucionaria Unificada (DRU), con tres organizaciones: Partido Comunista, Fuerzas Populares de Liberación y Ejército Revolucionario del Pueblo. Para octubre de 1980, ingresaron los grupos Resistencia Nacional y Partido Revolucionario de los Trabajadores Centroamericanos (PRTC); de esta manera, se conformó el Frente Farabundo Martí para la Liberación Nacional (FMLN), que tenía una Comandancia General compuesta por tres comandantes por cada uno de los cinco grupos. Entre el 10 y el 30 de enero de 1981 lanzaron la primera gran ofensiva con una concepción insurreccional y, un año más tarde, estaban en capacidad de llevar a cabo operaciones de magnitud como el ataque a la base aérea de Ilopango, en San Salvador, donde destruyeron el 70% de la Fuerza Aérea salvadoreña: 8 aviones Ouragans, 8 helicópteros Cherokees, 6 aviones C-47, 6 aviones Fouga Magister y una pieza de artillería antiaérea, en total 20 aviones y 8 helicópteros.

Las guerrillas en Guatemala alcanzaron los mismos niveles de unidad en febrero de 1982, en la Unión Revolucionaria Nacional Guatemalteca (URNG), que integraban la Organización Revolucionaria del Pueblo en Armas (ORPA), el Ejército Guerrillero de los Pobres (EGP), el Partido Guatemalteco de los Trabajadores (PGT) y las Fuerzas Armadas Rebeldes (FAR). Dos años atrás se dio uno de los hechos más infames, cuando campesinos de la región de El Quiché, que se tomaron las instalaciones de la Embajada de España en ciudad de Guatemala, intentaron ser desalojados por miembros de las fuerzas de seguridad que ingresaron a las instalaciones en clara violación a la Convención de Viena sobre Relaciones Diplomáticas y, utilizando lanzallamas con fósforo blanco, produjeron el incendio de la sede y la muerte de 37 personas, entre ellas un excanciller y un exvicepresidente que se encontraban reunidos en ese momento con el embajador. En los años venideros, las masacres en contra de campesinos, indígenas y estudiantes fueron recurrentes, tanto por parte de los grupos paramilitares como por las fuerzas del Estado.

La llegada del republicano Ronald W. Reagan, en enero de 1981, como cuadragésimo presidente de Estados Unidos significó el resurgir del conservadurismo y el anticomunismo militante se consolidó como la línea dominante de la política internacional estadounidense. El Salvador y Nicaragua se convirtieron en las amenazas comunistas más próximas: Reagan consideraba que el sandinismo era una dictadura marxista que servía a los intereses de la URSS; para contrarrestar los efectos de la naciente revolución, ordenó apoyar, armar y entrenar a la Contra antisandinista. La situación en El Salvador le preocupaba, por cuanto los rebeldes del FMLN controlaban una cuarta parte del territorio y el gobierno del demócrata-cristiano José Napoleón Duarte tambaleaba. Como contrapeso, en 1981, Francia y México reconocieron al Frente Farabundo Martí para la Liberación Nacional (FMLN) y al Frente Democrático Revolucionario (FDR) de El Salvador como interlocutores políticos válidos: "Tomando en cuenta la extrema gravedad de la situación existente en El Salvador y la necesidad que tiene ese país de cambios fundamentales en los campos social, económico y político. Reconocen que la alianza del Frente Farabundo Martí para la Liberación Nacional y del Frente Democrático Revolucionario constituye una fuerza política representativa, dispuesta a asumir las obligaciones y los derechos que de ellas se derivan"[504]. Reagan intervino a su manera, como lo hacía en otros países: aumentó la ayuda económica y envió equipos y más asesores militares. Su lucha contra el "demonio comunista" y el "fundamentalismo" sería el argumento para los ataques posteriores en El Líbano y Libia, y para la invasión a Granada, en 1983. En el Documento Santa Fe I, base de la política exterior de Reagan,

504 "Declaración francomexicana de reconocimiento al FMLN-FDR", en http://www.cedema.org/ver.php?id=4611

se habían señalado la "Doctrina Roldós" y la "dictadura de extrema izquierda" de Torrijos por peligrosas; ambos mandatarios, condenados de esa manera al "mal de avión", murieron en extraños accidentes aéreos en mayo y julio de 1981, respectivamente.

En Chile, el MIR había intentado, en 1981, montar un frente rural cerca de la localidad de Neltume, en la cordillera de la Región de Los Ríos, a través del destacamento guerrillero Toqui Lautaro, pero fue desarticulado con la muerte de once combatientes miristas. Por su parte, el Partido Comunista organizó, desde los primeros años de la dictadura de Pinochet, el Frente Cero y la Comisión Militar a través de los cuales canalizaba sus esfuerzos armados para derrocar al tirano. Como parte de esa política, integró a algunos de sus cuadros a las Fuerzas Armadas Cubanas (FAR) y propició la participación de otros en la Revolución Sandinista. Su táctica de lucha armada se transformó en 1982 al constituir el Frente Patriótico Manuel Rodríguez (FPMR), que, en los primeros días de 1986, fracasó en la más osada operación de internamiento de armas que se haya intentado en América Latina: más de 100 toneladas de fusiles, lanzacohetes, pistolas y municiones llegaron a un punto en la costa norte de Chile, luego de un recorrido por todo el mundo, y fueron detectados por la tenebrosa Central Nacional de Inteligencia (CNI). En el mismo año realizaron la Operación Siglo XX, el ataque a la comitiva del dictador Pinochet, de donde salió vivo de milagro.

En el México de los legendarios insurgentes Genaro Vásquez y Lucio Cabañas surgían de las Fuerzas de Liberación Nacional (FLN) los primeros comandos de lo que diez años después el mundo conocería como el Ejército Zapatista de Liberación Nacional (EZLN), una organización que se gestó durante todos esos años en las comunidades indígenas mayas, tzeltzales y tzotzies, bajo la consigna "acumulación de fuerzas en silencio". Algo similar ocurría en Perú, donde el 1° de marzo de 1982 se realizó la reunión de fusión de distintos grupos de la izquierda armada para conformar el Movimiento Revolucionario Túpac Amaru (MRTA), organización político-militar que, en diciembre de 1996, protagonizó la toma de la Embajada de Japón en Lima.

Un hecho adicional, expresión de la crisis de la legitimidad en que se encontraban las dictaduras del Cono Sur, fue la invasión a las islas Malvinas que el 2 de abril de 1982 ordenó el presidente de la Junta Militar de Argentina, general Leopoldo Galtieri, en un intento por desviar la atención pública de los malos manejos económicos, políticos y sociales en su país. Desde 1833, Gran Bretaña controlaba el territorio insular que era reclamado con insistencia por los argentinos como territorio propio. La reacción inglesa a la invasión fue inmediata y contundente; la guerra se desató y, ante el poderío militar británico, las fuerzas argentinas se rindieron el 17 de junio siguiente. El país quedó sumido en una profunda crisis política que precipitaría, un año más tarde, el fin de la dictadura militar. Durante el conflicto, casi la totalidad de países latinoamericanos apoyó la causa argentina en la OEA, con excepción de Trinidad y Tobago y… Colombia.

El calendario electoral colombiano señalaba el 16 de marzo para la elección de los integrantes de los cuerpos legislativos, y el 30 de mayo, para escoger un nuevo presidente de la República. Las cartas ya estaban sobre la mesa: Alfonso López Michelsen era el candidato oficial del Partido Liberal, aspiraba a la reelección; Luis Carlos Galán, *l'enfant terrible*, encabezaba las propuestas de su sector, el Nuevo Liberalismo; Belisario Betancur, candidato unificado del Partido Conservador, en nombre del Movimiento Nacional; y el maestro Gerardo Molina al frente de una coalición "variopinta" de izquierda integrada por Firmes, PCC, PST y Partido del Trabajo de Colombia. La paz fue la bandera que acogieron todos los participantes en esta contienda electoral: paz liberal para López; paz como programa nacional para Belisario; paz social proponían desde el candidato del Nuevo Liberalismo; y paz sinónimo de lucha contra la pobreza planteaba el candidato de las izquierdas. Ante el rotundo fracaso que había sufrido la Ley de Amnistía, el Gobierno se inventó un decreto legislativo, el número 474 del 19 de febrero, que fijó a los guerrilleros un plazo de dos meses para que se presentaran ante las autoridades, entregaran las armas y revelaran la identidad de sus miembros… una nueva amnistía, cándida, recortada, inconsulta y condicionada. El decreto también consideraba beneficios para los presos políticos, siempre y cuando la mayoría de los militantes de su respectiva organización depusieran las armas ante las autoridades. Otro intento gubernamental, un nuevo fracaso.

Días antes de las elecciones presidenciales entró en crisis la Comisión de Paz, con la renuncia de los miembros civiles, incluido su presidente, Carlos Lleras Restrepo. ¿La razón? El M-19, convertido ahora en un interlocutor obligado, había solicitado públicamente a la comisión que gestionara ante el Gobierno salvoconductos para sus máximos dirigentes con el fin de establecer diálogos directos. Los comisionados querían acercarse a los distintos grupos insurgentes y, en el caso del M-19, se mostraron de acuerdo con la propuesta que hizo el comandante Pablo de un encuentro entre él y Lleras Restrepo; los ministros de Defensa y Justicia y el Partido Conservador se negaron a cualquier posibilidad. En el memorando que el 21 de abril envió la Comisión de Paz al presidente Turbay se insinuaban los pasos a seguir en un eventual entendimiento con el M-19; incluso, señalaban los términos de un anteproyecto de decreto para modificar el Decreto 474 de amnistía recortada. Al final, Turbay rechazó la propuesta, vinieron las renuncias y las explicaciones al país de las contradicciones existentes entre integrantes de la comisión y el Ejecutivo. Un mes antes se había retirado Gerardo Molina, en protesta por la intransigencia gubernamental para aceptar soluciones viables a la paz en Colombia.

El 30 de mayo se llevaron a cabo las elecciones y la sorpresa la dio Belisario Betancur, electo con 3.152.817 votos, "la más alta votación que hubiera conquistado nunca antes un candidato a la primera magistratura de Colombia", según la afirmación de Ramírez y Restrepo en su libro *Actores en conflicto por la paz*. El candidato liberal, López Michelsen, obtuvo 2.735.265 votos; la opción del Nuevo Liberalismo alcanzó los 757.815, y por la izquierda se depositaron 85.635, equivalentes a 1,27% del total. Una de las últimas medidas del gobierno de Turbay Ayala fue el levantamiento del estado de sitio, vigente hacía seis años[505]. Belisario Betancur, presidente electo, había anunciado días antes su decisión de suprimirlo y de reincorporar a los alzados en armas a la vida civil. El fin de la administración de Julio César Turbay Ayala se acercaba.

El tiempo del crecimiento político y militar y de las grandes decisiones dentro de las filas guerrilleras había llegado; la insurgencia

505 De los 42 años transcurridos entre 1940 y 1982, Colombia vivió veintinueve años, diez meses y doce días en estado de sitio.

estaba próxima a alcanzar su mayoría de edad y, para ello, se hacía necesario reunir a las máximas instancias de conducción de cada una de las organizaciones. Las FARC realizaron su VII Conferencia Nacional de Guerrilleros, entre el 4 y el 14 de mayo de 1982, en la quebrada La Totuma, región del río Guayabero, en el Meta, una de las reuniones más importantes en su historia. Asistieron cerca de 100 delegados elegidos en las conferencias de los 27 frentes que ya tenían regados por todo el país, en cumplimiento de su proyecto expansivo. La conferencia estuvo antecedida de un período de análisis de "tesis" y formulación de propuestas que permitió a los asistentes elaborar documentos como el plan estratégico para la toma del poder, al que luego denominaron "Campaña Bolivariana por la Nueva Colombia". Este plan debía iniciarse a los seis meses de finalizada la conferencia, y, en dos años, debía llegar a 15.000 combatientes; por vez primera hay una planeación desde la insurgencia, lo que significaba un salto de calidad. En posteriores reuniones plenarias del Estado Mayor se hicieron ajustes al plan y se trazaron nuevas metas que fijaban en ocho años el tiempo para desatar una insurrección general, crecer a 48.000 efectivos, cercar a Bogotá desde la cordillera Oriental, montar un gobierno provisional y buscar el reconocimiento internacional como fuerza beligerante. Esta conferencia retomó la importancia de adelantar el trabajo en las ciudades con el mismo planteamiento que había hecho Marulanda en la V Conferencia: "En estas condiciones el trabajo urbano adquiere categoría estratégica. Hay que pasar a la organización de una estructura organizacional (*sic*) de tipo militar en las ciudades que posibilite, en conjunto con otras organizaciones revolucionarias, la conducción de las acciones insurreccionales que necesariamente han de darse como consecuencia de la gran colisión de clases en la lucha por el poder"[506]. Por supuesto que estas decisiones no fueron del agrado de los delegados del PCC y fueron motivo de discusión en el desarrollo de la conferencia.

Las "tesis" militares discutidas con antelación, basadas en la experiencia de la Operación Cisne 3, les permitieron diseñar el denominado

506 FARC-EP, Secretariado del Estado Mayor Central, "Planteamiento Estratégico", VII Conferencia Nacional, Centro Nacional de Memoria Histórica, *Guerrilla y población civil. Trayectoria de las FARC 1949-2013*, Bogotá, 2014, p. 117.

"nuevo modo de operar", que partía de las mismas tácticas contrainsurgentes y los aprendizajes de las Fuerzas Armadas: "El Secretariado vio claro un nuevo modo de operar de las fuerzas contraguerrilleras y procedimos a ensayar una nueva táctica consistente en un despliegue militar de nuestra fuerza en el sentido ya no de esperar en emboscadas a un enemigo fluido operando a campo traviesa, sino buscándolo, ubicándolo, asediándolo para asaltarlo y someterlo"[507]. Para este momento, las FARC ya buscaban concentrar fuerzas a partir de las guerrillas móviles, lograr un rápido crecimiento en número de combatientes, promover nuevos mandos y desdoblar los frentes para dar el salto cualitativo y cuantitativo de guerrilla a ejército. Desde esta VII Conferencia, le agregaron a su sigla FARC las letras EP, Ejército del Pueblo, lo que indicaba un norte claro en cuanto a propósitos de expansión militar. Por los temas tratados y las decisiones tomadas, este evento marcó un hito en la historia de las FARC-EP; Jacobo sostuvo la tesis de que "se estaban dando asomos de una situación revolucionaria", reflejada en el ascenso de las movilizaciones populares; una novedad en la conferencia fue la actualización del Programa Agrario de los Guerrilleros de 1964, aprobado ahora como la Ley 001 de reforma agraria revolucionaria, en la que decretaron, entre los once puntos del texto, que todas las propiedades o concesiones de compañías extranjeras, petroleras, mineras, bananeras, madereras y otras, quedaban abolidas y bajo control del grupo. A la Ley 001 se le agregarían posteriormente las 002 y 003, sobre tributación y sobre corrupción administrativa, respectivamente[508]. En esta conferencia guerrillera, las FARC-EP estrenaron su himno[509].

507 FARC-EP, VII Conferencia Nacional de Guerrilleros, Informe Central, en http://www.farc-ep.co/septima-conferencia/septima-conferencia-de-las-fuerzas-armadas-revolucionarias-de-colombia-ejercito-del-pueblo.html

508 Leyes 001, 002 y 003, en Centro Nacional de Memoria Histórica, *Guerrilla y población civil. Trayectoria de las FARC 1949-2013*, Bogotá, 2014, pp. 354-359.

509 Himno de las FARC: 1 Con justicia y verdad junto al pueblo ya está/ con el fuego primero del alba;/ la pequeña/ canción que nació en nuestra voz/ guerrillera de lucha y futuro. 2 Con Bolívar, Galán, ya volvió a cabalgar/ no más llanto y dolor de la patria;/ somos pueblo que va tras de la libertad/ construyendo la senda de paz./ Coro: Guerrilleros de las FARC/ con el pueblo a triunfar;/ por la patria, la tierra y el pan./ Guerrilleros de las FARC/ a la voz de la unidad/ alcanzad la libertad. (Bis) 3 La opresión secular quiere aún acallar/ el sentir de los trabajadores;/ compañeros alzad la bandera de paz/ los sagrados

En el mismo año de 1982 —abril, para ser más precisos—, el ELN, en su proceso de centralización y reconstrucción orgánica y política, llevó a cabo una reunión nacional a la que asistieron representantes del trabajo urbano y de los tres frentes guerrilleros que existían: Domingo Laín Sáenz, Camilo Torres Restrepo y José Antonio Galán. En la reunión se conformó una Dirección Nacional (DN), en la que sobresalió Manuel Pérez como conductor y hombre de la unidad; esta DN quedó compuesta por un integrante de cada uno de los frentes guerrilleros y cuatro de "la urbana", y estuvo acompañada de un Equipo Auxiliar de cuatro miembros. La meta que se propusieron los asistentes fue preparar las condiciones para convocar, para el año siguiente, después de crear espacios de redefiniciones, a una Primera Reunión Nacional mucho más amplia, representativa y unitaria: "La Dirección Nacional se propone desarrollar un plan para la organización a un año, como preparación de la que esperaban fuese el máximo evento democrático de la organización, la reunión nacional, el plan va encaminado a realizar todo tipo de actividades políticas, militares y de masas como preámbulo para la reunión"[510]. En efecto, en octubre del año siguiente —1983— realizaron la primera reunión nacional, con el nombre de "Héroes y Mártires de Anorí", que podría considerarse el primer evento democrático en la historia del ELN, entonces una organización renovada y en proceso de consolidación: "Para ese momento ya no solamente existen los tres frentes, sino que existen otros proyectos de frentes, un trabajo urbano más organizado, cada miembro que asiste trae sus aportes a los documentos oficiales que había elaborado la Dirección Nacional, con el objeto de ponerlos a discusión de las distintas estructuras"[511]. La reunión eligió una nueva Dirección Nacional, formada por 3 integrantes de la anterior, 3 de los cuatro miembros del Equipo Auxiliar, uno del trabajo urbano en Bucaramanga, uno del frente

derechos del pueblo. 4 Del imperio brutal ya se siente el final/ con los brazos de América toda;/ a los pueblos la paz y la felicidad/ socialista el futuro será. Coro: Guerrilleros de las FARC/ con el pueblo a triunfar;/ por la patria, la tierra y el pan./ Guerrilleros de las FARC/ a la voz de la unidad/ alcanzad la libertad. (Bis)

510 Entrevista a Manuel Pérez Martínez, en Carlos Medina Gallego, *op. cit.*, p. 208.

511 *Ibid.*, p. 208.

José Antonio Galán y un antiguo militante que había estado preso, en total 9.

El sábado 7 de agosto, el mismo día y a la misma hora en que tomaba posesión el electo presidente Belisario, el comandante Pablo inauguraba en las selvas del Caquetá la VIII Conferencia del M-19. Frente a los casi 200 guerrilleros presentes, pronunció un discurso sencillo y enfático de 2.575 palabras, en el que englobaba el pensamiento y resumía la acción del M-19: "Nos levantamos de las cenizas y hoy somos esto que está aquí, más nuestro prestigio, más nuestra voluntad de vencer [...] Siempre hemos sido enemigos de aquellos compañeros que pretenden seguir siendo guerrilleros toda la vida, que pretenden seguir siendo chiquitos toda la vida. Ahí está una de las grandes revoluciones que nosotros hemos hecho en este país, es acabar con los mitos, es acabar con el mito de los hombres perfectos"[512].

Para el M-19 quedaba claro que el objetivo estratégico era la toma del poder para el pueblo, con "tres grandes líneas de acción de tipo estratégico: la unidad, las masas y las armas". Bateman concebía necesario acortar los tiempos de la guerra, construir un ejército y dotarlo de técnica, conocimiento y gente. La conferencia envió a Betancur una nueva propuesta de diálogo nacional: "En momentos en que usted asume su mandato, el Movimiento 19 de Abril, M-19, al convocar su VIII Conferencia en medio de las dificultades de la persecución y la militarización, reitera su decisión de luchar por una Colombia democrática y libre. A lo largo de dos años hemos insistido hasta la saciedad en las soluciones políticas a la grave crisis que vive el país. Hemos chocado contra la intransigencia [...] porque nunca aceptamos, ni aceptaremos, las humillaciones ni la rendición. Pero hoy, nuevamente, hemos decidido levantar la bandera de una apertura. Usted, señor presidente, ha aceptado el diálogo que el M-19 viene proponiendo desde la toma de la Embajada de República Dominicana". En la Conferencia se ratificó a Jaime Bateman como comandante general del M-19; uno de los temas de mayor discusión fue la formación de un comando político que actuara en la legalidad, aprovechando la apertura política que se presentaba

512 Jaime Bateman Cayón, discurso inaugural en la VIII Conferencia Nacional del M-19, versión en DVD, 7 de agosto de 1982, Centro de Documentación para la Paz.

y que algunos militantes salieron de la cárcel por pena cumplida. Se aceptaron las propuestas de código de ética militar, el reglamento de la OPM y de la fuerza militar, que establecían funciones, estructura, normas disciplinarias y derechos y deberes de los integrantes.

El Comando Nacional del EPL, con base en lo aprobado en la I Conferencia Nacional de Combatientes de julio de 1981, en la que se hicieron serios esfuerzos por modernizar la organización, comenzó al año siguiente los preparativos para la que sería una segunda conferencia; al igual que en otras guerrillas, circularon entre sus miembros documentos que servirían para enriquecer los debates sobre temas como el papel de los mandos, la elevación del nivel operacional, la ampliación del trabajo y la relación EPL-PCC (M-L). La II Conferencia Nacional de Combatientes del EPL se llevó a cabo en junio de 1983 y, de acuerdo con el documento de conclusiones, "[...] le ha correspondido impulsar tareas con miras al crecimiento de nuestras fuerzas de combate, al mejoramiento de su calidad y a la elevación de su capacidad combativa. Con base en las orientaciones del Partido y en las nuevas condiciones en que se desarrolla nuestro trabajo, la conferencia ha trazado las orientaciones correspondientes y las medidas que ha considerado necesarias para avanzar en el cumplimiento eficaz de su misión revolucionaria"[513]. El EPL insistió en la necesaria "unidad combativa contra el régimen", llamando a las otras organizaciones guerrilleras a unificar esfuerzos "contra el imperialismo y la oligarquía vendepatria"; también se reafirmó en el rechazo a la amnistía, y en términos militares definieron dar mayor fuerza a la construcción del ejército en el campo, sin que ese fuera el "escenario principal", ya que concebían que en las ciudades se definiría la conquista del poder a través de insurrecciones populares. Proponían la proyección del EPL como una organización rural y urbana, combinando aspectos de la guerra popular prolongada y tesis insurreccionalistas. Un cambio significativo, ya que, por principio, el EPL se mostraba desconfiado de "lo urbano", a pesar de tener un importante componente de militantes provenientes de ciudades grandes e intermedias.

513 Documento de las conclusiones de la II Conferencia Nacional del EPL, junio de 1983, en Fundación Cultura Democrática.

Un lamentable hecho de orden público ocurrió en las postrimerías del gobierno de Turbay, el 23 de junio fue secuestrada la señora Gloria Lara de Echeverri, directora de Integración y Desarrollo de la Comunidad del Ministerio de Gobierno, hija de Oliverio Lara Borrero, el ganadero que fue secuestrado y asesinado en abril de 1965, esposa del senador Héctor Echeverri Correa. El grupo autor del plagio tomó el nombre de Organización Revolucionaria del Pueblo (ORP). Así se conoció años antes a una de las tantas organizaciones de la izquierda legal que existieron dentro de la Asociación Nacional de Usuarios Campesinos (ANUC), que mantenía una pequeña publicación llamada *Combate*, con la consigna "Por la Organización Revolucionaria del Pueblo"; de allí su nombre. En 1978 se disolvió la ORP y pasó a llamarse Movimiento Nacional Democrático Popular, y en 1982 inició su trabajo con el Nuevo Liberalismo de Luis Carlos Galán con el nombre de Democracia Popular; dos de sus miembros, posteriormente sindicados del secuestro y crimen, José Miguel Gamboa y Emperatriz Santander Cancino, fueron elegidos ese año como representante suplente a la Cámara y diputada a la Asamblea de Cundinamarca, respectivamente[514].

El 28 de noviembre de 1982, cuando ya el nuevo presidente de la República había dado los primeros pasos hacia la búsqueda de la reconciliación nacional, frente a la iglesia del barrio Bonanza, en Bogotá, fue encontrado el cuerpo sin vida de Gloria Lara, cubierto con una bandera negra que tenía escrita en letras rojas la sigla de la ORP. Los motivos de su secuestro y execrable asesinato nunca estuvieron claros, aunque en algún momento los plagiarios pidieron 3 millones de dólares por su liberación; pasadas dos semanas del crimen, las autoridades lo habían "aclarado", y la Brigada de Institutos Militares (BIM) emprendió la captura de cerca de 20 personas señaladas de ser las autoras, las cuales fueron sometidas a intensos interrogatorios y torturas y, en esas circunstancias, "confesaron" su participación en el delito en un video difundido por la televisión. Robinson Rivera, hermano, padre y tío de tres de los acusados, escribió una carta abierta dirigida al presidente de la República, en la que ponía en duda todo lo actuado y señalaba: "Me atrevo a afirmar que todo se trata de una

514 Véase Germán Gómez y Claudia Julieta Duque, *Mártires del rumor, el caso Gloria Lara*, Bogotá, Fundación Progresar, Fondo Editorial para la Paz, 1994, pp. 54-61.

maquiavélica maniobra tendiente a provocar virajes sustanciales en el panorama político nacional [...] Quieren sembrar la impresión de que en Colombia en estos momentos no hay espacio para aperturas ni amnistías"[515]. En 1998, la Corte Suprema de Justicia cerró el caso por prescripción de la acción penal y dejó sin validez las condenas de entre doce y veintiocho años de cárcel que había dictado el Tribunal Superior de Orden Público.

Pasados algunos meses se produjo otro extraño secuestro: esta vez, la víctima fue el gerente de operaciones de la Texas Petroleum Company, de nacionalidad estadounidense, el lunes 7 de marzo de 1983; en el hecho fueron muertos sus dos guardaespaldas. De nuevo, la sigla y la bandera de la ORP sirvieron como telón de fondo a los plagiarios para reivindicar su acción y pedir un cuantioso rescate en dólares por su libertad: "Comunicamos a la opinión pública y a la Texas Petroleum Company que Bishop Kenneth Stanley, ejecutivo de esta, se halla en nuestro poder. Este será ejecutado el día 29 del mes en curso si la multinacional en mención no cumple con nuestras exigencias antes de la fecha indicada"[516]. El 14 de abril fue liberado tras el pago de 1.200.000 dólares, de los 3 millones que pedían. La trama se cayó al poco tiempo, cuando se descubrió que la banda de secuestradores estaba dirigida por un exjuez municipal de apellido Murcia, y que la casa, las armas y hasta la máquina de escribir que se utilizó para enviar las cartas amenazantes fueron las mismas empleadas en el secuestro de Gloria Lara. La pregunta entonces fue: ¿y los acusados, torturados y condenados por el secuestro y muerte de la señora Lara? Otro de los tantos "falsos positivos" en nuestra historia.

El 7 de agosto de 1982 tomó posesión de su cargo el nuevo presidente de Colombia, Belisario Betancur Cuartas. "El hijo del arriero de Amagá", como le gustaba definirse para proyectar la imagen popular y bonachona con la que quiso caracterizar su cuatrienio. BB había sido, entre otros cargos, ministro del Trabajo en el gobierno de Guillermo León Valencia (1962-1966); el 23 de febrero de 1963,

515 *Ibid.*, pp. 98-102.

516 "Bishop: la hora cero", *Semana*, 18 de abril de 1982, en http://www.semana.com/nacion/articulo/bishop-la-hora-cero/2074-3

los 230 trabajadores de la empresa Cementos El Cairo, ubicada en el municipio de Santa Bárbara (Antioquia), declararon la huelga en busca de soluciones a su gravosa situación económica, contenidas en un pliego de peticiones que no fue atendido por los patronos ni por las autoridades del Ministerio a cargo de Belisario. Ese día se presentaron en la empresa un comando del Batallón Girardot, un pelotón de la Compañía Militar y dos pelotones de la Compañía B para garantizar el traslado del cemento hacia Medellín. En la ruta, los obreros y sus familias montaron la carpa de la huelga e impidieron el paso; los camiones cargados y escoltados por el Ejército intentaron cruzar, pero fueron rechazados por los huelguistas. Con la autorización del gobernador de Antioquia, Fernando Gómez Martínez, las tropas arremetieron contra los trabajadores, familiares y pobladores de Santa Bárbara, lo que produjo la muerte a 12 de ellos, más de 100 heridos y docenas de detenidos. La Masacre de Santa Bárbara, hecho casi olvidado en la historia colombiana, fue recogido por los autores Andrés Jáuregui y Renán Vega en un texto titulado *La masacre de Santa Bárbara, Antioquia*[517], en el que señalan como responsables al gobernador de Antioquia, a los militares que accionaron sus armas contra los huelguistas y moradores de la región, a los ministros de Trabajo y de Gobierno, Eduardo Uribe Botero, este último accionista de la empresa, y a las centrales sindicales UTC y CTC por sus políticas antiobreras.

Diecinueve años más tarde, el mismo Belisario Betancur juró ejercer un mandato de paz, justica social y democracia para todos los colombianos: "Levanto ante el pueblo entero de Colombia una alta y blanca bandera de paz: la levanto ante los oprimidos, la levanto ante los perseguidos, la levanto ante los alzados en armas, levanto la blanca bandera de paz ante mis compatriotas de todos los partidos y de los sin partido, de todas las regiones, de todas las procedencias. No quiero que se derrame una sola gota más de sangre colombiana de nuestros soldados abnegados, ni de nuestros campesinos inocentes, ni de los obcecados, ni una gota más de sangre hermana. ¡Ni una sola gota más!"[518].

517 Véase *La masacre de Santa Bárbara, Antioquia* de Andrés Jáuregui y Renán Vega, y referencias del libro citado, en http://www.rebelion.org/noticia.php?id=164164

518 Belisario Betancur, discurso de posesión (apartes), en *El Tiempo*, 8 de agosto de 1982, p. 1 A.

Para alcanzar la paz, reconoció las causas objetivas y subjetivas que alimentaban la inconformidad social y el conflicto armado, propuso el diálogo como medio, el regreso del Ejército a los cuarteles, la reactivación de la economía, ofreció empleo, salud, educación, vivienda, créditos y alimentos baratos. Al igual que sus antecesores, distribuyó equitativamente los doce ministerios entre liberales y conservadores, y nombró como ministro de Defensa al general Fernando Landazábal Reyes, comandante del Ejército durante la administración anterior. Una de las primeras medidas fue la formación de la Comisión Asesora del Gobierno para la Paz Pública y Social[519]; al frente de ella estaba de nuevo Carlos Lleras Restrepo, y participaban 36 personas, representantes de los partidos políticos, de la Iglesia, de la cultura, periodistas, sindicalistas, empresarios, militares, guerrilleros en retiro y defensores de derechos humanos.

El Congreso de la República se había instalado el 20 de julio anterior y, en la sesión inaugural, un grupo de 19 senadores liberales radicó un nuevo proyecto de ley de amnistía que recogía las recomendaciones de la desintegrada Comisión de Paz; al mismo tiempo, los congresistas Gerardo Molina y Gilberto Vieira presentaron sendos proyectos de amnistía, que fueron mejor recibidos dentro de los grupos insurgentes. Como ponentes de estos fueron nombrados el senador Germán Bula Hoyos y el representante a la Cámara Horacio Serpa Uribe. Por sugerencia del electo presidente Betancur, los tres proyectos de ley fueron unificados en un texto que recogía las propuestas del Gobierno, de los partidos políticos y del M-19. Precisamente, el comandante de este grupo se reunió y dialogó en Panamá con el senador Bula Hoyos para darle a conocer sus opiniones, hacerle algunos reparos y sugerencias al texto de la ponencia, que ya se discutía en las plenarias y comisiones primeras de las dos cámaras; el 16 de noviembre fue aprobada y, dos días más tarde, el presidente Betancur sancionó la Ley 35 del 19 de noviembre de 1982, "Por la cual se decreta una amnistía y se dictan normas tendientes al restablecimiento y la preservación de la paz". El texto contemplaba en diez artículos la concesión de amnistía general a los autores, cómplices o encubridores de hechos constitutivos en

519 Decreto 2771 del 19 de septiembre de 1982.

delitos políticos cometidos antes de su vigencia. La amnistía significó la libertad de varios cientos de presos políticos de distintas organizaciones guerrilleras condenados o en proceso de serlo por delitos de rebelión, sedición o asonada y los conexos con estos. La ley no contempló la entrega de armas, pero aumentó las penas por fabricar, traficar, almacenar o portar armas y municiones de uso privativo de las Fuerzas Militares o de la Policía[520]. "La amnistía que hoy proclamamos abre las puertas más anchas que podíamos abrir para que todos los colombianos se incorporen sin excepción a la empresa de la paz. La empresa de las empresas de nuestro tiempo"[521].

A las pocas semanas de aprobada la amnistía, la Agencia de Inteligencia de Defensa de Estados Unidos (DIA, por su sigla en inglés) elaboró el documento de evaluación de inteligencia "Colombia: El Ejército y la amnistía", en el que ya preveían los conflictos del Alto Mando Militar con el presidente Betancur por lo que consideraban "concesiones" a los guerrilleros:

> Ha sido tan solo una cuestión de cuándo —no de si— el Gobierno adoptará una forma de programa de amnistía. La idea tiene el apoyo de la administración de Betancur, del Congreso y del pueblo de Colombia. El hecho de que el M-19 y, al menos superficialmente las FARC-EP hayan expresado interés en traer la paz a Colombia ha generado un efecto de bola de nieve que terminaría en una forma legislativa. El alcance de la amnistía pronosticará qué tan exitosa será y, en este sentido, los militares, al menos de manera adyacente, están desempeñando un papel clave al contrarrestar cualquier tendencia de parte del Gobierno a conceder demasiado para lograr un acuerdo. El actual ministro de Defensa Landazábal, quien fue comandante del Ejército en la presidencia de Turbay, parece tener el respeto y la confianza de Betancur y ha hecho de portavoz del punto de vista militar.
>
> Los militares no confían en los motivos reales de las guerrillas y podrían desatar una seria ruptura entre el Gobierno y las Fuerzas Armadas si la

520 Texto completo de la Ley 35/82, en *Plan Nacional de Rehabilitación: Historia oficial 1982-1994*, Bogotá D.C., Presidencia de la República, 1994, pp.13-14.

521 Belisario Betancur, "La puerta ancha de la paz", citado por Arturo Alape, *op. cit.*, pp. 469-472.

amnistía concede demasiado a los insurgentes sin una reciprocidad adecuada. La directiva de las Fuerzas Armadas afirma que las guerrillas no están negociando de buena fe y simplemente están ganando tiempo para reconstruir sus fuerzas. Además, sospecha del reciente interés de las FARC-EP en los diálogos de paz. Aunque Landazábal ha dicho que las Fuerzas Armadas no serán un obstáculo para la paz, continúa presionando con la demanda de los militares de una rendición en armas y con la exclusión de ciertos crímenes de la amnistía. Los líderes militares se han resignado a la inevitable amnistía y, al final, tal vez modifiquen un poco su posición en el asunto ambiguo de los crímenes atroces. Que cedan en que los insurgentes no entreguen sus armas es poco probable.

Fuente: Defense Intelligence Agency, DIA. Intelligence Appraisal, *Colombia: The Army an Amnesty*, 29 December 1982. Department of Defense Publication. The National Security Archive (NSA), Colombia and the United States: Political Violence, Narcotics and Human Rights, 1948-2010, documentos desclasificados de diferentes agencias de seguridad del Gobierno de Estados Unidos.

Frente Ricardo Franco, una vergüenza en las filas guerrilleras[522]

Javier Delgado era el seudónimo de José Fedor Rey Álvarez, un exguerrillero de las FARC-EP que montó en los primeros años de la década

522 Referencias del Frente Ricardo Franco, en: *Guerrilla y población civil. Trayectoria de las FARC 1949-2013*, informe del Centro Nacional de Memoria Histórica de 2014, en particular el acápite 1 del capítulo 2, "El plan estratégico de las FARC y el surgimiento de una disidencia"; *Aquel 19 será* de Darío Villamizar; *Actores en conflicto por la paz* de Socorro Ramírez y Luis Alberto Restrepo; *Las verdaderas intenciones de las FARC* del Observatorio para la Paz; *El orden de la guerra* de Juan Guillermo Ferro Medina y Graciela Uribe Ramón; *Tacueyó, el B2 al desnudo*, texto del propio Frente Ricardo Franco. Especial mención merece el trabajo de Angélica Cruz "Avatares de la insurgencia: el Frente Ricardo Franco 1982-1986", documento presentado en el Programa de Historia de la Facultad de Ciencias Humanas de la Universidad Nacional de Colombia. Otras fuentes y referencias en: *Cese el fuego, una historia política de las FARC* de Jacobo Arenas; *Las guerras de la paz* de Olga Behar; *Semana, El País, Occidente, El Caleño, El Tiempo, El Espectador*, y documentos de las FARC-EP. Algunos documentos de los distintos grupos guerrilleros consultados pertenecen al Centro de Documentación para la Paz http://www.pensamientoculturaypaz.org y otros se encuentran en la página web del Centro de Documentación de los Movimientos Armados, CEDEMA: http://www.cedema.org

de los ochenta un grupo armado al que denominó *Frente Ricardo Franco FARC-EP, FRF,* que comenzó a operar en Bogotá, Medellín y Cali. Fedor Rey había sido miembro de la JUCO en esta última ciudad, donde fue dirigente del movimiento estudiantil de comienzos de los años setenta que tuvo su epicentro en la Universidad del Valle y en el colegio Santa Librada, en el que realizó parte de sus estudios secundarios. Del medio estudiantil saltó a las filas de las FARC, en donde contó, inicialmente, con el apoyo del Estado Mayor Central para actividades financieras y logísticas urbanas —secuestros, en particular—, en las que dio buenos resultados. Como quedó señalado en páginas anteriores, Ricardo Franco era el seudónimo del jefe de IV Frente que operaba en la región del Magdalena Medio y murió en 1979; utilizar el nombre de Ricardo Franco por parte de la disidencia de Delgado fue otra afrenta a las FARC-EP, ya que era uno de sus dirigentes más queridos.

Antes de la realización de la VII Conferencia Nacional de Guerrilleros, de mayo de 1982, Delgado cayó en desgracia con la dirigencia por sus constantes enfrentamientos y amenazas a dirigentes del PCC, por los negocios y actividades que hacía sin consultar, por apoderarse de dineros de la organización y por los tratos que tenía con otro personaje que dentro de la guerrilla fue señalado como quien inició el impuesto del "gramaje"[523] a los campesinos, sin la autorización del Estado Mayor y sin "tributarle" al mismo: Argemiro Martínez, jefe del III Frente. "Los cultivadores tenían que pagarle a él 70 u 80 pesos por gramo de coca. Claro, entonces hubo que llamarlo y decirle: ¿por qué está haciendo eso por fuera de los estatutos, de las normas que rigen la vida interna de la guerrilla? Y al hacer la investigación se descubrió que era un agente de la Inteligencia del Ejército que estuvo aquí entre nosotros como nueve años"[524]. Sobre el mismo tema, Raúl Reyes presentó un informe preliminar

523 Con este nombre se le conoce al impuesto que las FARC-EP establecieron a los procesadores de la hoja de coca: "Nos vimos obligados a establecer un régimen de tributación y regulación a las transacciones realizadas por los campesinos, siempre pensando en sus derechos, protegiéndolos frente a los abusos de los intermediarios y narcotraficantes", señaló Iván Márquez, jefe de la delegación de las FARC-EP en La Habana. *Bluradio*, 29 de noviembre de 2013, en http://www.bluradio.com/49684/farc-reconocen-cobro-de-impuesto-de-gramaje-campesinos-para-su-proteccion

524 "Jacobo Arenas habla sobre Lehder", entrevista de P. Gelly-Gallego en *Semana*, 4 de junio de 1987, en http://www.semana.com/nacion/articulo/jacobo-arenas-habla-sobre-lehder/8742-3

a la conferencia "sobre la relación entre los guerrilleros, los recolectores de hoja de coca y los narcotraficantes". En las conclusiones del informe, señaló: "El compañero Argemiro Martínez, desde el desdoblamiento del tercer frente viene procediendo a su manera. Sin consultar impuso a los cultivadores de coca un impuesto que él llama gramaje. Es decir, los cultivadores deben pagarle a las FARC $80 por gramo de cocaína semi-procesada. Además, ha redactado el 'Reglamento del comportamiento de productor' que el Secretariado no conoce"[525]. Eran los días en que se decidía sobre la participación en las utilidades que dejaban uno o varios eslabones de la cadena de producción de cocaína y, para ese momento, el propósito era trabajar con los campesinos cultivadores de la hoja de coca; en otro escenario, pero en la misma época, Bateman, el jefe del M-19, había dicho: "Esos son campesinos llevados del putas"[526].

Tanto Martínez como Delgado fueron citados a la conferencia guerrillera. Ninguno de los dos asistió, lo que significaba declararse en rebeldía y deslindar los campos con la organización; como era costumbre, se informó a todos los frentes y se ordenó cortar cualquier vínculo con Delgado y los miembros de la comisión urbana que dirigía. Martínez se acogió a la amnistía de Belisario; al parecer se llevó recursos de la organización; fue señalado de traidor y asesinado poco después por unos narcos a los que les debía plata. Esta fue la versión oficial de las FARC-EP, corroborada por la entrevista que Ferro y Uribe le hicieron al comandante Fernando Caicedo: "El caso del Ricardo Franco tiene mucho que ver con la formación ideológica y sus debilidades [...] Había descuidos, había comportamientos que se venían generando en algunos compañeros que no fueron ventilados a su tiempo, sobre los cuales no había suficiente control, se veía que se asumía de manera personal el dinero de la organización. Una de las características fundamentales que luego brota y florece en esta fracción es la utilización del dinero para atraer a la gente con propaganda muy bonita, comprando armamento

525 *Raúl Reyes: el canciller de la montaña*, José Gregorio Pérez, Grupo Editorial Norma, en https://books.google.com.co/books?id=h3Tk9sI2lHoC&pg=PA97&lpg=PA97&dq=farc+argemiro+mart%C3%ADnez&source=bl&ots=7iwOt4jyDt&sig=GdwgdHpLIPZD3EXotm3oUmPL0rM&hl=es-419&sa=X&ved=0ahUKEwiE7-XdzOLPAhUC1h4KHcwjCxAQ6AEIIzAB#v=onepage&q=farc%20argemiro%20mart%C3%ADnez&f=false

526 Jaime Bateman Cayón, *op. cit.*

nuevo y una cantidad de cosas que tienen que ver con llamar la atención de una manera que no corresponde a la organización, ni a un miembro de una organización revolucionaria"[527].

Posteriormente, el Pleno Ampliado del Estado Mayor de las FARC-EP, que se realizó entre el 6 y el 20 de octubre de 1983, al que asistieron 48 jefes y dirigentes, determinó la expulsión y condena de estos dos elementos: "Con base en el informe del trabajo fraccional del enemigo, el Pleno condenó la actividad antiorganización política y anti FARC del agente y delincuente común Javier Delgado, heredero del policía Argemiro Martínez. Hizo una altiva defensa de los principios revolucionarios y sancionó a varios compañeros que, consciente o inconscientemente, llevaron agua al molino del fraccionalismo, dirigido primero por Argemiro y luego por Delgado"[528]. En el informe *Guerrilla y población civil* del Centro Nacional de Memoria Histórica se cuenta que, de los 32 integrantes de la Comisión Urbana que dirigía Delgado, 27 desistieron de continuar bajo su mando y fueron absueltos, junto con otros 100 militantes, de cualquier responsabilidad por "rectificar sus posiciones, autocriticarse y luego vincularse a la red urbana de las FARC-EP"[529].

Por su parte, en el libro *Las guerra de la paz* de Olga Behar, Raúl Reyes, miembro del Estado Mayor de las FARC-EP, habló de las disidencias que había tenido ese grupo y reconoció dos: El llamado por ellos "Grupo Delgado" y *FALCO, Fuerzas Armadas para la Liberación de Colombia*, dirigido por los hermanos Solórzano, un grupo poco conocido y de muy corta duración, que tuvo sus orígenes en el Frente 12 que operaba en Santander. A diferencia del FRF, FALCO no fue declarado por las FARC-EP como enemigo, aunque sí deslindaron campos. Con "los Franco", como también se les conocía, las cosas fueron a otro precio: "En la organización trabajaba también Javier Delgado y se le encomendaron ciertas tareas. Pero pronto optó por hacer las cosas por su cuenta y cuando se le llamó al orden no quiso venir hasta donde estaba el Secretariado. Se quedó trabajando por su cuenta y riesgo,

527 Juan Guillermo Ferro y Graciela Uribe, *El orden de la guerra. Las FARC-EP: entre la organización y la política*, Bogotá, Centro Editorial Javeriano, CEJA, 2002, p. 59.

528 Jacobo Arenas, *Cese el fuego, una historia política de las FARC*, Bogotá, Editorial Oveja Negra, 1985, p. 106.

529 Centro Nacional de Memoria Histórica, *op. cit.*, p. 119.

pero tomando el nombre de las FARC para labores que hace la Policía, como secuestros y otros delitos. Han llegado a extremos en su decisión de traicionar la causa revolucionaria y lo grave es que han abusado del nombre Ricardo Franco quien, si viviera, habría comandado la tarea de destruirlos. Suplantándonos, engañan a la gente y en un principio lo lograron, e inclusive reclutaron combatientes nuestros haciéndoles creer que era un Frente de las FARC. Afortunadamente le duró poco porque estamos en campaña para aclararlo, y nuestro énfasis está en explicar que el movimiento Ricardo Franco es contrario a nuestra concepción, a nuestra política, a nuestra estrategia"[530].

La versión del FRF o de Javier Delgado sobre su separación difería de lo expresado por las FARC-EP; sus integrantes siempre justificaron sus acciones y decisión como respuesta a las posiciones y al burocratismo de Jacobo Arenas, en quien concentraron sus ataques: "El desprendimiento del Franco de las FARC no fue un capricho ni una posición divisionista o militarista, fue la decisión de desarrollar las conclusiones de la VII Conferencia Nacional Guerrillera de las FARC de 1982, mientras la dirección del PCC optó por darle un vuelco a esas conclusiones y terminar en la Unión Patriótica [...] Las conclusiones de la VII Conferencia Nacional Guerrillera eran las determinaciones de los delegados de numerosos cuadros guerrilleros al apreciar la situación del país, y echarlas por la borda no solo era desconocer ese evento democrático sino debilitarlas tanto política como militarmente"[531].

Sus actividades públicas se iniciaron en septiembre de 1983, con aproximadamente 50 efectivos que habían sido reclutados por Delgado entre miembros de la JUCO y de las FARC-EP, en su mayoría provenientes de la Comisión Urbana que él mismo había dirigido. Su segundo al mando era Omar, exintegrante igualmente de las FARC-EP. El conocimiento que tenía de las fuentes logísticas de las FARC-EP y los bolsillos llenos, le permitieron a Delgado dar un salto adelante en cuanto a pertrechos: "El Grupo Ricardo Franco se convirtió en la guerrilla mejor dotada en armamento de aquel entonces: fusiles austríacos Auge, con mira telescópica incorporada, radio de comunicación para cada escuadra, impecables

530 Entrevista a Raúl Reyes, en Olga Behar, *op. cit.*, pp. 332-334.

531 Frente Ricardo Franco, *Tacueyó: el B-2 al desnudo*, Colombia, mayo de 1986, pp. 7-9.

uniformes y morrales de fabricación norteamericana, dotación de cuchillo de monte, excelentes cananas y granadas para cada guerrillero, hasta el punto que una vez Álvaro Fayad, entonces comandante general del M-19, entre sarcástico y envidioso, comentó que 'los francos parecen árboles de Navidad con tanta bonitura y tanto colgandejo'"[532].

El FRF adquirió muy pronto condiciones militares para hacer operaciones ofensivas urbanas de mediana envergadura; el proceso de reclutamiento de nuevos combatientes lo realizaban sin tener en cuenta medidas de seguridad elementales, siempre con la premura de mostrarse como un "pequeño ejército", con superioridad logística y numérica frente a otras guerrillas, para así justificar las críticas que hacían a las FARC-EP y a varios de sus dirigentes, "particularmente a Jacobo Arenas, por la burocratización existente en ese nivel de dirección, que distaba mucho de ser colectivo, y por los signos de decrecimiento y estancamiento de la organización en lo político y en lo militar"[533]. Fue así como el Ricardo Franco comenzó sus acercamientos al M-19 y a los nacientes Comando Quintín Lame y PRT, con instrucción militar conjunta y acciones y logística compartidas: la unidad en los hechos.

En los primeros días de diciembre de 1982 quedó en libertad la mayoría de los presos políticos de las distintas organizaciones guerrilleras que habían sido condenados, o estaban en proceso de serlo, por los delitos de rebelión, sedición y asonada; el 90% fue excarcelado, según informó a la prensa el general Vega Uribe: "FARC, 31; M-19, 256; ELN, 35; EPL, 6; PLA, 30; ORP, 0; ADO, 6 para un total de 375 favorecidos"[534]. Días antes, para celebrar la vigencia de la Ley de Amnistía, el presidente Betancur organizó en el Palacio de Nariño el "Banquete de la Paz", en el que pronunció un discurso enérgico y, trazando una línea en el piso, señaló que ya había dado todo lo que podía ofrecerse. En esta ocasión, la imagen de un presidente dispuesto

532 Véase Otty Patiño, "Delgado: un precursor nefasto y trágico de la modernización de las FARC", en Corporación Observatorio para la paz, *Las verdaderas intenciones de las FARC*, Bogotá, Intermedio Editores, 1999, p. 160.

533 Centro Nacional de Memoria Histórica, *op. cit.*, pp. 118-119.

534 *El Tiempo*, Bogotá, agosto 31 de 1984, p. 10-B, citado en *Actores en conflicto por la paz*, Socorro Ramírez y Luis Alberto Restrepo, Bogotá, CINEP, 1988, p. 95.

al diálogo y concertador, como se presentó hasta ahora, cambió, como cambiaría en subsiguientes momentos.

Ante el auge de los grupos paramilitares y las múltiples voces que señalaban la complicidad de autoridades civiles y militares en desapariciones y asesinatos de activistas sociales, el 20 de febrero del año siguiente se conoció el "Informe de la Procuraduría General de la Nación sobre el MAS: Lista de integrantes y la conexión MAS-militares", en el que se señaló la existencia de cargos suficientes para procesar a 163 personas, identificadas con sus nombres y apellidos, 59 de ellas miembros en servicio activo de las Fuerzas Armadas. La lista de acusados incluía a oficiales y suboficiales del Ejército y la Policía Nacional, militares en uso de retiro, civiles vinculados a las Fuerzas Armadas y otros civiles. En las conclusiones de la investigación, enviadas al presidente dos semana atrás, el procurador había señalado que el MAS era una suma de agentes violentos del país y que la paz debía ser profunda y en todos los órdenes; así mismo, indicó complicidades en el estamento militar: "Tengo que decir que nuestra investigación encontró en los distintos lugares que personas vinculadas directa o indirectamente a las Fuerzas Armadas se han dejado arrastrar por esa corriente de la disolución nacional y han incurrido, fuera de combate, maleadas por los términos de esta larga guerra, no menos cruel por no declarada, en que nuestra sociedad ha tenido que vivir por largo tiempo, en hechos de tipo de delincuencia que he venido analizando. Con ello han desbordado indudablemente los límites a la misión encomendada a sus instituciones poniendo en tela de juicio la noción misma de la disciplina militar"[535].

El informe y las conclusiones del procurador Carlos Jiménez Gómez cayeron como "baldado de agua fría" en el estamento militar, especialmente en el Alto Mando, quienes, lanza en ristre, se fueron contra el Ministerio Público diciendo que era una violación del sumario, un desafuero y una gran irresponsabilidad; junto a ellos estaban el Directorio Conservador, los gremios de ganaderos, agricultores e industriales y… el presidente Belisario: "Puedo afirmar, como lo hice hace varios meses, que nuestras Fuerzas Armadas no utilizan fuerzas

535 "Conclusiones de la investigación de la Procuraduría sobre el MAS" e "Informe de la Procuraduría General de la Nación sobre el MAS", en archivo del autor.

paramilitares, ni las necesitan. Su disciplina castrense está lejos de apelar a medios que no se ajusten a la Constitución, de la cual son los mejores guardianes"[536]. Ya el ministro Landazábal había publicado un extenso editorial en la revista *Ejército* de las Fuerzas Armadas, que para muchos fue una clara injerencia en política y una abierta incitación a la guerra civil: "Colombia tendrá que tomar consciencia del momento que está viviendo, de la importancia de este, para la gestación de su propio futuro. Las gentes no podrán dejarse llevar por la ambición sectaria, mediante la explotación de acusaciones propagandísticas, que puedan llegar a constituirse en factores discordantes y divisorios de las instituciones y su pueblo; en tales condiciones vislumbramos que podrían estarse originando los argumentos para un nuevo conflicto interno de la nación, pues indudablemente aquella parte honesta de la sociedad, que se considera dignamente representada y defendida por las Fuerzas Armadas, tendría que ponerse en pie al lado de las instituciones, y estas, ante las perspectivas del desdoro de su dignidad, podrían disponer su ánimo para una contienda de proporciones incalculables e imprevisibles que llevaría a nuestro país a una nueva fase de la violencia, en la que todo se perdería para la paz y nada se ganaría para la patria, para la que en tales condiciones se abrirían las puertas del conflicto civil generalizado"[537].

El ambiente en los cuarteles era propicio para un pronunciamiento militar, definitivamente no estaban de acuerdo con los señalamientos, ni con la amnistía, tampoco con el proceso de paz que, según ellos, permitiría la consolidación de las guerrillas; una vez más había rumores de golpe de Estado por doquier y, de nuevo, relució el tono enérgico del Presidente desmintiéndolo y anunciando nuevas medidas para arreciar el combate a la delincuencia y a la subversión: "La ley tendrá los dientes y los puños que le faltaban", sentenció[538].

A la par que estos hechos se presentaban, la Comisión de Paz, presidida por Otto Morales luego de la renuncia de Carlos Lleras,

536 "El país quiere paz y no arrasamiento". Carta de Belisario Betancur a Otto Morales Benítez, presidente de la Comisión de paz, *El Tiempo*, 5 de febrero de 1983, pp. 1A y 7B.

537 "Advertencia de Landazábal", *El Espectador*, 25 de enero de 1983, pp. 1A y 10A.

538 Discurso radiotelevisado del presidente Belisario Betancur Cuartas, *El Tiempo*, 14 de marzo de 1983, p. 1A.

se reunió con las FARC-EP en el municipio de Colombia (Huila) y suscribieron una declaración conjunta —primer documento firmado entre el Gobierno y un grupo guerrillero—, en la que convinieron nuevas reuniones para ayudar a consolidar la paz y estimular propuestas de cambio social y económico; además, en contraposición a las declaraciones del comandante Bateman del M-19, en el sentido de que la amnistía no era la paz, afirmaron: "Las FARC desean declarar expresamente que no minimizan la importancia de la Ley de Amnistía. Por el contrario, se apoyan en ella para transformarla en un instrumento de movilización de opinión y de amplias masas para la lucha por una verdadera, estable y duradera paz en Colombia"[539].

En efecto, como en otras ocasiones, en el movimiento guerrillero se evidenciaron distintas posiciones sobre la aplicación de la amnistía de Belisario, su significado frente a un eventual proceso de paz y las posibilidades mismas de negociaciones: el apoyo de las FARC-EP era evidente, y así lo expresaron en la Declaración Conjunta ya citada. El EPL había iniciado el proceso de formación de una expresión política amplia llamada Unión Democrática Revolucionaria (UDR), que editó el periódico *Unión* y estaba dirigida por Óscar William Calvo, hermano de Ernesto Rojas, jefe de la organización. Así mismo, promovía un espacio político juvenil denominado *Juventud Revolucionaria* y el apoyo sindical a través del Centro de Estudios e Investigaciones Socioeconómicas y Laborales (CENASEL). "La posición del Partido y del EPL fue en primera instancia la de rehusarse a un entendimiento con el Gobierno, se editorializaba en negativo: 'Belisario: allana el camino al fascismo', 'sigue el camino de Somoza', 'personaje proimperialista', 'historial sangriento', y así por el estilo. Se criticaba a las FARC, al M-19 y a otros movimientos de izquierda por su pronta aceptación del diálogo"[540]. El ELN se había fortalecido orgánicamente y mantenía su posición de no hacer parte de negociaciones con el Gobierno: "Frente a la propuesta de paz de Belisario Betancur nosotros consideramos, no como pensó una gente que era por ignorancia política, sino por una posición política, que ir a las negociaciones en las condiciones

539 "Declaración conjunta de las FARC-EP y la Comisión de Paz". Enero 30 de 1983, en Jacobo Arenas, *Paz, amigos y enemigos*, Bogotá, Editorial La Abeja Negra, 1990, pp. 65-67.

540 Álvaro Villarraga y Nelson Plazas, *op. cit.*, p. 158.

del país era debilitar la proyección de la insurgencia porque veíamos claramente cómo el Gobierno y la derecha maniobraban, a través de esos diálogos, para ablandar la guerrilla"[541].

Ante la promulgación de la amnistía, el M-19 había declarado una tregua unilateral y destacado a algunos de sus cuadros para realizar actividades públicas en el llamado Comando Político Legal, lo que les permitió cierto reconocimiento y el acercamiento a sectores políticos y sociales. Bateman, en una entrevista con el periodista Juan Guillermo Ríos y en la propuesta que le envió a Belisario por su intermedio, dijo que aceptaba la amnistía pero que no se acogía a ella, propuso un alto a las operaciones ofensivas, un cese al fuego durante seis meses y la iniciación de conversaciones de paz mediante un diálogo nacional. La apreciación coincidente, desde los grupos que estaban por el diálogo, era que la amnistía abría unas compuertas para comenzar a hablar, que era el comienzo. ¿De qué? Aún no lo sabían…

Dos meses más tarde citó a sus compañeros de la Dirección Nacional excarcelados a una reunión en Panamá y, tras intensos debates, se decidió declarar rota la tregua, disolver el Comando Político Legal, volver a la clandestinidad y reintegrarse a las estructuras de la organización, manteniendo las banderas del cese al fuego y el diálogo nacional: "La lucha por la paz ha de abocarse con una concepción politicomilitar. No se trata de agitación propagandística e inmovilismo. Se necesitan la movilización y el combate permanente de nuestras fuerzas, desarrollar el proceso de enfrentamiento con los enemigos del pueblo; insistimos en la necesidad de las acciones, desde las pequeñas hasta las más grandes, desde lo reivindicativo hasta lo militar, de los simple a lo complejo"[542].

Ese 19 de abril de 1983, Bateman regresó a su Santa Marta natal y, como tantas otras veces, "invitó" a un grupo de periodistas[543];

541 Nicolás Rodríguez Bautista, *Gabino, op. cit.*, p. 152.

542 M-19, "Conclusiones de la reunión de Dirección Nacional", febrero de 1983, en Centro de Documentación para la Paz.

543 Jaime Bateman fue el líder guerrillero que desde la clandestinidad mantuvo mayor relación con periodistas y medios de comunicación: Germán Castro, Germán Santamaría, Consuelo Araújo-Noguera, Alexandra Pineda, Pacheco, Patricia Lara, María Jimena Duzán, Alfredo Molano, Ligia Riveros, Orlando Gamboa, Juan Guillermo Ríos, Ramón Jimeno, Germán Manga, Mónica Rodríguez, Cecilia Orozco y Óscar

esta vez fueron Mónica Rodríguez, de Caracol; Germán Manga, de *El Tiempo*, y Cecilia Orozco, jefe de redacción del Noticiero de la Noche. Junto a Carlos Toledo y Álvaro Fayad insistió en que la amnistía no era la paz, acusó a los militares de torpedear las tareas de paz del Presidente de la República y criticó la inoperancia de la Comisión de Paz; en sus declaraciones fijó las que consideraba tareas más urgentes del momento: "Prioridad uno, seguir buscando la paz. Seguir buscando el diálogo. Seguir haciendo los esfuerzos posibles para que cese esta guerra. El segundo paso es reorganizar las fuerzas del M-19"[544]. Unos pocos días más tarde se reunió con el periodista Óscar Domínguez, de Colprensa, a quien concedió la que sería su última entrevista. El 27 de abril firmó un acuerdo con las FARC-EP en el que las dos organizaciones se comprometían a negociar *juntas* cualquier acuerdo con el Gobierno sobre cese al fuego y diálogo nacional. El día siguiente, 28 de abril, partió en el vuelo fatídico que le costó la vida, la del piloto conservador y la de sus compañeros Nelly Vivas y Conrado Marín. Pasados los amargos meses de orfandad y búsqueda del comandante Pablo, el M-19 se convenció de su definitiva desaparición: "Con dolor convertido en fuerza y renovada decisión, comunicamos a la nación, a los pueblos latinoamericanos y a los demócratas del mundo, que Jaime Bateman Cayón, comandante del Movimiento 19 de Abril y líder de la revolución colombiana, sufrió un accidente el 28 de abril de 1983"[545].

Convencidos también de la necesidad de mantener en alto las banderas de la paz que enarboló el comandante Pablo, sus herederos, Iván Marino Ospina y Álvaro Fayad, se reunieron en Madrid (España) con Betancur para buscar nuevas posibilidades de alcanzar un acuerdo de paz; esta ocasión tuvo como antecedente el fallido encuentro que Bateman y Belisario iban a tener en Nueva Delhi (India), durante la primera semana de marzo anterior, cuando se instalaría la VII Conferencia de Jefes de Estado o de Gobierno de los NOAL, a la

Domínguez. Véanse todas sus entrevistas en *Jaime Bateman, profeta de la paz*, Darío Villamizar (compilador), Bogotá, Compañía Nacional para la Paz, Compaz, 1995.

544 Germán Manga, "Una entrevista muy bien preparada", *El Colombiano*, 22 de abril de 1983, p. 12A.

545 "El M-19 informa a Colombia", comunicado del 14 de julio de 1983, en Darío Villamizar, *Jaime Bateman, biografía de un revolucionario*, *op. cit.*, pp. 564-567.

que asistiría el presidente. Tanto Fidel Castro como García Márquez estaban invitados, y como un aporte a la paz, concertaron la cita. Al final, Betancur canceló su viaje por enfermedad. En Madrid acordaron reunirse de nuevo en Colombia y buscar la participación de las otras guerrillas empeñadas en el diálogo.

En síntesis, ante la apertura democrática, la amnistía, los diálogos con la Comisión de Paz y los espacios de legalidad que alcanzaban algunos grupos guerrilleros, se configuraron dos posiciones claramente diferenciadas: por un lado, los "aperturistas" y "dialogantes", donde estaban las FARC-EP, el EPL y el M-19; en una posición contraria, el ELN, ADO y las organizaciones que surgieron entre 1984 y 1985: FRF, Partido Revolucionario de los Trabajadores, Movimiento de Izquierda Revolucionaria-Patria Libre y el Movimiento Armado Quintín Lame. Sin embargo, en el lado de los "aperturistas" había matices que buscaban aprovechar el momento y "los resquicios burgueses" para crecer en efectivos y en propuestas ante las masas.

En todo caso, el país estaba incendiado por el accionar de los grupos guerrilleros. Un hecho sin precedentes fue el secuestro de Jaime Betancur Cuartas —uno de los veintiún hermanos que tenía el presidente Belisario— en la noche del martes 22 de noviembre de 1983, cuando salía de dictar su clase habitual en la Universidad Católica de Bogotá, donde ejercía como decano de la Facultad de Derecho. El Colectivo 16 de Marzo del ELN fue el autor del plagio; el grupo estaba comandado por William Mayorga, un dirigente que en el transcurso de la Reunión Nacional "Héroes y Mártires de Anorí", que celebraron dos meses antes, mató accidentalmente a Tomás, un viejo y querido combatiente eleno[546]. Por el momento político que se vivía en el país, y el papel que el Presidente tenía frente a las posibilidades de paz en Centroamérica como parte del Grupo de Contadora[547], el secuestro

546 Meses más tarde, el ELN formaría el "Frente Compañero Tomás", localizado en los municipios antioqueños de Caucasia, Cáceres y Tarazá.

547 El 7 de enero de 1983 se reunieron en la isla Contadora, territorio panameño, los cancilleres de México, Colombia, Venezuela y Panamá para dar inicio al Grupo Contadora, que asumió la búsqueda de la paz y la democratización en Centroamérica. El grupo logró los acuerdos de Esquipulas I y Esquipulas II, que fueron la base de futuras negociaciones hacia una paz firme y duradera en la región. El 29 de julio de 1985

causó gran desconcierto a nivel nacional e internacional. El 16 de Marzo no estaba autorizado por la Dirección Nacional para hacer este tipo de operaciones que tenían un tufillo golpista contrario a los asomos de paz, pese a la posición que al respecto mantenía el grueso del ELN. Ante un comunicado conocido tres días más tarde, en el que calificaban a Betancur Cuartas de "retenido en calidad de preso político" y fijaban diez condiciones para su liberación —que luego redujeron a tres: aumento de salarios a $15.000, reintegro de 20 trabajadores despedidos de la firma Postobón, y que 3 sindicatos independientes tuvieran voz y voto en el Consejo Nacional de Salarios—, el ELN decidió intervenir: "Nos responsabilizamos como organización de la retención que había realizado el 16 de Marzo, asumimos en lo posible la conducción de la negociación para salir lo menos mal librados de la ofensiva propagandística que se lanzó"[548].

De inmediato, el presidente del Consejo de Estado y de Ministros de Cuba, Fidel Castro Ruz, le dirigió un mensaje al Presidente de Colombia en el que expresaba su solidaridad, consideraba absolutamente injustificable el secuestro, le recordó sus buenos oficios para regresar a la Isla a los cubanos prisioneros, heridos o muertos tras la invasión de Estados Unidos a Granada, y pedía respeto a su integridad física y su liberación inmediata. En una nueva misiva expresó sus dudas sobre el carácter revolucionario del hecho, "carente de ética y del más elemental sentido político"[549], y lo consideró una gran provocación a la política de paz de Belisario; en el mismo sentido se pronunciaron el FSLN de Nicaragua y otras organizaciones revolucionarias del continente. Para ese momento, ya la Dirección Nacional del ELN había decidido desautorizar al Colectivo 16 de Marzo: "El grupo de compañeros estaba planteando retener a un dirigente político de reconocimiento nacional al que la población le tuviese credibilidad y afecto, eliminar ese personaje y luego hacer aparecer ese hecho ante el pueblo como una acción realizada por la derecha porque consideraba esa persona peligrosa por sus inclinaciones a favorecer a los sectores más desprotegidos. El propósito

se conformó en Lima (Perú) el Grupo de Apoyo a Contadora por parte de Argentina, Brasil, Perú y Uruguay.

548 Entrevista a Manuel Pérez Martínez, *Poliarco*, *op. cit.*, p. 210.

549 Fidel Castro Ruz, *La paz en Colombia*, La Habana, Editorial Política, 2008, p. 159.

era canalizar el descontento hacia una explosión insurreccional tratando de generar un levantamiento popular para dar el salto, en medio de la confrontación con el enemigo, a la toma de poder"[550].

Finalmente, después de un largo proceso de negociación, el 7 de diciembre liberaron a Betancur; el día anterior, los disidentes elenos convocaron a los periodistas Efraín González, de *El Bogotano*; Hernando Salazar, de Colprensa; Arturo Jaimes y Germán Castro Caycedo, de RTI, a una rueda de prensa, en la que hicieron entrega del magistrado; el mismo día se realizó en todo el país una jornada por la paz que incluyó dos minutos de silencio y el batir de pañuelos blancos. A partir del secuestro de Betancur, la suerte de los integrantes del Colectivo no fue la mejor: "Por sus puntos de vista contrarios al pensamiento del ELN, por su actitud fraccionalista y divisionista, el Colectivo 16 de Marzo es expulsado irrevocablemente de las filas del ELN y su responsable político, William Mayorga, condenado a la máxima pena en un consejo de guerra interno"[551]. Integrantes del Colectivo 16 de Marzo reaparecerían años más tarde como Movimiento Jorge Eliécer Gaitán (JEGA), con el secuestro de otro hermano, de otro presidente…

PRT y MIR-Patria Libre: ¿El mito de las guerrillas menores?[552]

El año de 1983 se cerró con un hecho trascendental, parte de los confusos altibajos de amores y desconfianzas entre los grupos guerrilleros: después de muchos años de no verse las caras, se reencontraron los máximos jefes de las FARC-EP y el M-19, Manuel Marulanda Vélez e

550 Entrevista a Nicolás Rodríguez Bautista, *Gabino*; *op. cit.*, p. 149.

551 Milton Hernández, *Rojo y negro. Una aproximación a la historia del ELN*, segunda edición, s.f., pp. 330-331.

552 Sobre el PRT se puede consultar: *La historia no contada del Partido Revolucionario de los Trabajadores: Un análisis de la transición del PRT de un partido clandestino a un actor de la política legal*, de David Rampf, David Castillo y Marcela Llano; los libros *Aquel 19 será* y *Un adiós a la guerra*, de Darío Villamizar; algunos documentos se encuentran en la página web del Centro de Documentación de los Movimientos Armados, CEDEMA: http://www.cedema.org
Acerca del MIR-Patria Libre y sus orígenes remotos y próximos, se encuentran referencias en el libro *Flor de Abril, la Corriente de Renovación Socialista: de las armas a la lucha política legal*, de Andrés Restrepo y Marly Contreras.

Iván Marino Ospina, quienes estaban acompañados de sus segundos comandantes, Jacobo Arenas y Álvaro Fayad. Habían pasado quince años desde la expulsión de Ospina y once desde cuando Fayad se retiró del grupo. La reunión fue en La Uribe, en territorio fariano, hasta donde llegaron los dirigentes del M-19; para la historia quedaron algunas fotografías donde todos ellos, de impecable camuflado, conversaban afablemente, como antiguos maestros y alumnos, como compañeros y camaradas de nuevo. Las dos fuerzas insistieron al Gobierno en adelantar hechos de paz, justicia y cambios reales, propusieron el cese al fuego para poder avanzar en el diálogo y la concreción de acuerdos, y se ratificaron en realizar conjuntamente cualquier negociación: "Seguiremos insistiendo en el diálogo con el Gobierno, en el cese al fuego entre las fuerzas guerrilleras y el Ejército oficial, en la necesidad de que existan garantes nacionales e internacionales que vigilen el cumplimiento de los acuerdos, en la necesidad de analizar el problema del país, en que la paz democrática solo la alcanzaremos con profundos cambios en la vida colombiana, y que ello solo será posible con un esfuerzo integral fruto de un gran diálogo nacional, donde participen sin excepción las fuerzas políticas, militares, sociales e intelectuales de la nación entera"[553].

Las FARC-EP habían realizado, entre el 6 y el 20 de octubre, el Pleno Ampliado del Estado Mayor Central, que examinó el cumplimiento del Plan Nacional de ocho años trazado en la VII Conferencia, reafirmó los "asomos" de una situación revolucionaria, previno sobre un posible golpe de Estado y recalcó en la necesidad de asimilar los elementos principales del "nuevo modo de operar" adoptados en la conferencia y ratificados en el pleno anterior. En cuanto al crecimiento de las FARC-EP, el pleno determinó que entraba en funcionamiento el Ejecutivo del Estado Mayor, compuesto por once personas, y dio a conocer las reales dimensiones que había adquirido la organización: "En la Séptima Conferencia contabilizamos dieciséis frentes. Este Pleno contabiliza veinticinco con dos que han de surgir pronto. La Sección A y la Sección B se contabilizan como un solo frente, surgidas en la última reorganización del trabajo urbano. No se contemplan el

553 "Contra el militarismo… ¡unidad!", comunicado conjunto de las FARC-EP y el M-19, diciembre de 1983, en Centro de Documentación para la Paz.

grupo de Martín Villa, ni el grupo especial del Secretariado, ni el grupo de servicios de la Escuela de Cadetes"[554].

El año de 1984 se abrió con un hecho atentatorio para la frágil democracia colombiana: los generales Landazábal y Matamoros, ministro de Defensa y comandante de las Fuerzas Militares, respectivamente, en sendas declaraciones del 4 y el 6 de enero ante la televisión, hicieron expresa intervención en política al afirmar, el primero de ellos, que la Comisión de Paz podía dialogar con las guerrillas, pero no hacer pactos con ellas; esgrimió su tesis de que el Ejército estaba en capacidad de destruirlas: "Otra idea falsa que existe en el país es que la guerrilla es invencible. No, la guerrilla ha sido vencida en mil partes del mundo [...] El país se tiene que acostumbrar a oír a sus generales". Matamoros, por su parte, señaló que el restablecimiento de las relaciones con Cuba era un "imposible moral". Días más tarde, Belisario reaccionó señalando que las Fuerzas Armadas ni eran deliberantes, ni participaban en política, clara alusión y desautorización que Landazábal entendió; procedió entonces a renunciar y a solicitar su retiro. Para quedar "en tablas", Matamoros fue nombrado nuevo ministro y, junto con el ministro de Gobierno, suscribió una declaración en la que ofrecía seguridad para que las negociaciones continuaran y garantizaba el cumplimiento de lo que se pactara. El "ruido de sables" estaba conjurado.

Para este momento, las FARC-EP, en busca de la hegemonía y la conducción del proceso, por encima de lo acordado unas semanas atrás con el M-19, habían acelerado sus contactos y negociaciones con la Comisión de Paz, que ahora estaba presidida por John Agudelo Ríos, tras la renuncia en mayo anterior de Otto Morales Benítez, quien conceptuó que el Gobierno debía rechazar el escepticismo y el pesimismo y "combatir contra los enemigos de la paz y la rehabilitación, que están agazapados por fuera y por dentro del Gobierno"[555]. El M-19 se quedó ajeno al juego y reactivó las campañas militares que hacía un año adelantaba a lo largo y ancho de los departamentos de Huila y Caquetá. Esta vez, en desarrollo de la campaña "Jaime Bateman Cayón, por Tregua y Diálogo Nacional", incluyeron la toma de Florencia, capital

554 FARC-EP, Pleno Ampliado, octubre 6-20 de 1983, en http://www.farc-ep.co/pleno/pleno-ampliado-farc-ep-octubre-6-20-de-1983.html

555 "Otto Morales se retira de la Comisión de Paz", *El Tiempo*, 31 de mayo de 1983, pp. 1A-11A.

de este último departamento, adonde llegaron el 14 de marzo, atacaron las instalaciones del Batallón Juanambú, el cuartel de la Policía y otras instituciones gubernamentales[556]. Paradójicamente, el ataque a Florencia reactivó en cuestión de horas las conversaciones con el Gobierno Nacional: "El que no pelea en Colombia, no consigue nada", había sentenciado Álvaro Fayad.

Pasado un mes se tomaron Corinto (Cauca) para estrenar la Fuerza Militar Occidental, dirigida por Carlos Pizarro y compuesta, en su mayoría, por combatientes que en los últimos meses regresaron de Cuba, donde habían recibido entrenamiento por parte de especialistas cubanos en técnicas vietnamitas, que incluían el ataque de adentro hacia afuera o la aproximación al objetivo sin ser percibidos y el uso de poderosas cargas explosivas ya dentro de los cuarteles "enemigos". En Corinto se rompió con la tesis guevarista de la guerrilla que ataca y huye; en esta ocasión el M-19 se mantuvo en el terreno, estableció contenciones y emboscadas y presentó combate durante varias horas: una nueva forma de operar. El 9 de mayo le correspondió el turno al municipio nortecaucano de Miranda, a donde llegó una columna del Frente Occidental en compañía de guerrilleros del Frente Ricardo Franco, destruyeron el cuartel de Policía y conversaron con la población sobre la necesidad de establecer el diálogo nacional. A partir de esta acción conjunta con el FRF, el M-19 inició una etapa de acercamientos y distancias con dicho grupo, lo que le ocasionó más de una crítica de otras organizaciones guerrilleras, en particular de las FARC-EP.

El 28 de marzo, por primera vez en el transcurso de la larga lucha armada contemporánea, se firmó un acuerdo entre el Gobierno y la guerrilla, en este caso con las FARC-EP. En la introducción al Acuerdo de La Uribe[557], como se le conoció desde entonces, se lee: "Con el fin de afianzar la paz nacional, que es el requisito indispensable para la prosperidad general del pueblo colombiano, y para lograr el desarrollo de la actividad social y económica sobre bases de libertad y de justicia, la Comisión de Paz y las Fuerzas Armadas Revolucionarias de

556 Esa misma noche, el Gobierno Nacional decretó el estado de sitio en Caquetá, Cauca, Huila y Meta. Semanas más tarde sería ampliado a todo el país, a raíz del asesinato del ministro Rodrigo Lara.

557 Municipio de Mesetas, en el departamento del Meta.

Colombia, FARC-EP, acuerdan los siguientes puntos"; a continuación se habla del cese al fuego y demás operativos militares a partir del 28 de mayo, la condena y desautorización del secuestro, la extorsión y el terrorismo por parte de las FARC-EP; la formación de una Comisión Nacional de Verificación, "amplia y representativa de las fuerzas implicadas en los enfrentamientos" y, aspecto importante, un período de prueba de un año para que los integrantes de las FARC-EP se pudieran organizar "política, económica y socialmente, según su libre decisión"[558]. La intención del Gobierno era que, "por arrastre", otras organizaciones guerrilleras se adhirieran a este pacto y acataran la tregua. Por la Comisión de Paz firmaron John Agudelo Ríos, Rafael Rivas Posada, Samuel Hoyos Arango, Alberto Rojas Puyo, Margarita Vidal de Puyo y César Gómez Estrada; por el Estado Mayor de las FARC-EP, Manuel Marulanda Vélez, Jacobo Arenas, Jaime Guaraca, Raúl Reyes y Alfonso Cano. Tres días más tarde, el presidente Betancur aprobó los contenidos de lo firmado.

Sobre el acuerdo del 28 de marzo entre Gobierno y FARC-EP, el embajador Lewis Tambs hizo el siguiente comentario en el documento 1994BOGOTA03788 enviado a la Secretaría de Estado de Estados Unidos:

> Betancur tiene su acuerdo de cese del fuego, pero su valor no es claro todavía. El aspecto más curioso del acuerdo de paz es que la mayoría de obligaciones para que funcione recaen sobre el Gobierno, las FARC solo deben condenar el secuestro, la extorsión y el terrorismo y abstenerse de cometer esos crímenes. El Gobierno de Colombia se ha comprometido a cumplir con sus promesas, la mayoría en perfecto orden, las cuales ya son objetivo de la administración:
>
> Reforma Agraria, mejor educación y un sistema político más abierto. El apoyo del Congreso y un presupuesto adecuado son necesarios para lograr esas metas, pero ninguno es incuestionable. Lo más importante, las estipulaciones son tan vagas y desprovistas de criterios que pueden significar todo —o nada— para el espectador. ¿Qué tan amplio debería ser el apoyo del Gobierno colombiano a las cooperativas de campesinos y trabajadores?

558 Texto completo del Acuerdo de La Uribe en Jacobo Arenas, *Paz, amigos y enemigos*, Bogotá, Editorial La Abeja Negra, 1990, pp. 114-118.

¿Qué es un programa de educación adecuado? Luego de un año de amnistía, ¿las FARC van a lograr una reorganización social, económica y política aceptable? En este punto, ¿darán las FARC señal de su determinación de paz y entregarán las armas?

Fuente: *Betancur Approves a Cease-fire Agreement with the FARC*, 1994BOGOTA03788, 2 April 1984. The National Security Archive (NSA), Colombia and the United States: Political Violence, Narcotics and Human Rights, 1948-2010, documentos desclasificados de diferentes agencias de seguridad del Gobierno de Estados Unidos.

Al día siguiente de la firma del acuerdo, el EPL se pronunció a través de Óscar William Calvo, su vocero público, quien anunció la disposición de su grupo para dialogar y llegar a una tregua multilateral: "Mi 'presentación en sociedad' fue en una rueda de prensa. Yo había conocido a algunos periodistas quienes me pedían con insistencia una entrevista al EPL. Un buen día les dije 'está lista' y cuál no sería la sorpresa de los reporteros, cuando descubrieron que 'el hombre del EPL' era el mismo que varias veces había charlado con ellos. Esa reunión se efectuó en Bogotá, el 29 de marzo, es decir, un día después de suscrito el Acuerdo de La Uribe. Fue de un gran impacto político, porque por primera vez en la historia del EPL y del PCML alguien hablaba en propiedad como su representante caripelado; era la época en la cual todavía se hacían entrevistas con encapuchados. Era tan insólita la cuestión que los periodistas dijeron luego que habían sido 'secuestrados' y vendados para esa entrevista"[559]. Calvo dejó en claro cuál era la posición del EPL: "La palabra la tiene el Gobierno, las distintas organizaciones guerrilleras han planteado sus propuestas, nuestro partido y su brazo armado, el EPL, han entregado al presidente de la Comisión de Paz, John Agudelo Ríos, y para conocimiento del presidente Belisario Betancur, una propuesta de seis puntos para discutir el problema de la tregua"[560]. Con anterioridad, el EPL y el M-19 habían firmado una declaración para desarrollar de manera unitaria las

559 "La paz con el EPL", entrevista a Óscar William Calvo, en Olga Behar, *op. cit.*, pp. 365-370.

560 *Ibid.*

negociaciones que condujeran al cese al fuego y abrieran los caminos del diálogo nacional.

La euforia del acuerdo firmado entre Gobierno y FARC-EP se vio enturbiada el 30 de abril por el asesinato del ministro de Justicia, Rodrigo Lara Bonilla, el primero de una larga cadena de crímenes contra hombres públicos por parte de las mafias del narcotráfico. El estado de sitio, vigente en algunos departamentos, fue decretado en todo el territorio nacional, y restablecida la extradición de colombianos solicitados por delitos en otros países; las medidas de orden público, expedidas al amparo del Artículo 121 de la Constitución, sirvieron por igual para reprimir las actividades propias de los barones de la droga, así como para controlar las acciones guerrilleras y cohibir la movilización popular. Tanto las FARC-EP como el EPL y el M-19 condenaron el asesinato de Lara Bonilla, calificado por ellos como un demócrata convencido y un amigo de la paz.

Dos meses después de la firma del Acuerdo de La Uribe se impartió la orden de cese al fuego: "El Estado Mayor Central y los jefes de los 27 frentes de las Fuerzas Armadas Revolucionarias de Colombia-Ejército de Pueblo (FARC-EP), refrendamos con nuestras firmas la política de cese al fuego, tregua y paz adelantada por el Secretariado, y ordenamos a todo el movimiento cesar el fuego con el adversario el día 28 de mayo de 1984 a las 00:00 horas para dar comienzo a un período de prueba o tregua de un año"[561]. En efecto, los comandantes de los 27 frentes existentes firmaron el acuerdo y cesaron las operaciones militares. Al tiempo, el presidente Betancur, como comandante en jefe de las Fuerzas Armadas, dio la orden respectiva a las autoridades militares y civiles en todo el país. La tregua comenzó a regir el 1° de diciembre siguiente y tendría vigencia hasta un año después. El Secretariado de las FARC-EP se estableció en un punto llamado Casa Verde, en el cañón del río Duda, en las montañas del municipio de La Uribe, en el Meta, una especie de ciudadela guerrillera y oficina pública, donde cada uno de los comandantes tenía sus espacios de vivienda, seguridad y servicios. Hasta allá llegaba a diario una romería

561 "Orden de cese al fuego", *La República*, 28 de mayo de 1984, p. 7A.

de personalidades políticas y económicas, de la Iglesia, del Gobierno Nacional, periodistas y compatriotas interesados en la paz.

Horas antes de entrar en vigor el cese al fuego, el FRF se manifestó a través de un comunicado, entregado a medios de comunicación, en el que anunciaban que no se acogían a la tregua porque no se había tenido en cuenta al pueblo colombiano, y hacían un recuento de las acciones adelantadas en las últimas semanas como rechazo a los acuerdos y diálogos: destrucción simultánea, en Cali, Medellín y Bogotá, de cincuenta autobuses de transporte público; bombas en las oficinas de la Administración de Impuestos de Bucaramanga y Bogotá; ataque a doce guarniciones militares en las mismas ciudades; atentados a las embajadas de Honduras y de Estados Unidos; a las multinacionales ITT, IBM y al Centro Colombo Americano; todo esto sin contar la otra guerra que desataron contra sus excamaradas de las FARC-EP y del PCC.

A las filas de la ya debilitada ADO, también llegó el debate sobre participar o no en la apertura política del presidente Belisario. Al igual que en otras organizaciones en armas, las posiciones se dividieron entre quienes creían que era el momento para concretar una salida política y aprovecharlo tácticamente sin perder de vista el proyecto estratégico de desarrollar la guerra revolucionaria, y los que consideraban que esto era un engaño y una trampa de la "burguesía" para fraccionar y desactivar al movimiento revolucionario: "El primer grupo, que representa al sector negociador público, estaba compuesto por personas como Adelaida Abadía Rey, Carlos Efrén Agudelo, Héctor Abadía Rey, Camilo Franco y Zamora, planteaban que 'no se pretendía renunciar al proyecto estratégico de la toma del poder' (Behar, 1985, pág. 373) sino un cambio en la metodología política para llegar a él, sin las armas. En consecuencia, entendieron desde su perspectiva, que al grupo que ellos llamaron 'disidente' le ganó una visión estrategista de apego a las armas como si fuera un principio"[562].

Los "disidentes", por su parte, fueron críticos con sus excompañeros, anunciaron en mayo la disposición de romper las conversaciones

562 Iván Darío Pulido, Julián Jair Reinoso Muñoz y Ricardo Alfonso Garzón Riveros, *op. cit.*, p. 136.

que traían con la Comisión de Paz y la decisión de expulsar de su pequeño grupo a quienes estaban negociando: "Nosotros no vamos a firmar ninguna tregua. Eso lo dejamos claro en la segunda conversación con la Comisión de Paz. El diálogo nacional en esas condiciones de que hemos hablado y otras que están planteadas en los documentos, es el punto central para la situación. Las respuestas de la Comisión de Paz con respecto a nuestra propuesta fueron evasivas, nada concreto"[563]. Cada uno de los dos sectores calificaba al otro de ser una "fracción minoritaria", de no representar a las "mayorías" del grupo, y lo que siguió fue la división: "Finalmente, tras una serie de roces entre los sectores, el grupo de Agudelo, y los hermanos Abadía firman un pacto de cese al fuego con promesa de un diálogo nacional, se incorporan a la vida civil gradualmente y organizan algunos movimientos pequeños, como el caso del Movimiento Camilo Torres, liderado por Adelaida Abadía Rey. Su apuesta tenía que ver fundamentalmente con que la lucha de clases no se expresara a través de la vía armada y suscribieron un pacto, al igual que el M-19 y el EPL, el 23 de agosto de 1984"[564]. Los otros, los "disidentes", continuaron varios años más como ADO, en un trabajo mínimo en sectores estudiantiles y barriales de Bogotá.

El Partido Revolucionario de los Trabajadores (*PRT*) se conoció como una incipiente fuerza guerrillera en una conferencia de prensa realizada en Santa Marta, en julio de 1984, con el corresponsal del diario *El Heraldo* y el subdirector de noticias de Radio Galeón; los miembros de este nuevo grupo se expresaron en contra de la tregua y del proceso de paz con el gobierno del presidente Betancur. Los orígenes remotos del PRT están en las múltiples divisiones, expulsiones y fracciones por las que pasó el PCC (M-L) desde su fundación, en 1965: "La aldea de los tres traidores" (Fred Kaím, Aumerle de la Vega y Carlos Arias), la salida de Alfonso Romero Buj, el comando PLA, la expulsión de Alfonso Cuéllar, la división de 1974 en los grupos denominados Línea Proletaria, Tendencia Marxista-Leninista-Maoísta y Comité Central, los dos primeros expulsados por este último, que conservó para sí la razón social y la historia.

563 Entrevista con dirigentes de ADO, en Arturo Alape, *op. cit.*, pp. 551-553.

564 Iván Darío Pulido, Julián Jair Reinoso Muñoz y Ricardo Alfonso Garzón Riveros, *op. cit.*, p. 136.

El PRT publicó durante varios años, como su órgano teórico, el periódico *Viraje*; también, *El Combatiente,* "Por la vanguardia obrera en la lucha popular". Un informe del diario *El Tiempo*, fechado varios años después, indicaba que esta fue "la guerrilla más insólita del mundo", ya que jamás hizo un solo tiro ofensivo, nunca atacó un puesto de Policía, no asaltó un pueblo, ni utilizó un cartucho de dinamita. El nombre lo retomaron de una organización argentina con la que mantenían relaciones desde que eran la TMLM: el Partido Revolucionario de los Trabajadores, un poderoso grupo de guerrilla urbana que operaba en el gran Buenos Aires y que tenía como brazo armado al Ejército Revolucionario del Pueblo (ERP), para estos años ya desarticulado por la represión.

La TMLM, origen inmediato del PRT, se había formado a partir de críticas que se hicieron al "campesinismo" del PCC (M-L) que, desde un concepto dogmático del maoísmo, subestimaba el papel de "lo urbano" en las luchas revolucionarias; los críticos insistían igualmente en la necesaria conexión con los movimientos de protesta urbana que en la década de los años setenta marcaron el compás en las luchas políticas y sociales, sin negar el rol de la lucha armada. La TMLM experimentó, a su vez, procesos de rupturas y subdivisiones. La más notoria, aunque minoritaria, estaba dirigida por Pablo Tejada[565] y haría parte, en 1982, de un nuevo proyecto, junto con otras tres organizaciones: la Línea Proletaria, el Movimiento de Unificación Revolucionaria Marxista Leninista (MUR-ML), la Liga Marxista Leninista de Colombia. Juntas conformaron el Nuevo MUR-ML, que editó el periódico *El Común* y formó el Movimiento Político Pan y Libertad. Por su parte, "El Movimiento de Integración Revolucionaria Marxista-Leninista MIR-ML, organización que sale a la luz pública en 1970, entre representantes del sector académico y estudiantil bogotano e intelectuales marxistas con algunos vínculos con el movimiento obrero"[566], tuvo sus propios desarrollos y en 1983 se unificó con el Nuevo MUR-ML para tomar el

565 Uno de los actuales dirigentes del ELN.

566 Véase *Flor de Abril, la Corriente de Renovación Socialista: de las armas a la lucha política legal* de Andrés Restrepo y Marly Contreras, de la Corporación Nuevo Arco Iris, pp. 23-37, en particular el diagrama "Procesos de Unificación", que explica este complejo andamiaje de nombres y siglas.

nombre de *Movimiento de Integración Revolucionaria-Patria Libre, MIR-Patria Libre*, una organización guerrillera que en la noche del sábado 4 de junio asaltó el puesto de Policía del corregimiento de El Salado, en jurisdicción del municipio de Carmen de Bolívar y, al igual que los grupos en armas aparecidos recientemente, rechazó el proceso de paz que adelantaba el Gobierno; esta organización contaba con pequeños núcleos guerrilleros en las sabanas de los departamentos de Sucre y Córdoba, entre ellos el Frente Astrolfo González, en el Alto Sinú, y como frente de acción política, el movimiento Pan y Libertad.

El MIR-Patria Libre, al igual que el PRT y el ELN, rechazaron de plano cualquier posibilidad de negociar con el gobierno de Belisario Betancur y coincidieron en las tesis de considerar la lucha armada como única salida para alcanzar el triunfo revolucionario en las condiciones de ese momento y en trabajar por la construcción del poder popular a través de sus expresiones políticas legales como el Frente Estudiantil Revolucionario, FER Sin Permiso, los Colectivos de Trabajo Sindical, la Corriente de Integración Sindical y el Movimiento Pan y Libertad. Estas identidades les permitieron concretar el proceso unitario que se conoció como *La Trilateral*, coordinación acordada en septiembre de 1984, antecedente inmediato de la Coordinadora Nacional Guerrillera (CNG), "inicialmente como acuerdo para enfrentar la coyuntura por la que atravesaba el país en ese momento, y posteriormente, como proyecto unitario de mayor alcance"[567]. Para las tres organizaciones que integraron la Trilateral, este esfuerzo les permitió romper el largo aislamiento entre las guerrillas y buscar puntos en común después de varias décadas de pregonar la unidad revolucionaria; sin embargo, con el paso del tiempo afloraron las diferencias y críticas entre ellos: para el PRT había intenciones hegemónicas por parte del ELN y no había condiciones para plantear la unidad como meta inmediata; el MIR-Patria Libre consideraba que estaban dadas las condiciones para avanzar hacia la unidad orgánica, como efectivamente sucedió dos años más tarde al fundirse con el ELN en la Unión Camilista-Ejército de Liberación Nacional (UCELN).

Según el estudio de David Rampf, el PRT, en términos militares, "no fue hasta 1983 que logró construir su propias, aunque, todavía

567 Milton Hernández, *La unidad revolucionaria, utopía y realidad*, Bogotá, Ediciones Colombia Viva, 1993, p. 43.

muy limitadas estructuras militares, primero en la región del Cauca y Nariño y posteriormente en los Montes de María [...] el PRT mantuvo una estructura militar urbana responsable de tareas logísticas, llamado el Equipo Nacional de Operaciones (ENO) [...] Por consiguiente, el desarrollo y la influencia del brazo armado del PRT tiene que ser considerado como mínimo. Mientras que un exmiembro del Secretariado, al hacer un balance de la importancia real del brazo armado del Partido, pone de relieve las experiencias militares como 'una cosa muy poco significativa, con una marginalidad completa en el conjunto de lo que podríamos decir el movimiento armado colombiano'"[568].

En el ámbito internacional, el PRT concentró sus esfuerzos en relaciones e intercambios con los salvadoreños del Ejército Revolucionario del Pueblo (ERP), que dirigía Joaquín Villalobos, y con el Partido de la Revolución Venezolana (PRV), liderado por Douglas Bravo; con estos últimos se afianzaron los contactos a partir de apoyos logísticos que les prestaban desde Colombia para mantener una ruta fronteriza que permitía entrar y salir hacia y desde Venezuela y mover explosivos y armamentos. A partir de estas relaciones, el PRT amplió sus horizontes, rompió con el dogmatismo maoísta heredado de sus militancias anteriores y pudo construir un pensamiento propio, más unitario y latinoamericanista: "Abrimos relaciones en Europa con el movimiento de solidaridad con Colombia, especialmente en Suecia con los exiliados uruguayos que nos ayudaron a montar una red de relaciones con distintos grupos de solidaridad en Europa"[569].

Promediando el año de 1984, el EPL y el M-19, junto con el Gobierno Nacional, habían alcanzado acuerdos sobre cese al fuego, tregua y diálogo nacional. Solamente faltaban algunos detalles por afinar... El 18 de julio inició sus labores la Comisión de Negociación y Diálogo, encabezada por Bernardo Ramírez, asesor presidencial, conformada por 41 personas representativas de sectores sociales y políticos, que

568 David Rampf, David Castillo y Marcela Llano, *La historia no contada del Partido Revolucionario de los Trabajadores. Un análisis de la transición del PRT de un partido clandestino a un actor de la política legal*, Bogotá, CINEP, Programa por la Paz, Berghof Foundation, 2014, p. 8.

569 Entrevista a Enrique Flores, dirigente del PRT, Bogotá, 2014.

incluían a delegados de esas dos organizaciones; la instalación de esta "macro" Comisión la hizo el propio presidente Belisario diez días más tarde, y allí tuvo la ocasión de dialogar con algunos de sus integrantes, en particular con dirigentes del M-19 y el EPL que se encontraban presentes. Hasta ese momento eran más los tropiezos en el camino para alcanzar la paz que las realizaciones y los momentos gratificantes. A las 07:39 horas del 10 de agosto de 1984, en una calle céntrica de Bucaramanga, fue asesinado el médico Carlos Toledo Plata, fundador del M-19 e integrante de su Comando Superior, un dirigente que sin restricciones le había apostado a la paz; en el momento del crimen había dejado atrás la clandestinidad y trabajaba como jefe de traumatología en el Hospital San Juan de Dios de Bucaramanga, su ciudad natal.

No habían pasado 36 horas desde el luctuoso hecho, cuando una columna guerrillera mixta del M-19 y el FRF, comandada por Carlos Pizarro y Javier Delgado, se tomó durante varias horas el municipio de Yumbo, a quince kilómetros de Cali, en cumplimiento de la operación De Yumbo a Todos los Colombianos: Comandante Carlos Toledo. "Yumbo se hace en asocio del movimiento Ricardo Franco, porque teníamos un mismo objetivo: la confrontación con un mismo enemigo y porque estábamos buscando la unidad guerrillera. Nos diferenciaban muchas cosas, el estilo, el lenguaje, la concepción sobre el tipo de sociedad que queremos, pero nos unía, además, nuestro origen: el descontento popular que nos llevaba a la lucha"[570]. Los guerrilleros, en un número cercano a 150, atacaron las oficinas de la Alcaldía y el puesto de Policía, ocuparon la iglesia principal y reunieron a los habitantes en el parque principal. "El asesinato de nuestro oficial superior Carlos Toledo Plata no es otra cosa que el grito de desesperación de los militares y apátridas; y a ellos aquí, desde Yumbo, hoy les decimos: ¡NO pasarán! porque los amantes de paz y de diálogo en Colombia no están impotentes, porque la democracia está en armas y en pie de lucha"[571]. Con la muerte de Toledo y la toma de Yumbo se aplazaban otra vez los preparativos para la firma del acuerdo.

570 "Así fue Yumbo", testimonio de Carlos Pizarro en Olga Behar, *op. cit.*, pp. 245-250.

571 Documentos M-19, *Boletín*, agosto de 1984, consulta en el Centro de Documentación para la Paz.

El 24 de agosto fue la nueva fecha acordada. El EPL firmaría en la ciudad de Medellín y el M-19 lo haría en Corinto (Cauca) y en Hobo (Huila); a su vez, un sector de ADO ratificaría su propio acuerdo en la sede de la Federación de Trabajadores de la Industria Metalúrgica en Bogotá y en la cárcel La Picota, donde estaba recluido su dirigente Héctor Fabio Abadía Rey. La orden de Álvaro Fayad, "a todos los mandos, oficiales, columnas, regionales y fuerzas especiales del M-19", fue dirigirse "sin excusas ni rodeos" hacia los sitios pactados: "Se suspende absolutamente todo tipo de acciones. En esto está en juego el país, la credibilidad, los objetivos y la unidad del M-19"[572]. Carlos Pizarro, entre renuente y convencido, cumplió la orden, salió de Cali hacia Corinto con un grupo, en el camino fue emboscado por efectivos policiales; pese a estar heridos él y su compañera, la palabra empeñada se cumplió: en medio de las notas del recientemente estrenado Himno a la paz[573], el M-19 firmó el *Acuerdo de cese al fuego, tregua y diálogo nacional,* que en su parte introductoria dice: "La Comisión de Negociación y Diálogo designada por el presidente de la República Belisario Betancur, e integrada por miembros de la Comisión de Paz, delegados presidenciales, voceros de los partidos Liberal y Conservador, dignatarios de la Iglesia católica, representantes de las fuerzas laborales, del arte y la cultura y los comisionados por el Movimiento 19 de Abril, M-19, y por el Partido Comunista de Colombia (Marxista-Leninista) y su organización guerrillera, el Ejército Popular de Liberación, EPL, consideran que el cese de los enfrentamientos armados entre las fuerzas institucionales del Estado y los movimientos populares alzados en armas, es requisito para estudiar y sentar las bases de las reformas de

572 "Orden de Álvaro Fayad, comandante de M-19", *Corinto*, Bogotá, Ediciones Macondo, 1985, pp. 8-9.

573 Himno a la paz, de autor desconocido. "Esta busca infatigable/ de saber a dónde vamos/ Encendió los sentimientos/ de amor por la libertad/ Y aferrados a/ una espada/ Conquistando nuestros sueños/ de sembrar los horizontes/ de Paz y Dignidad/ de sembrar los horizontes/ de Paz y Dignidad/ Comandante, Comandante Pablo/ El valor te hace vivir,/ En los surcos de la tierra/ Que sembraste con la lucha./ Por la paz a luchar y a vencer!/ Que esta lucha crecerá/ Como luz en las mañanas/ En la noche de los pueblos/ Rescatando la esperanza/ Por la patria y por su gente./ Acompáñame Hermano,/ Que la paz es de todos,/ Acompáñame Hermano,/ Por la paz a luchar y a vencer!/ Acompáñame Hermano,/ Que la paz es de todos,/ Acompáñame Hermano,/ Por la paz a luchar y a vencer!

carácter político, económico y social que necesita el país y anhela el pueblo colombiano"[574].

En el texto firmado se ordenó el cese del fuego y demás operaciones militares a partir del 30 de agosto; lo mismo haría el presidente de la República, "en la debida oportunidad". Producido el cese del fuego se daría inicio al gran diálogo nacional, que "permitirá la expresión de la voluntad de los más amplios sectores sociales y políticos en la búsqueda de la paz, con base en la justicia social"[575]. Las guerrillas se comprometieron "a no retener ni constreñir a otros para obtener provecho, y no comparten el terrorismo en ninguna de sus manifestaciones", es decir, no al secuestro y no al terrorismo. Se acordó, de igual forma, estudiar "con carácter urgente" los hechos que ocasionaron el ataque al grupo de Pizarro y garantizar la seguridad de los representantes del EPL y del M-19.

Los firmantes del acuerdo, que se dieron cita en el Hotel Nutibara de Medellín, entre periodistas y brindis con champaña, fueron: por la Comisión de Paz y la Comisión de Negociación y Diálogo, John Agudelo Ríos, Antonio Duque Álvarez, monseñor Rafael Gómez Hoyos, general (r) Gerardo Ayerbe Chaux, Rocío Vélez de Piedrahíta, Mario de J. Valderrama, Héctor Abad Gómez, Aníbal Palacio, Gloria Zea, Óscar Alarcón, Emilio Urrea y Jaime Fajardo; por el PCC (M-L) y el EPL, Francisco Caraballo (primer secretario del partido y comisario político del EPL), Danilo Trujillo, Eduardo Ramírez, Carlos Evelio Ramírez, Javier Robles, Óscar William Calvo y Ernesto Rojas (comandante del EPL). En Hobo (Huila), donde estaba la columna del Frente Sur del M-19, que comandaba Gustavo Arias Londoño, *Boris*, firmaron, además de él, Germán Rojas Niño, Otty Patiño, Jairo Peña, Emilio Ruiz, José Gabriel Montaño y Pablo Beltrán Polanía; por las comisiones de Paz y Negociación y Diálogo suscribieron el acuerdo Alfonso Gómez Gómez, Gerardo Molina, Laura Restrepo, Abel Rodríguez, Ariel Armel Arenas y José del Carmen Yepes. En Corinto (Cauca), donde se hizo el acto central, firmaron por la Comisión de Negociación y

574 "Texto del Acuerdo firmado entre el Gobierno y el Movimiento 19 de Abril, M-19, y el Partido Comunista de Colombia (M-L) y su organización guerrillera Ejército Popular de Liberación, EPL", en Corporación Medios para la Paz, *op. cit.*, pp. 172-175.

575 *Ibid.*, p. 172.

Diálogo Bernardo Ramírez, Horacio Serpa y Enrique Santos Calderón; por el M-19 lo hicieron Iván Marino Ospina, Álvaro Fayad, Carlos Pizarro, Rosemberg Pabón, Andrés Almarales, Luis Otero, Vera Grabe, Antonio Navarro e Israel Santamaría.

El sector de ADO que firmó el 23 de agosto señaló en el acuerdo que siete días más tarde ordenaría el cese del fuego y demás acciones militares a todos sus efectivos; se comprometió, igualmente, a no secuestrar y señaló que "este sector de Autodefensa Obrera apoya y se integra a los acuerdos suscritos entre las Fuerzas Armadas Revolucionarias de Colombia (FARC-EP), el Movimiento 19 de Abril (M-19), el Ejército Popular de Liberación (EPL) y la Comisión de Paz. Como consecuencia de lo anterior este sector tendrá los mismos derechos y obligaciones acordados con los movimientos antes citados"[576]. Los firmantes fueron, por las comisiones de Paz y de Diálogo, John Agudelo Ríos, Samuel Hoyos Arango, Alberto Rojas Puyo, Carlos Morales, Hernando Rodríguez, Reinaldo Ramírez y Alberto Betancur; por ADO suscribieron Esteban Zamora, Héctor Fabio Abadía y Carlos Efrén Agudelo.

"Silencio a los fusiles, paso al diálogo nacional" fue la orden que impartió Iván Marino Ospina a las mujeres y hombres del M-19 a las 13:25 horas del 30 de agosto al entrar en vigencia el acuerdo. El gran diálogo nacional, como parte esencial y gran apuesta del acuerdo, se concretó a partir de la formación de una Comisión de Diálogo amplia que promovería, como temas centrales, "discusión y desarrollo democrático de las reformas políticas, económicas y sociales que requiere y demanda el país en los campos institucional, agrario, laboral y urbano, de justicia, educación, universidad, salud, servicios públicos y régimen de desarrollo económico"[577]. Por su parte, voceros públicos del M-19 comenzaron la instalación de "Campamentos de la Paz y la Democracia" como sedes políticas, adelantaron contactos, recorrieron las ciudades y convocaron a ruidosas manifestaciones que llenaron las plazas públicas de Bogotá, Ibagué, Bucaramanga, Cali, Barranquilla, Santa Marta, Neiva, Valledupar y Medellín. Nunca

576 Texto del "Acuerdo entre la Comisión de Paz y Autodefensa Obrera (ADO)", en Acuerdos de paz, s. f.

577 *Ibid.*, p. 174.

antes y nunca después guerrilla alguna, en tregua o en proceso de inserción a la vida civil, alcanzó tales audiencias: "Entre septiembre y noviembre de 1984 se calcula que el M-19 había movilizado unas 250.000 personas en plazas públicas"[578]; era la realización de un pacto con gente y para la gente.

El EPL también dio la orden de cese al fuego, a través de una circular firmada por sus más altos comandantes, Francisco Caraballo, como comisario político, y Ernesto Rojas, comandante: "El comando nacional ordena a todos los comandos de frente, de zona, de unidad y a todos los combatientes que integran el Ejército Popular de Liberación, a cesar todas las acciones ofensivas de tipo militar y abstenerse de retener personas a partir de las cero horas del día treinta de agosto de mil novecientos ochenta y cuatro"[579]. Llegar a estos acuerdos fue motivo de fuertes tensiones dentro de las organizaciones guerrilleras; en el PCC (M-L) y el EPL, especialmente, el liderazgo fue asumido por el sector dirigido por los hermanos Calvo, que se mostraban mucho más abiertos a los cambios y las alianzas.

La consideración en el texto del acuerdo de las guerrillas como "movimientos populares alzados en armas", les valió el estatus de interlocutores políticos que siempre habían reclamado, más allá del permanente calificativo oficial de "bandoleros", "ratas de alcantarilla", "narcoterroristas" o "narcoguerrilleros"; este último término lo utilizó por primera vez el entonces ministro de Defensa, general Gustavo Matamoros, pero lo acuñó y popularizó el embajador de Estados Unidos en Colombia, Lewis Tambs, para denunciar supuestos acuerdos entre guerrilleros de las FARC y traficantes de droga. Tambs habló de la conexión "narcoguerrillas" en marzo de 1984, en medio de la sorpresa que se produjo cuando comandos del Grupo de Operaciones Especiales de la Policía (GOES) allanaron el complejo coquero de Tranquilandia, en los Llanos del Yarí, y decomisaron 5 aviones, 15 vehículos, varios millones de pesos en efectivo, armamento, 19 laboratorios para el procesamiento y 12.5 toneladas de coca "de la mejor calidad". Este oscuro personaje de la diplomacia gringa estuvo

578 Miguel Ángel Afanador Ulloa, *Amnistías e indultos: la historia reciente 1948-1992*, Bogotá, Escuela Superior de Administración Pública, ESAP, 1993, p. 125.

579 "Orden de cese al fuego del EPL", en Arturo Alape, *op. cit.*, pp. 518-519.

posteriormente a cargo de la Embajada en Costa Rica, y en 1989 fue acusado por el Parlamento de ese país de traficar con cocaína para ayudar a los contras nicaragüenses[580].

El 19 de marzo de 1984, la Embajada de los Estados Unidos en Colombia envió al Departamento de Estado en Washington un telegrama bajo el número BOGOTA03144 con el tema "Narc/Farc Connection", que fue la base para las polémicas declaraciones del embajador Tambs:

> Las FARC son el grupo subversivo de Colombia más grande, más antiguo, mejor equipado, mejor entrenado y potencialmente el más peligroso. Tiene aproximadamente 2.000 miembros activos con una infraestructura de apoyo que podría hacer aumentar la cifra a 5.000 o más. Como es básicamente un movimiento rural, la mitad de sus casi 25 frentes opera en las áreas donde se cultivan coca y marihuana. La relación entre las FARC y los traficantes de droga, que existe probablemente hace algún tiempo, al parecer fue aprobada por la Dirección Nacional de las FARC en mayo de 1982, en la Séptima Conferencia. De acuerdo con un desertor de las FARC, estas tenían un plan para tomarse el país. Cada frente tenía una responsabilidad específica con los grupos en el Guaviare y en Vaupés para operar en conjunto con los narcotraficantes por dinero y armas. Desde este momento, y posiblemente desde antes, las FARC han estado recaudando pagos por protección a los cultivadores de coca dentro de su territorio de operaciones, con frecuencia demandando el 10% de las ganancias. Supuestamente un frente obtuvo 3,38 millones de dólares mensuales por impuestos a la industria de la coca.
>
> [...] De acuerdo con un reporte, cuya fecha se cree que es 1983, las FARC aprobaron el cobro de 50.000 pesos por hectárea (USD$666,67 a 75 x 1 USD) y 45.000 pesos (USD$600,00) por kilo procesado de cocaína a los traficantes de drogas. Como un *quid pro quo*, las FARC dejan a los cultivadores de coca hacer lo suyo y a menudo los alertan de la llegada de la Policía Antinarcóticos o de patrullas del Ejército. La guerrilla también controla suficientes puntos estratégicos a lo largo de ciertos ríos, de tal manera que los viajes sin hostigamientos de la Policía son imposibles.

580 Véase "Narcoguerrilla. ¿Otro embuchado?", *Semana*, edición del 30 de abril de 1984. http://www.semana.com/economia/articulo/narcoguerrilla-otro-embuchado/5091- y "El Embajador de la coca", *Semana*, edición del 21 de agosto de 1989, en http://www.semana.com/mundo/articulo/el-embajador-de-la-coca/12128-3

> Las FARC también garantizan una cantidad de pistas aéreas clandestinas esenciales para el comercio de drogas. Por lo tanto, el principal beneficio que los cultivadores de coca obtienen de su relación con las FARC es claramente protección. El beneficio de la guerrilla es básicamente financiero al obtener suficiente dinero para comprar lo último en armas que probablemente consiguen a través de los traficantes y las cuales son despachadas a Colombia en los vuelos de tráfico de drogas que regresan. De acuerdo con un testigo, las FARC también se han beneficiado al tomar ventaja de los trabajadores temporales quienes, atraídos a las zonas cocaleras, luego son reclutados por las FARC. Mientras que la gran mayoría de la información disponible para la Embajada tiene que ver con los pagos exactos por protección en los Llanos, recibimos reportes ocasionales de que las FARC también extorsionan por dinero a los traficantes de marihuana a lo largo de la costa norte, en particular en el departamento del Magdalena.
>
> [...] En noviembre de 1983, el Ejército descubrió, junto a un campamento abandonado de las FARC en el sur de Colombia, 90 hectáreas de coca y un laboratorio para procesar el alcaloide. Las FARC, ampliamente identificadas como el brazo armado del Partido Comunista, son representadas en el Comité Central del PCC por su directiva principal. En la Séptima Conferencia Nacional, el PCC, representado por Hernando Hurtado, miembro del Comité Central, supuestamente estuvo de acuerdo con el antes mencionado plan de las FARC para tomarse a Colombia, que incorporaba el arreglo con los traficantes, por ende hay un respaldo a la conexión FARC-narcos del PCC. Pareciera que el PCC también se está beneficiando financieramente del acuerdo entre las FARC y los narcotraficantes. Documentos captados revelan que las FARC tienen órdenes de asistir al PCC en sus esfuerzos políticos para obtener una mejor representación en el Gobierno.

Fuente: Amembassy Bogotá, *Relationship Between the FARC and Narcotics Traffickers*, Number Document: BOGOTA03144, 19 March 1984. The National Security Archive (NSA), Colombia and the United States: Political Violence, Narcotics and Human Rights, 1948-2010, documentos desclasificados de diferentes agencias de seguridad del Gobierno de Estados Unidos.

El desarrollo del acuerdo de cese al fuego, tregua y diálogo nacional fue extremadamente complejo y estuvo cruzado por permanentes exigencias del desarme de la guerrilla por parte de integrantes de las Fuerzas Armadas, de sectores de partidos políticos, gremios económicos —SAC y FEDEGAN— y congresistas. La militarización y el hostigamiento hacia los campamentos donde se ubicaron las fuerzas guerrilleras de cada uno de los grupos en tregua se denunciaron a las pocas semanas; para el caso del EPL, en la región de Riosucio, zona fronteriza entre Caldas y Risaralda, y en San Pedro, en el Cauca, donde se concentraban tropas del M-19. Solo hasta el 1° de noviembre se instaló la Comisión de Diálogo, compuesta por las comisiones de Paz, la Verificadora y la de Negociación, representantes de sectores no incluidos en ninguna de las anteriores, más 40 miembros, todos ellos organizados en 10 subcomisiones de 30 integrantes cada una. Tendrían que pasar 64 días para que se instalaran estas subcomisiones, es decir, el 23 de enero siguiente, única vez que se reunieron... Transcurridos apenas dos meses de la firma del acuerdo, el "desgano" oficial era evidente, el reglamento impuesto a la Comisión de Diálogo la limitó al extremo: las reuniones fueron circunscritas a Bogotá y con carácter privado; y la frecuencia y el número de asistentes se redujeron hasta hacerla inoperante. En esas circunstancias, los delegados de ADO y del EPL se retiraron de las subcomisiones, aduciendo que el diálogo se quedó en los recintos cerrados.

En Ciudad de México se produjo, el 5 de diciembre, un nuevo encuentro entre el presidente Belisario e Iván Marino Ospina en representación del M-19; en este, como en el que sostuvieron en Madrid, los buenos oficios del nobel Gabriel García Márquez fueron determinantes. La reunión fue breve, hubo recriminaciones mutuas y mutuos reclamos por las irregularidades y dificultades que se presentaban en el cumplimiento de la tregua y en el arranque del diálogo nacional. Las partes coincidieron en la necesidad de profundizar el diálogo, de no dejarlo burocratizar y de concretar en propuestas específicas los temas del acuerdo para llevarlas al Congreso y ser así convertidas en leyes de la República. Al día siguiente, el M convocó a una rueda de prensa en el Club de Corresponsales Extranjeros y entregó un comunicado sobre la reunión con Betancur. Uno de los temas abordados por los periodistas fue el de las amenazas de muerte que los narcotraficantes habían lanzado contra funcionarios estadounidenses en Colombia, a lo que Ospina respondió bastante molesto:

"Que esas amenazas se cumplan y que se cumplan en todo el mundo contra los representantes del rapaz imperialismo que vive a costa de la miseria de los pueblos explotados [...] Si los narcotraficantes cumplen sus amenazas, al M-19 le parecerá bueno y sería materia de negociación si algún día esos narcotraficantes, que también son colombianos, se deciden a emplear su dinero para hacer patria"[581]. El escándalo fue mayúsculo. Esta sería, entre otras, una de las razones para que en la IX Conferencia, el Congreso de Los Robles, realizado en febrero siguiente en el Cauca, Iván Marino Ospina fuera removido de la Comandancia del M-19.

En los días en que Belisario atendía la visita oficial a México por parte de su homólogo Miguel de la Madrid, en Colombia, más concretamente en el área del Alto de Yarumales, donde se encontraba el Campamento de la Libertad del M-19, a muy poca distancia del municipio de Corinto, las tropas de la III División, al mando del general Hernando Díaz Sanmiguel, iniciaban la Operación Garfio, con el argumento de que desde allí se *boleteaba,* se tenían secuestrados y se había dirigido el asalto al Ingenio Castilla. El 12 de diciembre se dio el primer choque armado entre guerrilla y Ejército. El M-19 aguantó los ataques gracias a la posición dominante en el terreno, a trincheras, túneles y refugios que había construido y a las técnicas de combate de montaña que les permitieron rechazar los intentos de desalojo de sus posiciones, "un verdadero laberinto bajo tierra", según el testimonio de Laura Restrepo[582]. Además, desde Huila y Caquetá llegaron refuerzos que organizaron la contraofensiva. Pizarro, al mando de las tropas del M-19, ratificó ante los miembros de la Comisión de Verificación, que por esos días visitaron la zona, que "Nuestra posición es exclusivamente defensiva. Quienes nos están atacando, por tanto, están violando los acuerdos firmados. Aun así, queremos negociar un cese al fuego, que permita que la tregua vuelva a tener vigencia. Negociaremos el cese al fuego aún si después de que este se haga efectivo el Gobierno solicita el retiro de nuestro campamento hacia otro lugar, a lo cual estaremos dispuestos a acceder. Haremos todo

581 "M-19 pide se cumplan amenazas a funcionarios de E.U. en Colombia", *El Tiempo*, 8 de diciembre de 1984, p. 1 A.

582 "Operación Garfio", en Laura Restrepo, *op. cit.*, pp. 159-183.

lo que sea necesario por la paz, menos rendirnos. Por eso queremos negociar. Pero no lo haremos mientras nos estén poniendo la bayoneta al cuello"[583].

La misma integrante de la Comisión de Verificación, Laura Restrepo, dio a conocer posteriormente detalles de los acontecimientos, en particular los comportamientos de autoridades militares y civiles durante la crisis de Yarumales: "Llamé al ministro Jaime Castro y hablé con él. No demostró ni el más mínimo interés por enterarse de lo que habíamos visto. 'Y si es verdad tanta bomba y tanto cuento —me dijo—, ¿cómo es que a usted ni se le dañó el esmalte de las uñas?'. Y después añadió otra frase de antología: 'Usted está nerviosa. Allá en Yarumales no pasa nada'". Y más adelante, en una entrevista que realizó el 7 de febrero de 1985 al mismo ministro, este sacó un argumento muy poco creíble que ya hacía carrera entre el alto mando militar: "'La solución política se planteó cuando se verificó —y así lo dijo el ejército muchas veces— que lo que había allá era un contingente de infantes, de niños, a los cuales no se podía exterminar militarmente'. ¿Usted realmente cree eso, ministro? 'Estoy convencido, así me lo han dicho todos los que estuvieron allá, salvo los que están colonizados por el M-19. ¿O usted por qué cree que se llegó a la solución política? Eso no lo dijeron los militares, entre otras cosas porque no hay militares que hayan estado en el campamento. Claro que a lo mejor tienen sus servicios de inteligencia que se han infiltrado allá'"[584].

Los enfrentamientos continuaron en los días siguientes, hubo mediadores, diálogos, conminación a la rendición, nuevas negociaciones, desplazamiento de población civil, acuerdos para cesar las operaciones militares, ofensivas en medio del cerco, nuevos comisionados, propuestas de desarme y, finalmente, el 7 de enero, un nuevo acuerdo para que el M-19 se retirara —con armas y uniformes— a un sitio conocido como Los Robles, a cuatro kilómetros de distancia, en donde el Ejército estableció de inmediato controles sobre las vías de acceso. Veintiséis días duró el cerco al Campamento de la Libertad en Yarumales, donde las tácticas guerrilleras sufrieron un quiebre: el

583 *Ibid.,* p. 165.

584 *Ibid.,* pp. 185-186.

"muerde y huye" tradicional no se aplicó, sino que los combatientes se afianzaron al terreno y resistieron en una clásica batalla de la guerra de posiciones; esto cambió los términos de la confrontación, así como los militares empezarían a cambiar desde entonces sus formas operativas. Así, entre las balas y las bombas concluyó el año de 1984, calificado como el año de la frágil paz.

El Quintín Lame, primera y única guerrilla de la comunidad[585]

El antecedente más próximo a la fundación del Movimiento Armado Quintín Lame está en los contactos que dirigentes de algunas comunidades indígenas del Cauca establecieron a mediados de los años setenta con integrantes del PCC (M-L) y su brazo armado, el EPL, y con el VI Frente de las FARC. Con los primeros se logró concretar algún tipo de instrucción militar y apoyo político, mientras que las FARC condicionaron a que se sometieran a la dirección de la guerrilla comunista. Más adelante, otros grupos armados que comenzaron a hacer presencia en la región, en particular el M-19, les brindaron adiestramiento militar y los alentaron a asumirse como un grupo de autodefensa para la protección de la comunidad frente a las continuas amenazas y hechos violentos promovidos por los terratenientes y sus bandas armadas conocidas como "pájaros". El primer instructor

585 Sobre el MAQL hay una limitada pero importante bibliografía; para este trabajo se consultaron los textos *Manuel Quintín Lame y los guerreros de Juan Tama*, de Luis Alfonso Fajardo y otros, publicado en 1999; del Centro Nacional de Memoria Histórica, *Guerra propia, guerra ajena - Conflictos armados y reconstrucción identitaria en los Andes colombianos - El Movimiento Armado Quintín Lame*, autoría de Daniel Ricardo Peñaranda, especialista en el tema; del mismo autor, *El Movimiento Armado Quintín Lame (MAQL): una guerra dentro de otra guerra*; el texto *Surgimiento y andar territorial del Quintín Lame* de la antropóloga Myriam Amparo Espinosa, publicado por la corporación Madre Monte y Abya-Yala, y *Quintín Lame, los pensamientos del indio que se educó en las selvas colombianas*, publicado por la ONIC; igualmente, el trabajo de Juan Ibeas "Génesis y desarrollo de un movimiento armado indígena en Colombia", publicado en la revista *América Hoy* de la Universidad de Salamanca, en España; "Historia del Movimiento Armado Quintín Lame", versión en borrador elaborada por Jesús Elvio Peña y Pablo Tattay; algunos documentos sobre el MAQL se encuentran en la página web del Centro de Documentación de los Movimientos Armados (CEDEMA): http://www.cedema.org

fue el propio Jaime Bateman, quien, en la Semana Santa de 1977, se trasladó a la vereda Llano Buco del Resguardo Indígena del Huila, en Tierradentro, junto con Gilberto Herrera y algunos de sus compañeros. *Pablo*, como entonces lo conocieron, entendió la importancia de esa relación y asumió en persona el compromiso. Por parte de los indígenas estaban Benjamín Dindicué, uno de los principales dirigentes, asesinado en febrero de 1979, y Bernardo: "Nos llamó la atención y la cordialidad del compañero Pablo, su trato muy fraternal con nosotros. En general con el M-19, en esta primera época de relaciones, fue importante esa actitud de respeto hacia nuestro propio proyecto, hacia lo que estábamos haciendo".

Cuando en año nuevo de 1979 se conoció el robo de las armas en el Cantón Norte de Bogotá por parte del M-19, en la región de Paletará, en el Cauca, se adelantaba otra escuela conjunta de formación político-militar entre esta organización y los indígenas que ya internamente se llamaban Quintín Lame. Previendo la represión que se podía desatar por la llamada Operación Colombia, algunos dirigentes del M-19 como Fayad, Pabón y Navarro participaban en la actividad, mientras pasaba el "chaparrón" de los allanamientos, detenciones y torturas. A mediados del mes se supo de la captura de Iván Marino Ospina en Cali y la escuela se canceló. Sin embargo, algunas de las armas del Cantón Norte alcanzaron a llegar a manos de los indígenas; para ese momento habían capturado a la mayoría de su dirigencia, entre otros, a Marcos y Édgar Avirama, Guillermo Amórtegui y Luis Ángel Monroy, todos acusados de estar relacionados con el M-19 y, posteriormente, vinculados al Consejo Verbal de Guerra que se inició en la cárcel La Picota en noviembre de 1979. "El costo para el movimiento indígena en el Cauca, por haber abierto un espacio al M-19 en Tierradentro, fue enorme. El aparato legal y la organización clandestina de autodefensa fueron diezmados en solo dos meses"[586].

Una vez en libertad, y de regreso a sus comunidades en el Cauca en 1981, los expresos políticos asumieron la tarea de formar un grupo armado estable, pero se encontraron con que el Frente VI de las FARC

586 Daniel Ricardo Peñaranda Supelano, *Guerra propia, guerra ajena, conflictos armados y reconstrucción identitaria en los Andes colombianos. El Movimiento Armado Quintín Lame*, Bogotá, CNMH-IEPRI, Universidad Nacional de Colombia, 2015, p. 163.

ejercía presencia y control en el territorio por encima de las autoridades indígenas. Los atropellos eran constantes, así como los castigos y asesinatos de indígenas acusados de "bandoleros"; incluso, en una extraña alianza con terratenientes de la región, fueron muertos algunos comuneros que intentaban recuperar tierras. En ese escenario se presentó "la Masacre de Los Tigres, en febrero de 1981, en donde fueron asesinados por el Frente VI de las FARC siete indígenas acusados de cuatreros y desertores". Eran, ni más ni menos, integrantes del Consejo Regional Indígena de Cauca (CRIC), entre ellos José María Ulcué, un destacado dirigente en otras épocas simpatizante de la guerrilla. Al año siguiente, a raíz del asesinato de Ramón Julicué y de su hijo, Benito, el 8 de octubre de 1982, el CRIC, denunció públicamente a las FARC-EP "y a los cuadros del Partido Comunista en el Norte del Cauca"[587] como los responsables de la masacre de Los Tigres y otros asesinatos. La situación fue temporalmente superada por una tregua pactada entre dirigentes regionales del PCC y del CRIC, lo que significó una ostensible disminución de los actos violentos. El trabajo de preparación continuó y los protoquintines fueron adquiriendo mayor presencia ante las comunidades y respeto de otros grupos guerrilleros: "Los años que siguieron, hasta 1984, se caracterizaron por la movilidad permanente del grupo, por la realización de acciones dirigidas a controlar la actividad de los 'pájaros', que fueron prácticamente desterrados de la región, y por el ejercicio de acciones de control sobre la zona a fin de evitar los excesos de los grupos guerrilleros"[588].

El CRIC había nacido el 24 de febrero de 1971 en la finca La Susana, en el resguardo de Tacueyó, en el municipio caucano de Toribío, como la primera expresión representativa y organizada de los resguardos de ese departamento; en su proceso de fundación participaron dirigentes de las comunidades indígenas paez, yanaconas, guambianos y coconucos; también no indígenas vinculados al trabajo social, a organizaciones políticas de izquierda de la época y a comunidades campesinas ligadas a la ANUC, que en su II Congreso de 1972 creó una Secretaría de Asuntos Indígenas. Las relaciones con la ANUC se tensionaron en los años siguientes, hasta llegar a la ruptura, en febrero de 1977,

587 *Ibid.,* p. 167.

588 *Ibid.,* p. 175.

en el desarrollo del IV Congreso campesino de Tomala, cuando los indígenas denunciaron los intentos de control directo y vertical sobre sus comunidades. A partir de allí, el movimiento indígena adelantó su propio proceso de coordinación y unidad hasta llegar al Primer Congreso Nacional Indígena, realizado en febrero de 1982, en donde surgió la Organización Nacional Indígena de Colombia (ONIC)[589].

Los primeros "agentes externos" o colaboradores políticos del CRIC se integraron asumiendo identidades culturales e históricas indígenas, entre ellos se destacaron Gustavo Mejía —líder agrario que llegó a ser diputado a la Asamblea Departamental por el MRL; en 1965 fue acusado del secuestro del Harold Éder y pasó cinco años en la cárcel, fue asesinado en 1974—, Pedro León Rodríguez —sacerdote nariñense conocido como el *Cura Rojo*, muerto en extrañas circunstancias en agosto de 1974—, Pablo Tattay —nacido en Budapest (Hungría), con estudios en la Universidad Nacional de Medellín y en Francia; al igual que Édgar Londoño, hizo parte del Comando Político del MAQL—. Peñaranda precisa en su escrito el papel de estos "agentes externos": "El grupo fundador era multicultural, por ejemplo, Gustavo Mejía, Pedro León Rodríguez y Édgar Londoño eran mestizos y más tarde Luis Ángel Monroy; también se encontraban intelectuales y activistas de origen extranjero como Pablo Tattay, con raíces húngaras. Se sumaron a la causa indígena Gabriel Soler, de Argentina; Elvia Jaramillo, de Panamá y Teresa Tomish de Chile"[590].

El programa del CRIC fue la continuación de las luchas emprendidas por el mítico Juan Tama, primer líder del pueblo nasa o paez[591], en el siglo XVII, y por el legendario Manuel Quintín Lame a mediados de la segunda década del siglo XX al frente de La Quintinada, su grupo de indígenas que combatía contra el terraje, por la defensa de la cultura, los cabildos y los resguardos. Ya lo había dicho Quintín Lame en uno de sus alegatos: "Una columna formada de indígenas se levantará el

589 Véase "El Movimiento indígena", escrito del Equipo de Capacitación del CRIC, en Gustavo Gallón Giraldo (compilador), *Entre movimientos y caudillos*, Bogotá, CINEP-CEREC, 1989, pp. 294-306.

590 Daniel Ricardo Peñaranda Supelano, citado en Luis Alfonso Fajardo, Carlos Gamboa Martínez, Orlando Villanueva. *Manuel Quintín Lame y los guerreros de Juan Tama (Multiculturalismo, magia y resistencia)*, Bogotá, Nossa y Jara Editores, 1999, p. 111.

591 "Nasa", en la lengua indígena paez (nasa yuwe), significa "hombre paez".

día de mañana para reivindicar sus derechos como reivindicó Dios a la humanidad"[592].

Así fue. Setenta años más tarde, el 29 de noviembre de 1984, una columna del *Comando Quintín Lame*, que más adelante tomaría el nombre de *Movimiento Armado Quintín Lame, MAQL*, dirigido por Luis Ángel Monroy, comandante *Bernardo*[593], atacó las instalaciones de la hacienda San Luis del ingenio Central Castilla S. A., incendió 3 tractromulas, "recuperó" 2 escopetas de 5 tiros y un equipo de radiocomunicación e hirió a uno de los celadores; la consigna fue: "López Adentro, tierra indígena o tierra de nadie". La acción fue en represalia por el desalojo violento de 150 familias compuestas por indígenas nasa, afrocolombianos y campesinos —ocurrida veinte días antes—, a las que les quemaron sus viviendas, con enseres y animales domésticos adentro, y arrasaron 300 hectáreas de cultivos. Estas familias ocupaban la hacienda López Adentro, un latifundio de 1.300 hectáreas ubicado entre Corinto y Caloto, de propiedad del mismo ingenio. Se iniciaba así "la historia de ochenta indígenas que tomaron las armas para enfrentarse al Estado que los había abandonado y que además los estigmatizaba"[594].

Al día siguiente del desalojo, 10 de noviembre, fue asesinado en Santander de Quilichao el sacerdote indígena paez Álvaro Ulcué Chocué, párroco de Toribío, luchador incansable por los derechos indígenas y defensor de su pueblo, acusado por las autoridades en distintas oportunidades de ser el subversivo más peligroso del departamento; hubo protestas y expresiones de dolor en varios municipios del norte del Cauca, donde cientos de voces clamaban venganza: "Los responsables del cruel desalojo de López Adentro pagarán tarde o temprano por su criminal acción. Los autores intelectuales y materiales del asesinato del padre Ulcué recibirán el castigo de la justicia indígena [...] El Comando

592 Citado en "Historia política de los paeces. La Quintinada", en www. luguiva.net

593 A Luis Ángel Monroy se le conocía también con el seudónimo de *Moncho*, líder en la región de Tierradentro, no indígena adscrito a la identidad paez, oriundo de Candelaria (Valle); estuvo preso dos años en la cárcel La Picota a raíz del robo de las armas del Cantón Norte por parte del M-19. Cuando salió, regresó a las comunidades y lo encargaron de formar los primeros grupos de autodefensa indígena.

594 Gonzalo Sánchez, "Prólogo", en Centro Nacional de Memoria Histórica, *op. cit.*, p. 16.

Quintín Lame compromete su honor en poner todas sus fuerzas al servicio de la resistencia de las comunidades indígenas y en hacer lo posible por derrotar al enemigo que nos está persiguiendo", señalaron en el comunicado que dieron a conocer en su primera incursión pública[595]. A partir de entonces desarrollaron sus actividades a través de cuatro frentes que se movilizaban por cuatro zonas del Cauca: en el norte, Corinto, Caloto, Santander de Quilichao, Buenos Aires, Caldono y Morales; en el oriente, la zona de Tierradentro, con los municipios de Paez, Inzá, Toribío y Jambaló; al centro, Silvia, Piendamó, Totoró, Coconuco y Paispamba; y en el área urbana de Popayán, donde tenían una red de colaboradores.

En horas de la tarde del 4 de enero del siguiente año incursionó en el municipio de Santander de Quilichao —ubicado sobre la carretera Panamericana, que comunica a Cali con Popayán y que divide la zona montañosa de la parte plana del departamento— un grupo armado de aproximadamente 200 combatientes, entre mujeres y hombres, en su mayoría indígenas, pertenecientes a la etnia nasa o paez. Los guerrilleros llegaron hasta el parque Francisco de Paula Santander y atacaron el puesto de Policía, las oficinas de la Caja Agraria y de la Alcaldía. Se trataba de una columna mixta del Quintín Lame y el Ricardo Franco, grupo este que desde mediados del año anterior se movía en territorios indígenas del Cauca, completando así la presencia de casi todas las guerrillas en la región: el Frente VI de las FARC-EP, el Frente Occidental del M-19, el FRF, comisiones del EPL y del ELN, y ahora *los quintinos*, como los denomina la antropóloga Myriam Espinosa en su libro *Surgimiento y andar territorial del Quintín Lame*, donde distingue en su proceso formativo cuatro momentos y modalidades: grupos de apoyo (sin uniformes ni armas), autodefensa circunscrita al territorio, comando móvil (con uniformes y armas, de uso ocasional) y movimiento armado (estructura permanente de naturaleza más amplia e interétnica, con presencia extraterritorial y porte de armas y uso de prendas militares)[596].

595 Véase el anexo 5.

596 Myriam Amparo Espinosa, *Surgimiento y andar territorial del Quintín Lame*, Popayán, Corporación Ambiental Madre Monte, Editorial Abya-Yala, 1996.

Al día siguiente, cuando en las montañas cercanas de Yarumales aún resonaban los fusiles del M-19, distribuyeron un comunicado en el que señalaron: "Comando Quintín Lame informa: 1. Que se responsabiliza de la toma armada del municipio de Santander de Quilichao el día viernes 4 de enero a las 5:45 pm. 2. Que la Policía disparó sobre la población civil ocasionando irresponsablemente lesiones a personas ajenas a los hechos. 3. Que esta acción militar la realizamos para protestar por los atropellos de que vienen siendo objeto las comunidades indígenas del Cauca por parte de los militares, el Gobierno y grupos paramilitares financiados por los terratenientes y azucareros del Valle del Cauca. Estos atropellos se agudizaron últimamente en el desalojo de la recuperación de López Adentro el día 9 de noviembre de 1984, donde a 150 familias indígenas se les destruyeron 300 hectáreas de cultivos y sus viviendas, y por el asesinato de nuestro compañero y sacerdote indígena, Álvaro Ulcué Chocué, el día 10 de noviembre en Santander de Quilichao. Todo esto sucede mientras el Gobierno sigue hablando de paz y tregua con los grupos guerrilleros y lo único que hace es acrecentar el bloqueo y la represión al movimiento popular en Colombia. 4. Que el Comando Quintín Lame seguirá de forma vigilante defendiendo los intereses de las comunidades indígenas del Cauca y velará por que los asesinos de indígenas reciban el castigo justo que las autoridades oficiales y el Gobierno le han negado a las comunidades indígenas"[597].

La actuación del FRF en esta acción no fue la mejor, sus combatientes cometieron errores que perfectamente hubieran podido dar al traste con los objetivos propuestos; incluso, a partir de esta toma, dirigentes del FRF consideraron que en su grupo había infiltrados, lo que, según ellos, era evidente pues, en la retirada, un guerrillero con el alias de Leonardo disparó contra el *jeep* donde venían algunos de sus compañeros y mató a Julio Roberto Rey, hermano de Javier Delgado. Esta "alianza" del MAQL, como señala Peñaranda, se constituyó en "un desafío abierto a las FARC", enfrentadas a muerte con el FRF, y tenía una motivación estratégica que beneficiaba a la naciente organización indígena: los recursos económicos y logísticos con que contaba

597 Revista *Combate*, 1985, en Archivos CINEP.

la guerrilla dirigida por Delgado; para los quintines era un cambio significativo pasar de unas cuantas escopetas y carabinas M1 Garand a utilizar fusiles de asalto Galil y AUG, estos últimos con mira telescópica y cargador plástico transparente, ¡toda una novedad!

En los dirigentes indígenas que conformaron el Quintín Lame prevalecieron el respeto y la defensa de los territorios y autoridades ancestrales; más de una pelea tuvieron que afrontar con aquellos grupos armados que buscaban imponer sus particulares visiones políticas y sociales sobre las comunidades. En particular, con las FARC-EP, la relación fue tensa, y no solo por las relaciones que el MAQL asumió con el FRF y otros grupos, sino por la concepción que algunos de sus frentes y dirigentes tenían sobre los pueblos indígenas: las FARC-EP consideraban que eran la fuerza guerrillera más importante, que la presencia de otras guerrillas en el mismo territorio amenazaba la suya propia, y que los procesos y las alianzas tenían que ser a partir de sus lineamientos políticos, ideológicos y militares. Con el paso del tiempo, y tras muchos conflictos y muertos, la situación cambió y se lograron importantes acuerdos: "Las FARC suplantaban al cabildo y querían regular las cosas, no eran muy bien vistos, hubo enfrentamientos FARC y QL, eso se aclara en la comunidad más como una forma de discurso. Éramos diferentes, no éramos bélicos como ellos, con el fuego, con las armas al poder. Nosotros no, si nos tocan accionamos, viviendo al acecho, pero cuando nos tocan, peleamos"[598].

Para algunas organizaciones de la comunidad, la insurgencia del MAQL agudizó en sus territorios los conflictos con el Estado y los terratenientes, también con las guerrillas que pretendían ejercer dominio social y territorial y con otras comunidades que no los aceptaban. El paso y accionar de ejércitos guerrilleros por sus territorios generaron represalias por parte de autoridades civiles, militares y grupos paramilitares. En un gesto histórico, de autonomía y protección de sus territorios sagrados, 45 cabildos indígenas del Cauca se reunieron en Junta Directiva del CRIC, en el resguardo de Vitoncó, en Tierradentro, entre el 21 y el 24 de febrero de 1985, y emitieron un documento conocido como la Resolución de Vitoncó, en el que aprobaron "hacer valer por

598 Testimonio de Kwet, miembro del MAQL, en Myriam Amparo Espinosa, *op. cit.*, p. 83.

todos los medios que estén al alcance de los resguardos, el derecho a la autonomía, es decir, el derecho que los cabildos y las comunidades tienen de controlar, vigilar y organizar su vida social y política al interior de los resguardos y de rechazar las políticas impuestas de afuera, vengan de donde vengan [...] A esta reunión de Junta Directiva se presentaron improvisadamente dos grupos armados: el Comando Quintín Lame y el Frente VI de las FARC. Es meritorio constatar que esta política de autonomía expresada por nuestros cabildos ha encontrado eco, y el Comando Quintín Lame se pronunció en favor de ella. Esperamos que los demás grupos armados sigan su ejemplo y no se sigan repitiendo los ya conocidos y denunciados atropellos"[599].

Pese al acuerdo al que se llegó en 1981 entre el PCC y el CRIC, en los años siguientes se presentaron nuevas agresiones hacia los pueblos indígenas en el Cauca, en contravía al mismo Programa Agrario de los Guerrilleros de 1964, vigente aún, que en su artículo sexto señaló: "Se protegerán las comunidades indígenas, otorgándoles tierras suficientes para su desarrollo, devolviéndoles las que les han usurpado los latifundistas y modernizando sus sistemas de cultivo. Las comunidades indígenas gozarán de todos los beneficios de la Reforma Agraria Revolucionaria. Al mismo tiempo se estabilizará la organización autónoma de las comunidades respetando sus cabildos, su vida, su cultura, su lengua propia y su organización interna".

El 11 de agosto de 1985 ocurrió otro ataque por parte de las FARC-EP a Jambaló, situado —y sitiado— en el nororiente del departamento. Fue una de las tantas tomas que protagonizó el grupo guerrillero contra esa población en el transcurso del conflicto político armado; en esta ocasión, la razón fue una retaliación contra los acuerdos y acciones conjuntas que desarrollaban el MAQL y el FRF: 5 hombres y un niño de cinco años murieron, al igual que una indígena paez que trabajaba como maestra en el municipio. Los guerrilleros los acusaban de ser colaboradores del grupo FRF: "En 1985, se dio la masacre de Jambaló, otro resguardo paez de la zona norte, después de una tregua pactada con los grupos guerrilleros en 1981, a propósito de la masacre de Los Tigres [...] Después de la investigación interna

599 "Resolución de Vitoncó, 24 de febrero de 1985", texto completo en http://jenzera.org/web/?p=1531

se sabe que fueron las FARC y no los pájaros —asesinos a sueldo de los terratenientes— como se suponía. Allí se levantó la voz de protesta y se criticó el comportamiento de las FARC. Motivos de temor eran suficientes para todos. La masacre de Jambaló se daba por parte de las FARC quienes consideraban a Rosalba, maestra bilingüe paez, aliada al grupo disidente Ricardo Franco"[600].

Experiencias guerrilleras similares al MAQL, basadas en comunidades indígenas, surgieron en otros países de América Latina en la década de los años ochenta. La más significativa fue el Ejército Zapatista de Liberación Nacional (EZLN), que se conoció en México y el mundo el 1° de enero de 1994 —el mismo día en que se firmó el Tratado de Libre Comercio entre Estados Unidos, Canadá y México—, con el levantamiento guerrillero indígena en la selva Lacandona del estado de Chiapas y la toma de los municipios de San Cristóbal de las Casas, Altamirano, Las Margaritas y Ocosingo. Este grupo tuvo un largo proceso de preparación, que se inició en 1983, cuando las Fuerzas de Liberación Nacional (FLN) tomaron el nombre de EZLN, y durante los diez años siguientes hicieron un trabajo silencioso con los indígenas tojolabales, choles, tzeltales, tzotziles, mames y zoques de la región. El dirigente visible del grupo fue el subcomandante Marcos, un personaje carismático que se dio a conocer a través de los medios de comunicación de todo el mundo; su condición de "subcomandante" se debía a que por encima de él existía el Comité Clandestino Revolucionario Indígena como Comandancia del EZLN, compuesto por indígenas que estaban en consulta permanente con las comunidades zapatistas, los Municipios Autónomos Rebeldes Zapatistas (MAREZ), los Caracoles como centros de gobierno autónomo y las Juntas de Buen Gobierno. Los zapatistas promovieron en 2007 la Conferencia Indígena Intercontinental, con asistencia de pueblos originarios de países de América Latina; el ideario del EZLN estaba contenido en varios cientos de documentos, en especial en las seis Declaraciones de la Selva Lacandona. En 2014 Marcos anunció que ya no existía el subcomandante Marcos y en su lugar aparecía el subcomandante Galeano, en honor de uno de sus compañeros muerto por esos días: "Compas:

600 Myriam Amparo Espinosa, *op. cit.*, p. 73.

Dicho todo lo anterior, siendo las 2 horas 8 minutos del 25 de mayo del 2014 en el frente de combate suroriental del EZLN, declaro que deja de existir el conocido como Subcomandante Insurgente Marcos, el autodenominado subcomandante de acero inoxidable. Eso es. Por mi voz ya no hablará la voz del Ejército Zapatista de Liberación Nacional. Vale. Salud y hasta nunca... o hasta siempre, quien entendió sabrá que eso ya no importa, que nunca ha importado"[601].

En Guatemala, con un 60% de población indígena marginada, las distintas guerrillas surgidas a finales de la década de los años setenta contaron con un importante número de nativos en sus filas, en particular el Movimiento Revolucionario del Pueblo IXIM, con raíces en la etnia ixil del departamento del Quiché. Los acuerdos firmados entre el Gobierno y las guerrillas agrupadas en la Unión Revolucionaria Nacional Guatemalteca (URNG) permitieron incorporar demandas propias de las comunidades indígenas como el reconocimiento de su identidad, su incorporación democrática en la sociedad y la ampliación de la participación política, aspectos estos contenidos en los Acuerdos sobre Identidad y Derechos de los Pueblos Indígenas que se firmaron en México el 31 de marzo de 1995, como parte de los acuerdos generales que un año más tarde permitieron la firma de la paz. Otras experiencias de grupos indígenas que asumieron la lucha armada: el grupo Órganos de Resistencia Mapuche (2008), con integrantes del pueblo mapuche en resistencia en el sur de Chile; en Bolivia, el Ejército Guerrillero Túpac Katari (junio de 1991, ya desactivado), compuesto en su mayoría por jóvenes aimaras, quechuas, mestizos de clase media y obreros[602]; igualmente, en Bolivia, las Fuerzas Armadas de Liberación Zárate Willka[603], guerrilla indigenista surgida en 1988, desactivada también.

601 "Subcomandante Marcos: 'Hasta nunca... o hasta siempre", revista digital *Envío*, número 387, junio de 2014, en http://www.envio.org.ni/articulo/4860

602 A este grupo perteneció el vicepresidente de Bolivia Álvaro García Linera.

603 El nombre recuerda la rebelión de Pablo Zárate Willka a finales del siglo XIX y la Proclama de la Alianza Popular del 28 de marzo de 1899. Base de datos del autor, proyecto: "Memoria de guerrillas en América Latina y el Caribe".

La IX Conferencia del M-19, realizada en febrero de 1985 en el sitio Los Robles, del municipio de Miranda (Cauca), puso en evidencia el alto grado de deterioro de los acuerdos de cese al fuego y diálogo nacional firmados en agosto del año anterior entre el Gobierno Nacional y esa organización en tregua. Ante la propuesta de hacer del evento un gran Congreso Nacional por la Paz y la Democracia, llegaron las prohibiciones por parte del ministro Jaime Castro Castro, los retenes militares en las principales vías de acceso, las exigencias del desarme de las guerrillas, los señalamientos de la fundación de "repúblicas independientes" y de mantener una "paz armada". Pese a la inflexible posición gubernamental, la conferencia se llevó a cabo y asistieron cientos de delegados nacionales e internacionales que debatieron sobre la necesidad de formar un movimiento nacional que impulsara las luchas por la paz en todo el país y de asumir la tarea inaplazable de *ser gobierno*. Se decidió hacer una gran manifestación en la Plaza de Bolívar, en Bogotá, como acto de desagravio a la paz y a la democracia. En términos organizativos, de manera unitaria y sin mayores traumatismos, se eligió a Álvaro Fayad como nuevo comandante general —en reemplazo de Iván Marino Ospina— y se estableció un Mando Central que contaba con ellos dos, además de Carlos Pizarro, Antonio Navarro y Gustavo Arias. En lo militar se tomaron decisiones que no trascendieron al grueso de la organización, y mucho menos a la opinión pública, pero ya en las filas del M-19 había aprestos para la continuación de la guerra, que se asomaba con más fuerza.

Un mes más tarde, la presencia del M-19 en Los Robles se hizo insostenible, el cerco militar era cada vez más estrecho y era inminente un enfrentamiento armado de grandes proporciones; los guerrilleros abandonaron sus posiciones divididos en tres compañías: "Héroes de Florencia", comandada por Boris; "Héroes de Yarumales", al mando de Carlos Pizarro, y "Mariscal Antonio José de Sucre", dirigida por Libardo Parra, *Óscar*. Durante varios meses fueron asediados por las tropas del Ejército y la Fuerza Aérea, y se presentaron fuertes combates en el Valle del Cauca. De hecho, la tregua estaba rota.

Para el 15 de marzo se convocó a la manifestación en la Plaza de Bolívar de Bogotá. Ese día se concentró una multitud que no paró de corear la consigna "¡No a la entrega de armas!". Al mismo tiempo, en Cali, Medellín, Zipaquirá, Manizales, Bucaramanga, Barranquilla y Bogotá se instalaban los campamentos de paz y democracia, concebidos como espacios de las comunidades para asumir tareas de supervivencia y desarrollo. Por supuesto, la reacción oficial fue perseguir y allanar los campamentos, con el pretexto de que allí se encontraban personas al margen de la ley; se llegó al extremo de expedir un decreto que autorizaba a los alcaldes el cierre de estos: "ordenarán el cierre temporal o definitivo de los comités, oficinas, sedes, directorios, comandos, campamentos u otras instalaciones similares en los que a nombre de partidos, movimientos u organizaciones políticas, o a cualquier otro título, se preparen o adiestren personas para la comisión de los delitos de sedición, rebelión o asonada, terrorismo o cualquier otro [...]"[604].

Clarines de guerra anunciaban el regreso de la confrontación: las columnas del M-19 que se desplazaban en la parte de ladera de la cordillera Central en el Valle padecían el cerco permanente por parte del Ejército; el punto de no retorno se produjo el 12 de mayo, con el derribo de un helicóptero artillado en la vereda La Magdalena, del municipio de Buga, el cual dejó varios muertos y heridos en las filas oficiales y un soldado en poder de los insurgentes. Una semana más tarde, cuando iban a entregar al soldado, fue detenido Antonio Navarro junto con algunos de sus compañeros; pasados tres días, fueron liberados. Esa mañana, un grupo de guerrilla urbana desconocido hasta ahora, autodenominado *Movimiento Democracia, Comando Orlando Piedrahíta*[605], disidencia del M-19 dirigida por un mando regional conocido como Abel, atacó con granadas y fuego de fusiles un bus que transportaba civiles y militares del Batallón Pichincha en Cali. Tres horas más tarde fue el atentado con granada contra Antonio Navarro, Carlos Alonso Lucio, María Eugenia Vásquez, Eduardo Chávez, Alberto Caicedo y Álvaro Alvarado, integrantes del M-19, dedicados a las actividades propias del diálogo nacional. El epílogo de la tregua que nunca se inició,

604 Decreto 1560 del 6 de junio de 1985.

605 El Movimiento Democracia tuvo una vida corta; era dirigido por Abel, exmiembro de la Dirección Nacional del M-19. El 9 de agosto de 1985 secuestraron al arquitecto Juan Martín Carvajal; cinco días más tarde fueron muertos Abel y su compañera, y el 16 de agosto se produjo el rescate de Carvajal en la zona de Los Farallones, en un enfrentamiento que dejó 7 guerrilleros muertos.

de un proceso de paz frustrado, fue la salida de Navarro, Lucio y la *Negra* Vásquez hacia México ante la inminencia de nuevos atentados.

Días antes, el 20 de mayo, se había presentado el primer encuentro de los principales comandantes de las organizaciones guerrilleras que operaban a lo largo y ancho del país, con la ausencia de las FARC-EP, del MAQL y de un sector de ADO; este último grupo se adhirió posteriormente a las decisiones tomadas en esta reunión constitutiva de la *Coordinadora Nacional Guerrillera (CNG)*. El encuentro se realizó en Bogotá y asistieron Jairo de Jesús Calvo, *Ernesto Rojas*, comandante del EPL; Álvaro Fayad, del Mando Central del M-19; Milton Hernández, de la Dirección Nacional del ELN; José Matías Ortiz, *Valentín González*, del PRT; Javier Delgado y Hernando Pizarro, por el FRF; un delegado de ADO y dos delegados del Comando Superior del MIR-Patria Libre. Todos coincidieron en que no era posible un proyecto unitario sin contar con las FARC-EP, reconocida como la organización guerrillera con mayor prestigio y capacidad a nivel rural.

Como anécdota de la reunión y una muestra más de las actitudes de Javier Delgado, este se negó a aceptar las medidas de seguridad establecidas por el ELN como anfitriones, aduciendo su condición de "comandante revolucionario". Un tema de debate fue la inminente aprobación de la ley de indulto, punto pendiente de los acuerdos de agosto del año anterior; a partir del 4 de junio se aprobó la Ley 49 que autorizaba al presidente de la República a conceder indulto a los colombianos que hubieren sido condenados mediante sentencia ejecutoriada o estuvieren siendo procesados o requeridos por los delitos de sedición, rebelión y asonada y conexos, con excepción de secuestro, extorsión y homicidio fuera de combate. Quienes querían este beneficio debían solicitarlo antes del 31 de diciembre de 1985... para esa fecha agonizaba la paloma de la paz que Belisario había lanzado al vuelo y en la que tantos colombianos creyeron[606].

Otros aspectos que animaron la discusión de esta reunión fundacional de la CNG fueron la propuesta del M-19 de tomarse militarmente la ciudad de Cali y la inminente realización del paro cívico nacional, convocado para protestar contra la carestía de la vida y los

606 Texto de la Ley 40 de 1985, en *Diario Oficial* N° 37000, 5 de junio de 1985, página 1079.

acuerdos del gobierno de Belisario con el Fondo Monetario Internacional (FMI). De la reunión salieron dos documentos con fecha del 25 de mayo de 1985: "Declaración de unidad" y "Al paro nacional", en el que apoyaron la medida decidida en el Encuentro Nacional Obrero Popular que se llevó a cabo dos meses antes y que fijó la hora cero para el jueves 20 de junio siguiente: "El movimiento guerrillero suma su fuerza y su vocación de combate a la decisión de un pueblo de lanzarse al paro nacional [...] nos hemos reunido y anunciamos que respaldamos totalmente la decisión del Encuentro Nacional Obrero Popular de realizar un paro cívico nacional en el primer semestre de este año [...] En cada vereda, en cada municipio, en todo barrio, en las fábricas, se deben hacer preparativos para el paro, la población se debe lanzar resueltamente el día del paro a expresar su protesta y su indignación contra el Gobierno y a luchar por que se conquisten las reivindicaciones y el pliego que aprobó el encuentro"[607].

Ese pliego, presentado al presidente Belisario en reunión del 23 de mayo, constaba de nueve puntos, que incluían el levantamiento del estado de sitio, reforma agraria democrática, no pago de la deuda externa y cancelación de los acuerdos firmados entre el Gobierno y el FMI, aumento general de salarios, congelamiento de precios de los artículos de primera necesidad y, en general, mejoramiento de las condiciones de vida de los trabajadores y del pueblo. Como en ocasiones anteriores, la protesta fue ilegalizada y calificada por el Presidente como "un atentado a la paz", se autorizó el despido de los trabajadores que no asistieran a sus labores y se creó, desde los medios de comunicación, un ambiente de temor generalizado por posibles atentados terroristas y actos vandálicos. El paro se hizo, pero no hubo las grandes movilizaciones que se anunciaban, ni los connatos de insurrección que algunos presagiaban y querían. Ese mismo día el M-19, a través del comandante Pizarro, declaró definitivamente rota la tregua y la decisión de su organización de pasar a ejecutar operaciones ofensivas: "Nuestros hechos van a hablar por nosotros. Hemos sido defensivos hasta hoy. Pero el M-19 sabe que le ha llegado su hora de lanzarse en una actitud más ofensiva y más decidida a ser gobierno [...] el pueblo colombiano en el 87 tiene que ser poder. El pueblo colombiano no va a

607 Documentos CNG, "Al paro nacional", Colombia, 25 de mayo de 1985.

posponer treinta años su independencia ni su prosperidad ni su futuro. Desde hoy estamos construyendo el nuevo gobierno. En poco tiempo tendremos zonas liberadas, pueblos insurrectos y hombres libres"[608]. En medio de los augurios triunfalistas llegaron las acciones ofensivas anunciadas por el M-19: entre el 27 de junio y el 25 de julio se produjeron las tomas de Génova, en el Quindío; Herrera, en el sur del Tolima; Riofrío, en el Valle, y Naranjal y Primavera, en el norte del mismo departamento.

No había pasado una semana desde el anuncio de la fundación de la CNG cuando se presentó una agria pelea entre dos de sus miembros: el M-19 y el FRF. Esta organización reivindicó, por boca de su dirigente Delgado, el atentado que hicieron contra Hernando Hurtado Álvarez, miembro del Comité Central del PCC y suplente de Gilberto Vieira en la Cámara de Representantes: "Somos los responsables del intento de fusilamiento contra el señor Hernando Hurtado. Le anunciamos al pueblo colombiano que defenderemos, cueste lo que cueste y a como dé lugar, nuestra organización", le dijo al periodista Carlos Gómez de la cadena radial Todelar. Un episodio más de una oscura guerra, ante el cual Álvaro Fayad del M-19 manifestó: "Nosotros habíamos hecho una alianza con el movimiento guerrillero, buscando su unidad, ocho días antes del atentado. Además de la unidad también planteamos una nueva moral, no solamente en la relación y actitud entre los diferentes grupos guerrilleros, sino con todas las fuerzas sociales, ideológicas y políticas que se mueven en el país. Apenas a cinco días de un acuerdo según el cual nadie emprendería acciones militares, el grupo Ricardo Franco, violando los acuerdos, violando la ética, la conducta moral y política, hace un atentado vergonzoso e inaceptable contra Hernando Hurtado, del PC. A raíz de ese atentado, nosotros no vamos ni a la esquina con el grupo Ricardo Franco"[609]. Pasada la euforia del momento y contradiciendo los términos de la entrevista a la revista *Cromos*, dos meses después los principales jefes del Ricardo Franco y del M-19, incluido el propio Fayad, anunciaban a través de una declaración conjunta, con fotografía y todo, un nuevo proceso de unidad de sus "fuerzas y voluntades en la

608 "Entrevista a Carlos Pizarro Leongómez", en *¡Oiga Hermano!*, N° 49, Colombia, 22 de junio de 1985, en Centro de Documentación para la Paz.

609 "No más tregüitas de 48 horas", entrevista a Álvaro Fayad, por Rafael Baena, *Cromos*, edición N° 3520 del 2 al 7 de julio de 1985.

lucha por la democracia y la paz en Colombia": "Consecuentes con los millones de colombianos comprometidos con la dignidad de la patria, el Movimiento 19 de Abril, M-19, y el Frente Ricardo Franco de las FARC, unimos todas nuestras armas, todos nuestros recursos, combatientes y voluntades para hacer posible el gran anhelo nacional de cambio con justicia social en Colombia"[610].

Sobre los avatares de la CNG, sus contradicciones internas y carácter "coordinador" —o no—, dirigencia, transformaciones e implicaciones en el movimiento guerrillero, nos ocuparemos en el siguiente capítulo; pero antes, algunas apreciaciones sobre la "amenaza insurgente en Colombia", enviadas el 17 de junio de 1985 al director de la CIA por parte de uno de sus oficiales de inteligencia, John L. Helgerson, director de Análisis para África y América Latina:

> 1. Como lo mencioné durante nuestra reciente charla con el secretario asistente designado, Elliot Abrams, compartimos las preocupaciones del general Williams acerca del deterioro de la situación en Colombia. El mes pasado publicamos una evaluación de Inteligencia de los problemas en Colombia que adjunto para su uso y le sugiero que reenvíe al general Williams. También adjunto nuestra más reciente recomendación de Inteligencia acerca de la capacidad en declive de Colombia para lidiar con la amenaza insurgente.
> 2. No creemos que las guerrillas sean lo suficientemente fuertes para derrocar el Gobierno a corto plazo, pero nos preocupa que la continuación de las tendencias actuales pueda, con el tiempo, ser amenaza para el régimen. Las guerrillas están tomando ventaja del cese del fuego para rearmar y reclutar, mientras que grandes recortes de presupuesto están reduciendo las capacidades militares de contrainsurgencia. Sin embargo, en tres confrontaciones de gran envergadura en los últimos diez meses, la más reciente en el suroccidente de Colombia, cerca de Cali, los militares vencieron. Informes fragmentados sugieren que Cuba y Nicaragua pueden estar redoblando el apoyo a los insurgentes a través de un incremento de entrenamiento y un esfuerzo intensificado para

610 Documentos M-19, "Ser gobierno es el camino", *Boletín* N° 101, septiembre de 1985, en Centro de Documentación para la Paz.

promover la unidad guerrillera. El grupo insurgente más grande —las Fuerzas Armadas Revolucionarias pro Soviéticas de Colombia— ha usado sus amplios lazos con los narcotraficantes para ayudar a financiar la compra y el transporte de armas desde el extranjero, y los traficantes buscan relaciones similares con el M-19.

Fuente: Central Intelligence Agency, CIA. Memorandum for: Director of Central Intelligence, Subect: Insurgent Threat in Colombia, https://www.cia.gov/library/readingroom/docs/CIA-RDP87M00539R001602500002-3.pdf

VII
Los espacios de unidad guerrillera

La Coordinadora Nacional Guerrillera (CNG), la toma del Palacio de Justicia y el crimen de Tacueyó[611]

Pese a los permanentes hostigamientos militares contra los frentes de las FARC-EP, la maltrecha tregua se mantenía. El 31 de marzo de 1985, cuando se cumplió el primer aniversario de la firma del Acuerdo de La Uribe, anunciaron el inicio de las actividades de su frente

611 Para el presente acápite se consultaron los textos *La unidad revolucionaria, utopía y realidad* de Milton Hernández; del mismo dirigente del ELN, el documento "Ni un tiro más entre los guerrilleros colombianos", con fecha 3 de abril de 2007; la revista *Colombia Viva* de la CNG; el libro *Razones de vida* de Vera Grabe, protagonista en el proceso de la CNG; los libros ya citados sobre el MAQL, ELN, M-19, FARC-EP y EPL, en especial *Para reconstruir los sueños* de Villarraga y Plazas; la "trilogía" de Jacobo Arenas: *Paz, amigos y enemigos*, *Vicisitudes del proceso de paz* y *Correspondencia secreta del proceso de paz*; el documental *El Baile Rojo* de Yezid Campos Zornosa y su libro *El Baile Rojo, relatos no contados del genocidio de la UP*; de Roberto Romero Ospina, el texto *Unión Patriótica, expedientes contra el olvido*. Sobre la matanza de Tacueyó pueden consultarse las ediciones 190 a 193 de la revista *Semana* de enero y febrero de 1986, así como diarios de la época; el documental *Tacueyó: el B-2 al desnudo* y el libro con el mismo nombre del FRF; "Construir la democracia con alegría, justicia y dignidad", intervención de Álvaro Fayad Delgado en la Asamblea Guerrillera del M-19, realizada en Campo América el 20 de diciembre de 1985, en *Ideas para una nueva Nación*, N° 2, enero de 1986. Se consultó la página web del Centro de Documentación de los Movimientos Armados (CEDEMA): http://www.cedema.org que contiene documentos de la CNG, FRF, M-19, EPL, MAQL y del período.

político, denominado Unión Patriótica (UP), como vía para hacer posible la transición a la acción legal; se cumplía así con el numeral 7 del Acuerdo, que señaló: "Cuando a juicio de la comisión nacional de verificación hayan cesado los enfrentamientos armados, se abrirá un período de prueba o espera de un (1) año para que los integrantes de la agrupación hasta ahora denominada Fuerzas Armadas Revolucionarias de Colombia (FARC-EP), puedan organizarse política, económica y socialmente, según su libre decisión"[612]. Diez días antes, el 21 de marzo, se realizó en el Centro de Convenciones Gonzalo Jiménez de Quesada, en Bogotá, el lanzamiento del libro *Cese al fuego* de Jacobo Arenas; los distintos oradores ya hablaban del nuevo movimiento político próximo a aparecer como resultado de lo acordado entre Gobierno y guerrilla.

A la reunión de la Comisión Nacional de Verificación, conmemorativa del primer año de los Acuerdos de La Uribe, esta guerrilla le dirigió un extenso memorando en el que hacía un recuento y denuncia de las agresiones a los distintos frentes en tregua: "Hemos puesto en el curso de estos primeros 118 días de tregua, más de veinte muertos, otros tantos heridos y otros tantos presos. El drama de la compañera Liliana López fue el mismo de miles de compañeros víctimas de las atrocidades de los militares. Por medio de la tortura, la misma a la que se le dio categoría científica en las caballerizas de Usaquén y en las cuevas del Sacro Monte —antro de torturas del Batallón de Comunicaciones de Facatativá—, y en general la misma que aplicaban y aplican a sus víctimas los mecanismos de inteligencia del Ejército, a Liliana, esposa de Raúl Reyes, intentaron durante meses convertirla en delatora y agente de información de la institución"[613]. Las críticas y los señalamientos estaban dirigidos a la cúpula militar y a las "vacilaciones" del presidente de la República, mientras reconocían que la comisión había cumplido con el cometido para el cual la designó el mismo Belisario; igualmente, protestaron airadamente por las agresiones del Ejército al M-19.

El Estado Mayor Central de las FARC-EP dio a conocer el 11 de mayo un documento propuesta de veinte puntos llamado "Plataforma

612 Texto del Acuerdo de La Uribe, en Medios para la Paz, *op. cit.*, pp. 169-172.

613 Jacobo Arenas, *Paz, amigos y enemigos*, *op. cit.*, pp. 141-153.

de lucha de la Unión Patriótica", en el que anunció la decisión de mantenerse provisionalmente como Comando Nacional hasta la realización del primer Congreso Nacional de la UP, que tuvo lugar en el teatro Jorge Eliécer Gaitán de Bogotá, entre el 14 y el 16 de noviembre siguientes. En el documento concebían el movimiento político como un frente amplio, en el cual "caben liberales, conservadores, socialistas y gentes sin partido, obreros, campesinos, intelectuales, artistas, estudiantes y en general toda la gente colombiana que quiera cambios en la vida del país"[614]; anunciaban la decisión de promover reformas al sistema político para generar espacios para movimientos de oposición a los partidos tradicionales y reformas económicas y sociales. Para ese momento ya participaban en eventos públicos con el nombre de UP, como lo hicieron en la manifestación del 1° de mayo, donde lucieron sus banderas y pancartas verdes y amarillas. El 16 de junio de 1985, en Pueblo Bello (Cesar), la UP hizo su primera manifestación pública: "allí había gente de las FARC, eso es cierto, porque era con ellos la Unión Patriótica; y lo que se había dicho era que la Unión Patriótica iba a ser la organización a través de la cual la gente de las FARC se iría a vincular a la actividad política concreta"[615]. Pocos días después fueron asesinados dos campesinos —pequeños propietarios—, en cuyas casas se habían alojado los delegados de las FARC para el evento. Los primeros dos muertos del exterminio intencional y sistemático de la UP, aunque antes ya se habían registrado asesinatos de activistas de los Acuerdos de La Uribe, como indica la "Lista parcial de homicidios y desapariciones de miembros y simpatizantes de la UP (1984-1997)", en el libro de Roberto Romero Ospina, que registra 1.598 nombres durante ese período[616].

El dilema de las FARC-EP se centraba en la inminente finalización de la tregua —el 1°de diciembre de 1985— y los nulos avances en aspectos centrales de los pactos de La Uribe, con excepción de la

614 Estado Mayor Central de las FARC-EP, "Plataforma de lucha de la Unión Patriótica", *Biblioteca de la Paz, Serie Proceso de Paz en Colombia 1982-2002*, Fundación Cultura Democrática, FUCUDE, 11 de mayo de 1984, p. 203.

615 Testimonio de Imelda Daza, *El Baile Rojo. Memoria de los silenciados*, documental, en https://www.youtube.com/watch?v=QVL54FcZq5E

616 Roberto Romero Ospina, *op. cit.*, p. 27.

fundación de la UP (numeral 7 de estos). Hasta entonces, las reformas que eran el fundamento de los acuerdos, que se tenían que tramitar a través del Congreso de la República, ni se habían iniciado, ni había voluntad a la vista: "Como no se han producido las reformas propuestas en los Acuerdos de La Uribe, los elementos del juego político están agotados y en tales condiciones urge estudiar nuevas salidas a menos que nos hallemos en plenas condiciones de reanudar la confrontación armada y, en tal caso coincidir, con la estrategia del militarismo quien ve en las libertades públicas, en los cambios y en el progreso del país la finalización de su dominio"[617].

El Pleno del EMC mostró la decisión de hacer de la UP un gran proyecto político, y en ese sentido señalaron que "el movimiento en su conjunto no escatimará esfuerzos para que la Unión Patriótica sea una gran realidad. Y digámoslo de una vez. A partir de este momento la tarea prioritaria, la inmediata, es la de que todos los frentes despeguen con audacia y fuerza a organizar la UP en sus áreas de influencia, en pueblos y ciudades, en donde quiera que haya gente del pueblo"[618]. Ante las incertidumbres existentes y las dudas sobre la aceptación de una fórmula que recondujera el proceso se discutieron en el pleno otras opciones: "por lo que respecta a nosotros, debemos tensar nuestras energías en la preparación de todas las condiciones para, en el caso de no-aceptación por el Gobierno o los militares reaccionarios de estas propuestas, recomenzar la pelea conforme lo establece el Plan Militar Estratégico de ocho años. Y al mismo tiempo tensar nuestras energías para despegar con fuerza en el trabajo urbano y conforme lo establece el Planteamiento Estratégico ensamblar nuestra concepción militar con la acción de masas de las grandes ciudades"[619]. Se consideró, de igual forma, proponer al Gobierno la recomposición de la Comisión de Paz y unificación con otras comisiones vigentes, tal como sucedió en octubre siguiente, cuando, mediante el Decreto 3030, se creó la Comisión de Paz, Diálogo y Verificación, de 20 miembros, entre otros,

617 Bases de discusión del Pleno Ampliado del Estado Mayor Central de las FARC-EP, agosto 25-27 de 1985, en http://www.farc-ep.co/pleno/pleno-ampliado-agosto-25-27-de-1985.html

618 *Ibid.*

619 *Ibid.*

el Procurador, los presidentes de Senado y Cámara, cuatro delegados del Gobierno, cinco dirigentes de partidos políticos y representantes de los grupos en tregua: ADO, EPL y FARC-EP.

Mientras esta organización impulsaba sus propuestas políticas a través de la UP, otras fuerzas guerrilleras adelantaban sus propios procesos políticos como movimientos o frentes amplios. ¡A Luchar! fue una organización política, con ciertas afinidades con el ELN, sin ser un apéndice directo de esa organización, que se presentó en Medellín en marzo de 1985 y realizó su primera convención nacional a mediados del año siguiente: "Algunos miembros de la cúpula de ¡A Luchar! fuimos parte integrante de la estructura organizativa del ELN. Yo milité por varios años, pero eso no significa que todos los que estuvieron en ¡A Luchar! fueran del ELN [...] Decía que yo fui militante del ELN, y efectivamente así fue, pero nunca fui guerrillero. Esa aparente contradicción es un reflejo de un problema que intentó resolver el ELN con la construcción de lo que se llamaba una estructura politicomilitar, en donde se buscaba la formación integral entre lo político y lo militar. La historia de ¡A Luchar! es la historia del forcejeo entre la guerra y la política"[620].

En ¡A Luchar! confluyeron sectores del ya disperso sindicalismo independiente, trotskistas provenientes del Bloque Socialista y del Partido Socialista de Trabajadores (PST), maoístas de cualquiera de las distintas escisiones del ML, marxistas sin partido e integrantes "legales" de las organizaciones guerrilleras que confluyeron en la CNG. Uno de los temas que identificó a ¡A Luchar! y a otros grupos de izquierda del momento fue la propuesta de convocar a una Asamblea Nacional Popular, en lo que se llamaba la construcción de "embriones de poder popular", una propuesta de corte eleno que después se transformó en Convención Nacional. ¡A Luchar! estuvo al frente de importantes movilizaciones sociales como el paro del nororiente de 1988.

Por el lado del EPL y del PCC (M-L) se contaba ya con expresiones políticas legales y amplias como CENASEL y la Unión Democrática Revolucionaria (UDR), que tenían oficinas públicas en distintas

620 Ponencia "A Luchar: la tensión entre lo político y lo militar", Antonio López, *Las verdaderas intenciones del ELN*, Bogotá, Corporación Observatorio para la Paz, Intermedio Editores, 2001, pp. 200-212.

ciudades del país; más adelante vendría la constitución del Frente Popular, propuesta en el IV Pleno del Comité Central del PCC (M-L), realizado a finales de 1985. Su vocero público, Óscar William Calvo, propuso de manera premonitoria reformas constitucionales a través de la convocatoria a una Asamblea Nacional Constituyente: "Para visibilizar el propio desarrollo hacia la constituyente, hemos dicho que se haga una consulta popular, un referéndum, simultáneamente con las elecciones de 1986, bien sea en las de cuerpos colegiados o en las presidenciales, para que el pueblo decida si está o no de acuerdo con la convocatoria a una Asamblea Nacional Constituyente, con poder decisorio y elegida por voto directo y con plena libertad de participación de todos los sectores sociales y políticos del país"[621]. Así sucedió cinco años más tarde, y Óscar William no viviría para verlo.

Precisamente, el EPL, en tregua, había realizado en febrero de 1985, en las montañas de Córdoba, su III Conferencia Nacional de Combatientes que redefinió la estructura orgánica de la siguiente manera: un Comando Nacional, como mando único y central, nombrado por el Comité Central del PCC (M-L), de carácter político y militar; el Estado Mayor Central, organismo táctico operativo, encargado de la conducción militar de las fuerzas; estados mayores regionales; comandos de frentes; las unidades, como formaciones básicas del EPL; y las escuadras como unidades operativas. Decisión estratégica de la conferencia fue dar el salto cualitativo hacia una guerrilla más ofensiva, en camino hacia los centros neurálgicos de la producción; esta disposición, sumada a la participación en la CNG y a espacios unitarios como la Fuerza Conjunta EPL-M-19, le permitieron transformarse en una guerrilla con mayor asiento en el terreno y capacidad de maniobra de sus fuerzas. En lo político ratificaron su compromiso de cumplir con la palabra empeñada en los acuerdos de cese al fuego y se reafirmaron en la búsqueda de salidas políticas "pero mantendremos la guardia en alto y las armas en nuestras manos para impedir las provocaciones de las fuerzas armadas reaccionarias y sus esfuerzos por colocarnos en una posición militar defensiva"[622].

621 Entrevista a Óscar William Calvo, en Fabiola Calvo, *op. cit.*, pp. 127-137.

622 Documentos EPL, Conclusiones de la III Conferencia Nacional de Combatientes, febrero de 1985, en Fundación Cultura Democrática.

La "Declaración de Unidad"[623] de la CNG, del 25 de mayo de 1985, firmada por las distintas organizaciones en armas —con excepción del MAQL, que lo haría después, y de las FARC-EP, que no participaron en ese proceso por sus profundas contradicciones y el enfrentamiento con el FRF—, rechazó el atentado a Antonio Navarro y a sus compañeros del M-19, hizo un llamamiento a la unidad democrática y revolucionaria y estableció el compromiso de tratar con respeto las contradicciones y discrepancias que existían en el movimiento guerrillero. Los hechos que se presentarían en los meses siguientes demostrarían que no fue así, que en las organizaciones revolucionarias existían también espacios para el totalitarismo, la intolerancia, el hegemonismo, la arrogancia, el sectarismo y el "canibalismo fratricida entre revolucionarios", como decía la misma Declaración de Unidad. En los mismos términos se pronunció la CNG en el editorial de su revista *Colombia Viva* que circuló de inmediato: "No ha sido, ni es fácil, el camino de la unidad, y menos cuando existen claras diferencias ideológicas y políticas entre las organizaciones que componemos la Coordinadora Nacional Guerrillera, y más difícil resulta cuando nos proponemos elevarla sobre bases firmes y no de conciliación ni componendas [...] Hoy se mantienen diferencias en algunos aspectos del análisis de la situación actual y de las salidas que ella exige, pero también se dan fundamentales puntos de identidad, con base en los cuales se cristalizó y se desarrolla actualmente la Coordinadora, como una alianza estable de fuerzas guerrilleras"[624].

La integración de las distintas guerrillas en la CNG facilitó el conocimiento e intercambio de experiencias en escuelas de mandos, fuerzas especiales y combatientes, así como espacios comunes y de concertación. El MAQL, por ejemplo, entendió que esta era una oportunidad "[...] para negociar los enfrentamientos al interior del territorio paez. El QL asiste a sus reuniones con el fin de regular su territorio y exigir respeto a la autonomía y autoridad propia. Fue esta la instancia en la que se logró detener matanzas como la ocurrida en Los Tigres.

623 Véase el anexo 6.

624 "La unidad es parte de victoria", en Milton Hernández, *La unidad revolucionaria, utopía y realidad*, Bogotá, Ediciones Colombia Viva, 1993, p. 56.

La CNG igualmente gana a nivel político al integrar al QL pero los compromisos generados producirán en este una cierta dependencia de la CNG"[625]. La CNG se propuso y cumplió con las tareas de formación, aprovechando la experiencia y fortaleza que sobre algunos aspectos de tácticas militares tenían los grupos guerrilleros en particular; de igual forma, realizó campañas militares conjuntas que se presentaron como CNG, indistintamente del grupo o los grupos que las lideraron. Así se hizo más adelante con la campaña "Camilo Vive", de marzo de 1986, y "Colombia en Lucha", en medio de la coyuntura electoral de ese año.

Rota la tregua, el M-19 arreció su operatividad, sobre todo utilizando sus fuerzas especiales que realizaron acciones tipo comando contra el Cerro del Cable, en el oriente de Bogotá; contra el Grupo Mecanizado Cabal, en Ipiales, y más adelante contra el Batallón de Ingenieros Cisneros N° 8 de la III Brigada del Ejército, con sede en Armenia. El 28 de agosto, la muerte tocó de nuevo a sus puertas: esa madrugada, tropas de la III Brigada, del DAS y de la Policía del Valle cercaron una casa en el barrio Los Cristales, en Cali, donde se encontraba Iván Marino Ospina. El ataque incluyó tanques de guerra y duró tres horas; *Felipe* murió en combate, en medio de la balacera; junto a él se encontraba su hijo Jorge Iván: "De pronto escucho un estruendo mientras gritan mi nombre, él estaba tranquilo, más sereno que de costumbre, asume el fusil y me dice, 'cuida a tus hermanos'. Las batallas se llenan de consignas para amedrentar al enemigo y superar el miedo, la pólvora enardece, se aspira y motiva, los tiempos son eternos y durante algunos minutos todo se estremece, tiros van y vienen, cada bala suena un par de veces, a su salida y en su inevitable punto de llegada, casi está amaneciendo, mientras suena el teléfono se encima al contrario, él sale a la terraza e intento hacerle retroceder pero dos silbidos llegan, uno roza mi cuello y el otro fatalmente certero atraviesa su tórax, 'me mataron' me dice, como queriéndome decir más cosas sin poder, lo retiro de la línea de fuego y cierro sus ojos"[626]. Iván Marino, el recio comandante del M-19, el amigo y compañero

625 Myriam Amparo Espinosa, *op. cit.*, p. 82.

626 "Así vi morir a mi padre, el comandante del M-19 Iván Marino Ospina: Jorge Iván", testimonio de Jorge Iván Ospina, en *Las2Orillas*, http://www.las2orillas.co/asi-vi-asesinar-a-mi-padre-el-comandante-del-m-19-ivan-marino-ospina-jorge-ivan/

de Pablo y de Fayad, caía enarbolando la misma consigna que había gritado meses antes en San Francisco (Cauca), cuando su columna guerrillera fue emboscada por el Ejército: "¡El M-19 ni se rinde, ni se vende!". A la muerte de su comandante, las Milicias Bolivarianas de esa organización, instaladas en Siloé y otros barrios de Cali, respondieron con ataques a patrullas y estaciones de Policía.

La atmósfera política y militar estaba demasiado cargada. Tambores de guerra se escuchaban por todo el país y cualquier cosa podía ocurrir. Los atentados por parte del FRF contra dirigentes del PCC continuaron: el mismo día de la muerte de Iván Marino en Cali, en Bogotá intentaron asesinar a Jaime Caycedo, miembro de la Dirección Nacional del Partido y encargado de las Relaciones Internacionales; el 30 de octubre, el turno fue para Álvaro Vásquez del Real, un viejo y curtido cuadro comunista, integrante del Comité Central, que resultó ileso luego de ser abaleado al salir de su casa. La CNG condenó los comportamientos del FRF y, en una carta dirigida a las FARC-EP, intentó de nuevo un acercamiento para encontrar soluciones: "Compañeros, nos dirigimos a ustedes como una fuerza en este proceso, para solicitarles públicamente: 1. Que se pare de inmediato el enfrentamiento militar contra las organizaciones guerrilleras. ¡Ni un tiro, ni un muerto más! 2. Buscar con ahínco en el diálogo y con imaginación la solución a esas contradicciones, agotando todos los medios y recursos que sean necesarios para avanzar. Por esto, hemos conformado una comisión delegada de las organizaciones firmantes de esta carta, para que, en una entrevista con ustedes, se ventilen las soluciones posibles que con voluntad y disposición estamos seguros van a surgir. 3. De nuevo convocamos a que se vinculen a este esfuerzo unitario para que conjuntamente respondamos a las esperanzas del pueblo cifradas en el movimiento guerrillero y construyamos la alternativa de redención definitiva a sus clamores"[627].

Pasadas unas semanas, el M-19 hizo lo propio en una carta púbica al Estado Mayor de las FARC-EP, en la que reafirmaba lo expresado por la CNG: "El Movimiento 19 de Abril, M-19, siente en carne

627 "Carta abierta a las FARC-EP", agosto de 1985, en Centro de Documentación para la Paz. El documento está firmado por los dirigentes del M-19, EPL, ELN, PRT y MIR-Patria Libre.

propia el fratricidio y el canibalismo entre las filas de la revolución y hace suyo el llamado de Camilo de fortalecer todo lo que nos une. Que el sectarismo no encuentre tierra fértil en el campo revolucionario. Hoy es urgente que, como señal de buena voluntad y de justicia, sean devueltos los combatientes del Frente Ricardo Franco arrestados por las FARC, como es el caso de José Campos, *Andrés*, y de otros cinco compañeros retenidos recientemente en el Tolima"[628]. No había caso. La respuesta fue una airada declaración de septiembre firmada por los máximos dirigentes Manuel Marulanda, Jacobo Arenas, Jaime Guaraca, Alfonso Cano y Raúl Reyes, en la que calificaban a Delgado de contrarrevolucionario, sicópata, miembro de las agencias de inteligencia del Estado y agente de la CIA, y a su organización de grupo paramilitar: "este grupo está al mando de un sicópata, llamado José Fedor Rey, alias *Javier Delgado*, convertido en agente de la CIA desde mayo de 1979 [...] al que esta organización le impuso la misión de asesinar dirigentes revolucionarios desarmados [...] Se sabe que ese grupo se encubre con el nombre del legendario comandante de la guerrillas farianas Ricardo Franco, haciéndose pasar como una disidencia de las FARC-EP. Nunca el Ricardo Franco ha pertenecido a las FARC, otra cosa es que haya en ese grupo traidores y desertores de las FARC [...] No todos los integrantes del grupo paramilitar-contra, Ricardo Franco, son traidores y agentes de la CIA. Hay en ese grupo gentes engañadas y otros jugando su papel mercenario por dinero. Pero, el núcleo dirigente con José Fedor Rey, alias *Javier Delgado* a la cabeza, sí son traidores y contras pagados por la CIA"[629].

En septiembre se había presentado un nuevo espacio de unidad entre el M-19 y el grupo de Delgado, esta vez aliados en una fuerza conjunta que adelantó la campaña "De pie Colombia", de diecisiete días de duración, en la que hubo prolongados combates en áreas urbanas de Cali y en la región comprendida entre el sur del Valle y el norte del Cauca. Uno de los enfrentamientos que ratificó el "estado de

628 "Carta pública a las FARC", *¡Oiga Hermano!*, N° 92, 27 de septiembre de 1985, Centro de Documentación para la Paz.

629 Citado por Carlos Medina Gallego, en *FARC-EP y ELN, Una historia política comparada (1958-2006)*, Bogotá, Universidad Nacional de Colombia, Facultad de Ciencias Humanas, Departamento de Historia, 2008, p. 324.

guerra" en que se encontraba el país fue la emboscada a una patrulla militar en el cañón de La Virgen, entre los municipios de Pradera y Rioblanco, donde murieron 13 soldados y fueron capturados 15 por los guerrilleros, 11 de ellos heridos y 4 ilesos. En una actitud que después se repetiría muchas veces por parte de las organizaciones insurgentes, los soldados fueron atendidos y solicitaron la presencia de la Cruz Roja Internacional, el Comité de Derechos Humanos y Amnistía Internacional para que los recogieran; así mismo, semanas más tarde, ante un grupo de periodistas, hicieron entrega de 5 miembros del Ejército en poder del M-19.

Los hechos que se desarrollaron el 6 y 7 de noviembre, con la toma del Palacio de Justicia —sede del Consejo de Estado y de la Corte Suprema de Justicia— por parte de la Compañía Iván Marino Ospina, del M-19, han sido ampliamente divulgados y controvertidos: más de una veintena de libros con miles de páginas se han escrito al respecto, centenares de horas de entrevistas a servidores públicos, rehenes víctimas y familiares de víctimas, dirigentes políticos y gente del común se han grabado; todo un rosario de análisis, conjeturas, informes, desinformaciones, acusaciones, versiones y tergiversaciones, unas muy ciertas, otras quedaron como verdades absolutas o verdades a medias, y las más, como mentiras completas. Se dice que la verdad verdadera se la llevaron a la tumba los protagonistas de cualquiera de los bandos enfrentados y que una parte de esta verdad la tiene el mandatario de entonces, Belisario Betancur, quien siempre dijo estar dispuesto a que se revelara con posterioridad a su muerte. A las 11:30 de la mañana de ese miércoles 6 se inició la Operación Antonio Nariño por los Derechos del Hombre, dirigida por Luis Otero Cifuentes, junto con Andrés Almarales, Alfonso Jacquin, Elvecio Ruiz, Ariel Sánchez, José Domingo Gómez y una treintena más de mujeres y hombres del M-19, "la acción política más ambiciosa que ningún movimiento revolucionario colombiano hubiera intentado jamás", según la periodista Ana Carrigan[630].

630 Ana Carrigan, *El Palacio de Justicia, una tragedia colombiana*, Bogotá, Icono Editorial, p. 68.

Un tema grueso que con el paso del tiempo se ha aclarado fue que se trató de una "toma anunciada". Tanto el Ejército como las fuerzas de seguridad del Estado sabían lo que se pretendía, y a los guerrilleros los estaban esperando; es lo que se ha denominado "la teoría de la ratonera". Se conocía, por captura de información, que la fecha de la toma sería el 17 de octubre, cuando llegó en visita de Estado a nuestro país el presidente de Francia, François Mitterrand; autoridades militares estaban al tanto de que sería una toma al estilo de la Embajada de República Dominicana en 1980 y que el momento indicado sería cuando los 24 magistrados de la Corte Suprema estuvieran reunidos. El 18 de octubre, varios diarios de circulación nacional así lo informaron[631]. El *Informe final* de la Comisión de la Verdad sobre los hechos del Palacio de Justicia —conformada con carácter histórico y académico por la Corte Suprema de Justicia a los veinte años de los trágicos sucesos, en la que trabajaron los magistrados Nilson Pinilla, José Roberto Herrera y Jorge Aníbal Gómez— señaló al respecto que "El ministro de Justicia, Enrique Parejo González, relató a la Comisión de la Verdad que una vez ocurrió la tragedia, él pidió que se investigara por qué se había retirado la protección del Palacio que se había dispuesto desde el 30 de septiembre en un Consejo de Seguridad en el que, según la medida que adoptó el general Delgado Mallarino, el personal de seguridad consistía en 22 hombres: un oficial, un suboficial y veinte agentes de la Policía"[632]. El informe relató igualmente que, dos o tres semanas antes, el presidente de la Corte, Alfonso Reyes Echandía, se reunió con periodistas cercanos y contó que habían descubierto un plan para tomarse el Palacio.

Las motivaciones del M-19 quedaron consignadas en un folleto de papel amarillo con el "Texto de la demanda", a manera de un derecho de petición, que circularon ese mismo día en los medios de comunicación, que no lo dieron a conocer. Se trata de un extenso documento

631 Al respecto, y para ahondar en el tema, son imprescindibles las investigaciones: *El Palacio sin máscara* de Germán Castro Caycedo; *El Palacio de Justicia, una tragedia colombiana* de Ana Carrigan; *Noches de lobos* de Ramón Jimeno; *Noches de humo* de Olga Behar.

632 Nilson Pinilla Pinilla, José Roberto Herrera Vergara y Jorge Aníbal Gómez Gallego, Comisión de la Verdad sobre los hechos del Palacio de Justicia, *Informe final*, Bogotá, Editorial Universidad del Rosario, Colección Textos de Jurisprudencia, 2010, p. 95.

jurídico y político sustentado en el Artículo 45 de la Constitución de 1886, que se encontraba vigente entonces: "Los abajo firmantes somos ciudadanos colombianos e integramos el Estado Mayor de la compañía Iván Marino Ospina del Movimiento 19 de Abril, M-19. Estamos aquí como expresión de patria y de mayorías para convocar a un juicio público contra el gobierno del presidente Belisario Betancur. Lo acusamos de traición a la voluntad nacional de forjar la paz por el camino de la participación ciudadana y la negociación, al que se comprometiera mediante el acuerdo de cese al fuego y diálogo nacional el 24 de agosto de 1984"[633]. En la demanda presentaron cuatro cargos en contra del primer mandatario: 1. Se acusó al presidente de firmar los acuerdos con "actitud dolosa y mal intencionada"; 2. Igualmente, de impedir la expresión y participación ciudadanas en la búsqueda de soluciones políticas "a los profundos antagonismos que vive la nación"; 3. Se le sindicó de romper la tregua mediante constantes agresiones a las fuerzas guerrilleras firmantes de los acuerdos; 4. Se señaló al Gobierno de adelantar una política económica y social "en contravía de cualquier propósito de paz". En un comunicado emitido el mismo día, hicieron exigencias de publicación de la demanda, las actas de la Comisión de Verificación, los acuerdos de monitoría con el FMI y los acuerdos de cese al fuego, tregua y diálogo nacional que se firmaron en Corinto, Hobo y Medellín. Exigieron además la presencia de Betancur, o su apoderado, para que respondiera "de manera clara e inmediata" a las acusaciones formuladas contra él; ni más ni menos que iniciar un juicio en contra del presidente de la República.

Lo que siguió y el desenlace son ampliamente conocidos: una visión de los hechos la presentó esa misma noche el presidente Betancur quien, según sus palabras, "para bien o para mal suyo, estuvo tomando personalmente decisiones, dando las órdenes respectivas, teniendo el control absoluto de la situación"[634]; otros consideran que hubo un

633 "Texto de la demanda", Operación Antonio Nariño por los Derechos del Hombre, Compañía Iván Marino Ospina, Movimiento 19 de Abril, M-19, 6 de noviembre de 1985, en Centro de Documentación para la Paz.

634 "La alocución de Belisario Betancur durante la toma de Palacio de Justicia", en http://www.bluradio.com/114887/la-alocucion-de-belisario-betancur-por-toma-de-palacio-de-justicia

golpe de Estado técnico y temporal durante el cual el presidente se mantuvo al margen de las decisiones militares que se tomaron a lo largo de esas 28 horas, hasta culminar con la retoma de las Fuerzas Militares en una operación que significó, por parte de todos los actores, la violación de los derechos humanos y del derecho internacional humanitario. En la presentación del libro *El Palacio sin máscara*, del periodista Germán Castro Caycedo, en la Feria del Libro de Bogotá, en 2008, el también escritor Héctor Abad Faciolince dijo: "Las Fuerzas Militares no se tomaron solamente el Palacio de Justicia, sino que se tomaron también el Palacio de Nariño, dejando al presidente muchas veces aislado de la situación, casi como un rehén más, sin acceso a las personas que querían hablar con él, sin que le obedecieran a cabalidad las pocas órdenes que alcanzó a impartir, dándole informaciones parciales que hablaban de la salvación de los rehenes cuando en realidad no se estaba haciendo nada o casi nada por protegerlos, con tal de resolver rápidamente la batalla"[635]. Para corroborar lo anterior está, entre tantos otros testimonios, el de la periodista Elvira Sánchez-Blake: "Fui de las pocas personas que pudo presenciar el secuestro del que fueron víctimas el presidente Belisario Betancur y su equipo político por parte de los militares y vi cómo, a partir de ahí, tomaron las riendas de la situación de manera ilegítima. Sin duda, el Palacio de Justicia fue la experiencia personal y profesional que más me marcó [...] y saber que al presidente lo tomaron como rehén los militares y lo vi y lo he contado mil veces, y no me lo creen [...] no me lo creen y es en ese tipo de hechos donde uno se da cuenta de que la verdad se puede manipular de todas las formas"[636]. La misma periodista cuenta en el libro de Castro Caycedo que, cuando ya todo había concluido, subió a la oficina del Consejo de Ministros de la Casa de Nariño, donde se encontró con el Presidente, quien le preguntó qué había pasado y cuál

635 Héctor Abad Faciolince, "El Palacio sin máscara: La lectura de quien no estuvo allí", en revista *Chasqui*, N° 103, septiembre de 2008, CIESPAL, Ecuador, pp. 20-25.

636 "Mujeres colombianas en medio del conflicto armado", entrevista a Elvira Sánchez-Blake, en *Revista Iberoamericana*, volumen 14, N° 56, 2014, en https://journals.iai.spk-berlin.de/index.php/iberoamericana/article/view/1130

era la suerte del Presidente de la Corte; ella le respondió que estaba muerto[637].

A las 14:20 horas del 7 de noviembre solo quedaban los restos humeantes del Palacio de Justicia con sus ocupantes sacrificados: funcionarias de la rama judicial, mensajeros, visitantes ocasionales, guerrilleros y guerrilleras, magistrados y soldados. En ese momento, el Alto Mando Militar declaró recuperado el objetivo ocupado por los guerrilleros. Victoria pírrica. La justicia y la democracia quedaron calcinadas, y en los colombianos mil interrogantes sin respuestas sobre los desaparecidos, los silenciados y sobrevivientes asesinados a sangre fría... "Si hay rehenes, no hay negociación", era la teoría del gobierno de Reagan frente a casos como este y como el del crucero *Achille Lauro* tomado unas semanas antes por combatientes del Frente para la Liberación de Palestina (FLP).

Charles A. Gillespie Jr., embajador de Estados Unidos entre 1985 y 1988, presentó un informe confidencial de la Embajada a la Secretaría de Estado en Washington el 9 de noviembre de 1985, que tenía como tema "Pérdidas y ganancias del ataque al Palacio de Justicia":

> Nos han recordado algunas cosas esta semana que son buena señal para el futuro inmediato de este país. Belisario Betancur puede ser notablemente duro cuando las circunstancias lo justifican. Esperamos que en futuros incidentes tenga la misma determinación. Creemos que uno de los factores de presión sobre el presidente Betancur fue la experiencia del presidente Duarte durante el secuestro de su hija por parte de terroristas. Como el ministro Ramírez, de Relaciones Exteriores, nos aclaró el mes pasado, Betancur —quien mantuvo contacto telefónico regular con Duarte durante esta dura prueba— creyó que la intensa participación personal del "desesperado" presidente salvadoreño en la negociación fue un "trágico error". Los resultados, de acuerdo con Betancur, incluyeron concesiones prematuras y una vulnerabilidad aumentada de la democracia salvadoreña. En este sentido, es irónico que uno de los jueces rescatados entre los primeros del Palacio de Justicia fuera el propio hermano del presidente, Jaime Betancur, que además fue víctima de secuestro por parte

637 Germán Castro Caycedo, *El Palacio sin máscara*, Bogotá, Planeta Colombiana Editorial S. A., 2008, p. 249.

de los terroristas dos años atrás. El Ministro de Relaciones Exteriores nos contó el mes pasado que, con frecuencia, el Presidente comparaba el manejo que le dio al secuestro de su hermano (favorablemente) con el de Duarte, en el caso de su hija. Nos parece que la llamada del M-19, el 7, a Betancur para que enviara a Jaime de nuevo al Palacio como mediador, solo sirvió para reafirmar la decisión política y personal del Presidente de actuar con fuerza en vez de, siquiera, dar la impresión de que iba a negociar con terroristas.

El pueblo colombiano está cada vez más enojado y desilusionado con las guerrillas violentas. Los remanentes de la imagen de "Robin Hood" del M-19 murieron en el Palacio. El público apoyará la acción en contra del M-19. En cuanto a los otros grupos, especialmente las FARC, a menos que sean muy cautelosos, podrían ser arrastrados hacia esta actitud —no necesariamente una mala cosa, según varios—.

Fuente: Amembassy Bogotá, Document Bogota 13897, Subject: *The Palace of Justice Attack – Losses and Gains*, 9 November 1985. The National Security Archive (NSA), Colombia and the United States: Political Violence, Narcotics and Human Rights, 1948-2010, documentos desclasificados de diferentes agencias de seguridad del Gobierno de Estados Unidos.

En medio de las tensiones que se vivían en Colombia después de los luctuosos 6 y 7 de noviembre, una semana más tarde se realizó el Primer Congreso Nacional de la UP al que asistieron más de 500 observadores nacionales e internacionales y 2.703 delegados de organizaciones políticas, populares, cívicas y guerrillas en tregua. El evento eligió una Junta Nacional de más de 120 miembros y una Coordinadora Nacional de 21 integrantes, en la que, por supuesto, había representación de las FARC-EP a través de varios cuadros políticos y militares; los principales: Carlos Enrique Cardona, alias *Braulio Herrera*, y Luciano Marín, más conocido como *Iván Márquez*. El primero de ellos, primer presidente de la UP, había sido concejal de Calarcá en 1974 y de Armenia en 1976; miembro del PCC y luego de las FARC-EP, en la VII Conferencia de 1982 fue elegido al Estado Mayor. Márquez era oriundo del Caquetá, seminarista en su adolescencia, había sido concejal por la UNO y posteriormente por el Frente Democrático; su vinculación a las FARC-EP en los inicios de la década de los ochenta lo llevó a ser parte del Estado Mayor. A estas alturas ya se pensaba en candidaturas presidenciales y para Congreso, diputaciones departamentales y concejos municipales. Hasta entonces no había duda de que el candidato a la Presidencia sería Jacobo Arenas, segundo al mando en las FARC-EP; incluso se rumoraba que el día del lanzamiento de su candidatura arribaría en helicóptero a la Plaza de Bolívar en Bogotá. Sin embargo, se conocieron amenazas de muerte que precipitaron su renuncia, anunciada en el marco de este primer congreso de la UP.

El sino trágico del noviembre negro, que acompañó al conjunto del movimiento guerrillero colombiano, no concluyó con la retoma del Palacio de Justicia. El mismo 7 de noviembre fue capturado, torturado y asesinado Luis Ángel Monroy, *Bernardo*, comandante general del MAQL, cuando se encontraba en Cali con dos de sus compañeros para negociar un armamento. Desde 1981 se puso al frente de las primeras autodefensas indígenas que en 1984 derivaron en el Comando Quintín Lame, donde asumió como conductor político y militar: "Moncho, como lo llamábamos, o compañero Bernardo, no fue nunca un fanático de las armas y si llegó a la dura vida guerrillera, fue porque la situación de las comunidades lo exigía. Después de trabajar durante diez años con el movimiento indígena del Cauca y especialmente en la zona de Tierradentro, la criminal violencia desatada por los terratenientes lo llevó a la decisión de asumir la defensa armada de las comunidades"[638]. A la muerte de Bernardo fue nombrado Manuel Antonio Julicué, *Romir*, como nuevo comandante del MAQL; su tarea principal la adelantó al frente del contingente de su organización, que participó en el Batallón América.

El mismo día de la avalancha producida por la erupción del volcán Nevado del Ruiz —miércoles 13 de noviembre—, que dejó más de 20.000 muertos en la población de Armero, fue asesinado el exlíder del ELN, Ricardo Lara Parada. El crimen, definido por el grupo guerrillero como un "ajusticiamiento", ocurrió en Barrancabermeja, donde adelantaba sus actividades como dirigente del Frente Amplio del Magdalena Medio. Según la versión del COCE, expresada por su comandante Manuel Pérez en el libro *ELN: una historia contada a dos voces*,

638 "Luis Ángel Monroy", texto elaborado por el MAQL durante las conversaciones de paz con el Gobierno Nacional, en "Historia del Movimiento Armado Quintín Lame", borrador elaborado por Jesús Elvio Peña y Pablo Tattay, s. f.

desde el momento en que cayó en la cárcel, en 1978, se intentó que Lara aclarara las cosas con la organización, se le conminó a que no utilizara el nombre del ELN y se buscó que rectificara sus comportamientos. Después de varios años, consideraron que ya no era posible porque "estaba socavando las bases sociales del ELN con un discurso que se hacía aparecer como de la organización sin serlo". Para ellos, "esa fue la gota que llenó la copa. Se decide el ajusticiamiento de Ricardo y la organización asume la responsabilidad desde el momento en que se da la orden, nunca se ha negado la responsabilidad sobre el hecho"[639].

Uno de los espacios de unidad que propició la CNG fue la Fuerza Conjunta EPL-M-19, que desde mediados de 1985 operaba en el Suroeste Antioqueño con un Estado Mayor compuesto por Vera Grabe, Germán Rojas, Rosemberg Pabón e Israel Santamaría, por el M-19, y Bernardo Gutiérrez, Tobías Lopera, Arnulfo Jiménez e Iván Morales, del EPL. El 18 de noviembre inició sus actividades públicas con la operación denominada Unidad para Vencer: la toma del municipio de Urrao durante seis horas, en las que combatió con efectivos de la Policía; a la salida de la población, en un nuevo enfrentamiento, capturaron a 5 agentes que permanecieron en poder de los guerrilleros durante veintidós días. Pese a las diferencias entre el EPL y el M-19 en concepciones políticas, tipo de organización, régimen disciplinario y desarrollo militar, la Fuerza Conjunta fue una experiencia única en el proceso de unidad guerrillera en Colombia y en América Latina.

El 20 del mismo mes fue asesinado Óscar William Calvo, vocero público del PCC (M-L) y del EPL, miembro de la recientemente conformada Comisión de Paz, Diálogo y Verificación, de la cual se había retirado a raíz del holocausto del Palacio de Justicia y en solidaridad política con el M-19. En la mañana de su muerte se reunió con periodistas para explicarles que, pese a la toma de Urrao, el EPL se mantenía en tregua y que se trató de una operación defensiva ante el asedio de las tropas oficiales. Esa misma tarde fue asesinado en la carrera 13 con calle 42, en Bogotá, junto a sus compañeros Ángela Trujillo y Alejandro Arcila: "En el libro *El terrorismo de Estado en Colombia* se afirma, sobre este hecho, que el 20 de noviembre de 1985, Óscar William

639 Entrevista a Manuel Pérez Martínez, *Poliarco*, *op. cit.*, pp. 203-206.

Calvo, vocero nacional del Partido Comunista Marxista-Leninista y del Ejército Popular de Liberación, fue asesinado por un comando de la XX Brigada del Ejército. Dos agentes de inteligencia, encargados de disparar, se movilizaron en una moto de alto cilindraje. Según las confesiones de un exagente de la XX Brigada, Bernardo Alfonso Garzón, el oficial Carlos Armando Mejía Lobo dirigió personalmente el grupo encargado de la ejecución. Ninguno de los implicados ha sido objeto posteriormente de investigación por los hechos"[640]. El asesinato de Óscar William precipitó la ruptura del proceso de paz con el EPL: el 29 de noviembre, un comando se tomó las oficinas de la agencia Colprensa y distribuyó un comunicado que anunciaba el reinicio de sus acciones. Los quince meses que duró la tregua estuvieron marcados por permanentes ataques a sus campamentos, el primero, a escasos veinte días de la firma del acuerdo del 24 de agosto de 1984: uno de sus grupos ubicados en los límites entre Antioquia y Risaralda fue atacado por parte de tropas del batallón San Mateo; allí murieron varios combatientes y Luis Fernando Lalinde, dirigente nacional. "La tregua del 84 nunca pudo convertirse realmente en un tratado de paz, ni en un camino para su concreción, sin embargo, tuvo la virtud de que por primera vez en Colombia se abría la posibilidad para la búsqueda de una solución al conflicto armado"[641].

Y como si todo esto que ocurrió en noviembre no fuera suficiente, desde la segunda semana de diciembre comenzaron a aparecer decenas de cadáveres enterrados en fosas comunes en las áreas rurales de los municipios de Corinto y Tacueyó, donde operaba el FRF y cerca de donde se encontraban los campamentos centrales del MAQL y el M-19[642]. Fueron más de 160 hombres y mujeres que habían pertenecido

640 Álvaro Villarraga y Nelson Plazas, *op. cit.*, p. 180.

641 "Final abierto", Carlos Franco Echavarría, en Fabiola Calvo, *op. cit.*, pp. 149-161

642 La última acción conjunta entre el M-19 y el FRF fue la toma del municipio caucano de Miranda, en los primeros días de noviembre; concluida la toma, muchos jóvenes se sumaron a las filas del FRF lo que, para Javier Delgado, facilitó la infiltración: "En Miranda el objetivo de aniquilamiento y recuperación se cumplió, tomamos por cinco horas la población, apresamos a los agentes, recuperamos 24 fusiles Galil de fabricación israelí, 18 armas cortas, 40 granadas de mano, más de tres y medio millones de pesos de las entidades bancarias e incendiamos por disposición del pueblo la Alcaldía y a

al FRF, asesinados tras ser torturados y muchos de ellos mutilados. Se trató de la peor afrenta a la lucha revolucionaria por transformar la sociedad y sus ideales de justicia, democracia y respeto al ser humano. A lo largo de la guerra de guerrillas se conocieron episodios sórdidos de "ajusticiamientos" y "limpiezas" aplicados en nombre de la "justicia revolucionaria" y de la "causa popular": los fusilamientos ordenados por Fabio Vásquez en el ELN y la reciente ejecución de Ricardo Lara; las muertes de "sapos o informantes" por parte de las FARC-EP y el EPL; el asesinato y "tiros de gracia" a dos infantes de Marina infiltrados en la columna guerrillera de Jairo Capera Díaz del M-19 en el Caquetá, todo esto ante periodistas que registraron el macabro hecho; estos y otros crímenes eran aún recuerdos frescos en las mentes de muchos colombianos.

La Masacre de Tacueyó fue un proceso que se inició en noviembre, y fue orquestada por José Fedor Rey, alias *Javier Delgado*[643], Hernando Pizarro, dos dirigentes más, con los alias de Juancho y Manuel, y otros dirigentes medios del FRF. En su mayoría, los combatientes del grupo fueron acusados, por sus jefes o entre ellos, de ser infiltrados del B-2 del Ejército. A mediados de diciembre se conoció la dimensión de los hechos; mandos del M-19 pretendieron detener la masacre e intentaron un asalto al campamento de los francos; el mismo Carlos Pizarro se entrevistó con su hermano Hernando, lo increpó y, ante la magnitud de lo ocurrido, le ofreció su arma como la salida más digna para ese momento… "No es fácil enfrentar en estas circunstancias a hombres que fueron nuestros amigos y aun, como es mi caso, nuestros hermanos: enfrentar una situación que lo degrada a uno en su sangre, en su espíritu, en su concepción de la vida y de la revolución"[644].

Empocauca", Secretariado del Frente Ricardo Franco, 1986, citado por Angélica Cruz, *op. cit.*, p. 19.

643 En Javier Delgado, recuerdan algunos de sus excompañeros, sobresalían su capacidad y audacia militar, una profunda desconfianza hacia los demás, su paranoia y falta de formación política, lo que produjo severas contradicciones dentro del Comité Ejecutivo con quienes proponían que el FRF asumiera un rol más político que militar, y para eso esperaban destituirlo en la II Asamblea, que realizarían en diciembre de 1985.

644 "Construir la democracia con alegría, justicia y dignidad", intervención de Carlos Pizarro Leongómez en la Asamblea Guerrillera del M-19, realizada en Campo América el 20 de diciembre de 1985, en *Ideas para una nueva Nación*, N° 2, enero de 1986.

El FRF emitió un comunicado firmado por Delgado en el que pretendían justificar los hechos: "1) Que en los últimos meses nuestros servicios de contrainteligencia detectaron un vasto operativo de los servicios de inteligencia militares, consistente en una infiltración en grande (*sic*) escala para destruir desde dentro nuestra organización, constituida hoy en vanguardia de la revolución colombiana. 2) Que realizada la correspondiente investigación se ubicaron 134 agentes enemigos en nuestras filas, los cuales, luego del correspondiente arresto, fueron juzgados por un consejo de guerra convocado para el efecto. 3) Que el consejo de guerra dictó sentencia de muerte para estos agentes confesos del enemigo, sentencia que se ejecutó el día 12 de diciembre del presente año. 4) Que la investigación emprendida continúa, y los procedimientos que de ella se deriven solo cesarán cuando hayamos liquidado el último enemigo agazapado en nuestras filas y en las de todo el movimiento revolucionario. 5) Que rechazamos airadamente la campaña de calumnias que ha desatado el enemigo, por cuanto actuamos de acuerdo no solo con nuestra reglamentación interna sino con las leyes de guerra, única forma de asegurar la ya cercana victoria. 6) Que igualmente nos vemos en la obligación de rechazar el reciente vergonzoso comunicado de la dirección del M-19, en referencia a los hechos señalados atrás, pues no aceptamos su infantil pretensión de erigirse en nuestros jueces, de meterse en nuestros asuntos y sumarse traidoramente al coro de infamias del enemigo. No deben olvidar los compañeros del M-19 cuál ha sido la mano generosa que los ha protegido (financieramente) en los últimos tiempos. Y en cambio de atreverse (*sic*) a criticarnos deberían preocuparse por resolver problemas tan graves como el homosexualismo que afecta a parte de su dirigencia. Por ahora les advertimos que, si continúan en su actitud traicionera contra el Frente Ricardo Franco, no vacilaremos en hacerlos expulsar de la Coordinadora Nacional Guerrillera, en cortarles por completo la ayuda financiera que les hemos venido dando y en aislarlos del movimiento revolucionario como lo hicimos con la camarilla de las FARC. No nos tembló la mano para eliminar al enemigo infiltrado en nuestras filas, y no nos temblará para castigar ejemplarmente a los traidores"[645]. ¡Demencial, mesiánico y delirante! ¿De cuál "vanguardia

645 "Declaración a la opinión pública", diciembre 21 de 1985, en *El Siglo*, 3 de enero de 1986.

de la revolución colombiana" hablaban? ¿Leyes de la guerra? ¿Cercana victoria? Palabrería fatua y triste que finalmente no convenció a nadie.

Los expulsados por la CNG fueron ellos mismos: a inicios de enero se reunieron mandos de las distintas organizaciones guerrilleras y resolvieron, sin fórmula de juicio, cortar todo vínculo con lo que quedó del FRF: "Con indignación, dolor y solidaridad con cientos de hogares de combatientes del pueblo, la Coordinadora Nacional Guerrillera niega tajantemente las justificaciones dadas por Javier Delgado, sobre las matanzas del Cauca. Con su grupo y bajo el fácil expediente de una investigación sobre infiltrados, se mancilló la dignidad humana, se segó la vida de más de un centenar de revolucionarios, se torturó y se cometieron innumerables atrocidades. La Coordinadora Nacional Guerrillera condena, sin ningún atenuante, estos hechos, rechaza la justificación que se hace de los mismos y expulsa irrevocable y definitivamente de su seno al Frente Ricardo Franco [...] Nunca y bajo ningún pretexto, ni justificación, la izquierda puede emplear la tortura; tampoco los dirigentes o los comandantes, pueden disponer de la vida de la gente, sin normatividad alguna y a su libre arbitrio"[646].

De los 9 integrantes del Comité Ejecutivo del FRF, 7 no participaron en la masacre, entre ellos el segundo comandante, conocido con el seudónimo de Omar González, señalado por Delgado de ser coronel del B-2. A finales de diciembre dieron una rueda de prensa y emitieron un comunicado que anunciaba la destitución de Delgado y el inicio de un juicio revolucionario en su contra, "por los delitos de detención arbitraria, torturas, homicidio, suplantación de organismos de dirección"; partían de la existencia de planes de infiltración por parte de grupos paramilitares y de organismos de inteligencia de las Fuerzas Armadas que conocían que se iba a realizar la II Asamblea Nacional, entre el 15 y el 25 de diciembre, en las montañas del Cauca: "Que ante la magnitud de la labor desarrollada por el enemigo, era imprescindible consultar al Secretariado, o al Comité Ejecutivo sobre el procedimiento a seguir, cosa que no se hizo agravando aún más esto el hecho de que Javier Delgado decide someter a torturas a los capturados para conseguir mayor información, llevando esto a que

646 "Por la vida y la libertad," comunicado de la CNG, en *¡Oiga Hermano!,* enero de 1986.

los enemigos descubiertos señalen como cómplices suyos a una increíble cantidad de compañeros honestos que van siendo amarrados, torturados y asesinados"[647].

La decisión de la CNG fue radical, y en agosto de 1986, en el marco del "I Seminario Álvaro Fayad", se ratificó en la determinación, así como en la de romper toda relación con sectores que se hubieran desprendido del FRF, y se negó a apoyar cualquier iniciativa que pretendiera reagrupar a su gente: "Consideramos que esta sigla quedó condenada por la democracia, y que un crimen de la dimensión del que cometieron tiene aún cuentas pendientes con la historia. Sigue en pie el juicio a la masacre y al autoritarismo que debe ser asumido por los revolucionarios y el pueblo"[648].

El 9 de enero de 1986, un grupo de periodistas llegó hasta el campamento donde se encontraban Delgado y Pizarro, quienes los "invitaron" a una rueda de prensa y les presentaron un grupo de seis supuestos infiltrados; todos estaban encadenados, el menor tendría trece o catorce años; de los restantes, ninguno pasaba de los veinticinco. Delgado los recibió con una frase que podría ser su epitafio: "Me enorgullezco de ser el jefe de una organización que ha ajusticiado a 164 asesinos de nuestro pueblo, de mercenarios"[649]. En sus cuentas, 91 eran oficiales del B-2 del Ejército, y 71, suboficiales o soldados profesionales. El periodista Raúl Benoît le preguntó a cada uno de los 6 "detenidos" su nombre, rango, mando inmediato y unidad militar a la que pertenecía, había desde un "soldado profesional" hasta un "coronel"; el menor de todos, de rasgos indígenas, dijo llamarse Juan Antonio Mosquera Parra y tener dieciocho años, aunque no revelaba más de catorce; su voz y su rostro denotaban el terror. Confesaron, bajo la sombra siniestra de Delgado y Pizarro, su participación en el asesinato del padre Ulcué, la autoría de la matanza de Lomagorda para endilgársela a la guerrilla, señalaron cómo torturaban y desaparecían personas en las instalaciones de la III Brigada y revelaron que algunos

647 Comunicado del FRF, Bogotá, diciembre 26 de 1985, en *El Tiempo*, 28 de diciembre de 1985.

648 Milton Hernández, *op. cit.*, pp. 78-79.

649 "El monstruo de los Andes", *Semana*, 10 de febrero de 1986, en http://www.semana.com/nacion/articulo/el-monstruo-de-los-andes/7366-3

de sus compañeros "infiltrados" fueron ahorcados y otros muertos a garrote o apuñalados. Al final, del grupo de aproximadamente 200 combatientes, solamente sobrevivieron unos cuantos[650].

Un mes más tarde circularon profusamente entre los medios de comunicación un libro y un documental titulados *Tacueyó, el B-2 al desnudo*; este último comienza con la fotografía de una pared donde se lee: ¡Libertad o Muerte! ¡Venceremos! ¡Frente Ricardo Franco FARC-EP! Al fondo, la voz de Delgado que lee un comunicado de cuatro minutos y 43 segundos, en el que resalta que: "El alto mando militar, incapaz de derrotar la lucha armada revolucionaria mediante el enfrentamiento directo y en donde la victoria les ha sido esquiva durante más de veinte años, coloca a la inteligencia militar como alternativa de primer orden. En vez de 10 o 15 infiltrados en cada organización inician la mercenarización masiva y se proponen meter agentes por manotadas. Esta es la nueva operatividad del B-2 del Ejército colombiano. Simple y arrolladora. La infiltración masiva". Más adelante, el mismo individuo aclaró que hasta el momento eran 158 los fusilados... faltaban los que presentó a los periodistas salvo uno, Manuelito, por el que intercedió el periodista Benoît y que en algún momento se les voló y fue a dar a las filas del M-19.

Dice el antiguo proverbio que "quien a hierro mata, a hierro muere": Hernando Pizarro murió baleado en una calle de Bogotá el 26 de febrero de 1995 por cuatro hombres que, al parecer, pertenecían a la Fiscalía, un crimen extraño. Dieciocho días antes fue capturado en Cali alias Javier Delgado, conocido como "El monstruo de los Andes", en un operativo contra el cartel de la mafia en esa ciudad. Ya en prisión fue juzgado y condenado a diecinueve años y cuatro meses por rebelión y por los 164 homicidios ocurridos en Tacueyó. No alcanzó a cumplir su condena. En junio de 2002 apareció ahorcado en su celda en la cárcel de máxima seguridad de Palmira; a través de un noticiero regional de televisión, un supuesto comandante Wálter, del frente Arturo Ruiz de las FARC-EP, señaló: "Somos los responsables de lo que ocurrió a Javier Delgado. La justicia tarda, pero llega. Lo asesinamos por la serie

650 Por gestión de los periodistas presentes en esa inusual "rueda de prensa", lograron que el niño indígena fuera dejado en libertad. Meses más tarde se vinculó al M-19 con el seudónimo de Manuelito, donde se recuperó parcialmente.

de injusticias que cometió en nuestra organización"[651]. Esta versión de la muerte de Delgado nunca pudo ser corroborada.

En la Asamblea Guerrillera que el M-19 realizó en Campo América, el 20 de diciembre de 1985, Fayad hizo un análisis sobre las causas y el significado de lo ocurrido en el FRF; fue un momento de reflexión en medio del dolor, pero también de afirmación de principios éticos y humanistas que orientaban el accionar de su organización: "Si en el movimiento revolucionario no logramos que cada voluntad y cada arma se indigne contra la injusticia en este país y se alce a la rebelión contra la injusticia cometida por quien sea; si no hacemos de la revolución, de verdad, la democracia, el respeto al hombre, a las opiniones, a los grupos sociales diferentes a nosotros, de verdad no vale la pena combatir. Si el mundo que vamos a construir no nos da una sociedad alegre, vital, con respeto a la persona y a la diversidad, hemos fracasado"[652].

Batallón América, un ejército bolivariano en marcha[653]

En esa Asamblea Guerrillera, instalada el 20 de diciembre en medio de la incertidumbre que para el M-19 significó el desenlace de la toma del Palacio de Justicia, sumada a la zozobra que se vivía en el nororiente del Cauca, en particular en las comunidades indígenas, por los crímenes cometidos por el FRF, se dio inicio a las actividades del *Batallón América, BA*. Esta experiencia, singular en los procesos unitarios en América Latina, pretendía conformar en Colombia un ejército latinoamericano —definido como bolivariano— compuesto

651 "Dudan de suicidio del Monstruo de los Andes", *El Tiempo*, 1°de julio de 2002, en http://www.eltiempo.com/archivo/documento/MAM-1329947

652 "Construir la democracia con alegría, justicia y dignidad", intervención de Álvaro Fayad Delgado en la Asamblea Guerrillera del M-19 realizada en Campo América, el 20 de diciembre de 1985, *op. cit.*

653 Sobre el Batallón América se pueden consultar los siguientes textos: *La espada de Bolívar: el M-19 narrado*, entrevista a José Yamel Riaño por Jaime Jaramillo Panesso; *Aquel 19 será* de Darío Villamizar; sobre el papel de los ecuatorianos de AVC en el BA, *Memoria de las espadas* de Antonio Rodríguez, y *Memorial de una ilusión* de Marco Flores, *Eloy*, uno de los comandantes del BA; el blog *Oiga Hermano, Hermana*, http://www.oigahermanohermana.org. Se consultó igualmente la página web del Centro de Documentación de los Movimientos Armados (CEDEMA): http://www.cedema.org

por guerrilleros de diferentes nacionalidades, del que posteriormente pudieran desprenderse columnas hacia distintos países, muy a la imagen y semejanza de los propósitos del Che Guevara en Bolivia en 1967. En este espacio de unidad, la voz cantante la tenía el M-19, y dentro del M-19, el comandante Carlos Pizarro; participaban también miembros del MAQL, del grupo ecuatoriano Alfaro Vive ¡Carajo! (AVC) y de la Organización Político Militar —organización sin nombre— de ese mismo país; integrantes del Movimiento Revolucionario Túpac Amaru (MRTA) del Perú, guerrilleros de otras fuerzas colombianas que integraban la CNG y algunos revolucionarios de otras nacionalidades. El Estado Mayor estaba conformado por Pizarro como comandante general; Romir del MAQL, Eloy por AVC y Víctor Polay del MRTA. El número aproximado de combatientes que se encontraban reunidos en el sitio denominado Campo América o Campo Ulluco era de aproximadamente 420, entre mujeres y hombres, divididos en las compañías Héroes de Yarumales, Héroes de Florencia, Comandante Pablo, Mariscal Antonio José de Sucre, fuerzas especiales y de servicios, y los destacamentos Leoncio Prado, Juan Pablo Chang y Luis Vargas Torres.

Semanas antes habían realizado la primera escuela de formación político-militar para oficiales, que les permitió homogenizar conocimientos y preparar las fuerzas para iniciar la campaña Paso de Vencedores, que arrancó el 1° de enero en Jambaló, municipio del Cauca, donde Pizarro comunicó que pretendía convocar a un congreso nacional que asumiera la conducción de las tareas políticas y militares para la construcción de un nuevo gobierno y dio la orden de iniciar la marcha. El Batallón, formado en vanguardia, grueso y retaguardia, llegó a los tres días a un sitio al que llamaron Campo Polígono, siguieron hacia el Cabildo San José, frente a Mosoco; después del día 8 atravesaron el páramo de Moras, cruzaron la cordillera Central y bajaron por el oriente de Silvia para hacer campamento cerca de La Tulia, el 16 de enero. Tres días más tarde, las compañías dirigidas por Robert y Alirio realizaron la primera emboscada en la carretera que de Silvia va a Pitayó, resultando muertos 7 efectivos del Batallón Palacé, 8 heridos y 3 soldados prisioneros, además del arsenal que se llevaron los guerrilleros; al día siguiente se reunieron de nuevo en un sitio denominado Campanas y el 21 acamparon cerca del filo del cerro de Paramillo hasta donde llegó el Ejército y se produjo un prolongado combate, en el que participaron helicópteros y tanquetas. Pasado un día, lograron romper el cerco y se dirigieron hacia la carretera Panamericana, y en la bajada se produjo un nuevo enfrentamiento, esta vez con la compañía Puma del Batallón Colombia. A las seis de la mañana del 24 de enero llegaron a Buenavista, y tres días después estaban atravesando la Panamericana para continuar la marcha hacia la cordillera Occidental y acampar a veinte minutos de Cajibío[654].

Al finalizar enero, la fuerza se dividió en dos grupos con misiones específicas: la toma del municipio de Morales y la emboscada al Ejército en plena vía Panamericana. Hacia las 14:00 horas del domingo 2 de febrero, en el sitio Ovejas, sobre la Panamericana, fue emboscado un convoy del Batallón Rifles, que reportó 14 bajas entre heridos y muertos; al día siguiente, las compañías comandadas por Pizarro y Boris ocuparon la población de Morales durante cuatro horas, en medio del fuego de helicópteros y aviones T-33. Promediando el mes de febrero, en medio de la constante persecución por parte de las tropas oficiales y de permanentes combates, habían cruzado las poblaciones ubicadas en las estribaciones de la cordillera Occidental, en el Parque Nacional Natural Los Farallones; el objetivo estaba claro: la toma de Cali a partir de la presencia del Batallón América y de insurrecciones populares orientadas por milicianos.

A estas alturas, la situación del BA era muy difícil: asediado en todo momento por las tropas del Gobierno, con dificultades de abastecimiento, capturas, deserciones y muertos, además de problemas políticos en las filas y constantes críticas a la conducción; desde el Cauca, la Dirección Política del MAQL, como máxima autoridad, se mostraba preocupada al observar cómo sus combatientes se alejaban día a día de los territorios ancestrales, y por la cantidad de indígenas que habían muerto en los enfrentamientos, entre ellos Eduar, segundo al mando. Ya le habían enviado la orden al comandante Romir de regresar a las comunidades: "Romir se dejó manipular del M-19 o sea

654 Testimonio de Augusto, oficial de la Compañía Comandante Pablo, "Relatos de campaña, campaña Paso de Vencedores, Batallón América", primera parte, febrero de 1986, en http://www.oigahermanohermana.org/2015/05/relatos-de-campana-paso-de-vencedores-batallon-america.html

por su comandante Pizarro y entonces es cuando el comandante Romir nos distribuye en otras escuadras del Batallón América y nosotros quedamos bajo el mando del M-19, los que eran mandos se sujetan a órdenes del M, los frentes del Quintín Lame quedamos de cuatro, cinco y seis en cada frente del M, de allí no nos pudimos devolver y entonces el compañero Eduar continúa hasta donde lo mataron [...] Para esa campaña con el batallón nos fuimos cuarenta compañeros y de esos cuarenta regresamos diez porque la mayoría cayó en combate"[655]. Esta situación de negligencia y abandono por parte de Romir, señalado además de permitir ser manipulado y utilizado por el M-19, le costó la comandancia en la asamblea que realizaron en junio siguiente, en el resguardo de Cuartel, municipio de Paez donde, como nuevo comandante del MAQL, fue nombrado Jesús Elvio Peña Chepe, *Gildardo Fernández*, uno de los fundadores.

El ambiente para los ecuatorianos tampoco era el mejor; si bien es cierto que AVC era considerada una organización hermana, para muchos "fabricada" por el M-19 para sus necesidades logísticas y militares, y que existían identidades políticas e ideológicas, se presentaron voces discordantes que pedían el pronto regreso a su país para allá adelantar tareas del mismo Batallón América, acordadas previamente por las comandancias respectivas. La inteligencia militar de ese país trabajaba de manera conjunta con sus similares colombianos: "El 30 —ENE— 986, en Quito, Ricardo Arturo Jarrín Jarrín, en aquel entonces máximo líder del grupo subversivo AVC, concedió una rueda de prensa clandestina a un grupo de periodistas, en la que manifiesta que el comando Luis Vargas Torres compuesto por aproximadamente 25 individuos (hombres y mujeres) pertenecientes a la organización se encontraban combatiendo en Colombia como parte del Batallón América [...] El Ejército colombiano infringió (*sic*) muchas bajas al Batallón América lo que determina su parcial desmantelamiento"[656].

655 Testimonio de Celmo Secué, en "Historia del Movimiento Armado Quintín Lame", borrador elaborado por Jesús Elvio Peña y Pablo Tattay, s. f.

656 "Apreciación general del Batallón América y su accionar en el Ecuador", informe de Inteligencia Militar, Archivo de la Comisión de la Verdad, JU-00245, citado en Antonio Rodríguez Jaramillo, *Memoria de las espadas*, Quito, IAEN, Editorial Abya-Yala, 2014, p. 122.

Por su parte, el MRTA del Perú, que era una organización por el socialismo, algo ortodoxa, con concepciones diferentes y orígenes claramente marxistas, no comulgaba con aquello de la "democracia en armas", y en algún momento planteó su retiro por discrepancias con el mando y regresó a su país; la vinculación del MRTA en el Batallón América obedeció en parte a la vieja amistad que existía entre el comandante Víctor Polay y Pizarro, convencidos ambos del sueño continental. Entre sus publicaciones, el MRTA editó en ese año un cartel en homenaje al BA: "¡Con Túpac Amaru y Bolívar, América Latina vencerá! ¡M-19 Colombia! ¡Alfaro Vive Ecuador! ¡MRTA Perú! ¡Viva el Batallón América! Movimiento Revolucionario Túpac Amaru, MRTA"[657].

Las tropas del BA llegaron a los municipios vallecaucanos de Jamundí y Pance entre el 3 y el 10 de marzo y alcanzaron a entrar a Cali por el barrio Ciudad Jardín, en cuyas calles hubo enfrentamientos; se esperaba por esos días un gran levantamiento popular que no pasó de enfrentamientos esporádicos en algunos barrios del distrito de Aguablanca, entre integrantes de las Milicias Bolivarianas y la Policía. El jueves 13 de marzo culminó la campaña Paso de Vencedores. Esa misma tarde fue cercado en un apartamento y muerto en Bogotá el comandante general del M-19 Álvaro Fayad Delgado, cuando preparaba en la capital un nuevo encuentro de la CNG; unas semanas antes había estado en el campamento central del ELN en el Bajo Cauca antioqueño compartiendo por primera vez con el COCE y el cura Pérez, dirigente de esa organización. La muerte de Fayad, comandante del M-19, fue un duro golpe para todas las organizaciones guerrilleras que hacían parte de la CNG; como mando del M-19 había trabajado intensamente por la unidad guerrillera y estableció lazos de fraternidad con los comandantes de las distintas insurgencias; Carlos Pizarro, su amigo y compañero de muchos años, supo expresar en una carta escrita el sentimiento que dejó: "Hermano: En pleno combate y conquistando a paso de vencedores la más esplendida victoria del Batallón América en esta campaña, nos llega el ramalazo de tu muerte. Me dejaste apretado en el puño el parte de guerra y de futuro que traía

657 Víctor Polay, *En el banquillo. ¿Rebelde o terrorista?*, Lima, Canta Editores, 2007, p. 221.

para vos, comandante. Me dejaste también la soledad insondable y la zozobra ante tu ausencia inesperada. Son las emboscadas del destino a las que jamás se acostumbrará el corazón"[658]. Fayad no se fue solo: dos días más tarde fue asaltado el campamento de la Fuerza Conjunta EPL-M-19 que de Antioquia se había replegado hacia Chocó tras el asalto a Urrao; en el enfrentamiento murió Israel Santamaría, miembro del Comando Superior y dirigente político de amplia trayectoria desde principios de los años setenta, cuando formaba en las filas de la ANAPO del general Rojas Pinilla.

En el momento de la muerte de Fayad se encontraba reunida la Primera Asamblea Nacional del ELN, denominada Comandante en Jefe Camilo Torres Restrepo, bajo la consigna "Por la Unidad Revolucionaria y Popular, ELN Nacional", uno de los eventos más trascendentales en la historia de esa guerrilla. La muerte de Fayad fue un golpe que trastocó el orden de las deliberaciones de este primer conclave eleno; la reunión se detuvo y el comandante Pérez organizó una parada militar en su homenaje. El *Turco* Fayad se había hecho amigo de ellos, había pasado día enteros en su campamento y supo renovar afectos y sembrar sueños. Para entonces, el ELN había logrado superar la crisis que arrastró por más de una década, y ahora contaba con una estructura de mandos sólida y 10 frentes guerrilleros rurales que significaban unos 650 combatientes en armas, más las unidades urbanas que operaban en distintas ciudades del país, además de un amplio trabajo social en sindicatos, organizaciones estudiantiles y campesinas. La Asamblea Nacional eligió como responsables político y militar a Manuel Pérez y Nicolás Rodríguez, quienes integraban el COCE junto con tres miembros más.

En esta reunión, el ELN ratificó su decisión de no acercarse a los procesos de paz que ya al final del período continuaba impulsando el presidente Betancur, dado que eso debilitaría la proyección de la insurgencia; más aún cuando en diciembre pasado el Gobierno le había dado cabida a "supuestos" grupos del ELN que firmaron el 9 de ese

658 Texto completo de la carta de Carlos Pizarro ante la muerte de Álvaro Fayad, en *De su puño y letra*, Carlos Pizarro, Bogotá, Penguin Random House Grupo Editorial, Debate, 2015, pp. 260-262.

mes un acuerdo entre la Comisión de Paz, Diálogo y Verificación y los destacamentos Simón Bolívar y Antonio Nariño, al cual se adhirió en abril de 1986 el destacamento Gerardo Valencia Cano, y en julio del mismo año, los destacamentos José Manuel Martínez Quiroz e Inés Vega, todos ellos liderados por alias Ernesto Martínez. Los contenidos de este acuerdo eran similares a los firmados con las FARC-EP en marzo de 1984 y con el EPL y M-19 en agosto del mismo año 84. La CNG se pronunció al respecto el 15 de enero siguiente, señalando que eran "falsas fuerzas" con "falsos comandantes", que nada tenían que ver con el ELN ni con el movimiento guerrillero[659]. El Gobierno, buscando mostrar un proceso de paz sólido y que abarcaba distintas tendencias del movimiento guerrillero, les otorgó a estos acuerdos una importancia desmesurada y sospechosa, por el frágil estado en que se encontraba la paz, que se les escapaba como agua entre los dedos.

La tregua de las FARC-EP tocaba a su fin y se hacía necesaria una prórroga a los enredados acuerdos de marzo de 1984; el 2 de marzo se firmó un nuevo acuerdo entre la Comisión de Paz, Diálogo y Verificación, el Estado Mayor de la organización, la Dirección Político Militar de ADO y, de nuevo, los desautorizados destacamentos Simón Bolívar y Antonio Nariño del ELN. El documento firmado "reitera su lealtad al Acuerdo de La Uribe"; las FARC-EP manifestaron su disposición a persistir en un proceso de diálogo con el ciudadano que resultara elegido para el cuatrienio 1986-1990; ratificaron su condena al secuestro y la extorsión, señalaron su voluntad de continuar "el proceso de incorporación de sus efectivos a la vida política y social"; por su parte, el Gobierno expresó que otorgaría a la UP y a sus dirigentes "las garantías y seguridades indispensables para que puedan desarrollar, en forma idéntica a la de las demás agrupaciones políticas, su acción tanto proselitista como electoral". Indicó, además, que "hará recaer todo el peso de la ley sobre el ciudadano o la autoridad que conculque sus derechos o niegue, eluda o desconozca las garantías que les corresponda"[660]. El mismo día, en

659 "Belisario no tiene quién le firme", comunicado de la CNG del 15 de enero de 1986, en Milton Hernández, *La unidad revolucionaria, utopía y realidad*, *op. cit.*, pp. 80-81.

660 "Acuerdo entre la Comisión de Paz, Diálogo y Verificación y las Fuerzas Armadas Revolucionarias de Colombia (FARC-EP), en Medófilo Medina y Efraín Sánchez (editores), *op. cit.*, pp. 329-332.

alocución por televisión, fue ratificada la prórroga por el Presidente, quien dijo, entre otras cosas: "siempre será mejor la conversación que la confrontación". ¡De Perogrullo sonaba esa frase, transcurridos apenas cuatro meses del holocausto del Palacio de Justicia!

Todo estaba dispuesto para el proceso electoral de "mitaca" y presidencial que se avecinaba. El 31 de enero anterior, la Junta Nacional de la UP proclamó al abogado Jaime Pardo Leal como su candidato a la Presidencia de la República para el período 1986-1990; así mismo, el novel partido presentó listas con candidatos para Senado, Cámara de Representantes, concejos municipales y asambleas departamentales en la mayoría de los municipios y departamentos del país. El domingo 16 de marzo se celebraron los comicios; el Partido Liberal alcanzó las mayorías, los conservadores disminuyeron en la votación, el Nuevo Liberalismo bajó a cerca de 450.000 votos frente a los 750.000 que alcanzó en 1984: la gran sorpresa fue la UP que, con listas propias o en alianzas políticas, logró 312.494 votos, equivalentes al 4,5% del total; con esa votación a su favor se eligieron 5 senadores, 9 representantes a la Cámara, 18 diputados en 11 asambleas departamentales y 335 concejales en 187 concejos municipales. A estas alturas ya eran más de 300 los miembros de la UP asesinados en campos y ciudades por el paramilitarismo y agentes del Estado.

Las elecciones para presidente de la República, realizadas dos meses más tarde, el 25 de mayo, estuvieron centradas en propuestas de cómo mejorar lo hasta ahora logrado en el tema de la paz, y precedidas por la renuncia de Luis Carlos Galán a la candidatura por el Nuevo Liberalismo y su regreso al redil liberal. Los resultados confirmaron lo que ya habían pronosticado las encuestas: Virgilio Barco Vargas fue electo con 4.214.510 votos a su favor, mientras que el candidato conservador alcanzó 2.588.050; la UP, con apenas tres meses de campaña, que se medía por primera vez en un debate electoral con candidato propio, logró 328.756 votos (4,58%) en favor de Jaime Pardo Leal, exjuez y exmagistrado, consagrándose como la tercera fuerza política en el país. El nuevo presidente era un hombre del establecimiento, exministro de Agricultura y de Obras Públicas, exembajador en Londres y en Washington y exalcalde de Bogotá.

Pasadas las elecciones, y ya en la antesala de la salida de Belisario, se conocieron varios informes que generaron candentes debates en los círculos políticos: en primer lugar, el informe del procurador general de la Nación, Carlos Jiménez Gómez, referido esta vez al "proceso de argentinización" como "antesala de nuestra centroamericanización", que describía la persecución a activistas políticos de la oposición, en particular de la UP. El mismo Procurador hizo público el informe sobre lo sucedido en el Palacio de Justicia, presentado al Presidente el 13 de junio, en el que señalaba responsabilidades del primer mandatario y de su ministro de Defensa, general Miguel Vega Uribe, y anunció que presentaría una acusación formal ante la Comisión de Acusaciones de la Cámara de Representantes. El informe no tuvo eco ni en la opinión pública, ni en los medios de comunicación, mucho menos en el Consejo de Ministros, que lo rechazó diciendo que Jiménez Gómez quería una "Procuraduría de opinión"; efectivamente, el tema pasó a la Cámara, donde en julio siguiente los honorables representantes Horacio Serpa, Carlos Mauro Hoyos[661] y Darío Ordóñez concluyeron que todo obedeció a un "acto típico de Gobierno". Así las cosas, el presidente Belisario Betancur fue absuelto por la Comisión de la Cámara. El otro informe en cuestión, también absolutorio, aunque solo tenía el alcance de investigación, fue el del Tribunal Especial de Instrucción, integrado por los magistrados Jaime Serrano Rueda y Carlos Upegui Zapata, elegidos por la Corte Suprema de Justicia, que sobre lo ocurrido en el Palacio de Justicia concluyó que la única responsabilidad del ataque y ocupación fue del M-19, y que el Presidente ordenó la intervención de la fuerza pública y el diálogo con la advertencia de que no habría negociaciones[662].

El 7 de agosto se posesionó el presidente Barco, que optó por un "gobierno de partido", contrapuesto a la "oposición reflexiva" que le anunciaron los conservadores ausentes de la administración. En materia de paz, poco quedó del Acuerdo de La Uribe; sin embargo, se comprometió con la herencia del presidente Betancur y dijo que el suyo sería un gobierno de "mano tendida y pulso firme", que pretendía

661 Un año y medio más tarde, en enero de 1988, ejerciendo como Procurador General de la Nación, fue asesinado por el llamado cartel de Medellín. A raíz de este hecho, el Gobierno expidió el Decreto 180, conocido como Estatuto para la Defensa de la Democracia.

662 *Informe sobre el holocausto del Palacio de Justicia (noviembre 6 y 7 de 1985)*, Tribunal Especial de Instrucción, Bogotá, Derecho Colombiano Ltda., 1986.

atraer a los movimientos en armas interesados en el diálogo y la negociación y someter por la fuerza a aquellos que persistieran en el accionar armado. Parte de esa herencia sería el nombramiento del general Rafael Samudio Molina como ministro de Defensa, quien, como comandante del Ejército, dirigió la retoma del Palacio de Justicia. Barco presentó sus dos estrategias en la búsqueda de la paz: su programa de rehabilitación (estrategia económica) y la reconciliación y normalización (estrategia política), destinado a la erradicación de la pobreza absoluta; para adelantar su política de paz conformó una Consejería Presidencial para la Rehabilitación, la Reconciliación y la Normalización, en reemplazo de las anteriores comisiones de Paz, Diálogo y Verificación, y puso al frente de ella a Carlos Ossa Escobar. Barco relanzó el Plan Nacional de Rehabilitación (PNR), programa bandera del expresidente Belisario para el desarrollo de 272 municipios en aquellas regiones donde existían mayores desequilibrios económicos y sociales y donde la presencia del Estado había sido precaria históricamente.

Ese mismo día, en el Campamento de la Unidad del ELN, se encontraba reunida la plana mayor de la CNG en el "Seminario Álvaro Fayad". Los dieciocho dirigentes presentes elaboraron una propuesta política de confrontación, opción de poder y nueva legitimidad, denominada "Alternativa popular para una nueva Colombia"; caracterizaron al nuevo gobierno como "del más rancio continuismo" y rindieron un sentido homenaje a Boris, comandante del M-19, muerto el 24 de julio anterior en la población de Caldas (Antioquia), cuando se dirigía a esta reunión y fue detenido por una patrulla policial: "Hemos realizado una reunión de unidad y esperanza. Un asiento ha estado vacío, el del comandante Gustavo Arias Londoño, del Movimiento 19 de Abril, M-19. El pueblo ha de saber que el comandante Boris venía para la Asamblea de Direcciones de la Coordinadora Nacional Guerrillera. Ha de saber que todos esperábamos su presencia. La ausencia del comandante Boris ha pesado en la reunión, no como sino trágico sino como aliento, como llamado al compromiso, como exigencia de victoria"[663]. Tema recurrente y de amplia discusión en la reunión fue el manejo de las relaciones con las FARC-EP que, pese a la tregua, mantenía sus ataques

663 Documentos de la CNG, Carta Nacional, octubre de 1986.

contra miembros de los restantes grupos guerrilleros, persistiendo en sus prácticas sectarias y hegemonistas; los asistentes consideraban, una vez expulsado el FRF de la CNG, que era factible la unidad con las FARC-EP pero, en el momento pesaban más las contradicciones y denuncias sobre agresiones. Por eso determinaron que, en adelante, todo asunto con ese grupo se debía asumir de manera conjunta como CNG; "Por la actitud que asume ante la CNG y por las agresiones contra sus miembros, hoy es difícil pensar en acuerdos unitarios con ellos. Es por esto que debemos hacer esfuerzos para que mínimamente se establezcan relaciones de mutuo respeto a todo nivel"[664].

Ante la llegada del nuevo mandatario, las FARC-EP le dirigieron una carta abierta, en la que expresaban su interés por continuar en el entendimiento hacia la paz y denunciaban la guerra sucia que a diario cobraba vidas de miembros de esa organización y de integrantes de su expresión política, la UP.

Transcurridas apenas tres semanas de la llegada de Barco al Palacio de Nariño se inauguró la era de los magnicidios en el país: la pretensión gubernamental de profundizar el proceso de tregua que se mantenía con las FARC-EP se deterioró a raíz del asesinato de Leonardo Posada —representante a la Cámara, recientemente electo por la UP— en Barrancabermeja, el 30 de agosto[665], y dos días más tarde, la muerte en Villavicencio del senador por el mismo partido Pedro Nel Jiménez, ambos apenas inaugurándose en las lides parlamentarias; durante el sepelio de este último fueron secuestrados y más tarde asesinados dos destacados militantes de la Unión Patriótica. El plan Baile Rojo, encaminado a asesinar a los miembros de la UP que desempeñaban cargos de elección popular, que fue denunciado "con pelos y señales" por Braulio Herrera en el Congreso de la República, estaba en marcha y comprometía al paramilitarismo y sus soportes dentro de las Fuerzas Militares, del Gobierno Nacional y de gobiernos locales, de gremios de comerciantes y de la producción, y de agrupaciones políticas. En protesta por este y otros asesinatos, la bancada de la UP en el Congreso se retiró de sus sesiones durante dos semanas, en una

664 *Ibid.*

665 Este primer magnicidio tuvo ribetes dramáticos: los sicarios que le dispararon ingresaron minutos más tarde a la clínica, donde aún permanecía con vida, y allí lo remataron.

especie de huelga parlamentaria hasta tanto el Ejecutivo no ofreciera las debidas garantías para el ejercicio de la oposición; en los concejos municipales y asambleas departamentales, los miembros de la UP se sumaron a la decisión de sus compañeros. En respuesta, el ministro de Gobierno reiteró el compromiso de avanzar en un proceso de paz que contara con sistemas de verificación serios, oportunos, eficaces y responsables. No fue así. Las garantías ofrecidas no llegaban, y en diciembre fue asesinado Octavio Vargas, dirigente agrario, secretario del PCC en el Meta y representante a la Cámara por la UP.

En las reuniones que la CNG tuvo durante 1986 se consideró la posibilidad de hacer una gira conjunta de sus comandantes para afianzar las relaciones internas y externas y mostrar ante gobiernos amigos y procesos revolucionarios de otras partes del mundo los avances en la unidad guerrillera colombiana. No era una tarea fácil, ya que se trataba de sacar al exterior a personas "quemadas", ampliamente conocidas por los organismos de seguridad nacionales y de otros países. Cada una de las organizaciones lo hizo por su lado, recurriendo a tácticas insólitas de la clandestinidad, a apoyos sociales y a altos niveles de audacia y riesgo.

La CNG realizó en La Habana, en diciembre de 1986, la primera reunión de comandantes de las distintas fuerzas guerrilleras, en la que participaron Manuel Pérez, Fernando Hernández y Milton Hernández, en representación del ELN; en nombre del EPL asistieron Ernesto Rojas y Carlos Franco; por el PRT se hicieron presentes Valentín González y Sergio Sierra; Carlos Pizarro, Antonio Navarro, Vera Grabe y Gerardo Quevedo, por el M-19; y en representación del MIR-Patria Libre estuvo Gabriel Borja. El testimonio de Fernando Hernández, que se identificaba con el seudónimo de *Jacinto Ruiz*, representante en el exterior del ELN, indicó la importancia del momento: "Yo salí del país a organizar la gira internacional de la Coordinadora, saqué a Manuel Pérez por segunda vez, nos encontramos en varios lugares, estuvo Pizarro, Navarro, Valentín González, Gabriel Borja, Ernesto Rojas, Carlos Franco. Hicimos una cumbre. Estuvo Pascal Allende del MIR de Chile, hablamos con unos chilenos, unos dominicanos [...] Con Ernesto Rojas convivimos unos dos meses en La Habana, fuimos a Managua. Hicimos relaciones con los sandinistas, con Tomás Borge y Daniel Ortega"[666].

Los resultados de esta cumbre guerrillera no fueron los mejores; las diferencias en el terreno político entre unos y otros salieron a flote, y, luego de varios días, se suspendió la cita; la unidad dentro de la CNG quedó maltrecha, aunque se determinó buscar a las FARC-EP para dar mayores pasos en la unidad guerrillera, establecer una comisión político-diplomática conjunta, adelantar propuestas políticas desde cada una de las organizaciones y alcanzar consensos en propósitos comunes: "Pizarro llega a La Habana con una propuesta: 'Nosotros no levantamos cabeza desde lo del Palacio, nos han dado muy duro, la muerte de Fayad ha sido un golpe duro. Pensamos que el gobierno Barco es muy débil y que el movimiento revolucionario tiene capacidad de ripostar a Barco, si hacemos una propuesta clara desde este momento, podemos ser gobierno, hagamos una propuesta de gobierno dura, fuerte y una propuesta de negociación. Pero el M-19 no tiene capacidad para hacer eso solo, lo podemos hacer si nos vamos todos juntos' [...] Todos rechazamos la propuesta, incluso Ernesto. Recuerdo que Pizarro llegó a decir: 'Yo hago esta propuesta para toda la Coordinadora, si ustedes no están en condiciones, si ustedes no entienden la importancia de este momento, el M-19 se va solo [...] Ernesto le dijo: 'Si usted quiere asumir y el M-19 quiere asumir frente al pueblo colombiano la ruptura de la Coordinadora, es problema de ustedes, pero nosotros no vamos a asumir la ruptura de la Coordinadora'. Eso fue en diciembre de 1986"[667].

Aprovechando las condiciones que les brindaban la estadía en Cuba y la presencia de varios dirigentes del M-19, en enero se hizo una reunión de la Dirección Nacional, "para discutir una propuesta política que dé luz a todo nuestro accionar [...] En tanto esta se da en un espacio y tiempos definidos, fue necesario abordar antes definiciones acerca de los siguientes temas: a) el proceso de la unidad guerrillera, b) la evaluación de nuestros desarrollos en el período que pasó con relación a la decisión de ser gobierno, c) la situación orgánica,

666 Álvaro Villarraga y Nelson Plazas, *op. cit.*, p. 200.

667 *Ibid.*

d) nuestra política internacional"[668]. El balance no era el más favorable, la organización se encontraba debilitada por la permanente pérdida de dirigentes y de un número considerable de militantes, en particular desde la IX Conferencia de febrero de 1985: tres comandantes miembros del Mando Central de los cinco que fueron elegidos en ese evento —Ospina, Fayad y Arias—, muertos; y por los menos doce integrantes del Comando Superior y de la Dirección Nacional. Las estructuras urbanas estaban dispersas y débiles por la falta de dirigentes y por el impulso que se dio en los últimos años a las unidades de Ejército en el campo; para remediar esta situación se creó una comandancia urbana que pudiera reagrupar las direcciones y colectivos de las principales ciudades. La propuesta política de "ser gobierno" no había cuajado, y en este encuentro se definió llamar a reelaborar las normas de convivencia, reconstruir el consenso y un nuevo ejercicio de poder a través de un "Pacto nacional por un gobierno de transición", en el que se formulaba la invitación a "un pacto nacional en el cual los colombianos nos comprometamos a realizar un conjunto de cambios políticos, económicos y sociales democráticos y conformar un gobierno de paz que empiece a hacerlos efectivos"[669].

La relación con los cubanos abrió a las organizaciones de la CNG todo un abanico de posibilidades hacia los procesos revolucionarios centroamericanos y gobiernos como el de Panamá y Libia. Concluida la reunión, varios comandantes de la CNG organizaron una gira por América Latina, Europa y Oriente; a algunas organizaciones, esta gira les permitió contar desde ese momento con delegados permanentes en Nicaragua y Panamá. Con anterioridad, el M-19 había establecido relaciones con la Gran Yamahiriya Árabe Libia Popular Socialista, dirigida por el coronel Muammar al-Gaddafi. En junio de 1982, el propio Bateman participó en la primera conferencia mundial del centro antiimperialista Al Mathaba realizada en Trípoli con el propósito de alinear a organizaciones de liberación y revolucionarias de todo el mundo en torno al *Libro verde* de Gaddafi y a la Tercera Teoría

668 Documentos M-19, *Carta Nacional*, abril de 1987, en Centro de Documentación y Cultura para la Paz.

669 "Pacto nacional por un gobierno de paz", revista *Debate*, noviembre y diciembre de 1987, pp. 60, 61.

Universal; más adelante, en los primeros meses de 1983, el M-19 lideró una delegación de dirigentes guerrilleros latinoamericanos a fin de proponer a los libios el apoyo para formar un ejército revolucionario latinoamericano, embrión del futuro Batallón América; Bateman tuvo la ocasión de explicar su propuesta al líder libio y de solicitarle apoyo. El entendimiento fue mutuo, la proposición caló y se acordó un primer curso de formación política y militar, que tuvo lugar entre septiembre y marzo de 1984.

Los viajes a Libia se repitieron en años siguientes por parte del M-19 y otros grupos guerrilleros como el ELN y el PRT, que establecieron contactos por su propia cuenta, siempre en la búsqueda de apoyo económico, logístico y formación. El 18 y 19 de marzo de 1986, en el Hotel Oasis, de Trípoli, se realizó la II Conferencia Mundial de la Mathaba, en la que participaron delegaciones de muchos países del mundo; de Colombia hubo presencia del PRT, del M-19 y de Ricardo Lara Parada, que asumió la representación del ELN, situación que los elenos criticaron a fondo ya que, para ellos, Lara no pertenecía a sus filas: "Yo estuve en Libia dos veces, la primera vez en la Mathaba, luego me encontré allá con Antonio Navarro del M-19 y con combatientes de AVC, eso fue en marzo de 1986 cuando mataron a Álvaro Fayad. Allí estaba el ecuatoriano Ricardo Jarrín, a quien luego asesinaron en Panamá (*sic*). Estaban los del FPMR, estaba Andrés Pascal Allende de Chile [...] Hubo una escuela muy corta, con gente de AVC, una cosa muy mala, el traductor era muy malo; aprovechamos el campo de tiro para hacer polígono, luego una semana en capacitación sobre el Libro Verde. La experiencia con los libios fue 'una botada de corriente', siempre prometían y nada"[670].

Efectivamente, el asesinato de Ricardo Jarrín, comandante del grupo Alfaro Vive ¡Carajo! de Ecuador, se produjo el 26 de octubre en Quito, tras su captura en Ciudad de Panamá por parte de agentes del G-2 de las Fuerzas de Defensa, que lo entregaron esa noche, en estado de seminconsciencia, a representantes del Gobierno del Ecuador, que lo trasladaron vivo a su país en un avión ambulancia. La operación fue solicitada por el presidente León Febres Cordero a su

670 Entrevista a Enrique Flores, dirigente del PRT. Bogotá, diciembre de 2014.

colega panameño, el dictador Manuel Antonio Noriega. Una vez en Quito, fue sometido a terribles torturas en instalaciones policiales y, en una ronda macabra, le propinaron múltiples disparos para presentarlo como "muerto en combate" en una calle de Quito: "La mentira oficial difundida de que nuestro comandante murió en combate contra el Ejército ecuatoriano pretende ocultar la intervención descarada del gobierno de Reagan que, violentando las normas del orden jurídico internacional, pisotea la soberanía de nuestros países"[671], dijeron en un comunicado sus compañeros Pizarro y Eloy, mandos del BA. La muerte de Arturo, y la de dos líderes más en 1986, Fausto Basantes y Hamet Vásconez, llevaron a profundos cuestionamientos sobre el papel y la participación de AVC en el BA; en los hechos, habían sufrido una derrota militar: decenas de presos, sin dirigencia dentro de su país, sin iniciativa, con una debilitada presencia en el BA y en dependencia de los mandos del M-19.

La Coordinadora Guerrillera Simón Bolívar, cgsb. Nuevas perspectivas de paz[672]

Una vez regresó de la gira con otros comandantes de la CNG, fue detenido y asesinado en Bogotá Jairo de Jesús Calvo Ocampo, *Ernesto Rojas*, comandante general del EPL, artífice, junto a Fayad, de la unidad guerrillera; con él se encontraba Álvaro Correa, integrante del grupo; el hecho ocurrió el 15 de febrero de 1987. La muerte de Ernesto Rojas causó un profundo desconcierto y dolor en las filas del PCC (M-L), particularmente en el EPL, donde era muy

671 "Denuncian el asesinato de un alfarista por parte de la CIA", *El Día*, México, viernes 7 de noviembre de 1986, p. 10.

672 Sobre la formación de la CGSB y el contexto político de ese momento, los textos *Rojo y negro* y *La unidad revolucionaria utopía y realidad* de Milton Hernández; de Carlos Medina, las entrevistas al cura Pérez y a Gabino, en su libro *ELN: una historia contada a dos voces*; el libro *Razones de vida* de Vera Grabe, protagonista en el proceso de formación de la CNG y la CGSB; *Días de memoria* del periodista Jorge Cardona; los textos ya citados sobre el MAQL y el PRT; *Aquel 19 será* y *Un adiós a la guerra* de Darío Villamizar; y FARC-EP, en particular la "trilogía" de Jacobo Arenas: *Vicisitudes del proceso de paz*, *Paz, amigos y enemigos* y *Correspondencia secreta del proceso de paz*, la página del Centro de Documentación de los Movimientos Armados (CEDEMA): http://www.cedema.org

apreciado por sus camaradas; los hechos que rodearon su muerte fueron presentados como un burdo enfrentamiento con las Fuerzas Militares cuando, supuestamente, intentó evadir un retén. De acuerdo con versiones de compañeros de su organización, esa mañana salió de la casa donde se encontraba alojado; iba a cumplir una cita en un lugar muy distante al sitio donde encontraron su cuerpo horas más tarde. Otra ejecución extrajudicial o "falso positivo"; "El duro golpe recibido por el Partido Comunista de Colombia (Marxista-Leninista) y el EPL lo es también para el movimiento revolucionario y el movimiento guerrillero colombiano, y particularmente para la CNG, de la cual fue fervoroso y decidido fundador y por cuya unidad trabajó con empeño propio de su condición de resuelto militante marxista-leninista. La obra y la personalidad del comandante Ernesto son patrimonio de la revolución colombiana y ejemplo de valentía y consecuencia revolucionaria"[673].

En su condición de comandante, Ernesto Rojas le imprimió al EPL un ritmo de crecimiento en aspectos políticos, militares y de relaciones que le permitió estar a la altura de otras organizaciones guerrilleras con las que compartía el proyecto de la CNG; en el momento de su muerte, el EPL hacía presencia en quince departamentos, con doce frentes, con mandos operativos formados en diversas especializaciones guerrilleras; en pocos años habían logrado tecnificar la fuerza y contar con la logística adecuada para afrontar nuevos momentos en la lucha guerrillera. Para 1987, el EPL había logrado dar un "salto operativo" que le significó contar con columnas guerrilleras con sus respectivos comandos, estados mayores regionales y concentración de fuerzas, para mayor contundencia en el accionar que requería el momento. Como un homenaje al trabajo unitario de Ernesto Rojas, entre el 16 de marzo y el 2 de abril siguientes se realizó la II Asamblea Nacional de la CNG en uno de los frentes guerrilleros del ELN en el Magdalena Medio; en esa reunión se limaron las asperezas que quedaron de la anterior, se ratificó la necesidad de la unidad guerrillera y se llamó a una gran convergencia para un acuerdo nacional entre fuerzas sociales, políticas, económicas, religiosas y culturales; en las conclusiones del

673 "Comandante Ernesto Rojas… Cumpliremos", comunicado de la CNG del 25 de febrero de 1987.

evento, la CNG convocó públicamente a las FARC-EP a fortalecer la unidad guerrillera.

A mediados de 1987, por primera vez en la historia del movimiento guerrillero colombiano, se produjo la fusión del ELN y del MIR-Patria Libre, en un congreso que realizaron en el departamento de Córdoba; el 8 de junio, los más importantes dirigentes anunciaron la formación de la *Unión Camilista-Ejército de Liberación Nacional, UC-ELN*: "Nos unimos por Colombia, por sus hombres y mujeres, para que funde la libertad en nuestra patria [...] Nos unimos para dar ejemplo a los hermanos, evocando enseñanzas de Camilo y abriendo caminos de esperanzas. Hoy, 8 de junio de 1987, fundamos La Unión Camilista Ejército de Liberación Nacional. Por el Ejército de Liberación Nacional: Manuel Pérez Martínez, Nicolás Rodríguez Bautista, Antonio García, Ignacio Cuéllar, Rafael Ortiz, Milton Hernández. Por el MIR Patria Libre: Alfredo Miranda, Gabriel Borja, Pablo Tejada, Esteban Martín, Fernando Méndez, Elías Rondón"[674].

Este nuevo espacio unitario fue el resultado de lo que anteriormente se llamó la Trilateral, entre el PRT, MIR-Patria Libre y ELN, en el cual esta última organización, por su larga experiencia, aportaba los elementos militares de formación, infraestructura y apoyo económico. Finalmente el PRT no participó en la fusión por no compartir las prácticas que condenaban a muerte a contradictores y disidentes de la "línea oficial", como había ocurrido recientemente con Ricardo Lara Parada: "Se inicia el proceso de fusión y después de muchas charlas, de sistematizar los elementos de identidad de las tres organizaciones, el PRT considera que no hay condiciones para avanzar en el proceso unitario, hacia la fusión y no vemos que en ellos exista consistencia para desarrollar un proyecto estratégico y de construir fuerza guerrillera"[675].

Una semana más tarde, luego de tres años y tres meses, llegó a su final el Acuerdo de La Uribe que se había firmado en marzo de 1984. Desde meses atrás se presentía la ruptura por los constantes asedios de las tropas oficiales a los campamentos de las FARC-EP,

674 Unión Camilista-Ejército de Liberación Nacional, UC-ELN, "Acta de Constitución", en http://www.cedema.org/ver.php?id=1771

675 Testimonio de Gabino, *op. cit.*, p. 155.

las denuncias permanentes de extorsiones y secuestros de parte de la guerrilla, y por las agresiones a la UP, que día a día cobraban nuevas víctimas. Ya desde el Pleno del EMC, realizado entre el 17 y el 20 de febrero, habían conceptuado que la Tregua no era una forma de la paz sino una forma de la guerra: "Y quede de una vez por todas perfectamente claro que en caso de que el militarismo fascista rompa la Tregua las FARC-EP en unidad con otras fuerzas revolucionarias volverán a la pelea conforme a su planteamiento estratégico hasta que se consuma la victoria definitiva y el pueblo colombiano instaure en Colombia un gobierno revolucionario. Para eso contamos con el Plan de 8 años que comenzará inmediatamente la tregua sea rota por el militarismo"[676].

Las agresiones verbales también contaban, y el Congreso de la República había pasado de ser un foro de debate a un espacio de confrontación. "Los acuerdos de paz y tregua transitaron, de esta forma, por caminos difíciles, rodeados de una atmósfera de hostigamientos y provocaciones contra nuestros frentes en tregua. Eso permite entender, por qué el 16 de junio de 1987 en una operación combinada de nuestros frentes 14 y 15, haciendo uso de la legítima defensa, emboscaron y aniquilaron una patrulla del veterano batallón de contraguerrilla Cazadores, parte de las contraguerrillas élites conocidas en Colombia como batallones de selva"[677]. El convoy militar se dirigía de Puerto Rico a San Vicente del Caguán, en el Caquetá; en el kilómetro 19 se produjo la emboscada que dejó 26 militares y un civil muertos, y cuarenta y dos heridos. El rechazo fue generalizado desde gremios, partidos políticos, funcionarios públicos y Alto Mando que, enardecido, culpó por igual a las FARC-EP, a la UP y al PCC.

676 Informe central al pleno del Estado Mayor Central de las FARC-EP, febrero 17 al 20 de 1987, en http://www.farc-ep.co/pleno/pleno-ampliado-febrero-17-20-de-1987.html Este Pleno del EMC determinó que "toda prenda suntuaria (anillos, cadenas, joyas, etc.) que llegue a manos de los guerrilleros como regalía de las masas, automáticamente pasa a ser propiedad del Movimiento". Lo anterior obedeció a que "Comandantes y guerrilleros andan pareciéndose a mafiosos y mujeres de mafiosos con lazos de oro colgándoles del pescuezo y anillos con piedras preciosas hasta en el dedo gordo". Con lo recaudado, se elaboraron medallas para las ódenes "Isaías Pardo" al valor, "Marquetalia" a las grandes operaciones y "Hernando González Acosta" a los cuadros políticos.

677 "Las FARC-EP: treinta años de lucha por la paz, democracia y soberanía", en Corporación Observatorio para la Paz, *Las verdaderas intenciones de las FARC*, *op. cit.*, p. 59.

El punto de vista del Gobierno se conoció el lunes 22 de junio, cuando el presidente Barco, en una dura alocución por radio y televisión, les exigió a las FARC-EP su desarme y desmovilización, al tiempo que descalificó las justificaciones y el "débil alegato" de "legítima defensa". La posición del Presidente fue tajante: "Sobra decir que en cualquier parte del territorio nacional en donde la fuerza pública sea atacada, el Gobierno entenderá que en esa zona ha terminado el cese al fuego, como ha ocurrido en el caso del Caquetá". Pese a que en todos los estamentos se consideró que con el ataque de las FARC-EP y la respuesta gubernamental se rompían los Acuerdos de La Uribe, quedaba de por medio y en el aire la UP con sus cientos de muertos y amenazas a cuestas y con presencia en los cuerpos colegiados. Una situación propiamente macondiana. En respuesta, tres días después, el Secretariado le dirigió una carta abierta: "Señor presidente: de pronto usted está mal informado con respecto al orden público. De pronto resulta cierto que algunos colombianos no han leído o no han entendido los Acuerdos de La Uribe. Dichos acuerdos son el compromiso entre partes en conflicto para parar la guerra. Más claramente: se trata de un armisticio. Ese armisticio lleva los nombres de Cese del Fuego y Tregua. Una comisión nacional verifica el cumplimiento o las violaciones de tales acuerdos y restablece el equilibrio donde haya sufrido merma, y fue ese el gran legado de la administración anterior que su gobierno, señor presidente, desdeñó por parecerle ambiguo"[678]. En síntesis, la tregua con las FARC-EP estaba rota, como se rompió dos años atrás con el M-19 o hacía un año y medio con el EPL.

Los ataques a la UP, a dirigentes políticos, defensores de derechos humanos y activistas sociales arreciaron en agosto por parte de una oscura coalición de ultraderecha formada entre grupos paramilitares y narcoterroristas, con apoyo de agentes del Estado; la guerra sucia estaba en su apogeo, y desde las esferas oficiales era poco lo que se podía esperar. El viernes 14 mataron en Medellín al senador de la UP Pedro Luis Valencia; once días más tarde, en la misma ciudad, fueron asesinados Héctor Abad Gómez y Leonardo Betancur Taborda,

678 "Carta abierta de las FARC-EP al presidente Barco", La Uribe, 26 de junio de 1987, en Jacobo Arenas, *Paz, amigos y enemigos*, *op. cit.*, pp. 265-267.

prestantes médicos y defensores de derechos humanos; el primero era candidato a la Alcaldía. El general Miguel Maza Márquez, director del DAS, había reconocido ese mismo mes la existencia de por lo menos 128 grupos organizados de paramilitares con los más rimbombantes nombres y con grandes semejanzas en su operatividad: Los Tiznados, Mano Negra, Muerte a Revolucionarios del Nordeste Antioqueño, Los Grillos, Roya 87, Bandera Roja, Los Masetos, Terminator, Movimiento Obrero Estudiantil Nacional Socialista, Los Magníficos...

Las diferentes organizaciones guerrilleras, agrupadas en la CNG, eran conscientes de que el proyecto unitario no se podría consolidar, y tampoco las propuestas políticas y el desarrollo de cada una de las organizaciones, sin la presencia y participación de las FARC-EP. Ya se habían hecho algunos esfuerzos y llamados a la unidad, y en julio se resolvió enviar una misión para sostener un encuentro con dos de los más altos comandantes de esa guerrilla: Jacobo Arenas y Alfonso Cano. Los encargados de hacer el contacto en el páramo de Sumapaz fueron Tatiana Rincón y Gerardo Ardila, integrantes de la Dirección Nacional del M-19. El tema principal fue la unidad ya que, de manera permanente, en los territorios y en el trabajo de masas, se presentaban dificultades derivadas del sectarismo; cuentan los visitantes que fue un espacio de discusión amable, salpicado por el brandy que tanto le gustaba a Jacobo. Fruto de este encuentro se logró alcanzar un acuerdo histórico: convocar a una reunión de los dirigentes de *todas* las guerrillas. Las FARC-EP pondrían a disposición sus campamentos y la seguridad para recibir a sus colegas en armas; muchos de ellos jamás se habían visto. Los dirigentes del ELN y de las FARC-EP, por ejemplo, a pesar de llevar una existencia como guerrillas de casi veinticinco años, y de transitar caminos tan cercanos, nunca se habían cruzado.

De inmediato comenzaron, en sigilo y con mucha expectativa, los preparativos para realizar en septiembre lo que sería la I Cumbre o Conferencia de la *Coordinadora Guerrillera Simón Bolívar, CGSB*, cumbre del conjunto del movimiento guerrillero colombiano, que se instaló el día 23 de ese mes en el páramo de Sumapaz, sede del Secretariado de las FARC-EP. Llegar hasta allá fue todo un operativo que los diferentes delegados sortearon sin mayores dificultades; más bien, fueron muchas las anécdotas que los participantes contaron: sobre el ambiente solidario y de camaradería que reinó durante las discusiones, pese a que era evidente que persistían las contradicciones entre ellos; sobre las costumbres guerrilleras en cada una de las organizaciones, las acciones acometidas por unos y otros, las relaciones entre los mandos y la tropa. Los asistentes a este primer cónclave de la GGSB, aparte de los anfitriones del Estado Mayor de las FARC-EP, fueron: Mauricio, por el Quintín Lame; Diego y Javier, del EPL; Vera, Otty, Goyo y Tico, por el M-19; Sergio, del PRT; Gabriel y Milton, de la UC-ELN. Las fotografías de la época muestran el acto solemne de clausura, con las comandancias firmes ante la izada de banderas, y al frente, la "guerrillerada" de las FARC-EP en formación.

La CIA estaba atenta a todo. Los procesos unitarios de las guerrillas en Colombia fueron, efectivamente, sugeridos por los cubanos, quienes, por razones prácticas, preferían un solo inerlocutor, en este caso la CGSB. Con el mismo criterio habían apoyado en 1979 la unificación del FSLN en Nicaragua, del FMLN en El Salvador, en 1980, y de la URNG en Guatemala, en 1982.

La creación de la Coordinadora Guerrillera Simón Bolívar en octubre de 1987 —primera vez que todas las facciones rebeldes colombianas acordaron cooperar bajo una sola dirección— marcó la culminación de cuatro años de negociaciones intermitentes propiciadas por el presidente cubano Castro.

Los grupos representados por la Coordinadora Guerrillera Simón Bolívar tienen una fuerza total de entre 7.500 y 10.000 combatientes de tiempo completo: probablemente podrían doblar sus fuerzas con simpatizantes no tan bien armados.

Opinión: Aunque las diferencias entre facciones de los miembros de la alianza continuarán e incluso, ocasionalmente, perturbarán la cooperación táctica, el éxito de la estrategia de los rebeldes pone de manifiesto qué tan vulnerable es el Gobierno en el frente de la economía y de los derechos humanos. Los ataques coordinados a los objetivos económicos están comenzando a poner bajo presión los recursos del Gobierno para proteger de inmediato las principales industrias en varias regiones.

Además, la capacidad de los insurgentes para infligir mayores pérdidas en las fuerzas del Gobierno, combinada con su campaña coordinada para desacreditar el desempeño en cuanto a derechos humanos del Gobierno, probablemente harán que los altos oficiales, reacios, lancen medidas contrainsurgentes agresivas sin un apoyo rotundo de los líderes políticos civiles.

Fuente: Central Intelligence Agency, CIA. Directorate of Intelligence, "Colombia: Growing Insurgent Cooperation", Terrorism Review, 8 September 1988. The National Security Archive (NSA), Colombia and the United States: Political Violence, Narcotics and Human Rights, 1948-2010, documentos desclasificados de diferentes agencias de seguridad del Gobierno de Estados Unidos.

La vinculación del MAQL a la CGSB le sirvió para tener un acercamiento con las FARC-EP, grupo con el que mantuvo serias discrepancias en el pasado, en particular con el VI frente que operaba en el Cauca, por las agresiones y los intentos constantes de ejercer dominio en las comunidades indígenas: "Dicho acercamiento no se dio en términos de coordinación militar o logística, sino a través de la comprensión que las FARC lograron acerca de la concepción del movimiento indígena, sus luchas y aspiraciones. El Secretariado de las FARC avaló el Acuerdo de Vitoncó y con espíritu fraterno se solucionaron dificultades que se estaban presentando en las zonas. No solo se establecieron y facilitaron comunicaciones entre el Secretariado de las FARC y el Quintín Lame, sino también entre el Secretariado y las organizaciones regionales de las comunidades"[679]. Esto llevó a que un año más tarde, en 1988, con la comprensión de Alfonso Cano, se firmara en Casa Verde un acuerdo en el que esa guerrilla se comprometió a respetar la autonomía de las comunidades indígenas y a sus autoridades; en los mismos términos, en enero de 1987 se había firmado otro acuerdo entre la ONIC, el CRIC y esta guerrilla, "ante una serie de conflictos entre algunos Frentes de las FARC-EP y la comunidad indígena, motivados por el desconocimiento que existe de las costumbres y formas de vida social y cultural de las comunidades indígenas"[680]. Al igual que las FARC-EP, otras organizaciones

679 Testimonio escrito de Henry Caballero, en Jesús Elvio Peña y Pablo Tattay, *op. cit.*, pp. 55-60.

680 Acuerdos entre la Organización Nacional Indígena de Colombia (ONIC), el Consejo Regional Indígena del Cauca (CRIC) y las Fuerzas Armadas Revolucionarias de

guerrilleras que habían tenido poco contacto con el MAQL pudieron comprender aspectos propios de su cosmogonía, la relación con la tierra y el territorio, la autonomía, el sometimiento a los dictámenes de las comunidades y las autoridades tradicionales, sus conceptos de democracia, participación y justicia; por su parte, el MAQL se adentró en debates sobre la guerra popular, la solución política negociada, la unidad, el concepto y las prácticas del poder popular, y logró mantener sus propias perspectivas dentro de la CGSB.

Esta reunión fundacional de la CGSB produjo dos documentos centrales: "Conclusiones políticas de la Cumbre Guerrillera"[681] y "Declaración de la I Conferencia de la CGSB", en la que se acordaron y comprometieron con ocho puntos que expresaron la voluntad de continuar construyendo la unidad bajo el respeto mutuo y la autonomía de cada una de las organizaciones; impulsar las expresiones de convergencia nacional en torno a la democracia y el respeto a la vida; apoyar todo lo que signifique mejorar las condiciones de vida de los colombianos; exigir garantías para la participación en torno a la elección popular de alcaldes; rechazar las pretensiones gubernamentales de desarme y desmovilización del movimiento guerrillero; insistir en las salidas políticas a la guerra; asumir el reto de la guerra si el "régimen" se empeña en ella y, por último, un aspecto relevante referido al acatamiento de las normas del Derecho Internacional Humanitario: "Nos comprometemos a respetar y a ejercer el Derecho de Gentes, los Convenios de Ginebra para humanizar la confrontación bélica, y exigimos que el Gobierno y sus Fuerzas Armadas respeten las normas del Derecho Internacional Humanitario. Nos comprometemos a dar un trato humanitario y digno a los enemigos capturados en combate y a respetar en la contienda militar a la población civil y sus bienes. Rechazamos las prácticas de las torturas, las desapariciones y las listas de amenazados. Rechazamos los asesinatos de miembros de la Unión Patriótica y de los demás movimientos políticos y sociales, y de los

Colombia (FARC-EP), en http://www.farc-ep.co/pleno/pleno-ampliado-febrero-17-20-de-1987.html

681 Véase el anexo 7.

demócratas, cuyos directos responsables son los organismos de seguridad del Estado y sus aparatos paramilitares"[682].

El propósito de todos los grupos fue superar los antagonismos y trabajar juntos por la unidad; no era fácil, después de tantos años de distancias, tantos resquemores y excesivo vanguardismo, de fomentar cada uno las prevenciones hacia los demás y situar al otro en el campo del "enemigo": "Queremos contarles a los compañeros combatientes que en todo el curso de la reunión primó un espíritu camaraderil, alegre y, por qué no decirlo, juvenil, cuyo aliento podrá palparse en las referidas conclusiones. Ese espíritu no debe disiparse por ningún motivo y debe acompañarnos de hoy en adelante y para siempre. Hemos logrado lo que no habíamos alcanzado en un cuarto de siglo de luchas políticas y armadas. La conferencia comenzó a desterrar de las filas revolucionarias el sectarismo, la incomprensión, el caudillismo y todas las formas y manifestaciones no revolucionarias"[683].

Tal como estaban las cosas, no era descabellado pensar que, ante la unión guerrillera, el crimen de Jaime Pardo Leal, ocurrido el domingo 11 de octubre de 1987, cuando regresaba con su familia de una finca ubicada en La Mesa (Cundinamarca), fuera una retaliación del paramilitarismo y sus mentores que asolaban el país. Los tres días que siguieron al magnicidio del excandidato y coordinador nacional de la UP se convirtieron en un "pequeño 9 de Abril", en protesta por los más de 550 asesinados desde el surgimiento de ese movimiento político, apenas dieciocho meses antes. Miles de personas salieron a las calles de Bogotá a protestar por lo que sucedía y a acompañar al dirigente inmolado hasta su última morada; su sucesor fue el joven abogado manizaleño Bernardo Jaramillo Ossa, quien en ese momento era representante a la Cámara. Frente al aleve asesinato, la CGSB emitió un comunicado, bastante enfático, de condena al execrable crimen: "Hoy, cuando la patria se tiñe de la cálida sangre democrática y popular; cuando las hordas paramilitares siguen anegando nuestro suelo con la desesperanza de la muerte; cuando los enemigos de la vida, la justicia y la alegría asesinan alevemente la insigne figura de Jaime

682 "Declaración de la I Conferencia de la Coordinadora Guerrillera Simón Bolívar", en Milton Hernández, *op. cit.*, pp. 147-149.

683 "Carta de la Simón Bolívar", *Resistencia*, órgano de las FARC-EP, pp. 14-15.

Pardo Leal, demócrata incansable, luchador infatigable de inteligencia certera, máximo representante de la Unión Patriótica —UP— y de los procesos de apertura política que el país urge"[684].

Los ataques del narcoparamilitarismo se habían incrementado desde 1987, en especial en el Meta, e incluían una modalidad ampliamente conocida en la triste historia de La Violencia en Colombia: las masacres, el asesinato de grupos humanos en condición de indefensión, seguidas de desplazamientos masivos de población: el 22 de octubre fueron masacrados 15 campesinos en el corregimiento El Aro, municipio de Ituango, en Antioquia. En noviembre fueron asesinados más de 60 integrantes de la UP, un promedio de dos diarios; el 24 de ese mes fueron ocho jóvenes comunistas los masacrados en la sede de la JUCO, en Medellín, por un escuadrón paramilitar que se tomó el edificio donde trabajaba la agrupación política. Al igual que en otras ocasiones, el presidente de la República condenó los hechos... El 21 de febrero de 1988, a escasas tres semanas de celebrarse la primera elección popular de alcaldes, se inauguró "el año de las masacres", con el ataque de un grupo de paramilitares en el caserío de Piñalito, Vistahermosa, en el Meta, donde asesinaron a 14 simpatizantes de la UP; el 4 de marzo ocurrió una de las masacres más impactantes: un grupo de aproximadamente treinta paramilitares encapuchados, que gritaban consignas contra la UP y el Frente Popular, llegaron a la finca bananera La Honduras, corregimiento de Currulao, jurisdicción del municipio de Turbo, en el Urabá antioqueño, y asesinaron a 17 trabajadores sindicalizados en Sintragro. De inmediato, los homicidas se trasladaron a la vecina finca La Negra, donde dieron muerte a otros cuatro trabajadores a quienes tenían registrados en su "lista negra". Un mes más tarde, el domingo 3 de abril, en la vereda Mejor Esquina, situada en el municipio de Buenavista, en Córdoba, los encapuchados acribillaron a 36 campesinos que se encontraban en una fiesta popular. Las Autodefensas Campesinas de Córdoba y Urabá (ACCU), autodefinidas como anticomunistas y contraguerrilleras, dirigidas por

684 "Jaime Pardo Leal: Una bala clavada en el corazón de la patria", comunicado de la CGSB, Colombia, octubre de 1987, en http://www.oigahermanohermana.org/2016/10/documentos-en-la-historia-del-m-19-3.html

los hermanos Castaño Gil, imponían su reinado del horror. Vendrían otras, de menor, mayor o igual calado, masacres de campesinos pobres, donde lo que interesaba era sembrar el terror. En noviembre de 1988 ocurrió una de las peores: 43 habitantes del municipio de Segovia, en el Nordeste Antioqueño, hombres y mujeres indefensos, fueron asesinados por los grupos paramilitares de los Castaño Gil escudados en la sigla de un supuesto movimiento Muerte a Revolucionarios del Nordeste Antioqueño (MRNA).

El 13 de marzo de 1988 se estrenó la elección popular de alcaldes en Colombia. Dos años atrás, el Congreso de la República había expedido el Acto Legislativo 01 del 9 de enero de 1986, en el que se ordenó que: "Todos los ciudadanos eligen directamente presidente de la República, senadores, representantes, diputados, consejeros intendenciales y comisariales, alcaldes y concejales municipales y del Distrito Especial". Posteriormente, en enero de 1987, el presidente Barco sancionó la Ley 78 de 1986, que reglamentaba esa elección. Para esa primera votación estaban habilitados 11.700.000 colombianos, que eligieron 1009 nuevos alcaldes, los cuales ejercieron el mandato por un período de dos años[685]. Paradójicamente, los candidatos de los partidos Conservador y Liberal fueron los que alcanzaron mayor número de alcaldías, sin que la novedosa medida significara la renovación política. La UP, consolidada como tercera opción política en el país, logró 20 alcaldes[686] y 70 concejales propios en todo el territorio nacional; en coaliciones con otras fuerzas obtuvo 364 concejales, y 97 alcaldes en 115 municipios; el Frente Popular, que contó siempre con el apoyo de integrantes del PCC (M-L) y del EPL, conquistó 2 alcaldías, 30 curules en concejos municipales y dos diputados en asambleas departamentales.

La II Conferencia de la CGSB se llevó a cabo el 30 de marzo del año siguiente, en el campamento La Caucha de las FARC-EP, donde estaban sus máximos comandantes; hasta allá marcharon los representantes de las restantes guerrillas, entre ellos los delegados del

685 La Constitución de 1991 extendió el período de los alcaldes a tres años y permitió la elección de gobernadores por voto popular. Luego, mediante el Acto Legislativo 02 de 2002, los alcaldes pasaron a tener períodos de cuatro años.

686 Entre otras, ganó la Alcaldía de Segovia, donde se escenificaría meses más tarde la masacre de 43 campesinos.

M-19, integrantes del EPL, dirigentes indígenas del MAQL —Ciro Tique, Braulio y Gustavo—, Valentín González, del PRT, así como delegados de la UC-ELN. El resultado político del evento fue una nueva propuesta denominada "Acuerdo popular y democrático", en rechazo y contraposición al acuerdo bipartidista firmado semanas antes entre el Gobierno Nacional y el Partido Conservador, llamado "Acuerdo de la Casa de Nariño", que pretendía convocar a un referéndum para el 9 de octubre siguiente e introducir reformas a la Constitución sin consultas con otros movimientos o partidos políticos, y mucho menos con el movimiento social. La CGSB proponía una nueva Constitución Política a partir de una gran consulta nacional en un espacio participativo al que llamaron Gran Convención Nacional del Pueblo, una especie de constituyente popular y democrática, impulsada desde las organizaciones sociales: "Para llevar adelante este Acuerdo Popular y Democrático, en su II Cumbre la CGSB se compromete a: 1) impulsar y apoyar una ofensiva de movilización y lucha en todo el país, que desembocará en paros regionales y nacionales, y 2) realizar instrucción militar para defender estas propuestas"[687].

En la reunión se abordó un tema "espinoso" que derivó en contradicciones entre las FARC-EP y la UC-ELN y puso en riesgo la unidad revolucionaria: la problemática petrolera y los sabotajes y voladuras al oleoducto; los elenos, que mantenían una postura de soberanía nacional, mostraron disposición de suspender estas acciones, siempre y cuando mediara una amplia discusión nacional. Al parecer las cosas se entendieron de otra manera y las FARC-EP, en el editorial de su órgano *Resistencia* de junio siguiente, titulado "Paremos el golpe militar", reproducido en el libro *La paz, amigos y enemigos* de Jacobo Arenas, señalaron: "Otro aspecto que enrarece el medio ambiente es la prosecución de las voladuras de los oleoductos, cuestión resuelta en la II Cumbre de la Coordinadora Guerrillera Simón Bolívar, en el sentido de suspenderlas, porque no benefician al proceso, sino a los sectores más reaccionarios y golpistas"[688]. La UC-ELN lo consideró como una mala interpretación de lo acordado, y con fecha del 24

687 Milton Hernández, *op. cit.*, p. 156.

688 "Paremos el golpe militar", Jacobo Arenas, *op. cit.*, pp. 290-292.

de julio, la Dirección Nacional le dirigió al Estado Mayor de las FARC-EP una carta fuerte en la que reclamó "asumir las resoluciones y los acuerdos en todo su contexto y veracidad, y no sujetarlos a las libres interpretaciones o tratar de acomodarlos a las propias concepciones para desarrollar políticas particulares". El reclamo eleno se basó en que ellos no se habían comprometido a suspender los ataques a la infraestructura petrolera sin condiciones o contraprestaciones como la nacionalización de Caño Limón y la revisión de los contratos de asociación con las empresas multinacionales.

Para ese momento, el M-19 había realizado una conferencia militar en la que los mandos examinaron la crisis que afrontaban, reflejada en líneas de mando debilitadas y clara dispersión orgánica; en un claro giro táctico, lanzaron la consigna "Vida para la nación, paz a las Fuerzas Armadas, guerra a la oligarquía" y decretaron un cese al fuego de seis meses, a partir del 25 de enero, con el conjunto de las Fuerzas Armadas. Para cumplir con la segunda parte de la consigna, la "guerra a la oligarquía", el M-19 sentenció en el documento de conclusiones de esta reunión: "No más impunidad. Que la oligarquía responda con su vida, honra y bienes, por los crímenes cometidos en el desarrollo de su guerra sucia, por el asesinato de luchadores populares [...] Llamamos a una resistencia civil y militar contra la oligarquía que gesta y conduce la guerra sucia y es responsable de la miseria, del atraso y de la entrega. La guerra entre el M-19 y las Fuerzas Armadas, iniciada hace ya nueve años en el Cantón Norte, debe concluir"[689].

Y dicho y hecho... A los pocos meses de esa decisión, y a dos meses de culminada la II Conferencia de la CGSB, se produjo el secuestro de Álvaro Gómez Hurtado, prestante político social conservador que fue plagiado por la Unidad Colombianos por la Salvación Nacional, compuesta por las escuadras Jaime Bermeo, Fernando Erazo y Benjamín Muñoz del M-19[690], cuando salía de misa en una iglesia en el norte de Bogotá, el domingo 29 de mayo. El suceso produjo

689 "Colombianos: vida para la nación, paz a las Fuerzas Armadas, guerra a la oligarquía", 22 de enero de 1988, en Centro de Documentación para la Paz.

690 A mediados de abril fueron detenidos y asesinados cuatro miembros de la Dirección Nacional del M-19: Jaime Bermeo, conocido como *Simón*; Benjamín Muñoz, Fernando Erazo y su esposa, Bertha Lucía Martínez.

desconcierto nacional y cayó como un balde de agua fría en las demás organizaciones de la CGSB que, en principio, no sabían de sus autores y no conocían lo que se pretendía. Hubo muchas especulaciones durante los primeros días; la familia de Gómez Hurtado recibió el 5 de junio una carta firmada por Colombianos por la Salvación Nacional, en la que se les conminaba a reconciliarse con las familias de los desaparecidos y a manifestarse contra el estado de sitio, las masacres, las detenciones arbitrarias, las torturas, los atentados y los secuestros oficiales de líderes democráticos y revolucionarios. Una semana más tarde, el M-19 confirmó que el político conservador se encontraba en buen estado y en su poder. Las negociaciones se iniciaron y tuvieron como escenario las ciudades de México, Costa Rica, Panamá y La Habana, además de las montañas del Tolima y del Cauca donde se encontraban los campamentos del M-19. El 22 de junio, en entrevista con el periodista Germán Castro Caycedo, testigo de excepción de este y otros sucesos relacionados con las guerrillas en Colombia, se conoció la única exigencia por boca de Otty Patiño, tercero en el Mando Central y jefe de las estructuras urbanas del M-19: buscar un nuevo camino de paz.

Una semana después, desde la sede del Secretariado de las FARC-EP, por medio de la línea radial conectada con la oficina del consejero presidencial para Asuntos de Orden Público, Pizarro comunicó las once propuestas que hacía su organización, entre las cuales contemplaba firmar un acuerdo del cese al fuego por sesenta días entre la CGSB y el Gobierno y realizar en Colombia una "cumbre por la salvación nacional" en la sede de la Nunciatura Apostólica, como antesala de un pacto nacional que fuera ratificado mediante un plebiscito. Entre los negociadores del M-19, del Gobierno y de la familia se acordó realizar una "precumbre" en la Nunciatura Apostólica de Panamá, con los voceros de los sectores más representativos de la nación: el "sancocho nacional" que había propuesto Jaime Bateman en abril de 1980.

La reunión tuvo lugar el jueves 14 de julio; asistieron dirigentes de los gremios económicos, de los trabajadores y de otras organizaciones guerrilleras, de la Iglesia y de partidos políticos. El documento final, conocido como "Acta de Panamá", contemplaba en uno de sus puntos que Carlos Pizarro daría, en la oportunidad más breve que las circunstancias permitieran, la orden de libertad de Gómez Hurtado. Así ocurrió pasados seis días, cuando fue dejado a dos cuadras de su casa. Durante su cautiverio sostuvo un intenso cruce de cartas con el comandante Pizarro; en una de ellas, publicada muchos años después, le precisó: "El M-19 tiene la oportunidad de hablar al país. Quizá de tomar un liderato, en lo que pudiera ser un principio en un proceso de reconciliación. Ustedes han fabricado lo que creen ser una oportunidad de comunicación. Si algún resultado pueden obtener, ello dependería del buen juicio con que ustedes señalen sus objetivos inmediatos. Creo que el país necesita que esto tenga una salida. Ustedes también. Mantengo la invocación de Dios que usted hace en su carta, para pedirle que nos ilumine. Me será muy grato continuar esta conversación"[691].

El paso siguiente fue la Cumbre de Salvación Nacional, convocada para el viernes 29 de julio en el Centro de Estudios Pastorales de Usaquén, en la que el Gobierno se negó a participar aduciendo que era producto del chantaje y la intimidación armada; asistieron representantes de todos los movimientos y partidos políticos, de los gremios económicos, la Iglesia, la Central Unitaria de Trabajadores, los indígenas a través de la ONIC, el Comité Permanente para la Defensa de los Derechos Humanos y personalidades, entre las que se encontraba el propio Álvaro Gómez Hurtado. Las organizaciones guerrilleras, impedidas de asistir, reflejaron distintas posiciones en los mensajes que enviaron al evento: el EPL y la UC-ELN manifestaron que era un espacio sin definiciones y compromisos claros, pero que no ofrecía garantías para las organizaciones guerrilleras y populares; las FARC-EP enviaron una carta en la que expresaron su confianza en que esta primera cumbre del diálogo nacional pudiera encontrar caminos hacia la reconciliación; el PRT hizo una valoración positiva del esfuerzo y reiteró su apoyo; el M-19 envió un mensaje de Pizarro a través de su delegado, Ramiro Lucio Escobar, en el que señaló como tarea inmediata la materialización de un plan de paz que activara un mandato nacional: "Cuando la voluntad falta, las disculpas sobran", dijo Antonio Navarro en un mensaje grabado que envió al

691 "Carta inédita de Álvaro Gómez al M-19", *Lecturas Dominicales*, *El Tiempo*, abril 14 de 1996, p. 4.

evento[692]. Al final del día se alcanzaron 78 conclusiones y se aprobaron procedimientos para continuar con el proceso iniciado, entre ellos la formación de una Comisión de Convivencia Democrática. Ese mismo día, el Gobierno Nacional presentó ante el Congreso de la República una propuesta de reformas a la Constitución Nacional de 181 artículos, en los que señalaba nuevos derechos y procedimientos para alcanzar efectivamente las garantías fundamentales.

El secuestro de Gómez Hurtado marcó el resquebrajamiento de la unidad guerrillera expresada en la CGSB, por lo menos en lo que tenía que ver con la presencia y participación del M-19. Inicialmente las FARC-EP y la UC-ELN apoyaron económica y logísticamente algunos aspectos de la llamada operación Vida a la Nación. En algún momento se pensó que la CGSB le diera el manejo político al secuestro de Gómez; cuando eso no se pudo hacer, comenzaron las críticas, en particular de la UC-ELN que, consideró, fue una acción que se tomó a espaldas de la II Conferencia Guerrillera.

La idea de un "Plan de paz", propuesto en la Cumbre de Usaquén, quedó flotando en el ambiente; días más tarde el presidente Barco anunció que lo presentaría en el transcurso de las próximas semanas. Por lo pronto, la guerra ganaba espacios: por un lado, el paramilitarismo en el que se encontraban comprometidos diversos sectores del país; un poco más allá, el narcoterrorismo, a donde confluían los mismos sectores con modalidades más sofisticadas; por el otro lado, la guerra desde las insurgencias que habían alcanzado un espacio nacional como CGSB y espacios bilaterales de coordinación regional, pero que vivían sus propias contradicciones internas; en el Gobierno se percibía el desgobierno: un presidente ausente al que se le pedía la renuncia, sectores de las Fuerzas Militares inconformes y un permanente rumor de golpe de Estado. Por fuera de la guerra, pero viviendo los dramas propios de esta, el movimiento social buscaba su recomposición a través de jornadas de lucha por la vida y por la defensa de los vulnerados derechos humanos. El país estaba descuadernado.

692 Textos de las comunicaciones de las organizaciones guerrilleras, en Felio Andrade Manrique, *Ricardo, Rolando está en camino (Liberación de Álvaro Gómez)*, Bogotá, Editorial Kelly, 1989, pp. 246-250.

En la madrugada del 23 de agosto, una fuerza conjunta compuesta por los frentes Bernardo Franco y Jesús María Alzate del EPL, y los frentes V y XVIII de las FARC-EP, con más de 200 combatientes, atacó una base del Batallón de Infantería N° 46 Voltígeros del Ejército y la estación de Policía, que se encontraban acantonados en el corregimiento de Saiza, municipio de Tierralta, en el sur de Córdoba. Tras doce horas de combate retuvieron a 22 miembros de la fuerza pública y dieron muerte en total a 14 uniformados; doce habitantes murieron en los enfrentamientos, presuntamente paramilitares que participaron de forma activa en los combates del lado de la fuerza pública. Para las FARC-EP, el ataque fue considerado como pionero de las grandes y contundentes acciones militares que vendrían años más tarde. Para el EPL fue la acción más importante en toda su existencia, un referente para enfrentar la coyuntura de guerra y paz y un llamado a "generalizar la guerra civil", que era su propuesta del momento. Una semana después del asalto a Saiza, y como represalia por este, un grupo de treinta paramilitares de la familia Castaño Gil, que se identificó como perteneciente al grupo Muerte a Revolucionarios del Nordeste, hizo una travesía de muerte, primero en la hacienda Donaire, luego asaltó el corregimiento de El Tomate, en Córdoba, quemó 18 casas y asesinó a 16 campesinos a quienes sindicaron de ser auxiliares de la guerrilla; en total, más de 25 campesinos asesinados y cientos de familias que emprendían la huida hacia cualquier parte.

Pasados dos días de la masacre de El Tomate, el 1° de septiembre, el presidente Virgilio Barco, en alocución por radio y televisión, dio a conocer su estrategia de paz, a la que llamó "Iniciativa para la Paz", que cerró la primera fase de su administración, en la que no se estableció diálogo directo con los alzados en armas y, en medio de muchas incertidumbres, se privilegió el "pulso firme" sobre la "mano tendida". De acuerdo con sus palabras, se trataba de un viraje en su política de reconciliación, normalización y rehabilitación, regresando al esquema anterior de reconocer a la insurgencia como interlocutor válido y sujeto de negociaciones políticas: "El Gobierno, con firmeza, extiende una mano generosa a los grupos alzados en armas que demuestren convincentemente que tienen una voluntad sincera de reincorporarse a la vida civil. Además, si el Congreso aprueba la ley correspondiente, serán indultados los alzados en armas que se acojan a esta iniciativa para la paz. Pero el indulto no se concederá al iniciarse las conversaciones sino solo después de que ellos hayan abandonado las armas [...] El Gobierno Nacional requiere, para iniciar cualquier diálogo, que cada grupo que esté interesado en acogerse a esta iniciativa previamente exprese con palabras y demuestre con hechos la disposición de encontrar las fórmulas que lleven a su reincorporación a la normalidad institucional"[693].

La política de paz que trazó el presidente Barco comprendía tres fases hacia la plena reincorporación de los alzados en armas a la vida civil y una cuarta de diálogos regionales para la convivencia y el derecho a la vida. Estas fases, como complemento del diálogo directo entre la guerrilla y el Gobierno, se desarrollarían a través de la Consejería Presidencial para la Reconciliación, Normalización y Rehabilitación, dirigida en ese momento por Rafael Pardo Rueda, un joven economista de la Universidad de los Andes, con estudios en Planeación Urbana y Regional en los Países Bajos.

En la fase de Distensión, como lo señaló el Presidente, debía existir la voluntad por parte de los alzados en armas, condición *sine qua non*, expresada con hechos y palabras, de regresar a la "normalidad" para generar un ambiente de entendimiento, credibilidad y confianza. Alcanzado ese primer estado, el Gobierno iniciaría el diálogo directo, por medio de sus representantes, con los voceros autorizados del grupo o de los grupos armados para buscar compromisos sobre cronogramas, procedimientos, aspectos logísticos, plazos para la reincorporación y lugares de ubicación temporal, teniendo en cuenta las especificidades de las agrupaciones que decidieran transitar este camino. Simultáneamente, sus voceros podrían plantear en audiencias públicas ante el Congreso de la República propuestas y opiniones "en relación con el proceso de reajuste institucional". Una vez demostrada esa voluntad de reconciliación, el Gobierno presentaría para estudio del Congreso un proyecto de ley de indulto que se aplicaría una vez culminados los procedimientos contemplados en la Iniciativa de Paz.

693 "Discurso del presidente Barco sobre el plan de paz", en Jacob Arenas, *Vicisitudes del proceso de paz*, Bogotá, Editorial La Abeja Negra, 1990, pp. 52-68.

La llamada fase de Transición contemplaba iniciar el paso hacia la normalidad institucional y el regreso a la democracia de la organización o las organizaciones en armas con las que se hubieran establecido los procedimientos para la incorporación concebidos en la fase anterior. Así mismo, garantías reales y específicas y condiciones económicas y sociales de urgencia que hicieran posible la reincorporación de los guerrilleros; con las entidades públicas y privadas se coordinarían la ubicación definitiva y la reincorporación política, económica y social de los guerrilleros. Este sería el momento para el cese de operaciones militares por parte de los grupos y su ubicación en los sitios acordados; por parte de las Fuerzas Armadas, se procedería a suspender los patrullajes y ofrecer protección en esas áreas de ubicación. En esta fase se incluía, de igual forma, la creación de los Consejos Regionales de Normalización como entes de coordinación de actividades y vigilancia de los compromisos alcanzados; los conformarían las autoridades regionales de Gobierno y Policía, Iglesia, voceros de los partidos y movimientos políticos y guerrilleros en proceso de paz.

La Incorporación era la tercera etapa, y tenía como horizonte el desarme de la guerrilla, la desmovilización de los combatientes y su reincorporación a la vida civil; en ella, los antiguos alzados en armas se reintegrarían plenamente a la vida democrática, harían dejación de las armas y de cualquier otra expresión de estructura militar, y se firmarían los acuerdos finales de paz. El Gobierno se comprometía en esta fase a otorgar el indulto, levantar el estado de sitio, estimular y garantizar la participación política y electoral, aplicar medidas de asistencia económica y de seguridad física para los excombatientes.

Planteó un cuarto momento para realizar diálogos regionales por la convivencia y el derecho a la vida, como complemento y no sustituto del diálogo directo entre el Gobierno y la guerrilla, dirigidos a paliar los conflictos y perturbaciones regionales muchas veces identificados como las causas de las violencias, por encima de las acciones de los grupos guerrilleros. La Iniciativa para la Paz de Barco estaba pensada para completarse antes del inicio del siguiente proceso electoral, que se realizaría en marzo de 1990: "Convoco a los alzados en armas a que se reincorporen a la vida civil. Que los esfuerzos de toda la nación se dediquen a alcanzar el bienestar y la justicia social, que aseguren para todos la satisfacción de las necesidades básicas y las posibilidades de vivir sin angustias y temores. Que la violencia con todos sus horrores quede atrás superada para siempre y que los caminos de la solidaridad y el progreso se abran para todos los colombianos. Esta es una hora de esperanza y de confianza del destino promisorio de nuestra Patria"[694].

Pasadas dos semanas, el EPL y las FARC-EP, en un gesto que se podría interpretar como de buena voluntad ante la propuesta gubernamental, procedieron a liberar, sanos y salvos, a los 22 soldados y policías que habían "capturado" en el ataque a Saiza un mes atrás. En la comunicación que establecieron ese día los periodistas con Jacobo Arenas, el dirigente fariano les confirmó que pronto habría una posición unificada de los diferentes grupos de la CGSB. Efectivamente, poco después se comenzaron a conocer respuestas individuales por parte de las distintas organizaciones. Hubo de todo, desde el escepticismo puro hasta la prudente expectativa; desde considerarla una propuesta para la rendición del movimiento guerrillero hasta una oportunidad para aclimatar la paz.

Para las FARC-EP, en comunicado de mediados de septiembre, era el momento de proponer un gran acuerdo nacional para diseñar un plan "realista" de paz en el que participaran los gremios económicos, los partidos políticos, la Iglesia católica, el Congreso de la República, la Procuraduría General de la Nación, el movimiento sindical, la gran prensa, los expresidente de la República, los militares en servicio activo y los en retiro también, representantes de la CGSB y hasta del propio Gobierno: "Le proponemos al Gobierno un cese general de fuegos de dos meses para garantizar el desarrollo del gran Acuerdo Nacional para la Paz", fue en síntesis la propuesta de las FARC-EP[695]; el ministro de Gobierno, César Gaviria Trujillo[696], les contestó el 24 de septiembre con un lacónico comunicado en el que expresó su descontento con el incremento de asaltos, emboscadas y atentados como los ocurridos en las últimas semanas y quedó a la

694 *Ibid.*

695 *Ibid.*, p. 73.

696 Un año atrás, el 30 de septiembre de 1987, el mismo Gaviria había denunciado en la Cámara de Representantes la existencia de cerca de 140 grupos paramilitares que operaban a lo largo y ancho del territorio nacional.

espera de una respuesta concreta y cierta de todos y cada uno de los grupos armados. Entre tanto, el EPL y la UC-ELN conceptuaron en contrario señalando que el objetivo de tal Iniciativa de Paz era aniquilar al movimiento armado y, desde ese punto de vista, estaba condenada al fracaso. El M-19 mostró interés en la propuesta del presidente Barco, aunque señaló algunas reservas a esta. Para el PRT era necesario, desde el Estado, derogar el Estatuto Antiterrorista[697], detener la guerra sucia, solucionar el pliego unificado presentado por la CUT, levantar el estado de sitio y participar en las deliberaciones de la Comisión de Convivencia Democrática. El MAQL se pronunció en favor de un diálogo amplio entre todos los interesados en alcanzar la paz, rechazando los hechos de violencia en contra de los indígenas y dirigentes de las comunidades.

En el marco de ese debate, que evidenciaba la diferencia de matices entre sus integrantes, se efectuó entre el 13 y el 16 de octubre la III Conferencia de la CGSB, con la asistencia de Milton Hernández, por la UC-ELN; Javier Robles, Raúl Tejada y Luis Contreras, del EPL; Víctor Cruz y Valentín González, por el PRT; Carlos Pizarro, Afranio Parra y Héctor Pineda, del M-19; Ciro Tique y Jaime Ulcué, del MAQL; y los anfitriones de las FARC-EP: Manuel Marulanda, Jacobo Arenas y Alfonso Cano. Un ingrediente que generó malestar fue la ausencia de los comandantes Manuel Pérez del ELN y Francisco Caraballo del EPL, que no asistieron y enviaron a sus delegados, pese a que esta se había planteado como una cumbre de comandantes.

La reunión dio a conocer una propuesta de tres puntos frente al plan de Barco que expresaban la disposición para entablar, de inmediato, el diálogo directo: "Como parte activa de este creciente despertar de opinión, la Coordinadora Guerrillera Simón Bolívar propone: 1) Un encuentro entre el Gobierno y la Comandancia de las fuerzas guerrilleras, para conversar sobre una salida política en torno a la vida, la democracia y la soberanía nacional. 2) Que las conversaciones sean encaradas al más alto nivel por los ministros de Gobierno, Defensa y Minas y los comandantes de las fuerzas integrantes de la Coordinadora

697 Normas de carácter operativo y jurisdiccional para hacer frente al terrorismo, contenidas en los Decretos 180, 181 y 182 de enero de 1988, expedidas al amparo del estado de sitio.

Guerrillera Simón Bolívar. 3) Que a esta reunión asista la Comisión de Convivencia Democrática en calidad de testigo de excepción de las conversaciones. Estamos seguros de que una respuesta afirmativa, así como el tratamiento que se dé al complejo conflicto social, posibilitará despejar el futuro de Colombia"[698].

La Coordinadora adoptó una declaración política de siete puntos: reiteró su empeño en la búsqueda de soluciones políticas reales, ratificó su respaldo a la huelga general que promovían la CUT y la CGT para el 27 de octubre siguiente, demandó la adhesión al Protocolo II relativo a conflictos de carácter no internacional, y en ese aspecto mostró la liberación de los soldados y policías capturados en Saiza como un gesto humanitario de acuerdo con el derecho de gentes.

Llegar a estos consensos en el encuentro de la CGSB no fue fácil, algunas posiciones radicales se moderaron y otras se tornaron aún más radicales. El ambiente de la reunión estuvo pesado, en particular por las críticas que desde todos lados le llovieron al M-19, y en particular a Pizarro, por el manejo que le dio al secuestro de Álvaro Gómez, calificado por la gran mayoría de antiunitario y a espaldas de la Coordinadora. La tensión fue tal que durante un día se suspendieron las deliberaciones para enfriar el ambiente y concentrar la discusión de la conferencia en la propuesta que se le hizo al Gobierno.

En medio de esta y de la posición de la CGSB se fueron filtrando otras propuestas, como la que presentó el senador conservador Álvaro Leyva Durán en la segunda semana de noviembre de 1988, en carta dirigida a los presidentes de los partidos Liberal, Social Conservador y Unión Patriótica. Su iniciativa contempló la integración por decreto de una comisión de cinco personas, a la que denominó de Cesación de Armas y Vigilancia del *Statu Quo*, que tendría como tarea examinar en el término de treinta días si existían condiciones para establecer un diálogo directo entre el Gobierno y los grupos alzados en armas. Si efectivamente se determinaba que existía ambiente para el diálogo, el Gobierno, en veinte días, acordaría con esa comisión el cómo, dónde, cuándo y con quiénes: "Una vez definido esto último, las partes iniciarían de manera inmediata el

698 *Ibid.,* p. 81.

diálogo directo que podría extenderse hasta el término de treinta días, prorrogables por tiempo igual. Vencido el plazo establecido, el Gobierno informaría a la opinión pública los resultados del diálogo y procedería de acuerdo con las circunstancias". Esta y otras iniciativas como los diálogos regionales en el Cauca y Tolima, tuvieron buena aceptación en el Gobierno Nacional y en los mandos de las organizaciones de la CGSB: el M-19 y las FARC-EP enviaron una respuesta, en la que manifestaron estar de acuerdo con la iniciativa y se comprometieron a unificar los criterios de la Coordinadora en torno a este nuevo planteamiento de paz.

Así como se agitaban banderas de paz desde distintos personajes y escenarios regionales o nacionales, también soplaban los vientos de guerra desde el militarismo: el 3 de noviembre se manifestó el general Rafael Samudio Molina[699], ministro de Defensa, durante el sepelio de once militares que habían sido emboscados por las FARC-EP en el Meta; dijo que el pueblo debería prepararse para una contundente respuesta militar a la subversión: "Yo no sé de diálogos en este momento. Únicamente sé que las Fuerzas Militares van a responder con sus armas"[700]. Barco rechazó la idea de tierra arrasada y, en una ceremonia en la Escuela de Policía General Santander, salió en defensa de su política de reconciliación y lacónicamente expresó: "No nos dejaremos tentar por salidas simplistas". Al día siguiente, Samudio presentó su renuncia; distintas voces, desde los gremios económicos y los generales retirados le expresaron su apoyo público. Para las FARC-EP esas palabras fueron una muestra más de la disposición de ciertos sectores a la guerra total: "La declaratoria del ministro indica que el Gobierno no entendió o no quiere entender el lenguaje de la paz [...] Si hay combates y muertos es precisamente por falta de diálogos y acuerdos [...] Por enésima vez le proponemos al

699 El 23 de octubre de 1985, como comandante del Ejército, fue víctima de un atentado por parte de un comando del M-19 cuando se desplazaba por el noroccidente de Bogotá hacia las instalaciones del Ministerio de Defensa. En las comunicaciones para la retoma del Palacio de Justicia, dos semanas después, se identificó como *Paladín 6*.

700 Citado por Jorge Cardona, *op. cit.*, p. 232.

Gobierno, antes que guerra, conversaciones que conduzcan a la paz que anhela el pueblo colombiano"[701].

Antes de finalizar el año hubo decisiones desde las FARC-EP y el M-19 en torno a un cese unilateral al fuego con ocasión de las fiestas de Navidad. Las cartas estaban sobre la mesa; una de ellas era del M-19, en la que expresó sin equívocos: "Señor presidente, indique simplemente dónde y cuándo se inicia la cita con la historia y nosotros acudiremos de inmediato a ella"[702]. La respuesta del Presidente no tardó: en su discurso del 16 de diciembre, en el cierre de las sesiones ordinarias del Congreso de la República, informó que desde hacía varias semanas funcionarios de la Consejería para la Reconciliación, Normalización y Rehabilitación y voceros del M-19 habían iniciado contactos preliminares para concretar una agenda de conversaciones: "El Gobierno estima ahora conveniente iniciar diálogos formales y directos con el M-19, organización que en un plazo prudencial ha demostrado voluntad para explorar caminos hacia la reconciliación"[703]. Al mismo tiempo, fustigó al EPL, a las FARC-EP y al UC-ELN por el incremento de las acciones armadas en los últimos tres meses. En palabras que se podrían entender como una táctica para parcelar la paz y dividir la ya debilitada CGSB, consideró necesario dar una espera prudencial frente a las manifestaciones de las FARC-EP en favor del diálogo, "hasta tanto los hechos demuestren que el cese al fuego expresado por ellos, que no puede entenderse en forma distinta a la suspensión total de actos de violencia y terrorismo, es una manifestación cierta de su voluntad de reconciliación"[704].

Desde diciembre se había establecido entre el M-19 y funcionarios de la Consejería una frecuencia radial de comunicaciones que funcionaba todos los días a partir de las once de la mañana. Mediante ese

701 "Respuesta de las FARC al ministro de Defensa Rafael Samudio Molina", Jacobo Arenas, *Vicisitudes del proceso de paz, op. cit.*, pp. 82-83.

702 "Carta del M-19 al presidente de la República", en *Un adiós a la guerra*, Darío Villamizar, Bogotá, Planeta Colombiana S. A., 1997, pp. 341, 342.

703 *Ibid.*

704 Informe del presidente de la República en la clausura de las sesiones ordinarias del Congreso Nacional, en *El camino de la paz*, Bogotá, Presidencia de la República, Imprenta Nacional de Colombia, 1989, pp. 67-85.

canal se logró fijar el itinerario para un encuentro en los primeros días de enero y poner en claro los incidentes que se presentaron el 25 de diciembre, cuando el campamento ubicado cerca de Jambaló fue atacado: "El Gobierno quiere con esto ratificar su disposición al diálogo directo con el M-19 en un plazo breve, para allí definir posibilidades hacia el futuro"[705]. Los astros estaban alineados para permitir una pronta reunión entre las partes.

Culminaba 1988 con un saldo de violencia pocas veces visto en la historia colombiana; pero también, desde entonces, más para bien que para mal, el punto de la negociación política del conflicto político armado se instaló en el discurso de las organizaciones guerrilleras. La utopía se vistió de herejía. No había vuelta atrás, ese era el camino que tarde o temprano recorrerían todos y cada uno de los grupos alzados en armas; sería bajo diferentes modalidades, con distintos esquemas, atendiendo particularidades y coyunturas específicas, acompasados también con desarrollos militares y ofensivas estratégicas. La palabra y el fusil. Algo similar ocurría en Centroamérica, donde las curtidas guerrillas salvadoreñas, agrupadas en el FMLN, y las guatemaltecas de la URNG adelantaban procesos propios y complejos de fortalecimiento de sus estructuras político-militares y de negociaciones con sus respectivos gobiernos. Los acuerdos de Esquipulas I (1986) y Esquipulas II (1987) intentaban consolidar la voluntad política de los gobernantes de la región como procedimientos válidos para alcanzar la paz estable y duradera en la región. El gobierno de Reagan, en Estados Unidos, tocaba a su fin después del nuevo triunfo de los republicanos en las elecciones de noviembre: George W. Bush, director de la CIA entre 1976 y 1977, se preparaba para asumir el cargo continuando con la política exterior de Reagan.

Para entonces, la derrota guerrillera en Brasil y el Cono Sur del continente se había consumado, y los retornos a la democracia en los años ochenta mostraron el horror de lo acontecido bajo las dictaduras militares. En Perú persistían las acciones del MRTA, que estaba en la tarea de formar el Ejército Popular Tupacamarista, después de su paso

705 M-19, "Conversación radial del 28 de diciembre de 1988", en Darío Villamizar, *Aquel 19 será*, *op. cit.*, p. 549.

por el Batallón América; desde el año anterior contaba con un frente guerrillero rural que fue inaugurado el 5 de noviembre de 1987 con la toma de Juanjuí, capital de la provincia de Mariscal Cáceres, donde rindió a más de un centenar de policías; al frente de los guerrilleros estaba Víctor Polay, el comandante *Rolando*.

En Ecuador, los menguados y divididos integrantes de AVC se aprestaban para dar el paso hacia la legalización. El triunfo electoral del socialdemócrata Rodrigo Borja, en enero de 1988, consolidó un sector mayoritario de la organización, favorable a la negociación política. Las diferencias internas se hicieron evidentes en la III Conferencia Nacional de agosto siguiente y, pese a que al frente de la organización se encontraba el comandante Eloy, de larga experiencia en el M-19 colombiano, proclive a continuar la lucha armada, su posición fue derrotada y el grupo se dividió. Pocos meses más tarde, el sector mayoritario firmaría el acuerdo político con el Gobierno. La lucha armada en América Latina y el Caribe declinaba, inexorablemente.

VIII
Diálogos, negociaciones y paz (i)

Los primeros acuerdos y el proceso constituyente

Cuentan los presentes que cuando Jacobo Arenas se enteró del documento que acababan de firmar Carlos Pizarro —por el M-19— y Rafael Pardo Rueda —como Consejero Presidencial— se molestó a tal punto que ordenó el retiro de sus hombres de confianza que, de manera discreta, se hallaban presentes, ese 10 de enero de 1989, en un campamento improvisado ubicado en la vereda Totarco Piedras del municipio de Coyaima, en el Tolima, área que se encontraba bajo el control de las FARC-EP. No era para menos: la declaración conjunta suscrita ese martes le quitó a esta organización guerrillera, particularmente a Jacobo, el protagonismo que había alcanzado en los últimos meses en relación con posibles diálogos y negociaciones: "Pizarro nos explicó que había invitado a unos observadores de las FARC a la reunión, no con la idea de que participaran directamente, sino para que sirvieran como una especie de testigos u observadores indirectos. Nos los presentó: Andrés París, delegado del Secretariado de las FARC y su compañera Beatriz Arenas, hija de Jacobo Arenas. Además, estaba el comandante del Frente XXI de las FARC pues, según nos dijo, era zona de su influencia"[706]. El escueto comunicado que firmaron ese día caluroso, bajo la sombra de un samán —Primera Declaración Conjunta—, llamó a todos los grupos alzados en armas, y a las direcciones de los partidos políticos con representación en el Congreso, a acordar el camino hacia la salida política al conflicto colombiano. Pizarro ratificó ante el país su voluntad de diálogo y reconciliación y se comprometió a mantener la tregua unilateral en toda la nación; señalaron las partes que existían ya una agenda y unos plazos que tenían por objeto explorar temas políticos de interés y los tiempos para el proceso iniciado[707].

"Camino cierto hacia la desmovilización guerrillera", señaló el documento. Esta frase encerraba un profundo contenido táctico-estratégico que definiría el futuro del movimiento guerrillero colombiano. Por primera vez en América Latina se expresó, de manera categórica, la decisión de un grupo insurgente de abandonar la lucha armada para hacer tránsito hacia la legalidad. Relata Pardo Rueda que, cuando Pizarro firmó, dijo en tono lacónico: "La suerte está echada". La posición que asumieron los otros grupos de la CGSB fue de rechazo a lo que consideraban un "proceder antiunitario y "actitud inconsecuente", hasta de traición lo calificaron.

A partir de este momento se agudizaron dentro de la Simón Bolívar las tensiones que ya venían desde antes y que se reflejaron en la IV Conferencia, que se realizó en junio siguiente, en la sede del Secretariado de las FARC-EP, a donde llegaron los delegados del EPL, Jairo Rodríguez y Eduardo Ramírez; del M-19 asistieron varios miembros de la Dirección Nacional que no tuvieron buen recibo; en representación del MAQL fueron Milton y Ciro; y por el PRT estuvo Sergio Sierra; la UC-ELN no se hizo presente y envió una carta en la que justificó su ausencia. Las discusiones giraron en torno al proceso que adelantaba el M-19, críticas y más críticas... Finalmente, la Coordinadora se fracturó. El M-19 no volvió a los siguientes eventos; cuando se llevó a cabo la V Conferencia, ya no era una guerrilla; por su lado, el EPL, el PRT y el MAQL avanzaban en diálogos y negociaciones con el Gobierno, lo que los colocó al margen de la CGSB. De hecho, a partir de la

706 Rafael Pardo Rueda, *De primera mano. Colombia 1986-1994. Entre conflictos y esperanzas*, Bogotá, Cerec, Grupo Editorial Norma, 1996, p. 125.

707 Texto completo de la primera declaración conjunta en *Ibid.*

V Conferencia Bolivariana, la Coordinadora quedó conformada por las FARC-EP, la UC-ELN y el sector del EPL liderado por Francisco Caraballo, luego de la ruptura del grupo durante las negociaciones de 1990. En paralelo funcionaba desde 1988 un espacio de coordinación política, la Comisión Unitaria o Tripartita, compuesta por la UC-ELN, el PCC y el PCC (M-L), protagonista de movilizaciones sociales tan importantes como la huelga general de octubre de ese año.

En enero, las FARC-EP habían sufrido un duro revés cuando en Kingston (Jamaica) fue capturado el *Copacabana*, un barco que transportaba 1.000 fusiles G3-A3, 250 ametralladoras HK21, 10 morteros de 60 mm tipo comando y 600 granadas para estos, material de guerra adquirido en Portugal, aparentemente por el Ministerio de Defensa Nacional, con destino real las guerrillas de las FARC-EP en las selvas colombianas. La operación, dirigida por Carlos Munévar Barreto, alias *Daniel García*, también llamado *Daniel Conal* (CONAL: Comisión Nacional, estructura especial), incluyó la compra en Miami de un avión DC-6 para hacer el traslado del armamento hasta Colombia. Las investigaciones de las autoridades llevaron a detenciones y allanamientos como el que hicieron en el Teatro La Candelaria en Bogotá, donde capturaron un casco y un viejo fusil de utilería... A raíz de este fracaso, García fue sometido a consejo verbal de guerra por su organización, del que salió absuelto; pocos días más tarde, el 7 de febrero de 1992, se denunció su desaparición.

La Segunda Declaración Conjunta entre el M-19 y los delegados gubernamentales se suscribió el 4 de febrero, en medio de las deliberaciones de la Dirección Nacional de esta organización, reunida para profundizar los consensos internos y alcanzar la unidad necesaria para continuar con el proceso iniciado un mes antes. Esa Segunda Declaración dispuso que el M-19 designaría un grupo de personas para asumir su vocería pública, contando con plenas garantías para su vinculación a la actividad política. En la clausura del evento interno, el 7 de febrero, Pizarro instó a sus compañeros a hacer mayores esfuerzos en sus áreas de trabajo para lograr los propósitos suscritos con el Gobierno Nacional. Dos hechos ocurrieron en el mismo mes: en un escenario de participación regional, en el Tolima, se efectuó el Encuentro Nacional por la Paz, que durante el 17 y 18 de febrero congregó a 1.500 colombianos de todas las procedencias políticas y sociales que buscaban soluciones colectivas a los problemas de violencia en el país. En este evento, Bernardo Jaramillo, máximo dirigente de la UP y miembro del Comité Central del PCC, comenzó a deslindar campos con la lucha armada en general, y en particular con las FARC-EP y las tesis de combinación de todas las formas de lucha. Esta organización propuso conformar una Comisión de Notables, compuesta por los expresidentes Misael Pastrana y Alfonso López, el cardenal Miguel Rebollo, Fabio Echeverri por los sectores productivos, y Hernando Santos, director de *El Tiempo*; su sola aceptación —manifestaron— produciría de inmediato un cese unilateral de hostilidades, lo que ocurrió el 27 del mismo mes cuando, públicamente, Los Notables le dijeron sí a la formación de esa comisión.

Desde el 27 de febrero se concentró la fuerza guerrillera del M-19 en el páramo de Santo Domingo, una vereda del municipio de Toribío, en el Cauca, resguardo indígena de Tacueyó; allí se definieron los límites para el campamento y la estadía del grupo, la zona desmilitarizada y los linderos desde donde el Ejército hacía presencia. La Tercera Declaración Conjunta fue en México, el 4 de marzo, hasta donde se desplazó el consejero Pardo con miembros de su equipo para concertar igualmente con el segundo comandante del M-19, Antonio Navarro Wolff, quien se encontraba allí desde 1985, cuando sufrió el ataque que le significó la amputación de su pierna izquierda. La cita en México se interrumpió en el momento en que se supo del atentado que le costó la vida a José Antequera, dirigente nacional de la UP, y heridas de gravedad al dirigente liberal Ernesto Samper Pizano. Al día siguiente se reanudó el encuentro con un homenaje al dirigente político sacrificado, haciendo eco de las múltiples manifestaciones de condena por el crimen: "Vamos a responderle a la muerte con vida, a la oscuridad con esperanza y a la guerra con paz", señaló Antonio Navarro al finalizar las sesiones.

Hasta aquí —luego de tres declaraciones conjuntas, de apoyarse en el consenso general del M-19, de tener la fuerza militar concentrada, de contar con los elementos generales para el diseño de un plan para la reinserción a la vida civil y de ganar el apoyo de sectores de la vida política, social y económica del país— se había cumplido con la fase de distensión, contemplada en la Iniciativa para la Paz. En medio de las euforias que producían estos hechos se presentaron situaciones de guerra que auguraban las dificultades por las que habría de transitar la búsqueda de la paz: el 9 de marzo, dos comandos del EPL se tomaron la población de Tenjo, en Cundinamarca; la confusa acción terminó con la muerte de 9 guerrilleros y su traslado a Bogotá, colgados de los helicópteros, cual trofeo de guerra. Los sucesos de Tenjo fueron descritos así por el jefe del grupo, Francisco Caraballo: "Los combatientes, lejos de ser conminados a rendirse, como pretenden presentarlo, luego del cruento enfrentamiento, al agotárseles el parque fueron detenidos y cobardemente asesinados"[708]. El propósito del EPL no era insistir en hechos de guerra, sino buscar caminos que lo acercaran a la negociación política; el 28 de abril se reunió en un campamento ubicado en Córdoba con Álvaro Leyva y Jorge Dussán Abella y concertó una cita con Fabio Echeverri Correa, presidente de la ANDI y miembro de la Comisión de Notables. De este encuentro salió una declaración del EPL, con fecha del 2 de mayo, que anunciaba la orden de cese al fuego a sus frentes en todo el país: "A efecto de que la Promotoría de Paz pueda cumplir cabalmente su cometido, como aporte fundamental al proceso, a partir de la fecha comenzamos a dar instrucciones a nuestros frentes a fin de que en la medida en que se den las condiciones politicomilitares en cada una de las zonas en conflicto, cesen las operaciones militares ofensivas"[709].

La fase de transición se inició con la Declaración de Santo Domingo, del 17 de marzo, Cuarta Declaración Conjunta entre el Gobierno y el M-19, en la que se acordó nombrar trece voceros públicos del grupo, sin impedimentos legales, y se estableció instalar el 1° de abril próximo la Mesa de Trabajo por la Paz y la Reconciliación Nacional, que debería presentar sus conclusiones antes del inicio de las sesiones ordinarias del Congreso de la República. En la sesión inaugural, realizada el 3 de abril en el Palacio de Nariño, se definieron tres grandes

708 "Los hechos de Tenjo: versiones van y vienen", comunicado del EPL, *¡A Luchar!*, N° 57, marzo de 1989.

709 "Declaración del EPL que anuncia la orden de cese al fuego en sus frentes de todo el país", 2 de mayo de 1989, Presidencia de la República, en *El camino de la paz*, volumen II, Bogotá, Imprenta Nacional, 1989, pp. 211-214.

temas que fueron acogidos por el Gobierno y los partidos Liberal y Social Conservador, integrantes de la Mesa[710]: 1) Hechos de convivencia, justicia y orden público; 2) Hechos en materia socioeconómica; 3) Hechos de orden constitucional y en materia electoral. Para cada uno de ellos se conformaron Mesas de Análisis y Concertación, "a fin de tratar temas sectoriales y específicos", con participación de diferentes organizaciones y sectores interesados en cada uno de los temas y subtemas. Para acompañar todo este proceso fue nombrada, de mutuo acuerdo, la Iglesia católica como "tutora moral y espiritual".

El proceso de paz con el M-19 sufrió varias agresiones: la más sentida, y que puso en riesgo lo pactado, fue el asesinato de Afranio Parra Guzmán, fundador y dirigente de la organización, en hechos ocurridos en Bogotá el 7 de abril, cuando fue detenido y trasladado a una estación de la Policía, junto con dos de sus compañeros; luego aparecieron asesinados los tres. Ya antes habían ocurrido hechos similares: el 7 de febrero, los educadores Isidro Caballero y María del Carmen Santana, integrantes del M-19, fueron capturados y desaparecidos por una patrulla militar en San Alberto (Cesar). En el Huila, donde aún permanecía la compañía Gloria Amanda Rincón, se presentaron varios ataques; en el primero de ellos, al finalizar marzo, perdieron la vida dos miembros del M-19 y quedaron heridos tres más, entre ellos el mando del grupo, Marcos Chalita. Algo parecido sucedió en julio con la compañía Zoraida Téllez, que adelantaba sus actividades en Santander, atacada en la vereda Alto Nogales, del municipio de Bolívar, con el trágico saldo de 5 muertos, entre ellos un menor de dos años. Otro caso bastante sensible fue el asesinato, en septiembre, de dos miembros de la comunidad de Santo Domingo, cuando se trasladaban en un bus hacia Cali. Las promesas de investigaciones exhaustivas, en estos y otros ataques y muertes, nunca se conocieron.

En medio de las tensiones de la IV Conferencia Bolivariana de la CGSB, que se llevó a cabo en junio, se hizo presente una delegación de la Comisión de Notables, que constató la disposición —no tan cierta— de la Coordinadora, o de algunos de sus integrantes, para establecer un diálogo directo con el Gobierno; así se lo hicieron

710 La UP decidió no participar, por la guerra de exterminio que le habían declarado los grupos paramilitares.

saber al Presidente, quien expresó a través del ministro de Gobierno y del consejero presidencial que determinarían fechas, condiciones y procedimientos para avanzar en diálogos con las FARC y el EPL. Entre tanto, las tres Mesas de Análisis y Concertación en el proceso con el M-19 finalizaron sus labores el 13 de julio; las conclusiones y los acuerdos políticos serían convertidos en medidas de carácter ejecutivo o proyectos de ley para ser estudiados en la legislatura que se iniciaba siete días más tarde y que tenía como tarea central tramitar en segunda y definitiva vuelta el proyecto de reforma constitucional que el Gobierno presentó un año antes, y que incluía realizar un referendo que decidiría, entre otros temas, sobre circunscripción especial para partidos minoritarios y derechos fundamentales.

A mediados de julio se dio un nuevo encuentro entre Pardo y Pizarro; se iniciaba una fase del proceso que contemplaba el perfeccionamiento de los acuerdos, la concreción final de un pacto político en la Mesa de Trabajo por la Paz y la Reconciliación y un plan para la reincorporación a la vida civil. Del encuentro entre los dos negociadores salió la Quinta Declaración Conjunta, que resaltó el logro de consensos en las Mesas de Análisis y Concertación, que se convertirían en la base del Pacto Político por la Paz y la Democracia que firmarían las partes. Un aspecto central de esta nueva declaración fue la puesta en marcha de una comisión que tendría como objetivo definir mecanismos y procedimientos para la desmovilización, dejación de armas y reincorporación del M-19, en particular lo concerniente a garantías jurídicas y políticas, aspectos técnicos y operativos de la desmovilización y condiciones y plazos para el indulto.

Uno de los mayores atentados a la democracia en la segunda mitad del siglo XX ocurrió en la noche del viernes 18 de agosto, cuando Luis Carlos Galán, líder político, senador de la República y precandidato liberal a las elecciones presidenciales de mayo siguiente, cayó asesinado en la plaza de Soacha (Cundinamarca), en el momento en que asistía a un mitin con sus seguidores. En el crimen de Galán confluyeron no solo los intereses del narcoterrorismo, sino también los compromisos con ellos de altos funcionarios del Estado, como el general Miguel Maza Márquez, por entonces director del tenebroso Departamento Administrativo de Seguridad (DAS). De inmediato, el gobierno de Barco desató una guerra sin cuartel contra los principales jefes narcos, adoptó la extradición a Estados Unidos, el decomiso de sus bienes, la detención hasta por diez días a personas contra las que hubiere indicios de atentar contra la paz pública, y cárcel hasta por diez años a testaferros de las personas vinculadas al narcotráfico. Los llamados "Extraditables" respondieron con una oleada de terrorismo indiscriminado buscando una tácita negociación con el Gobierno.

La Sexta Declaración Conjunta se suscribió el 26 de septiembre, anunciando el acuerdo entre M-19 y Gobierno sobre los puntos de las tres Mesas de Análisis y Concertación. El paso por la Mesa de Trabajo por la Paz y la Reconciliación Nacional, poner en marcha un plan preciso para la desmovilización y la presentación del proyecto de ley de indulto en el Congreso, se haría durante la semana siguiente. Al otro día, con la firma de la Comandancia del M-19, *El Tiempo* publicó un aviso de página completa, en el que resaltó su decisión de dejar las armas: "Hemos decidido desarmar nuestras estructuras militares para dotarnos de más eficacia política. No entregaremos una sola arma al Gobierno. Nuestras armas representan una historia de lucha, de compromiso, de sacrificios: patrimonio del M-19 y de todos sus combatientes. Para ellas hemos acordado un destino digno. Nuestra mayor victoria no es la negociación con el Gobierno. Nuestra mayor victoria es haber vencido el miedo de dejar las armas para asumir los riesgos de la paz"[711]. En el mismo documento se hicieron una serie de consideraciones, contrarias a las políticas gubernamentales, sobre el grave problema del narcotráfico que agobiaba a Colombia; proponían el nombramiento de una comisión —al estilo de la Comisión de Notables— para explorar la voluntad de negociación, siempre y cuando se suspendieran los atentados narcoterroristas; de constatarse esa voluntad se iniciarían conversaciones con quienes estuvieran dispuestos a desmontar su negocio y estructuras armadas, y a financiar planes de desarrollo e industrialización en zonas de cultivos y campañas para la erradicación del consumo interno. Quienes se acogieran a estos compromisos tendrían garantías de seguridad por parte del Estado, la suspensión de cualquier solicitud de extradición y, finalmente, el indulto para los que cumplieran con los compromisos

711 "Hemos decidido", *El Tiempo*, miércoles 27 de septiembre de 1989, p. 14B.

sugeridos en esta metodología de negociación. De antemano, el Gobierno Nacional había señalado que ningún tema relacionado con la legalización, el diálogo o indulto para narcotraficantes hacía parte de la agenda de conversaciones con el M-19.

Durante la última semana de septiembre y primera de octubre, en plena recta final de la negociación, el M-19 se reunió la X Conferencia Nacional, el último evento que realizaría como guerrilla. En una acción trascendental, los asistentes hicieron su propio plebiscito para decidir el fin de su grupo como estructura militar y el paso a la política; de los 231 asistentes, 227 votaron por el sí, 3 dijeron que no y un voto fue nulo. La declaración final del 5 de octubre señaló: "La decisión está tomada. La Asamblea General del Movimiento 19 de Abril, M-19, reunida en su X Conferencia Nacional conformada por su Comandancia y todos los organismos de la Dirección Nacional con delegaciones de sus regionales, estructuras especiales e internacionales han decidido por voto secreto e íntimo: 1) La dejación de las armas. 2) Reintegrarse a la vida civil. 3) Constituirse en movimiento político legal. Esta decisión será una realidad siempre y cuando se cumplan los compromisos suscritos entre el Gobierno Nacional, los partidos políticos y la Comandancia General del M-19"[712].

A la fecha, el Gobierno Nacional, a través de una comisión de alto nivel, todavía dialogaba por separado con delegados de las FARC-EP, del MAQL, del PRT y del EPL, después de que el 6 de septiembre, en un comunicado firmado por el Ministro de Gobierno y el consejero Pardo, anunciaron que acogían el concepto de Los Notables respecto de la buena voluntad por parte de los grupos citados que, en efecto, redujeron sensiblemente el accionar militar. La UC-ELN, negada sistemáticamente a cualquier diálogo que implicara negociaciones con el Gobierno Nacional, estaba en la tarea de organizar el II Congreso Nacional[713], que realizó entre octubre y noviembre de 1989, en el sur

712 Sobre la X Conferencia del M-19, véase el documental *Ellos dijeron sí a la paz* de Rafael Vergara Navarro, TV UNAM, México, 1990, en https://www.google.com.co/search?q=m-19+ellos+le+dijeron+s%C3%AD+a+la+paz&ie=&oe

713 En la práctica, fue el primer congreso como UC-ELN, segundo como ELN, ya que en marzo de 1986 realizó la Primera Asamblea Nacional Comandante en Jefe Camilo Torres Restrepo.

de Bolívar, con la asistencia de 102 delegados, que lo llamaron "Poder Popular y Nuevo Gobierno", en el que se caracterizó el período político y social como prerrevolucionario, y adoptó la táctica de construcción del "poder popular" como mecanismo político de control en las zonas históricas de mayor influencia. Lo anterior se entiende por el crecimiento y acumulado político y militar que registraba la UC-ELN en los últimos años: en 1989, realizaron 314 acciones en 137 municipios de 20 departamentos[714]. Para ese año, la UC-ELN contaba con 60 estructuras, conformadas por 18 frentes guerrilleros, 8 más en proyección, 4 compañías, 18 estructuras urbanas, 3 estructuras especiales, 8 comisiones nacionales, la Dirección Nacional y el COCE. "El Congreso, a partir del informe político de la Dirección Nacional, trató como temas fundamentales de las ponencias el análisis de las clases sociales, el programa, lo urbano, la línea de masas, la táctica de la Organización para el período, su estructura, el tema del Cristianismo Revolucionario y el pensamiento Latinoamericano entre otros temas. Sesionó a través de comisiones y plenarias y tuvo como momento culminante la elección de la Dirección Nacional y el COCE. Los responsables político y militar fueron escogidos por aclamación, en su momento Manuel Pérez Martínez y Nicolás Rodríguez Bautista"[715].

En este primer evento como UC-ELN, luego de la fusión ente MIR-Patria Libre y ELN, afloraron distintos debates internos, en especial la oposición —con visos de rebeldía— que mantuvo el Frente Domingo Laín a la fusión: "1. Solo acatamos las orientaciones que compartamos y que a nuestro juicio se puedan cumplir en el área del Frente; 2. Congelamos la conformación de Aurora en toda el área y la distribución de su periódico; 3. Mantendremos el sabotaje al oleoducto porque no compartimos la negociación ni las treguas; 4. Nos reservamos el derecho a independizarnos económicamente si la Organización no cubre oportuna y suficientemente el presupuesto;

714 Observatorio de Derechos Humanos, Vicepresidencia de la República, citado en *El conflicto callejón con salida*, Informe Nacional de Desarrollo Humano, Colombia 2003, Bogotá, UNDP, 2003, p. 53.

715 Carlos Medina Gallego, *FARC-EP y ELN. Una historia política comparada (1958-2006)*, *op. cit.*, p. 443. Las posiciones del Frente Domingo Laín y las de la Dirección Nacional se expresaron meses antes en *El Militante Opina*, una publicación especial preparatoria del Congreso.

5. No desarrollaremos la Propuesta Política en el área ni impulsaremos sus formas organizativas, ni métodos de lucha; 6. Mantendremos el nombre de Ejército de Liberación Nacional —ELN— y no nos acogemos al de Unión Camilista ELN; 7. Rechazamos los planteamientos sobre Humanización de la Guerra y mantendremos nuestra actitud enérgica contra todos los enemigos del proceso; 8. Nos reservamos el derecho a recibir compañeros de otras estructuras que no tengan un Plan y Objetivos definidos. Por último, proponemos: que Aurora sea impulsada fundamentalmente en los espacios urbanos o áreas donde no exista la organización de vanguardia y la descentralización económica en las direcciones de Frente de Guerra"[716]. Cuando en la nota anterior se refieren a Aurora, se trata del nombre clave que los elenos le daban a la organización política ¡A Luchar!

Otros debates estuvieron en cabeza de los antiguos miembros del MIR-Patria Libre y de algunos de los dirigentes "históricos" del ELN, considerados "renovadores", quienes posteriormente se definirían como Corriente de Renovación Socialista (CRS); sus planteamientos giraban en torno a rediscutir el papel de las ciudades en la lucha revolucionaria, proponer al Gobierno un diálogo político y articularse de esta manera a las negociaciones que se adelantaban con organizaciones guerrilleras como el M-19. Frente a las posiciones asumidas por los integrantes del Frente Domingo Laín y los criterios expresados por los "renovadores", los máximos comandantes, Poliarco y Gabino, asumieron una prudente tercería para mantener la unidad; otro grupo, llamado internamente "La cueva del oso", presentó algunos documentos críticos, pero finalmente se acogió a la mayoría del COCE. De esa manera, con algunas posiciones que se harían irreconciliables con el paso del tiempo, terminó ese II Congreso de la UC-ELN.

Uno de los temas más espinosos que trató el congreso eleno fue la muerte del obispo de Arauca, monseñor Jesús Jaramillo Monsalve, en manos del Frente Domingo Laín, acusado de "delitos contra la revolución"; el crimen fue rechazado por gran parte de la organización, y al respecto se emitió un comunicado público: "El II Congreso de la UC-ELN 'Poder Popular y Nuevo Gobierno' reunido en pleno el

716 Véase Carlos Medina Gallego, *Ejército de Liberación Nacional, Notas para una historia de las ideas políticas, ELN 1958-2007*, versión PDF.

19 de noviembre de 1989, considerando: que el hecho del ajusticiamiento del obispo de Arauca, monseñor Jesús Jaramillo Monsalve, es incompatible con la política de la Organización por las consecuencias impredecibles, tanto en el campo nacional como en el internacional, las cuales afectan el prestigio que como organización hemos mantenido ante la opinión pública. Que este hecho es un acto de indisciplina en cuanto a que el máximo evento de la otrora ELN definió que este tipo de acciones era solo autorizado por el máximo organismo nacional, Resuelve: censurar este hecho y, por lo tanto, amonestar a la dirección del Frente Domingo Laín".

Por su parte, las FARC-EP, que a diario reafirmaban sus llamados a la negociación política, registraban igualmente un acelerado crecimiento militar: el Pleno del Estado Mayor, reunido por esos mismos días, ajustó el Plan Estratégico para la toma del poder aprobado en la VII Conferencia de mayo de 1982; y si bien es cierto que no se había cumplido el plazo de ocho años para desatar una insurrección general y crecer a 48.000 efectivos, el período de tregua y la "economía de guerra" les permitieron contar con una efectiva estructura militar con presencia en gran parte del país. Este Pleno actualizó las metas de expansión militar: para el período 1990-1992 se esperaba contar con 60 frentes, con 300 combatientes cada uno, para un total de 18.000; entre 1992 y 1994, alcanzar 80 frentes de 400 guerrilleros cada uno, para completar 32.000; entre 1994 y 1996, las FARC-EP estarían en capacidad de lanzar una ofensiva general con ese total de combatientes, de los cuales la mitad estarían distribuidos en los frentes, y los otros 16.000 avanzarían por la cordillera Oriental hacia el centro del país, en el momento en que se produjeran la insurrección y la huelga general, y se establecería un gobierno provisional. Como soporte del relanzado Plan Estratégico, se organizarían milicias bolivarianas y populares, las primeras en función de las estructuras militares, y las segundas, en labores de vigilancia y control.

Pasada la X Conferencia del M-19, y ya con la decisión irrevocable de su desmovilización, el 2 de noviembre se protocolizó en el Capitolio Nacional el Pacto Político por la Paz y la Democracia suscrito por el Gobierno, el Partido Liberal, los presidentes de Cámara y Senado, la Iglesia católica y el M-19. Los social conservadores se habían retirado una semana atrás de la Mesa de Trabajo aduciendo que no se les presentaron previamente los puntos de coincidencia para suscribir el Pacto Político. A continuación, el Gobierno presentó para debate y aprobación en el Congreso el proyecto de Ley de Indulto para los miembros de los grupos alzados en armas que se acogieran al proceso de paz[717]. La reforma a la Constitución de 1886, que se tramitaba desde julio de 1988, no corrió con tan buena suerte como la Ley de Indulto. En esta legislatura, el proyecto sufrió un tortuoso recorrido por las dos cámaras; uno de los cambios sustanciales fue la inclusión de la no extradición de colombianos como punto específico en el temario del referendo, un verdadero "mico" que el expresidente Turbay solicitó a los congresistas de su partido no incluir; ante la negativa de estos, el dirigente liberal renunció. Finalmente, en la Plenaria del Senado se excluyó el tema, pero ya era tarde: los social conservadores se ausentaron del recinto y, ante la falta de quórum y de tiempo para el debate, la reforma fue archivada un día antes de concluir las sesiones ordinarias de 1989. Una vez más, desde las élites, se cerraban las compuertas de la participación y la paz.

Del maltrecho Pacto Político por la Paz y la Democracia quedó solamente la Ley de Indulto; los demás contenidos, que incluían el "Referendo extraordinario por la paz y la democracia", que se convocaría para el 21 de enero siguiente, quedaron suspendidos al ser archivada la reforma constitucional; sin embargo, el M-19 y el Gobierno reafirmaron su voluntad de continuar buscando la paz mediante el diálogo y la negociación. En la reunión del 23 de diciembre entre Pizarro y Pardo se suscribió la Séptima Declaración Conjunta, en la que se acordó convocar a todos los compromisarios del Pacto Político y a los partidos y movimientos con representación en el Congreso a una reunión para el 31 de enero de 1990, con el propósito fundamental de concretar y desarrollar los aspectos suspendidos del acuerdo político, para culminar todo el proceso en forma exitosa. Informaron también que la fecha prevista del 20 de diciembre para la dejación de armas se aplazaba. En

717 Ley 77 del 22 de diciembre de 1989, "Por la cual se faculta al presidente de la República para conceder indultos y se regulan casos de cesación de procedimiento penal y de expedición de autos inhibitorios, en desarrollo de la política de reconciliación", reglamentada mediante el Decreto 206 del 22 de enero de 1990.

esas circunstancias, el camino para avanzar era que los comandantes del grupo, Pizarro y Navarro, se acogieran a los beneficios del indulto, lo que ocurrió el 23 de enero, cuando el ministro de Justicia conceptuó favorablemente aplicar la medida a los dirigentes del M-19.

Una nueva declaración conjunta —octava—, firmada el 25 de enero, fijó los propósitos de su desplazamiento desde Santo Domingo: "Establecer contactos con los firmantes del Pacto Político y los diferentes líderes nacionales interesados en la paz, para estudiar y concretar acuerdos que le den vigencia plena al pacto suspendido en diciembre al ser archivada la reforma constitucional; facilitar y agilizar contactos políticos del M-19 con su propósito de transformarse en partido político legal y participar en las próximas elecciones; explicar ante la opinión pública el ideario del partido político que se crearía; concretar la dejación de armas y culminar el proceso de paz"[718]. Fueron días febriles, en medio de contactos con dirigentes de distintas organizaciones políticas y sociales, algunos opuestos al plebiscito que continuaba defendiendo el M-19. Así, en medio de conversaciones y búsqueda de soluciones, llegó una declaración de los precandidatos liberales en la que se comprometían a que, quien fuera el ganador de las elecciones, realizaría la convocatoria al constituyente primario; con esto se desempantanó el proceso.

El 8 de marzo, el M-19 hizo la dejación de las armas. Ese día, en el campamento en el Cauca, estaban concentradas la totalidad de las compañías rurales y gran parte de las estructuras urbanas: en los primeros días de diciembre fueron trasladados a Santo Domingo los miembros de las compañías que operaban en Tolima, Santander y sur del Cesar; las armas fueron enviadas por vía aérea y los guerrilleros viajaron por tierra. De igual forma, las armas que el M-19 tenía en Bogotá, Medellín y otras partes fueron concentradas en el campamento. A las 16:37 horas de ese jueves, Carlos Erazo, *Nicolás,* dio una orden perentoria: "Por Colombia, por la paz, dejad las armas". Con un paso al frente, uno a uno, los combatientes fueron depositando sobre la mesa sus fusiles, armas cortas y fornituras; Pizarro, visiblemente emocionado, dejó su pistola calibre 45 mm envuelta en la bandera de Colombia:

718 Octava Declaración Conjunta de Gobierno y el M-19, 25 de enero de 1989, en Centro de Documentación para la Paz.

"Nos enorgullece lo que estamos haciendo, lo hacemos con la frente en alto, lo hacemos con la mirada puesta única y exclusivamente en la patria, lo hacemos sin claudicaciones, sin cobardías, sin temores en el alma [...] Creemos en nosotros mismos y confiamos en el Dios de nuestros padres la suerte del M-19, la suerte de nuestro futuro político, la suerte y destino de Colombia, confiamos en que el Dios de nuestros padres defienda una posibilidad de paz en Colombia y entierre definitivamente la guerra civil que se cierne sobre nuestro país. Que Él cierre el ciclo infinito de las guerras civiles colombianas"[719].

Tanto la ceremonia en Santo Domingo como la de la vereda El Vergel, del municipio de Suaza (Huila), donde dejó de sus armas la compañía Gloria Amanda Rincón, dirigida por Marcos Chalita, *Roberto*, estuvieron acompañadas de oficiales en retiro de las Fuerzas Armadas de varios países miembros de la Internacional Socialista, constituidos en Comisión Técnica para la recepción, verificación y destrucción del armamento[720]. Las armas cortas y largas fueron empacadas y transportadas en nueve vuelos de helicóptero a la Siderúrgica del Pacífico en Cali, donde fueron fundidas. Por primera vez en la historia de Colombia y de América Latina se cumplía un acuerdo para el desarme y la desmovilización de un movimiento guerrillero y su reincorporación a la vida política, económica y social.

Al día siguiente se hizo el acto oficial en Caloto (Cauca), hasta donde llegaron ministros, periodistas, gobernadores, familiares, invitados especiales nacionales e internacionales, y pobladores de la región. "Hemos apostado a la paz de Colombia y creemos en ella", señaló Carlos Pizarro antes de abordar un helicóptero que lo condujo a la Casa de Nariño en Bogotá, donde lo esperaba el presidente Virgilio Barco para firmar el Acuerdo Político que contempló establecer, por una sola vez, una Circunscripción Nacional Especial de Paz para partidos políticos surgidos de movimientos guerrilleros, crear un Fondo para

719 Darío Villamizar, *op. cit.*, p. 576.

720 Además del chileno Luis Ayala, secretario general de la IS, que estuvo en el acto central en Caloto (Cauca), acompañaron el proceso de destrucción de explosivos, dejación de las armas y su fundición, como Comisión Técnica, el experto británico Frank Barnaby, el general venezolano Ernesto Uscátegui, el experto en asuntos militares Heinrich Buchbinder de Suiza y el general finlandés Ermei Kanninen.

la Paz, una reforma electoral, conformar por parte del Ejecutivo una Comisión Asesora para la Reforma Integral de la Justicia, integrar una Comisión de Carácter Académico No Gubernamental para investigar la dimensión nacional del fenómeno de la producción, tráfico y consumo de estupefacientes; un aspecto fundamental: el Pacto Político suscrito el 2 de noviembre estaba vivo en aquellos aspectos que no contemplaba la reforma constitucional que se había hundido en el Congreso[721]; así lo confirmaba lo suscrito en la Casa de Nariño: "Respecto a los demás temas políticos, socioeconómicos y de convivencia, justicia y orden público consignados en el Pacto Político, el Gobierno iniciará su aplicación y ejecución a partir de la fecha de la dejación de armas"[722].

De esta manera, transcurridos dieciséis años, un mes y veinte días desde su primera acción pública —el robo de la espada del Libertador Simón Bolívar—, culminó la historia del movimiento político guerrillero M-19. El 20 de diciembre anterior, en una clara violación al derecho internacional y a la autonomía de las naciones, había tenido lugar la fatídica invasión a la República de Panamá, con el asesinato de miles de panameños y la captura del general Manuel Antonio Noriega por parte de los *marines* de Estados Unidos. La operación Causa Justa comprometió a cerca de 100.000 efectivos que atacaron con todo y arrasaron con gran parte de la ciudad de Panamá[723].

El 11 de marzo —dos días después de la desmovilización del M-19— se realizaron elecciones en todo el país para alcaldes, concejales municipales, diputados departamentales, senadores y representantes a la Cámara; los entonces exguerrilleros tuvieron un honroso debut en las urnas al obtener 70.901 votos para la Alcaldía de Bogotá, con Pizarro como candidato; Vera Grabe fue electa a la Cámara con 31.147 votos, además de algunos concejales municipales y un alcalde en el Cauca. Se votó también una consulta interna del Partido Liberal para escoger

721 Texto completo del acuerdo firmado el 9 de marzo, en *Acuerdos de Paz*, Colección Tiempos de Paz, Programa para la Reinserción, Bogotá, Centro de Documentación para la Paz, 1995, pp. 12-17.

722 *Ibid.*, p. 15.

723 Rafael Vergara Navarro, documental *Causa injusta: una visión*, UNAM, México, 1990.

su candidato a las elecciones presidenciales de mayo próximo y se depositó una séptima papeleta para aprobar o negar la convocatoria a una Asamblea Constituyente para reformar la caduca Constitución de 1886. La "séptima papeleta" fue una acción promovida por estudiantes de varias universidades del país agrupados bajo la consigna y el movimiento "Todavía podemos salvar a Colombia" y por el "Movimiento estudiantil por la Constituyente", a los que se fueron sumando miles de ciudadanos; los votos alcanzados no se escrutaron legalmente, pero fueron mayoritarios por el SÍ, lo que generó un fenómeno político sin precedentes. El gobierno de Barco respondió a esta expectativa con el Decreto 927 de 1990, que facultó al Consejo Nacional Electoral para contabilizar los votos que se depositaran por la convocatoria o no a la Asamblea Constitucional en las elecciones presidenciales que se realizarían el 27 de mayo siguiente. En efecto, de los 5.466.943 de votos depositados por el SÍ o el NO a la ANC (37,66% de los potenciales electores), 5.236.863 dijeron que SÍ, mientras que tan solo 230.080 votaron negativamente.

El narcoparamilitarismo continuaba campante con sus crímenes a lo largo y ancho de Colombia; los informes de organismos de derechos humanos indicaban que cada día era asesinado un dirigente de la UP, del Frente Popular, del PCC o de ¡A Luchar!, organizaciones todas ubicadas en la izquierda, algunas en franco proceso de ruptura con cualquier propuesta armada. En los primeros 57 días de 1990 fueron asesinados 66 integrantes de la UP, según denunció Bernardo Jaramillo Ossa en el sepelio de la alcaldesa de Apartadó, Diana Cardona, destacada dirigente de la región. El 22 de marzo, cuando aún estaban frescas en la memoria colectiva las imágenes dantescas del atentado al avión de Avianca, ocurrido el 27 de noviembre pasado, y el horror de la bomba del 6 de diciembre contra el edificio del DAS en Bogotá, ocurrió otro de los repudiables magnicidios; esta vez, la víctima fue el propio Jaramillo Ossa, candidato a la Presidencia y máximo dirigente de la UP. Dos días antes, el ministro de gobierno, Carlos Lemos, afirmó que la UP era el brazo político de las FARC-EP; Jaramillo había calificado esas declaraciones de "injuriosas e irresponsables", las mismas que le colgaban una lápida al cuello. De inmediato se presentaron protestas y disturbios en distintas ciudades, y al día siguiente, un paro cívico convocado por la CUT. Dos días más tarde renunció el ministro Lemos, y en las huestes de los Castaño Gil hubo celebraciones por el aleve crimen.

Pasado un mes, la mano asesina segó la vida de otro candidato presidencial; se trató de Carlos Pizarro Leongómez, comandante del desmovilizado M-19 y dirigente de la recientemente formada Alianza Democrática M-19, una convergencia amplia de agrupaciones políticas de la izquierda democrática de la que hacían parte los excombatientes del M-19, un sector de la UP al que llamaban los "perestroikos"[724], que habían tomado el nombre de Círculos Bernardo Jaramillo; el Frente Popular, el movimiento Colombia Unida, Socialismo Democrático, los Inconformes de Nariño, entre otros[725]. El magnicidio de Pizarro conmovió profundamente a la nación; se trataba no solo de un joven político en ascenso, sino de un líder carismático, con propuestas claras y, algo extraño en la política colombiana, empeñado en cumplir la palabra frente al proceso de paz. Su entierro en Bogotá fue una peregrinación pacífica de todo un día, desde la Plaza de Bolívar hasta el Cementerio Central, en medio de cánticos y palabras de esperanza de la muchedumbre, cuando lo que muchos esperaban era el regreso a las armas frente al compañero asesinado. La actitud sosegada de los integrantes del M-19 y de Antonio Navarro Wolff, quien asumió el liderazgo del movimiento político y la candidatura a la Presidencia, contribuyó a enterrar a Pizarro en paz, "La misma que él lideró, la que estaba construyendo y por la cual entregó su vida", manifestó Navarro. Un nuevo magnicidio en el extenso prontuario de los Castaño Gil y de los que continuaban instigando el terror y la muerte.

A la V Conferencia Bolivariana de la CGSB, realizada en abril, en el campamento de la UC-ELN, se hicieron presentes delegados de la

724 En el Pleno Nacional de la UP, realizado el 28 y 29 de marzo, se retiró el grupo mayoritario de la dirección, 5 de 8: Diego Montaña, elegido presidente tras el asesinato de Jaramillo; Luis Emiro Valencia, Angelino Garzón, Napoleón Vanegas y Guillermo Banguero; el grupo adoptó el nombre de Círculos Bernardo Jaramillo. El sector que permaneció como UP llevó a cabo su propio Pleno Nacional el 3 de abril y eligió a Óscar Dueñas como su nuevo presidente; por unanimidad resolvieron no participar en las elecciones del 27 de mayo.

725 La convocatoria "para un nuevo movimiento nacional" fue firmada en Bogotá el 2 de abril de 1990 por dirigentes de la izquierda democrática, entre ellos Pizarro, Navarro, Angelino Garzón, Orlando Fals Borda y Diego Montaña.

UC-ELN, de las FARC-EP y de un sector del EPL[726]. Otras guerrillas activas como el PRT, el MAQL y el grueso del EPL estaban prácticamente al margen de "la Simón" por decisión propia o por expulsión, como fue el caso, en esta conferencia, del PRT. El EPL afrontaba ya un intenso debate interno que llevaría de inmediato a la formación de dos sectores o bloques: el primero, dirigido por Francisco Caraballo, más ortodoxo y contrario a la negociación, contaba con algunos dirigentes aglutinados en el Secretariado Nacional del PCC (M-L); el otro sector estaba liderado por Bernardo Gutiérrez, con asiento en el Estado Mayor del EPL y con miembros del Comité Central, defensores a rajatabla de la solución negociada al conflicto armado, incluso cuestionando la lucha armada y la naturaleza marxista-leninista del PCC (M-L): "Reiteramos ante la opinión nacional e internacional, nuestra firme decisión de entregar todas nuestras fuerzas, incluida la vida, para hacer realidad la salida política negociada al conflicto armado en que se debate la nación"[727].

Este evento de la Coordinadora reconsideró la perspectiva de la salida política al conflicto armado y convocó a una cumbre de los comandantes, encabezada por Manuel Marulanda Vélez, Manuel Pérez y Francisco Caraballo, encuentro que tuvo lugar el 16 de septiembre siguiente, registrando la ausencia de Jacobo Arenas, quien falleció el viernes 10 de agosto, por lo que la cumbre de los comandantes llevó su nombre. De esta reunión salió un documento de seis puntos como propuesta de temario en la ANC: 1. Democracia, 2. Fuerzas Armadas, 3. Soberanía nacional, 4. Política económica, 5. Minorías étnicas, 6. Política internacional. La muerte de Jacobo conmocionó a las FARC-EP y a las otras organizaciones de las CGSB: "A los compañeros 'farianos' les manifestamos que sentimos junto con ellos la partida del compañero comandante y lo reconocemos como nuestro primer

726 De acuerdo con fotografías en el libro *La unidad revolucionaria utopía y realidad*, participaron: Manuel Pérez y Gabino por la UC-ELN, quienes oficiaron como anfitriones; Francisco Caraballo por el EPL y Alfonso Cano del Estado Mayor de las FARC-EP; por primera vez, la reunión se realizó por fuera de los campamentos de las FARC-EP. En la versión de Villarraga y Plazas, por el EPL estuvieron presentes Gabriela Londoño y Eduardo Ramírez.

727 "Por Colombia, por la paz y la democracia", declaración del Mando Central del EPL, 12 de mayo de 1990. La declaración no fue firmada por Francisco Caraballo.

comandante caído en la Coordinadora Guerrillera Simón Bolívar, que junto con Álvaro Fayad, del M-19, Ernesto Rojas, del EPL, y Bernardo, del Quintín Lame, encabeza la gesta unitaria de esta revolución"[728].

En las elecciones del domingo 27 de mayo de 1990 se expresó ampliamente la voluntad ciudadana por la convocatoria a una Asamblea Nacional Constituyente y se eligió al liberal César Gaviria Trujillo como presidente de la República para el período 1990-1994, con 2.891.808 votos, equivalentes al 47,24%; el segundo lugar lo ocupó Álvaro Gómez Hurtado, candidato conservador, con 1.433.913 votos (23,7%); Antonio Navarro, en representación de la AD M-19, obtuvo 755.240 votos, el 12,43% del total de votos emitidos, y Rodrigo Lloreda (Partido Social Conservador), 702.043 sufragios. En estos, como en anteriores comicios, reinó la abstención: el 57,5% del potencial de electores no asistió a las urnas. La irrupción de un centro de izquierda, representado en la AD M-19, había roto la hegemonía bipartidista. Los resultados en favor de la convocatoria a la ANC alentaron también las negociaciones con el MAQL y con el PRT que, junto al EPL, se reunieron el 4 de junio con el consejero Pardo, a quien le expresaron su apoyo para alcanzar una paz estable y duradera y le anunciaron la continuidad del proceso en forma individual; de la reunión salió un comunicado conjunto con la firma de los negociadores por cada una de las organizaciones y por el Gobierno. De acuerdo con la Iniciativa de Paz de Barco, la fase de distensión con estas tres organizaciones alzadas en armas había comenzado. Para este momento, ya en el EPL se había presentado la ruptura entre los que estaban en contra del enfoque de la negociación y quienes impulsaban los acuerdos con el Gobierno. En términos numéricos, de los 29 integrantes del Comité Central, 11 estaban con la posición crítica a la negociación y 18 a favor; en las estructuras hacia abajo, más del 90% mantenían su posición en favor del proceso de paz.

A tan solo dos meses del comunicado conjunto, el 5 de agosto, se reunieron de nuevo los delegados del PRT y del Gobierno Nacional; se acordó que a partir de ese día se iniciaba la concentración de todos

728 "Comandante Jacobo Arenas, ¡Presente!", en Milton Hernández, *op. cit.*, pp. 177-178.

los combatientes en el corregimiento de La Haya, municipio de San Juan Nepomuceno, en Bolívar, donde se continuarían adelantando las conversaciones[729]; de igual forma, se establecieron medidas de seguridad y el nombramiento de cuatro voceros, quienes estarían a cargo de la promoción del proceso. Los temas que convinieron abordar hacia adelante serían: situación jurídica de los integrantes del PRT, destino final de las armas, legalización como partido político, participación en la ANC, preparación de planes y programas para la inserción productiva de los miembros del grupo, examen a la situación de derechos humanos y participación de organismos internacionales. Se propuso también solicitarle a la Iglesia católica su tutoría moral y espiritual, y, por parte del Gobierno, estudiar directamente con las comunidades las necesidades más apremiantes para estructurar un plan de desarrollo económico y social. El cronograma hacia adelante fijó realizar el evento de dejación de las armas a más tardar un mes antes de la instalación de la ANC y definió que la reincorporación a la vida civil se iniciaría con la dejación de las armas y se ejecutaría en un término no mayor a doce meses. Con esta declaración, el PRT suspendió sus esporádicas acciones militares.

Tres días antes, el 2 de agosto, se suscribió el Acuerdo Político sobre la Asamblea Constitucional entre los representantes de los partidos políticos que en las elecciones obtuvieron más del 5% de la votación —incluido el Liberal del presidente electo, César Gaviria Trujillo—, a fin de convocar a las elecciones de la ANC. El Acuerdo Político se plasmó días más tarde en el Decreto de Estado de Sitio N° 1926 de 1990, que dejó abiertas las puertas para que en un futuro ingresaran otros movimientos insurgentes que realizaran procesos de paz[730]; el decreto contempló la fecha de elecciones, el temario y el sistema de elección de los delegatarios. La Corte Suprema de Justicia lo declaró exequible mediante sentencia de Sala Plena del 9 de octubre de 1990, suprimió el temario que se había impuesto en el decreto y señaló la conexidad entre ANC y reincorporación de grupos alzados en armas; de esa manera quedó en firme la fecha del 9 de diciembre de 1990 para

729 Por acuerdo mutuo, en octubre se trasladó al corregimiento de Don Gabriel, en el municipio de Ovejas, con el fin de garantizar un acceso más fácil.

730 Véase Decreto 1926 del 24 de agosto de 1990, en *Diario Oficial* N° 39.512.

la elección, por circunscripción nacional, de los 70 miembros que la integrarían. Así mismo, se definió que la ANC se dotaría de reglamento y temario, que el período de sesiones de la Asamblea se iniciaría el 5 de febrero del año siguiente y duraría 150 días. El numeral 7 del Decreto precisó: "Dos puestos de la Asamblea serán reservados para los grupos guerrilleros que se encuentren vinculados decididamente a un proceso de paz bajo la dirección del Gobierno, y ya estén desmovilizados. Sus nombres serán convenidos entre el Gobierno y los grupos guerrilleros desmovilizados. El número podrá aumentarse en la medida en que el proceso de desmovilización de otras agrupaciones haya avanzado, según valoración que de sus circunstancias efectúe el Gobierno, previa consulta con los signatarios de este acuerdo. Para asegurar la legitimidad democrática de esta decisión, el presidente de la República los designará formalmente"[731].

La llegada de César Gaviria a la Presidencia de la República el 7 de agosto trajo consigo algunos cambios que significaron la reafirmación en las búsquedas de la paz por la vía de mantener los esquemas trazados en la Iniciativa del expresidente Barco: además de darles continuidad a las negociaciones que venían con el EPL, el PRT y el MAQL, el nuevo gobierno nombró al frente de la Consejería para la Reconciliación a Jesús Antonio Bejarano, un popular y experimentado profesor universitario conocido simplemente como *Chucho* Bejarano. Rafael Pardo pasó a la recientemente creada Consejería de Seguridad y Defensa Nacional, y Antonio Navarro Wolff quedó al frente de la cartera de Salud.

El EPL había comenzado a ubicarse en campamentos desde julio; el primer sitio de concentración, donde se instaló el Mando Central y se desarrollaron las conversaciones con el Gobierno, fue Pueblo Nuevo, un corregimiento ubicado a tan solo veinte minutos de Necoclí, en el Urabá antioqueño. A mediados del mes se efectuó allí la reunión del Estado Mayor Central ampliado, que nombró una Dirección Nacional, eliminó la figura de primer comandante, que ostentaba Caraballo desde hacía una década, y se ratificaron las políticas

731 *Ibid.*

y gestiones referidas al proceso de paz. Las relaciones con Caraballo acabaron por tensionar también las relaciones del sector de Bernardo Gutiérrez con las FARC-EP y la UC-ELN; de hecho, el reducido sector de Caraballo pasó a ser protegido política y económicamente por estas dos organizaciones; su disidencia la conformaron una parte minoritaria del Comité Central, algunos cuadros y activistas políticos en las regiones y un grupo de 20 combatientes del frente Aldemar Londoño que operaba en el Putumayo.

En septiembre ya funcionaba otro campamento, en Labores, corregimiento del municipio de Belmira, en Antioquia, y se acordó con el Gobierno la instalación de cuatro más en los corregimientos de Juan José, municipio de Puerto Libertador, en Córdoba; Campo Giles, en Norte de Santander; Arenas, en el departamento de Bolívar; y Villa Claret, corregimiento risaraldense del municipio de Pueblo Rico, en los límites con Chocó. En los campamentos se presentaron dificultades por la falta de precisión en la logística y las normas que reglamentaban su funcionamiento; ante los conflictos que surgían a diario, el Gobierno, en un acuerdo no público con el EPL, se comprometió a atender las necesidades en alimentación, salud y seguridad y los "requerimientos infraestructurales". Al igual que ocurrió en Santo Domingo con el M-19, se estableció una "zona de campamento"; después de esta zona existía un área neutral que no era patrullada, y por fuera, unidades del Ejército Nacional que establecían las medidas necesarias para la protección del área[732]. Pese a estas y otras medidas, hubo en los meses posteriores varios incidentes y deserciones que pusieron en vilo el proceso: el 28 de diciembre se produjo la huida de 25 combatientes del campamento de Labores; el 14 de enero se evadieron catorce más de Campo Giles y se llevaron fusiles, pistolas, granadas y munición; en la noche regresaron para tomarse el campamento y lograron que con ellos se fueran once guerrilleros más.

Las negociaciones con el EPL permitieron un acercamiento con los paramilitares de Fidel Castaño, quien llegó a considerar "un proceso de desarticulación" de su estructura; de la misma manera, las Autodefensas del Magdalena Medio, a través de sus voceros, Henry Pérez y Ariel

732 "Acuerdo sobre campamentos EPL-Gobierno Nacional", 1990, archivo del autor.

Otero, expresaron la disposición de encontrar salidas a la confrontación armada; en la tarea de conversaciones y búsqueda de participación de los grupos de autodefensa se encontraban desde tiempo atrás Álvaro Jiménez y Otty Patiño, miembros del M-19. Se llegó incluso a firmar un acuerdo entre el EPL, el Movimiento Nacional de Autodefensas Campesinas, la AD M-19 y representantes de los gremios ganaderos y comerciantes de Córdoba, en el que se lograron compromisos para estudiar y solucionar los problemas en las regiones de influencia del grupo armado, un canal de comunicación directo entre ganaderos y el EPL, un compromiso de todas las fuerzas en apoyo al proceso de paz y el acuerdo sobre propuestas de desarrollo social; así mismo, hicieron un llamamiento a las fuerzas sociales, económicas y políticas de la región para sumar esfuerzos en torno a lo acordado en esa reunión[733].

En la tercera semana de octubre se llevó a cabo el XII Pleno del Comité Central del PCC (M-L), con la presencia y participación directa del EPL como su brazo armado. Este evento de los ML evaluó los avances en el proceso de negociación, convocó para la primera semana de diciembre a la realización del XIII Congreso del Partido y decidió el respaldo a la lista de unidad nacional de la AD M-19 para la ANC que encabezaba Antonio Navarro; se definieron igualmente los nombres de los 20 voceros pactados con el Gobierno, e instalar las comisiones acordadas para el estudio de aspectos políticos, procesos regionales y planes de desarrollo, y factores de violencia y derechos humanos. El XIII Congreso deliberó en el campamento de Pueblo Nuevo entre el 3 y el 5 de noviembre, con cerca de 400 delegados de los regionales del PCC (M-L) y frentes rurales y urbanos del EPL, a los que se sumaron delegados internacionales del MRTA y del Partido Comunista Patria Roja del Perú, así como integrantes de la URNG de Guatemala. Las decisiones centrales ratificaron la opción por la desmovilización y reincorporación a la vida civil; los delegados resolvieron que, una vez estuviera reunida la ANC, pondrían a su disposición las armas del EPL.

733 Véase el texto del "Acuerdo de distensión celebrado entre el EPL (en proceso de negociación) y los ganaderos de Córdoba, con la facilitación de Ariel Otero (ACMM) y dos miembros de la AD M-19", en *Las verdaderas intenciones de los paramilitares*, Bogotá, Corporación Observatorio para la Paz, Intermedio Editores, 2002, pp. 162-164.

El domingo 9 de diciembre se realizó la elección de los delegatarios a la ANC. Los textos de las papeletas electorales que se depositaron ese día decían: "Sí convoco una Asamblea Constitucional que sesionará entre el 5 de febrero y el 4 de julio de 1991. Voto por la siguiente lista de candidatos para integrar la Asamblea Constitucional". En el caso del voto negativo fue: "No convoco para el 5 de febrero de 1991 una Asamblea Constitucional". La abstención, cercana al 75%, superó cualquier cifra de comicios anteriores; los liberales disminuyeron su votación en cerca de 2 millones con relación a las elecciones anteriores; el "palo" fue la lista pluripartidista de la AD M-19, que colocó por voto directo 19 delegatarios a la ANC, a los que se fueron sumando los cuatro designados por las organizaciones desmovilizadas: dos del EPL, que participaron desde el inicio, pero que solo adquirieron los derechos plenos una vez hicieron la dejación de las armas; del MAQL, uno con derecho a voz; y uno del PRT, igualmente con derecho a voz. Los resultados de esas elecciones fueron:

Partido o movimiento político	Constituyentes electos	Porcentaje de votos
Partido Liberal	25	35,7
Alianza Democrática M-19	19	27,1
Movimiento de Salvación Nacional	11	15,7
Partido Social Conservador	5	7,1
Conservatismo Independiente	4	5,7
Unión Cristiana	2	2,9
Unión Patriótica UP	2	2,9
Indígenas, inscritos como ONIC y AICO	2	2,9
Designados por los grupos desmovilizados EPL, MAQL y PRT, por fuera del proceso electoral	4	
Total	**74**	

Elaboración del autor con base en la bibliografía y otras fuentes citadas.

En horas de la mañana del mismo día, el gobierno de César Gaviria lanzó la Operación Colombia, con más de 7.000 efectivos militares, apoyados por aviones K-Fir, Mirage, AT-37 y AC-47, helicópteros artillados UH-60 y UH-1H, Bell 212, Hughes y Bellque, de la Fuerza

Aérea, el Ejército y Policía, todos equipados con bombas y artillería y preparados para lo que creían sería una larga batalla sobre cinco objetivos bautizados como Centauro, Bravo, Espuela, Furia y Águila, donde estaban ubicados los campamentos guerrilleros conocidos como La Caucha, el Rincón de los Abuelos y El Hueco. El propósito era destruir el mítico enclave en que se había convertido Casa Verde, la sede del Secretariado de las FARC-EP, y eliminar a sus máximos dirigentes, que no habían aceptado participar en la ANC en las condiciones que les fijó el Gobierno: ubicación en sitios previamente acordados para iniciar el diálogo y compromiso de desmovilización de las tropas. Para la guerrilla de las FARC-EP fue el inicio de la "guerra integral" del presidente Gaviria, "Primero: Informamos a la opinión pública que hoy, 9 de diciembre, a partir de las 07 horas, el Ejército oficial dio inicio a un operativo militar a gran escala contra la sede central del Secretariado Nacional de las FARC en La Uribe. Segundo: Entendemos que el gobierno del doctor Gaviria da por cancelada la posibilidad de solución negociada y que a él, y solo a él, corresponde asumir las responsabilidades que de esta decisión se deriven. Tercero: Este gobierno dilapidó la oportunidad que le ofreció el país de hacer de la Asamblea Nacional Constituyente un escenario de paz. Con los sectarismos excluyentes generó la más alta abstención de los últimos años y con su intolerancia logró la reiniciación de una guerra de imprevisibles consecuencias para el país"[734].

Un mes antes del ataque, una comisión compuesta por dirigentes del PCC y de la UP había estado en Casa Verde para llevar una propuesta gubernamental; se cuenta que fue un encuentro muy tenso y que, desde entonces, las relaciones entre el Partido, la UP y las FARC-EP se deterioraron. Francisco Caraballo, que lideraba la fracción del EPL que se mantuvo en la Coordinadora, se encontraba presente en el momento y señaló posteriormente: "La comisión traía prácticamente un ultimátum del Gobierno a la Coordinadora Guerrillera para participar en la Asamblea Constituyente, con el agravante, como si fuera poco, de querer obtener una respuesta inmediata de todas las agrupaciones y frentes, lo que era totalmente imposible en una jornada [...] La

734 "Se extinguió la posibilidad de una solución negociada, dicen las FARC", *El Tiempo*, 11 de diciembre de 1990, p. 1E.

CGSB había demostrado tanto interés en acceder a la Constituyente que esbozó una lista de veinte delegatarios, con voz y voto: once de las FARC, ocho del ELN y cuatro del EPL pero nunca recibimos una respuesta, mientras que en algunas altas esferas nuestra propuesta fue considerada como escandalosa"[735].

El parte de guerra de la toma de Casa Verde, que presentó el mayor general Manuel Alberto Murillo, Comandante del Ejército, señalaba: "El comando del Ejército se permite informar a la opinión pública que el día 9 de diciembre a partir de las 7:00 de la mañana, tropas de la Cuarta División, como continuación de las operaciones ofensivas que se venían desarrollando en el área general de La Uribe (Meta), ocuparon las instalaciones del denominado Estado Mayor de las FARC, donde funcionaba paralelamente el secretariado general del citado grupo subversivo, reducto desde el cual dicho movimiento dirigía y orientaba todas sus actividades criminales. La zona que hasta hoy constituyó el centro neurálgico del accionar bandolero se encuentra bajo total control de las unidades militares, en cuyas filas se presentó la sensible baja de siete de sus miembros, sacrificio que constituye un aporte más de la institución armada en procura de la paz y tranquilidad de la Nación"[736].

La Operación Colombia —también llamada Operación Centauro II— fue una reedición de la Operación Soberanía adelantada contra Marquetalia en 1964; al igual que entonces, cuando se produjo el ataque, Casa Verde ya estaba deshabitada y solo quedaban algunas unidades guerrilleras para ofrecer resistencia y permitir el repliegue de sus camaradas. Al igual que en la época de Marquetalia, veintisiete años atrás, le siguieron acciones de sabotaje a la infraestructura económica y de servicios públicos y permanentes hostigamientos a las tropas oficiales, que registraron numerosos muertos y heridos, como también ocurrió en las filas insurgentes.

735 "El ataque a Casa Verde y la Constituyente 25 años después: lecciones y paradojas", Roberto Romero Ospina, Centro de Memoria, Paz y Reconciliación, Alcaldía Mayor de Bogotá, D.C., en http://centromemoria.gov.co/el-ataque-a-casa-verde-y-la-constituyente-25-anos-despues-lecciones-y-paradojas/

736 Miguel Ángel Beltrán Villegas, *Las FARC-EP (1950-2015): luchas de ira y esperanza*, Bogotá, Ediciones Desde Abajo, 2015, p. 293.

La más contundente respuesta de las FARC-EP fue el ataque al puesto de comunicaciones del Batallón de Infantería No. 21 de Ejército, ubicado en el cerro Girasol, en la serranía de La Macarena. Se iniciaba así la campaña militar "Comandante Jacobo Arenas, estamos cumpliendo" que se trazó en la primera cumbre de comandantes de la CGSB, realizada a finales de septiembre anterior.

En la noche del martes 8 de enero de 1991 comenzó el asedio al cerro Girasol por parte de aproximadamente cien integrantes del Bloque Oriental de las FARC-EP, comandado por el Mono Jojoy. Con esta acción se puso en marcha el nuevo modo de operar y se inauguraron las operaciones con medianas y grandes concentraciones de guerrilleros para atacar objetivos a partir del elemento sorpresa, el uso de artillería liviana —hechiza o convencional— y la captura de rehenes para producir hechos políticos con su posterior liberación bajo la consideración de que se trataba de "prisioneros políticos". Una vez copada la base militar, la guerrilla se retiró con 18 soldados capturados, abundante material de guerra y dejó en el área más de 25 cadáveres de sus combatientes.

En la reunión efectuada los días 9 y 10 de enero de 1991 entre la Comisión Negociadora del EPL y la Consejería Presidencial se señalaron, en un acta de preacuerdo, los aspectos básicos hacia la dejación de las armas y la desmovilización pactada para el 1° de marzo siguiente: dos voceros serían admitidos en la ANC; la promoción del proceso de paz y del proyecto político del EPL; el establecimiento de una veeduría internacional con comisiones de los gobiernos de España y Francia; la inscripción y la legalización del partido político que surgiera del EPL; el indulto a la totalidad de los guerrilleros[737]; el apoyo a la celebración de la Conferencia Nacional del EPL; una reunión para escuchar las

737 En ejercicio de las facultades que le confería el Artículo 121 de la Constitución vigente (facultades de estado de sitio), y frente al hecho real de que el Congreso Nacional había finalizado sus sesiones ordinarias, el Gobierno expidió el Decreto 213 del 22 de enero que otorgó, exclusivamente a los miembros del EPL, del MAQL y del PRT, la extinción de la pena y la acción penal por los delitos políticos y conexos que hubieren cometido antes de su vigencia; estableció además requisitos y procedimientos para evaluar la voluntad del solicitante de reincorporarse a la vida civil y su pertenencia a la organización insurgente, de conformidad con los listados previamente elaborados.

propuestas de las principales cabezas de lista a la ANC; el diseño de un plan de reencuentro político, económico y social para los excombatientes; un plan de seguridad a partir de la desmovilización; la creación de la Comisión de Superación de la Violencia, que propondría fórmulas para un tratamiento eficaz de los problemas de derechos humanos y violencia; finalmente, quedó como tarea desarrollar planes regionales para beneficiar a las comunidades rurales donde el EPL tuvo influencia.

Esta organización realizó un proceso democrático interno en los distintos campamentos para la elección de los dos voceros a la ANC; el escrutinio se hizo durante la IV Conferencia Nacional de Combatientes, reunida el 26 y 27 de enero en Juan José, donde resultaron elegidos Darío Mejía y Jaime Fajardo, antiguos dirigentes de la organización. En el evento se establecieron el destino de las armas y la unificación y legalización de las estructuras del PCC (M-L) y el EPL en el movimiento político Esperanza, Paz y Libertad (EPL, conservando la sigla). Un mes más tarde, el 15 de febrero, se firmó en la Casa de Nariño, en Bogotá, el acuerdo de paz entre el Gobierno y el grupo. Tal como estaba pactado, el acto oficial de dejación de las armas se realizó el 1° de marzo con los veedores Manuel Medina, delegado del Partido Socialista Obrero Español (PSOE), y Luis Otero Fernández, de la Asociación de Derechos Humanos de España[738]. En ese momento, la organización hasta entonces conocida como Ejército Popular de Liberación (EPL) se desarmó para iniciar el proceso de reincorporación a la vida civil.

Con anterioridad, el PRT había hecho lo propio. El 25 de enero[739], los principales dirigentes del grupo y los delegados del Gobierno, encabezados por *Chucho* Bejarano, suscribieron el acuerdo que puso término a la existencia del Partido Revolucionario de los Trabajadores (PRT) como organización alzada en armas: "Finalmente, asuntos relacionados con la participación política recibieron un lugar prominente en el acuerdo final de paz firmado el 25 de enero de 1991. Mientras que el primer punto del acuerdo otorgó el derecho a enviar un delegado

738 Texto completo del Acuerdo Final firmado el 17 de febrero de 1991, en *Acuerdos de paz, op. cit.*, pp. 34-51.

739 El mismo día fue asesinada la periodista Diana Turbay Quintero, hija del expresidente Julio César Turbay Ayala, secuestrada por sicarios de Pablo Escobar Gaviria en su guerra contra el establecimiento.

a la ANC (aunque sin derecho a voto), los puntos 2 a 5 definieron el apoyo estatal para la transformación proyectada del PRT en un partido político legal. Dicho apoyo se debería dar de dos maneras: la facilitación del reconocimiento legal y el apoyo financiero dirigido a la promoción pública del nuevo partido. Al seguir el ejemplo del M-19, el segundo tema incluyó, además de anuncios en medios de comunicación nacionales y regionales, la instalación de cinco Casas de la Vida en diferentes ciudades del país con el objetivo de crear puntos de encuentro entre el partido y la sociedad colombiana (PRT 1991). Un día después de que las negociaciones habían llegado a su fin, el PRT y la mayoría de sus miembros culminaron, durante una solemne ceremonia en Cartagena, el capítulo de su lucha armada y arrojaron sus armas al mar Caribe"[740].

Por su parte, el MAQL realizó su primera reunión con el Gobierno en junio de 1990 insistiendo en la conformación amplia y pluralista de la ANC, preocupado siempre por la participación de los indígenas en esta; en septiembre siguiente, a través de su comandante Gildardo Fernández, planteó las condiciones de desigualdad en que se encontraban su grupo y las organizaciones indígenas frente a los partidos políticos que participarían en la elección de los constituyentes, y anunció que suspendían las negociaciones y no participarían en el proceso del 9 de diciembre. Para superar esta crisis se firmó un acuerdo en el que la inconformidad del MAQL por el desconocimiento a la participación indígena quedó plasmada, además de ratificar su voluntad de permanecer en las negociaciones y continuar con el cese al fuego; se acordó conformar dos comisiones para estudiar mecanismos dirigidos a superar los factores de violencia en el Cauca y aspectos relacionados con el bienestar de las comunidades víctimas del conflicto. En las elecciones del 9 de diciembre, el movimiento indígena participó en las mismas condiciones frente a las demás listas, pese a que reiteradamente solicitaron una circunscripción especial basada en las condiciones de desigualdad y exclusión: "Ha propuesto el movimiento indígena colombiano que le sea reconocida su condición especial, dada su desventaja política y económica sustentada en siglos de dominación y no ha sido

740 David Rampf, David Castillo y Marcela Llano, *op. cit.*, p. 14. El texto completo del Acuerdo Final, firmado entre el Gobierno Nacional y el PRT, el 17 de febrero de 1991, se encuentra en *Acuerdos de paz*, *op. cit.*, pp. 18-33.

hasta el momento escuchado. Nuestro movimiento armado ha hecho suya esta aspiración de los pueblos indígenas y ha negado su posible participación en la Asamblea Constitucional si se persiste en desconocer la justa y elemental reclamación de las etnias colombianas", le expresaron a monseñor Pedro Rubiano, presidente de la Conferencia Episcopal de Colombia, en carta del 19 de octubre.

En marzo siguiente, cuando ya se habían iniciado las deliberaciones de la ANC, se acordó designar el vocero del MAQL[741], establecer el campamento Luis Ángel Monroy[742] en el resguardo indígena de Pueblo Nuevo, municipio de Caldono (Cauca), y se fijó el 31 de mayo como fecha para hacer dejación definitiva de las armas. El lunes 27 se firmó el acuerdo final; el documento, de ocho capítulos, reafirmó que la dejación de las armas se haría cuatro días después ante una misión de veeduría internacional compuesta por Luis Otero Fernández, de la Asociación de Derechos Humanos de España, y por parte del Consejo Mundial de Pueblos Indios estarían Donald Rojas y Rodrigo Contreras. Se establecieron otros beneficios como la extinción de la pena y de la acción penal contempladas en el Decreto 213, la entrega de documentación personal, un auxilio de subsistencia, servicios de salud integral, presencia y participación de dos de sus miembros en la Comisión de Superación de la Violencia contemplada en el acuerdo con el EPL, planes de seguridad y reinserción y, por último, desarrollo de obras regionales en dieciséis municipios del Cauca de influencia del MAQL[743]. El viernes siguiente fue la "Alborada de la Paz", una fiesta que significó el paso a la paz del Movimiento Armado Quintín Lame, MAQL[744].

741 Su representante en la ANC fue Alfonso Peña Chepe, exintegrante del Estado Mayor del MAQL, que se sumó a los electos Francisco Rojas Birry y Lorenzo Muelas.

742 Pasada la desmovilización, el campamento Luis Ángel Monroy se convirtió en un centro de capacitación destinado a la formación de líderes de las comunidades indígenas.

743 Texto completo del Acuerdo Final firmado el 27 de mayo de 1991, en *Acuerdos de paz, op. cit.*, pp. 55-67.

744 Como en un círculo infernal, en los mismos territorios ancestrales que en 1984 vieron surgir al MAQL con el trasfondo de la masacre y el desalojo de familias indígenas de la hacienda López Adentro, tan pronto se desmovilizó el grupo se presentó la masacre de El Nilo, el 16 de diciembre, donde fueron asesinados 21 indígenas nasa a los que se buscaba desalojar igualmente.

El 5 de febrero, en el Centro de Convenciones Gonzalo Jiménez de Quesada, en Bogotá, se instaló la Constituyente, que deliberó durante 145 días, hasta el 4 de julio de 1991, fecha en que se promulgó la nueva Constitución Política de Colombia. En sus deliberaciones se facilitaron el consenso y los acuerdos, en un ambiente de conciliación, bajo la presidencia colegiada de Horacio Serpa, del Partido Liberal; Álvaro Gómez, del Movimiento de Salvación Nacional, y Antonio Navarro, por la AD M-19. La Constituyente libró una batalla en contra de las viejas costumbres políticas enquistadas en sectores del Congreso de la República que siempre miraron con recelo las medidas de renovación política y reforma democrática. Poco antes de finalizar su mandato, la ANC acordó la disolución del Congreso, la convocatoria a elecciones en octubre y la inhabilidad de todos los constituyentes para participar en las elecciones para el nuevo Congreso; para muchos fue el *seppuku* —suicidio en el ritual japonés— de los propios constituyentes que no harían parte del proceso de desarrollo de la nueva Carta Magna. Uno de los últimos actos de la ANC fue aprobar la prohibición de extradición de colombianos, una medida que estuvo precedida por la entrega a la justicia del capo de todos los capos, Pablo Emilio Escobar Gaviria, después de su guerra de siete años en contra de la sociedad.

La Corriente de Renovación Socialista (CRS), los diálogos de Caracas y Tlaxcala[745]

Una semana antes de la caída del Muro de Berlín, el 9 de noviembre de 1989, se presentaron protestas de cientos de miles de personas

745 Para mayor comprensión del proceso de formación de la Corriente de Renovación Socialista (CRS) y del debate dentro de la UC-ELN y el período pueden consultarse: *De primera mano* de Rafael Pardo Rueda; *El regreso de los rebeldes* de León Valencia, Fernando Hernández y otros; de Andrés Restrepo y Marly Contreras, *Flor de Abril. La Corriente de Renovación Socialista: de las armas a la lucha política legal*; *Ejército de Liberación Nacional, notas para una historia de las ideas políticas*, *ELN: una historia contada a dos voces* y *Conflicto armado y procesos de paz en Colombia*, trabajos de Carlos Medina Gallego; *Las verdaderas intenciones el ELN*, compilación del Observatorio para la Paz; el libro oficial del ELN, *Rojo y negro: una aproximación a la historia del ELN* de Milton Hernández; documentos sobre la CRS en la página web del Centro de Documentación de los Movimientos Armados (CEDEMA): http://www.cedema.org

en la Alexanderplatz, en pleno centro de la ciudad, que pedían poder salir hacia Occidente; las grandes movilizaciones obligaron a las autoridades de la República Democrática Alemana a permitir el paso por los puestos de control; las muchedumbres iniciaron la demolición del "muro de la vergüenza" con rudimentarias herramientas; millones de televidentes del mundo entero observamos en vivo y en directo la explosión de júbilo que significó la reunificación de las dos Alemanias. El 2 y 3 de diciembre de 1989, a las pocas semanas de la caída del Muro, se reunieron en el buque *Máximo Gorki*, fondeado en la isla mediterránea de Malta, el presidente de la URSS, Mijaíl Gorbachov, y el de Estados Unidos, George W. Bush, con el propósito de poner fin al antagonismo que, durante más de 44 años, desde el final de la Segunda Guerra Mundial, dominó la geopolítica mundial. Con la Cumbre de Malta se inició una nueva era en las relaciones internacionales y el comienzo del fin de la Guerra Fría entre las dos superpotencias. El mundo cambió de la noche a la mañana. Un año más tarde se firmó la Carta de París entre la URSS, Estados Unidos y treinta Estados más para regular las relaciones internacionales tras el fin de la Guerra Fría; en los contenidos de la Carta se incluyó un pacto de no agresión entre la OTAN —que ya se perfilaba como la única gran alianza militar del mundo— y el moribundo Pacto de Varsovia. En el momento de la firma, el presidente Bush, ahora en la supremacía de un mundo unipolar, manifestó: "Hemos cerrado un capítulo de la historia. La Guerra Fría ha terminado"[746].

Los cambios en la URSS venían asomándose con timidez desde 1985 con la llegada del reformista Mijaíl Gorbachov como Secretario General del PCUS. El nuevo líder comunista anunció un plan para acelerar el desarrollo social y económico en la Unión Soviética, sin difundir aún los contenidos de lo que serían la *Perestroika* (reestructuración económica) y la *Glásnost*, que significó la libertad política y apertura en los medios de comunicación, que permitía incluso críticas al Gobierno. En el Plenum del Comité Central del PCUS de enero de 1987 se hizo el anuncio oficial de las nuevas políticas; poco a poco se fueron liberalizando la industria manufacturera, el comercio local y exterior, y se

746 *El fin de la Guerra Fría*, en http://www.historiasiglo20.org/FGF/fin.htm

reconoció la propiedad privada en empresas de servicios. Los soviéticos pasaban de un sistema de economía única, centralizada y planificada a una economía de mercado, sin contar con fórmulas precisas para ese tránsito, lo que generó una debacle, reflejada en hiperinflación y surgimiento de condiciones de pobreza extrema, inexistentes hasta entonces. Los cambios políticos de mayor calado se iniciaron en junio de 1988, con la descentralización del poder del Gobierno, la creación de un sistema presidencialista y la elección de un Congreso de Diputados mediante comicios libres. Uno de los primeros diputados fue Boris Yeltsin, devenido en primer presidente de la Rusia postsoviética. Entre agosto y diciembre de 1989 llegaron a su fin los regímenes comunistas en Polonia, Hungría, Bulgaria, Checoslovaquia y Rumania; en los meses siguientes ocurrieron los primeros gritos independentistas de las quince repúblicas soviéticas, procesos que se completaron en agosto de 1991. El 8 de diciembre se disolvió la URSS. Dos semanas después vino la renuncia de Gorbachov y la bandera comunista fue arriada del Kremlin. La sociedad quedó conmocionada, en particular aquellos que vivieron la utopía del socialismo real. El poeta y escritor ruso Varlam Shalámov, autor de *Relatos de Kolimá*, preso durante largos años y prohibida su obra hasta la apertura de Gorbachov, afirmó: "Fui parte de una gran batalla perdida en favor de una genuina renovación de la existencia".

La paz, ese anhelo de todos los pueblos, también había empezado a echar raíces en Centroamérica, como ya había sucedido en Colombia. Entre 1990 y 1991, la URNG en Guatemala alcanzó la firma de varios acuerdos básicos hacia la reconciliación: Acuerdo de Oslo, para la búsqueda de la paz por medios políticos, del 29 de marzo de 1990, celebrado entre la Comisión Nacional de Reconciliación de Guatemala (CNR) y la URNG; Acuerdo del Escorial (Madrid), del 1° de junio de 1990, entre la Instancia de Partidos Políticos de Guatemala y la URNG, en presencia del conciliador, monseñor Rodolfo Quezada, y del observador designado por el Secretario General de la ONU, Francesc Vendrell; Acuerdo de Querétaro (México), celebrado el 25 de julio de 1991, sobre democratización para la búsqueda de la paz por medios políticos; Acuerdo de Quito, del 26 de septiembre de 1991, resultado de la reunión entre URNG e iglesias, en la que distintos credos expresaron su apoyo a la paz. Sin embargo, la intensidad de la confrontación no disminuyó: en 1990, la URNG realizó 1.470 acciones armadas, 987 de propaganda armada y 70 sabotajes; en el primer semestre de 1992 fueron 802 operaciones militares, que dejaron 819 bajas en el Ejército[747].

En noviembre de 1989, el FMLN de El Salvador lanzó una ofensiva estratégica como antesala de la ofensiva militar general de diciembre de 1990 en la que, por primera y única vez en la historia de la guerrilla en América Latina y el Caribe, se utilizaron misiles tierra-aire SAM 7, SAM 14 y Red Eye, que derribaron varios aviones A-47 de la Fuerza Aérea Salvadoreña; en esta ofensiva general, el FMLN alcanzó el control parcial sobre la capital, San Salvador, durante varias semanas; la UCELN de Colombia aportó con recursos y combatientes. A partir del 25 de septiembre de 1991 se formó la Comisión para la Consolidación de la Paz, y el FMLN decretó la tregua unilateral hasta la firma del acuerdo de paz definitivo, el 16 de enero de 1992, en Chapultepec (México). En el proceso de desarme, el FMLN desmovilizó 11.000 combatientes, que dejaron 10.200 armas; once meses más tarde, el 14 de diciembre, se constituyó en partido político legal, alcanzando la Presidencia de la República, con candidato surgido de sus filas, en 2014.

Los cambios estaban en el orden del día. El 26 de febrero de 1990, la candidata Violeta Barrios de Chamorro, en representación de la Unión Nacional de Oposición (UNO), con una propuesta de reconciliación nacional, derrotó en las urnas al entonces presidente Daniel Ortega, candidato del FSLN, en las primeras elecciones que se realizaron en Nicaragua luego del triunfo sandinista de julio de 1979. "Quiero expresarle a todos los nicaragüenses y a los pueblos del mundo que el presidente de Nicaragua, el Gobierno de Nicaragua, va a respetar y a acatar el mandato popular emanado por la votación en estas elecciones", enunció un compungido comandante Ortega ante los medios de comunicación, una vez se conocieron los resultados. Hasta entonces nadie se imaginaba que una revolución popular que alcanzó el poder a través de la lucha armada pudiera perder unas elecciones. Los errores del sandinismo, sumados a la descarada intervención política, militar, económica y social, nacional e internacional de Estados Unidos,

747 Fuente: base de datos del autor, proyecto Memoria histórica de guerrillas en América Latina y el Caribe.

que inició el mismo 19 de julio de 1979 y siempre buscó derrocar a Ortega y al FSLN, condujeron al triunfo de una derecha que reversó las pocas conquistas de la Revolución.

La formación de la UC-ELN en 1987, a partir de la fusión del MIR-Patria Libre y el ELN, no estuvo exenta de contradicciones y debates que no se resolvieron en los términos de los documentos que firmaron las dos organizaciones; las principales críticas al proceso unitario surgieron de la dirección del Frente Domingo Laín —que operaba desde 1980 en Arauca—, sector que en ningún momento aceptó asumirse como UC-ELN y continuó nombrando a la organización como ELN, con sus símbolos e historia. Ni siquiera el II Congreso, de diciembre de 1989, logró cerrar las brechas que se abrieron desde antes del nacimiento de la UC-ELN. Paradójicamente, esta era una propuesta que sus gestores presentaron como el primer intento serio de unidad guerrillera. Como ya se dijo, de este II Congreso salieron tres sectores claramente identificados: el oficial, con mayoría en el COCE y en la DN, liderados por el cura Pérez y por Gabino; el Frente Domingo Laín, en la práctica una organización dentro de la propia UC-ELN; y los "renovadores", inclinados a consolidar las luchas políticas. De los 20 miembros de la DN constituida a partir de la fusión, 5 provenían del MIR-Patria Libre, y después del Congreso quedaron reducidos a tres: José Aristizábal, Adolfo Bula y Enrique Buendía; el COCE quedó conformado por cuatro dirigentes provenientes del ELN (Manuel Pérez, Nicolás Rodríguez, Antonio García y Pablo Beltrán) y uno del MIR-Patria Libre, León Valencia.

Para las elecciones de delegatarios a la ANC, el 9 de diciembre de 1990, el sector "renovador" impulsó la tesis de participación en las elecciones, a lo que la Dirección Nacional respondió de forma positiva sin tomar partido por X o Y candidato o lista; finalmente el apoyo se dio a siete listas, entre ellas la de la UP, que colocó en la Constituyente a Aída Abella y a Alfredo Vásquez Carrizosa. En los primeros días de 1991 se pronunció dentro de la UC-ELN un nuevo sector, autodenominado "El Parche", con jurisdicción y mando en el Frente Noroccidental y en Medellín, a través de la publicación de un documento titulado "La coyuntura debe ser mirada con anteojos de largo alcance", en el que se propuso la formación de una corriente democrática, se manifestaron en favor de la negociación política y cuestionaron duramente la conducción de la organización. "El Parche", dirigido por Jacinto Ruiz, jefe de las relaciones internacionales del ELN, coincidía en algunos aspectos con los "renovadores" —en su gran mayoría, los exintegrantes del MIR-Patria Libre—, e intentaron trabajar posiciones comunes, pese a la molestia que suscitó en la misma DN, en el COCE y en los "laínes". En los hechos, la UC-ELN se había fraccionado.

Ya para mediados del año estaba claro que los "renovadores" y otros integrantes de la UC-ELN impulsaban la propuesta de una nueva organización, la *Corriente de Renovación Socialista, CRS*, y en esos términos se produjo un encuentro con el COCE; de manera realista, el cura Pérez reconoció que eran dos proyectos diferentes y que lo mejor era partir cobijas: "A raíz de la ruptura que se produce en la UC-ELN en 1991, quedaron agrupadas en el ELN todas las estructuras rurales, con excepción del Frente guerrillero Astolfo González. En el ámbito urbano se producen pequeñas escisiones en Bogotá, Medellín, Cali, Barranquilla. En Montería y Sincelejo la CRS hegemoniza las estructuras; mientras que, en Bucaramanga, Cúcuta, Neiva, el área cafetera, la UC-ELN no sufre rupturas. En el trabajo internacional y por la permanente presencia de Jacinto Ruiz en este espacio, la CRS aglutina algunas representaciones que de todas maneras se recuperan después de la reunión de agosto de 1991 por parte de la UC-ELN"[748]. Sin embargo, las críticas hacia la CRS y sus miembros arreciaron desde la organización, con descalificadores como "socialdemócratas", "reformistas", "detractores", "oportunistas", "traidores" y "liquidadores". Era la forma usual de tratar las contradicciones en la izquierda y en las organizaciones en armas cuando personas o grupos se atrevían a plantear críticas a la "línea oficial".

La manera que utilizaron los tres grupos integrantes de la CGSB para desatar el nudo gordiano que impedía el diálogo entre Gobierno e insurgencia fue una acción audaz y sorpresiva que no implicó la amenaza o el uso de la fuerza. A las 11 de la mañana del 30 de abril

748 Milton Hernández, en *Rojo y negro*, *op. cit.*, p. 424.

de 1991, una delegación desarmada de la Coordinadora —compuesta por Lucía González, de la UC-ELN; Daniel Aldana y Miguel Suárez, de las FARC-EP, y Diego Ruiz, del grupo de Caraballo del EPL— se hizo presente en la Embajada de Venezuela en Bogotá, en compañía de Álvaro Leyva Durán, que en ese momento hacía parte de la ANC; Rafael Serrano Prada, presidente de la Cámara de Representantes, y el también representante a la Cámara por la UP, Hernán Motta Motta. El propósito que le anunciaron al embajador Fernando Gerbasi fue una reunión protocolaria para ultimar detalles de la visita que en breve realizaría el presidente Carlos Andrés Pérez a nuestro país. La sorpresa de Gerbasi fue mayúscula cuando se enteró de que los cuatro acompañantes de Leyva, Prada y Motta eran miembros de la CGSB. Desde Caracas, el mandatario venezolano se comunicó con el presidente Gaviria, y para salir del incidente se resolvió que el Gobierno del vecino país les brindaría asilo político y que las negociaciones se harían en Caracas. Ese mismo día los guerrilleros viajaron a la capital venezolana, protegidos por ese Gobierno, con el acuerdo de realizar una reunión exploratoria el 15 de mayo siguiente en el colegio José Antonio Galán, del municipio de Cravo Norte, de la entonces intendencia de Arauca, para continuarlos después en Caracas. Esta fue la primera vez que la UC-ELN como tal, o el ELN, se sentó a una mesa de negociaciones.

La reunión se efectuó el 18 de mayo; participaron, por parte del Gobierno, el asesor presidencial en temas de paz, Carlos Eduardo Jaramillo, y el viceministro de Gobierno, Andrés González Díaz. Para la CGSB era el inicio de una nueva fase de conversaciones, y así lo expresó en el comunicado en que aceptó asistir al encuentro, y designó a Lucía González, Miguel Suárez Piragua y Diego Ruiz, tres de los cuatro guerrilleros que estuvieron en la Embajada venezolana y ahora permanecían asilados en ese país. En Cravo Norte, con la presencia de una comisión de la ANC y de la Cámara de Representantes, se acordó abrir un canal de comunicación directa y "Celebrar conversaciones directas, inicialmente en Caracas, con representantes al más alto nivel decisionario (*sic*) encaminadas a buscar una solución negociada a la confrontación política armada, desde el 1° de junio del presente año. Es entendido que, tras las conversaciones de Caracas, y una vez se den las circunstancias y condiciones que permitan el traslado de las negociaciones, estas continuarán en una ciudad de Colombia que será definida por las partes dentro de la Agenda que los altos comisionados establezcan o acuerden [...] El Gobierno colombiano adelantará las gestiones pertinentes ante el Gobierno de la hermana República de Venezuela, para solicitar se autorice como escenario de diálogo a la ciudad de Caracas"[749].

La primera ronda de las conversaciones en Caracas, adelantada en el Instituto Internacional de Estudios Avanzados de la Universidad Simón Bolívar, se inició el 3 de junio y culminó el 15 del mismo mes; contó con la presencia de Humberto de la Calle Lombana, ministro de Gobierno; el viceministro Andrés González y Jesús Antonio Bejarano, asesor de paz del Presidente; la delegación de la CGSB estaba conformada por Alfonso Cano, Pablo Catatumbo, Andrés París e Iván Márquez, de las FARC-EP; Francisco Galán y Lucía González, por la UC-ELN, y por el grupo de Caraballo del EPL estuvieron presentes Asdrúbal Jiménez y Diego Ruiz. Se iniciaban unos diálogos tensos y faltos de confianza, en condiciones completamente distintas a las que se adelantaron en su momento con el M-19, el EPL, el MAQL y el PRT bajo la Iniciativa de Paz de Barco. Estaba claro que era una negociación en medio del conflicto, que no había concentración de combatientes ni de frentes guerrilleros, que se estaba negociando en medio de las deliberaciones de la ANC, en la que participaban desmovilizados. En el discurso de apertura de la reunión, el ministro De la Calle dijo: "Esta reunión, resultado del acuerdo iniciado en Cravo Norte, debe servir para encontrar los elementos necesarios que permitan generar confianza y credibilidad en las posibilidades de una solución política al conflicto armado [...] El Gobierno aspira a que en la ronda de Caracas puedan definirse tanto los elementos de distensión y confianza que posibiliten y faciliten la continuidad del proceso, como una agenda de negociaciones, para situar desde ya lo que pudiera ser la perspectiva global del resto del proceso de negociación". Expresó el interés del Gobierno de considerar los temas de cese de hostilidades, favorabilidad

749 "Acuerdo de Cravo Norte", http://www.setianworks.net/indepazHome/index.php?view=article&id=107%3Aacuerdo-de-cravo-norte&option=com_content&Itemid=73

política, reinserción y desmovilización, "como propósito final de una solución negociada al alzamiento"[750].

Por su parte, Alfonso Cano, del Estado Mayor de las FARC-EP, en representación de la CGSB, señaló que esa negociación "pudimos empezarla hace más de 5.000 muertos"; indicó como asuntos sustanciales, más allá del "conflicto armado", las "causas de fondo que además de diagnósticos objetivos generen conductas específicas para superar la crisis a la que asistimos". Propuso al Gobierno y a la ANC que, mientras se desarrollaban estas conversaciones, se les permitiera asistir a una reunión plenaria para exponer su pensamiento; igualmente, que la presencia del ministro De la Calle durante las negociaciones tuviera continuidad. Lo que vino fue una gran ofensiva militar por parte de la guerrilla para presionar respuestas favorables a sus peticiones en la mesa.

La segunda ronda tuvo lugar entre el 20 y el 25 de junio, donde se discutió a fondo la posibilidad de un cese al fuego, concepto que el Gobierno definía como el cese de hostilidades, ya que se incluían atentados a la infraestructura petrolera, secuestros, boleteo y otros; en relación con la asistencia a una sesión de la ANC, la discusión se centró en si se trataba de presencia o participación, un debate que no era simplemente semántico y que tardó varios días, ya que se ligó a una posible liberación de secuestrados en poder de las FARC-EP; esta ronda se suspendió para que las delegaciones de la guerrilla hicieran consultas en las respectivas organizaciones. La reanudación tuvo dificultades logísticas durante julio y agosto, hasta que se logró un nuevo encuentro a partir del 4 de septiembre contando con la presencia de un testigo internacional acordado entre las partes, el venezolano Emilio Figueredo Planchart. Durante el receso entre la segunda y tercera rondas se presentaron varios hechos significativos: el 4 de julio entró en vigencia la nueva Constitución Política de Colombia y, consecuencia de la misma, se instaló la Comisión Legislativa Especial de 36 miembros, conocida como "Congresito"; así mismo, se conformó la Comisión Asesora de Orden Público, no partidista pero sí con representantes de partidos políticos. Finalmente, por primera vez en la historia de

750 "Discurso del ministro de Gobierno de Colombia, Humberto de la Calle Lombana, en la instalación de las conversaciones de Caracas", 3 de junio de 1991, en Milton Hernández, *op. cit.*, pp. 261-267.

Colombia, se nombró un ministro de Defensa civil, Rafael Pardo Rueda, exconsejero presidencial.

En la nueva ronda de negociaciones en Caracas —tercera— se hicieron cambios en la delegación de la UC-ELN; participó Antonio García en reemplazo de Lucía González, y hubo modificaciones en la representación de las FARC-EP con la presencia de alias María Salomé; los demás delegados se mantuvieron. En el desarrollo de la ronda (del 4 al 30 de septiembre) hubo dos aspectos significativos: en primer lugar, la solicitud que hizo la CRS de exponer sus puntos de vista y hacer parte de la mesa de conversaciones y mantenerse en la CBSB. La respuesta por parte de los máximos comandantes de la UC-ELN fue la negativa a compartir el espacio con sus contradictores y, de manera conciliadora, reconocer la existencia de la CRS "como una organización revolucionaria diferente a la nuestra [...] Se presentaron dificultades en el tratamiento a la problemática llevándonos a considerar que no podríamos desarrollar nuestras propias concepciones, ideas políticas de búsqueda y práctica en estructuras diferentes que, no obstante, no nos impiden tratar de seguir trazando caminos comunes"[751]. En segundo lugar, el presidente Gaviria ordenó la suspensión de las conversaciones frente al atentado del 30 de septiembre en contra de Aurelio Iragorri Hormaza, presidente del Senado hasta el pasado 20 de julio, cuando se desplazaba por la zona rural del municipio de Cajibío. Los diálogos en Caracas entraron en crisis en un momento en que se registraban avances significativos: pese al constante accionar de las fuerzas insurgentes y a la lógica respuesta por parte de Estado, las partes se acercaron en temas que antes eran difíciles de abordar, tales como las garantías jurídicas, las zonas de distensión para ubicar las fuerzas de la guerrilla si se llegaba al cese de fuego o de hostilidades, la bilateralidad y verificación de este y la posible presencia de voceros políticos miembros de la guerrilla.

Ante el atentado a Iragorri Hormaza, la CRS hizo su primer pronunciamiento público de rechazo y reiteró la petición de participar en

751 "Comunicado de la UC-ELN, sobre la conformación de la Corriente de Renovación Socialista como organización revolucionaria diferente a la UC-ELN", en León Valencia, Fernando Hernández y otros, *El regreso de los rebeldes. De la furia de las armas a los pactos, la crítica y la esperanza*, Bogotá, Corporación Nuevo Arco Iris, CEREC, 2005, p. 146.

las negociaciones al proponer como temas prioritarios: "La desmilitarización de la vida y las instituciones nacionales; la revisión de toda la legislación que restrinja, condicione o impida la protesta social o la acción política de fuerzas de oposición o de nuevos movimientos; la adopción de un plan de emergencia social que alivie la grave situación de los grandes sectores de la población"[752]. En el mismo documento, frente a las elecciones para Congreso de la República[753], convocadas para el siguiente 27 de octubre, decretaron un cese al fuego durante todo el mes. Las cartas ya estaban sobre la mesa, había en ciernes un nuevo proceso de conversaciones, negociaciones y acuerdos. En las elecciones del 27 de octubre la abstención llegó a casi el 70%; el clientelismo liberal-conservador se mantuvo en un Congreso que se esperaba "renovado", pero al que regresó más del 40% de los revocados por la Constituyente. La AD M-19 eligió 9 senadores y 14 representantes a la Cámara; la UP eligió como senador a Hernán Motta, y en la Cámara, a Manuel Cepeda Vargas, Octavio Sarmiento y Jairo Bedoya. Para el 8 de marzo siguiente —1992—, la UP ganó 23 alcaldías, eligió 205 concejales en 107 municipios; las listas de la AD M-19 retrocedieron a menos de 60.000 votos; el declive político de esta organización, surgida de los procesos de paz dos años atrás, fue el resultado no solo de sus propios errores, sino también de los mecanismos electorales —la maquinaria— que no se renovaron con la nueva Constitución y que asfixiaban a los pequeños movimientos o a políticos que no se dejaban cooptar.

La cuarta ronda de Caracas se realizó entre el 30 de octubre y el 10 de noviembre. Estuvo precedida de ingentes esfuerzos desde distintas personas e instituciones para la reanudación de los diálogos; una de ellas fue el expresidente López Michelsen, quien personalmente se trasladó a Caracas, y el sábado 5 de octubre se reunió con los delegados de la CGSB. Los resultados más notorios en este período fueron dos documentos; el primero contiene dieciséis elementos en una eventual

752 "Primera declaración pública de la CRS que rechaza el atentado contra Aurelio Iragorri Hormaza y reitera la solicitud de la CRS de participar como fuerza insurgente y autónoma de la UC-ELN en las conversaciones de Caracas", *op. cit.*, pp. 148-189.

753 Proceso de elecciones para el "nuevo" Congreso, luego de la revocatoria por parte de la ANC.

fórmula de cese al fuego y hostilidades, y está relacionado con los acuerdos, acercamientos y desacuerdos entre las partes sobre la materia; el otro documento, a manera de resumen y en un tono muy positivo, estableció los compromisos adquiridos por las partes durante 1991 y fijó el 1° de febrero de 1992 como posible fecha para reanudar las conversaciones "previa anuencia del Gobierno venezolano"[754].

La CRS realizó en diciembre su primera conferencia nacional, en la que se determinó avanzar en los diálogos políticos con dos voceros nacionales: Jacinto Ruiz y Gabriel Borja, cada uno en representación de las posiciones divergentes relacionadas con la negociación: el primero, proveniente de las filas del ELN, consideraba que debía ser inmediata y conducente a la desmovilización; Borja por su parte, recogía el sentir de los exintegrantes del MIR-Patria Libre, quienes pensaban que era necesario afianzar la estructura de la CRS y consolidar los frentes guerrilleros para negociar más adelante, con mayor fuerza[755]. Desde ese momento se incrementaron los acercamientos con los delegados del Gobierno.

Al inicio de 1992, varios acontecimientos marcaron los aciertos y dificultades de los procesos de negociaciones: el consejero de paz, *Chucho* Bejarano, renunció el 13 de enero y en su reemplazo fue designado Horacio Serpa Uribe, un hábil político liberal, comprometido con el diálogo y la paz; las cosas se complicaron cuando un frente del EPL secuestró por esos días, en Norte de Santander, al exministro Argelino Durán Quintero, lo que evidenció poca unidad de mando o al menos de comunicación en las filas de la CGSB. Precisamente en enero, esta llevó a cabo su VI Cumbre, denominada "Héroes y mártires de la Coordinadora Guerrillera Simón Bolívar", en la que reafirmó la vigencia de la lucha armada revolucionaria y se definió la importancia de abordar en la mesa de Caracas, como tema central, la política de

754 Las reuniones de la VI y VII conferencia guerrillera de la CBSG, celebradas en enero y julio de 1992, determinaron que en las negociaciones el tema de cese al fuego sería debatido al final del proceso de paz y no al principio.

755 La CRS contaba con los frentes Astolfo González, en el Urabá antioqueño, y Héroes de las bananeras, en el Magdalena, además de tener parte de los frentes Jaime Bateman y Alfredo Gómez Quñónez, en Córdoba, Sucre y Bolívar; tenía trabajo urbano en Cartagena y Barranquilla, las Milicias del Valle de Aburrá en Medellín y grupos en Cali, Bogotá y Bucaramanga, unos 600 combatientes en total.

apertura económica del Gobierno. El reinicio de los diálogos se complicó cuando en Venezuela se presentó, el 4 de febrero, un intento de golpe de Estado, liderado por el joven comandante Hugo Chávez Frías al mando de un movimiento militar bolivariano; el hecho obligó a las delegaciones del Gobierno y de la CGSB a aplazar la reanudación de los diálogos y a replantear a Caracas como la sede.

El 20 de marzo de 1992 se dieron el desarme y la desmovilización de un pequeño grupo, hasta entonces desconocido, llamado *Comandos Ernesto Rojas, CER*. Fue un proceso rápido, sugerido y orientado por el desmovilizado EPL que, en la última fase de su negociación con el Gobierno Nacional, en enero de 1991, decidió mantener una estructura armada al margen de la desmovilización y de la reincorporación a la vida civil. Esto ocurrió por las dudas, desconfianza e incertidumbre frente a un proceso desconocido, sobre el que se cernían amenazas por parte del sector del EPL de Caraballo o de quienes se vieron afectados por las acciones de esta guerrilla antes de su desmovilización. En 1991 se iniciaron contactos entre los CER y la Consejería de Paz, y se decidió que entregaban las armas, desmovilizaban los 25 combatientes de la estructura y firmaban un protocolo en el que se acogían a los acuerdos de paz que firmó el EPL el 15 de febrero de 1991. El día acordado, en medio de una total reserva, se entregaron las armas, que fueron fundidas en la Siderúrgica del Muña, y se firmó el documento por parte de los funcionarios del Gobierno y Alex Chacón, vocero del grupo. En el comunicado conjunto que informó de este proceso *sui generis*, las partes expresaron que se habían entregado treinta armas de uso privativo de los organismos de seguridad.

La llegada de Serpa a la Consejería de Paz aceleró las negociaciones con la CRS que, el 10 de febrero, anunció el diálogo directo y público con el Gobierno, su disposición para concretar un cese al fuego bilateral y tres temas centrales para el diálogo: desmilitarización de la vida y las instituciones nacionales, garantías para la protesta social y la participación política y un plan de emergencia social para aliviar los efectos de la apertura económica. Los buenos augurios de una pronta negociación se empañaron con el asesinato en Cali, en la Semana Santa de 1992, de 7 militantes de la CRS —incluida Carmen Elisa Pereira, integrante de la DN— que fueron presentados por la Policía como asaltantes de carreteras. Las conversaciones se rompieron y solamente retomaron su curso en noviembre siguiente.

En paralelo, el Gobierno y la CGSB acordaron retomar las conversaciones en Tlaxcala (México) a partir del 10 de marzo con el estudio inicial de la política de apertura económica adoptada por el presidente Gaviria; para ello se hicieron presentes miembros del equipo económico del Gobierno que acompañaron a Serpa y demás consejeros, quienes presentaron un documento denominado "Propósitos para ponerle fin al conflicto armado", intentando sacar del debate el tema previo del cese al fuego o de hostilidades y buscando construir nuevos consensos. En esas circunstancias, el 21 de marzo se supo de la muerte de Argelino Durán Quintero en cautiverio; este grave episodio motivó la suspensión de la ronda y el regreso al país de los principales negociadores del Gobierno, pero permanecieron en Tlaxcala algunos asesores junto con los delegados de la CGSB. El mismo día se conoció un comunicado de Francisco Caraballo en el que, como mando del EPL, informaba de la voluntad que siempre tuvieron de entregar sano y salvo al cautivo, y que su deceso se produjo por quebrantos de salud. Para la UC-ELN, la muerte de Durán Quintero fue solamente una excusa del Gobierno para no asumir en la mesa los temas que proponía la CGSB: "El Gobierno no se levantó de la mesa por el incidente de Argelino Durán Quintero, esa solo fue una excusa tras la que se escudaron las dificultades de abordar el diálogo en el terreno propuesto por la Coordinadora. Nosotros también podíamos haber abandonado la mesa, si de excusas se tratara, la desaparición de Daniel García había sido una buena razón para ello"[756].

Durante varias semanas hubo cruce de cartas y comunicados públicos y se intentó conciliar una nueva agenda; para las FARC-EP, debía reiniciarse la mesa con la discusión sobre la apertura económica, punto donde quedó la última reunión; por su parte, el Gobierno insistía en volver al tema del cese de hostilidades y del secuestro. Así, en un constante tire y afloje, transcurrieron tres semanas de abril. Gracias a gestiones de prelados de la Iglesia católica y al testigo internacional, el embajador mexicano Sergio Romero Cuevas, se logró que el 22 se

756 Entrevista a Manuel Pérez Martínez, *Poliarco*, *op. cit.*, p. 228.

iniciara una nueva ronda, sin temario preciso, cargada de tensiones y reclamos mutuos. Pasados varios días, sin llegar a un acuerdo sobre los temas a discutir, las partes decidieron aplazar las conversaciones hasta el 31 de octubre siguiente. No pasó nada. Llegada esa fecha no hubo tal reanudación de los diálogos; durante esos meses solo se escucharon los sonidos de los fusiles y de los aviones con sus descargas de bombas. El 30 de septiembre renunció Horacio Serpa como consejero presidencial de Paz; días después, el 12 de octubre, las FARC-EP anunciaron la muerte de Joselo, comandante marquetaliano, "en un oscuro incidente con una patrulla del Ejército adscrita a la 13 Brigada con sede en Bogotá".

Noviembre comenzó con una delicada situación del orden público: el 5 de ese mes, las FARC-EP dieron muerte a 28 policías en combates que se presentaron en el departamento del Putumayo; en respuesta, apelando al Artículo 213 de la Constitución Política, el Gobierno produjo un decreto que declaraba el estado de conmoción interior en todo el territorio nacional por el término de noventa días calendario. Pasado ese tiempo, la violencia no cesó y la confrontación armada se agudizó. Comenzó entonces la "guerra integral" del presidente Gaviria y, aunque suene extraño, se inició también un salto cualitativo en la lucha insurgente de las FARC-EP, que se aprestaban para reunir su VIII Conferencia Nacional de Guerrilleros.

Así fue. Entre el 27 de mayo y el 3 de abril de 1993, después de once años de la anterior, las FARC-EP celebraron su VIII Conferencia, con el nombre de "Jacobo Arenas, estamos cumpliendo", en la que participaron delegados de toda la estructura organizativa con que contaban entonces. La conferencia aprobó la declaración política titulada "Nuevo gobierno para alcanzar la paz", corrigió y amplió el Programa Agrario de los Guerrilleros de 1964 y aprobó la "Plataforma para un gobierno de reconciliación y reconstrucción nacional"[757], documento de diez puntos en el que proponía un gobierno nacional pluralista, patriótico y democrático, precisaba su nuevo modelo de Estado comprometido con la realización de profundas reformas a las instituciones y a la justicia, la implementación de mecanismos de

757 Documento completo en *Las verdaderas intenciones de las FARC*, Observatorio para la Paz, *op. cit.*, pp. 32-36.

control popular, la transformación de las Fuerzas Militares bajo una nueva doctrina bolivariana de defensa nacional, la nacionalización de los sectores estratégicos de la economía, la asignación de un 50% del presupuesto a gastos sociales y de otro 10% a la investigación científica, solución al fenómeno de producción, comercialización y consumo de narcóticos y alucinógenos; se presentaron igualmente unas conclusiones generales del evento[758]. Las FARC-EP reajustaron su Plan Estratégico, adaptándolo a las nuevas necesidades, para dar pasos hacia la guerra de movimientos. En el desarrollo del evento eligieron un nuevo Secretariado del Estado Mayor Central de siete miembros: Manuel Marulanda Vélez como comandante en jefe, Alfonso Cano, Raúl Reyes, Iván Márquez, Jorge Briceño, Timoleón Jiménez y Efraín Guzmán. Un aspecto significativo fueron los desacuerdos de fondo con el PCC: frente a la guerra sucia desatada contra la UP y los dirigentes comunistas, las FARC-EP habían ofrecido sus espacios a aquellos que quisieran salvar sus vidas; solo una parte mínima de miembros del PCC y de la UP pasaron a la clandestinidad; en su "nuevo modo de operar", ya trabajaban en la creación de estructuras políticas clandestinas en zonas urbanas.

El crecimiento sostenido que ya experimentaban los llevó a crear un Comando General[759], 5 bloques de frentes y dos comandos conjuntos, conformados por un total de 64 frentes, 5 compañías móviles y 2 columnas, distribuidos de la siguiente manera: Bloque Oriental, dirigido por Jorge Briceño, el *Mono Jojoy*, con área de operaciones en Meta, Guaviare, Cundinamarca, Casanare, Arauca, Vichada, Guainía y Vaupés; contaba con 21 frentes; Bloque Sur, comandado por Raúl Reyes, en Caquetá, Putumayo, Huila, Amazonas y sur del Tolima, con once frentes y la Columna Teófilo Forero; Bloque del Magdalena, al mando de Rodrigo Londoño Echeverri, *Timochenko*, en Santander, Norte de Santander, Sur de Bolívar, Nordeste Antioqueño y parte

758 Como nota curiosa, en el punto 13, Salud, de las Concluciones Generales señalan: "En las FARC-EP es obligatoria la planificación familiar. La Conferencia recomienda el uso del anticonceptivo NORPLAN, salvo prescripción médica autorizada", en http://www.farc-ep.co/octava-conferencia/octava-conferencia-nacional-de-guerrilleros.html

759 El Comando General entraría en acción cuando se dieran las condiciones para la ofensiva a nivel nacional, sería convocado por el Secretariado y los estados mayores de bloque.

de Boyacá; contaba con 8 frentes y las compañías La Pamplona, La Ocaña y La García Rovira; Bloque Norte o Caribe, con jurisdicción en Sucre, Bolívar, Magdalena, Atlántico, La Guajira, la Sierra Nevada y Cesar; contaba con 5 frentes; Bloque Noroccidental o José María Córdoba, bajo el mando de Iván Márquez, en Antioquia, Córdoba, Chocó, Urabá y parte del Eje Cafetero; tenía la Compañía Aurelio Rodríguez y 8 frentes; el Comando Conjunto Central, conformado por la Compañía Joselo Lozada y 6 frentes, con área de operaciones en Tolima, norte y occidente del Huila, y Caldas; finalmente el Comando Conjunto de Occidente, dirigido por Alfonso Cano, que contaba con la Columna Jacobo Arenas[760] y 5 frentes en Nariño, Cauca, Valle, Tolima, Chocó, Quindío, Risaralda y sur de Antioquia. Como puede observarse, descentralizaron el mando, y la mayoría de los miembros del Secretariado del Estado Mayor Central fueron distribuidos en los estados mayores de los bloques para resguardar su seguridad luego del ataque a Casa Verde, y también para lograr un mando efectivo sobre la tropa y en relación con las regiones.

Entre tanto, la CRS mantenía sus acercamientos en la búsqueda de negociaciones de paz: el 15 de marzo, por intermedio del congresista Gustavo Petro, hizo pública una nueva propuesta para iniciar diálogos en Barranquilla, donde ejercía como alcalde Bernardo Hoyos, un polémico sacerdote miembro de la AD M-19; el Gobierno negó esa posibilidad e insistió en que la CRS debía concentrar su fuerza en una zona rural, y dio a conocer los nombres de sus voceros oficiales: el viceministro de Gobierno, Jorge García; Ricardo Santamaría, como consejero de Paz encargado; el consejero para Urabá, José Noé Ríos; el director del Programa de Reinserción, Tomás Concha; y el asesor de la Consejería de Paz, Gonzalo de Francisco, todos ellos curtidos negociadores[761]. Por su parte, la CRS reforzó su equipo negociador

760 Por decisión de la VIII Conferencia Nacional de Guerrilleros, y como un homenaje a Jacobo Arenas, se conformó esta columna con su nombre, integrada por los dos mejores combatientes de cada frente.

761 Para entonces ya se había expedido el Decreto 542 del 24 de marzo de 1993, que estableció la posibilidad de ubicar temporalmente en zonas determinadas a los rebeldes dispuestos a desmovilizarse y autorizó al Presidente a designar voceros oficiales para adelantar diálogos; el decreto consideraba la suspensión de las órdenes de captura contra los miembros del grupo guerrillero dispuestos a reincorporarse a la vida civil y autorizaba

con Carlos Prada, conocido en las filas como *Enrique Buendía,* tercer comandante y responsable militar. A fines de agosto se definió el corregimiento de Flor del Monte, municipio de Ovejas (Sucre), como sitio de concentración de los combatientes, que arribarían en forma escalonada. Al mediodía del jueves 23 de septiembre, en presencia del obispo de Sincelejo, monseñor Nel Beltrán, en ese lugar se firmó la preagenda, que fijó el 2 de octubre como fecha para el inicio de los diálogos.

Cuando se encontraban en el proceso del traslado de los guerrilleros al campamento de Flor del Monte, fueron asesinados Enrique Buendía y Ricardo González, destacados dirigentes de la CRS; el hecho sucedió en el corregimiento de Blanquicet, del municipio antioqueño de Turbo, adonde habían sido trasladados en un helicóptero, bajo la responsabilidad del Gobierno, para agrupar a los combatientes que estaban en esa zona; fueron capturados por sorpresa por tropas del Comando Operativo N° 1 del Ejército con sede en Carepa y luego aparecieron muertos: "La Corriente repudia este crimen atroz contra la paz. Responsabiliza al Gobierno y a los militares de estos asesinatos, suspende la negociación, condiciona cualquier contacto con el Gobierno a la entrega previa de los cadáveres en Flor del Monte y convoca a todo el país a convertir el funeral de los compañeros, el 26 de septiembre a las 2:00 de la tarde, en una protesta nacional contra los enemigos de la paz"[762]. Pasadas algunas semanas, la Procuraduría General de la Nación conceptuó que la muerte de los dirigentes de la CRS se presentó por fuera del combate, desmintiendo la versión del Comando Operativo N° 1 del Ejército, según la cual los dirigentes de la CRS murieron tras un enfrentamiento.

Las conversaciones de paz se reiniciaron el 18 de noviembre con la firma de un nuevo preacuerdo con el recientemente nombrado consejero presidencial para la Paz, Carlos Eduardo Jaramillo. Entre el 12 y el 17 de diciembre, los integrantes del Frente Astolfo González se movilizaron hacia el campamento en Flor del Monte para, dos días más tarde, en presencia del embajador de Holanda y de monseñor

a los medios de comunicación a reproducir parcial o totalmente los comunicados del grupo guerrillero que se encontraba inmerso en un proceso de paz.

762 "Comunicado de la CRS", en *El Heraldo*, 25 de septiembre de 1993, p. 10A.

Beltrán, dar comienzo a las negociaciones formales, que contemplaban temas de participación ciudadana, concertación económica, desarrollo regional, reinserción económica y social, favorabilidad política, beneficios jurídicos y dejación de las armas. Para el 21 de marzo ya se había logrado el consenso en los ocho puntos y se fijó el 9 de abril como fecha para la firma del acuerdo final y la desmovilización de las estructuras armadas de la CRS, que reunían a cerca de 650 combatientes. La Conferencia Nacional, reunida entre el 1° y el 3 de abril, eligió una nueva Dirección Nacional, presidida por José Aristizábal, y designó a Fernando Hernández y a Adolfo Bula como sus representantes a la Cámara, de acuerdo con los beneficios políticos aprobados entre las partes. En horas de la tarde del 9 de abril, los guerrilleros presentes, cerca de 430, hicieron dejación de las armas en presencia de negociadores, diplomáticos, políticos, exguerrilleros, sacerdotes y funcionarios gubernamentales de distinto orden. Para hacer efectiva la reinserción, la CRS conformó la Corporación Arco Iris[763].

Al mismo tiempo se habían iniciado dos procesos de negociaciones: por un lado, con tres grupos milicianos, llamados genéricamente *Milicias Populares*[764], que instalaron su campamento para la desmovilización en la sede del Centro de Rehabilitación Claret, en el corregimiento de Santa Elena, a escasos ocho kilómetros de la capital antioqueña. El caso de las milicias fue muy particular en Colombia, propio de las múltiples conflictividades urbanas y de la herencia que dejaron los grupos guerrilleros y organizaciones del narcotráfico en la ciudad de Medellín. La otra negociación se estableció con una disidencia del EPL (fracción de Caraballo) que no se desmovilizó en 1991 y permaneció en la CGSB, llamada *Frente Francisco Garnica.*

La voluntad de negociación fue expresada inicialmente por las Milicias Populares del Pueblo y para el Pueblo; en el trascurso de los diálogos se sumaron las Independientes del Valle de Aburrá y posteriormente las Metropolitanas. Un papel destacado en los acercamientos iniciales fue el de exintegrantes del EPL, ya desmovilizado; la

763 Texto completo del Acuerdo Final firmado con la CRS el 9 de abril de 1994, en *Acuerdos de Paz*, *op. cit.*, pp. 77-85.

764 Se incluían las Milicias Populares del Pueblo y para el Pueblo, las Milicias Populares Independientes del Valle de Aburrá y las Milicias Metropolitanas.

Iglesia católica, a través de monseñor Héctor Fabio Henao; la Alcaldía de Medellín y los medios de comunicación. El 15 de febrero de 1994 se firmó el primer acuerdo entre el Gobierno Nacional, representado por la Consejería para la Paz, y los tres grupos milicianos; se acordó que las Milicias informarían sobre integrantes, áreas de influencia y armamentos. Por su parte, el Gobierno estudiaría planes de inversión para las comunas, condiciones jurídicas para los miembros, y nombraría a cinco voceros de los grupos. A las 10 de la mañana del jueves 26 de mayo, en la cancha de fútbol del barrio Granizal, en el nororiente de Medellín, se firmó el Acuerdo para la Convivencia Ciudadana[765]. Las armas de las Milicias Populares fueron entregadas a funcionarios del Gobierno Nacional y finalmente fundidas. Para la reinserción del grupo se creó la Fundación para la Convivencia Ciudadana en las comunas nororientales de Medellín; los exmilicianos conformaron la Cooperativa de Vigilancia y Servicio a la Comunidad (Coosercom), fuente de futuros conflictos dentro de los mismos grupos; lo que sería un proyecto para la integración económica de los excombatientes se convirtió en sistema para continuar con sus actividades ilícitas de extorsión y amedrantamiento. Transcurridos seis meses de la firma del acuerdo habían sido asesinados, o muertos entre ellos, 20 miembros de los grupos milicianos desmovilizados, entre ellos Carlos Herman Torres, *Pablo García,* firmante del pacto y líder del proceso.

Con el Frente Francisco Garnica hubo una rápida negociación que se inició el 14 de junio de 1994 en Cañaveral, municipio de Turbaco (Bolívar), donde se reunieron representantes del grupo y del Gobierno, encabezados por Carlos Eduardo Jaramillo, consejero para la Paz. El comunicado del encuentro dio a conocer que se había establecido un temario para los diálogos; se pedía a la Iglesia católica su tutoría moral en el proceso y se definió una zona de distensión, el campamento Juan Manuel Padilla, en el mismo corregimiento de Cañaveral. El 30 de junio siguiente, en presencia del ministro de Gobierno, Fabio Villegas Ramírez, de otros funcionarios y de seis diplomáticos se firmó el acuerdo final, que permitió el desarme y la desmovilización de 150 combatientes del Frente Francisco Garnica y

765 Texto completo del Acuerdo Final firmado con las Milicias Populares el 26 de mayo de 1994, en *Acuerdos de paz,* op. cit., pp. 92-99.

su transformación en la Fundación Colombia Viva[766]. El compromiso incluyó aspectos de la reinserción económica y social (salud, educación, proyectos productivos, vivienda y la promoción del proceso) y beneficios jurídicos, que fueron incluidos en el Decreto 1387 de ese mismo día, "Por el cual se dictan normas encaminadas a facilitar la reincorporación de los miembros del Frente Francisco Garnica que se encuentran en proceso de paz bajo la dirección del Gobierno Nacional".

Un aspecto importante del período: con fecha del 11 de febrero de 1994 se expidió el Decreto Ley 356 de 1994, Estatuto de Vigilancia y Seguridad Privada, firmado por el entonces ministro de Defensa, Rafael Pardo Rueda, que en el capítulo III creó las Cooperativas de Vigilancia y Seguridad Privada, llamadas posterior y eufemísticamente Convivir. Entre sus principales promotores y usuarios se encontraban el primer ministro de Defensa que tuvo el gobierno de Samper, Fernando Botero Zea; el gobernador de Antioquia, Álvaro Uribe Vélez (1995-1997), y su secretario de Gobierno, Pedro Juan Moreno. No hay que olvidar que las personerías jurídicas o los permisos de funcionamiento eran otorgados por las gobernaciones departamentales. Estas cooperativas contaron también con el apoyo económico, logístico y en dotación de armas y equipos de comunicación por parte de ganaderos, agricultores y comerciantes que vieron en ellas una opción para combatir a la guerrilla y apoyar a las Fuerzas Militares en tareas de inteligencia, información y control del orden público. Las Convivir fueron en su momento, en muchas partes del país, un parapeto del paramilitarismo y, ante su ocaso, el creciente paramilitarismo fue el refugio de cientos de sus exintegrantes; en una gran cantidad de actas de constitución de cooperativas Convivir figuraron connotados jefes de grupos paramilitares que, después, serían procesados de acuerdo con la Ley de Justicia y Paz. "La gestación de las Convivir permitió que, en su momento de mayor expansión, llegaran a tener cerca de 87 cooperativas en el departamento de Antioquia, hicieran presencia en 24 departamentos, 529 municipios y más de 120.000 colaboradores

766 Texto completo del Acuerdo Final firmado con el Frente Francisco Garnica el 30 de junio de 1994, en *Acuerdos de paz, op. cit.*, pp. 110-117.

en todo el país"[767]. La sentencia C-572 de la Corte Constitucional, de noviembre de 1997, aceptó la legalidad de las Convivir pero prohibió que hicieran labores de inteligencia y portaran armas de uso restringido o privativo de organismos del Estado.

El 22 de junio de 1994, transcurridos más de tres años desde la desmovilización del EPL, fue capturado Francisco Caraballo, quien fuera el líder histórico de esa organización y del PCC (M-L) desde mediados de los años sesenta. De acuerdo con versiones de sus antiguos compañeros, después de la ruptura que se oficializó en junio de 1990 con los dirigentes que encabezaron el proceso de paz, Caraballo había perdido el mando sobre los pocos combatientes del EPL que con él no se acogieron al acuerdo del 15 de febrero de 1991 y estaba protegido por las FARC-EP y el ELN, sus socios en la CGSB.

Caraballo quedó con una fuerza muy menguada en el Putumayo, y en los hechos no logró reconstruir el proyecto y tampoco recomponer estructuras, ni del PC (M-L), ni del EPL, que en los años siguientes quedaría fraccionado en trece pequeños grupos, inconexos entre sí, sin dirección común, cada uno reivindicándose como un frente del EPL. La mayoría de estos grupos fueron liquidados rápidamente, sobreviviendo un tiempo más los de Risaralda, Urabá y Catatumbo. El primero de ellos se mantuvo durante toda la década de los noventa con un mínimo de combatientes que se dedicaron al secuestro y a distintas modalidades delictivas. El frente en el Urabá, que conservó el nombre originario de Frente Jesús María Álzate, se organizó al año siguiente de la desmovilización del grueso del EPL, con 41 excombatientes rearmados que se enfrascaron en una guerra a muerte —entre 1992 y 1995—, apoyada por las FARC-EP en la región, contra los que consideraban habían traicionado con la desmovilización: líderes sindicales y militantes políticos de Esperanza Paz y Libertad; en respuesta, surgieron los Comandos Populares, formados con exintegrantes del EPL, que a su vez tuvieron apoyos de autoridades locales; ese frente

767 "Álvaro Uribe, las Convivir y los ejércitos paramilitares", María Soledad Betancur, directora del Observatorio de Derechos Humanos del IPC, 16 de octubre de 2015, en http://reliefweb.int/report/colombia/lvaro-uribe-las-convivir-y-los-ej-rcitos-paramilitares

en Urabá, con aproximadamente 170 integrantes, fue doblegado por la Brigada XI del Ejército en 1996, y gran parte de ellos pasaron a las filas de los paramilitares, dirigidas en la región por Carlos Castaño; más adelante, algunos hicieron parte de grupos de narcotraficantes como Los Úsugas. El frente del Catatumbo, que continuó con el nombre de Frente Libardo Mora Toro[768], pudo desarrollarse gracias a apoyos regionales del ELN y de las FARC-EP, además de vincularse a actividades de narcotráfico, lo que les permitió consolidarse en San Calixto, Hacarí, El Tarra, Tibú, La Gabarra y La Playa, bajo el mando de Víctor Ramón Navarro, alias *Megateo*, muerto por el Ejército en octubre de 2015. Tras la captura, Caraballo fue sometido a juicio y condenado a 38 años de prisión; en abril de 2008 salió de la cárcel con libertad condicional luego de cumplir 14 años de la pena.

Grupos guerrilleros acuerdos de paz 1990-1994	Número de combatientes desmovilizados	Fecha del acuerdo
Movimiento 19 de Abril, M-19	900	09-03-90
Ejército Popular de Liberación, EPL	2.000	15-02-91
Movimiento Armado Quintín Lame, MAQL	157	27-05-91
Partido Revolucionario de los Trabajadores, PRT	200	25-01-91
Corriente de Renovación Socialista, CRS	433	09-04-94
Comandos Ernesto Rojas, CER	25	20-03-92
Milicias Populares, MP	650	26-05-94
Frente Francisco Garnica	150	30-06-94
MIR-Comandos Armados	200	08-98
Total desmovilizados	**4.715**	

Elaboración del autor con base en la bibliografía y otras fuentes citadas.

768 Llamados popularmente "Los pelusos".

El gobierno de Samper, la toma de Las Delicias y la liberación en El Caguán: se inicia la guerra de movimientos

En medio de esas negociaciones avanzaba en el país un proceso electoral que contemplaba comicios para Senado y Cámara el 13 de marzo, y para presidente y vicepresidente de la República el 29 de mayo y el 26 de junio, primera y segunda vueltas, respectivamente. Como siempre, las elecciones del 13 de marzo estuvieron marcadas por la abstención, cercana al 70%; la UP eligió como único senador a Manuel Cepeda Vargas, y la AD M-19 disminuyó sus miembros en el Congreso de veintitrés a uno, una verdadera catástrofe política y organizativa que en la práctica significó el final de ese novel movimiento político. En las presidenciales —primera vuelta—, la abstención fue del 66%; los apretados resultados le dieron la ventaja al liberal Ernesto Samper Pizano y a su binomio Humberto de la Calle (2.623.210 votos), con 18.439 más que el candidato conservador, Andrés Pastrana Arango, su contendor del partido Nueva Fuerza Democrática, que alcanzó los 2.604.771 sufragios. El tercero en la disputa, Antonio Navarro Wolff, con la fórmula vicepresidencial del líder indígena Jesús Piñacué, inscritos por la coalición Compromiso Colombia, obtuvo 219.241 votos, equivalentes al 3,79%. Para la segunda vuelta se mantuvo una diferencia pequeña de 156.000 votos, resultando ganador Ernesto Samper con 3.733.366 votos, frente a los 3.576.781 obtenidos por Andrés Pastrana.

Del 15 al 26 de julio, en las postrimerías de la administración del presidente Gaviria, las FARC-EP organizaron la campaña militar "Despedida de Gaviria", "en repudio a sus políticas neoliberales y de guerra total contra el pueblo"; el neoliberalismo estaba en auge en el mundo, y Colombia no era la excepción: el presidente Gaviria se había comprometido a fondo con las reformas aperturistas en materias arancelaria, laboral, cambiaria, tributaria, de inversión extranjera y comercio exterior, aun a costa de los 17 millones de pobres, según el censo de 1993.

La ofensiva a gran escala de las FARC-EP fue la primera luego de los reajustes realizados en la VIII Conferencia; en el ataque a una estación de bombeo de Ecopetrol, en Guamuez, zona rural de Orito

(Putumayo), participaron al menos 300 guerrilleros del Bloque Sur; la toma de La Calera, en las goteras de Bogotá, comprometió una fuerza numéricamente similar. Según las FARC-EP, los resultados de la ofensiva fueron los siguientes: copamiento a bases militares, 2; asaltos y tomas de puestos de Policía, 3; ataque a sede del DAS, 1; hostigamientos y combates con la fuerza pública, 77; enemigos capturados en combate, 23; enemigos capturados en retén, 160; muertos del Ejército, 74; muertos de la Policía, 18; muerto del DAS, 1; heridos del Ejército, 47; heridos de la Policía, 30; heridos del DAS, 3. Material recuperado: ametralladoras M-60, 4; morteros de 60 mm, 2; lanzagranadas M-79, 2; fusiles, 65; carabinas, 2; granadas, 98; proveedores para fusil, 279; cartuchos, 9.607; dinamita (arrobas), 12; armas cortas, 11. Dinero recuperado, 150.180.000 pesos; guerrilleros muertos, 24; heridos, 18; fusiles perdidos, 7[769]. En los hechos, no era solamente la despedida a Gaviria, se trataba también de la bienvenida a Samper.

En la posesión de Ernesto Samper, el 7 de agosto de 1994, estuvo presente Fidel Castro, presidente del Consejo de Estado y del Consejo de Ministros de la República de Cuba, entre otros mandatarios, hecho significativo para los propósitos de diálogo y negociación con que arrancaba el nuevo gobierno. En el discurso de ese día, Samper señaló su disposición de entablar diálogos de paz, siempre y cuando existiera voluntad por parte de las guerrillas, en lo que bautizó Paz Integral y Diálogo Útil: "Solo me sentaré en la mesa de negociaciones cuando esté seguro de que existen condiciones reales para una paz permanente y duradera, como la quieren todos los colombianos. Por ello, cada avance en el proceso deberá estar precedido de señales inequívocas de paz por parte de los alzados en armas". No pasaron dos semanas cuando hubo una reacción de las FARC-EP que, el 19 de agosto, enviaron una carta a Samper en la que expresaron disposición a dialogar sobre la paz; la UC-ELN lo haría cinco días más tarde, en cumplimiento de lo acordado en el II Congreso de 1988, ratificando la condición de Francisco Galán como negociador[770]. La tónica hacia

769 Campaña militar "Despedida de Gaviria", en http://www.farc-ep.co/conflicto-armado/julio-1994-campana-militar-despedida-de-gaviria.html

770 Gerardo Bermúdez, *Francisco Galán*, había participado en los diálogos de Caracas y Tlaxcala; fue capturado el 3 de diciembre de 1992, al parecer por una delación; en el

adelante sería esa, la de cartas, respuestas, comunicados, mensajes, propuestas y contrapropuestas; por lo menos una a la semana se cruzaron entre el Gobierno y los grupos insurgentes. Tan solo con la UC-ELN, durante el primer año de Samper, hubo 66 cartas y comunicados sobre los temas de la paz.

Pasados dos días del comienzo de la era Samper fue asesinado Manuel Cepeda Vargas, dirigente comunista de toda la vida y senador de la República, posesionado el 20 de julio anterior, en momentos en que se desplazaba de su vivienda hacia el Congreso de la República. Su crimen, "cometido por agentes estatales, es decir desde el Estado mismo, y en conjunto con miembros de grupos paramilitares"[771], hizo parte de la denominada Operación Golpe de Gracia, la cual fue denunciada por dirigentes de la UP y del PCC. En el marco de esta habían asesinado el 25 de noviembre del año anterior a Miller Chacón, secretario de organización del PCC, y sería también el atentado contra Aída Abella, un año y medio más tarde —el 17 de mayo de 1996—, cuando ejercía como presidenta de la UP. Las esperanzas de vida de ese partido eran pocas: Cepeda fue reemplazado por Hernán Motta en el Senado, y a las pocas semanas tuvo que marchar al exilio por las múltiples amenazas que a diario recibía; por los resultados en las elecciones seccionales del 30 de octubre de 1994, el Consejo Nacional Electoral despojó a la UP de su personería jurídica, de acuerdo con el Artículo 4 de la Ley 30 de 1994. Desde el año anterior, miembros de organizaciones defensoras de derechos humanos como Reiniciar entablaron demandas ante la Comisión Interamericana de Derechos Humanos para que se responsabilizara al Estado colombiano por el genocidio de la UP, que ya pasaba de los 3.000 asesinados[772]. El asesinato de Cepeda y el de cientos de dirigentes de la UP demostraron que

momento de su ratificación como negociador por la UC-ELN se encontraba recluido en la Escuela de Artillería del Ejército Nacional.

771 "Pido perdón", intervención del ministro del Interior, Germán Vargas Lleras, en el Congreso de la República el 11 de agosto de 1994, en Roberto Romero Ospina, *Unión Patriótica, expedientes contra el olvido*, Bogotá, Centro de Memoria, Paz y Reconciliación, Alcaldía Mayor de Bogotá D.C., 2011, pp. 424-426.

772 En el caso del asesinato del senador Manuel Cepeda Vargas, la Corte Interamericana de Derechos Humanos condenó al Estado por el crimen y lo obligó a realizar un acto de reconocimiento público de responsabilidad, que se llevó a cabo el 9 de agosto de 2011

no se trataba solamente del exterminio físico de un partido político, sino que la intención era eliminar cualquier vestigio de oposición, y en eso estaban comprometidas las élites en el poder.

Una de las primeras medidas de Samper como presidente fue eliminar la figura del consejero presidencial para la Paz y reemplazarla por un alto comisionado para la Paz como único vocero para expresar su política ante la opinión pública; en este caso fue Carlos Holmes Trujillo que, al asumir sus funciones, se rodeó de un equipo de asesores de talla, entre los que estaban Daniel García-Peña, José Noé Ríos, Patricia Pineda, Alfredo Molano, Camilo Echandía, Rubén Sánchez y Alejo Vargas, entre otros[773].

El 13 de noviembre de 1994, a punto de cumplirse los 100 días que el Gobierno se fijó como etapa exploratoria para evaluar la situación de orden público y las posibilidades de retomar los diálogos con los grupos guerrilleros, fue secuestrado en el Valle del Cauca el conocido humorista y director del programa de televisión *Sábados Felices*, Alfonso Lizarazo, cuando se movilizaba entre los municipios de Florida y Palmira con parte de su elenco. El rapto lo reconoció dos días más tarde el hasta ahora desconocido *Movimiento Jaime Bateman Cayón, MJBC*, un grupo compuesto por algunos exmilitantes del desmovilizado M-19 dirigidos por alias Alonso, Rommel, Jorge Eliécer, Ernesto y John Jairo, que operaba en las montañas de la cordillera Central entre el Valle y el Cauca en tres frentes: Álvaro Fayad, Iván Marino Ospina y Carlos Pizarro. Alonso y Rommel, en su momento, discreparon del proceso de paz que adelantaba el M-19 en Santo Domingo y, con la anuencia de Pizarro, se retiraron del campamento y se fueron a apoyar al ELN en el cañón de Las Garrapatas, en el norte del Valle. Pasados tres años se retiraron del grupo eleno y retornaron a las montañas del Cauca a formar el MJBC, una organización que intentaba identificarse con los zapatistas mexicanos del EZLN.

Con la liberación de Lizarazo, el 17 de noviembre, enviaron un mensaje al Gobierno Nacional, en el que fijaron sus posiciones sobre

—a diecisiete años del asesinato— en el Congreso de la República en pleno, por parte del ministro del Interior, Germán Vargas Lleras.

773 El Decreto 2107 del 6 de septiembre de 1994 le asignó las funciones al Alto Comisionado para la Paz.

distintos tópicos y expresaron su voluntad de iniciar acercamientos hacia una negociación con una fórmula a la que denominaron "diálogos trilaterales", compuestos por: "1. La empresa privada, la industria, las redes de crédito y todos aquellos capitales que afectan e inciden en las regiones y en el país en general; 2. El pueblo que ha sido víctima permanente de este conflicto representado en todas sus organizaciones de carácter social y gremial de presencia regional y nacional; 3. El Gobierno en todas sus instancias, de orden regional y nacional"[774]. Proponían además un período de cese de hostilidades, "a fin de cumplir en una primera fase que sería de tener un inventario por regiones de posibles acuerdos que formarían parte de un contexto global y nacional siendo coherentes con lo que proponen los representantes del Estado en ambos niveles"[775]. Por su lado, el Gobierno Nacional había enviado a José Noé Ríos a la región para evaluar la situación; a los pocos días de conocer la Carta a la Nación del Bateman, valoró "el propósito de paz que los anima".

Cumplidos los 100 primeros días del gobierno de Samper, el alto Comisionado de Paz le presentó el primer informe sobre el estado del proceso de paz, en el que resaltó las distintas expresiones de las FARC-EP, el ELN y el EPL, a través de cartas y comunicados: "He encontrado elementos que revelan una disposición de los movimientos guerrilleros a explorar nuevos caminos de entendimiento [...] En estos pronunciamientos se identifican coincidencias básicas con los criterios planteados por el Gobierno, lo cual me lleva a entender que ha habido avances en esta etapa exploratoria. En efecto, es positiva la expresión de la voluntad de las dirigencias de las tres organizaciones de encontrar una solución política al conflicto armado". Holmes Trujillo consideraba que estaban dadas las condiciones para concluir la etapa exploratoria e iniciar la etapa preparatoria de una eventual negociación.

Con lo anterior, ese mismo 17 de noviembre, el Presidente presentó en Popayán su política de paz y dijo que estaba dispuesto a iniciar diálogos con la guerrilla sin imponer el cese del fuego ni plazos fijos; la agenda de conversaciones se convendría con los grupos con que

774 "Carta a la Nación con motivo de la liberación de Alfonso Lizarazo", 17 de noviembre de 1995, en *Paz integral y diálogo útil*, *op. cit.*, pp. 359-360.

775 *Ibid.*

se estuviera dialogando, preferentemente en el exterior: "Estamos dispuestos a dar comienzo a una nueva etapa: la de preparación de una futura negociación, en la medida en que tengamos la seguridad de que ella nos llevará a una paz permanente, no será utilizada para hacer proselitismo armado y que estará acompañada de coincidencias efectivas sobre la necesidad de la humanización de la guerra [...] El proceso de paz que empezaremos a preparar se dirige a terminar de manera definitiva la guerra. Los colombianos deben estar advertidos de que, mientras dure el proceso de paz, seguirán presentándose hechos de violencia [...] Estamos dispuestos ahora a comprometernos con una nueva política humanitaria que dé aplicación al Artículo 3º de los Convenios de Ginebra y su Protocolo II de 1977, en curso actual en el Congreso de la República, acatando las disposiciones humanitarias que regulan los conflictos armados [...] Colombia, como país de leyes, con una Constitución respetada y respetable y unas Fuerzas Armadas profundamente civilistas se compromete con la humanización de la guerra"[776]. Sobre este último aspecto, el Congreso de la República aprobó la Ley 171 del 16 de diciembre de 1994, relativa a la adhesión de Colombia al Protocolo II adicional a los Convenios de Ginebra de 1949 sobre conflictos armados de carácter no internacional.

Quedaba claro que la estrategia de paz de Samper era diferente a la que adelantaron los gobiernos de Barco y Gaviria: no existía la precondición de suspender las actividades militares para luego comenzar el "diálogo útil", y la negociación se podría adelantar en medio del conflicto. Tendría además tres etapas: una preparatoria, en la que se establecían aspectos como la definición del sitio, los interlocutores, la agenda de temas, la metodología y el alcance de las conversaciones; una segunda etapa era la negociación en sí misma entre el Gobierno y la guerrilla, con participación relativa de la sociedad civil; la tercera fase era la reconciliación, definida como el encuentro entre todos los colombianos.

La primera reacción a la propuesta gubernamental llegó de las FARC-EP el 3 de enero, mediante una carta dirigida al alto comisionado, según la cual consideraron posible adelantar una primera reunión en territorio nacional, solicitaron garantías para ello, señalaron

776 "Diálogo sin condiciones", *El Tiempo*, 18 de noviembre de 1994, en http://www.eltiempo.com/archivo/documento/MAM-252522

las condiciones y procedimientos y propusieron: "Que el Gobierno Nacional despeje de fuerza pública y de servicios de inteligencia el área del municipio de La Uribe, Meta, durante sesenta días. Que tal decisión sea informada públicamente y con suficiente antelación. A partir de la fecha inicial y durante treinta días, las FARC verificarán la realidad del despeje. Comprobado el despeje del municipio, una parte de su delegación se desplazará al área en lo que empleará quince días. Durante los siguientes cinco días y ya con la presencia del Gobierno Nacional, se adelantará la primera reunión. Los diez días restantes se emplearán en la evacuación del lugar. El Secretariado Nacional de las FARC-EP requiere de garantías y medios para que otros dos de sus integrantes sean desplazados en helicópteros, desde las áreas donde se encuentran actualmente, hasta La Uribe y regresados a las mismas una vez culmine la reunión"[777].

El 21 de enero, Holmes Trujillo les hizo una contrapropuesta, mucho más limitada, al despeje del municipio de La Uribe en su totalidad: "Delimitar de común acuerdo un área adecuada para el despeje alrededor de: La Ilusión, Pedro Leal, Santander, Puerto Creveux, en el municipio de La Uribe, Meta; Santa Elena, Santa Ana, en el municipio de Colombia, Huila; o San Juan de Villalobos, en el municipio de Santa Rosa, Cauca. Treinta días en el desarrollo de las fases por ustedes planteadas, contados a partir del momento en que el Gobierno Nacional les comunique el despeje de la zona que haya sido acordada". Formuló también temas para una eventual negociación: objetivos, lugar —preferentemente en el exterior—, garantías, manejo de la información, agenda, procedimientos y calendario.

A mediados de febrero, el Secretariado del Estado Mayor de las FARC-EP le respondió al alto comisionado para la Paz, denunció ataques de las Fuerzas Militares, no aceptó la delimitación pero insistió en su posición inicial de despeje del municipio de La Uribe en sus áreas rural y urbana, y señaló que los espacios reducidos otorgaban ventajas militares a quienes buscan su muerte: "¿Cómo pensar en esas condiciones en concentrar al Secretariado de las FARC-EP en un estrecho espacio físico, dentro de un reducido tiempo otorgando así,

777 FARC-EP, Comisión Internacional, *op. cit.*, pp. 44-46.

gratuitamente, inconcebibles ventajas de tipo militar a quienes solo buscan nuestra muerte? [...] No es coherente con las afirmaciones gubernamentales, que una vez recibida por ustedes nuestra propuesta del pasado 3 de enero, el Ejército redoble sus operativos en La Uribe y recomience en esta zona una masiva distribución de volantes con la fotografía de cada uno de los integrantes del Secretariado de las FARC-EP, ofreciendo recompensas por sus cabezas, es otro acto más de saboteo premeditado a los esfuerzos por encontrarle el entendimiento nacional"[778].

Una nueva carta del Alto Comisionado, fechada el 24 de febrero, explicaba con más detalle las razones por las que se oponía a un despeje de sesenta días en la zona de La Uribe; hasta el 14 de mayo se conoció una reacción de las FARC-EP ratificándose en los términos de las anteriores comunicaciones. Este cruce de correspondencia indicaba que no había acuerdo entre las partes, ni siquiera para definir una zona de despeje para un primer encuentro; cada una de las posiciones estaba en su punto inicial. Después de todo, el despeje de La Uribe era un tema de honor entre militares. Mientras tanto, la Oficina del Alto Comisionado adelantaba contactos con la UC-ELN a través de dos dirigentes presos: Felipe Torres y Francisco Galán. El 18 mayo, día de la presentación del segundo informe de paz por parte del comisionado Carlos Holmes Trujillo, en Bucaramanga se conoció la decisión del COCE de autorizarlos para dar inicio a las conversaciones con el Gobierno.

Este segundo informe ratificó que "todas las organizaciones alzadas en armas han reiterado estar dispuestas a iniciar conversaciones que permitan abrirle el camino a un proceso serio y conducente al logro de acuerdos" y recomendó iniciarlas; con relación a las FARC-EP, la sugerencia fue decidir en la mayor brevedad el sitio y "despejar una zona cuya extensión y características garanticen aspectos tales como desplazamiento, seguridad, capacidad de movilidad y condiciones de permanencia" y "definir un tiempo total para el desarrollo de la verificación del despeje, traslado, reunión y evacuación del lugar"[779]. El

778 *Ibid.*, pp. 45-46.

779 "Segundo informe del Alto Comisionado para la Paz sobre el estado del proceso de paz", *Paz integral y diálogo útil*, Bogotá, Oficina del Alto Comisionado para la Paz, tomo I, 1996, pp. 263-271.

discurso del Presidente, con ocasión de la presentación de ese segundo informe, puso a pensar y a opinar a más de uno… dijo que estaba listo a iniciar negociaciones con el EPL y la UC-ELN en torno a la humanización de la guerra; con el Bateman a partir de una agenda previa; señaló que estaba dispuesto también a iniciar el proceso con las FARC-EP y que el Gobierno despejaría, militarmente, por un plazo acordado, el municipio de La Uribe y concentraría los efectivos armados en su cabecera.

Las cartas entre el Gobierno y las FARC-EP iban y venían. El 28 de mayo le dirigieron una nueva comunicación al presidente Samper, en la que expusieron, entre otros, los siguientes criterios: "Hoy, los colombianos enfrentamos el reto de cimentar las bases de la convivencia. Debemos desencadenar un proceso cuyo primer peldaño sea un encuentro entre su gobierno y la insurgencia con plenas garantías […] Por eso es importante y necesario el despeje total del municipio de La Uribe, para el primer encuentro […] Aun así [la presencia de tropas en todas las áreas vecinas de dicho municipio] el Secretariado de las FARC-EP tiene la disposición de asistir, en medio de semejante cerco, a la reunión con su gobierno". El 27 de junio le enviaron una nueva misiva en la que, ante anuncios de más presupuesto militar, mayor cantidad de tropas contraguerrilleras, fortalecimiento y exigencia de resultados a las Fuerzas Armadas, le cuestionan "si su voluntad es la expuesta a través del alto comisionado para la Paz de buscarnos para conversar, o es la expresada a los altos mandos militares de buscar nuestra eliminación"[780]. En el mismo sentido le dirigieron un escrito el 2 de agosto, en el que criticaban sus palabras ante el Congreso de la República, según las cuales "el tiempo para hacer manifestaciones inequívocas de voluntad de reconciliación se está acabando".

Ante ese panorama, como dijo el Alto Comisionado en su evaluación del estado del proceso de paz de la misma fecha, y a un año de iniciado el gobierno de Samper, aquel estaba en un momento crítico, no muerto. Esta evaluación fue el informe final de gestión, ya que con fecha del 31 de julio presentó la renuncia a su cargo; la decisión presidencial fue no nombrar reemplazo hasta que no estuvieran dadas

780 "Carta a Samper", Secretariado Nacional de las FARC-EP, 27 de junio de 1995, en http://www.farc-ep.co/comunicado/carta-a-samper.html

las condiciones para construir el diálogo útil, aunque en la práctica el encargado fuera Daniel García-Peña, quien hacía las veces de coordinador de la Oficina.

El 22 de junio anterior había estallado un monumental escándalo, calificado por medios de comunicación como "ruido de sables", por cuenta de la filtración del memorando interno número 0174 del mayor general Harold Bedoya Pizarro, comandante general del Ejército, al general Eddy Payares Cotes, comandante general de las Fuerzas Militares, que se refería a una "hipotética" orden de desmilitarizar el municipio de La Uribe. El propósito era que se le hiciera entrega de ese documento al presidente de la República y al ministro de Defensa, Fernando Botero Zea; en síntesis, pedían la orden precisa y por escrito: "se gestione ante el Gobierno Nacional las directivas que precisen los detalles pertinentes". Consideraban que el espacio físico del casco urbano de La Uribe era limitado para el número de efectivos militares que se concentrarían allí, lo que conllevaría problemas de seguridad: "Además de la cabecera de Uribe, estima este comando que la Brigada Móvil N° 1, el Comando Operativo N° 3 y la Séptima Brigada requieren un espacio geográfico que les permita cumplir con sus funciones institucionales, en especial las referentes a la seguridad de este mismo espacio y la de las rutas logísticas terrestres y aéreas necesarias"; otro aspecto en cuestión se refería "a las responsabilidades que puedan derivarse del cumplimiento de una hipotética orden de desmilitarización del área territorial del municipio de La Uribe", relacionado lo anterior con que la orden fuera precisa y por escrito para evitar sanciones a futuro[781].

Con el Movimiento Jaime Bateman Cayón, las cosas marchaban de otra manera. Después de la liberación de Lizarazo se estableció una línea de comunicaciones para avanzar hacia los diálogos; para el Gobierno Nacional era una oportunidad de oro, ya que con las otras fuerzas guerrilleras no se registraban avances y había pronunciamientos en torno a la inviabilidad de las conversaciones. En junio de 1995 se había tomado la decisión de realizar un primer diálogo directo y formal entre las partes, se estableció cruce de cartas al respecto, y ya el MJBC

781 Texto completo del Memorando, en *Paz integral y diálogo útil, op. cit.*, pp. 332-333.

tenía una propuesta de demarcación de una zona desmilitarizada en la región montañosa de los municipios de Florida, Miranda y Corinto por un tiempo de 45 días para esas primeras conversaciones y para conformar una comisión facilitadora, compuesta por un delegado de la Comisión de Paz del Cauca, el profesor Libardo Orejuela, Germán Rojas (exdirigente del M-19), Alfonso Lizarazo, monseñor Héctor Gutiérrez Pabón y monseñor Alberto Giraldo. En efecto, el 17 de agosto siguiente, el Gobernador del Cauca expidió el Decreto 0845, nombró la Comisión Facilitadora, integrada por las personas propuestas por el MJBC, más la señora Nuby Fernández, secretaria de Gobierno del departamento. La primera reunión pública se efectuó el 11 de octubre en presencia de la Comisión Facilitadora y de la Comisión de Paz de la Cámara de Representantes; el principal aspecto tratado fue la definición de una agenda, "que incluya prioritariamente el análisis y la aplicación efectiva e inmediata del Derecho Internacional Humanitario, en particular lo referente a la protección de la población no combatiente"[782]. Así mismo, se resaltó la coincidencia de las partes en promover una nueva metodología de negociación basada en la participación de las comunidades. Dos días antes, el lunes 9 de octubre, se presentó un grave incidente, cuando una patrulla del Ejército atacó el campamento del MJBC; el resultado fue la muerte de un teniente, de un integrante de grupo guerrillero y cinco heridos.

Los días de los diálogos transcurrieron sin nuevos sobresaltos; las continuas reuniones entre las partes y la Comisión Facilitadora se limitaban a aclarar nociones sobre la posible zona de distensión, el concepto gubernamental de la negociación en medio del conflicto, y a definir aspectos procedimentales. En horas de la mañana del 2 de noviembre fue asesinado en Bogotá el político conservador y expresidente de la ANC Álvaro Gómez Hurtado. El Gobierno decretó por segunda vez el estado de conmoción interior en todo el territorio nacional; además anunció la creación de un grupo élite, al más alto nivel, que estaría al frente del total esclarecimiento del lamentable episodio. El hecho no tuvo repercusiones en la mesa que se adelantaba

782 "Primera declaración conjunta", en *Miranda, sueño de paz... puerta de un nuevo comienzo*, informe de la Comisión Verificadora, junio de 1996, Cali, Consejería para el Desarrollo, Seguridad y Paz, Desepaz, 1996, p. 7.

con el MJBC, pero sí sacudió al país; las conjeturas sobre este nuevo magnicidio fueron muchas, se señaló a la guerrilla, a narcos de Cali y de Medellín, a la extrema derecha, a Los Extraditables, a altos mandos militares, a un supuesto comando llamado Dignidad por Colombia, se dijo que la razón fue no haber querido participar en un golpe de Estado; al final, de nuevo la impunidad.

Para el 27 de diciembre se logró "un área inicial de distensión" en el municipio de Miranda, con límites, zona neutral, tiempo de duración de un mes y puntos de acceso establecidos entre las partes hasta donde se haría el traslado de otros comandantes que aún no estaban presentes en la negociación; se acordó además conformar una Comisión Verificadora y, por parte del Gobierno, hacer los trámites para garantizar que negociadores del grupo pudieran cumplir con su labor. En efecto, el Decreto 0104 del 15 de enero siguiente suspendió las órdenes de captura proferidas contra Jesús Oswaldo Julcué Ángel, quien había sido designado miembro representante del MJBC[783]. El acto de instalación de la Comisión Verificadora se hizo el 17 de enero; su reglamento interno señalaba su composición: un representante de la Comisión Facilitadora, el Alcalde de Miranda, un delegado de la Defensoría del Pueblo, el Presidente de Asomedios, un representante del Comité Permanente por la Defensa de los Derechos Humanos, un representante de Andiarios, el Alto Comisionado de Paz para Cali, representantes de la comunidad (dos por el Cabildo y dos por las Juntas de Acción Comunal)[784].

A continuación se presentó una serie de hechos que finalmente dieron al traste con las negociaciones entre el MJBC y el gobierno de Samper, el único proceso del que podrían mostrar unos mínimos avances: "El 8 de febrero se firmó el primer acuerdo que definió las bases de la negociación: el objetivo de la misma, la metodología y la agenda, la cual incluía medios de comunicación, derecho internacional humanitario, garantías jurídicas, diálogo multilateral, desarrollo social escalonado y uso de las armas. También se acordó la presencia de dos

783 Texto del Decreto 0104 del 15 de enero de 1996, en *Paz integral y diálogo útil*, tomo III, *op. cit.*, pp. 447-448.

784 Véase Reglamento interno de la Comisión de Verificación, *Paz integral y diálogo útil*, tomo III, *op. cit.*, pp. 461-462.

testigos de la comunidad en la mesa de negociación: el gobernador del cabildo indígena (la zona de distensión incluye tierras indígenas) y uno elegido por votación directa de los habitantes de Miranda, el 24 de marzo, con el debido concurso de la Registraduría Nacional del Estado Civil. El 29 de marzo una columna del Frente VI de las FARC-EP estableció un retén a las afueras de la zona de distensión, sobre una de las vías de acceso. El grupo subversivo se replegó a la zona de distensión tras contactos con el Ejército nacional; este, en legítima persecución, hizo lo propio. Cinco días después, el 3 de abril, una vez verificada la salida de la columna de las FARC-EP hacia Corinto, el Ejército salió de la zona"[785]. El 19 de abril de 1996 el MJBC anunció que se rompía el proceso: "El 30 de marzo, día en que el Ejército reincidió en la violación de la zona de distensión, luego de que en días anteriores ametrallaran y bombardearan a las 13 veredas que la componen, desde 2 aviones bimotores y durante dos horas y media, se comprometió el Gobierno en el incumplimiento de los acuerdos preliminares del proceso de negociación. Se evidencia así la ruptura unilateral de los diálogos por parte del Gobierno. Es claro, entonces, para el país quiénes son los que imponen la guerra y quiénes, desde la lucha, levantamos la bandera de la paz [...] Hasta que sea posible abrir un espacio multilateral de negociación política no volveremos a una mesa de diálogos. Por lo tanto, asumimos la ruptura del proceso"[786].

Tres consideraciones adicionales sobre este proceso fallido: 1. La elección directa del testigo para la Mesa de Negociaciones fue una experiencia de participación de la comunidad, inédita en otros procesos. 2. Días antes de la ruptura formal del proceso murió en un accidente de tránsito, en la vía entre Cali y Florida, el comandante del MJBC, Alonso, cuando se movilizaba en un vehículo de propiedad de *Pacho* Herrera, conocido narco del Valle; en el mando del grupo lo sucedió Rommel. 3. En la zona de distensión pactada operaba el Frente VI de las FARC-EP, que no habían logrado el área desmilitarizada de La Uribe, y no

785 "Informe de la Oficina del Alto Comisionado para la Paz al Congreso de la República", en *Paz integral y diálogo útil*, *op. cit.*, pp. 195-201.

786 "Carta del Movimiento Jaime Bateman Cayón a todos los colombianos, 'Ruptura de las conversaciones de paz'", en *Paz integral y diálogo útil*, *op. cit.*, pp. 561-562.

iban a permitir que en su "jurisdicción" se adelantara un proceso que les hacía perder liderazgo ante los habitantes de la región[787].

A estas alturas se había destapado otro escándalo, conocido como el Proceso 8.000, relacionado con el ingreso de dineros "calientes" a la campaña electoral del presidente Samper, provenientes del cartel de Cali; el asunto se destapó con los llamados "narcocasetes", en los que el periodista Alberto Giraldo conversaba con los hermanos Rodríguez Orejuela sobre varios millones de dólares entregados a la campaña samperista. Estas pruebas fueron reveladas por el derrotado candidato Pastrana, en junio de 1994, una vez pasó la segunda vuelta electoral. En abril de 1995, el fiscal general de la Nación, Alfonso Valdivieso Sarmiento, y la Sala Penal de la Corte Suprema de Justicia iniciaron un proceso penal en contra de congresistas, periodistas, funcionarios públicos y particulares por enriquecimiento ilícito en favor de terceros o en beneficio propio y por sus nexos con miembros del cartel de Cali. Bajo esta figura jurídica, que en su momento fue avalada por las altas cortes, el ente acusador ordenó la captura del extesorero de la campaña presidencial de Samper, Santiago Medina, y posteriormente la del ministro de Defensa, Fernando Botero Zea, exdirector de la campaña, quien renunció el 2 de agosto. En acciones paralelas, el Gobierno activó diversos mecanismos para permitir su entrega a la Fiscalía o perseguir, detener y enjuiciar a los miembros del cartel de Cali que, uno a uno, entre junio y agosto, fueron capturados.

Las investigaciones de la Fiscalía avanzaron hasta tocar las puertas de la Casa de Nariño y a su inquilino: ante la Comisión de Acusaciones de la Cámara de Representantes se radicó la denuncia penal en contra del presidente Samper, a raíz de las afirmaciones del exministro Botero quien, desde su sitio de reclusión, señaló públicamente que el Presidente sí sabía del ingreso de esos dineros para financiar su campaña. Al finalizar el año de 1995, las instituciones estaban en crisis: tres ministros fueron vinculados al Proceso 8.000; varios congresistas

787 La historia política del MJBC llegó hasta allí. A partir de entonces acentuó sus actividades vinculadas al secuestro; tuvo muchos problemas con las FARC-EP en la región, y finalmente fueron doblegados, y algunos de sus integrantes, entre ellos Rommel, pasaron a sus filas; en abril de 2015 fue capturado en el municipio de Líbano, en el Tolima.

estaban presos, sumados a un excontralor y al Procurador; una posible testigo fue asesinada, y el propio abogado del Presidente sufrió un atentado. Finalmente, el 12 de junio se realizó la votación en la plenaria de la Cámara: 111 votos en favor de la preclusión del proceso contra el Presidente y 43 en contra. Resultado inmediato de la absolución a Samper fue la cancelación de la visa de ingreso a Estados Unidos. En septiembre se produjo la renuncia del vicepresidente Humberto de la Calle, y seis meses después, el retiro del Fiscal General de la Nación. En reemplazo del primero, el Presidente propuso el nombre de Carlos Lemos Simmonds, quien tomó posesión en el cargo el 1° de octubre. El Proceso 8.000 declinaba y las instituciones colombianas quedaban seriamente lesionadas. En estas condiciones, pasados casi dos años de un gobierno cuestionado como el de Samper, ninguno de los grupos insurgentes estaba dispuesto a permanecer en una opción de búsqueda de diálogos y negociaciones políticas del conflicto político armado. Por el contrario, en su lógica, lo que se imponía era profundizar las contradicciones a partir de desatar nuevas y contundentes acciones y pasar así a otra faceta de la guerra.

De crisis en crisis avanzaba el gobierno de Samper. El 2 de abril de 1996, martes de Semana Santa, fue secuestrado en Pereira Juan Carlos Gaviria, hermano del expresidente César Gaviria Trujillo, en ese momento secretario general de la OEA. Nueve días más tarde, un grupo que se identificó como *Dignidad por Colombia* se atribuyó el secuestro mediante un comunicado, firmado por un comandante Bochica, entregado a un periodista de *El Tiempo* en Pasto, en el que enjuiciaba a la clase política, en particular al expresidente Gaviria y al mandatario Samper, pidiendo contra este un juicio político y no jurídico, por la presunta financiación de su campana con dinero del narcotráfico. Antes, bajo el nombre de Dignidad por Colombia, habían ocurrido varios hechos confusos, algunos fácilmente adjudicables a grupos delictivos: la bomba del 10 de junio del año anterior en el Parque San Antonio de Medellín, que dejó más de 20 muertos y 100 heridos; tres días antes, el asesinato del jefe de la Sijin en Buga, Óscar Muñoz; y en septiembre siguiente —1995—, el atentado contra Antonio José Cancino, abogado defensor del presidente Samper en el juicio que le seguía la Comisión de Acusaciones de la Cámara. En estos casos, así como en el asesinato de Álvaro Gómez, circularon comunicados con contenidos bastante gaseosos, cargados de mensajes contradictorios, nacionalistas, populistas y hasta de derecha. En realidad se trataba del *Movimiento Jorge Eliécer Gaitán, JEGA*, organización liderada por Hugo Antonio Toro Restrepo, más conocido como el *Comandante Bochica*, quien se encontraba preso en la cárcel La Picota en Bogotá, sentenciado a 25 años por un homicidio. Gran parte de sus integrantes habían pertenecido al Colectivo 16 de Marzo del ELN, que en noviembre de 1983 secuestró al hermano de otro presidente: Jaime Betancur Cuartas; este hecho fue desautorizado por el COCE, y los integrantes del 16 de Marzo fueron expulsados "irrevocablemente" del ELN.

Bochica era el teórico del grupo y había escrito su pensamiento revolucionario en dos extensos volúmenes publicados clandestinamente: *La toma del poder* y *Proyecto Estratégico y Táctico*, en los que señalaba su "estrategia de transformación socialista de la sociedad", a través de dieciocho objetivos o "medidas de aplicación concreta una vez se produzca la toma del poder", entre los que figuraban "la estatización de la banca y del sistema financiero; nacionalización del transporte, del comercio exterior y del comercio interno; expropiación de las multinacionales y empresas extranjeras, de los capitales extranjeros y de los grandes medios de producción; y el fortalecimiento de un nuevo aparato estatal, en especial de una estructura militar con miras a crear un gran ejército revolucionario y la institucionalización de las milicias revolucionarias para la defensa de la revolución, entre otros"[788].

El secuestro de Juan Carlos Gaviria duró 70 días, hasta el 12 de junio; en la búsqueda de su liberación se comprometieron muchas personas, entre ellos el mismísimo Fidel Castro y el nobel García Márquez; este último le envió una carta pública al jefe del grupo a través de los medios de comunicación: "A: Bochica, Comandante General. De: Gabriel García Márquez. Nadie con un gramo de sensatez tomará cualquier decisión bajo la presión de un secuestro. Nadie que me conozca y conozca la postración real del país puede esperar que yo asuma la irresponsabilidad de ser el peor Presidente de la República. Sin embargo,

788 "Extracto del programa revolucionario del movimiento Jorge Eliécer Gaitán", 1° de enero de 1998, en http://www.cedema.org/ver.php?id=2156.

puesto que ustedes me han hecho la distinción de ofrecérmelo, me siento autorizado para expresarles una opinión sincera y desinteresada: liberen a Juan Carlos Gaviria, entierren las armas, quítense las máscaras, y salgan a promover sus ideas de renovación al amparo de un orden constitucional que —al parecer— ustedes reconocen. Créanmelo: las condiciones de Colombia no han sido nunca tan propicias como ahora para grandes y urgentes acciones políticas que no pasen por la violencia. Gabriel García Márquez"[789]. En las semanas siguientes hubo una lluvia de comunicados y cartas por parte del grupo, en las que exigieron la renuncia de Samper, las declaraciones de renta de la familia Gaviria, hasta fijar el 29 de mayo como fecha límite para ejecutar al secuestrado, si la Cámara de Representantes absolvía al Presidente.

Por petición del expresidente Gaviria, Fidel intercedió, ya que ese comando guerrillero planteaba que solamente le respetaría la vida a Juan Carlos si había una intervención directa del mandatario cubano. A través de la agencia Prensa Latina, hizo una declaración el 11 de junio, en la que pidió el respeto por la vida del cautivo: "Tomando en consideración la solicitud de distintas personas, incluidos familiares, que nos piden que hagamos una declaración pública en favor de la vida de Juan Carlos Gaviria, sin ánimo en absoluto de inmiscuirnos en los asuntos internos del país, y por razones estrictamente humanitarias, rogamos a quienes puedan tener en su poder a Juan Carlos Gaviria que preserven su vida, no llevando a cabo ningún hecho que afecte su integridad física, y que establezcan comunicación directa con la familia para buscar una solución humana y honorable"[790]. Además, Fidel designó a dos cuadros del Departamento América, de su entera confianza, José Arbesú y Jorge Luis Joa, para que vinieran a Colombia a ayudar en la negociación: "Arbesú —le dijo Castro— tú eres uno de los mejores cuadros del Partido. Debes correr todos los riesgos para cumplir esa misión. Incluso, si es necesario, debes quedarte como rehén... Te delego plenos poderes para comprometer al gobierno de

789 Fidel Castro Ruz, *La paz en Colombia*, La Habana, Editora Política, 2008, pp. 149-150.

790 *Ibid.*, p. 154.

Cuba en todo lo que contribuya a una solución. El mismo mensaje le transmitió a Joa"[791].

Después de unas complejas negociaciones y varios "sucesos de ficción", como los nombró Fidel en su libro, Juan Carlos Gaviria fue puesto en libertad, y miembros del JEGA con sus familias viajaron a La Habana. El epílogo de Bochica y su JEGA lo escribió el propio Fidel Castro: "Bochica fue fiel a sus ideas. Dos años más tarde, el 31 de diciembre de 1998, según cuentan personas allegadas a él, dignas de todo crédito, escapó de la cárcel. Estableció contacto con las FARC, cuyos miembros lo ayudaron a trasladarse hacia un campamento de esa organización en la zona de despeje, donde fallece de un infarto cardiaco el 12 de marzo de 1999"[792].

En junio de 1996 se reunió el III Congreso de la UC-ELN, denominado "Comandante Édgar Amilkar Grimaldos Barón", bajo la consigna central "Somos revolución, construimos poder y triunfaremos": "Conscientes de que la actual crisis que vive el país es la síntesis y el acumulado de problemas no resueltos por la histórica clase dominante y sus gobiernos. El Ejército de Liberación Nacional de Colombia convocó a su III Congreso para que los delegados de los 70 frentes guerrilleros urbanos y rurales se reunieran y analizaran profundamente la actual situación y definieran derroteros claros que les permitan, junto al pueblo, junto a los demócratas, los progresistas y los patriotas, buscar salidas creíbles y colectivas. Desde luego, apartados del camino de las componendas, los negociados, los acuerdos soterrados y el proselitismo político que desde el Gobierno Central y los partidos tradicionales vienen haciendo para sobreaguar la tempestad, y apartados también de los que pretenden sacar la mejor tajada"[793]. El Congreso eleno eligió una nueva DN y un nuevo COCE y mantuvo como comandantes al cura Pérez, a Nicolás Rodríguez Bautista y a Antonio García; ratificó

791 *Ibid.*, p. 172.

792 *Ibid.*, p. 174.

793 En este evento se retomó el nombre histórico de Ejército del Liberación Nacional (ELN) y se desprendieron del antetítulo de "Unión Camilista", adoptado en la unificación con el MIR-Patria Libre, en 1987. Véase la "Declaración del III Congreso del ELN" de junio de 1996, en *Paz integral y diálogo útil, op. cit.*, pp. 315-318.

igualmente como voceros a Francisco Galán y a Felipe Torres, presos en Itagüí. En el trabajo de Carlos Medina Gallego sobre el ELN existe un estudio profundo de este III Congreso, a partir de cuatro ejes sobre los que soporta su análisis: la nueva situación mundial a raíz de la crisis del movimiento socialista, los problemas de la estrategia y la táctica revolucionaria, el programa de la Organización y las tesis sobre el socialismo[794]. En síntesis, en este evento, el ELN superó la lectura de corto plazo que hizo en el anterior congreso al considerar que el país se encontraba en un momento prerrevolucionario; por el contrario, eran notorios nacional e internacionalmente los avances de las ideas contrarias a los cambios sociales y políticos; adicionalmente, según Medina Gallego, "El ELN, desde entonces, comenzará a trabajar en la idea de encontrar la solución política al conflicto social y armado, en el marco de un proceso de paz en el que participen activamente el Estado, la insurgencia y la sociedad colombiana"[795].

Pocas semanas después del congreso eleno, guerrilleros que hacían parte del Frente Alfredo Gómez Quiñónez, que operaba en los Montes de María, se separaron de la organización para constituir, el 10 de agosto de 1996, el *Ejército Revolucionario del Pueblo, ERP*, comandado por Édgar Castellanos, conocido como *Gonzalo*, y por los hermanos Simanca Bello. Con la consigna Por justicia y libertad, ¡vencer o morir!, el grupo amplió sus actividades al norte del Tolima, área rural entre Líbano y Venadillo: "A los 5 meses cumplidos de haberse inaugurado el surgimiento de nuestra Organización Ejército Revolucionario del Pueblo ERP, registramos un balance positivo en nuestro desarrollo, demostrado este principalmente, en el apoyo que hemos tenido por parte del pueblo, la confrontación al enemigo y el crecimiento en hombres y armas"[796]. Durante los casi diez años de existencia realizaron secuestros y "pescas milagrosas" en sus áreas de influencia, sin alcanzar un gran dominio; más bien, fueron duramente perseguidos por las Fuerzas Militares, por otras guerrillas y por

794 Véase Carlos Medina Gallego, *Ejército de Liberación Nacional. Notas para una historia de las ideas políticas, ELN 1958-2007*, versión PDF, pp. 622-679.

795 *Ibid.*, p. 679.

796 Ejército Revolucionario del Pueblo, Comunicado N° 3, enero de 1997, en http://cedema.org/ver.php?id=53

los paramilitares de Castaño. A finales de 2006 fue muerto Gonzalo en un combate contra el Ejército, lo que precipitó la desmovilización del grupo, que se inició en abril de 2007 con la entrega de alias Gilberto y cerca de 30 combatientes en los Montes de María. El 15 de septiembre siguiente lo harían 14 guerrilleros al Batallón Patriotas de la VI Brigada en el Tolima, que portaban 8 fusiles de asalto, 6 armas cortas, 34 proveedores, un radio de comunicaciones, 6 granadas de mano y 1.723 proyectiles de diferente calibre.

Una organización similar, surgida igualmente de las filas del ELN, se había constituido el 18 de octubre de 1993 con el nombre de *Ejército Revolucionario Guevarista, ERG*[797], comandado por los hermanos Olimpo de Jesús, comandante *Cristóbal* (hermano mayor), Efraín y Lizardo Sánchez Caro, que operaron en el noroccidente de Antioquia y en los límites entre Chocó y Risaralda. El ERG se organizó en cinco comisiones, cada una integrada por un promedio de 15 guerrilleros, alcanzando en su mejor momento la cifra de 120 combatientes. Durante varios años fue una organización desconocida, hasta que en julio de 2000 secuestró a Ignacio de Torquemada, un voluntario francés de la organización internacional Médicos Sin Fronteras (MSF), que fue liberado seis meses más tarde. Ante el asedio permanente por parte de las tropas oficiales, en diciembre de 2007 Cristóbal tomó la decisión de desmovilizarse, junto con sus combatientes; durante varios meses mantuvieron contactos con oficiales del Batallón Cacique Nutibara. El 30 de julio de 2008, la Presidencia de la República expidió la resolución 262 declarando abierto el proceso de diálogo y negociación con esta guerrilla, y se reconoció como representantes del grupo a dos de los hermanos Sánchez Caro. Finalmente, el 2 de agosto se firmó un acuerdo entre el Comisionado de Paz, Luis Carlos Restrepo, y los jefes del ERP; tres semanas después se concretaron la entrega de las armas

797 "Hacia el final de la década del setenta y comienzo del ochenta, se conforma al interior del Ejército de Liberación Nacional (ELN) el Frente 'Ernesto Che Guevara', a partir del trabajo social adelantado en el suroeste antioqueño. En la década del noventa, las diferencias con el ELN desembocan en su separación, consolidando una organización guerrillera con autonomía propia que adquiere el nombre de 'Ejército Revolucionario Guevarista' (ERG)". *Desarme y desmovilización del Ejército Revolucionario Guevarista, ERG, monitoreo de caso*, Universidad Nacional de Colombia, Observatorio de Desarme, Desmovilización y Reintegración, agosto de 2008, en http://www.bdigital.unal.edu.co/39812/1/erg.2008.pdf

y la desmovilización de sus 45 integrantes, entre ellos 15 mujeres y 5 menores de edad.

En la noche del 30 de agosto de 1996, cerca de quinientos guerrilleros de los frentes 14, 15, 32, 48, 49 y 55, pertenecientes a la Columna Arturo Medina del Bloque Sur de las FARC-EP, ocuparon la base del Ejército Nacional de Las Delicias, ubicada en el municipio de Puerto Guzmán, en el Putumayo. El resultado de la osada operación fue de 31 soldados muertos y 60 capturados por los insurgentes, además de una gran cantidad de material bélico que quedó en poder del grupo. Tres días más tarde, el CICR reportó que había recibido una comunicación de las FARC-EP: "Confirmamos la detención de sesenta (60) personas, personal de la base militar de Las Delicias, Putumayo. Pedimos al Comité Internacional de la Cruz Roja informar a las familias, a través de los medios de comunicación, que las sesenta personas reciben buen trato, según las disposiciones establecidas por el Protocolo II adicional a los Convenios de Ginebra para prisioneros de guerra, y que se encuentran en buen estado de salud"[798]; pedían además una comisión mixta de naturaleza civil, formada por personalidades nacionales e internacionales, para hacer entrega de los prisioneros de guerra, como los nombraron desde entonces[799]. Para este proceso, las FARC-EP designaron como sus representantes a los mandos guerrilleros Joaquín Gómez, Rolando Martínez y Fabián Ramírez.

Llama la atención que en esta primera comunicación afirman estar aplicando el Protocolo II, cuando históricamente se habían negado a acogerse al Derecho Internacional Humanitario, aunque reconocían que en sus estatutos y códigos tenían incorporadas normas humanitarias: "Las FARC-EP no hacen uso de los términos técnicos del Derecho Internacional Humanitario, pero en algunos de sus documentos

798 "Comunicado de prensa del Comité Internacional de la Cruz Roja, delegación en Colombia", 2 de septiembre de 1996, en *Paz integral y diálogo útil*, *op. cit.*, p. 215.

799 La comisión mixta quedó conformada, inicialmente, por monseñor Pedro Rubiano y los exministros Álvaro Leyva y Augusto Ramírez, miembros de la Comisión Nacional de Conciliación; más adelante se sumarían monseñor Luis Augusto Castro y el padre Jorge Martínez, también de la CNC. Como representante del Presidente para las gestiones de liberación de los soldados, Samper nombró a Carlos Vicente de Roux, consejero presidencial para los Derechos Humanos.

se establecen normas que buscan proteger a la población civil del conflicto, estableciendo criterios que coinciden con principios básicos del Derecho Humanitario, como son la distinción entre combatientes y no combatientes, y la inmunidad a la población civil"[800].

A partir de ese momento se iniciaron unas negociaciones que duraron 289 días, hasta el 15 de junio de 1997, cuando fueron liberados junto con diez infantes de Marina capturados el 16 de enero de ese año, en jurisdicción del municipio de Apartadó, en Chocó, dado que, por disposición del Bloque José María Córdoba, las gestiones para su liberación debían hacerse a través del Bloque Sur, como en efecto ocurrió. Antes de finalizar septiembre se sabía ya que las FARC-EP exigían el despeje de los municipios de Cartagena del Chairá y Montañitas, y las inspecciones de Unión Peneya, El Triunfo, San Isidro y Puerto Gaitán, en el Caquetá. Entre noviembre y diciembre hubo dos movidas del Presidente que jugaron en favor del proceso: el cambio en la cúpula militar, ocurrido el primer día de ese mes, que ascendió al general Bedoya a comandante de las Fuerzas Militares, y como comandante del Ejército al general Manuel José Bonett, quien expresó que no intentaría el rescate a sangre y fuego de los soldados. Por otro lado, por su cuenta y riesgo, y sin consultar con las FARC-EP, el Presidente ordenó el despeje, por diez días, entre el 6 y el 16 de diciembre, de una extensa zona que en algunos territorios coincidía con la propuesta de la guerrilla, pero que no fue aceptada por el Bloque Sur por tratarse de un área selvática; con todo, el gesto rompió el mito de la imposibilidad del despeje.

En el proceso de liberación de los soldados, las FARC-EP hicieron gala de un buen manejo de sus relaciones externas a través del "canciller" de la organización, Raúl Reyes, quien se encontraba al frente de la Comisión Internacional, y de Marcos Calarcá, su representante en México. En esas gestiones contactaron a Jimmy Carter, expresidente de Estados Unidos; al presidente Figueres, de Costa Rica, quien delegó a Guido Sibaja, un asesor de su gobierno; al presidente Caldera, de Venezuela; al grupo "Pro-paz de Colombia", en Bruselas; y a personalidades como Alfredo Pérez Esquivel, premio Nobel de Paz. Otro de los invitados a hacer parte de este esfuerzo por la liberación de los soldados fue el guatemalteco

800 "Beligerancia de las FARC-EP", en *Esbozo histórico de las FARC-EP*, pp. 190-203.

Manuel Conde Orellana, del Instituto Centroamericano para la Paz y la Reconciliación. Guatemala estaba de plácemes en esos días por la firma, el 29 de diciembre, del *Acuerdo de paz firme y duradera* entre el Gobierno y la URNG ante el secretario general de la ONU, Boutros Boutros-Ghali. De esa manera se puso fin a más de tres décadas de enfrentamiento armado y a más de cinco años de búsqueda de la paz a través de las negociaciones y acuerdos políticos y socioeconómicos en favor de los pueblos indígenas, de los desarraigados y, en general, de la población[801].

El propósito de estos y otros contactos era involucrarlos en el proceso y generar así una opinión internacional favorable a una guerrilla que demostraba que se sometía a las normas del DIH. Desde hacía rato las FARC-EP buscaban reconocimientos internacionales que les permitieran alcanzar el estatus de fuerza beligerante, de ahí su insistencia en la expresión "prisioneros de guerra", que los situaba como un contendiente válido frente al Estado y, en contraposición, la afirmación de "secuestrados" por parte del Gobierno, que los colocaba en el campo de la delincuencia. Otro aspecto que supieron "explotar" en su favor fue el clamor de los familiares, en particular, el sentimiento de las madres de los soldados, quienes se organizaron de muchas maneras para pedir el despeje y la libertad de los suyos.

A inicios de 1997, pasados cuatro meses del ataque a Las Delicias, la liberación de los soldados estaba en un punto muerto. El despeje de la zona para un primer encuentro entre las partes, que permitiera concretar los mecanismos operativos, parecía un imposible. La novedad en el primer trimestre de ese año fue el nombramiento de José Noé Ríos como asesor del Presidente para adelantar gestiones junto con De Roux; de nuevo se contaba con los "buenos oficios" de una persona reconocida, con experiencia y el tino y olfato suficientes para sortear dificultades. En su primer informe del 11 de mayo, le presentó al Presidente un análisis de la situación; consideró que la zona del medio y bajo Caguán, que pedía despejada la guerrilla, incluida Remolinos del Caguán, "no constituye en la actualidad un punto estratégico que tenga en riesgo la seguridad

801 Texto del acuerdo en http://old.congreso.gob.gt/Docs/PAZ/Acuerdo%20de%20paz%20firme%20y%20duradera.pdf En mayo de 1999 se realizó un referendo para aprobar las reformas constitucionales que se presentaron al Congreso, como parte del acuerdo de paz. La participación de la población fue del 18,6%, y ganó el NO a esas reformas; según expertos, no hubo la debida información a la población, que tenía que decidir sobre cerca de cincuenta reformas de las cuales muy poco conocían.

nacional". Recomendó establecer una "zona especial de seguridad" para la entrega de los soldados e infantes y pidió autorización para, junto con otros delegados del Gobierno y con los de las FARC-EP, precisar "los términos y condiciones de esta propuesta"[802].

El segundo informe lo presentó una semana más tarde, por un requerimiento del Presidente, que estaba próximo a tomar decisiones. Se precisaron las características de la zona de seguridad, un cronograma de 32 días y aspectos especiales como la presencia continua del CICR y la prohibición de vuelos en el área mientras durara el despeje. Pasados dos días, el 20 de mayo, el Presidente comunicó públicamente que había resuelto ordenar el despeje por 32 días, a partir de las cero horas del 23 de mayo, en un área del Caguán de 13.161 kilómetros cuadrados: "La suspensión de toda actividad y presencia militares incluye la jurisdicción del municipio de Cartagena del Chairá, comprendidos los cascos urbanos de la cabecera municipal y de sus inspecciones de Policía, entre ellas la de Remolinos del Caguán [...] Debo destacar la actitud positiva demostrada por los voceros de las FARC para avanzar en una solución favorable"[803].

La molestia entre algunos militares de alto rango, en este caso del comandante general de las Fuerzas Militares, general Harold Bedoya Pizarro, fue una constante en el proceso de la liberación de los soldados; al igual que el año anterior, solicitaba que, por escrito, se le diera la orden para el despeje, a lo que el Presidente se negó. De acuerdo con el cronograma fijado, la salida de la tropa de la zona especial de seguridad se efectuó sin problemas entre el 23 y el 27 de mayo, lo que fue verificado por la guerrilla. A las 10 de la mañana del martes 3 de junio se reunieron en Remolinos del Caguán los representantes de las FARC-EP, a quienes se les habían suspendido las órdenes de captura, y los delegados del Gobierno y del CICR, en presencia de monseñor Castro. El acuerdo de la fecha señaló procedimientos para la entrega

802 "Primer informe al señor presidente de la República sobre la liberación de los soldados", José Noé Ríos, *Liberación en el Caguán*, Bogotá, Planeta Colombiana Editorial S. A., 1998, pp. 209-214.

803 "Alocución televisada del presidente Ernesto Samper en relación con los soldados e infantes de Marina retenidos por las FARC", 20 de mayo de 1997, en *Paz integral y diálogo útil, op. cit.*, pp. 345-347.

de los soldados e infantes de Marina, fijada para las 10 de la mañana del 15 de junio próximo en el casco urbano de Cartagena del Chairá. Al acto podrían asistir las madres que así lo desearan, y la entrega se haría a los representantes del CICR y a los integrantes de la Comisión de Conciliación Nacional. Como testigos se tenía prevista una serie de personalidades internacionales, entre delegados y embajadores.

El día programado, las FARC-EP dieron a conocer un comunicado de su máximo comandante, Manuel Marulanda Vélez: "Hoy, ustedes son testigos de la voluntad que existía en las FARC para liberarlos, para lo cual se requería únicamente un acuerdo entre el Gobierno Nacional y el Bloque Sur, como vocero oficial de nuestra Organización. Quedando claro ante los ojos de la comunidad internacional y nacional que las FARC, en sus 33 años de inquebrantable lucha siempre han respetado los derechos humanos, la integridad física y moral, las ideas políticas y religiosas de los prisioneros de guerra, con base en normas existentes de obligatorio cumplimiento en las FARC-EP"[804]. La liberación fue un éxito; todos regresaron sanos y salvos, cumplió la guerrilla, cumplieron el Gobierno Nacional y los gobiernos locales comprometidos, cumplieron los medios de comunicación, que presentaron informaciones ecuánimes, y cumplió la población de la zona, que desde antes aportaba para que las cosas salieran bien. A mediados de agosto se desató una crisis por cuenta, de nuevo, del general Bedoya, a quien el Presidente llamó a calificar servicios, y nombró al general Bonett como nuevo comandante de las Fuerzas Militares. Con ocasión de la liberación en el Caguán, Bedoya señaló a un medio de comunicación que eso "fue un circo con muchos payasos reunidos"[805].

Como corolario de estos sucesos resultaron unas FARC-EP fortalecidas militar y políticamente; frente a lo primero, el Estado colombiano y Estados Unidos entendieron que también tenían que aplicar "un nuevo modo de operar", una nueva estrategia, y eso les iba a costar tiempo y plata. La guerra era ahora contra un "enemigo" que se transformaba en un pequeño ejército, con gran capacidad desestabilizadora. Lo segundo, la vía de la negociación política, como dijera el propio José Noé en la

804 José Noé Ríos, *op. cit.*, p. 230.

805 "Entrevista: Harold Bedoya", en *Semana*, 14 de julio de 1997, http://www.semana.com/nacion/articulo/entrevista-harold-bedoya/33067-3

última página de su diario: "Como experiencia queda claro el valor de la concertación. La importancia de cumplir para superar el conflicto. La experiencia debe aprovecharse. La negociación y sus técnicas deben ser la base para la reconstrucción de un país que no puede ser impotente ante la destrucción que lo acecha junto a la degradación de la guerra"[806]. Precisamente en eso pensaba el presidente Samper cuando, el 23 de junio, en intervención por televisión para anunciar el último día del despeje en el Caguán, les solicitó a García-Peña y a Ríos, sus asesores en temas de paz, una nueva misión exploratoria: establecer en un plazo de 60 días los contactos con los grupos alzados en armas para definir si podría o no celebrarse una primera negociación de paz.

En las elecciones del domingo 27 de octubre de 1997 —convocadas inicialmente para elegir alcaldes, gobernadores, diputados departamentales y concejales—, distintas organizaciones de la sociedad civil se reunieron en torno a la propuesta de realizar un Mandato por la Paz, la Vida y la Libertad, que consistía en que ese día se depositara, adicionalmente, una papeleta verde como pronunciamiento sobre la necesidad de resolver por la vía pacífica el conflicto armado; 9.965.245 ciudadanos que acudieron a las urnas depositaron el voto que decía: "Me comprometo a ser constructor de Paz y Justicia Social, a proteger la vida y a rechazar toda acción violenta y acojo el Mandato de los Niños por la Paz. Exijo a los actores del conflicto armado: No más guerra: Resuelvan pacíficamente el conflicto armado. No más atrocidades: Respeten el Derecho Internacional Humanitario. No vinculen menores de 18 años a la guerra. No asesinen. No secuestren personas. No desaparezcan personas. No ataquen a la población ni la desplacen por la fuerza. No vinculen civiles al conflicto armado". El Mandato fue una manifestación ciudadana sin precedentes; el resultado superó las expectativas y permitió, en adelante, nuevas expresiones sociales que confrontaban a los actores del conflicto armado. En estas elecciones, las guerrillas del ELN y de las FARC-EP hostigaron en algunos municipios y, según sus propios informes, en más de cincuenta de ellos no se pudieron realizar los comicios. Pocos días antes, guerrilleros del frente Carlos Alirio Buitrago del ELN, una de sus unidades

806 José Noé Ríos, *op. cit.*, p. 203.

más activas en ese momento, secuestraron a dos funcionarios de la OEA y a uno de la Gobernación de Antioquia que se aprestaban para servir como observadores en el proceso electoral, hecho bastante comentado y rechazado, por tratarse de una violación al DIH. La liberación se logró el viernes 1° de noviembre siguiente en presencia de los voceros Galán y Torres, a quienes se les facilitó la salida de la cárcel de Itagüí para la entrega de los plagiados. Ya el ELN había calificado el Mandato Ciudadano como una expresión de soberanía popular y aceptó reunirse con delegados del Consejo Nacional de Paz (CNP), con miras a retomar las vías hacia la solución política del conflicto[807].

En noviembre de 1997, una vez pasados los agites de la liberación de los soldados en el Caguán, el Estado Mayor Central de las FARC-EP realizó una reunión plenaria, denominada "Abriendo caminos hacia la Nueva Colombia". Los temas hicieron énfasis en la unidad con otras fuerzas revolucionarias como principio estratégico, aunque señalaron que la CGSB estaba "en el congelador" hasta tanto no se diera una reunión de los comandantes de los distintos grupos; indicaron que ya trabajaban por la formación y estructuración de un Partido Comunista Clandestino y se pronunciaron en favor de la abstención electoral. El Pleno le dio mandato al Secretariado para convocar a la IX Conferencia Nacional de Guerrilleros y, frente a posibles diálogos con el Gobierno Nacional, conformaron una comisión, encabezada por Raúl Reyes. Abordaron el tema sensible del narcotráfico con un pronunciamiento que coincidía con expresiones que habían hecho en otros momentos: "El narcotráfico continúa afectando profundamente la vida nacional. Este fenómeno de descomposición, propio de las sociedades capitalistas, se entronca en Colombia con la estrategia estatal del paramilitarismo, dada la identidad de sus intereses fundamentales.

807 Ley 434 del 3 de febrero de 1998. Órgano consultivo del Gobierno promovido por Gilberto Echeverry Mejía, ministro de Defensa del presidente Samper, y por un grupo de impulso, conformado, entre otros, por Luis Eduardo Garzón, presidente de la CUT; Ana Teresa Bernal, de Redepaz; Sabas Pretelt, presidente del Consejo Gremial; el procurador, Jaime Bernal Cuéllar; y Víctor Manuel Moncayo y Alejo Vargas por la Universidad Nacional. A través del CNP se buscaba una política pública desde el Estado para superar las políticas de Gobierno que en muchas ocasiones impidieron avances en materias de paz y reconciliación.

La disputa internacional que ha generado radica esencialmente en la rapiña del gran capital por la apropiación de las enormes sumas de dinero que deja como ganancia, sin que interese mucho el daño moral que afecta las sociedades, la corrupción que las corroe, ni la carencia de ética que ha generado en la clase política de la mayoría de estos países". Fueron varias las decisiones que se tomaron e hicieron públicas a través de la Declaración Política emanada del evento: anunciaron la conformación del Movimiento Bolivariano por la Nueva Colombia, que se lanzaría en 1998 y tendría como programa el documento de diez puntos aprobado en la VIII Conferencia, de abril de 1993, denominado Plataforma para un Gobierno de Reconciliación y Reconstrucción Nacional[808].

En septiembre anterior habían denunciado el intento de asalto a la guardia de uno de los miembros del Secretariado por parte de la Brigada Móvil No. 2 de la IV División del Ejército, acompañado de un violento bombardeo a posiciones en las selvas de La Macarena y las sabanas del Yarí. Fue el inicio de la Operación Destructor II, destinada a golpear el corazón de las FARC-EP. Las ofensivas eran de lado y lado y, como tantas veces, en el centro estaba la población civil. El lunes 21 de diciembre, cerca de 190 guerrilleros de las FARC-EP adelantaron un ataque en contra de una compañía del Batallón Batalla de Boyacá, compuesta por 35 efectivos que custodiaban la base de comunicaciones del Ejército, ubicada en el cerro Patascoy del Nudo de los Pastos, a 4.000 metros de altura sobre el nivel del mar, en los límites entre Nariño y Putumayo. En el rápido combate que sostuvieron murieron once militares, y 18 soldados fueron retenidos. Se llevaron dos morteros de 60 milímetros con 180 granadas, dos M-79, 27 fusiles, 125 proveedores para fusil Galil, 21 equipos, y cerca de 10.000 cartuchos[809].

808 FARC-EP, Pleno ampliado de noviembre de 1997, en http://www.farc-ep.co/pleno/pleno-ampliado-noviembre-de-1997.html

809 Con información de "Bienvenido al Infierno", por Dick Emanuelsson, 11 de agosto de 2007, en http://dickema24.blogspot.com.co/2007/08/la-toma-guerrillera-del-cerro-patascoy.html El cabo Pablo Emilio Moncayo permaneció secuestrado por las FARC-EP durante doce años y tres meses; su compañero, Libio José Martínez, murió en cautiverio en un intento de rescate, el 26 de noviembre de 2011, poco antes de cumplir catorce años de retenido.

Tres meses después —en marzo de 1998— ocurrió en la zona rural de Cartagena del Chairá el ataque en la quebrada de El Billar, primera gran batalla en la confrontación entre el Gobierno y las FARC-EP, donde, luego de tres días de combates, murieron 61 militares, fueron secuestrados 43 y 2 desaparecieron. El batallón contraguerrilla N° 52 de la Brigada Móvil 3 del Ejército, que planeaba emboscar a varios frentes de los bloques Sur y Oriental que se encontraban en el área, bajo el mando del Mono Jojoy, resultó contraemboscado y derrotado; de nuevo fallaba la estrategia del Ejército, que sumaba uno a uno los fracasos militares: Puerres, Las Delicias, San Juanito, Patascoy, y ahora El Billar. Los errores operacionales fueron muchos y los señaló años después el Consejo de Estado al condenar a la Nación por no haber protegido a sus hombres y haberlos dejado como carne de cañón para que los guerrilleros los vencieran. Día a día, la actitud de combate, tan necesaria en los tiempos de guerra, decaía.

El gobierno de Estados Unidos seguía de cerca los desarrollos del conflicto colombiano. En sectores de la Administración se pensaba que los continuos golpes que recibía la fuerza pública podrían llevar a desestabilizar aún más a un gobierno debilitado por las acusaciones contra el Presidente. Los analistas de las distintas agencias de inteligencia de Estados Unidos hacían sus propias conjeturas:

Mientras tanto, García-Peña y Ríos, comisionados por el presidente Samper para intentar acercamientos con la insurgencia, lograron conversar con dirigentes del ELN en torno a la Convención Nacional aprobada en el III Congreso, de junio de 1996, y en la cual insistía y gravitaba su propuesta política, unida a la de convocar a una Asamblea Nacional Constituyente. Con los buenos oficios del Gobierno de España y la participación de la Comisión Nacional de Conciliación, realizaron un encuentro en Madrid el 9 de febrero de 1998 y suscribieron un acta que se conoció como el "Preacuerdo del Palacio de Viana". Por primera vez en su historia, la guerrilla del ELN —surgida veinticinco años atrás— se sentó a concertar con delegados del Gobierno; llegaron a acuerdos y firmaron un documento. Fue un paso significativo que tuvo como testigos, por el Gobierno de España, a Fernando M. Villalonga, secretario de Estado de Cooperación Internacional, y a Eduardo Gutiérrez Sáenz de Buruaga, director general de Política

Tabla 1

El rastro de la sangre

Batalla	Fecha	Pérdidas
Nariño	Abril 1996	31 Muertos en Acción (MA)
Las Delicias	Agosto 1996	27 MA, 60 Prisioneros de Guerra (PG)
La Carpa (emboscada)	Octubre 1996	26 MA
Chocó	Enero 1997	3 MA, 10 PG
San Juanito	Febrero 1997	18 MA
Mi-17/HIP (Helicóptero derribado)	Julio 1997*	22 MA
Patascoy (Ataque)	Diciembre 1997	10 MA, 18 PG
El Billar (Batalla)	Marzo 1998	62 MA, 21 desaparecidos, 27 PG
La Uribe	Agosto 1998**	30 MA, 31 heridos, 7 PG
Miraflores (Ataque)	Agosto 1998	14 MA, 26 heridos, 132 PG
Pavarandó	Agosto 1998	9 MA, 9 heridos, 20 PG
Río Sucio	Agosto 1998	41 MA
Mitú	Noviembre 1998	31 MA, 30 heridos, 68 PG

* Las guerrillas bombardearon el oleoducto Caño Limón para atraer y atacar a las fuerzas de reacción.

** La ofensiva de agosto incluyó ataques a nivel nacional en más de la mitad de los 32 departamentos de Colombia, con la participación de unidades del ELN. Trece asaltos ocurrieron en la ofensiva contra pequeños puestos militares o de la Policía; la guerrilla destruyó seis puestos militares y siete de Policía.

Fuente: Department of Defense, Defense Intelligence Assessment, "Colombia's Insurgency: Military Implications from Las Delicias to Mitú", p. 6. Information Cutoff Date: 21 January 1999. Original en ingles en Defense Intelligence Agency, DIA, http://dia.mi/FOIA/FOIA-Electronic-Reading-Room/FOIA-Reading-Room-Colombia

Exterior para Iberoamérica; por la CCN participaron Augusto Ramírez y Ana Mercedes Gómez; por el Gobierno, José Noé Ríos y Daniel García-Peña; y por el COCE y la DN del ELN, Milton Hernández y Juan Vásquez.

En el documento se acordó convocar a la Convención Nacional para la Paz, la Democracia y la Justicia Social, que tendría como fin "estructurar un acuerdo cuyo desarrollo se dé en todas las instancias legislativas y espacios posibles que sean indispensables, inclusive por medio de la convocatoria a una Asamblea Nacional Constituyente como lo ha venido proponiendo la insurgencia o a un referendo que concite la amplia participación democrática de todos los colombianos". Para ello decidieron citar a una reunión preparatoria los días 5, 6 y 7 de junio, en la que participarían tres delegados del Gobierno, tres del ELN y tres de la CCN, estos últimos con la misión de facilitar el diálogo y la concertación. También se invitaría, en calidad de testigo, a un delegado del Gobierno de España y de cada uno de los candidatos presidenciales a la segunda vuelta electoral, al presidente del Congreso, de la CUT y la USO, un delegado del Consejo Gremial, un representante de las ONG de derechos humanos, un representante del Mandato por la Paz y uno del PCC. En la reunión se estudiaría lo concerniente a sitio y fecha, número de participantes, aspectos metodológicos y la "Definición de las bases para la transformación de las estructuras sociales y políticas mediante una acción concertada", vigencia de los derechos humanos, justicia social y económica, democratización papel de las Fuerzas Armadas en un país en paz, soberanía, integración e internacionalización. Las partes acordaron que, mientras persistiera la confrontación armada, pactarían un convenio por la vida y la humanización de la guerra en el contexto del DIH. Señalaron además que el preacuerdo sería ratificado por el COCE y por Galán y Torres, presos en Itagüí; también lo haría el Presidente de la República[810]. El documento fue filtrado por la prensa española y la reunión preparatoria no se cumplió como estaba pactada.

Cinco días después de la firma del documento en Madrid falleció de hepatitis C el sacerdote aragonés Manuel Pérez Martínez, conocido entre los elenos como *Poliarco*, primer responsable político de la organización. El hecho fue dado a conocer dos meses más tarde, el 6 de abril, por sus compañeros que deliberaban en la III Reunión de Comandantes del ELN "Comandante en Jefe Manuel Pérez Martínez". Gabino fue el encargado de dar la noticia por radio, en comunicación con todos los frentes: "La Dirección Nacional, el Comando Central y la Tercera Reunión de Comandantes del Ejército de Liberación Nacional de Colombia informan, con infinito dolor y tristeza al pueblo colombiano, a las corrientes patrióticas, democráticas y progresistas

810 Texto del preacuerdo del Palacio de Viana, en http://www.ideaspaz.org/tools/download/51063

de nuestra nación, a las fuerzas revolucionarias, a la Coordinadora Guerrillera Simón Bolívar, a los pueblos y gobiernos del mundo, que el día 14 de febrero de 1998, a las 6:13 pm, falleció nuestro entrañable e inolvidable comandante Manuel Pérez Martínez a causa de un síndrome hepático en estado terminal secundario o hepatitis crónica por virus C; que dicha enfermedad aquejó a nuestro comandante desde meses atrás, siendo atendido en medio de las situaciones propias de la guerra con todos los recursos técnicos y científicos necesarios"[811].

En el mismo comunicado informaron que en la línea de mando central quedaban Nicolás Rodríguez, Antonio García y Pablo Beltrán. En los campamentos del COCE se hicieron las exequias ante 400 guerrilleros que le rindieron honores al ataúd, izaron las banderas elenas a media asta y dispararon salvas de guerra en su homenaje. Todo eso quedó registrado en un documental que grabó la propia organización, en el que el cuerpo sin vida del cura Pérez aparece sobre la cama de un hospital, cubierto con la bandera rojinegra, perfectamente arreglado[812]... Uno de los cientos de mensajes de condolencias por su muerte fue el que envió al ELN su fundador y máximo comandante hasta 1974: "La Habana, Cuba, abril 7 de 1998. Comandante, Nicolás Rodríguez B. (*Gabino*) y todos los demás miembros del glorioso Ejército de Liberación Nacional. Colombia. Al enterarme hoy de la sensible pérdida en las filas revolucionarias, quiero que les llegue mi abrazo de solidaridad y de identificación en el dolor experimentado. Deseando lo mejor siempre, con ustedes en NUPALOM. Fabio Vásquez Castaño"[813]. La muerte del cura Pérez se presentó cuando el ELN inició acercamientos con el Gobierno y en un momento complejo de la correlación militar, a raíz del avance del paramilitarismo, que se ensañó con la población civil en regiones históricas del grupo guerrillero; así sucedió en Barrancabermeja, donde integrantes del Frente Yariguíes fueron desalojados de barrios y zonas rurales.

811 Milton Hernández, *Si las montañas callaran. Manuel Pérez, un hombre universal*, s. f., pp. 262-263.

812 ELN, Sistema de radio y televisión Patria Libre, *Mi hermano*, 1999, en https://www.youtube.com/watch?v=3l0w2xedbos

813 *Ibid.,* p. 266. NUPALOM, acrónimo de Ni Un Paso Atrás Liberación o Muerte, consigna histórica del ELN.

La "guerra sucia" estaba en su pico más alto. Un mes antes del nuevo proceso electoral, el 18 de abril de 1998, fue asesinado en su casa-oficina el prestigioso jurista Eduardo Umaña Mendoza, defensor de presos políticos, de las víctimas de la UP, de sindicalistas y de familiares de los desaparecidos en los hechos del Palacio de Justicia, un hombre comprometido con la verdad, la democracia y los derechos humanos. Mil veces amenazado, y mil veces repitió las mismas palabras verticales: "Más vale morir por algo, que vivir por nada". De nuevo, la impunidad cubrió con su manto gris a los asesinos y aliados de siempre, como ocurrió por esos días con el crimen de Jesús María Valle en Medellín y como sucedería un año más tarde con los crímenes de Elsa Alvarado y Mario Calderón, investigadores del CINEP.

Colombia se aprestaba para elegir un nuevo presidente de la República para el período 1998-2002; la primera vuelta estaba programada para el 31 de mayo y la segunda sería tres semanas más tarde, el 21 de junio. Los candidatos en contienda se definieron en el segundo semestre de 1997 y cada una de las campañas agitaba de nuevo las banderas de la paz. Por el bando liberal lo hacía el exministro del Interior, Horacio Serpa Uribe; en representación de la Gran Alianza por el Cambio, el candidato era Andrés Pastrana Arango; el general Harold Bedoya representaba la candidatura de centro-derecha del movimiento Fuerza Colombia; y la excanciller Noemí Sanín fue postulada por la alianza Sí Colombia. Los resultados de la primera vuelta registraron como ganador al candidato Horacio Serpa (3.634.823 votos) sobre Andrés Pastrana (3.607.945 votos), una diferencia de tan solo 26.868 votos, equivalentes al 0,25%[814].

Pasada la primera vuelta se conocieron fotografías e información de la visita que el dirigente conservador Víctor G. Ricardo, asesor en la campaña de Andrés Pastrana, le hizo a Manuel Marulanda Vélez y al Mono Jojoy en sus campamentos, gracias a las gestiones y presencia discreta de Álvaro Leyva Durán. La novedad no fue solamente el encuentro celebrado el 15 de junio, o el respaldo de Marulanda a los veinte puntos que para acercarse a la paz proponía Pastrana, o la ratificación de su solicitud del despeje de cinco municipios en el sur

814 Elecciones presidenciales de 1998 (primera vuelta), Georgetown University, Washington D.C., en http://pdba.georgetown.edu/Elecdata/Col/pres98_1.html

del país y la aceptación por parte del dirigente pastranista, sino que el jefe de las FARC-EP luciera en su muñeca izquierda un reloj con el logotipo de la campaña de la Nueva Fuerza Democrática, uno de los componentes de la Gran Alianza por el Cambio. Muchos analistas coincidieron en que esta jugada política fue definitiva en los resultados de la segunda vuelta electoral que se realizaría una semana más tarde.

Así fue. En la segunda vuelta programada para el domingo 21 de junio, el candidato por la Gran Alianza por el Cambio, Andrés Pastrana Arango, y su fórmula a la Vicepresidencia, Gustavo Bell Lemus, resultaron ganadores con 6.086.507 votos, equivalentes al 50,39%, contra los 5.620.719 que alcanzó Horacio Serpa Uribe[815].

Una vez se conocieron los resultados oficiales de la segunda vuelta, el presidente electo sorprendió en la noche del 9 de julio con la noticia de un encuentro que sostuvo ese mismo día con los jefes máximos de las FARC-EP, Manuel Marulanda Vélez y el Mono Jojoy. La reunión se produjo en los campamentos del Secretariado, hasta donde se desplazó el presidente electo con Víctor G. y tres de sus asesores: "Bueno Manuel, aquí estamos como dijimos en la campaña. Lo importante era venir a hablar con usted. Conmigo las cosas son diciendo y haciendo, como lo hicimos en la Alcaldía, y lo importante es que soy un hombre de palabra, es hablar, venir a hablar, demostrar por parte nuestra la voluntad de hace la paz. Hemos dicho que la paz tiene que hacerse también con justicia social, tiene que hacerse con inversión, por eso es importante involucrar en este proceso el plan de desarrollo, para hacer inversión en las zonas más pobres del país, en las zonas más marginadas. Si nos sentamos a negociar, de todas maneras tenemos que ir buscando esa inversión e ir haciendo esa inversión en los sectores más pobres y más olvidados de nuestro país y sobre todo para llegar a la justicia social". Después abordó los temas de lucha contra la corrupción, cultivos ilícitos, medio ambiente, habló de su "Plan Marshall", de los países amigos que se podrían invitar a una mesa de negociaciones y de los misioneros gringos secuestrados en el Darién.

"Esto va a ser histórico", repitieron varias veces Pastrana y Marulanda, conscientes de que por primera vez en la historia del conflicto

815 Elecciones presidenciales de 1998 (segunda vuelta), Georgetown University, Washington D.C., en http://pdba.georgetown.edu/Elecdata/Col/pres98_2.html

armado, esta guerrilla se reunía con un presidente. Marulanda señaló: "Lo primero que necesitamos es el despeje de los cinco municipios; lo segundo, el desmonte del paramilitarismo porque a nosotros nos ha traído muy malos resultados en todas las otras etapas, mejor dicho qué no nos ha pasado con el paramilitarismo [...] Si el señor presidente, para la instalación de la mesa va a hacer presencia ese día, yo también hago presencia ese día y dejamos las mesas instaladas y de ahí en adelante corre por cuenta de las comisiones para que comiencen a deliberar y nos vayan comunicando sus resultados de parte y parte a ver cuáles progresos vamos obteniendo en materia económica, en los cambios, en las reformas y en las soluciones de todo lo que necesitamos que se solucione en este país". Se acordó hacer el despeje de los cinco municipios después de noventa días de posesionado Pastrana para instalar una mesa de negociación. Finalmente, leyeron una carta de saludo: "Las FARC-EP considera este primer encuentro vital e histórico y de gran trascendencia para todos los colombianos en la búsqueda de una salida política al conflicto social y armado. Aunque por muchas ocasiones lo hemos intentado con anteriores gobiernos y a pesar de nuestra voluntad política no ha sido posible por la intransigencia e imposiciones a los alzados en armas. Hoy, señor presidente, dejamos en sus manos nuestras inquietudes expuestas en la plataforma de los diez puntos y la propuesta del despeje de cinco municipios: La Uribe, Mesetas, Vistahermosa, Macarena, San Vicente del Caguán y el desmonte del paramilitarismo para reunirnos con los tres poderes y la sociedad civil. El hecho de encontrarnos reunidos hoy con el señor presidente, Andrés Pastrana, en calidad de Jefe del Estado colombiano, con dos miembros del Secretariado Nacional de las FARC, Manuel Marulanda y Jorge Briceño, es el reconocimiento político como movimiento beligerante alzado en armas y la demostración de la voluntad política de ambas partes para discutir en la mesa de diálogos sobre la problemática nacional y más temprano que tarde lograr la paz con justicia social y soberanía"[816].

En el ocaso del gobierno de Samper, ya con poca o ninguna capacidad de maniobra, se insistía en obtener algún resultado cierto

816 "Primera reunión entre el presidente Pastrana y Tirofijo", julio 9 de 1998, en https://www.youtube.com/watch?v=fUVxdHjRt-E

en los acercamientos que se adelantaban con el ELN, interesado en los desarrollos hacia la Convención Nacional. El 16 de julio, a escasas tres semanas de concluir esta administración, en la ciudad alemana de Mainz (Maguncia), y con la facilitación de la Conferencia Episcopal de ese país y de la de Colombia, se realizó un encuentro en el monasterio de Puerta del Cielo (ubicado en la cercana Wurzburg) entre el ELN, representado por Pablo Beltrán, Milton Hernández y Juan Vásquez, con delegados de sectores de la sociedad colombiana (gremios económicos, periodistas, partidos políticos, la USO, la Iglesia), y del Estado (dos congresistas, el Procurador, el Defensor del Pueblo y el Gobernador del Valle, entre otros), en la búsqueda de alcanzar un acuerdo para la humanización de la guerra e impulsar la Convención Nacional. En los entretelones del encuentro en Alemania estuvieron los esposos Isabel y Werner Mauss, agentes del Gobierno alemán, quienes desde hacía algún tiempo eran piezas clave en las relaciones de esa guerrilla con Alemania, en sus gestiones internacionales, en particular en la mediación para liberar a secuestrados por esa organización. En noviembre de 1996 fueron capturados en Medellín cuando cumplían una misión oficial secreta de carácter humanitario, autorizada por su Gobierno y con el conocimiento de autoridades de Colombia. Ya en libertad, pocos meses más tarde, continuaron con sus "buenos oficios".

El resultado de tres días de trabajo fue el Acuerdo de la Puerta del Cielo, un documento de veintiún puntos, firmado por los cuarenta asistentes, que declaró "iniciado el proceso de paz con el ELN" y contempló aspectos básicos del DIH como cesar el secuestro de menores de edad, mayores de 65 años y mujeres embarazadas; promover la identificación y demarcación de los bienes protegidos por el DIH; igualmente, impulsar la ratificación por parte del Congreso de la Convención de Ottawa sobre prohibición del uso de minas antipersonales y promover la realización de un foro para la discusión de la soberanía sobre los recursos naturales, entre ellos el petróleo. Sobre la Convención Nacional, debía propiciar la participación de representantes del Estado y contar con el aval del Gobierno Nacional, para lo cual el Consejo Nacional de Paz, en su calidad de organismo asesor del Gobierno, serviría como facilitador. Los asistentes se constituyeron en Comisión Preparatoria de la Convención Nacional y conformaron el

Comité Operativo que la debía impulsar para el 12 de octubre siguiente, "en territorio colombiano, en un área en la cual haya un cese al fuego bilateral y se darán garantías necesarias para todos los participantes en la misma"[817].

Uno de los episodios de la despedida al gobierno de Samper corrió por cuenta de Bloque Oriental de las FARC-EP, dirigido por el Mono Jojoy, que con 600 guerrilleros inició en la madrugada del 2 de agosto la operación "Jacobo Arenas, estamos cumpliendo", el ataque a la base antinarcóticos de la Policía y a la base del Ejército donde se encontraba acantonada la compañía Águila del Batallón de Infantería N° 19, en el municipio de Miraflores (Guaviare). El cruento ataque, que se prolongó hasta el día siguiente, cuando llegaron refuerzos apoyados por aviones OV 10 y helicópteros B-212 y UH-1H, dejó como resultado 13 soldados y 3 policías muertos, 26 heridos y 129 uniformados en poder de la guerrilla. En cuanto a armamento, se reportó la captura de 176 fusiles Galil calibre 7.62 x 51 mm, 3 morteros de 60 mm, 37 granadas de mortero de 81 mm, 20 granadas de 60 mm, 52 granadas de fusil, 98 granadas de mano, 7 bazucas, 20 lanzagranadas, 181 granadas de M79, 5 fusiles M4, 12 ametralladoras M60, 11 cañones de repuesto para M60, 308 cananas para ametralladora M60, material de intendencia y documentos para la inteligencia militar[818]. Y como si no fuera suficiente, veinticuatro horas más tarde atacaron la compañía del Batallón Vargas del Ejército, ubicada en el cerro de El Salero en La Uribe (Meta), donde murieron 75 soldados y se llevaron a 7; en la retirada fueron ametrallados por aviones y helicópteros; uno de ellos fue derribado por el fuego de los fusiles de los alzados. La situación era muy compleja: cinco tomas guerrilleras en los dos últimos años del gobierno de Samper, caracterizadas por la fiereza de los combates y el uso de armas no convencionales (cilindros-bomba, morteros hechizos, tatucos, etcétera), y más de 250 uniformados en poder de la guerrilla de las FARC-EP. Un día después, los frentes 5 y 18 atacaron en Pavarandó (Antioquia), mataron a 8 soldados y se llevaron a 7 más. Luego

817 Texto del Acuerdo de la Puerta del Cielo, en *El Tiempo*, 16 de julio de 1998, en http://www.eltiempo.com/archivo/documento/MAM-776073

818 "Toma guerrillera de la base de Miraflores", en https://www.youtube.com/watch?v=06iv8rBsP7w

de varios días de contraataque y persecución se presentó la Batalla de Tamborales, en el corregimiento de Puerto Lleras, jurisdicción de Riosucio, en Chocó; como resultado de los encarnizados combates, 42 militares perdieron la vida y otros 21 fueron capturados.

Faltando pocos días para la culminación del accidentado mandato de Samper se conoció un nuevo acuerdo producto de las negociaciones que desde meses atrás se adelantaban con el *Movimiento Independiente Revolucionario-Comandos Armados, MIR-COAR*, un grupo miliciano de Medellín que el 29 de julio firmó el documento final "como una expresión de su decisión por contribuir a la paz y a la convivencia entre los medellinenses, los antioqueños y los colombianos"[819]. Desde enero del año anterior adelantaban encuentros dentro de la mayor discrecionalidad y reserva posible y habían firmado con el Gobierno Nacional un preacuerdo en el que se comprometían a suspender acciones militares ofensivas y se creaban comisiones negociadoras, en el caso del MIR-COAR, encabezadas por Luis Fernando Quijano y Álvaro de Jesús Ramírez, y como voceros, Santiago Quijano y Carlos Mario Arenas[820].

Para el proceso de reinserción política de los 200 milicianos que dejaron las armas se estableció en el Acuerdo Final constituir el Movimiento de Integración Regional (MIR), así como conformar las corporaciones Corpades y Nuevos Tiempos. Se contemplaron también beneficios socioeconómicos (Industrias Rof), jurídicos, educativos, subsidios mensuales de $300.000 por doce meses para cada uno de los milicianos, viviendas (Asociación de Vivienda Emecé), afiliación al sistema de salud, esquemas de seguridad para los dirigentes y proyectos de inversión social donde el grupo tenía influencia. Finalmente, el miércoles 29 de julio, en las instalaciones del Palacio de Exposiciones de la ciudad de Medellín, se llevó a cabo la ceremonia de dejación de las armas, las cuales fueron puestas a disposición de las autoridades.

819 MIR-COAR, Acuerdo Final, en http://www.cedema.org/uploads/mir_coar.pdf

820 El Decreto 1247 del 9 de mayo de 1997 reconoció el carácter político del grupo.

IX
Diálogos, negociaciones y paz (II)

Andrés Pastrana, la Zona de Distensión y el Plan Colombia

A su llegada al Palacio de Nariño el 7 de agosto de 1998, el presidente de la República, Andrés Pastrana Arango, hijo del expresidente Misael Pastrana Borrero (1970-1974), traía en su portafolio lo concertado con el jefe de las FARC-EP en el encuentro que tuvieron un mes atrás. Comenzaban a correr los noventa días acordados para decretar el despeje de cinco municipios e iniciar diálogos y negociaciones en la búsqueda de la paz. Su primera medida fue nombrar a Víctor G. Ricardo en el cargo de alto comisionado para la Paz; en el discurso del 11 de agosto, al prestar juramento el comisionado, Pastrana se reafirmó en lo acordado: "Como comandante supremo de las Fuerzas Armadas asumo con realismo que voy a negociar con fuerzas insurgentes que han expresado su decisión de ser coprotagonistas de la reconstrucción nacional. En noventa días o antes, según los avances preliminares, despejaremos cinco municipios que se convertirán en zonas de distensión y laboratorios de paz"[821]. En sus discursos y en los de Víctor G. se comenzó a incluir la idea de un "Plan Marshall" para la paz, que no

821 "De la retórica de la paz a los hechos de paz", discurso de Andrés Pastrana, 11 de agosto de 1998, en *Hechos de paz V*, Bogotá, Presidencia de la República de Colombia, Oficina del Alto Comisionado para la Paz, 1999, pp. 43-47.

fuera solamente una bolsa de recursos económicos, sino educativos, sociales, culturales, políticos y tecnológicos; era la antesala de lo que conoceríamos más adelante como el Plan Colombia.

El 7 de octubre se realizó un primer encuentro entre el COCE del ELN y el Alto Comisionado para la Paz. El Gobierno expresó su respaldo a la Convención Nacional, autorizó la reunión preparatoria programada para ese fin de semana —11 y 12 de octubre—, designó a Gonzalo de Francisco para asistir en su nombre, y al día siguiente, en carta enviada al COCE, otorgó salvoconductos a Galán y a Torres[822] para estar presentes con el compromiso de que, "una vez terminada la reunión, los señores Francisco Galán y Felipe Torres regresarán a la Penitenciaría Nacional de Itagüí"[823]. La preconvención de Valle de Río Verde, en Antioquia, tuvo una larga y detallada planeación, avanzó en contenidos y aspectos procedimentales hacia la realización de la Convención Nacional y estableció un cronograma de eventos para 1999, que incluía su instalación el 13 de febrero. La agenda contempló como temas los siguientes: 1. Derecho Internacional Humanitario, derechos humanos, impunidad, justicia, insurgencia y conflicto; 2. Recursos naturales y política energética; 3. Democracia, Estado, Fuerzas Armadas y corrupción; 4. Economía y problemas sociales; 5. Cultura e identidad, nación-región, ordenamiento territorial, problema agrario y narcotráfico.

Pasado el encuentro en Río Verde se presentó un hecho trágico que aún gravita sobre las conciencias de los jefes elenos: al filo de la medianoche del 18 de octubre, cuando guerrilleros de la Compañía Cimarrones del Frente José Antonio Galán del ELN acababan de volar un tramo del Oleoducto Colombia, se produjo un descomunal incendio en el corregimiento de Fraguas (Machuca), jurisdicción del municipio de Segovia, en Antioquia, a causa del derrame del petróleo que ardió y acabó con la vida de 84 de sus habitantes. En un primer comunicado del 25 de octubre, el ELN reconoció que volaron el "tubo" pero que no fueron los causantes de la conflagración, insinuaron que pudieron

822 Seudónimos de Gerardo Antonio Bermúdez Sánchez y Carlos Arturo Velandia Jagua, respectivamente.

823 Mediante la Resolución N° 83 del 9 de octubre, el Gobierno declaró la iniciación del proceso de paz con el ELN y reconoció su carácter político.

ser el Ejército o los paramilitares y lamentaron el hecho. Años más tarde se pronunciaron de nuevo para intentar aclarar lo sucedido: "Hoy, al cumplirse once años del lamentable y doloroso accidente de Machuca, el ELN reitera sus disculpas y pide perdón, una vez más, a los dolientes de las víctimas, además reitera su disposición a ayudar en su reparación de los daños causados por este accidente [...] El ELN, aparte de sancionar disciplinariamente al mando que ordenó la acción que desencadenó el accidente, asumió la responsabilidad en este fatídico acontecimiento. A nombre de nuestra Organización, en cabeza del primer comandante del ELN asumió públicamente la responsabilidad y pidió perdón por lo acontecido, como obligación moral indispensable"[824].

En la noche del 14 de octubre, el presidente Pastrana se dirigió en cadena nacional a los colombianos: "He tomado la decisión de ordenar el despeje por parte de la fuerza pública en los municipios de La Uribe, Mesetas, Macarena, Vista Hermosa en el Meta y de San Vicente del Caguán, en el Caquetá. Esta medida estará vigente durante noventa días y tiene como finalidad facilitar los diálogos ente el Gobierno y las Fuerzas Armadas Revolucionarias de Colombia —FARC—, que puedan conducir a un proceso de paz consolidado y firme"[825]. El inicio del proceso de paz con las FARC-EP, el reconocimiento de su carácter político y el establecimiento de la zona de distensión fueron los contenidos de la Resolución N° 85 de ese mismo día: "A partir del 7 de noviembre de 1998 y hasta el 7 de febrero de 1999, establécese una zona de distensión en los municipios de Mesetas, La Uribe, La Macarena, Vista Hermosa, municipios del departamento del Meta y San Vicente del Caguán, en el Caquetá, zonas en las cuales regirán los efectos del Inciso 5° del Parágrafo 1° del Artículo 8° de la Ley 418 de 1997, en relación con las personas que intervengan legalmente en dichas conversaciones"[826]; estas disposiciones relacionadas con ubicación

824 "Carta abierta a las víctimas del accidente de Machuca", 18 de octubre de 2010, en http://www.cedema.org/ver.php?id=4177

825 *Ibid.,* pp. 59-62.

826 Resolución N° 85 del 14 de octubre de 1998, en http://diario-oficial.vlex.com.co/vid/resolucion-numero-59802508 La Ley 418 del 26 de diciembre de 1997 (posteriormente prorrogada y modificada por las leyes 548 de 1999, 782 de 2002, 1106 de 2006, 1421

temporal y suspensión de órdenes de captura se aplicó para los tres negociadores designados por las FARC-EP: Raúl Reyes, Joaquín Gómez y Fabián Ramírez, reconocidos mediante la Resolución N° 84 del mismo día.

A estas alturas, las FARC-EP ya aplicaban un aforismo que se haría famoso en diálogos y negociaciones posteriores: "Nada está acordado, hasta que todo esté acordado"; y como se trataba de acercamientos en medio del conflicto que no significaban el cese al fuego, desataron una de las acciones de mayor envergadura en toda su historia. A las 04:48 horas del 1° de noviembre de 1998 se inició la Operación Marquetalia por parte de cerca de 1.500 guerrilleros del Bloque Oriental de las FARC-EP, dirigidos por el Mono Jojoy: la toma del municipio de Mitú, capital del Vaupés. La situación de las Fuerzas Militares no era la mejor, había desmoralización entre la tropa, escaseaban las ayudas económicas internacionales y los apoyos en formación; la cooperación en tecnología e información de inteligencia no fluía de manera adecuada, y las comunicaciones y el transporte eran deficientes; por todo lo anterior, la capacidad de reacción en momentos de crisis había disminuido, y parte de los efectivos se encontraba concentrada en los cuarteles de las grandes ciudades. En su libro, el expresidente Pastrana relató que el comandante de las Fuerzas Militares, general Fernando Tapias, le señaló de manera realista en algún momento: "Señor presidente, la democracia está en peligro y nuestras Fuerzas Armadas en cuidados intensivos"[827]. Desde la otra orilla, las FARC-EP registraban un crecimiento exponencial como ningún otro grupo en la historia de la guerrilla en América Latina lo había vivido: mayor número de combatientes y áreas de influencia, mejor armamento, más recursos económicos producto del secuestro, las extorsiones y la participación en determinados eslabones de la larga cadena del narcotráfico.

de 2010 y 1738 de 2014) facultaba al presidente de la República a adelantar procesos de paz, facilitar el diálogo y suscribir acuerdos con grupos armados organizados al margen de la ley para su desmovilización, la reconciliación entre los colombianos y la convivencia pacífica. Texto de la Ley 418 en http://www.secretariasenado.gov.co/senado/basedoc/ley_0418_1997.html

827 Presidencia de la República de Colombia, Oficina del Alto Comisionado para la Paz, *op. cit.*, p. 88.

El ataque a Mitú duró 72 horas y significó la muerte de 16 civiles y 12 uniformados y la captura por parte de las FARC-EP de 61 miembros de la Policía, entre ellos su comandante, el coronel Luis Mendieta, y el intendente John Frank Pinchao, quien años después protagonizaría una audaz fuga desde su sitio de reclusión en las selvas del sur del país en donde estaban concentrados los cautivos[828]. Para entendidos en la materia, el ataque a Mitú fue el tope de crecimiento de las FARC-EP; después no volvería a ocurrir una acción de esa magnitud. La reacción de las Fuerzas Militares produjo un cambio en la correlación entre el Estado y las guerrillas en Colombia: desde una vecina población en Brasil se organizó el envío de refuerzos hacia Mitú, lo que permitió rechazar a los insurgentes que, según informes del Gobierno, pretendían permanecer en la población por tiempo indefinido y lanzar un gobierno provisional para buscar reconocimientos internacionales. De las bajas en las filas FARC-EP no se supo, pero fuentes oficiales manifestaron siempre que fueron varios centenares y consideraron el contraataque desde Brasil como una victoria.

El presidente Pastrana, con apoyo del Banco Interamericano de Desarrollo (BID), el Banco Mundial, el Gobierno de Estados Unidos y de otras naciones, trabajaba en una reingeniería de la guerra, cuyo eje central pretendía ser la lucha contra el flagelo del narcotráfico; el Nuevo Plan Marshall para Colombia, del que habló en la campaña electoral, se convirtió en el Plan Colombia, que presentó el 22 de octubre, cuatro días antes de emprender una visita de Estado a Estados Unidos, invitado por su nuevo mejor amigo, Bill Clinton. En el discurso sobre el Plan Colombia, pronunciado ante el director del BID, Enrique Iglesias, expresó que este era un conjunto de proyectos de desarrollo alternativo para zonas donde se cultivaba el 80% de la producción mundial de coca y amapola, en particular regiones de la Amazonía, de la Sierra

828 Sin contar estos capturados en el ataque a Mitú, las FARC-EP tenían en su poder a 245 uniformados, entre oficiales, suboficiales, soldados y agentes de Policía, de acuerdo con el listado suministrado por el propio Marulanda en carta a Pastrana del 21 de septiembre: de la Base de Miraflores (Guaviare), 73 militares y 56 policías; 7 soldados de la base de La Uribe (Meta); 6 policías y 1 soldado de Puerto Príncipe (Vichada); 43 soldados del área de El Billar; 18 policías de la base de Patascoy; 33 soldados y 8 policías en poder del Bloque José María Córdoba. A su vez, dieron a conocer el listado de los guerrilleros presos, para buscar la aprobación de una "ley de canje de prisioneros"; el propio Marulanda asumió la conducción de esa discusión.

Nevada, la Orinoquía y parte de los Andes. Los recursos para el Plan Colombia se esperaban de la emisión de 5.000 "bonos de paz", que serían suscritos por ciudadanos colombianos interesados en aportar, por líneas de crédito, preferencias arancelarias y asistencia técnica que llegaría por la vía de la cooperación internacional, para un total de 7.500 millones de dólares, costo del Plan. En esta y en otras ocasiones, Pastrana enfatizaría en la decisión de la insurgencia de desnarcotizar sus áreas de influencia, a condición de no ser presentada como un cartel narcoterrorista. Y, aunque el Plan Colombia así expuesto tenía un tufillo contrainsurgente, aún no estaba claro que el componente militar significaría el 70% de la ayuda de Estados Unidos.

En la visita a Washington se empezó a configurar un posible encuentro entre delegados de la administración Clinton y voceros autorizados del Secretariado de las FARC-EP. La reunión tuvo la aprobación de las partes y se planeó realizarla en San José de Costa Rica en una fecha por acordar en diciembre próximo. Las FARC-EP autorizaron a Raúl Reyes y Olga Marín como sus delegados; en representación del Gobierno de Estados Unidos estarían Phillip Chicola, director de Asuntos Andinos del Departamento de Estado, y John Fieles, asesor; por el Gobierno de Colombia asistiría el secretario general de la Presidencia, Juan Hernández, y como testigo y organizador, Álvaro Leyva Durán, y con él, James LeMoyne, funcionario de la ONU, quien poco tiempo después sería el enviado especial del Secretario General para el proceso de paz en Colombia.

La reunión se realizó los días 13 y 14 de diciembre; una primera jornada, en el apartamento de Leyva Durán, y la segunda, en el Hotel San José. Los temas en la reunión fueron propuestos por el mismo Chicola: lucha antinarcóticos, proceso de paz y la práctica del secuestro y ataque a los intereses de Estados Unidos en Colombia, en particular la situación de los tres misioneros estadounidenses, miembros de la Misión Nuevas Tribus (New Tribes Missionaries), secuestrados en enero de 1993 en el lado panameño de la selva del Darién, aparentemente por las FARC-EP, y de los cuales nunca se tuvo noticia. Sobre estos aspectos hubo una franca discusión: los enviados del Departamento de Estado pidieron más hechos de paz para sensibilizar a la opinión estadounidense, un compromiso sobre la sustitución de cultivos, e indagaron sobre el papel del grupo frente al narcotráfico. Reyes expresó satisfacción por la oportunidad de hablar directamente con el Gobierno de Estados Unidos y aclaró que la información que recibían por la vía de los medios de comunicación y otras fuentes no era cierta, estaba distorsionada por intereses contra las FARC-EP. De la reunión no se dejó nada por escrito; se acordó que se mantendría en reserva, que se conformaría una comisión entre delegados de la Oficina del Alto Comisionado para la Paz y Joaquín Gómez, de las FARC-EP, para averiguar sobre los tres misioneros, y quedó abierta la puerta para un futuro encuentro.

Phillip Chicola elaboró un memorando secreto de la reunión de San José, enviado el 8 de enero de 1999 por la secretaria de Estado, Madeleine Albright, a la Embajada de Estados Unidos en Bogotá bajo el número PTQ0484; en el detallado recuento incluyó observaciones sobre los delegados de las FARC-EP, Raúl Reyes y Olga Marín:

> Como saben, John Feeley y yo nos encontramos el 13 y 14 de diciembre en San José (Costa Rica) con representantes de las FARC. La reunión fue negociada por Álvaro Leyva, un exdirigente del Partido Conservador que residía en San José desde abril de 1998 huyendo de cargos de malversación de fondos y corrupción en Colombia proferidos durante los últimos días de la administración Samper. Leyva alega que fue incriminado como resultado de una venganza política.
>
> El participante de las FARC más experimentado era Raúl Reyes, uno de los siete miembros del Secretariado y cabeza de la comisión internacional del grupo. Tiene entre 53 y 55 años, mide alrededor de 1,65 m y pesa entre 61 y 63 kilos. Es de complexión oscura y lleva anteojos de marco cuadrado y de oro. Reyes dice ser un campesino que ha escalado en los rangos de las FARC, y sus patrones de discurso y comportamiento sugieren que no es alguien con una educación formal avanzada. Es, sin embargo, un hombre experto y con un discurso articulado acerca de ciertos asuntos del proceso de paz, evidencia un conocimiento exhaustivo de los acontecimientos mundiales y una gran comprensión de los parámetros de la relación bilateral entre los gobiernos de Colombia y Estados Unidos. De acuerdo con Leyva, si el líder de las FARC, Manuel Marulanda, muriera mañana, Reyes asumiría el papel como primero al mando entre sus iguales en el Secretariado

de las FARC —al menos como el más experimentado comandante no militar—.

Olga (apellido desconocido). Su papel oficial en la estructura de las FARC nunca se ha definido, pero es obviamente una consejera estratega experimentada, además de haber sido, al parecer, comandante en terreno. Tiene entre 41 y 43 años, mide aproximadamente 1,58 m y pesa entre 56 y 59 kilos, es de piel blanca y tiene el cabello corto y negro. Lleva un anillo de bodas. De acuerdo con Leyva, es la pareja de Reyes, aunque ninguno de los dos suelta palabra acerca de la relación por fuera de los círculos de las FARC. Al parecer Olga vivió en México y Costa Rica, además de haber viajado por Europa con Reyes.

Fuente: "Memorandum of Conversation Between USG Representatives and Representatives of the Revolutionary Armed Forces of Colombia (FARC)", The National Security Archive (NSA), Colombia and the United States: Political Violence, Narcotics and Human Rights, 1948-2010, documentos desclasificados de diferentes agencias de seguridad del Gobierno de Estados Unidos.

En medio de las tensiones propias para establecer un espacio para la fase de diálogos y las futuras negociaciones avanzaban las relaciones entre el Gobierno y las FARC-EP hacia la instalación formal de la mesa. Superar *impasses* como el despeje total de los cinco municipios fue un "parto de mula", como dice el adagio popular. El Batallón Cazadores se convirtió en la piedra de toque porque para la guerrilla no debía quedar un solo uniformado en los cinco municipios de la zona de distensión, y para el Gobierno, en particular para los militares, había de por medio un factor de honor y de seguridad nacional; por eso consideraban que podía ser el lugar de despacho y alojamiento de funcionarios del Estado durante las negociaciones, lo que tampoco fue aceptado por la guerrilla. La fórmula para destrabar la situación fue ponerlo en manos de la Iglesia católica para su administración, sin uniformados de por medio. El 21 de noviembre, en el caserío de La Machaca, se acordó entre las partes que los soldados del Batallón Cazadores saldrían a más tardar el 27 de diciembre y que la verificación por parte de las FARC-EP se haría antes del 7 de enero, fecha escogida para la instalación de las mesas de diálogo.

Después de sortear nuevas dificultades, como la solicitud de las FARC-EP de incluir su himno y bandera en el evento, llegó el 7 de enero, y con él, nuevas incertidumbres; la principal: ¿asistiría Marulanda a la cita acordada meses atrás? A las once de la mañana, ante 1.500 invitados[829], el presidente Andrés Pastrana, entre desconcertado y compungido, tomó asiento en la tarima dispuesta para el acto; a su lado, la silla vacía que debía ocupar el comandante de las FARC-EP: "Vengo a San Vicente del Caguán, como jefe de Estado, a cumplir mi palabra. La ausencia de Manuel Marulanda Vélez no puede ser razón para no seguir adelante con la instalación de la mesa de diálogo para acordar una agenda de conversaciones que deben conducir a la paz. El Gobierno Nacional, bajo mi liderazgo, llega a la instalación de la mesa de diálogo con una agenda abierta, sin intención de vetar ni de imponer temas. Estamos dispuestos a discutir, a disentir, a proponer, a evaluar, pero sobre todo a construir. Esa es la esencia misma de una democracia [...] Colombia no puede seguir dividida en tres países irreconciliables en donde un país mata, otro país muere y un tercer país, horrorizado, agacha la cabeza y cierra los ojos. Esa división debe terminar. Solo juntos podemos sobrevivir. El futuro de un pueblo bueno, noble y generoso, que anhela cambiar el miedo por la esperanza, que sueña, a cada hora de cada día, con el sueño de la paz, depende de ustedes y de nosotros. No perdamos más tiempo. No más huérfanos llorando destrozados sobre los ataúdes de sus padres, no más niños empuñando armas. No frustremos otra generación de colombianos. Los hijos de ustedes y los hijos de nosotros tienen derecho a vivir en un país en paz. Tenemos el deber de entregárselos. La historia nos juzgará. Su veredicto será implacable"[830]. El día anterior había nombrado a cuatro voceros gubernamentales en la mesa de diálogos: María Emma Mejía,

829 Se invitó a todos los embajadores, y entre los que asistieron estaba el de Estados Unidos, Curtis Kamman, una muestra clara del interés que el proceso había despertado en el gobierno de Clinton. Asistieron dirigentes de partidos políticos, expresidentes, excandidatos, representantes de los poderes públicos, de la Iglesia, periodistas, artistas, y hasta el propio Gabriel García Márquez, que se había convertido en un asesor a la sombra; de hecho, Gabo realizaba actividades propias de la diplomacia para la paz en un triángluo Bogotá, La Habana, Washington.

830 "Palabras del señor presidente de la República, Andrés Pastrana Arango, en la instalación de la mesa de diálogo con las FARC-EP", San Vicente del Caguán, enero 7 de 1999, en http://www.ideaspaz.org/tools/download/51346 consulta del 3 de enero de 2017.

Fabio Valencia Cossio, Nicanor Restrepo y Rodolfo Espinosa Meola; las partes habían acordado presentar, por separado, propuestas de agenda para concertar una sola.

La delegación cubana que participó en la instalación de la Mesa de Diálogos en San Vicente del Caguán estuvo presidida por José Antonio Arbesú Fraga, director del Área de América del Departamento de Relaciones Internacionales del CC del PCC; el embajador, Jesús Martínez Beatón, y Antonio *Tony* López, consejero político de la embajada, quienes luego del acto tuvieron la ocasión de reunirse en privado con Manuel Marulanda Vélez:

> El acto del 7 de enero estuvo muy bien organizado a pesar de la legión de diplomáticos, personalidades, líderes políticos y de organizaciones sociales de América Latina, Europa e incluso de Estados Unidos y del nutrido grupo de corresponsales de la prensa colombiana y extranjera que acudió a ese evento. Desde las 08.00 de la mañana ocupamos nuestros asientos en la Plaza Pública ubicada frente a la iglesia [...] A las 09.00 de la mañana llegó el presidente Andrés Pastrana.
>
> [...] Poco después se nos acercó uno de los miembros del Equipo del Alto Comisionado de Paz y le comentó a Arbesú y al expresidente nicaragüense Daniel Ortega que el acto no comenzaba porque estaban esperando que llegara el comandante Manuel Marulanda. Pero que las noticias que le habían llegado indicaban que el líder guerrillero se negaba a compartir la tribuna con el Presidente. Por consiguiente, le solicitó a Arbesú que tratáramos de persuadir a Marulanda. Se me comisionó para que contactara al comandante de las FARC-EP Raúl Reyes e indagara lo que sucedía. Así lo hice. Reyes me explicó que razones de seguridad impedían la presencia del jefe guerrillero. Luego del intercambio que sostuvimos, en la cual le demostré que el argumento de la seguridad no tenía ningún asidero, pues igual suerte podía correr el Presidente, este cerró la conversación comentándome que en el encuentro bilateral que tendríamos con Marulanda, él nos explicaría las razones de su decisión. No tuve ninguna duda: las razones de su ausencia estaban basadas en otras evaluaciones. Regresé a mi lugar e informé a Arbesú que Marulanda no iba a estar presente en ese acto.
>
> [...] En lo referido a su ausencia en el acto de apertura, expresó: "Como siempre, la prensa lejos de destacar los efectos positivos del evento, hizo de

su ausencia —la llamada silla vacía— el centro problema. Cuando lo que debían haber destacado era el comienzo de un proceso muy importante para el país y sus vecinos". Y agregó: "En Caquetania conversé largamente con el presidente Pastrana", de quien tenía la mejor impresión. Por lo tanto, afirmó: "Es falso que no me quiera reunir con el Presidente". Así mismo es falsa la afirmación de la prensa acerca de quise humillarlo. "Él sí debía estar en la tarima de la apertura de un acto tan importante para el país, pues es el Presidente de todos los colombianos, incluyéndome".

Fuente: "Nunca escuché a Fidel Castro decirle a ningún revolucionario latinoamericano lo que tenía que hacer", entrevista a Antonio *Tony* López Rodríguez, representante del Departamento América del CC del PCC en Colombia, donde participó en el llamado proceso del Caguán, en Luis Suárez y Dirk Kruijt. *La revolución cubana en nuestra América: el internacionalismo anónimo*, E-book, Ruth Casa Editorial, La Habana, Cuba, 2014.

En reemplazo del jefe de las FARC-EP, ausente por considerar que se fraguaba un atentado en su contra para ese día, fue Joaquín Gómez, miembro del Secretariado del Estado Mayor y negociador, quien leyó el discurso preparado por Marulanda: "La instalación de mesa de diálogos por noventa días, a partir del despeje militar, ha despertado gran expectativa en todo el país y el mundo, para buscarle una salida con justicia social y soberanía al conflicto social y armado que está desangrando al país hace más de cuatro décadas. Las FARC, en condición de movimiento revolucionario en lucha por los cambios, pondrá sobre la mesa la Plataforma de los diez puntos para el estudio y análisis de los tres poderes, los partidos políticos, intelectuales, industriales, ganaderos, agricultores, comerciantes, profesores, estudiantes, clase obrera, campesinado, juntas comunales, desempleados, desplazados por la violencia, la insurgencia y otras organizaciones, para el debate fundamental sobre la solución política y la transformación radical de las viejas estructuras del Estado, por medio de una Asamblea Nacional Constituyente, con la representación directa de los distintos estamentos de la sociedad colombiana, para que sea ella, la que apruebe o desapruebe los acuerdos Estado e Insurgencia, para que la paz alcanzada sea duradera. Por ello los representantes de las FARC-EP están dispuestos a escuchar y a ser escuchados. Las FARC informarán a la opinión pública acerca de los resultados de las deliberaciones Gobierno e Insurgencia, durante los tres meses"[831]. En el extenso discurso, histórico y reivindicativo, hicieron un pormenorizado recuento de las agresiones de que fueron víctimas a lo largo de todos estos años, comenzando por Marquetalia y continuando por La Uribe y Casa Verde.

Curtis W. Kamman, embajador de Estados Unidos en Colombia, estuvo presente en la instalación de la mesa de diálogos en San Vicente; según su extenso informe:

> [...]
>
> 15. Tirofijo dejó plantado no solo a Pastrana, a gran parte del Estado colombiano y a la comunidad diplomática. Plantó a 40 millones de colombianos (más los millones alrededor del mundo que veían la transmisión en vivo de CNN) que esperaban que el 7 de enero cumpliría con las expectativas de "un día de trascendental importancia". Ya se ha especulado acerca de varios motivos como razones para no asistir, incluidos: el solitario desertor de la escuela primaria prefirió que Joaquín Gómez, un graduado de la Universidad Patrice Lumumba de Moscú, hablara en público; se resistió a aparecer cuando Pastrana le negó su estatus de "jefe de Estado"; el desaire fue una táctica bien planeada por parte de las FARC para desmoralizar al Estado y para hacer parecer al Gobierno débil.
> 16. La razón más lógica nos parece, sin embargo, que había asuntos sin resolver en cuanto a la seguridad personal de Tirofijo. Desde antes de Navidad, las FARC han estado advirtiendo acerca de un complot de los paramilitares de "ultraderecha" para asesinar a Tirofijo y, posiblemente, a Pastrana durante el evento en San Vicente. (Desafortunadamente, la historia colombiana muestra que estas preocupaciones no son infundadas. Los narcoparamilitares asesinaron a cuatro candidatos presidenciales liberales y de la UP durante las campañas presidenciales de 1989-1990.) En últimas, pareciera que Tirofijo no confiaba en que sus propias tropas o el Gobierno pudieran proteger su vida.

831 "Intervención de Manuel Marulanda Vélez, comandante en jefe de las FARC-EP, en el acto de instalación de la mesa de diálogo con el Gobierno Nacional", 7 de enero de 1999, en Archivo Chile, Centro de Estudios Miguel Enríquez http://www.archivochile.com/America_latina/Doc_paises_al/Co/farc/al_farc0005.pdf

17. Nuestra reacción inicial es creer que la ausencia de hoy de Tirofijo no arruinará de manera permanente el proceso de paz. Puede que lo dilate, pero no que lo detenga. De cualquier manera, las negociaciones entre las FARC y el Gobierno están programadas para reanudarse el sábado 9 de enero para cuadrar los tiempos, frecuencia y locación de las futuras conversaciones para definir una agenda común de negociaciones.
18. Posdata del embajador: en Colombia, la ceremonia marca el contexto y el 'lubricante' para futuras diferencias y para llegar a un consenso. Esta ceremonia presentó tres horas de sol abrasador, varios AK-47, sillas asignadas para todos los VIP bajo la tutela del talentoso jefe de protocolo de Colombia, hordas de periodistas y cuatro discursos adicionales alrededor de las dos presentaciones principales de Pastrana y de Tirofijo (el último por medio de un representante). Informaremos del cuarto discurso, el de Raúl Reyes, por Septel. Mi impresión del asunto es que el Gobierno de Colombia salió muy bien librado al demostrar compromiso con el proceso de paz y gran habilidad al montar (o al menos copatrocinar) un evento de gran envergadura en la zona de despeje (los municipios desmilitarizados). Las FARC, en especial Marulanda, perdieron prestigio y credibilidad a través del fracaso al mostrar a su máximo líder y al mostrar el tono vacío de su mensaje ideológico. Hubo poco en los comentarios de las FARC acerca del futuro, mucho menos para sepultar los agravios del pasado. Las FARC no dieron ninguna pista sobre sus razones para encontrarse en Costa Rica con representantes del Gobierno de Estados Unidos en diciembre, pero su despotrique contra la bestia imperialista de Estados Unidos se desinfló en las mentes de la mayoría de observadores al saber que las FARC sostuvieron un diálogo con Estados Unidos. Todo esto sería muy satisfactorio si no fuera porque, en realidad, las FARC todavía tienen el as bajo la manga para determinar si Colombia terminará o no con su conflicto interno.

Fuente: "Tirofijo' a No-Show at Opening of Colombia Peace Talks", Confidential Document number: 1999BOGOTA00179, from AMEMBASSY BOGOTA, 07 January 1999. The National Security Archive (NSA), Colombia and the United States: Political Violence, Narcotics and Human Rights, 1948-2010, documentos desclasificados de diferentes agencias de seguridad del Gobierno de Estados Unidos.

A la primera reunión de la mesa de diálogo del 11 de enero se llegó con sendas propuestas de agenda: el Gobierno Nacional presentó un documento titulado "Una política de paz para el cambio", que recogía en diez puntos las propuestas de paz de la campaña y el Mandato Ciudadano por la Paz, la Vida y la Libertad, votado el 26 de octubre del año anterior. Las FARC-EP llegaron también con un documento de diez puntos que ampliaba los contenidos de la Plataforma para un Gobierno de Reconciliación y Reconstrucción Nacional de la VIII Conferencia de 1993. La discusión apenas comenzaba...

Transcurridos tan solo doce días desde la instalación de la Mesa entre Gobierno y FARC-EP sobrevino una temprana crisis y el levantamiento unilateral por lo que la guerrilla consideraba la ausencia de acciones efectivas en contra del paramilitarismo por parte del Estado: "Exigimos al Gobierno que usted preside acciones eficientes contra estos asesinos del pueblo indefenso. Para permitir del Gobierno Nacional los resultados esperados, consideramos necesario congelar los diálogos iniciados, dejando las propuestas sobre la mesa, hasta ver resultados satisfactorios contra el paramilitarismo"[832]. El "fenómeno para" estaba en auge, no solo en regiones de histórica presencia de grupos guerrilleros a los que decía combatir, sino en todo el país. Las Autodefensas Campesinas de Córdoba y Urabá (ACCU), sumadas a grupos en el Magdalena Medio, en los Llanos y otros más, se hallaban ahora agrupadas en las Autodefensas Unidas de Colombia (AUC), bajo el liderazgo de Carlos Castaño Gil, con un mando coordinado, una sola bandera, programa y estatutos, aunque mantenían el esquema federado que permitía a cada mando de bloque desarrollar sus propios procesos... y negocios. Entre el 20 de diciembre de 1998 y el 6 de enero de 1999 habían decretado una tregua por Navidad, ocasión que fue aprovechada por los frentes V y XIV de las FARC-EP, integrantes del Bloque José María Córdoba, dirigido por el Viejo Efraín, para lanzar un ataque contra el cuartel general de las AUC, ubicado en el Nudo de Paramillo, donde se encontraba Castaño. Fue uno de los

832 "Carta abierta del Secretariado del Estado Mayor Central de las FARC al señor presidente de la República doctor Andrés Pastrana Arango", Montañas de Colombia, 18 de enero de 1999, en Presidencia de la República de Colombia, Oficina del Alto Comisionado para la Paz, *op. cit.*, 369-370.

pocos y prolongados enfrentamientos directos entre combatientes de la guerrilla y de los paras, con muertos y heridos de lado y lado. En esta, como en otras ocasiones, la complicidad de autoridades civiles y militares fue evidente, como lo denunciaron organismos defensores de derechos humanos.

Mientras duró la primera suspensión de los diálogos en el Caguán, que se mantuvo entre el 19 de enero y el 21 de abril, se necesitó ampliar el término para la zona de distensión por noventa días, entre el 7 de febrero y el 7 de mayo. En ese lapso se presentaron reuniones esporádicas entre los negociadores de uno y otro lado para abordar temas puntuales; una de ellas, convocada de urgencia, tuvo que ver con el asesinato de tres indigenistas estadounidenses que trabajaban en actividades ambientales y humanitarias con el pueblo indígena u'wa, en Arauca, secuestrados el 25 de febrero en la región. El 3 de marzo fueron hallados sus cuerpos al otro lado de la frontera común con Venezuela; dos días después se produjo un duro pronunciamiento del Departamento de Estado a través de su vocero: "Condenamos a las FARC en los términos más fuertes por este bárbaro acto terrorista [...] También demandamos que las FARC acepten su responsabilidad en este asesinato a sangre fría y entreguen a aquellos de sus miembros que perpetraron este crimen para que sean juzgados por las cortes"[833].

El gobierno del presidente Pastrana les solicitó a las FARC-EP el pleno esclarecimiento de los hechos, a través del comisionado Víctor G. Ricardo, quien se trasladó a San Vicente del Caguán para tratar personalmente el asunto; por parte de Raúl Reyes no hubo una respuesta inmediata, pero sí la decisión de tener claridad en 72 horas, mientras hacían una investigación interna. La confirmación de la autoría de integrantes del grupo llegó en un comunicado del Estado Mayor del Bloque Oriental, en el que reconoció la responsabilidad de un comandante Gildardo del Frente X, quien "los capturó y los ajustició sin consultar a los organismos superiores de dirección". El Frente que ejecutó a los tres indigenistas se encontraba a cargo de alias Grannobles, el hermano del Mono Jojoy. Ante la petición de que fueran entregados los autores, las FARC-EP fueron enfáticas:

833 Andrés Pastrana Arango, *La palabra bajo fuego*, Bogotá, Editorial Planeta Colombiana, S. A., 2005, p. 342.

"A ningún Estado entregaremos a nuestros combatientes. Al comandante Gildardo lo juzgaremos y sancionaremos de acuerdo con las leyes de las FARC-EP, consagradas en el reglamento del régimen disciplinario de la organización guerrillera"[834]. Como es costumbre en estos casos, Estados Unidos insistió por largo tiempo en juzgar de acuerdo con sus leyes a los perpetradores del crimen; de igual manera, insistían en la suerte de los tres misioneros secuestrados en el Darién. El asesinato de los indigenistas canceló cualquier posibilidad de que ese país se involucrara en el proceso de negociaciones que adelantaba el presidente Pastrana. Ya desde octubre de 1997, Estados Unidos consideraba a esta guerrilla una "Organización Terrorista Foránea"; en noviembre de 2001, a raíz del asesinato de los tres indigenistas, su "estatus" subió, y hasta hoy permanecen en sus listas como "Terroristas Globales con Designación Especial".

Durante el prematuro paréntesis de la Mesa del Caguán, el alto comisionado para la Paz organizó varios encuentros con miembros del Secretariado, al margen de la mesa de diálogo: para el 16 de abril coordinó la visita a la zona de distensión de los principales dirigentes empresariales, entre quienes figuraban Sabas Pretelt, presidente de Fenalco; Gustavo Tobón Londoño, presidente de Fedemetal; Jorge Visbal, de Fedegán; Luis Carlos Villegas, presidente de la ANDI; y Eugenio Marulanda, director de Confecámaras. Posteriormente acompañó a las comisiones de paz del Senado y la Cámara de Representantes, a los directores de los partidos y movimientos políticos, junto con los presidentes de Senado y Cámara, y a los directores de medios de comunicación. Estos eventos fueron un espaldarazo al proceso y ayudaron a distensionar las relaciones y a dar pasos ciertos para retomar los diálogos.

Pasados más de 120 días desde la instalación de la mesa, el proceso continuaba empantanado; los rumores sobre lo que ocurría en la zona de los cinco municipios desmilitarizados generaban desconfianza en el proceso, y la única forma de retomar el cauce era desde las más altas instancias: Marulanda y Pastrana. El Presidente viajó a Caquetania el 2 de mayo para un nuevo encuentro con el líder guerrillero; la idea era hacer un balance sobre lo que hasta aquí había sucedido con los

834 "FARC admiten triple asesinato", *El Tiempo*, 11 de marzo de 1999, en http://www.eltiempo.com/archivo/documento/MAM-884261

diálogos y examinar las opciones de continuar o no. Antes se jugó una carta que cayó bien en las filas de la guerrilla: la destitución de los generales Fernando Millán y Rito Alejo del Río, mencionados en informes de derechos humanos del Departamento de Estado de Estados Unidos. Sin lugar a dudas, una movida que les restaba argumentos a las FARC-EP sobre el poco o nulo combate al paramilitarismo y sus apoyos.

Tanto Víctor G. Ricardo como Raúl Reyes, que acompañaron a sus jefes en el encuentro, fueron optimistas sobre los avances realizados hasta ese momento, pese a que la mesa estaba congelada. Coincidieron en que ya tenían el 90% de lo que podría ser una agenda común. Al término de la reunión se firmó un documento que se conoció como el Acuerdo de Caquetania, en el que señalaron avances concretos y significativos en el trabajo de los voceros; además, el 5 de mayo culminaba el plazo establecido para los diálogos, lo que permitía iniciar de inmediato las negociaciones en firme. Anunciaron, además, la decisión de conformar una comisión internacional de acompañamiento que sirviera para verificar en adelante los inconvenientes que se pudieran presentar. De esta manera se reanudó el proceso en el Caguán.

Descongelada la mesa por la decisión de Pastrana y Marulanda, las negociaciones adquirieron un nuevo ritmo, que permitió extender la vigencia de la zona de distensión por treinta días, a partir del 7 de mayo. El día anterior, la mesa de diálogo comunicó que había finalizado su tarea de elaborar una agenda común, a la que denominaron Agenda Común para el Cambio hacia una Nueva Colombia, con 12 grandes temas y 47 subtemas: 1. Solución política al conflicto, 2. Derechos humanos, 3. Política agraria integral, 4. Explotación y conservación de recursos naturales, 5. Estructura económica y social, 6. Reformas a la justicia, la lucha contra la corrupción y el narcotráfico, 7. Reformas políticas para la ampliación de la democracia, 8. Reformas del Estado, 9. Acuerdos sobre DIH, 10. Fuerzas Militares, 11. Relaciones internacionales, 12. Formalización de acuerdos.

Para esta nueva etapa, las FARC-EP ratificaron como sus negociadores a Raúl Reyes, Joaquín Gómez y Fabián Ramírez, mientras que el Gobierno Nacional nombró a su nuevo equipo: el empresario Pedro Gómez Barrero, el antioqueño Fabio Valencia Cossio —ratificado—, el general en retiro José Gonzalo Forero Delgadillo y dos profesionales jóvenes, Juan Gabriel Uribe y Camilo Gómez, hasta entonces su secretario privado. Además, designó a sus delegados ante el Comité Temático Nacional, coordinados por el ministro del Interior: los presidentes del Senado y la Cámara, el presidente del Consejo Gremial Nacional, un representante de medios de comunicación, un alcalde y un gobernador en representación de las asociaciones respectivas, el Director de DNP, un representante del Consejo Nacional de Paz, un representante de las centrales obreras y un rector de universidad en representación de la Asociación Colombiana de Universidades. El Comité analizaría los temas de la agenda común, asesoraría a los negociadores y coordinaría las audiencias públicas que se harían en diferentes regiones del país. Por parte de las FARC-EP acudieron Simón Trinidad, Iván Ríos, Alberto Martínez, Felipe Rincón, Marco León Calarcá, Jairo Martínez y Pedro Aldana.

El 11 de febrero, con el apoyo del Gobierno de Venezuela, se habían reunido en Caracas el Alto Comisionado para la Paz y Antonio García del COCE. Abordaron aspectos para realizar la Convención Nacional; el lugar donde se llevaría a cabo era uno de ellos. No había acuerdo. Mientras que el ELN pedía la desmilitarización de cuatro municipios en el sur de Bolívar para establecer allí una Zona de Encuentro (ZE), el Gobierno hablaba de un país amigo o de uno o dos municipios que no tuvieran las amenazas del paramilitarismo, como sí ocurría en los que propusieron los elenos. García era el comandante militar del grupo y le hablaba claro y duro a Víctor G. Ricardo; en el ELN existía la convicción de estar recibiendo tratamiento de segunda frente a los avances con las FARC-EP; residual, lo llamaron algunos políticos y analistas. El mes siguiente, en un intento por salvar lo que se había avanzado, viajaron a Caracas el procurador, Jaime Bernal Cuéllar, y el defensor del Pueblo, José Fernando Castro. El diálogo y las negociaciones con el ELN, iniciadas el 9 de octubre anterior, estaban prácticamente rotos.

En la mañana del 12 de abril de 1999, los medios de comunicación interrumpieron sus transmisiones habituales para informar del secuestro de un avión Fokker 50 con matrícula PHMXT afiliado a Avianca, que había decolado a las 10:32 horas del Aeropuerto Palonegro de

Bucaramanga con destino a la capital del país, con 5 tripulantes y 46 pasajeros. En poco tiempo se supo que la aeronave fue conducida a una pista clandestina en Vijagual, en jurisdicción de Simití, sur de Bolívar, zona de presencia histórica del ELN. Cuando llegaron las autoridades, ya no había ni pasajeros ni tripulación y, por la ciudad desde donde salió el vuelo AV 9463, y la región a la que fue conducido, se dedujo que la responsabilidad era del ELN. Efectivamente, el COCE reivindicó la autoría cinco días más tarde, señaló que su intención no era quemar la aeronave y dejó entrever que era una respuesta a las continuas dilaciones que se presentaban en torno a la realización de la Convención Nacional: "El avión Fokker 50 se dejó intacto, no porque las fuerzas del ELN presentes en la pista donde aterrizó el avión se hayan sentido acosadas, sino porque se quería dejar ese mensaje a los propietarios de Avianca. Esperamos lo hayan entendido. Qué bueno hubiera sido que el primer vuelo al área del Sur de Bolívar hubiera transportado al grupo de asistentes que darían su inicio a la Convención Nacional"[835]. Por su parte, el Gobierno Nacional condenó "de la manera más enérgica esta acción, que reviste la mayor gravedad y reúne todas las características de un acto terrorista. Se trata de una acción que atenta contra civiles indefensos, que además afecta en forma directa al conjunto de la sociedad colombiana"[836].

Cuando aún permanecía vivo el recuerdo de los plagiados del avión de Avianca se produjo, el domingo 30 de mayo, el secuestro masivo de cerca de 170 feligreses que esa mañana asistían a misa en la iglesia La María, en el exclusivo sector de Ciudad Jardín, en Cali. El hecho fue rechazado por el Gobierno, que de inmediato exigió la libertad de los secuestrados y convocó a un Consejo de Seguridad, encabezado por Juan Camilo Restrepo, que ejercía las funciones de ministro Delegatario mientras el Presidente se encontraba en Canadá: "El Gobierno Nacional, en cabeza del señor presidente de la República, reitera su rechazo y condena al acto perpetrado por el ELN contra un centenar de ciudadanos inermes, con el único propósito de generar terror e

835 "El secuestro del avión fue un mensaje", *El Tiempo*, 19 de abril de 1999, en http://www.eltiempo.com/archivo/documento/MAM-899755

836 "Comunicado público del Gobierno", 13 de abril de 1999, Fundación Ideas para la Paz, en http://www.ideaspaz.org/tools/download/51354

incertidumbre [...] La violación expresa de los acuerdos que firmó el ELN con representantes de la sociedad civil demuestra de forma contundente que no hay voluntad de paz de parte de ese grupo guerrillero [...] Una política de paz pierde todo sentido si, a la falta de acuerdos, se responde con actos de barbarie como el secuestro de pasajeros de un avión o de feligreses de una iglesia"[837]. A su vez, los dirigentes del grupo manifestaron: "El ELN se responsabiliza del operativo realizado el 30 de mayo en la ciudad de Cali, igualmente de la integridad física de las personas retenidas. Damos garantía de que no se les hará daño, se les dará trato digno y las regresaremos a sus casas"[838]. En el mismo comunicado denunciaron la masacre de La Gabarra, ocurrida un día antes, donde cerca de 400 paramilitares sitiaron a 8.000 campesinos, asesinaron a 8 y se llevaron a otros; señalaron que a estos hechos no se les daba importancia, no los registraban los medios de comunicación, ni los mencionaba el presidente de la República. En la semana siguiente, los elenos secuestraron a un grupo de nueve excursionistas que paseaban por la Ciénaga del Torno, cerca de Barranquilla. Los secuestros masivos, sumados a otros que ocurrirían en corto tiempo, tenían de fondo un propósito económico, que también les servía como escenario de denuncia política y para mostrar al grupo, pero más concretamente como una forma de presión al Gobierno para la desmilitarización que proponía en el Sur de Bolívar para la Convención Nacional.

Lo que vino a continuación fueron los avatares de un proceso complejo y largo hacia la liberación de todos los secuestrados. El Gobierno conformó una comisión humanitaria, compuesta por Juan Gabriel Uribe, consejero de Asuntos Políticos, y el arzobispo de Bucaramanga, monseñor Víctor Manuel López, que iniciaron sus gestiones con Francisco Galán y Felipe Torres, voceros del ELN. Se organizó igualmente una comisión internacional con delegados de España, Alemania y Venezuela. De la orilla de la sociedad civil también salieron propuestas concretas de solución y se creó y fortaleció el espacio de

837 "Comunicado público del Gobierno", 30 de mayo de 1999, Fundación Ideas para la Paz, en http://www.ideaspaz.org/tools/download/51363

838 "Comunicado del ELN", 31 de mayo de 1999, en *Hechos de paz. Procesos de paz que adelanta el Gobierno Nacional con el ELN*, Bogotá, Presidencia de la República, Oficina del Alto Comisionado para la Paz, volumen I, s. f., p. 261.

la Comisión Facilitadora Civil para los diálogos entre el Gobierno y el ELN, compuesta por 38 personas, que en adelante estaría presente en innumerables oportunidades para mediar u ofrecer sus buenos oficios a disposición de las partes. Las primeras liberaciones ocurrirían a mediados de junio, ante los integrantes de las comisiones y otros funcionarios del Estado, con amplia presencia de medios de comunicación nacionales e internacionales. Cuando Antonio García declaró que se cobraría por los secuestrados, el presidente Pastrana, en alocución por televisión el 18 de junio, al día siguiente de la liberación de 33 rehenes, calificó el hecho de espectáculo, retiró a su delegado de la comisión humanitaria y le quitó al ELN el estatus político: "He suspendido la resolución gubernamental que otorgó el reconocimiento político a ese movimiento insurgente hasta tanto demuestre su verdadera voluntad de paz"[839]. Así fue: mediante la Resolución N° 41 de la fecha, se le retiró "transitoriamente" dicho estatus. Días antes había fallecido en cautiverio Carlos González, uno de los pasajeros del Fokker de Avianca. Solo hasta octubre siguiente se retomarían oficialmente los contactos suspendidos, esta vez en La Habana (Cuba).

Eso del estatus político y de buscar espacios de negociación con el Gobierno también lo intentaban los paramilitares y sus adláteres que, al mando de Carlos Castaño, sembraban el terror en campos y ciudades. El 21 de mayo se cumplió la orden que había dado Castaño de secuestrar en Medellín a la conocida senadora Piedad Córdoba, la *Negra* —presidenta de la Comisión de Derechos Humanos del Senado—, y de trasladarla hasta uno de sus campamentos para ser sometida a un "juicio", acusada de ser portavoz de las guerrillas. Gracias a la presión nacional e internacional, la combativa dirigente política fue puesta en libertad dos semanas después, no sin antes recibir todo tipo de afrentas y amenazas. Años más tarde, por testimonios de los mismos jefes paras, se supo de la coautoría de empresarios y funcionarios gubernamentales. Luego de tres meses, con la complicidad de directivos del DAS y de altos oficiales del Ejército, asesinaron a Jaime Garzón Forero, humanista y humorista; un crimen sin palabras.

839 "Colombia entera repudia el secuestro y el terrorismo", *ibid.*, pp. 311-314.

Durante el período se presentó una baja en la administración Pastrana que generó una crisis en el Alto Mando Militar: la renuncia del ministro de la Defensa Nacional, Rodrigo Lloreda Caicedo, el 25 de mayo, motivada por las desavenencias y malentendidos que de forma permanente tuvo con Víctor G. Ricardo. Lloreda era el portavoz de las inquietudes que tenían los militares con relación al proceso que se adelantaba con las FARC-EP, las aparentes concesiones a la guerrilla, la propuesta de canje de prisioneros, las investigaciones de la Procuraduría y la situación misma en la zona de distensión. Fueron varios los momentos de tensión entre ellos, que al final derivaron en la renuncia del funcionario; con él pidieron la baja varios generales y coroneles que consideraban que el Presidente no los tenía en cuenta. La crisis se ahondó, se volvió a escuchar la frase "ruido de sables" y Pastrana, que estaba atendiendo la Cumbre de Presidentes del Grupo Andino en Cartagena, les salió al paso al citarlos, escuchar sus inquietudes en torno a las negociaciones con la guerrilla y aceptar parte de sus cuestionamientos.

La zona de distensión se había convertido en un factor de permanentes tensiones: constantemente circulaban rumores de que allí se cometían tropelías en contra de la población, de que servía como refugio para guardar secuestrados y espacio para el tráfico de armas y drogas, y de que hacía las veces de campo de entrenamiento para nuevos reclutas de la guerrilla. Ante ello, era el momento de conformar y poner en funcionamiento la Comisión Internacional de Acompañamiento contemplada en el punto 7 del Acuerdo de Caquetania, que serviría como verificadora de las denuncias y comentarios. El 18 de julio, cuando todo hacía pensar que por fin se sentarían los equipos negociadores en la mesa, las FARC-EP se negaron a aceptar la designación del equipo internacional, pese a estar expresamente contemplado en el acuerdo firmado por Marulanda y Pastrana. Este nuevo *impasse* se presentó a los pocos días del ataque a la estación de Policía en el municipio de Puerto Rico (Meta) —10 de julio de 1999—, donde otros 28 uniformados fueron capturados por los guerrilleros para engrosar la lista de "canjeables".

Ataques como el de Puerto Rico ocurrieron de forma continua a lo largo del proceso en el Caguán, motivados por la metodología adoptada de negociación en medio de la confrontación, que fue criticada por muchos sectores que pedían el cese bilateral de fuego y hostilidades. Por fuera de los 42.000 kilómetros cuadrados de la zona de distensión se dieron combates de gran magnitud que reflejaron un nuevo momento en la operatividad de las Fuerzas Militares, que habían avanzado en movilidad, inteligencia, flexibilidad táctica y mayor poder de fuego aéreo que, con el paso de los días, se convertía en el terror de las guerrillas. A mediados de noviembre, las FARC-EP lanzaron una gran ofensiva, en especial en el sur y el centro del país, al atacar objetivos militares en zonas aledañas a la capital. A Puerto Inírida (Guainía) pretendieron entrar el 16 de noviembre, en una gran operación que intentaba repetir la toma de Mitú un año antes. Más de 1.500 guerrilleros de los frentes 16 y 44 y de la Columna Juan José Rondón se preparaban en sigilo desde hacía varios meses, pero fueron detectados días antes del ataque. La reacción de la Infantería de Marina y de la Fuerza Aérea, con el avión fantasma y helicópteros UH60 y Bell 21, evitó otro golpe que hubiera minado aún más la debilitada confianza de los colombianos en el proceso. Por otra parte, integrantes del Bloque Sur atacaron la estación de Policía de Curillo (Caquetá), el 9 de diciembre; tres civiles murieron en el cruce de disparos, tres policías fueron incinerados dentro del cuartel y nueve más fueron tomados como rehenes. Precisamente, para intentar recuperar un mínimo de confianza en los colombianos, se llegó a un cese al fuego entre el 20 de diciembre y el 10 de enero de 1999, por las festividades de Navidad y la llegada del nuevo milenio.

Solo hasta el 24 de octubre se logró instalar formalmente la Mesa Nacional de Diálogo y Negociación en La Uribe, en un evento que contó con la presencia de invitados nacionales e internacionales; a partir de ese momento, las negociaciones giraron en torno al Comité Temático Nacional, que empezó su tarea de organizar y convocar a las audiencias públicas, en las que se buscaba la más amplia participación ciudadana. Para facilitar el proceso se construyeron en la inspección de Los Pozos, del municipio de San Vicente del Caguán, unas instalaciones a las que llamaron Villa Nueva Colombia, que fueron inauguradas el 29 de enero siguiente como sede permanente para las negociaciones. En este evento se dejó entrever una movida de la mesa que sería bastante criticada: funcionarios del Gobierno —en la cabeza, el Alto Comisionado para la Paz— y 7 miembros de las FARC-EP emprenderían un viaje "de trabajo" por Suecia, Noruega, Italia, El Vaticano, España, Suiza y Francia para conocer los modelos políticos y económicos de esos países y establecer relaciones políticas y diplomáticas que les permitieran explicar los desarrollos del proceso de paz. Para este momento, ya el secretario general de la ONU, Kofi Annan, había nombrado al noruego Jan Egeland como consejero especial para la ayuda internacional a Colombia, posición desde la que estaría al tanto de las negociaciones; en los cuarteles de las Naciones Unidas en Colombia, con la experiencia de Egeland en estas lides, se planeaba y organizaba el desplazamiento de los negociadores a Europa.

A su regreso de la gira por Europa presentaron en el comunicado N° 17 del 2 de marzo un balance positivo de las gestiones realizadas: "Son varias las lecciones y no dudamos que ellas aportarán mucho a las discusiones de la Mesa de Diálogo y Negociación y a la tarea del Comité Temático Nacional de organizar las audiencias públicas que garantizarán la participación ciudadana en el proceso de paz. Es necesario un modelo económico, político y social que se aparte de la corrupción, el narcotráfico y la violencia, para presentarlo a consideración del pueblo colombiano. Es claro para todos que las experiencias de otros países no se pueden copiar sin tener en cuenta nuestras propias condiciones. Oímos diferentes exposiciones sobre los modelos económicos de los países que visitamos. Vimos de primera mano el funcionamiento de las economías y conocimos las ventajas y desventajas de la aplicación de estos modelos"[840]. Un mes más tarde, en reunión ordinaria de la Mesa de Diálogo y Negociaciones, cuando la guerrilla presentó a sus tres nuevos negociadores por decisión del Pleno Ampliado del Estado Mayor Central —Andrés París, Simón Trinidad y Carlos Antonio Lozada—, Marulanda sorprendió con el borrador de un documento sobre el cese de fuego; desde ese momento, el tema se volvió recurrente en las reuniones hasta realizar, a comienzos de julio, un intercambio de propuestas con el Gobierno.

840 "Comunicado N°.17", 2 de marzo de 2000, en http://victorgricardo.com.co/?p=1404

Los 20 integrantes del Comité Temático habían sido nombrados con anterioridad, diez por cada una de las partes; contaba con dos coordinadores: Néstor Humberto Martínez, por el Gobierno Nacional, e Iván Ríos, por las FARC-EP. Las audiencias públicas fueron espacios participativos ciudadanos convocados para tratar aspectos específicos de los diez puntos de la Agenda Común para el Cambio hacia la Nueva Colombia; pero abordarlos tal como estaba construida la agenda era difícil; por eso, el 30 de enero de 2000 se decidió dividirla en tres bloques temáticos: estructura social y económica; derechos humanos, DIH y relaciones internacionales; y democracia y estructura política del Estado. Durante los meses siguientes se desató la participación: el informe del cierre del primer ciclo de las audiencias públicas, a 7 de noviembre de 2000, registraba la presencia de 23.631 personas, de las cuales intervinieron 1.042, en representación de organizaciones sociales y comunitarias, movimientos y partidos políticos y ciudadanos del común que tuvieron la posibilidad de participar, dar sus aportes y presentar propuestas concretas: "En total, entre los años 2000 y 2001, se efectuaron 38 audiencias públicas en diversas modalidades. Las primeras 26 audiencias, celebradas entre abril y noviembre de 2000, se destinaron a escuchar las propuestas sobre el tema de 'Generación de Empleo y Crecimiento Económico' y las últimas 12 audiencias, entre mayo y septiembre de 2001, trataron sobre 'Distribución del Ingreso y Desarrollo Social'"[841]. En paralelo a las audiencias públicas se estructuraron las "mesas ciudadanas por la paz" como un aporte desde organizaciones de la sociedad civil. Pero el proceso estaba debilitado y ya se registraba fatiga en las partes; el esfuerzo de aportes y propuestas desde la ciudadanía no pasó de las audiencias públicas, y estos no llegaron a ser sistematizados para el trabajo de la Mesa de Diálogo y Negociaciones.

Entre el 21 y el 25 de marzo, las FARC-EP adelantaron el Pleno Ampliado de su Estado Mayor Central, bajo la consigna "Con Bolívar, por la paz y la soberanía nacional". En las decisiones de orden interno designaron como nuevos integrantes del Estado Mayor Central a Iván Ríos, Pablo Catatumbo y Juan Carlos; como suplentes, a Pacho Chino,

841 Andrés Pastrana Arango, *op. cit.*, p. 242.

Joaquín Gómez, Fabián Ramírez y Víctor Tirado. En la mesa de diálogo[842] también hubo reajustes: salió Fabián Ramírez y en su reemplazo, y para cubrir en número sus representantes en la mesa, designaron a Simón Trinidad, Andrés París y Carlos Antonio Lozada. Sobre el Partido Comunista Clandestino (PCCC o PC3), pensaban convocar a una conferencia y nombraron una comisión conformada por Alfonso Cano, Adán Izquierdo y Pablo Catatumbo para elaborar el programa de las FARC-EP y del PC3. Así mismo, anunciaron para abril el lanzamiento del Movimiento Bolivariano por la Nueva Colombia "como organización que bajo la dirección de las FARC-EP aglutinará a todos quienes busquen el fin del terrorismo del Estado, de las injusticias, de las desigualdades, de la indignidad ante el imperio y del desempleo por las vías de la acción política y desde las trincheras de la clandestinidad, que los proteja de la barbarie paramilitar"[843].

El estudio de los principales documentos internos de este Pleno del Estado Mayor —"Tesis politicomilitares del Secretariado para la plenaria del Estado Mayor sobre el reajuste del plan estratégico para la toma del poder por las FARC EP", "Conclusiones reajuste político", "Conclusiones sobre personal" y "Declaración política"— permite concluir que el proceso de diálogo y negociaciones era una cortina de humo frente a un plan mayor, estratégico, para la toma del poder, trazado en las VII y VIII conferencias; las FARC-EP persistían en el reconocimiento como fuerza beligerante y consideraban que los avances en la Mesa de Diálogo y Negociaciones los llevarían a alcanzar ese estatus especial.

Tres aspectos, entre otros, abordados en los documentos del Pleno reafirman lo anterior. Sobre el cese al fuego: "La bandera del cese al fuego es de las FARC-EP y no de las clases en el poder. El Secretariado definirá el momento en que sea más oportuna la discusión del cese bilateral, y por tiempo definido, para sacar ventajas estratégicas que

842 El numeral 4, literal J, de las Conclusiones del Pleno señaló: "Habiendo ya firmado el proceso como de DIÁLOGO Y NEGOCIACIÓN y dado que en nuestra concepción de él, no cabe el término, trataremos de evitar esa palabra en los documentos y lo suprimiremos definitivamente de nuestro léxico", en http://www.farc-ep.co/pleno/pleno-ampliado marzo-21-25-del-ano-2000.html

843 "Pleno Ampliado Marzo 21-25 del año 2000", en http://www.farc-ep.co/pleno/pleno-ampliado-marzo-21-25-del-ano-2000.html

dejen nuestra fuerza militar cerca de los grandes centros urbanos y de las bases militares, así como al Partido Clandestino y al Movimiento Bolivariano influyendo poderosamente en la movilización de las masas populares". Sobre el fortalecimiento del grupo y de sus estructuras armadas, expresaron: "La consecución de armamento en este período nos ha permitido un salto cualitativo en nuestro proceso de conformación como Ejército del Pueblo, que hemos conseguido no solamente en los combates permanentes desarrollados por todo el país, sino que logramos realizar una compra grande y cubrir las necesidades básicas producto de nuestro crecimiento. Por eso el déficit por Bloques y Comandos en la actualidad no es demasiado grande, teniendo en cuenta que es posible conseguir armas a pesar de los controles del enemigo y la falta de una infraestructura terrestre, aérea y marítima que debemos construir. Con todo ello vamos bien en esta materia". En cuanto a lo económico, aprobaron la Ley 002 sobre tributación: "Artículo 1: Cobrar el impuesto para la paz a aquellas personas naturales o jurídicas, cuyo patrimonio sea superior al millón de dólares USA. Artículo 2: a partir de la fecha, los cobijados por esta Ley, deben presentarse para cumplir esta obligación. Un segundo llamado aumentará el monto del tributo. Artículo 3: quienes no atiendan este requerimiento, serán retenidos. Su liberación dependerá del pago que se determine"[844].

El mismo Pleno aprobó la Ley 003 sobre corrupción administrativa, que "sancionaba" a los que se apropiaran de bienes o dineros públicos con la devolución más los intereses bancarios, el pago de una multa acorde al monto y gravedad del delito llegando a la expropiación de bienes o al arresto; en el mismo sentido, se sancionaba a quienes promovieran o facilitaran los actos de corrupción[845]. Estas medidas produjeron toda clase de comentarios y rechazos en el Gobierno Nacional; desde distintos sectores se alzaban igualmente voces en contra de los diálogos y de la zona de distensión, en particular cuando

844 Ley 002 sobre la tributación, en https://resistencia-colombia.org/movimiento-fariano/farc-ep/documentos/952-ley-002-sobre-la-tributacion

845 Texto de la Ley 003 sobre la corrupción administrativa, en https://resistencia-colombia.org/movimiento-fariano/farc-ep/documentos/950-ley-003-sobre-la-corrupcion-administrativa

ocurrían hechos como estos de las "leyes revolucionarias" o cuando se escuchaban de los líderes guerrilleros las explicaciones altisonantes.

Pocas semanas después, el 27 de abril, llegaron la renuncia de Víctor G. Ricardo a su cargo de alto comisionado para la Paz y el nombramiento de Camilo Gómez, quien era hasta ese momento el secretario privado del Presidente y participaba en el grupo de negociadores del Gobierno. Las razones del retiro de Ricardo fueron las mismas que el Alto Mando Militar le expresó al Presidente en el momento de la crisis por la renuncia del ministro Lloreda. Dos días más tarde fue presentado públicamente el Movimiento Bolivariano por la Nueva Colombia, en un acto que congregó a miles de guerrilleros perfectamente uniformados y armados, la demostración de poderío más significativa que en su historia realizaron las FARC-EP o cualquier otro grupo insurgente en América Latina. El nuevo movimiento político, amplio pero clandestino, tenía a Alfonso Cano como jefe nacional. En palabras de Manuel Marulanda Vélez, "Este encuentro va a ser histórico en Colombia por el surgimiento de un nuevo movimiento, en donde todos, sin distingos políticos, raza o credo, puedan agruparse para defender sus intereses económicos y sociales, con la certeza de que estamos abriendo caminos a una nueva democracia, sin el temor de ser asesinados por el Estado y a la vez, luchando contra la intervención de Estados Unidos en nuestros asuntos internos, con el sofisma de combatir el narcotráfico"[846].

A mediados de abril, la Mesa de Diálogo y Negociaciones había convocado para los días 29 y 30 de mayo a la primera Audiencia Especial Internacional sobre Medio Ambiente y Cultivos Ilícitos, con la facilitación de los gobiernos de España y Noruega. Se invitó a dos delegados de los siguientes países, con sus correspondientes embajadores: Francia, Suiza, Grecia, Italia, Alemania, Bélgica, Holanda, Suecia, Finlandia, Austria, Gran Bretaña, Dinamarca, Portugal, Brasil, México, Costa Rica, Estados Unidos, Canadá, Japón, España y Noruega, y dos delegados del Estado Vaticano. Fueron convocados también expertos internacionales y nacionales, dos delegados del Parlamento Europeo

846 "Discurso del comandante Manuel Marulanda Vélez en el acto de lanzamiento del M.B.", 29 de abril de 2000, en http://www.mbsuroccidentedecolombia.org/documentos/discurso.html

y, en representación de la ONU, Jan Egeland. Se trataba de escuchar a los representantes de las comunidades y organizaciones relacionadas con la problemática del medio ambiente y los cultivos ilícitos.

El tema le caía como anillo al dedo al Gobierno en su propósito de internacionalizar la solución del conflicto y de consolidar su propuesta del ya cuestionado Plan Colombia, con sus distintas versiones y calificaciones de sofisma de distracción, que permitiría montar un programa contrainsurgente disfrazado con el combate a las drogas ilícitas. Las fronteras entre una y otra guerra eran muy difusas, lo que facilitaba la intervención con asesores militares y policiales, contratistas, armamentos y no pocas acciones encubiertas. Precisamente, en esos meses el Congreso de Estados Unidos aprobó el primer gran paquete de ayuda estadounidense por 1.300 millones de dólares para el Plan Colombia, "representado en equipos militares, asesoría y capacitación para la lucha contra el narcotráfico, así como en fondos para apoyar programas de desarrollo alternativo, de alivio a los desplazados, de derechos humanos y de justicia. ¡La más grande ayuda jamás antes aprobada para el país!"[847], expresó el expresidente Pastrana; el mayor respaldo al Plan Colombia lo constituyó la visita oficial del presidente Bill Clinton quien, el 30 de agosto, arribó a Cartagena junto con Dennis Hastert, presidente de la Cámara de Representantes y destacado miembro del Partido Republicano.

La audiencia internacional fue un espaldarazo a la salida política negociada al conflicto y mostró el interés de muchos países por trabajar en la sustitución de cultivos ilícitos, el desarrollo alternativo y la protección del medio ambiente. Su realización estuvo en vilo por cuenta de un delicado incidente ocurrido el lunes 15 de mayo en Boyacá, cuando delincuentes comunes le pusieron a una humilde mujer un collar bomba que harían explotar si no pagaba una extorsión; cuando los técnicos antiexplosivos intentaron desactivarlo, voló en mil pedazos. Los organismos de inteligencia coincidieron en que era obra de las FARC-EP, y con esa información, el recientemente nombrado Alto Comisionado se reunió con los jefes de la guerrilla que negaron el hecho y, ante la decisión del Gobierno Nacional de cancelar la

847 Andrés Pastrana Arango, *op. cit.*, p. 283.

audiencia internacional, se retiraron de la reunión. Pasados algunos días, el hecho se aclaró, cuando efectivamente se comprobó que no habían sido las FARC-EP. En todo caso, la audiencia se reprogramó para el 29 y 30 de junio, un mes más tarde.

En esta audiencia, Marulanda presentó su propuesta de sustitución de cultivos, una fórmula piloto a cinco años para acabar con la producción de la hoja de coca en el municipio de Cartagena del Chairá, en el Caquetá, con 8.765 hectáreas sembradas. Se trataba de un proceso ampliamente participativo a través de un Comité Coordinador Municipal y un Equipo Técnico, dotado de un plan de acción, con financiación nacional y extranjera. Para facilitar su ejecución había que invertir en un sistema vial, de comunicaciones, mercadeo y desarrollo en infraestructura de salud, hogares infantiles, educación primaria y secundaria y una universidad. "El experimento busca demostrar que los cultivos ilícitos no son difíciles de erradicar si se tiene en cuenta que cuando hay voluntad y deseos de combatir este fenómeno mundial, hay que hacerlo con grandes inversiones destinadas a solucionar los problemas sociales que lo han originado y no dedicando grandes sumas de dinero a planes represivos contra la población"[848].

Un hecho significativo en el período fue la formación de un Grupo de Apoyo Político a la Mesa de Negociación, con representantes de partidos y movimientos políticos y los presidentes de Senado y Cámara, los mismos que habían estado en la zona de distensión en abril de 1999, cuando se presentó la primera interrupción de los diálogos. En septiembre de 2000, luego de casi tres meses de estancamiento, ingresaron al equipo negociador del Gobierno tres nuevos miembros: Alfonso López Caballero, Luis Guillermo Giraldo y monseñor Alberto Giraldo que, en el momento, era el presidente de la Conferencia Episcopal de Colombia; con ellos, el milimétrico grupo negociador quedó formado por dos políticos liberales, dos conservadores, un representante del sector privado, un general en retiro y monseñor Giraldo. Por tercera

848 Propuesta de las FARC-EP a la audiencia especial con representación de veintiún países. "Planificación de mecanismos para la sustitución de cultivos ilícitos. Municipio de Cartagena del Chairá (Caquetá)", en http://centromemoria.gov.co/wp-content/uploads/2013/11/Propuesta.pdf

vez, el Gobierno reajustaba sus negociadores, mientras que las FARC-EP mantenían inamovibles a los suyos.

Varios *impasses* sufrió la Mesa de Diálogo y Negociaciones en los últimos meses de 2000: el 8 de noviembre, Arnovio Ramos, un preso al que estaban trasladando de cárcel, secuestró un avión de la empresa Aires. La aeronave fue desviada hacia la zona de distensión, donde los jefes guerrilleros lo protegieron. Una semana más tarde, las FARC-EP congelaron el proceso, de nuevo con el argumento de la falta de claridad del Gobierno en el combate a los grupos paramilitares; las AUC de Castaño habían secuestrado a siete congresistas y, en una labor humanitaria que buscaba su liberación, el ministro de Gobierno, Humberto de la Calle, se reunió con el jefe de las Autodefensas.

Entre el 4 y el 7 de diciembre se presentaron los secuestros de Juliana Villegas (hija de Luis Carlos Villegas, presidente de la ANDI) y de Fernando Araújo, exministro de Desarrollo Económico en los primeros meses del gobierno de Pastrana; cuatro meses antes había sido el secuestro de Óscar Tulio Lizcano, representante a la Cámara por el departamento de Caldas; las FARC-EP consideraban que les era más beneficioso el secuestro de políticos que el de uniformados. En los últimos días de diciembre ocurrió el asesinato del presidente de la Comisión de Paz de la Cámara de Representantes, Diego Turbay Cote, de su madre, Inés Cote de Turbay, lideresa del Caquetá, y de cinco acompañantes, quienes fueron detenidos en un retén de las FARC-EP y baleados en el piso. Todo parecía indicar que el proceso de negociaciones llegaba a su fin; por eso, cuando en la primera semana de diciembre se acercaba el final de la prórroga de la zona de distensión, el Presidente se decidió por una prorroga corta, de 55 días, hasta el 31 de enero siguiente, previendo la ruptura definitiva.

Por su lado, el ELN había retomado los hilos de los acercamientos con el Gobierno, luego de una larga interrupción, cuando, el 16 de junio de 1999, le fue retirado el reconocimiento político (Resolución N° 41). Entre el 19 y el 20 de octubre de ese año, gracias a las gestiones que desde hacía meses realizaba la Comisión Facilitadora Civil, se reunieron en La Habana Juan Gabriel Uribe y Julio Londoño Paredes, embajador en Cuba, con Pablo Beltrán y Ramiro Vargas, dirigentes del ELN. Un nuevo encuentro se programó para el 23 de diciembre en el Sur de Bolívar para analizar las alternativas de lugares donde se pudiera realizar la Convención Nacional, sin lograr aún definiciones: "Nos hemos comprometido, ellos y nosotros, a que para no interferir en el proceso las distintas reflexiones y diálogos —que, insisto, han sido positivos— los mantengamos en discreción hasta tanto haya una conclusión o un acuerdo respecto a la zona y sus condiciones"[849]. El ELN, con presencia histórica en el Sur de Bolívar, se mantenía en que allí se estableciera la Zona de Encuentro; además, proponía iniciar programas conjuntos de prevención y sustitución de cultivos de coca; consideraba que a ello se oponían "poderes ocultos" que sentían amenazados sus negocios. Ya para entonces se presentaban manifestaciones de inconformidad por parte de habitantes de la región en contra de un posible despeje; hubo bloqueos y manifestaciones en las vías y se sentía una fuerte presencia de paramilitares.

En enero de 2000, el ELN lanzó una ofensiva contra la infraestructura energética del país, con la voladura de más de 200 torres de conducción de energía como medida de coacción en contra de la privatización de las empresas de ese sector y como mecanismo de presión para alcanzar la Convención Nacional. El 15 de ese mes, Pablo Beltrán, en nombre de su organización, le envió una carta a Víctor G. en la que expresó la decisión del COCE y de la DN de que la zona de los diálogos fuera en el Sur de Bolívar. No había otra posibilidad, y todo quedaba en manos del Gobierno. En febrero, cuando ya se rumoraba que el despeje sería sobre cinco municipios, aumentaron las protestas de campesinos con cierre de carreteras del Sur de Bolívar, sur del Cesar, Magdalena Medio santandereano y Bajo Cauca. El 24 de abril se llegó a un marco general de entendimiento entre Gobierno y ELN sobre la Convención Nacional y el desarrollo de una mesa de negociaciones; mediante un comunicado público, el propio Gabino anunció lo pactado con el Gobierno Nacional para establecer la Zona de Encuentro, por nueve meses, en las cabeceras municipales de San Pablo y Cantagallo, en el Sur de Bolívar, y Yondó, en Antioquia. Se estableció también

849 "Declaración del alto comisionado para la Paz sobre nuevo encuentro con el ELN", 23 de diciembre de 1999, en *Hechos de paz. Procesos de paz que adelanta el Gobierno Nacional con el ELN*, *op. cit.*, pp. 333-334.

una Comisión de Verificación Nacional, integrada por dos miembros del ELN, dos representantes del Gobierno y uno escogido de común acuerdo, y quedó pactada una Comisión de Verificación Internacional. En este momento se produjeron la renuncia de Víctor G. Ricardo y el nombramiento de su reemplazo.

Para el ELN, la consulta y presencia de la sociedad civil en sus acercamientos, diálogos y negociaciones con el Gobierno Nacional eran una norma que, según sus apreciaciones, daba sustento a sus propuestas. Al finalizar mayo se encontraron en la Academia Evangélica de Bad Boll (Stuttgart, Alemania) delegados de la Comisión Facilitadora Civil, representantes de varios sectores sociales y miembros del COCE y del Frente Internacional del ELN para analizar las propuestas sobre las negociaciones y conocer su propuesta de "Creación de un consenso nacional para un proyecto de construcción de una nueva sociedad"; se acordó convocar a una nueva reunión, ampliada, en Ginebra (Suiza) en los meses siguientes.

Mediante la Resolución N° 18 del 6 de junio de 2000, el Gobierno Nacional declaró abierto el proceso de diálogo con el ELN a partir del día siguiente, y de nuevo le reconoció el carácter político[850]; dos semanas después, las partes aprobaron conformar el Consenso Nacional para la Paz y constituir un grupo de países amigos y facilitadores del proceso de paz con el ELN —Francia, Cuba, España, Noruega y Suiza—, que tendrían como mandato el acompañamiento y apoyo al proceso y funciones de conciliación, verificación y humanitarias[851]. Este grupo se oficializó en una visita que hicieron el 14 de julio al Sur de Bolívar los negociadores del Gobierno, junto con los embajadores de los cinco países; allí se encontraron con Gabino, Beltrán y Óscar Santos y dialogaron sobre el papel que tendrían en adelante. Sin embargo, había dificultades: el ELN consideraba que el Gobierno dilataba los compromisos sobre el área acordada, que multiplicaba las

850 El 14 de julio, a través de la Resolución 029, reconoció a Nicolás Rodríguez Bautista, Antonio García, Pablo Beltrán, Ramiro Vargas, Óscar Santos, Luis Carlos Guerrero, Francisco Galán y Felipe Torres como representantes del ELN en el proceso de diálogo y negociaciones.

851 Véase el "Comunicado conjunto sobre la metodología para la realización de las reuniones preparatorias del consenso nacional para la paz" del 22 de junio de 2000, en *Hechos de Paz. Procesos de paz que adelanta el Gobierno Nacional con el ELN*, *op. cit.*, pp. 375-378.

acciones del Ejército, y acusaban a sectores de la "élite gobernante" y del paramilitarismo de orquestar los bloqueos y el movimiento No al Despeje. Ante ese panorama, expresaron en un comunicado del 20 de julio que no había garantías para nuevas reuniones en esa zona.

El paso siguiente fue el encuentro en Ginebra (Suiza), entre el 23 y 25 de julio, con participación del Gobierno Nacional, el ELN con sus delegados García, Galán y Torres —estos dos últimos excarcelados— y representantes de la sociedad civil. En el desarrollo de las deliberaciones se conoció del ataque de las AUC al campamento del ELN en el Sur de Bolívar, donde se encontraban Gabino y Beltrán, lo que caldeó los ánimos de los elenos presentes, y la declaración final del evento reflejó el estado de ánimo de los asistentes: "Como consecuencia de la confrontación armada de los últimos días en el Sur de Bolívar, se han presentado graves dificultades al proceso que se viene adelantando entre el Gobierno Nacional y el ELN. Frente a estas circunstancias es conveniente que los países amigos y la Comisión Facilitadora Civil propicien la generación de las condiciones necesarias para continuar en el curso del desarrollo del proceso"[852]. En todo caso, hubo un respaldo al proceso de paz, un reconocimiento a los países amigos y un nuevo llamado a la realización de la Convención Nacional.

El domingo 17 de septiembre, en los alrededores del kilómetro 18 que de Cali conduce al puerto de Buenaventura, combatientes del Frente José María Becerra, del ELN, bajo el mando de alias Caliche, realizaron otro secuestro masivo de 60 personas que se encontraban en restaurantes y fincas de recreo cercanas. La Fuerza de Despliegue Rápido (FUDRA) se encargó de iniciar y mantener la persecución; fueron semanas de mucha tensión, en las que se conocía del mal estado de los secuestrados. A fines de octubre se consiguió un espacio humanitario para sacar del área a seis, entre los más enfermos, y los cuerpos sin vida de dos de los rehenes muertos en cautiverio. El miércoles 1° de noviembre, luego de arduas negociaciones, se logró, a través de los voceros presos en la cárcel de Itagüí, la orden del COCE para que liberaran a los 21 secuestrados que aún estaban en poder del grupo en la zona de Los Farallones de la cordillera Occidental. La

852 "Declaración de Ginebra", 25 de julio de 2002, en Observatorio para la paz, *Las verdaderas intenciones del ELN*, *op. cit.*, pp. 240-242.

presencia de los embajadores del grupo de países amigos, de integrantes de la Comisión Facilitadora Civil y de personal del CICR permitió que la operación se hiciera efectiva, pese a la oposición del general Jaime Ernesto Canal, comandante de la Tercera Brigada, que siempre se atravesó en las gestiones.

Pasados estos hechos, continuaron en la serranía de San Lucas las conversaciones sobre la Zona de Encuentro y sus posibles límites. El 13 de diciembre se inició, en La Habana, una ronda de conversaciones que concluyó días más tarde con la firma de acuerdos sobre reglamentación, criterios y delimitación de la Zona de Encuentro. El documento final, de 84 puntos, estableció el objeto, la duración, y definió un área de aproximadamente 2.000 kilómetros cuadrados, que comprendía los municipios de Cantagallo y San Pablo, en el Sur de Bolívar; contempló aspectos como la participación de la población, derechos humanos, cultivos ilícitos y reglamento para la verificación por parte del Grupo de Países Verificadores, que se formó con la participación de Alemania, Canadá, Japón, Portugal y Suecia. En plena ronda de La Habana, como un gesto unilateral y humanitario, el ELN liberó, el 26 de diciembre, a 42 uniformados (29 policías, 10 militares y 3 agentes del DAS) que se encontraban retenidos. En las primeras semanas de 2001 se registraron de nuevo protestas en contra de la desmilitarización de Cantagallo y San Pablo; Yondó había sido descartado desde noviembre, a cambio de ampliar la Zona de Encuentro a las áreas rurales de los municipios acordados. Las carreteras que comunican con Bogotá, con la costa caribe y con Barranca y Bucaramanga fueron bloqueadas.

El 29 de octubre del año anterior se celebraron elecciones seccionales para alcaldes, gobernadores, concejales municipales y diputados departamentales. El Partido Liberal obtuvo la mayoría, con el 39,3%; los conservadores alcanzaron el 28,5%, y se registró una importante votación por candidatos y movimientos independientes, que ganaron el 21% de las alcaldías. Meses antes, el ELN había dicho que no iba a interferir en el proceso electoral; se podría pensar que tenían intereses en algunos candidatos a alcaldías de regiones donde hacían presencia histórica. Por su parte, las FARC-EP, desde el Pleno del Estado Mayor Central de marzo de 2000, de manera realista, señalaron: "Se aproximan las elecciones para alcaldes y concejos municipales. Por tal motivo la situación en la zona de despeje se torna especialmente compleja y los resultados servirán para mostrar ante la opinión nacional e internacional el calado de las FARC en esta coyuntura. Teniendo en cuenta también el sentimiento que une a la población a estas elecciones por la cercanía a la solución de muchas de sus necesidades y del terror que han logrado llevar a muchas regiones, consideramos conveniente posibilitar su desarrollo en todo el país. Trabajaremos por lograr que los candidatos populares sean elegidos en asambleas democráticas, con elaboración ciudadana de sus programas y rendición permanente de cuentas sobre la gestión administrativa. Nuestro apoyo, cuando sea necesario, será exclusivamente a candidatos de movimientos cívicos. [...] Mantendremos la guerra contra los candidatos del paramilitarismo y el veto para los candidatos y las campañas de los partidos tradicionales en nuestras zonas de influencia"[853]. En San Vicente del Caguán, corazón de la Zona de Despeje, la Alcaldía la ganó un candidato del partido Oxígeno Verde, que dirigía la senadora Íngrid Betancourt.

Al iniciarse el año 2001, las negociaciones entre el Gobierno y las FARC-EP estaban en crisis; según el grupo, no se reanudarían hasta tanto el Gobierno no mostrara su estrategia y hechos reales en la lucha contra el paramilitarismo. El 31 de enero, día en que se vencía la prórroga corta de la zona de distensión, el presidente Pastrana se dirigió a los colombianos por radio y televisión, y públicamente le propuso a Manuel Marulanda Vélez un encuentro esa misma semana para decidir si el proceso continuaba o no. Comunicó que ampliaba el plazo de la zona por cuatro días hasta la reunión propuesta. La respuesta fue positiva, y la cita quedó para el 8 de febrero. Unos días antes, el Presidente hizo presencia en la zona con algunos de sus ministros, lo que se interpretó como un acto de soberanía sobre una región del país que se creía cedida a la guerrilla. Las negociaciones fueron difíciles, según contaron los asistentes; los temas donde no había acuerdos se relacionaban con la lucha contra el paramilitarismo, el fin de los secuestros y la disminución de la intensidad del conflicto armado; para escuchar otras opiniones sobre estos aspectos se acordó

853 "Pleno Ampliado Marzo 21-25 del año 2000", en http://www.farc-ep.co/pleno/pleno-ampliado-marzo-21-25-del-ano-2000.html

crear "una comisión con personalidades nacionales que les formulen recomendaciones"; esa sería la que más adelante se conocería como la Comisión de Notables; con esa y otras fórmulas se descongeló el proceso y se elaboró el Acuerdo de Los Pozos[854], de trece puntos, que firmaron Marulanda y Pastrana. Un aspecto medular se refería a la posibilidad de concretar un acuerdo humanitario que permitiera la liberación de soldados, policías y guerrilleros enfermos; esta era una variable al canje de prisioneros en el que insistían las FARC-EP. Se estableció abordar las labores de la mesa a partir del próximo 14 de febrero con los temas sustantivos de la agenda y entrar a discutir el cese del fuego y de hostilidades. Un aspecto del Acuerdo de Los Pozos se refería a la comunidad internacional, preocupación del Presidente, y acordaron invitar para el próximo 8 de marzo a un grupo de países amigos y organismos internacionales para informarlos sobre el estado y evolución del proceso e incentivar su colaboración.

El 12 de febrero, el Mono Jojoy anunció, como gesto de "buena voluntad", que las FARC-EP sacarían a todos los menores de edad que estaban en las filas de su organización; tres días después se hizo la entrega de 62 menores entre 12 y 16 años, la mayoría de ellos con permanencia de dos a cuatro años en el grupo, que fueron entregados a una comisión humanitaria en la que participaron la embajadora de Austria, la directora del Programa para la Reinserción, autoridades civiles del municipio de La Uribe y Unicef.

En las reuniones siguientes de la Mesa de Diálogo y Negociaciones se tomaron varias decisiones, como lo contemplaba el Acuerdo de Los Pozos: 1. Se creó una Comisión Auxiliar de Casos Especiales, integrada por monseñor Alberto Giraldo y Andrés París (FARC-EP); 2. Una Comisión Facilitadora, compuesta por diez países (Canadá, Cuba, España, Francia, Italia, México, Noruega, Suecia, Suiza y Venezuela), con presidencia rotativa para facilitar, por solicitud de las partes, desarrollos propios del proceso de solución política negociada; 3. La Comisión de Notables, para formular recomendaciones —confidenciales— sobre el paramilitarismo y disminuir la intensidad de la confrontación, conformada por Ana Mercedes Gómez, Carlos Lozano, Vladimiro

854 Texto completo del Acuerdo de Los Pozos, en *El Tiempo*, 10 de febrero de 2001, http://www.eltiempo.com/archivo/documento/MAM-633506

Naranjo y Alberto Pinzón. De esta manera se les dio un nuevo aire a los diálogos y negociaciones, con la esperanza de poder avanzar sobre los temas sustanciales de la agenda.

Sobre el acuerdo humanitario se concentraron las discusiones en sectores políticos y de la opinión pública; no era la primera vez que en Colombia se recurría a esa figura propia del DIH: en 1969, bajo el gobierno de Carlos Lleras Restrepo, se despejó una zona del territorio nacional para negociar la liberación del exministro Fernando Londoño y Londoño, secuestrado por el EPL. En 1980, el presidente Julio César Turbay Ayala negoció con el M-19 la liberación de los rehenes en la Embajada de República Dominicana a cambio de la salida del país de los integrantes del Comando Jorge Marcos Zambrano. En el gobierno de Samper se negoció con el JEGA la liberación de Juan Carlos Gaviria, hermano del expresidente y Secretario General de la OEA, César Gaviria. En 1997 fue el despeje en el Caguán para la liberación en Cartagena del Chairá de 70 soldados e infantes de Marina, retenidos por las FARC-EP. Los anteriores casos se suman a las liberaciones de secuestrados por el ELN en el mismo gobierno de Pastrana.

El 2 de junio, luego de varios meses de intensas negociaciones, el Gobierno Nacional y las FARC-EP concluyeron las discusiones sobre un acuerdo humanitario para la liberación de 14 combatientes del grupo insurgente que se encontraban enfermos en distintas cárceles y 359 miembros de la Policía y del Ejército en poder de la guerrilla. La operación se inició el 5 de junio con la liberación del coronel Acosta, que se encontraba en grave estado de salud; el 16 de junio, el CICR trasladó desde Valledupar hasta la zona de despeje a once guerrilleros; allí fue entregado un primer grupo de 29 uniformados. Al día siguiente, las liberaciones ocurrieron en Antioquia: un grupo de 10 miembros del Ejército y de la Policía en Urrao, y otros 4 en la zona rural de Cocorná. El 18 de junio fueron 4 miembros del Ejército y de la Policía en el Cesar y otros 4 en Boyacá. El 22 de junio, otros 3 guerrilleros de las FARC fueron liberados y transportados por el CICR a la zona de despeje. La liberación del mayor grupo de uniformados, por decisión unilateral de las FARC-EP, fue el 28 de junio: un total de 242 integrantes de la fuerza pública fueron concentrados en La Macarena y trasladados al día siguiente a la base de Tolemaida, donde los esperaba el presidente de la República; dos días después quedaron en libertad 62 miembros del Ejército y de la Policía que estaban en Antioquia. Más de medio centenar de oficiales y suboficiales permanecieron en las cárceles que la guerrilla había construido en lo más profundo de la selva[855].

Para efectos del canje, las FARC-EP habían comprendido que los uniformados podían permanecer por años secuestrados y no pasaba mayor cosa; no sucedía lo mismo con prestantes políticos liberales o conservadores, y por eso iniciaron una oleada de plagios: el 10 de junio, mientras se producían las liberaciones de soldados y policías, el turno fue para el congresista Luis Eladio Pérez, nariñense; pasadas dos semanas fue el secuestro de Alan Jara, exgobernador del Meta; le siguió el asalto al edificio Torres de Miraflores, en Neiva, de donde se llevaron a Gloria Polanco de Lozada (electa al Congreso mientras estaba en cautiverio) y a sus dos hijos; vendría luego el secuestro del congresista Orlando Beltrán Cuéllar, el 28 de julio; al mes siguiente se llevaron a la congresista Consuelo González de Perdomo; el 24 de septiembre ocurrió el plagio de la exministra de Cultura, Consuelo Araújo Noguera, por parte del Bloque Caribe; seis días después fue encontrado su cuerpo sin vida, al parecer muerta en un intento de rescate. El secuestro del congresista Jorge Eduardo Géchem, el 20 de enero de 2002, fue la gota que derramó la copa, pero no sería el último; tres días después, recién clausurada la zona de distensión, fue secuestrada Íngrid Betancourt, junto con su asesora, Clara Rojas.

Estas y muchas más acciones generaron en la opinión pública un sentimiento de rechazo, no solamente a las FARC-EP, sino en general hacia el proceso y sus protagonistas de lado y lado. Un factor adicional fueron los hechos terroristas del 11 de septiembre de 2001 en Estados Unidos, que tuvieron su propia repercusión en Colombia. La "tolerancia cero" desde el mundo occidental implicó una visión más estricta e implacable ante el terrorismo y organizaciones consideradas como tales, en el caso nuestro las FARC-EP, el ELN y las AUC. En enero se había posesionado el republicano George W. Bush como 43° presidente de Estados Unidos.

855 Con información del CICR, en https://www.icrc.org/spa/resources/documents/misc/5tdpj4.htm

La Comisión de Notables, creada en virtud del Acuerdo de Los Pozos, presentó el 19 de septiembre, ante la maltrecha Mesa de Diálogo y Negociaciones, su informe de recomendaciones sobre el combate al paramilitarismo y la disminución de la intensidad del conflicto, el cual se hizo público el 27 de ese mes. La primera observación y crítica de Los Notables tuvo que ver con el método de negociar en medio del conflicto, que no generaba confianza entre las partes y tenía un alto costo en vidas y bienes; propusieron entonces pactar una tregua bilateral de seis meses, prorrogables, con pleno respeto al DIH por parte del Estado y de las FARC-EP. Se suspenderían las hostilidades (secuestros, retenciones, cobros, atentados a la infraestructura vial y energética), y el Estado se comprometería a la sustitución de cultivos. Sobre las materias contempladas en el Acuerdo de Los Pozos se estudiarían propuestas de leyes o reformas a la Constitución, y se proponía una Asamblea Nacional Constituyente, de amplia participación, de seis meses de duración; una vez convocada, las FARC-EP depondrían las armas. Con relación al paramilitarismo, reconocieron los esfuerzos encaminados a su combate y solicitaron al Gobierno que adelantara el sometimiento a la justicia de los implicados en estas actividades. Sobre el narcotráfico, plantearon el necesario compromiso de la comunidad internacional de combatir y sancionar el suministro de insumos químicos, así como a los distribuidores de drogas y a los comprometidos con el lavado de activos. La Comisión solicitó a las FARC-EP no obstaculizar el desarrollo de los comicios que se realizarían en mayo de 2002. Precisamente, por esos días, el candidato liberal Horacio Serpa Uribe había convocado a una marcha de sus partidarios hacia San Vicente del Caguán, que fue impedida por los guerrilleros.

Otro de los mecanismos que intentaba darle aire al proceso era el Frente Común por la Paz y contra la Violencia, conformado al finalizar el año 2000, por iniciativa de Horacio Serpa y con la concurrencia de dirigentes de los partidos políticos. Ante un proceso de diálogos y negociaciones que pendía de un hilo, la salida estaba en la aplicación de las recomendaciones de Los Notables; así lo entendieron los negociadores, que se reunieron en el Caguán, a pocos días de un nuevo vencimiento de la prórroga de la zona de distención. Lo que se alcanzó fue el acuerdo de San Francisco de la Sombra para concretar y consolidar el proceso de paz, firmado el 5 de octubre de 2001 tras una ardua reunión entre el Alto Comisionado para la Paz y los dirigentes de las FARC-EP, que permitió un nuevo empuje a los diálogos y negociaciones. Se acordó estudiar de inmediato las recomendaciones de Los Notables, convocar a candidatos y a distintos sectores de la vida nacional a opinar y a aportar al proceso en curso; se ratificaron los principios de la zona de despeje relacionados con las autoridades y actividades en esta; al final, un compromiso de las FARC-EP con relación a los secuestros por la vía de las "pescas milagrosas": "Las FARC expresan y ratifican que las denominadas pescas milagrosas en las vías, no hacen parte de su política. En ese sentido, las FARC darán las instrucciones a todos sus integrantes de no realizar ese tipo de actividades"[856]. Suena paradójico, pero apenas pasados tres días del acuerdo de San Francisco de la Sombra, se produjo un retén —léase pesca milagrosa— en la vía de Pasto a Tumaco, a 15 kilómetros del municipio de Barbacoas, donde la guerrilla secuestró y dio muerte a dos uniformados a quienes acusaron de vínculos con paramilitares.

El final del proceso era inminente, por lo menos esa era la sensación en medios políticos, sociales, económicos, diplomáticos y militares. En realidad solamente faltaba un hecho que precipitara la ruptura. Las partes se preparaban para ello.

> El borrador del cable acerca de las instrucciones sobre el asunto de renovación del plazo de la zona desmilitarizada ha sido reenviado al Departamento de Defensa, al jefe del Estado Mayor Conjunto y al Consejo de Seguridad Nacional (NSC, por su sigla en inglés). El NSC buscará que las diferentes agencias coincidan acerca del cable. Si esto falla, la discusión y el acuerdo sobre el mensaje llegarán al nivel de los diputados.
>
> A pesar de la falta de un progreso sustancial a la fecha, el presidente Pastrana ve el proceso de paz con las FARC como el legado principal de su administración. Cree que el fin de la zona desmilitarizada generaría un colapso del proceso y un surgimiento importante de violencia. Pastrana no está preparado para aceptar ese desenlace. Estimamos que sigue comprometido con la prórroga de la zona antes del 20 de enero.

856 Texto del Acuerdo de San Francisco de la Sombra, en http://peacemaker.un.org/sites/peacemaker.un.org/files/CO_011005_Acuerdo%20De%20San%20Francisco%20De%20La%20Sombra.pdf

Luego de una interrupción de dos meses, los diálogos de paz se retomaron el 13 de enero. Las FARC propusieron una reunión entre Pastrana y el líder de las FARC, Manuel Marulanda, para discutir el estado del proceso antes del 20 de enero. Pastrana, sin embargo, no ha aceptado la propuesta, pero estos encuentros de alto nivel han ocurrido con frecuencia en el pasado en la víspera de las decisiones sobre la ampliación del plazo del despeje de la zona.

Pastrana enfrenta cierta presión del Ejército de Colombia para no prorrogar el despeje. Los opositores argumentan que la zona provee a las FARC de un refugio seguro para el cultivo de la coca, el secuestro, la extorsión y el entrenamiento militar. Sin embargo, los militares colombianos respetarán la decisión de Pastrana.

Fuente: Department of State, Information Memorandum, *Colombia: Demilitarized Zone DMZ Update*, 8 January 2002. The National Security Archive (NSA), Colombia and the United States: Political Violence, Narcotics and Human Rights, 1948-2010, documentos desclasificados de diferentes agencias de seguridad del Gobierno de Estados Unidos.

Con el resultado del acuerdo de San Francisco de la Sombra se prorrogó la vigencia de la zona de distensión hasta el 20 de enero siguiente y se anunciaron nuevos controles a personas y mercancías sobre vías de acceso terrestres, aéreas y fluviales. Para las FARC-EP se trataba de restricción de las garantías para la negociación y de seguridad en la zona, y un incumplimiento más en los acuerdos iniciales de funcionamiento. El proceso se volvió a trabar. Nuevos encuentros en diciembre permitieron citar a una reunión para la primera semana de enero; en efecto, las partes se encontraron para decir lo que ya habían dicho: las FARC-EP insistían en que no había garantías, mientras que el Gobierno repetía que no iba a modificar las medidas de adoptadas, que las garantías existían y no habían cambiado.

Para este momento, ya el Gobierno tenía montada una operación militar de retoma de la zona de distensión previendo que, en cualquier momento, se podía romper el proceso. El 9 de enero hubo una primera ruptura, que alcanzó a ser comunicada por el presidente de la República a los colombianos por cadena nacional de radio y televisión; sin embargo, Pastrana dejó la puerta entreabierta cuando manifestó: "Pero que quede claro: Este no es el final. Yo seguiré buscando la paz, de la mano de todos ustedes. Mantendré abiertas las puertas del diálogo y la negociación porque sigo convencido de que esta es la mejor salida para el conflicto interno que sufre nuestro país. Señores de las FARC: las garantías están dadas, la voluntad de negociación se mantiene. Solo falta que ustedes cumplan su palabra. En ustedes está el futuro de la paz"[857]. El 1° de enero había asumido James LeMoyne como nuevo asesor especial del secretario general de las Naciones Unidas para la Asistencia a Colombia, en reemplazo del noruego Jan Egeland; de inmediato, el nuevo funcionario internacional pidió autorización para intentar desbaratar el nudo de las incomprensiones. Ya corrían las 48 horas de plazo que tenía la guerrilla para abandonar la zona. El grupo de países amigos también intentaba mediar, y solo se necesitaba que los dirigentes de las FARC-EP manifestaran que sí había garantías y que se continuaba el trabajo con lo acordado en San Francisco de la Sombra. Gracias a esas gestiones se logró una declaración que los dirigentes del grupo aceptaron y se fijó un nuevo encuentro de los negociadores dos días más adelante. En todo caso, la zona de distensión vencía seis días después. La definición de un cronograma que señalaba la fecha del 7 de abril para firmar acuerdos, que incorporaba el tema de la tregua y el cese del fuego y hostilidades, la discusión del documento de Los Notables, el acompañamiento permanente de la comunidad internacional y una invitación a los candidatos presidenciales a reunirse con la guerrilla permitió firmar un nuevo documento y seguir adelante. La prórroga de la zona de distensión se decretó hasta el 10 de abril siguiente.

El 7 de febrero se firmó el "Acuerdo sobre el acompañamiento nacional e internacional a la Mesa de Diálogo y Negociaciones", que permitía una participación activa con asesoría técnica y buenos oficios cuando la mesa lo requiriera. Mientras las discusiones avanzaban, las FARC-EP lanzaron una ofensiva militar sobre vías, torres de energía y ataque a poblaciones; el 14 de febrero se cumplió con la invitación a los candidatos Noemí Sanín, Horacio Serpa, Lucho Garzón e Íngrid Betancourt; el más crítico de los candidatos, el exgobernador de Antioquia Álvaro Uribe Vélez, no asistió y continuó en una campaña aguerrida en contra de todo lo actuado.

857 Andrés Pastrana Arango, *op. cit.*, p. 514.

El miércoles 20 de febrero, cuando los equipos se preparaban para reanudar las discusiones sobre el cese del fuego y hostilidades, integrantes de la Columna Teófilo Forero de las FARC-EP secuestraron un avión de la compañía Aires que hacía la ruta Neiva-Bogotá[858]. El piloto fue obligado a aterrizar en una carretera, y los secuestradores se llevaron al senador Jorge Eduardo Géchem, presidente de la Comisión de Paz del Senado. La suerte estaba echada. En ese momento, el Presidente tomó la decisión de romper el proceso, y le concedió a la guerrilla un plazo de tres horas para abandonar la zona de distensión. A las nueve de la noche se dirigió a los colombianos y le dedicó unas palabras al jefe de las FARC-EP: "Manuel Marulanda: Yo le di mi palabra y la cumplí, siempre la cumplí, pero usted me ha asaltado en mi buena fe, y no solo a mí, sino a todos los colombianos. Desde el primer momento usted dejó vacía la silla del diálogo cuando yo estuve ahí, custodiado por sus propios hombres, listo para hablar. Decretamos una zona para sostener unas negociaciones, cumplimos con despejarla de la presencia de las Fuerzas Armadas, y usted la ha convertido en una guarida de secuestradores. En un laboratorio de drogas ilícitas, en un depósito de armas, dinamita, y carros robados. Yo le ofrecí y le cumplí con el plazo de 48 horas, pero usted, y su grupo, no han hecho otra cosa que burlarse del país. Por eso hoy son ustedes los que tendrán que responder ante Colombia y el mundo por su arrogancia y su mentira"[859].

La respuesta de las FARC-EP llegó al día siguiente en un comunicado firmado por Raúl Reyes, Joaquín Gómez, Carlos Antonio Lozada, Simón Trinidad y Andrés París: "El presidente Andrés Pastrana Arango, en la alocución del día 20 de febrero de 2002, tomó la decisión unilateral de dar por terminado el proceso de diálogo con las FARC-EP, en momentos en que nos disponíamos a continuar la discusión sobre cese de fuegos y hostilidades. [...] Se le exigen a las FARC-EP 'buena conducta' y gestos de paz, mientras el Estado escala la confrontación con el fortalecimiento de las Fuerzas Militares y de Policía, alienta el

858 Esa misma mañana habían dinamitado un puente en Antioquia, hecho atribuido a las FARC-EP, lo que generó el accidente de una ambulancia de la Cruz Roja que transportaba a una mujer próxima a dar a luz, a su hermana y una enfermera. El vehículo se precipitó al precipicio y las mujeres y el bebé perdieron la vida.

859 Andrés Pastrana Arango, *op. cit.*, pp. 538-539.

terrorismo de las bandas paramilitares con la participación abierta de algunos mandos militares y desarrolla el Plan Colombia por exigencia de Estados Unidos. [...] Una vez más, la oligarquía colombiana impide que por la vía del diálogo se hagan los cambios estructurales económicos, políticos, sociales y militares que requiere Colombia para salir de la profunda crisis en que la han sumido históricamente los gobiernos liberal-conservadores. Durante tres años buscamos soluciones por la vía del diálogo y la negociación para los graves problemas que aquejan a 30 millones de colombianos, sin que el Gobierno respondiera a estas necesidades del pueblo. Siempre se hizo el de los oídos sordos. La presencia de más de 30.000 compatriotas que participaron en las audiencias públicas, mesas redondas y con ponencias enviadas a la mesa con propuestas de cambios que democraticen la vida económica y política del país, así como la solicitud del secretario general de las Naciones Unidas y el presidente de la Conferencia Episcopal de Colombia, corroboran la necesidad de estas transformaciones para lograr la paz con justicia social en nuestro país [...] Como prueba de nuestra voluntad de paz quedan, en manos del pueblo y de los partidarios de la solución política, la Agenda Común para el Cambio hacia la Nueva Colombia y la Plataforma para un Gobierno de Reconstrucción y Reconciliación Nacional. Propuestas que nos declaramos dispuestos a intercambiar con un futuro gobierno que manifieste interés en retomar el camino de la solución política al conflicto social y armado"[860].

Así, después de más de tres años de diálogos y negociaciones, llegó a su final el proceso entre el gobierno del presidente Pastrana y las FARC-EP. Todo indicaba que aún no estaban dadas las condiciones políticas y militares que permitieran aclimatar la paz.

La seguridad democrática

En pocas horas, la fuerza pública, en desarrollo de la Operación Tánatos, ocupó las cabeceras de los cinco municipios que fueran la zona

860 Texto completo del comunicado del 21 de febrero de 2001, en *Esbozo histórico de las FARC-EP*, pp. 176-178, https://drive.google.com/drive/folders/0B66_yH6Yli84bFRyVWlrajAxUGM

de distensión; con intensidad se bombardearon y destruyeron puentes, carreteras, construcciones y sitios frecuentados por la guerrilla que, tal como ocurrió en el ataque a Casa Verde en 1990, se replegó un poco hacia el sur, dividida en unidades pequeñas, muy propias de la guerra de guerrillas[861]. Como consecuencia inmediata de la ruptura del proceso se derogó el estatus político de las FARC-EP, se reanudaron las órdenes de captura contra sus dirigentes, y el conflicto se recrudeció en esa región. Tres días después, en plena campaña electoral, la candidata Íngrid Betancourt se metió en la boca del lobo: con su arrojo característico viajó hacia el Caquetá y fue secuestrada en un retén guerrillero, junto con Clara Rojas, su asistente; esto demostró que ni la fuerza pública tenía el control, ni los insurgentes se habían retirado de la región donde aún mantenían su centro de gravedad.

En el momento de la ruptura de las negociaciones con las FARC-EP, el proceso con el ELN marchaba por mejores caminos, pese a los múltiples incidentes del último año. Después de las mieles de comienzos del año 2001, el Gobierno desató la Operación Bolívar, en lo que iba a ser la zona de encuentro. En teoría, la operación militar estaba destinada a golpear a las bandas paramilitares asentadas en la región; en la práctica, se trataba también de una ofensiva contra las fuerzas guerrilleras del ELN y frentes de las FARC-EP. Durante tres meses se prolongaron las operaciones contra la retaguardia de la guerrilla, en particular en el área donde se movía el comandante Gabino con sus tropas. Ante estas circunstancias se suspendieron de nuevo los contactos y reuniones con los delegados del Gobierno. Pese a que en marzo se levantó la Operación Bolívar, el paramilitarismo pululaba en el sur del departamento.

Estas situaciones produjeron nuevos desencuentros y acuerdos en los acercamientos de los meses posteriores. Tan solo en la última semana de julio se logró una reunión en la isla Margarita (Venezuela); los temas eran los mismos: el inicio de la zona de encuentro, la verificación,

861 En su comunicado del 21 de febrero, las FARC-EP señalaron que habían construido, con esfuerzos propios y apoyo de las comunidades locales comunales, más de mil kilómetros de carreteras con sus respectivos puentes y alcantarillas en las vías: La Sombra-Macarena, Macarena-Vistahermosa, La Julia-La Uribe, Llanos del Yarí-Cartagena del Chairá, Las Delicias-Guayabero, y la pavimentación de la mayoría de las calles del casco urbano de San Vicente del Caguán.

la presencia e injerencia paramilitar en la región, entre otros. La cita no produjo mayores aportes; el ELN haría las respectivas consultas y el Gobierno trabajaría en los reglamentos y planes de inversión para la zona. El 5 de agosto se presentó una nueva oportunidad, esta vez en una hacienda cercana a Caracas, a donde, sin mayores expectativas, llegaron las delegaciones del ELN y del Gobierno, y salieron sin mayores definiciones. Tampoco hubo acuerdos, y el 7 de agosto el Presidente anunció la suspensión de las conversaciones. Tres meses más tarde se retomarían, esta vez en La Habana, gracias a las gestiones del presidente Chávez de Venezuela. El 20 de ese mes, las partes anunciaron el reinicio de los contactos. Cuatro días después se firmó el Acuerdo por Colombia, que determinó hacer rondas de trabajo sobre los temas de cese del fuego y hostilidades, realización de foros temáticos y una cumbre por la paz. El 15 de diciembre, en la Declaración de La Habana, se establecieron cronogramas, temas, actividades y metodología para las rondas acordadas: cinco foros temáticos entre febrero y junio de 2002, un encuentro con la Comisión de Notables que funcionaba para el proceso con las FARC-EP y la Cumbre para la Paz, programada para los días 30 y 31 de enero. La luna de miel entre Gobierno y ELN permitió que, entre el 18 de diciembre y el 6 de enero de 2002, el grupo decretara una tregua unilateral por Navidad y año nuevo.

Cuando en Colombia agonizaba el proceso con las FARC-EP, en Cuba se realizó la Cumbre por la Paz acordada con el ELN, con la asistencia de representantes de ONG de paz, empresarios, dirigentes políticos y sindicales, Iglesia, miembros de la Comisión Facilitadora Civil y del Grupo de Países Amigos y negociadores de las dos partes, entre otros. Los gobiernos de Venezuela y Cuba estaban convencidos de que la guerrilla colombiana debía negociar pronto el cese al fuego, y así se los hicieron saber los mandatarios Castro y Chávez a los líderes guerrilleros que acudían a estos eventos. Durante los meses siguientes, La Habana fue la sede de los diálogos entre la delegación del Gobierno, conformada por el embajador Londoño Paredes, Gustavo Villegas y Juan Ricardo Ortega, y la del ELN, representado por Pablo Beltrán, Óscar Santos, Milton Hernández y Ramiro Vargas, tres de ellos miembros del COCE. Se llegó a un borrador de acuerdo "Para la construcción progresiva de la paz", que contemplaba el cese de hostilidades, la liberación de secuestrados, financiación para el grupo, cese de fuegos con verificación a partir de la separación de fuerzas, ubicación de los guerrilleros y un gradual ingreso a actividades políticas a través de voceros autorizados. A mediados de abril, con muy pocos avances, culminó la ronda de negociaciones; sin embargo, continuaron las discusiones en La Habana hasta obtener un nuevo borrador, que ya no incluía el cese de fuegos; entre que se firmaba y no se firmaba, llegó el 26 de mayo, día de elecciones, y con el resultado de ese domingo, el presidente Pastrana decidió suspender el proceso cinco días después. No pasó más, ni con el ELN ni con las FARC-EP.

¿Hubo avances? Sí, pero de nuevo se impusieron los guerreristas de todos los bandos en el conflicto… y los intereses externos. El mundo convulso post 11-S le apostaba más a la lucha frontal contra el terrorismo, y Colombia no era la excepción. Entre los efectos del 11-S para nuestro país hubo uno muy particular: gracias al Plan Colombia se recibieron donaciones de Estados Unidos, representadas en equipos militares —helicópteros y aviones dotados con sofisticados equipos de inteligencia—, destinados a la lucha contra el narcotráfico que no podían ser utilizados en acciones antisubversivas. En julio de 2002, mediante la Ley de Apropiaciones Suplementarias de Emergencia, presentada por el presidente Bush para alcanzar mayores recursos en su cruzada mundial contra el terrorismo, el Congreso de Estados Unidos, en lo que se denomina "cambio de autorizaciones", aprobó por amplia mayoría el uso del equipo militar donado para poder combatir por igual al narcotráfico y a las guerrillas. La autorización llegó de la mano de 98 millones de dólares adicionales y fue solicitada por Pastrana en noviembre del año anterior, con el argumento de la financiación de las actividades guerrilleras con recursos provenientes del narcotráfico, lo que años antes había sido bautizado "narcoterrorismo". De esta manera, Colombia alcanzó el "honroso" tercer lugar en la lista de países más beneficiados con la ayuda de Estados Unidos, después de Israel y Egipto.

Entre tanto, las FARC-EP mantenían su afán de acumular secuestrados políticos para insistir en la propuesta de intercambio de prisioneros mediante una ley de canje. Como respuesta al gobierno que ya declinaba, y en explícito mensaje al que vendría, a las 10:45 de la mañana del 11 de abril de 2002, en un intrépido operativo realizado en pleno corazón de Cali, secuestraron a doce diputados de la Asamblea Departamental del Valle del Cauca. Los guerrilleros pertenecientes al Bloque Móvil Arturo Ruiz y al Comando de la Red Urbana Manuel Cepeda, perfectamente ataviados como soldados de la Tercera Brigada, huyeron con sus cautivos hacia Los Farallones, en la cordillera Occidental, y de inmediato fueron perseguidos por aire y tierra, sin resultado alguno: "A partir de ese momento, los citados diputados hacen parte del proceso de canje que nuestro Estado Mayor Central le ha propuesto al Estado colombiano para un intercambio por los prisioneros de guerra detenidos en las cárceles del régimen. En su reacción, las Fuerzas Armadas oficiales asesinaron a un camarógrafo y a un conductor de la cadena televisiva RCN. Siete días después continúan ametrallando y bombardeando indiscriminadamente el área sin importarles la población civil ni los diputados detenidos por cuya integridad física deberá hacerse responsable la fuerza pública"[862]. Pasados diez días de este secuestro, las FARC-EP detuvieron una caravana ciudadana que de Medellín se dirigía a la población de Caicedo, en el occidente de Antioquia, y se llevaron secuestrados a sus organizadores: el gobernador del departamento, Guillermo Gaviria, y su asesor de paz, el exministro de Defensa Gilberto Echeverri Mejía, que lideraban un movimiento ciudadano por la paz y la no violencia.

El domingo 26 de mayo se llevaron a cabo las elecciones para presidente y vicepresidente en primera vuelta; la participación ciudadana fue del 46,47% del censo electoral, con una abstención del 53,53%. Los resultados sorprendieron: el candidato triunfante alcanzó más del 50% más uno de los votos, lo que no hizo necesaria la segunda vuelta. Sorprendió también que el ganador fuera Álvaro Uribe Vélez, exgobernador de Antioquia y exsenador, quien arrancó la campaña con apenas un 3% a su favor en las encuestas y fue inscrito mediante la recolección de firmas de un grupo significativo de ciudadanos, bajo el nombre de Primero Colombia, una coalición de fuerzas de derecha que incluía a liberales y el respaldo de sectores políticos afines al saliente

862 "Asamblea del Valle del Cauca, abril 11 de 2002, por el canje", Producciones FARC-EP, febrero de 2004, en https://www.youtube.com/watch?v=-LdGaHM4qEo

presidente Pastrana, en particular del Partido Conservador. Uribe alcanzó 5.862.655 votos, equivalentes al 53,05% del total, con Francisco Santos como candidato a la Vicepresidencia. Le siguió Horacio Serpa Uribe, del Partido Liberal, con 3.514.779, el 31,80%; el tercer lugar fue para una alianza de fuerzas progresistas y de centro izquierda que postularon a Luis Eduardo Garzón, que obtuvo 680.245 votos, el 6,16% del total. La candidata Íngrid Betancourt, del Partido Verde Oxígeno, secuestrada por las FARC-EP hacía tres meses, alcanzó el quinto lugar con 53,922 sufragios a su favor[863]. Uribe fue elegido por su discurso de orden y autoridad, de oposición al proceso en el Caguán, de mano firme contra el terrorismo, en un momento de completo desgaste de las opciones de solución pacífica del conflicto; el nuevo presidente era un abierto partidario de profundizar la guerra contrainsurgente y tenía con qué: el Plan Colombia, que le permitía mayor fortalecimiento de las Fuerza Militares, además de un amplio apoyo ciudadano.

El 7 de agosto de 2002, día de su posesión, las FARC-EP lanzaron sobre Bogotá un ataque sin precedentes, un mensaje de despedida y de bienvenida. A las 11:30 se iniciaron las detonaciones de los morteros hechizos dirigidos contra las instalaciones de la Escuela Militar de Cadetes, situada en la calle 80, a la altura de la carrera 30. Horas más tarde, cuando se iniciaba en el Congreso de la República la ceremonia de juramento como presidente, sonaron las primeras detonaciones de granadas disparadas desde aproximadamente dos kilómetros de distancia contra el Palacio de Nariño y el Capitolio Nacional, donde estaban reunidos congresistas e invitados especiales, entre ellos cinco presidentes, el príncipe de Asturias y altos funcionarios de otros países. El Capitolio Nacional fue impactado, algunos explosivos se desviaron del blanco y cayeron en la zona de la Calle del Cartucho dejando 20 muertos y más de 70 heridos.

En su primer discurso como presidente, Uribe expresó: "Nuestro concepto de seguridad democrática demanda aplicarnos a buscar la protección eficaz de los ciudadanos con independencia de su credo político o nivel de riqueza. La Nación entera clama por reposo y seguridad. Ningún crimen puede tener directa o ladina justificación. Que

863 Elecciones presidenciales de 2002, Georgetown University, Washington D.C., en http://pdba.georgetown.edu/Elecdata/Col/pres02.htm

ningún secuestro halle doctrina política que lo explique. Comprendo el dolor de las madres, de los huérfanos y desplazados de la Patria, en su nombre revisaré mi alma cada madrugada para que las acciones de autoridad que emprenda tengan la más pura intención y el más noble desarrollo. Apoyaré con afecto a las Fuerzas Armadas de la Nación y estimularemos que millones de ciudadanos concurran a asistirlas"[864]. Al día siguiente, desde Valledupar, lanzó el Plan Meteoro, que tenía como propósito central recuperar la movilidad en las vías principales del país e involucrar a un millón de ciudadanos como informantes voluntarios en actividades de seguridad e inteligencia.

Cuatro días más tarde declaró el estado de conmoción interior, contemplado en el Artículo 213 de la Constitución, y decretó, como primera medida, un "impuesto al patrimonio" del 1,2% a los colombianos[865]. El Decreto 2002 del 9 de septiembre de 2002, que creaba las zonas de rehabilitación y consolidación y otras medidas lesivas para los derechos de los ciudadanos, como el permiso a los militares para hacer capturas, allanamientos, interceptaciones telefónicas y registros domiciliarios sin orden judicial, fue declarado parcialmente inexequible por la Corte Constitucional, no así el Artículo 11, que definió las zonas de rehabilitación y consolidación como "un área geográfica afectada por acciones de grupos criminales en donde, con el fin de garantizar la estabilidad institucional, restablecer el orden constitucional, la integridad del territorio nacional y la protección de la población civil, resulte necesaria la aplicación de una o más medidas excepcionales, sin perjuicio de la aplicación de las demás dictadas en conmoción interior". El Decreto Legislativo 2929 del 3 de diciembre de 2002 delimitó dos zonas de rehabilitación y consolidación bajo la autoridad de un comandante militar, la primera de ellas en los departamentos de Bolívar y Sucre, y la otra en el departamento de Arauca[866].

864 "Discurso de posesión del presidente Álvaro Uribe Vélez", 8 de agosto de 2002, *El Tiempo*, en http://www.eltiempo.com/archivo/documento/MAM-1339914

865 Decreto 1837 del 11 de agosto de 2002; a su vencimiento, después de noventa días, fue prorrogado por otros noventa días, mediante el Decreto 2555 de 2002.

866 Texto del Decreto 2929, en http://www.alcaldiabogota.gov.co/sisjur/normas/Norma1.jsp?i=6342 Declarado exequible mediante sentencia C-122/03 de la Corte Constitucional, en http://corteconstitucional.gov.co/relatoria/2003/C-122-03.htm

Estas fueron las primeras medidas de la Política de Defensa y Seguridad Democrática, pilar del gobierno de Uribe; en concordancia con ellas se elaboró el Plan de Desarrollo 2002-2006, titulado "Hacia un Estado comunitario", con cuatro objetivos fundamentales: brindar seguridad democrática, impulsar el crecimiento económico sostenible y la generación de empleo, construir equidad social e incrementar la transparencia y eficiencia del Estado[867]. La seguridad democrática fue pensada como política de Estado a diez años, de 2002 a 2012; la ministra de Defensa, Marta Lucía Ramírez —conservadora—, fue uno de los artífices del documento guía, publicado el 16 de junio de 2003; en la tarea la acompañó Sergio Jaramillo, negociador del gobierno de Juan Manuel Santos con las FARC-EP. En este se trazaron cinco objetivos estratégicos (consolidación del control estatal del territorio, protección de la población, eliminación del negocio de las drogas ilícitas, mantenimiento de una capacidad disuasiva y eficiencia, transparencia y rendición de cuentas) y seis líneas de acción (coordinar la acción del Estado, fortalecer las instituciones, consolidar el control del territorio nacional, proteger a los ciudadanos y la infraestructura de la Nación, cooperar para la seguridad de todos y comunicar las políticas y acciones del Estado)[868]. Para la coordinación se crearon un Consejo de Seguridad y Defensa Nacional y la Junta de Inteligencia Conjunta. De acuerdo con la Matriz de Responsabilidades para el desarrollo de la política, el compromiso mayor estaba en cabeza del Ministerio de Defensa, y una parte importante le correspondía al Ministerio del Interior y de Justicia, a cargo de Fernando Londoño Hoyos.

Tres aspectos, entre muchos otros, llaman la atención: la red de cooperantes, pensada como "una red de ciudadanos en las zonas urbanas y rurales del país cooperará activa, voluntaria y desinteresadamente con las autoridades, participando en programas ciudadanos de cultura para la seguridad y brindando información que permita la prevención

867 Texto completo del Plan Nacional de Desarrollo 2002-2006, "Hacia un Estado comunitario", en https://colaboracion.dnp.gov.co/cdt/pnd/pnd.pdf

868 Presidencia de la República, Ministerio de Defensa Nacional, "Política de Defensa y Seguridad Democrática", 2003, en https://www.oas.org/csh/spanish/documentos/Colombia.pdf

y la persecución del delito"[869]; en segundo lugar, el Programa de Recompensas para los informantes, que "den a conocer información que conduzca a la prevención de atentados terroristas o la captura de los integrantes de las organizaciones armadas ilegales". En tercer lugar, un aspecto complejo y debatido, pero fundamental en el combate a los grupos guerrilleros, fue la política de incentivar las desmovilizaciones individuales (deserciones) de integrantes de FARC-EP, ELN, AUC, ERG, ERP y fracción del EPL: "La persona que quiera desvincularse de estas organizaciones deberá presentarse ante los comandos militares o de Policía, ante un fiscal, un representante de la Defensoría del Pueblo o ante cualquier autoridad civil o judicial, manifestando su intención individual y voluntaria de abandonar las armas. La autoridad que reciba al desvinculado lo entregará a la institución competente, que en el caso de los menores de edad será el Instituto Colombiano de Bienestar Familiar (ICBF) y en el de los adultos el Ministerio de Defensa"[870]. Efectivamente, el Decreto 128 de 2003[871], reglamentario de la Ley 782 de 2002, estableció la política de reincorporación a la vida civil, dirigida en el Ministerio de Defensa por el Grupo de Atención Humanitaria al Desmovilizado, y en el Ministerio del Interior, por el Programa de Reincorporación a la Vida Civil[872].

Por la vía de los desmovilizados individuales, muchos de ellos cooptados con beneficios y pagos por la información "fresca" que traían del grupo del cual acababan de desertar, los organismos de inteligencia del Estado establecieron un completo mapa de las organizaciones alzadas en armas, sus jefes, armamento, áreas de operación, nexos con la sociedad o con políticos locales o regionales, *modus operandi*, secuestrados en su poder, lo que les permitió asestar golpes contundentes contra jefes y frentes guerrilleros y, en algunos casos, involucrar a organizaciones sociales o simples ciudadanos acusados

869 *Ibid.*, p. 61.

870 *Ibid.*, p. 56.

871 Véase el *Diario Oficial* N° 45.073 de enero 24 de 2003.

872 A partir de 2006 se llamó Alta Consejería para la Reintegración (ACR), y su primer director fue Frank Pearl, vinculado posteriormente a los procesos de diálogos y negociaciones con las FARC-EP y el ELN.

de ser "colaboradores"[873]. Durante los dos gobiernos del presidente Uribe (2002-2010) se desmovilizaron 22.507 personas de manera individual, quienes dijeron ser integrantes de algún grupo guerrillero y cuya pertenencia la "verificaron" los programas citados[874].

A dos semanas de la posesión del nuevo mandatario, las FARC-EP le hicieron llegar una primera carta: "Las Fuerzas Armadas Revolucionarias de Colombia, Ejército del Pueblo (FARC-EP) han hecho un permanente, atento y objetivo seguimiento a todas sus intervenciones públicas: campaña electoral, discurso con motivo de su victoria electoral del 26 de mayo, discurso de posesión, posesión de sus ministros y la oficialización de la Cúpula Militar, y su discurso siempre ha sido el mismo: guerra total; donde solo le ofrece a la insurgencia la fuerza bélica del Estado para someterla por medio de las armas"[875]. A esta carta le anexaron la propuesta del Secretariado del Estado Mayor del 15 de mayo anterior, en la que solicitaban a quien resultara electo "diálogos en Colombia y de cara al país retomando la Agenda Común por el Cambio hacia la Nueva Colombia"[876]; pedían además la desmilitarización de los departamentos de Caquetá y Putumayo, excluir del lenguaje oficial los calificativos de terroristas y narcoterroristas, y una política clara para la erradicación del paramilitarismo. Día a día se evidenciaban con mayor fuerza los nexos de los jefes paras con individuos vinculados a sectores políticos, económicos y de las Fuerzas Armadas. El ataque con un carro bomba contra el Club El Nogal, en la capital, detonado el 7 de febrero de 2003, el cual causó la muerte de 36 personas y

873 El título de la Resolución del Ministerio de Defensa Nacional N° 029 del 17 de noviembre de 2005, calificada como secreta y ya citada en el capítulo I de este libro, señalaba con claridad sus propósitos: "Política ministerial que desarrolla criterios para el pago de recompensas por la captura o abatimiento en combate de cabecillas de las organizaciones armadas al margen de la ley, material de guerra, intendencia o comunicaciones e información sobre actividades relacionadas con el narcotráfico y pago de información que sirva de fundamento para la continuación de labores de inteligencia y el posterior planeamiento de operaciones".

874 "La estrategia de reintegración: un reto que requiere el compromiso de todos", Alta Consejería para la Reintegración (ACR), presentación en Power Point, archivo del autor.

875 "Carta abierta al presidente Álvaro Uribe Vélez", FARC-EP, Comisión Internacional, *Esbozo histórico de las FARC-EP*, *op. cit.*, p. 179.

876 *Ibid.*

más de 170 heridos —de autoría reconocida posteriormente por las FARC-EP—, tuvo como pretexto golpear un centro de poder donde se reunían paramilitares con integrantes de esos sectores.

El ELN también se dirigió a Uribe en una comunicación fechada el 4 de septiembre: "Señor presidente, los hechos adelantados por su gobierno han creado un clima de desconcierto para los verdaderos demócratas y alejan las posibilidades de transitar por el camino de la concordia nacional. Son evidentes los nuevos actos de guerra como la declaración del estado de conmoción, el impuesto de guerra, la militarización de la sociedad, el fenómeno de la cultura del sapeo, la pretensión de legalizar las estructuras narcoparamilitares cambiándoles el nombre por autodefensas (esto, además sería el acto más aberrante de impunidad ante semejantes criminales de guerra), la solicitud de facultades para ejercer como dictador, los proyectos de reformas laboral, pensional, fiscal y demás proyectos de leyes antisociales. Estos no son los alivios que reclaman los colombianos, ni a estos actos guerreristas se les puede presentar con el calificativo ambiguo de 'seguridad democrática'"[877]. Pese a que en sus documentos y cartas del período la insurgencia insistía en propuestas de diálogo hacia una salida política, tenía claro que las cosas con Uribe eran a otro precio.

Una de las primeras medidas del presidente Uribe fue nombrar a Luis Carlos Restrepo como alto comisionado para la Paz; este psiquiatra de la Universidad Nacional, autor de varios textos sobre la paz y la reconciliación, había sido uno de los "nervios" del Mandato Ciudadano por la Paz, la Vida y la Libertad del 26 de octubre de 1997, junto a respetadas y respetados integrantes de la sociedad civil, entre ellos *Pacho* Santos, ahora vicepresidente de la República, en ese entonces director de la Fundación País Libre. Las acciones del nuevo Alto Comisionado se concentraron, durante largo tiempo, en las negociaciones con las AUC, que el 29 de noviembre emitieron un documento titulado "Declaración por la paz en Colombia", en el que informaron de un "cese unilateral, incondicional e indefinido de hostilidades" a partir del 1° de

877 "Carta abierta al presidente Álvaro Uribe Vélez", ELN-COCE, 4 de septiembre de 2002, en Carlos Medina Gallego, *Conflicto armado y procesos de paz en Colombia. Memoria casos FARC-EP y ELN*, Bogotá, Universidad Nacional de Colombia, 2009, p. 202.

diciembre, solicitaron el reconocimiento político, la suspensión de acciones judiciales en contra de sus voceros y seguridad para las regiones donde ejercían sus actividades. Para ese momento, herencia del gobierno de Pastrana, ya estaban en conversaciones confidenciales con Restrepo, a quienes sus detractores y amigos llamaban *Doctor Ternura*, por uno de sus libros: *El derecho a la ternura*.

La respuesta pública del Gobierno a esa comunicación fue la formación de la Comisión Exploratoria de Paz[878], que debía adelantar los primeros acercamientos con los grupos que se encontraban en cese de hostilidades: AUC, Bloque Central Bolívar, Vencedores de Arauca y Autodefensas Alianza de Oriente. El 25 de junio siguiente, la Comisión Exploratoria presentó un documento con diez recomendaciones: continuar con el proceso de paz, mantener y verificar el cese de hostilidades, abandono total de las actividades ilícitas, fórmulas para la concentración de los irregulares, aplicar la política de seguridad integral en las zonas de influencia de las autodefensas, definir y concretar alternativas jurídicas, solicitarle a la Iglesia católica su continuidad en el proceso, solicitar una veeduría y acompañamiento internacional, adecuar el Programa para la Reincorporación, y diseñar y aplicar una política de Estado para los grupos de autodefensa.

El 15 de julio de 2003 se inició la fase de negociación con la firma del "Acuerdo de Santa Fe de Ralito para contribuir a la paz de Colombia", entre el Alto Comisionado y los voceros de las AUC, en presencia de los integrantes de la Comisión Exploratoria y de miembros de la Iglesia católica. Entre quienes suscribieron el acuerdo por parte de las AUC figuraban Hernán Hernández, Ramiro Vanoy, Luis Cifuentes, Adolfo Paz, Jorge Pirata, Vicente Castaño, Carlos Castaño y Salvatore Mancuso, nombres o alias de connotados paramilitares que ya asolaban distintas regiones del país; poco a poco se fueron sumando otros como Jorge 40, Ernesto Báez y Julián Bolívar. En el acuerdo se asumió el compromiso de la desmovilización total de las AUC antes del 31 de

878 La Resolución 185 del 23 de diciembre designó a Carlos Franco, Eduardo Espinosa Faciolince, Ricardo Avellaneda, Jorge Ignacio Castaño, Gilberto Alzate y Juan B. Pérez, para propiciar acercamientos y establecer contactos con los grupos paramilitares que habían declarado públicamente el cese de hostilidades y su voluntad de iniciar acercamientos con el Gobierno.

diciembre de 2005, y el compromiso gubernamental de reincorporar a la vida civil a los excombatientes.

El proceso de desmovilizaciones graduales se inició el 5 de noviembre de 2003 con el Bloque Cacique Nutibara, que operaba en Medellín, una estructura liderada por alias Don Berna y compuesta en su mayoría por pandilleros recientemente reclutados entre grupos delincuenciales de la ciudad. Esta y otras irregularidades, como la falsa desmovilización del Frente Cacica Gaitana de las FARC-EP, en mayo de 2006[879], que pretendía presentarse como parte de los éxitos de la seguridad democrática y de la debilidad de la guerrilla, pusieron tiempo después en aprietos judiciales al comisionado Restrepo. Las críticas fueron permanentes a un proceso calificado como "diálogo entre aliados". Para darle un piso internacional a este proceso, en enero de 2004, el presidente Uribe firmó un convenio entre la República de Colombia y el secretario general de la OEA, César Gaviria Trujillo, para poner en marcha una Misión de Apoyo al Proceso de Paz en Colombia (MAPP/OEA) que verificara "las iniciativas de cese al fuego y de hostilidades, de desmovilización y desarme, y de reinserción, que en el marco del Proceso de Paz sea establecido por el Gobierno"[880]. Entre su mandato de acompañamiento "amplio y flexible", contemplaba también la "verificación de la entrega de armas que sean pactadas, monitorear su estricto cumplimiento y definir programas para su destrucción"[881].

Para adelantar el proceso de negociaciones se estableció una zona de ubicación en Tierralta (Córdoba), con vigencia inicial de seis meses, en donde quedaban suspendidas las órdenes de captura y las operaciones ofensivas contra los miembros de los grupos que allí se encontraban. Se acordó también suspender las órdenes de extradición hacia Estados Unidos, donde gran parte de jefes paras eran solicitados por narcotráfico. El trato que recibían en el país era acorde con los

879 La existencia de ese frente fue negada por las FARC-EP, así como la del supuesto comandante Biófilo. Posteriormente se conoció que el manejo de esta desmovilización estuvo a cargo de un alto oficial del Ejército, que las armas entregadas fueron compradas por un narcotraficante y que la avioneta que entregaron los supuestos guerrilleros estaba incautada por el Estado.

880 Presidencia de la República, Oficina del Alto Comisionado para la Paz, "Proceso de paz con las Autodefensas, Informe Ejecutivo", Bogotá, diciembre de 2006, p. 120.

881 *Ibid.*, p. 121.

"amigos" que tenían en las más altas esferas del establecimiento; en una oportunidad, Salvatore Mancuso llegó a decir que el 35% de los congresistas había sido elegido en zonas de influencia paramilitar; por eso, cuando en julio de 2004 fueron invitados Iván Roberto Duque, Ramón Isaza y el mismo Mancuso a una sesión de la Comisión de Paz de la Cámara de Representantes, no hubo grito en el cielo; era la consecuencia lógica de un proceso que fue benévolo frente a los que habían confesado crímenes. Durante el primer gobierno del presidente Uribe se desmovilizaron 31.671 integrantes de los grupos paramilitares, organizados en 37 bloques o frentes, que entregaron 18.051 armas largas, cortas y de acompañamiento; 13.117 granadas y 2.716.401 balas de distintos calibres, como certificó la MAPP/OEA e informó la Oficina del Alto Comisionado para la Paz. Una gran cantidad de esos miembros del paramiitarismo fueron reclutados a última hora, entre pandilleros y el lumpen de algunas ciudades. Los jefes paras fueron encerrados "en sitios de reclusión dignos, sobrios y austeros, así sean temporales, mientras se deciden los definitivos [...] Los beneficiarios de la suspensión condicionada del envío en extradición deberán acatar estas determinaciones. Caso contrario perderán el beneficio"[882].

El marco legal del proceso de desmovilización de las autodefensas, adicional a la Ley 782 de 2002 y al Decreto 128, lo dio la Ley 975 del 25 de julio de 2005, "Por la cual se dictan disposiciones para la reincorporación de miembros de grupos armados organizados al margen de la ley que contribuyan de manera efectiva a la consecución de la paz nacional y se dictan otras disposiciones para acuerdos humanitarios". La Ley de Justicia y Paz estableció penas alternativas de entre cinco y ocho años; instauró la posibilidad de llegar a acuerdos humanitarios con los grupos armados organizados al margen de la ley; fijó una definición de víctimas y sus derechos a verdad, justicia, reparación y debido proceso; creó la Comisión Nacional de Reparación y Reconciliación (CNRR), con vigencia de ocho años; y conformó un Fondo para la Reparación de las Víctimas, entre otras disposiciones. Jurídicamente le dio la bendición a un proceso de Desarme, Desmovilización y Reintegración (DDR),

882 "Comunicado del presidente de la República", 14 de agosto de 2006, *ibid.*, p. 138.

que el mismo Castaño había estimado en máximo 14.000 combatientes. ¡Por arte de magia la cifra se subió en un 110%!

¿Epílogo de este episodio? En la madrugada del 12 de mayo de 2008, el Gobierno levantó la suspensión de las órdenes de extradición, y en un operativo coordinado con la DEA, le entregó al Gobierno de Estados Unidos a los catorce principales líderes paramilitares desmovilizados que estaban en distintas cárceles. Más allá de colocarlos a disposición de las autoridades estadounidenses por el delito de narcotráfico, se trataba de ponerlos fuera del alcance de la Ley de Justicia y Paz, y en general de la justicia, por los delitos de lesa humanidad cometidos. Se buscaba también evitar lo que ya ellos mismos habían anunciado frente a la verdad que reclamaban los colombianos: "Pedimos públicamente a quienes fueron nuestros impulsores, colaboradores y beneficiarios directos, empresarios, industriales, dirigentes políticos y gremiales, funcionarios, líderes regionales y locales, miembros de la fuerza pública, entre otros, que nos acompañen sin aprensión ni temor en esta tarea. No queremos figurar como delatores. Nuestra convocatoria es para que conjuntamente con nosotros, le demos la cara a un país que reclama saber la verdad de lo sucedido en esta aciaga etapa de la historia de Colombia. Es la hora de comenzar a restañar heridas y pedir perdón a partir del principio reparador de la verdad"[883].

Un informe de la Fundación Ideas para la Paz (FIP) señaló la parcial efectividad del proceso de DDR de las autodefensas: "El desmonte de las estructuras militares, políticas y de complicidades de los grupos paramilitares que negociaron con el Gobierno colombiano entre los años 2003 y 2006, fue parcial e incompleto. Los objetivos estratégicos del Gobierno (en cabeza del alto comisionado para la Paz), estaban enfocados en desmovilizar y desarmar a como diera lugar a una mezcla heterogénea de grupos paramilitares (como ya sabemos la inmensa mayoría ligados al negocio del narcotráfico), que para 2002 tenían presencia en casi 600 municipios del país y eran los principales causantes de una escalada de violencia sin precedentes"[884].

883 "Declaración pública," 23 de noviembre de 2006, Al señor presidente de Colombia y a las comunidades nacional e internacional, *ibid.*, pp. 139-141.

884 Fundación Ideas Para la Paz (FIP), "¿Para dónde va el paramilitarismo en Colombia?", *Siguiendo el conflicto: hechos y análisis*, N° 58, enero de 2010.

En el segundo semestre de 2003 tomó fuerza el debate en torno a un posible acuerdo humanitario para el canje de los secuestrados en poder de los grupos insurgentes por los "prisioneros de guerra". Las condiciones del gobierno de Uribe fueron tajantes: "Sobre el tema del acuerdo humanitario, el presidente de la República ha sido claro en afirmar que habrá todas las facilidades humanitarias para que sean liberadas las personas secuestradas, en las siguientes condiciones: 1) Participación de la Organización de Naciones Unidas en un acuerdo humanitario. 2) Liberación de todos los secuestrados. 3) Los guerrilleros que salgan de la cárcel no volverán a delinquir y quedarán bajo la tutela de un país amigo. 4) El Gobierno no autorizará ni el despeje ni la desmilitarización de ninguna zona del país"[885]. Una gran contradicción con el presidente Uribe, que no escatimaba escenario para expresar con vehemencia que en Colombia no había conflicto armado sino una amenaza terrorista.

La guerrilla crecía el número de secuestrados: esta vez fue el ELN el autor de un plagio masivo en las estribaciones de la Sierra Nevada de Santa Marta, cuando el 11 de septiembre, en desarrollo de la Operación Allende Vive, secuestró a 8 excursionistas extranjeros, entre ellos 4 israelíes, una ciudadana alemana, un británico y un español: "Expresamos nuestra voluntad de encontrarle una salida incruenta a esta operación. Ante hechos lamentables que pudiesen presentarse por la presencia o acciones de Ejército y paramilitares en la zona, el único responsable sería el presidente Uribe. Del lado nuestro estamos por el diálogo y la búsqueda del mejor desenlace [...] Con la operación ALLENDE VIVE, también estamos levantando un clamor ante el mundo y el país, por la situación de muerte, terror y desesperanza, de decenas de miles de colombianos de la Sierra Nevada. Los paramilitares y otras fuerzas estatales, desde hace más de un año, han bloqueado la mayor parte de la región"[886]. Con este secuestro se configuró de nuevo un escenario de acción política para el ELN; en un comunicado siguiente anunciaron su decisión de no sabotear el referendo y más

885 Luis Carlos Restrepo, ponencia en el Woodrow Wilson Center, Washington, D.C., 22 de septiembre de 2003.

886 "ELN se atribuye secuestro de los siete extranjeros", *El País*, 29 de septiembre de 2003, en http://historico.elpais.com.co/paisonline/notas/Septiembre292003/elnsecuestro.html

bien decretar una tregua: era una buena oportunidad para superar sus dificultades políticas y mostrar que el peso mayor en la organización se inclinaba por la negociación.

Las FARC-EP habían reiterado su disposición al acuerdo humanitario, y su comandante Marulanda designó a tres voceros: Carlos Antonio Lozada, Domingo Biojó y el vallenato Ricardo Palmera, conocido en las filas con el alias de *Simón Trinidad*[887]; era un tema crucial para la organización, ya que en febrero anterior habían derribado una avioneta Cessna 208 Caravan en las selvas del Guaviare, mataron al piloto colombiano y a un estadounidense y se llevaron a tres contratistas gringos de la empresa Northrop Grumman, que pasaron a integrar la larga lista de canjeables. La situación era compleja: las apuestas del presidente Uribe no eran solamente en el terreno de la negociación de un posible acuerdo humanitario; la mano dura y la opción del rescate militar de los secuestrados siempre estuvo en el orden del día, y no necesariamente con buenos resultados: el 5 de mayo, la IV Brigada del Ejército había intentado liberar a Guillermo Gaviria y Gilberto Echeverri Mejía, en poder de las FARC-EP hacía un año; las tropas de asalto desembarcaron desde helicópteros en vuelo en una zona selvática entre los municipios de Frontino y Urrao y fueron detectados por los guerrilleros que, en la fuga, dieron muerte a nueve de los secuestrados, entre ellos Gaviria y Echeverri.

En medio de ese debate, las FARC-EP reunieron del 20 al 25 de noviembre a los integrantes del Estado Mayor Central para un nuevo Pleno. La Declaración Pública, llamada "Reafirmamos nuestra decisión de lucha y confianza en el triunfo", hizo críticas a Uribe y a su referendo que acababa de pasar, y ratificó "la decisión de encontrar el camino de la solución política a la profunda crisis social y armada del país, convencido de que las causas que originaron el alzamiento popular perduran y se agudizan por la intransigencia criminal de una oligarquía voraz con el país y arrodillada ante la Casa Blanca. Continuaremos trabajando por la conformación de un nuevo gobierno que recoja el sentir mayoritario de los colombianos y por el desarrollo del Movimiento Bolivariano por la Nueva Colombia como organización

887 Ya el Gobierno Nacional había reiterado el papel del expresidente Alfonso López Michelsen y de la Iglesia católica como autorizados para liderar acciones relacionadas con la liberación de secuestrados.

que, fundamentada en el ideario del libertador, logre la confluencia patriótica de todos quienes luchamos de distintas maneras por una patria soberana, democrática y con justicia social, es decir, en paz"[888].

Entre las decisiones internas adoptadas, se aumentó a 31 el número de los integrantes del Estado Mayor Central, promoviendo como miembros principales a quienes ejercían en calidad de suplentes e incorporando otros nuevos que "reforzarán las tareas de conducción política y militar, hacia la conquista de un nuevo gobierno". Para reemplazar a Noel Matta Matta, conocido en la guerrilla desde las épocas de Marquetalia como *Efraín Guzmán* o el camarada *Nariño*, muerto por esos días, designaron a Iván Ríos en el Secretariado de siete miembros; crearon suplencias también en el Secretariado y eligieron en esa figura a Joaquín Gómez y Mauricio Jaramillo.

Un mes antes del Pleno de las FARC-EP se realizó el referendo propuesto por el presidente Uribe como bandera para alcanzar reformas políticas. La jornada se celebró el 25 y 26 de octubre; la primera sorpresa fue la altísima abstención: en el caso del referendo, solamente votaron 6.673.050 electores; la abstención alcanzó el 73,38%; la segunda sorpresa fue el rechazo a 14 de las 15 preguntas sometidas a los ciudadanos: solamente una alcanzó el 25%, la que se refería a la "muerte política" o la prohibición de aspirar a cargos de elección popular a aquellas personas condenadas por delitos contra el patrimonio público. La negativa de los electores fue una gran paradoja para el Presidente, que en ese momento, y durante sus dos administraciones, mantuvo un gran apoyo en las encuestas. Sorpresa, también, que en la misma jornada electoral que sirvió para elegir gobernadores, diputados departamentales, concejales y alcaldes municipales, los ciudadanos de Bogotá eligieron con 797.466 votos a Luis Eduardo Garzón, candidato por el centro izquierdista Polo Democrático Independiente (PDI).

El año nuevo trajo consigo nuevas sorpresas: el 2 de enero, cuando los ecuatorianos apenas se reponían del *chuchaqui*[889] por las fiestas de fin de año, fue detenido en Quito (Ecuador) uno de los más connotados

888 FARC-EP, "Pleno 2003-Reafirmamos Nuestra Decisión de Lucha y Confianza en el Triunfo", en http://www.farc-ep.co/comunicado/pleno-2003-reafirmamos-nuestra-decision-de-lucha-y-confianza-en-el-triunfo.html

889 Guayabo, resaca.

dirigentes de las FARC-EP, Simón Trinidad, que en ese momento desempeñaba actividades relacionadas con el posible intercambio humanitario: "La detención del comandante Simón Trinidad el pasado 2 de enero en Quito, Ecuador, trunca la misión clandestina que le había asignado el Secretariado de las FARC de buscar en ese país un lugar adecuado para la reunión con el secretario general de la ONU, Kofi Annan y el señor James Lemoyne, así como el encuentro previsto con representantes del Gobierno francés con el propósito de hallar una solución definitiva al cautiverio de Íngrid Betancourt y demás prisioneros de guerra mediante el canje o acuerdo humanitario"[890]; dos días más tarde, Trinidad fue deportado y entregado a las autoridades colombianas. Por los mismos días fue capturada en el Caquetá alias Sonia, integrante de las FARC-EP, señalada de manejar las finanzas del Bloque Sur y de ser la pieza clave en el negocio del narcotráfico, en el que, siempre señalaron, estaría involucrado el grupo. El 31 de diciembre de 2004, cuando faltaban dos días para cumplirse el primer año de su captura, Simón Trinidad fue extraditado a Estados Unidos por solicitud de un juez de la Corte del Distrito de Columbia, bajo acusaciones de narcotráfico y toma de rehenes, esta última referida a los tres norteamericanos que permanecían en poder del grupo. Meses antes, cuando se veía venir esta medida, el gobierno de Uribe intentó una jugada disfrazada de intercambio humanitario: les propuso a las FARC-EP canjear a Simón Trinidad por 63 secuestrados. No hubo posibilidad alguna; la guerrilla solicitaba el despeje militar de los municipios de Florida y Pradera, en el Valle del Cauca, por treinta días para iniciar cualquier negociación, quince días de verificación, diez para los diálogos y cinco para el repliegue de los delegados de la guerrilla. Sonia fue extraditada a Estados Unidos a comienzos de marzo de 2005; desde entonces, y hasta hoy, la libertad y el regreso a Colombia de Simón Trinidad y Sonia se convirtieron en una bandera de lucha.

La creciente intervención de Estados Unidos en el contexto interno colombiano había llegado muy lejos.

890 Arturo Torres, *El juego del camaleón, los secretos de Angosturas*, Quito, Eskeletra Editorial, 2009, pp. 83-84.

Uribe está mostrando resultados

La premisa de la ayuda a Colombia es combatir hechos interrelacionados con el tráfico de drogas y el terrorismo e incluye entrenamientos, material de ayuda y guía a las fuerzas de seguridad y a otras instituciones. El presidente Uribe y el ministro colombiano de Defensa, Jorge Alberto Uribe (sin parentesco), describieron el apoyo de Estados Unidos como clave en la Política de Seguridad Democrática del Gobierno de Colombia y reconocieron a Estados Unidos como el aliado más importante de Colombia. A más de la mitad de este período presidencial de cuatro años, Uribe ha hecho del país uno más seguro y más estable económicamente al implementar las siguientes estrategias para promover la seguridad y la recuperación económica:

—Plan Patriota: la campaña conjunta —de varias fases— del Ejército para restablecer el control sobre el territorio nacional y paralizar a las FARC entró en su segunda fase más importante (2B) en febrero de 2004, la cual durará aproximadamente de 18 a 24 meses, para enfocarse en las regiones dominadas por las FARC en el remoto y tropical suroriente de Colombia. Las fuerzas de seguridad han ganado el control de varios nodos de movilidad de las FARC, y los reportes indican que las FARC están sintiendo los efectos de la campaña. La fase 2B es logísticamente compleja, y la escasez de suministros ha causado contratiempos. El Gobierno necesitará establecer una presencia permanente en los territorios recientemente ocupados para impedir que las FARC retornen. Los grupos militares de Estados Unidos tienen Equipos de Entrenamiento en Planeación y Asistencia (PATTS, por su sigla en inglés) para apoyar el Plan Patriota. Durante la primera fase de la campaña (2A) en 2003, los militares dieron grandes golpes a las FARC en el departamento de Cundinamarca, que rodea a Bogotá, los cuales tuvieron como resultado varios importantes comandantes de mediano rango muertos y la destrucción del Frente 22 de las FARC y de varias columnas móviles especiales.

—Presencia del Estado establecida en todo el territorio nacional: al tomar posesión del cargo, Uribe se comprometió a establecer una fuerza de seguridad con presencia permanente en 158 municipios (equivalentes a condados en Estados Unidos) que carecían de guarniciones militares o policiales. Así, al 4 de enero, todos los 1.098 municipios tenían presencia militar. El Gobierno de Estados Unidos facilitó su esfuerzo al entrenar varias unidades de Policía y al construir estaciones de Policía más resistentes. Los comandantes de Policía han reportado que la mayoría de las comunidades han dado la bienvenida a la nueva presencia y que la economía se ha recuperado al proveer transporte seguro y protección a los turistas.

Fuente: Amembassy Bogotá, *Uribe is Showing Results*, Subject: Andean Security Conference Colombia Scenesetter, 9 November 2004. The National Security Archive (NSA), Colombia and the United States: Political Violence, Narcotics and Human Rights, 1948-2010, documentos desclasificados de diferentes agencias de seguridad del Gobierno de Estados Unidos.

A través de su historia, las distintas guerrillas colombianas, en mayor o menor grado, se valieron del territorio de países vecinos como tránsito para la salida o entrada de personal, para ingresar armamentos y pertrechos de guerra, para montar sus propias redes de apoyo y entablar relaciones con personalidades, partidos o movimientos políticos y gobiernos; también, en algunas oportunidades adelantaron acciones armadas como asaltos bancarios y secuestros; entre muchos hechos, se recuerda por su resonancia internacional el secuestro del ciudadano español Pablo Martín Berrocal, realizado por el ELN en Ecuador. Las FARC-EP, por medio de su intrincada red de integrantes de la Comisión Internacional, dirigida por Raúl Reyes, privilegiaron su presencia en Venezuela, Panamá y Ecuador, donde se movían con facilidad y contaban con numerosos simpatizantes. Por su parte, los organismos de inteligencia de las Fuerzas Militares y policiales de ambos países establecieron de tiempo atrás intercambios bilaterales de información y apoyo, lo que les permitió realizar importantes acciones conjuntas. Tres acuerdos o convenios que facilitaron esas relaciones fueron la Comisión Binacional de Frontera Norte (COMBIFRON), de 1996; las Reuniones Regionales y Conferencias Bilaterales de Inteligencia, y la Cartilla de Seguridad para unidades militares y policiales de frontera de uso común.

Las capturas de Trinidad y Sonia fueron significativas para la seguridad democrática de Uribe, que no cedía en su empeño de acabar con el "terrorismo". Para ello, le dio un vuelco al Plan Colombia con una nueva versión, llamada Plan Patriota, una ofensiva de largo aliento, con un conjunto de operaciones tan grandes o más que la llamada Operación Soberanía de 1964 contra Marquetalia y las otras "repúblicas independientes"[891]. Con 18.000 soldados de la Fuerza de Tarea Conjunta Omega, apoyados por helicópteros Black Hawk y aviones Súper Tucano, se pretendía capturar o dar de baja a los principales jefes guerrilleros, ocupar poblados que hacían las veces de "ciudadelas" de la guerrilla y recuperar los territorios de presencia histórica de las FARC-EP: la región de los Llanos del Yarí, el río Caguán hasta su desembocadura en el Putumayo y la selva más profunda hacia el Amazonas, territorios de los departamentos de Meta, Guaviare, Caquetá y Putumayo. Los cambios en la forma de operar de las Fuerzas Militares eran evidentes, no solamente por estar mejor coordinadas y dotadas, sino por la mayor movilidad, inteligencia y actitud ofensiva que habían recuperado; con el Plan Patriota "se les metieron al rancho" a las FARC-EP que, una vez más, replegaron sus fuerzas hacia el sur. Y si bien es cierto que aún la ecuación de la guerra no se inclinaba en favor del Estado, ya se notaban los 5,3 puntos del PIB destinados al gasto militar y el incremento de asesores militares y civiles de Estados Unidos, que debían llegar a 800.

Entre los avances del Plan Colombia en abril de 2005, reportados por la Embajada de Estados Unidos en Bogotá al Departamento de Estado, señalaron:

> El 14 de abril, las fuerzas del Gobierno de Colombia repelieron un ataque de 300 a 400 miembros de las Fuerzas Armadas Revolucionarias de Colombia (FARC) en el municipio de Toribío, departamento del Cauca. Los 82 miembros de la Estación de Policía del municipio fueron algunos de los primeros armados y equipados en el programa de Reinserción de la Policía en Zonas de Conflicto del Plan Colombia. Los policías pudieron contener a las FARC hasta la llegada, gracias a su rápida respuesta, de los elementos del Gobierno de Colombia, incluidas las tropas de la Policía Móvil Rural (Carabineros) y del Escuadrón Antinarcóticos Aéreo Móvil de la Policía (Jungla). Ambos, los Carabineros y los Jungla, entrenan con los programas del Plan Colombia.

Fuente: Amembassy Bogotá, Subject: *Plan Colombia Implementation Round-up, April, 2005.* The National Security Archive (NSA), Colombia and the United States: Political Violence, Narcotics and Human Rights, 1948-2010, documentos desclasificados de diferentes agencias de seguridad del Gobierno de Estados Unidos.

891 Como ejemplo, cabe resaltar la Operación Libertad I, que tuvo como objetivo acabar con el cerco militar establecido sobre Bogotá por cinco frentes y una compañía de las FARC-EP, más las estructuras de las Milicias Bolivarianas que operaban en la capital.

La extradición de Simón y Sonia pareció cerrarle las puertas al acuerdo humanitario; simultáneamente con la captura del primero, hubo otro incidente de gran importancia para las FARC-EP: la Policía secreta de Venezuela detuvo a Rodrigo Granda, en Caracas, el 13 de diciembre de 2004, y lo entregó a sus pares en Cúcuta dos días después. La historia que se conoció más tarde tiene que ver con que este dirigente guerrillero, integrante de la comisión internacional, fue secuestrado y trasladado subrepticiamente hasta la frontera colombiana. El hecho generó una crisis diplomática entre los dos países, el llamado a consultas del Embajador de Venezuela y la suspensión de las relaciones comerciales por parte del gobierno del presidente Chávez, quien exigía una disculpa pública de Uribe porque consideraba que desde Colombia se compraban militares venezolanos, en clara violación de su soberanía. El pago de recompensas también funcionaba en el exterior. Granda fue liberado en junio de 2007 gracias a la intervención del presidente francés Nicolás Sarkozy, en medio de una anunciada liberación de prisioneros de las FARC-EP por parte del presidente Uribe, hecho que no se concretó.

En el segundo semestre de 2004 hubo mucho ruido en torno al canje humanitario y a las posibilidades de acercamientos entre Gobierno e insurgencias. El ELN recibió con especial atención la propuesta del Gobierno mexicano de apoyar la búsqueda de la paz en Colombia y, en ese sentido, le envió una carta al presidente Fox, en la que expresó estar dispuesto a establecer una comunicación directa; la respuesta desde México fue aceptar la facilitación, que de inmediato asumió el embajador en Colombia, Andrés Valencia. Sin embargo, para el ELN, la posición de ese país no era muy clara, después de haber votado en contra de Cuba en la Comisión de Derechos Humanos de la ONU. Hubo también cruce de cartas entre el ELN y el Alto Comisionado, en particular la extensa "Propuesta de paz del Gobierno al ELN" del 3 de agosto, en la que formuló la posibilidad de construir un proceso de diálogo en lo inmediato: "A fin de crear las condiciones de confianza necesarias para avanzar en un proceso de paz, proponemos al ELN, como punto de partida, un cese de acciones hostiles contra el Estado y la sociedad civil. En reciprocidad el Gobierno suspenderá las acciones militares ofensivas contra su organización, mientras se avanza en un proceso de diálogo serio y con una real voluntad de paz"[892]. La respuesta del COCE llegó el 6 de septiembre señalando que por lo menos estaban hablando, así no se entendieran: "El ELN, en una clara alusión a los ritmos de este intercambio escrito, se refiere a que el Gobierno se tomó dos meses en responder a la propuesta de avanzar en acuerdos humanitarios planteada por esta guerrilla el 4 de junio y se lamenta de que la carta del alto comisionado no haya contestado explícitamente a esos enunciados"[893]. La relación epistolar continuó por algunos meses.

En agosto del año siguiente se movieron las fichas con el ELN en favor de una posible negociación. Ya en julio, esta organización le había dirigido una carta abierta a Luis Carlos Restrepo, en la que señalaba los obstáculos para poder avanzar en un proceso de paz; entre otras cosas, centraba sus críticas en las negociaciones que se adelantaban con los grupos paramilitares, calificadas como una farsa, y la reiterada negativa por parte del Ejecutivo a reconocer la existencia de un conflicto armado y las causas que lo generaron. Estos y otros obstáculos, como el bloqueo a la participación de la sociedad en la construcción de la paz y la existencia de una profunda crisis humanitaria, fueron precisados por Antonio García, segundo comandante en el COCE, en una entrevista en el diario *El Colombiano*. La respuesta del Gobierno la transmitió el propio Alto Comisionado al hacer referencia a unas insólitas palabras del presidente Uribe, en las que dijo que si el ELN aceptaba entrar en un cese de hostilidades, "en aras de las superiores conveniencias de la patria, depongo mis personales convicciones y en nombre de la institución presidencial acepto que hay conflicto"[894]; simultáneamente, mediante la Resolución 251 del 7 de septiembre, el Gobierno autorizó la salida de la cárcel de Itagüí, por tres meses, de Francisco Galán, con carácter de miembro representante del ELN.

892 "Propuesta de paz del Gobierno al ELN", carta del Alto Comisionado de Paz al COCE, 4 de agosto de 2004, en Carlos Medina Gallego, *op. cit.*, p. 212.

893 "ELN valora diálogo y abre puertas", *El Tiempo*, 12 de septiembre de 2004, en http://www.eltiempo.com/archivo/documento/MAM-1502914

894 Luis Carlos Restrepo, "Comunicado de prensa del alto comisionado para la Paz", 7 de septiembre de 2005, en http://www.presidencia.gov.co/prensa_new/sne/2005/septiembre/07/17072005.htm

Desde un nuevo espacio de intermediación, la Comisión de Garantes de la Sociedad Civil y la Comisión Facilitadora Civil, que había trabajado con fuerza en el Gobierno anterior, se presentó la propuesta de Casa de Paz —ubicada en el corregimiento San Cristóbal de Medellín—, como un lugar para la interlocución entre el ELN y sectores de la sociedad civil[895]. Entre los impulsores de Casa de Paz estaban Alejo Vargas, Gustavo Ruiz, Daniel García-Peña, Álvaro Jiménez, Moritz Akerman y el propio Galán. La propuesta fue aceptada por la cúpula del ELN, "porque interpreta aspectos de la propuesta de Convención Nacional". Contaba además con el apoyo de los alcaldes de Bogotá y Medellín y del gobernador del Valle del Cauca; también, del Grupo de Países Amigos —España, Suiza y Noruega—, que financió el proceso; en algunos momentos, Casa de Paz asumió un perfil de mediador al preparar documentos de análisis, hojas de ruta, y al facilitar encuentros entre las partes, por separado o simultáneamente.

En La Habana, entre el 16 y el 21 de diciembre de 2005, se realizó la primera ronda exploratoria entre el Gobierno y el ELN, con la presencia de delegados del Grupo de Países Amigos, de los gobiernos de Cuba y Venezuela y miembros de la sociedad civil, entre otros. Habían pasado un poco más de tres años y medio desde cuando el presidente Pastrana decidió, unilateralmente, dar por terminados los diálogos que sostenían en la misma ciudad. Por el Gobierno de Colombia participó el comisionado Restrepo, y por el ELN, Antonio García, quien expresó en el acto de inicio: "Siendo que los obstáculos son mayúsculos, acudimos a abrir este escenario de diálogo porque se está empezando a permitir la participación de la sociedad, no se condicionó el diálogo, y vamos a empezar con una agenda abierta. Venimos abiertos a escuchar al Gobierno, y esperamos que el Gobierno también acuda en la misma disposición"[896]. Por su parte, Restrepo señaló: "Hoy nuevamente emprendemos este camino. Las circunstancias, por cierto, son distintas, el funcionamiento

895 A través de la historia política del ELN, particularmente en sus propuestas de diálogo y negociación, como condición *sine qua non,* se encuentra siempre la búsqueda de vincular a la sociedad civil.

896 Óscar Mauricio Castaño, "Conflicto sin final, espejismo de paz. Diálogos exploratorios en el gobierno de Álvaro Uribe Vélez con el ELN (2005-2007)", *Estudios Políticos,* N° 40, Instituto de Estudios Políticos, Universidad de Antioquia, p. 218.

de la Casa de Paz, que el Gobierno reconoce como un esfuerzo válido, importante y consistente de la sociedad civil, ha sido fundamental para aclimatar confianza y hacer posible esta reunión formal exploratoria [...] No quiero desconocer el profundo abismo que nos separa del Ejército de Liberación Nacional. No sería honesto ni correcto aminorar las contradicciones, son esas contradicciones —en gran parte— la causa del sufrimiento del pueblo colombiano en las últimas décadas, sin embargo, queremos adelantar un diálogo respetuoso, queremos adelantar un diálogo sin agravios, es necesario que nos revistamos de madurez y que se pueda construir un escenario donde se dé un debate con altura"[897].

En medio de estas negociaciones, el ELN realizó, en julio de 2006, su IV Congreso, llamado "Comandantes Manuel Pérez y Óscar Santos, por un nuevo gobierno de nación, paz y equidad"[898]: "En las selvas colombianas y en medio de una ofensiva paraco-estatal; el día 4 de julio del presente; coincidiendo con la celebración de nuestros 42 años de lucha popular y revolucionaria junto al pueblo, los elenos culminamos con éxito nuestro IV Congreso; máximo evento que contó con la asistencia y participación de nuestros principales comandantes agrupados en la Dirección Nacional y el Comando Central. Aquí se ratificó nuestra voluntad inclaudicable de hallar una salida política al conflicto, pero también de continuar alzados en armas y en pie de lucha mientras no se logren las grandes transformaciones políticas, sociales, culturales y económicas que requiere el país para que cada colombiano tenga una vida digna, como la que se merece cualquier habitante del mundo"[899]. La clausura del congreso eleno estuvo a cargo del comandante Gabino, quien en un sentido discurso expresó a los combatientes reunidos en el campamento central del grupo: "El ELN sigue comprometido con la construcción de la paz, en contraste con la agenda de guerra de los EEUU. En este congreso reafirmamos que nuestra patria es América, si las agresiones imperialistas se hicieran efectivas, todos debemos estar

897 Palabras del Alto Comisionado para la Paz, La Habana (Cuba), 16 de diciembre de 2005, en http://historico.presidencia.gov.co/prensa_new/sne/2005/diciembre/16/18162005.htm

898 Pedro Cañas Serrano, Óscar Santos, era uno de los integrantes del COCE; falleció el 2 de marzo de 2006, víctima de un cáncer.

899 Declaración política del IV Congreso, en *Sí Futuro*, revista de cultura política y opinión del Ejército de Liberación Nacional, ELN, N° 8, año N° 7, enero a marzo de 2007.

en plena disposición de dar la vida si fuere necesario, hermanados en las luchas de resistencia que se librarán en el continente, reafirmando nuestro espíritu bolivariano y guevarista"[900].

A partir de la primera ronda de negociaciones en La Habana, y hasta el 22 de febrero de 2007, se realizaron otros cuatro encuentros de la Fase Formal Exploratoria, en los que se abordaron temas como la construcción de la agenda, participación de la comunidad internacional y de la sociedad civil, criterios metodológicos para abordar los diálogos, elementos para un Acuerdo Base, ambiente para la paz (cese al fuego y de hostilidades). A partir del 22 de febrero (quinta ronda en la que ingresó Pablo Beltrán como vocero del ELN, junto con Antonio García, Juan Carlos Cuéllar y Francisco Galán) y hasta agosto de 2007 hubo tres rondas más, en las que se definieron la metodología, el reglamento, el papel de los testigos y aspectos coincidentes y divergentes en torno a un Acuerdo Base. Se llegó a discutir una propuesta hecha por el Gobierno en agosto de 2006 para que el ELN participara en elecciones en 2007. Durante el período se evidenciaron grandes distancias y tensiones entre las partes, que se hicieron insalvables cuando las temáticas se redujeron al cese al fuego y de hostilidades (ubicación, concentración e identificación de los guerrilleros) por parte del Gobierno, y a la participación de la sociedad civil, factor determinante para el ELN. El proceso en La Habana tuvo un final lánguido: para el ELN, "La política de paz del presidente Uribe es impositiva, de rendición y opuesta a los cambios, la cual riñe con la que defiende y plantea el ELN. Esta diferencia explica por qué no se avanza lo esperado en los 19 meses transcurridos"[901]. En los meses siguientes hubo algunos intentos por retomar los diálogos que no fructificaron. No solo había diferencias entre los negociadores de uno y otro lado de la mesa; en la dirigencia elena hubo contradicciones del COCE con el delegado Galán, quien fue suspendido en abril de 2008 de su condición de vocero y miembro de la delegación del ELN para los diálogos con el Gobierno, por los contenidos de una carta que le envió a la Presidencia del Congreso

900 Documentos del IV Congreso del ELN, revista *Insurrección* N° 66, 18 de septiembre de 2006, en http://www.cedema.org/uploads/INSURRECCION066.pdf

901 "Proceso de paz, un acuerdo difícil de alcanzar", *Insurrección*, N° 79, 29 de agosto de 2007.

y por un encuentro que sostuvo cara a cara con el presidente Uribe; a raíz de este *impasse*, Galán anunció su renuncia a la lucha armada.

El año 2006 era electoral, con novedades a la vista. Las FARC-EP habían optado por impedir, o por lo menos sabotear, las elecciones de marzo y de mayo en sus áreas de influencia: en febrero se registró el asesinato de 9 concejales en el municipio de Rivera (Huila), hecho atribuido a la columna Teófilo Forero. Las elecciones para presidente y vicepresidente se llevaron a cabo el domingo 28 de mayo, con la novedad de que los colombianos asistían —por primera vez— a unos comicios en los cuales el presidente en ejercicio era candidato a la reelección, figura que el Congreso aprobó en mayo del año anterior. Desde el triunfo del Partido de la U —partido de Uribe— en las elecciones legislativas de marzo anterior, se sabía que el presidente-candidato sería elegido por amplias mayorías; ese último domingo de mayo acudieron a votar un poco más de 12 millones de colombianos (para una abstención del 55%), de los cuales 7.397.835, el 62,35%, lo hicieron por Álvaro Uribe Vélez, inscrito por la agrupación Primero Colombia; por el profesor y exmagistrado Carlos Gaviria Díaz, del Polo Democrático Alternativo, se depositaron 2.613.157 votos, el 22,02%; por Horacio Serpa Uribe, del Partido Liberal Colombiano, votaron 1.404.275 ciudadanos, equivalentes al 11,83%. Otros candidatos como Antanas Mockus, Enrique Parejo González y Álvaro Leyva Durán no pasaron del 2%[902]. Uno de los efectos inmediatos de la reelección de Uribe fueron los cambios en algunos ministerios, en particular en el de Defensa, cartera que asumió Juan Manuel Santos el 19 de julio de ese año, en reemplazo de Camilo Ospina. Santos había sido ministro de Comercio Exterior en el gobierno del Gaviria y ministro de Hacienda y Crédito Público en el de Pastrana.

Al finalizar el año 2005, Manuel Marulanda envió un saludo victorioso a sus camaradas, combatientes y mandos de las FARC-EP: "El 2005 está terminando en medio de numerosos hostigamientos al Ejército, combates con paramilitares, acciones militares chicas y grandes... torres eléctricas derribadas, oleoductos y baterías petroleras

902 Elecciones presidenciales de 2006, Georgetown University, Washington D.C., http://pdba.georgetown.edu/Elecdata/Col/colombia.html

quemadas, puentes destruidos, vehículos de empresas reaccionarias quemados. Según expertos en la materia, en tres años llevamos más de 7.000 combates y hostigamientos al Ejército, todo ello con base en planes de acción política y militar y de conformidad con el Plan Estratégico"[903]. Para 2006 era evidente que las FARC-EP habían retomado la iniciativa con ataques importantes contra la fuerza pública; algunos analistas y centros de pensamiento consideraban que el ritmo de crecimiento operativo de las Fuerzas Militares, en el marco del Plan Patriota, había llegado a su tope, tesis que estaría por verse, ya que aún no se empleaban a fondo dos armas que a la larga resultarían letales para las fuerzas insurgentes: la inteligencia y la aviación. Es cierto que había presencia policial en todos los municipios del país y que los retenes guerrilleros en las principales carreteras eran esporádicos; pero más adentro, hacia las montañas y la selva, los combates arreciaban.

A estas alturas, el canje o acuerdo humanitario estaba más embolatado que antes, pese a las gestiones que el presidente Uribe realizaba con su homólogo venezolano. El comunicado del Secretariado del Estado Mayor Central de las FARC-EP, fechado el 29 de diciembre, "desde las montañas de Colombia", fue categórico: "Está claro que con Uribe no habrá intercambio humanitario. El país necesita un presidente con voluntad política, no solo para el canje, sino para pactar con la insurgencia y con la participación del pueblo, la solución del conflicto sobre la base de cambios estructurales en lo social, económico, político y otros órdenes que beneficien a las mayorías"[904]. Una cosa era lo que pensaban en el Alto Gobierno y otra el anhelo de las familias y de gran parte de la población que deseaban el canje humanitario. Las FARC-EP pensaban distinto, y su listado de canjeables lo encabezaban Simón y Sonia: "A los familiares de los prisioneros de guerra retenidos por las FARC-EP y al país les informamos que no existe ningún tipo de contacto, ni de conducto, ni de mecanismo de comunicación directo o indirecto entre el Gobierno y nosotros. Una vez más riñen con la verdad afirmaciones o respuestas vagas e insinuantes que en tal sentido han hecho el presidente y altos colaboradores suyos en los últimos

903 "Golpear y huir y volver a golpear", *Resistencia* N° 35, FARC-EP, febrero de 2006, p. 16.

904 "Con Uribe no habrá intercambio humanitario", *ibid.*, p. 20.

días. La verdad es que estamos en cero tal como hace cuatro años [...] Para conversar y concretar el canje se requiere el despeje de los municipios de Florida y Pradera durante 45 días, dada no solo la creciente militarización de la periferia del área tanto en el propio departamento del Valle como en las zonas vecinas del Cauca y el Tolima, sino los intensos operativos que se adelantan desde los primeros días del mes de agosto en la región"[905]. La palabra en uso era "inamovibles", y Florida y Pradera eran uno de ellos.

En este punto de la lucha guerrillera se presentaba una ardua confrontación entre los frentes 10 y 45 de las FARC-EP y el Frente de Guerra Oriental del ELN; Arauca era el epicentro de los mayores combates. El enfrentamiento involucraba no solo a combatientes de lado y lado, sino también a población civil o base social de los grupos. En un comunicado a la opinión pública, el Frente X de las FARC-EP, por ejemplo, denunciaba las agresiones que recibía por parte del ELN y manifestaba su decisión de castigar a los responsables de estas; advertía además a la población civil que permaneciera al margen de un proceso que debía ser definido entre las fuerzas de las organizaciones: "Reiteramos que esta confrontación es entre las FARC-EP y quienes nos han agredido y que respetaremos a civiles y a todos aquellos que no nos agredan, por eso invitamos a los campesinos araucanos a no involucrarse en las acciones que se desarrollan, a permanecer en sus fincas, pero si intervienen a favor de quienes nos han atacado recibirán una respuesta contundente de nuestra parte"[906].

Uno y otro grupo se preparaban para una confrontación a mayor escala... pero entre ellos, no con la fuerza pública. El diario *El Tiempo* del 30 de junio de 2007 informó del traslado de 250 combatientes del ELN desde Boyacá hacia Arauca para reforzar sus tropas. En el Cauca, Oriente Antioqueño y en Nariño también se presentaban combates entre fuerzas de las dos organizaciones y no había arreglo a la vista. El Estado Mayor del Frente LX Jaime Pardo Leal, en el norte

905 "Comunicado del Secretariado del EMC de las FARC-EP", *Resistencia* N° 36, FARC-EP, octubre de 2006, p. 43.

906 FARC-EP, "Comunicado a la opinión pública", 23 de marzo de 2006, en http://www.cedema.org/ver.php?id=1380

del Valle, también denunció agresiones; otro tanto hizo el Bloque Caribe, que en un comunicado señaló: "Es muy lamentable el papel del ELN en su triste ocaso como movimiento insurgente. A pesar de que nunca fue tocado por el Plan Patriota, se apresta —desmotivado de su lucha armada—, a incorporarse al sistema político vigente, a la lucha institucional, electoral, y de remate, dejándose utilizar por la Inteligencia Militar del Ejército, contra las FARC"[907]. Por su parte, el ELN hacía sus propias denuncias: "Ante los conflictos no podemos ser ajenos a la confusa e inentendible situación que hemos vivido y vivimos los revolucionarios de Colombia en nuestro propio seno como insurgencia, con algunas confrontaciones militares, que el pueblo civil y demócrata del mundo no la entiende (*sic*)"[908]. Para Milton Hernández, uno de los dirigentes de esta organización, las divergencias surgieron en la VIII Conferencia de las FARC, de 1993, cuando todavía funcionaban como CGSB: "Los compañeros optan por plantear un concepto unitario totalmente diferente al que veníamos construyendo. Según ellos, a partir de esa fecha, si queríamos mantener la Simón Bolívar sería a partir de los fundamentos políticos, ideológicos y militares de las FARC, por considerarse la fuerza más importante. Les dijimos que ese era un camino equivocado y hasta el sol de hoy jamás pudimos reconstruir los nexos que en aquellos días de la unidad nos fortalecieron [...] Si las FARC y el ELN en verdad queremos seguir sirviendo a los intereses de la patria y de las mayorías nacionales, no debemos sacrificar de la noche a la mañana todo lo que hemos conquistado en estas cuatro décadas, con sangre, heroísmo y esfuerzo. De persistir en las agresiones y la arrogancia demostrada en algunas regiones nos convertiremos en los mejores aliados de esa derecha paramilitar y criminal que lleva años y años tratando de destruirnos sin conseguirlo. Paradójico y cruel, pero cierto"[909].

907 Comunicado del Bloque Caribe de las FARC-EP, "La verdad sobre el enfrentamiento FARC-ELN", 11 de febrero de 2007, en http://www.cedema.org/ver.php?id=1777

908 Comunicado del Frente de Guerra Oriental del ELN a la comunidad internacional, nacional y regional, 18 de mayo de 2006, en http://www.cedema.org/ver.php?id=1355

909 Milton Hernández, ELN, documento "Ni un tiro más entre los guerrilleros colombianos", 3 de abril de 2007, p. 4.

Las cosas llegaron a un punto tal, que miembros del ELN se aliaron con estructuras del Ejército en Arauca para atacar a las FARC-EP, como lo reconoció el COCE: "Dentro de este contexto y por fuera de la política nacional del ELN, ex integrantes e integrantes del ELN en ese departamento, coordinaron con el ejército gubernamental, algunas actividades contra las FARC. Este hecho aberrante y vergonzoso, una vez fue de nuestro conocimiento lo condenamos con toda energía, ha tenido un primer tratamiento disciplinario con los implicados y sigue su curso conforme a nuestros códigos y reglamentos. Llamamos de nuevo al Secretariado de las FARC para que usemos los mecanismos existentes, que nos permitan acordar un final definitivo a esta fratricida confrontación de la que ya hemos dicho, el único beneficiado es el enemigo"[910].

Tan solo hasta noviembre de 2009, por solicitud expresa que le hiciera Gabino a Alfonso Cano, se alcanzó un acuerdo entre las máximas instancias de las dos organizaciones para parar la confrontación, que dejó cientos de muertos de lado y lado y de la población civil. De manera conjunta, las comandancias emitieron una orden referida a: "1) Parar la confrontación entre las dos fuerzas a partir de la publicación de este documento. 2) No permitir ningún tipo de colaboración con el enemigo del pueblo, ni hacer señalamientos públicos. 3) Respeto a la población no combatiente, a sus bienes e intereses y a sus organizaciones sociales. 4) Hacer uso de un lenguaje ponderado y respetuoso entre las dos organizaciones revolucionarias"[911]. La disposición de unos y otros era regresar a los caminos unitarios que se habían abandonado y, juntos, "trabajar por la unidad para enfrentar, con firmeza y beligerancia, al actual régimen que el gobierno de Álvaro Uribe ha convertido en el más perverso títere de los planes del imperio pisoteando la dignidad nacional, el anhelo de los colombianos, e imponiéndose a punta de cañón paramilitar y represión institucional inspirado en una concepción matrera, corrupta y mafiosa"[912]. Tal declaración no fue suficiente, y

910 Comunicado del Comando Central del ELN, "El absurdo conflicto en Arauca", 9 de febrero de 2009, en http://www.cedema.org/ver.php?id=3084

911 "A la militancia de las FARC-EP y del ELN, 1° de noviembre de 2009, en http://www.cedema.org/ver.php?id=3662

912 *Ibid.*

con el correr de los días se conocería de nuevos enfrentamientos entre las fuerzas de una y otra organización.

En un nuevo intento por retomar los aspectos medulares de la discusión hacia el acuerdo humanitario, las FARC-EP dirigieron una carta abierta a los integrantes de las tres ramas del poder público, en la que insistieron en el canje de prisioneros de guerra, la desmilitarización por 45 días de los municipios de Florida y Pradera, y propusieron que, una vez realizado el canje, el Gobierno procediera a desmilitarizar los departamentos de Caquetá y Putumayo para iniciar conversaciones de paz, eliminara las órdenes de captura contra los integrantes del EMC y solicitara a la comunidad internacional suspender la calificación como organización terrorista. Este esfuerzo se vio frustrado por el atentado con carro bomba del 20 de octubre de 2006 en el parqueadero de la Escuela Superior de Guerra en Bogotá, que dejó 25 personas levemente heridas. Aunque las FARC-EP no reivindicaron el hecho y hubo muchas dudas sobre su autoría, el presidente Uribe arremetió contra ellos, revocó la autorización que tenía el comisionado Restrepo para buscar el acuerdo humanitario y ordenó el rescate militar de los secuestrados: "Pregunto al terrorista de las FARC Jorge Briceño, conocido con el alias de *Mono Jojoy*, si tiene la cobardía de negar que ordenó, desde el refugio cobarde de la selva, este atentado [...] si tiene la cobardía de negar el mensaje que recibió de la persona a quien mandó a colocar este carro bomba, en el cual el terrorista miliciano, desde Bogotá, le informaba que ya había cumplido la graduación"[913]. La orden del Presidente no se hizo esperar: el 31 de diciembre siguiente, comandos del Ejército atacaron un campamento donde tenían secuestrado al exministro de Desarrollo, Fernando Araújo, quien huyó en medio de los disparos, y cinco días después fue rescatado a salvo en la selva.

En el primer trimestre de 2007, cuando avanzaban los diálogos entre el Gobierno y el ELN en La Habana, y ya los grupos paramilitares habían concluido sus desmovilizaciones bajo el amparo de la Ley de Justicia y Paz, las FARC-EP anunciaron que habían realizado la IX Conferencia Nacional de Guerrilleros, "Por la Nueva Colombia,

913 "Guerra: Uribe II volvió a ser Uribe I", *El Tiempo*, 21 de octubre de 2006, en http://www.eltiempo.com/archivo/documento/MAM-2244996

la Patria Grande y el Socialismo". Algunos observadores y miembros de organismos de inteligencia consideraron que esta conferencia pudo ser realizada *on line* o por frentes o bloques, que enviaron sus propuestas y comentarios a las tesis y los documentos de discusión, dada la persecución de la fuerza pública. Al igual que en otros espacios de debate y toma de decisiones —plenos, reuniones de estados mayores por bloque, frente y otras—, en la IX Conferencia se expresaron posiciones en favor o en contra de la negociación con el Gobierno, y otras que se inclinaban por profundizar la contradicción militar.

Finalmente, la declaración política de la máxima instancia del grupo fue un documento de consenso, clave para un período bastante complejo, en el que se debatía entre la apuesta política por el canje de prisioneros y el despeje de Florida y Pradera, y las inclemencias militares resultado de la aplicación del Plan Patriota: "Saludamos al pueblo colombiano y le comunicamos la exitosa realización de nuestra Novena Conferencia Nacional, preparada y efectuada a pesar del oprobioso incremento y accionar de las tropas gringas en el territorio nacional y de las operaciones del llamado Plan Colombia que, como se sabe, están dirigidas principalmente contra la población civil [...] Las FARC-EP mantenemos levantada la bandera de la solución política a la crisis, que con la participación mayoritaria de los colombianos, pueda definir soberanamente la construcción de una nueva institucionalidad como la señalada en la plataforma bolivariana por la nueva Colombia que enrumbe al país hacia el ejercicio pleno de todo su potencial democrático y progresista. Dentro de ese mismo espíritu reiteramos nuestra propuesta de canje de los prisioneros políticos. Para iniciar conversaciones es indispensable que el Estado ofrezca las garantías necesarias. La justificación para no otorgarlas solo esconde el ánimo revanchista de un gobierno incapaz de aceptar la realidad de la confrontación, que juega temerariamente con la libertad y vida de los prisioneros y es mezquino con el futuro de la Patria [...] La Novena Conferencia Guerrillera reitera, una vez más, el juramento fariano de lucha por una Colombia democrática, soberana y con justicia social. Nuestra voluntad por contribuir a alcanzar ese objetivo se ha dimensionado al calor de la confrontación actual. El balance sobre el cumplimiento de los planes fijados en la Octava Conferencia es positivo, nuestra fuerza política y militar se ha acrecentado lo que es inocultable para los colombianos que no se conforman con la información oficial sobre guerrilleros muertos, prisioneros y desertores. Nuestra fuerza está activa y pujante en todo el territorio nacional, el país y la comunidad internacional lo saben"[914].

Las posibilidades del canje de prisioneros o del acuerdo humanitario parecían estancadas, había muy por debajo de cuerda algunas gestiones con cruce de cartas, propuestas de delegados de Suiza, España y Francia, y también acciones más conocidas, como las que realizaba Piedad Córdoba, nombrada facilitadora por el presidente Uribe; esta condición le permitió acudir a la mediación del presidente Hugo Chávez, quien siempre se mostró dispuesto a hacer lo que fuera, pese a sus expresiones públicas de reconocimiento a las guerrillas colombianas como insurgentes. En varias oportunidades recibió en Miraflores a familiares de los cautivos, se reunió con voceros de las FARC-EP y facilitó entregas de secuestrados, como ocurrió meses después con las liberaciones de Consuelo de Perdomo y Clara Rojas. Formalmente, en algún momento el presidente Uribe finalizó esos buenos oficios de Chávez y la facilitación de Piedad, pero las FARC-EP siguieron recurriendo a ellos, en un claro reconocimiento de su compromiso; así lo hicieron en las primeras semanas de 2008 para liberar a los parlamentarios Gloria Polanco, Orlando Beltrán y Luis Eladio Pérez.

Otros intentos de mediación se originaban en Francia, sobre todo al atender la solicitud de miles de compatriotas de Íngrid Betancourt, en su condición de ciudadana franco-colombiana. El presidente Sarkozy le había solicitado a Uribe que concediera la libertad a Rodrigo Granda, de quien se decía era el "canciller" de las FARC-EP. La figura escogida por el Gobierno colombiano fue reconocer su "calidad de miembro representante [...] para adelantar gestiones de paz en el territorio nacional o en el exterior"; mediante el Decreto 2035 del 4 de junio se estableció esa condición, lo que permitió la excarcelación de Granda, quien se encontraba en la cárcel Doña Juana en La Dorada

914 FARC-EP, IX Conferencia Nacional de Guerrilleros, "Declaración Política ¡Por la Nueva Colombia, la Patria Grande y el Socialismo!" http://www.farc-ep.co/octava-conferencia/novena-conferencia-nacional-de-guerrilleros.html

(Caldas), y su traslado a la sede de la Conferencia Episcopal en Bogotá, y luego a Cuba[915].

El 23 de junio de 2007, las FARC-EP dieron a conocer un comunicado firmado por el Comando Conjunto de Occidente, en el que informaron que el 18 de ese mes, once de los doce diputados de la Asamblea Departamental del Valle, que fueron secuestrados el 11 de abril, cinco años atrás, murieron en medio del fuego cruzado, cuando un grupo militar sin identificar atacó el campamento donde se encontraban, y que el único sobreviviente era Sigifredo López, quien en el momento del enfrentamiento estaba "castigado" y separado del resto de sus compañeros diputados[916]. "En el área de los acontecimientos se desarrollan desde hace varias semanas amplias operaciones conjuntas de militares y paramilitares lo que ha generado innumerables combates y creciente presencia de fuerzas oficiales. A los familiares de los diputados fallecidos les manifestamos nuestro profundo pesar por la tragedia. Haremos lo que esté a nuestro alcance para que puedan recoger los despojos mortales lo más pronto posible. La demencial intransigencia del presidente Uribe para llegar a un intercambio humanitario y su estrategia de rescate militar por encima de toda consideración conlleva a tragedias como la que estamos informando"[917]. Al parecer, un grupo de otro frente de las mismas FARC-EP chocó con la comisión encargada del cuidado de los diputados, y en el enfrentamiento murieron los cautivos; "fuego amigo", que llaman. Otra versión, muy factible en esos momentos de enfrentamiento con secuestrados de por medio, fue que les dieron muerte apenas se vieron acosados, sin saber si se trataba de un rescate o qué. Una Comisión Forense Internacional de la

915 Texto del Decreto 2035 del 4 de junio de 2007, en http://www.suin-juriscol.gov.co/clp/contenidos.dll/Decretos/1389297?fn=document-frame.htm$f=templates$3.0

916 El 5 de febrero de 2009 recuperó su libertad, gracias a la mediación de la senadora Piedad Córdoba, dirigente de Colombianos y Colombianas por la Paz, y de los gobiernos de Brasil y Venezuela; más adelante fue víctima de los falsos positivos y falsos testigos que lo "enlodaron", y fue acusado de su secuestro y el de sus compañeros; posteriormente fue absuelto, y la misma guerrilla de las FARC-EP aclaró que Sigifredo nunca tuvo nada que ver con el caso. Una víctima más, no solo de sus captores, sino también del falso positivismo que sembró la seguridad democrática.

917 FARC-EP, "El Comando Conjunto de Occidente informa", 23 de junio de 2007, en http://www.cedema.org/ver.php?id=2048

OEA, que acompañó el proceso del rescate de los cuerpos, estableció que, en promedio, cada uno de los diputados había recibido entre seis y quince disparos, algunos a quemarropa, y otros cuando estaban tendidos en el suelo.

En concordancia con el comunicado, las FARC-EP, en un nuevo mensaje, el 31 de agosto, indicaron que habían entregado al CICR y a Álvaro Leyva Durán la información sobre el lugar donde se encontraban los despojos mortales de los once diputados, para que sus allegados pudieran darles digna sepultura. Informaron también que seguían en la tarea de dar con el grupo agresor y con la investigación para descubrir qué fuerza llevó a cabo el ataque al campamento; de nuevo expresaron su sentimiento de pesar a las familias de los diputados, "así como también a los familiares de todos aquellos colombianos guerrilleros, militares o civiles que diariamente están cayendo en esta confrontación fratricida"[918].

El 4 de diciembre de 2016, pasados nueve años y seis meses de la tragedia, y ya en proceso de paz, se reunieron los familiares de los diputados, los jefes de las FARC-EP, funcionarios del Estado, prelados de Iglesias y personalidades y, en un acto de perdón y reconciliación, los jefes guerrilleros reconocieron a fondo su responsabilidad en la masacre. En una actitud respetuosa, que contrastaba con el "Quizás, quizás, quizás", entonado por el dirigente fariano Jesús Santrich al referirse al reconocimiento a las víctimas, Pablo Catatumbo fue el encargado de leer un sentido mensaje del Secretariado Nacional: "En nombre de las FARC-EP, y de su Delegación de Paz, queremos expresar nuestro más sincero y público reconocimiento de responsabilidad y pedir perdón a las víctimas y familiares de los once diputados del Valle del Cauca, los cuales se encontraban retenidos y bajo responsabilidad de nuestra organización. En esa vía quisiéramos agradecer su disposición para iniciar este camino de acercamiento, de perdón y reconciliación. Asumimos sus expectativas como una ruta necesaria para llevar adelante nuestra solicitud pública de Perdón ante la sociedad colombiana. Sin ningún tipo de justificación y sin exigir nada a cambio. Por ello, frente a ustedes, pedimos perdón a las

918 FARC-EP, "Comunicado", 31 de agosto de 2007, en http://www.cedema.org/ver.php?id=2173

familias, víctimas y a la sociedad vallecaucana, perdón, por un hecho que no nos enorgullece y que va en contravía de nuestros principios e ideales. Estos lamentables hechos contribuyeron a profundizar nuestra reflexión sobre la necesidad de acabar con más de cincuenta años de conflicto armado"[919].

La seguridad democrática, materializada en el Plan Colombia y su correlato el Plan Patriota, siguió su curso en 2008, acumulando constantes golpes a las guerrillas. Al comenzar el año, el ELN sufrió en carne propia los efectos de esa política con la captura, en Bogotá, de Carlos Marín Guarín, alias *Pablito*, comandante del Frente Domingo Laín, que operaba en Arauca, una de las estructuras más radicales y con mayor proyección dentro de la organización: "Es muy ridícula esta comparación que hacen los medios comunicacionales del Estado y los analistas subjetivos, hablar de alas blandas y alas duras. Nuestro comandante en jefe, Nicolás Rodríguez Bautista, completa 52 años en la guerra, impulsando la revolución, no sé qué tan blando será. Partiendo de que ya es un hombre curtido y que es el guerrillero más antiguo en el mundo, que impulsa y proclama la libertad y la independencia de los países. Yo no me siento ni siquiera la mitad de ala dura al comandante Gabino, porque él me lleva el doble o más de tiempo liderando esta revolución que plantea el ELN"[920]. Un poco más de año y medio estuvo preso en la penitenciaría de máxima seguridad de Cómbita; en octubre de 2009 fue rescatado por comandos guerrilleros que se lo llevaron de la cárcel de Arauca, a donde lo habían trasladado provisionalmente para una diligencia judicial.

Gracias a los recursos económicos humanos y técnicos que se recibían de Estados Unidos, Israel y Gran Bretaña, la inteligencia sobre las actividades de los grupos estaba rindiendo sus frutos; el año anterior fueron muertos tres dirigentes de las FARC-EP en distintas circunstancias: JJ, del Frente Urbano Manuel Cepeda, artífice del secuestro de los doce diputados; el Negro Acacio, mando del Frente XVI en el Guaviare; y Martín Caballero, jefe del Frente XXXVII en los Montes de

919 Texto completo del comunicado, en http://www.cedema.org/ver.php?id=7478

920 Entrevista exclusiva de Canal Capital a alias Pablito, integrante del Comando Central del ELN, 3 de mayo de 2015, en https://www.youtube.com/watch?v=FRGiBfK37_4

María. El año 2008 sería recordado por los integrantes de las FARC-EP como el año en que recibieron los golpes más significativos en su estructura de mandos; nunca antes en su historia sufrieron tan duras pérdidas, lo que ya implicaba un quiebre en la correlación de fuerzas.

La tragedia comenzó en la madrugada del sábado 1° de marzo en la frontera con Ecuador, cuando el campamento de Luis Édgar Devia Silva, a quien se le conocía como *Raúl Reyes*, segundo al mando en la organización insurgente, fue bombardeado y asaltado por tropas colombianas que desplegaron 5 aviones A-29B Súper Tucano y 3 A-37 de apoyo, que arrojaron 10 bombas racimo GBU-12 Paveway de 500 libras cada una; a los pocos minutos, desde helicópteros Black Hawk descendieron comandos del Ejército, la Policía y la Armada que liquidaron la poca resistencia que encontraron, recogieron las evidencias y cadáveres que les interesaban, y evacuaron de inmediato hacia Colombia. La Operación Fénix había alcanzado el "objetivo de alto valor" que se proponía.

Angostura se llamaba el sitio donde se encontraba el jefe guerrillero con un grupo de aproximadamente 30 combatientes entre mujeres y hombres, a escasos 1.800 metros de la línea fronteriza, en la provincia de Sucumbíos, en territorio ecuatoriano. En el ataque murieron 25 personas, entre ellas Reyes, un ecuatoriano y cuatro mexicanos: "Informamos al pueblo colombiano y a la opinión pública internacional, que ha muerto el comandante Raúl Reyes, revolucionario integral y ejemplar, que entregó toda su vida a la causa de los explotados, la liberación nacional y la Patria Grande que soñó Bolívar. Rendimos honores para él y para los otros 15 guerrilleros caídos a su lado. El comandante cayó cumpliendo la misión de concretar, a través del presidente Chávez, una entrevista con el presidente Sarkozy, donde se avanzara en encontrar soluciones a la situación de Íngrid Betancourt y al objetivo del intercambio humanitario. La alevosía del ataque, la perversidad y el cinismo mentiroso de Álvaro Uribe para deformar las circunstancias de la muerte del comandante Raúl, no solo tensionan peligrosamente las relaciones de este gobierno con las repúblicas hermanas, sino que golpearon de gravedad las posibilidades del Intercambio Humanitario y anularon la salida política al conflicto con este régimen paramilitarizado y proyanqui [...] Informamos que el comandante Joaquín Gómez ingresa a partir de la fecha como miembro pleno del Secretariado del Estado Mayor Central"[921]. Por su parte, el ministro de Defensa Nacional de Colombia, Juan Manuel Santos, informó: "Quiero comunicarle al país que en una operación conjunta de las Fuerzas Militares y la Policía Nacional fue dado de baja alias Raúl Reyes, miembro del Secretariado de las FARC. Es el golpe más contundente que se le ha dado a ese grupo terrorista hasta el momento"[922].

La reacción del presidente Rafael Correa fue inmediata. Se trataba de la violación a la soberanía de Ecuador por una incursión armada, que derivó en la ruptura de relaciones diplomáticas entre Bogotá y Quito. En solidaridad con el país agredido, Venezuela también rompió relaciones con Colombia y envió tropas a su frontera. El bombardeo a Angostura requirió una intensa y previa labor de información e infiltración; no fue solamente una llamada interceptada desde un teléfono satelital, como lo quisieron hacer creer los organismos de inteligencia colombianos. Un año más tarde, el gobierno del presidente Correa conformó la Comisión de Transparencia y Verdad Angostura, que en diciembre de 2009 presentó el informe final, donde se demostró que en la Operación Fénix hubo apoyo, por lo menos en inteligencia, de Estados Unidos desde su Base de Manta, en Ecuador, ubicada a tan solo veinte minutos en avión de la frontera con Colombia: "El 29 de febrero de 2008, desde la base aérea de Manta despega a las 19:00 horas el avión HC-130 de la fuerza aérea norteamericana, tripulado exclusivamente por pilotos de esa nacionalidad. A las 00:25 hs. del 1° de marzo se inició la llamada Operación Fénix, donde se emplean 10 bombas GBU 12 Paveway TI de 500 libras en el Campamento de Angostura en territorio ecuatoriano. El HC-130 regresó a las 04:40 hs. del 1° de marzo a la Base de Manta, contabilizando un total de 09 horas y 12 minutos de vuelo según registros de vuelos de esos días. Los HC-130 toman una rutina de navegación de 7 a 9 horas de duración, pero en horario diurno y un máximo de hasta las 19 horas. En la fecha

921 FARC-EP, "Comunicado sobre la muerte del comandante Raúl Reyes", 2 de marzo de 2008, en *Homenaje a los caídos,* s. f., pp. 28-29.

922 "Comunicado del Ministerio de Defensa", Presidencia de la República de Colombia, 1° de marzo de 2008, en http://web.archive.org/web/20111215040357/http://web.presidencia.gov.co/sp/2008/marzo/01/01012008.html

del 29 de febrero a la mañana del 1° de marzo, viajó, como excepción en horas de la noche, coincidente con el bombardeo a Angostura. Se rompe la rutina de este tipo de vuelo en esa nave aérea. Este HC-130 abandonó el Ecuador el 3 de marzo de 2008"[923].

A tan solo una semana de los sucesos de Angostura, y cuando el debate estaba más caldeado por el operativo colombiano en territorio de Ecuador y la captura de los computadores de Raúl Reyes, que dieron origen a la que se llamó la "farcpolítica", se presentó el asesinato de Manuel de Jesús Muñoz Ortiz, conocido dentro de las FARC-EP con el seudónimo de *Iván Ríos*, el integrante más joven del Secretariado. Su muerte fue uno de los episodios más crueles de una guerra degradada que permanentemente estaba azuzada por la política de seguridad democrática, con sus delaciones, deserciones, falsos testigos y promesas de recompensas: uno de los subalternos de Ríos, aparentemente el jefe de seguridad, llamado Rojas, en el Frente XLVII, convencido del pago de 5.000 millones de pesos que ofrecían por la cabeza de Ríos, le propinó un disparo en la frente, le cercenó la mano derecha, eliminó a Jazmín, compañera de Ríos, y huyó de la guerrilla para presentarse ante las Fuerzas Militares. La suerte de Rojas fue la de muchos de los delatores a quienes no se les pagaron las recompensas prometidas, y en su caso fue condenado a dieciocho años de prisión por el asesinato de su comandante. En reemplazo de Iván Ríos fue designado Mauricio Jaramillo, *El Médico*, uno de los dos suplentes o reemplazantes elegidos en el Pleno del EMC de noviembre de 2003[924].

El 26 de marzo de 2008, cuando estaba próximo a cumplir sesenta años de lucha guerrillera y 78 de vida, falleció de nuevo Pedro Antonio Marín, conocido en las FARC-EP con el seudónimo de *Manuel Marulanda Vélez*, y entre sus detractores llamado *Tirofijo*. Esta vez su muerte sí fue cierta, solo que no murió, como muchos lo hubieran querido, en el campo de batalla y destrozado por la metralla; Marulanda murió de

923 Informe Comisión de Transparencia y verdad Caso Angostura", Quito, diciembre de 2009, p. 27. Coincidente con el lanzamiento del Plan Colombia, el 12 de noviembre de 1999 se firmó un convenio entre Estados Unidos y Ecuador, que otorgaba al Ejército norteamericano el acceso a la Base de Manta por diez años renovables; el 18 de septiembre del 2009 cesó operaciones.

924 FARC-EP, "Comunicado sobre la muerte del comandante Iván Ríos", 2 de marzo de 2008, en *Homenaje a los caídos*, s. f., pp. 48-49.

viejo, por una falla cardíaca, "[...] en brazos de su compañera y rodeado de su guardia personal y de todas las unidades que conformaban su seguridad, luego de una breve enfermedad. Le hemos rendido los honores que merece un conductor de su dimensión y dado honrosa sepultura. Lo despedimos físicamente en nombre de los miles y miles de guerrilleros farianos y milicianos bolivarianos y de los millones de colombianos y ciudadanos del mundo que lo valoran, admiran y aman por encima de la asquerosa campaña mediática contra las FARC [...] Acordamos unánimemente que a la cabeza del Secretariado y como nuevo comandante del EMC esté el camarada Alfonso Cano. Como integrante pleno del Secretariado ingrese el camarada Pablo Catatumbo y suplentes los camaradas Bertulfo Álvarez y Pastor Alape"[925].

En esta, como en otras oportunidades, los agoreros de sus muertes lanzaron las campanas al vuelo para anunciar "el fin del fin" de las FARC-EP. Las muertes de Marulanda datan de 1965, quizá de mucho antes. Una de las primeras la situó el coronel Hernando Currea Cubides, comandante de la IV Brigada, con sede en Neiva, en diciembre de 1965, por los lados de Marquetalia; otra ocurrió en noviembre de 1970, según la prensa capitalina, que durante tres días insistió e insistió, hasta que la noticia se convirtió en una verdad; resulta una paradoja que otra de sus tantas muertes haya sucedido en medio de una negociación de paz: en 1983, poco antes de la firma de los acuerdos de La Uribe, un prestante político caucano aseguró que el Marulanda con quien se estaba dialogando era un impostor, que el verdadero había muerto veinte años atrás.

Lo cierto es que en la historia de las guerrillas en América Latina y el Caribe no hubo otro comandante con tanta trascendencia y tiempo de permanencia en la conducción de una organización que estuviera siempre en crecimiento político y militar. Se recuerdan casos de comandantes históricos y heroicos como el de Filiberto Ojeda Ríos, responsable general del Ejército Popular Boricua, Macheteros, de Puerto Rico, quien a los 73 años de edad —en 2005— se enfrentó y combatió a los agentes del FBI que lo perseguían desde hacía quince

925 "Comandante Manuel Marulanda Vélez ¡Juramos vencer!", comunicado del Secretariado del EMC de las FARC-EP, 27 de mayo de 2008, *Resistencia* N° 37, junio de 2009, pp. 8-9.

años; en su honor, el grupo musical Calle 13 le compuso y dedicó una canción: "tumbaron al hombre, pero no a la idea", dice parte de la letra.

El miércoles 2 de julio de 2008, en una combinación de astucia, labores de inteligencia e infiltración, apoyo externo y compra de consciencias, el Ejército desplegó la Operación Jaque, con el propósito de realizar el rescate de un grupo de secuestrados que estaban en poder de las FARC-EP. Sobre este episodio, que permitió la liberación de Íngrid Betancourt, los tres contratistas estadounidenses capturados por el grupo desde febrero de 2003 y once miembros de la fuerza pública, algunos de ellos con diez o más años de secuestro, ya se ha escrito y se ha dicho mucho. El triunfalismo se tomó a la opinión pública, y el espacio favorable para un intercambio humanitario se redujo a su más mínima expresión; para las FARC-EP, lo sucedido era inherente a la confrontación y hacía parte de las victorias y los reveses de esta. Según el comunicado del Secretariado del EMC del 5 de julio, "fue consecuencia directa de la despreciable conducta de César y Enrique, que traicionaron su compromiso revolucionario y la confianza que en ellos se depositó"[926].

El apoyo externo...

Desde que los contratistas fueron secuestrados, hemos trabajado estrechamente con el Gobierno de Colombia (GOC) para rastrear todas las pistas que podrían revelar su paradero. Como parte de nuestros esfuerzos para asegurar su rescate, iniciamos el Programa de Recompensas, el cual ofrece hasta cinco millones de dólares a cambio de información que conduzca a la captura de los comandantes de las FARC o de otros individuos involucrados en el secuestro.

Fuente: Amembassy Bogotá, *Uribe is Showing Results*, Subject: Andean Security Conference Colombia Scenesetter, 9 November 2004. The National Security Archive (NSA), Colombia and the United States: Political Violence, Narcotics and Human Rights, 1948-2010, documentos desclasificados de diferentes agencias de seguridad del Gobierno de Estados Unidos.

926 "Despejando las mentiras acerca de la fuga de los 15 prisioneros de guerra" Texto completo del comunicado, en http://www.cedema.org/ver.php?id=2712 consulta del 22 de enero de 2017.

El "botín" de los canjeables se les había reducido ostensiblemente; en poder de las FARC-EP quedaban tres políticos y 26 militares y policías, sobre los cuales la guerrilla ratificaba la necesidad del canje. Pocos meses más tarde, con la fuga del excongresista Óscar Tulio Lizcano, secuestrado hacía ocho años, quedaban solamente Alan Jara y Sigifredo López y los 26 uniformados. El triste y doloroso capítulo de un posible acuerdo humanitario se estaba cerrando. Lo que vendrían serían gestos unilaterales de las FARC-EP anunciando liberaciones con cuentagotas para recuperar espacios de opinión.

En diciembre, antes de finalizar el año, dieron a conocer una extensa carta al grupo Colombianos y Colombianas por la Paz, liderado por Piedad Córdoba, en la que denunciaron las ejecuciones extrajuicio de dirigentes sociales, conocidas como "falsos positivos", insistieron en la aprobación de una ley de canje y en el reconocimiento de beligerancia para el grupo, y dejaron como propuesta un posible encuentro de fuerzas políticas y sociales para trabajar sobre el Gran Acuerdo Nacional hacia la Paz, que permitiera construir colectivamente alternativas políticas a la guerra y a la injusticia social, tema que habían esbozado desde septiembre del año anterior en un manifiesto de ocho puntos. En la misiva de diciembre anunciaron la próxima liberación unilateral de 6 de los secuestrados en su poder: 3 agentes de Policía y un soldado, Alan Jara y el diputado Sigifredo López; en efecto, en la primera semana de febrero fueron entregados a Piedad Córdoba, quien contó con el apoyo del CICR, del Gobierno de Brasil y, como en otras oportunidades, del presidente Chávez, constituidos en misión humanitaria.

En marzo de 2009 se conoció la renuncia de Luis Carlos Restrepo. Ya en febrero había intentado dimitir de su cargo por discrepancias con el Presidente en torno a las recientes liberaciones de secuestrados y a la presencia y el papel de los medios de comunicación en estas situaciones: Restrepo quiso impedir la presencia de los periodistas en el aeropuerto de Villavicencio, a la llegada de Jara, ya libre; fue desautorizado por Uribe, por lo que el funcionario decidió retirarse, pero en esta oportunidad el Presidente lo convenció de permanecer. Después, ya no hubo caso. Un poco más de seis años y medio ejerció como alto comisionado para la Paz del Gobierno, período en el que llegó a convertirse en el principal escudero de la tesis de no existencia de un conflicto armado interno; su mayor logro fue la cuestionada negociación con los paramilitares, muchos de ellos reciclados en nuevos grupos posdesmovilizaciones. El mismo día de su renuncia definitiva, mediante el Decreto 797 del 12 de marzo, el Presidente encargó como interino a Frank Pearl, quien hacía las veces de consejero presidencial para la Reintegración.

Otra renuncia que se concretó, a mediados de mayo de 2009, fue la Juan Manuel Santos, ministro de Defensa desde hacía 34 meses, quien se retiró un año antes de elecciones para no inhabilitarse como candidato a la Presidencia de la República, en caso de que su jefe, Álvaro Uribe Vélez, no pudiera aspirar a un tercer mandato como era su deseo y el del uribismo, que impulsaba un referendo reeleccionista. En septiembre siguiente, el Congreso de la República aprobó la Ley 1354, "por medio de la cual se convoca a un referendo constitucional y se somete a consideración del pueblo un proyecto de reforma constitucional"[927], que permitiría la segunda reelección inmediata. Solo faltaba el control constitucional... El 25 de febrero del año siguiente, por 7 votos en contra y 2 a favor, la Corte Constitucional emitió una sentencia que declaró inconstitucional, por vicios de forma y de fondo, el referendo que buscaba la segunda reelección del presidente Uribe, golpeando así los afanes autoritarios que proponía uribismo para rato. El camino para Juan Manuel Santos hacia la Presidencia, comprometido hasta el alma con la política de seguridad democrática y contando con el aval de Uribe, estaba despejado.

El "Acuerdo Complementario para la Cooperación y Asistencia Técnica en Defensa y Seguridad entre los Gobiernos de la República de Colombia y de Estados Unidos de América", acuerdo militar para el funcionamiento de 7 bases militares de Estados Unidos dentro de bases colombianas que firmaron el 30 de octubre de 2009 William Brownfield, embajador de Estados Unidos, y Jaime Bermúdez, canciller colombiano, generó un importante rechazo nacional y en países de la región, en particular Venezuela y Ecuador, con quienes ya existía una fuerte tensión política y diplomática. El acuerdo fue pensado como complemento de la ayuda militar contemplada en el Plan Colombia; en el Artículo IV,

927 Texto de la Ley 1354 del 8 de septiembre de 2009, en http://www.suin-juriscol.gov.co/viewDocument.asp?id=1678001

numeral 1, se encontraba la "almendra" de lo acordado: "El Gobierno de Colombia, de conformidad con su legislación interna, cooperará con Estados Unidos para llevar a cabo actividades mutuamente acordadas en el marco del presente Acuerdo y continuará permitiendo el acceso y uso a las instalaciones de la Base Aérea Germán Olano Moreno, Palanquero; la Base Aérea Alberto Pauwels Rodríguez, Malambo; el Fuerte Militar de Tolemaida, Nilo; el Fuerte Militar Larandia, Florencia; la Base Aérea Capitán Luis Fernando Gómez Niño, Apiay; la Base Naval ARC Bolívar, en Cartagena; y la Base Naval ARC Málaga, en Bahía Málaga; y permitiendo el acceso y uso de las demás instalaciones y ubicaciones en que convengan las Partes o sus Partes Operativas"[928]. El 17 de agosto de 2010, la Corte Constitucional lo declaró inexequible por vicios en su trámite, ya que, por tratarse de un tratado internacional, debía aprobase en el Congreso de la República. Sin embargo, para el 28 de agosto ya estaba convocada la cumbre de mandatarios de la Unión de Naciones Suramericanas (UNASUR), en la que se debatieron a fondo los intereses ocultos del acuerdo y los efectos para terceras naciones.

Las elecciones para Senado y Cámara de Representantes tuvieron lugar el 14 de marzo de 2010; tanto en una como en otra corporación, el ganador fue el Partido Social de Unidad Nacional o Partido de la U, que para el Senado alcanzó 28 curules de 102, y para la Cámara obtuvo 47 escaños del total de 165, otro triunfo importante del presidente Uribe. Los resultados de la primera vuelta hacia la Presidencia de la República, realizada el domingo 30 de mayo, dejaron un claro ganador: Juan Manuel Santos, inscrito por el Partido Social de Unidad Nacional o Partido de la U, con 6.758.539 votos, que significaron el 46,54% del total; el segundo lugar lo ocupó Antanas Mockus, candidato del Partido Verde, con la nada despreciable cifra de 3.120.716 sufragios, equivalentes al 21,49%; le siguió Germán Vargas Lleras del Partido Cambio Radical, que alcanzó 1.471.377, el 10,13%; a continuación Gustavo Petro del centro izquierdista Polo Democrático Alternativo, con 1.329.512 votos, el 9,15%[929]. En la segunda vuelta, programada para el 20 de junio, se

928 Texto del acuerdo en http://apw.cancilleria.gov.co/Tratados/adjuntosTratados/90F3A_US-30-10-2009.PDF

929 Elecciones presidenciales de 2010, primera vuelta, Georgetown University, Washington D.C., http://pdba.georgetown.edu/Elecdata/Col/pres10_1.html

confirmó el favoritismo por Juan Manuel Santos, que obtuvo 9.004.221 votos, el 69,05% del total; por Antanas Mockus votaron 3.588.819 colombianos, que representaban el 27,52% de los electores[930].

Pasados trece meses desde las últimas liberaciones, 22 uniformados continuaban en poder de las FARC-EP a la espera de un acuerdo o de un nuevo gesto humanitario de la guerrilla que les permitiera regresar a sus hogares. Uno de ellos era el ascendido a sargento Pablo Emilio Moncayo, secuestrado doce años atrás en el ataque al cerro de Patascoy. Desde el 16 de abril de 2009, las FARC-EP anunciaron su liberación ante una comisión encabezada por la senadora Córdoba y el profesor Moncayo, su padre, símbolo de la tenacidad y el amor hacia el hijo ausente. Por distintas circunstancias, entre ellas las de un presidente que les temía a quienes creía se robaban el protagonismo, el regreso del sargento Moncayo se demoró casi un año más, hasta el 30 de marzo de 2010.

Unas semanas atrás, el Gobierno había hecho un intento de acercamiento a las FARC-EP, a través de una carta que el Alto Comisionado le envió al Secretariado del EMC proponiéndole un encuentro directo y secreto en Brasil, con agenda abierta; este nuevo esfuerzo hacía parte de las gestiones de facilitación que desde inicios de esta administración realizaba el economista quindiano Henry Acosta Patiño, registradas en su libro *El hombre clave* y, posteriormente, de manera profusa en los medios de comunicación[931]. Ya era muy tarde. La guerrilla le respondió a Frank Pearl en carta del 7 de abril lamentando que esas propuestas se hicieran a tan solo cuatro meses del cambio de gobierno. Habían pasado siete años y siete meses de una administración en la que hubo de todo: intentos de rescate y rescates a la fuerza, liberaciones unilaterales, muerte de secuestrados en cautiverio, fugas, facilitaciones, consejos, mediaciones, buenos oficios, nada sirvió. Las palabras del presidente Uribe durante las exequias del teniente coronel Julián Ernesto Guevara Castro fueron

930 Elecciones presidenciales de 2010, segunda vuelta, Georgetown University, Washington D.C., http://pdba.georgetown.edu/Elecdata/Col/pres10_2.html

931 Véase: "La frase de Uribe que enterró acercamiento con FARC durante su gobierno", Blu Radio, 24 de junio de 2016, en http://www.bluradio.com/nacion/la-frase-de-uribe-que-enterro-acercamiento-con-farc-durante-su-gobierno-108478

en ese sentido: "En los meses que quedan de gobierno haremos todos los esfuerzos para facilitar la liberación de nuestros compatriotas que siguen secuestrados, y nunca renunciaremos a la opción de rescatarlos. Yo lo tengo que decir tranquilamente, pero firmemente: bajo mi responsabilidad, las Fuerzas Armadas tienen la instrucción de avanzar en procura del rescate de nuestros compatriotas secuestrados hasta la última hora del gobierno. En eso no se puede desfallecer, apreciados compatriotas"[932].

La llave de la paz

Juan Manuel Santos fue electo por sus buenos resultados al frente del Ministerio de Defensa, en particular por el combate decidido a las FARC-EP y al ELN; no había ninguna duda de que en el espectro de la derecha era quien mejor encarnaba las tesis de la seguridad democrática. Sus electores, y también sus detractores, estaban seguros de que su mandato sería la continuidad del gobierno de Álvaro Uribe. En el discurso del 7 de agosto, día en que se posesionó como nuevo presidente, expresó las posibilidades de buscar el diálogo y negociar con las guerrillas: "Quiero reiterar: la puerta del diálogo no está cerrada con llave [...] A los grupos armados ilegales que invocan razones políticas y hoy hablan otra vez de diálogo y negociación, les digo que mi gobierno estará abierto a cualquier conversación que busque la erradicación de la violencia, y la construcción de una sociedad más próspera, equitativa y justa [...] Pero mientras no liberen a los secuestrados, mientras sigan cometiendo actos terroristas, mientras no devuelvan a los niños reclutados a la fuerza, mientras sigan minando y contaminando los campos colombianos, seguiremos enfrentando a todos los violentos, sin excepción, con todo lo que esté a nuestro alcance. ¡Y ustedes, los que me escuchan, saben que somos eficaces! Lo he dicho, y lo repito: es posible tener una Colombia en paz, una Colombia sin guerrilla,

932 Palabras del presidente Álvaro Uribe Vélez en las exequias del teniente coronel Julián Ernesto Guevara Castro, lunes 5 de abril de 2010, en http://www.alvarouribevelez.com.co/es/content/exequias-del-teniente-coronel-julian-ernesto-guevara-castro

¡Y lo vamos a demostrar! Por la razón o por la fuerza"[933]. Hasta ahí nada nuevo en un discurso que expresaba las mismas ideas e inamovibles que durante ocho años manejó el expresidente Uribe.

Una de las primeras gestiones del nuevo mandatario fue recomponer las maltrechas relaciones con Venezuela. Para sorpresa de todos, el 10 de agosto se encontraron los dos mandatarios en la Quinta de San Pedro Alejandrino, en Santa Marta, con ánimo conciliatorio después de la abrupta ruptura de relaciones por parte de Venezuela como reacción ante la denuncia del ministro de Defensa colombiano, que presentó aparentes pruebas de jefes guerrilleros radicados en territorio venezolano, ratificadas el 22 de julio por el embajador de Colombia, Luis Alfonso Hoyos, en la sesión del Consejo Permanente de la OEA. En el encuentro entre Santos y Chávez se conjuró la crisis bilateral con la decisión de reanudar las relaciones diplomáticas y el establecimiento de compromisos que permitirían a futuro un mejor manejo de los problemas que se presentaran.

La segunda gran sorpresa fue el acercamiento que Santos inició en septiembre con las FARC-EP a través de Henry Acosta, el facilitador que se mantuvo en esas gestiones durante el gobierno de Uribe y que ahora, en su administración, era el "único autorizado para llevar y traer estos mensajes". Por su intermedio le envió una comunicación a Cano y a Catatumbo: "Dígales a Alfonso Cano y a Pablo Catatumbo que quiero hacer la paz con ellos. Que los invito a que dialoguemos en un encuentro secreto, que puede ser en el Brasil o en Suecia [...] Dígales que este encuentro secreto es realmente eso: secreto y que es directo entre dos delegados del Gobierno y dos delegados de las FARC. Que no habrá intermediarios, ya sea países o personas, porque la paz en Colombia es una responsabilidad de nosotros los colombianos y de nadie más. Dígales que, en ese encuentro secreto, analizaríamos y acordaríamos todo lo necesario para una negociación política del conflicto y que cuando todo esté acordado y el Gobierno y las FARC lo crean conveniente, entonces hacemos público lo acordado [...] Dígales que les propongo que mi hermano Enrique Santos Calderón hable con

933 "Discurso completo de posesión de Juan Manuel Santos", 10 de agosto de 2010, en *Semana*, http://www.semana.com/politica/articulo/discurso-completo-posesion-juan-manuel-santos/120293-3

Alfonso Cano y/o Pablo Catatumbo de quienes es amigo [...] Dígales que quiero que hagamos la paz, con dignidad y sin mentira"[934].

Mientras se esperaba una respuesta del Secretariado estaba en marcha la Operación Sodoma, autorizada por el presidente de la República: el ataque al campamento de Víctor Suárez Rojas, el *Mono Jojoy*, que se realizó a las dos de la madrugada del miércoles 22 de septiembre en el sitio La Escalera, en la región de La Macarena, donde operaba el Bloque Oriental de las FARC-EP bajo su mando. Durante meses, los organismos de inteligencia del Estado —continuando con el trabajo que traían del Gobierno anterior— realizaron una infiltración en el entorno del Mono Jojoy, que les permitió introducir sofisticados aparatos de rastreo y ubicación satelital; en los días del ataque se estaba celebrando una reunión del Estado Mayor del Bloque; sus compañeros, alertados por los constantes sobrevuelos y bombardeos, le propusieron suspender el encuentro, pero ya era tarde...

Fue un golpe tanto o más importante que la muerte de Raúl Reyes treinta meses atrás: "Informamos a nuestro pueblo colombiano y hermanos latinoamericanos que el comandante Jorge Briceño, nuestro bravo, altivo y héroe de mil batallas, comandante desde las épocas gloriosas de la fundación de las FARC-EP, ha caído, en su puesto de combate, al lado de sus hombres y al frente de sus responsabilidades revolucionarias, como resultado de un cobarde bombardeo al estilo de las *blitzkrieg* del ejército Nazi. Junto a él cayeron otros nueve camaradas a quienes también rendimos nuestro sentido homenaje [...] Informamos que el comandante Pastor Alape es nuevo integrante pleno del Secretariado del Estado Mayor Central. También que el Bloque Oriental de las FARC-EP se llamará a partir de hoy 'Bloque Comandante Jorge Briceño' que continuará el desarrollo de sus planes bajo el mando del comandante Mauricio Jaramillo. Una vez más, como desde hace 45 años lo hemos manifestado, reiteramos nuestra disposición a buscar la solución política del conflicto que logre abrir caminos de convivencia atacando y superando las causas que lo generan. Pero, en

934 "'Dígale a Cano y Catatumbo que quiero hacer la paz con ellos': el mensaje de Santos que abrió el camino hace 6 años", *Las2Orillas*, 11 de septiembre de 2016, en http://www.las2orillas.co/digale-a-cano-y-catatumbo-que-quiero-hacer-la-paz-con-ellos-el-mensaje-de-santos-que-abrio-el-camino-hace-6-anos/

el entendido que iniciar un diálogo no puede condicionarse a unas exigencias unilaterales y a unos inamovibles, que como la historia reciente lo evidencia, todo lo que logran es dificultar cualquier intento de acercamiento"[935].

En un nuevo comunicado en su homenaje, el Secretariado señaló el 8 de octubre que se requirieron 30 aviones K-fir y Súper Tucanos, con el apoyo de 27 helicópteros, los cuales utilizaron 7 toneladas del explosivo tritonal, un total de "50 bombas inteligentes made in USA que demolieron y arrasaron su puesto de mando [...] Fue un ataque artero, y sobreseguro. No es heroísmo disparar bajo el amparo de la oscuridad y a varios miles de pies de altura, cuando no hay equilibrio de medios de combate entre las fuerzas contendientes. Otro fue el resultado en tierra: treinta militares muertos, setenta heridos". Como parte de guerra de las operaciones adelantadas en agosto por el Bloque Oriental, reportaron: "Choques armados 166; soldados muertos 157; soldados heridos 294; helicópteros averiados 10; buques averiados 2; guerrilleros muertos 11"[936].

Un mes después del primer mensaje que el presidente Santos envió a los dirigentes del Secretariado del EMC de las FARC-EP, Catatumbo le respondió en una carta de seis puntos, con fecha del 15 de octubre, en la que aceptaban en términos generales la propuesta gubernamental; la muerte del Mono Jojoy, en las condiciones en que se presentó, aparentemente no había entorpecido los acercamientos que ahora se abrían. La llave de la paz de Santos estaba funcionando. Aquí algunos apartes de la carta de Catatumbo: "Saludamos y vemos como un gesto positivo y que allana el camino el hecho de que el presidente encuentre justos algunos de nuestros planteamientos expuestos en la plataforma bolivariana, y que opine que en dicha plataforma hay espacio para una negociación y para llegar a un acuerdo o solución política del conflicto. Valoramos también que tenga designado a su hermano

935 FARC-EP, "Gloria eterna al comandante Jorge Briceño, héroe del pueblo en su resistencia contra el opresor", 25 de septiembre de 2010, en http://www.cedema.org/ver.php?id=4118

936 "Jorge Briceño vive", comunicado de las FARC-EP, 8 de octubre de 2010, en http://www.cedema.org/ver.php?id=4135 Véanse también documentales e información de noticieros nacionales en el canal YouTube.

Enrique para los contactos iniciales que se proponen. Eso evidencia compromiso"[937]. En contrapropuesta a la oferta del presidente Santos de reuniones en Brasil o Suecia, las FARC-EP expresaron su confianza en Venezuela y Cuba: "En tal sentido propondríamos un primer encuentro reservado en territorio colombiano, en zona fronteriza con Venezuela, con la anuencia del Gobierno de la hermana república, que por supuesto debe gestionar anticipadamente el Gobierno colombiano [...] De nuestra parte asistirían dos integrantes del EMC de las FARC. El objetivo de esa primera reunión sería exclusivamente precisar las circunstancias y garantías para un encuentro entre delegados plenipotenciarios, del Gobierno y las FARC, que definan una agenda de reconciliación y paz"[938].

La primera de estas reuniones —llamadas preparatorias— se realizó el 3 de marzo de 2011 en la frontera colombo-venezolana y contó con la presencia y participación de Rodrigo Granda, Marcos Calarcá y Andrés París, por parte de las FARC-EP, y Alejandro Éder y Jaime Avendaño, funcionarios del Gobierno Nacional. Se acordó como fecha para el encuentro entre los plenipotenciarios de cada una de las partes el 31 de mayo siguiente, y que Cuba sería el país escogido para tal fin. Sin embargo, la fecha se fue postergando por las dinámicas y los detalles propios de la preparación del encuentro en La Habana; fueron necesarias otras tres reuniones preparatorias durante el resto de 2011 para afinar movimientos de personal, comunicaciones y autorizaciones. A estas alturas, ya Cuba y Noruega hacían las veces de países garantes, y Venezuela y el CICR prestaban sus apoyos logísticos y humanitarios, todo esto en la más estricta confidencialidad. Los temas relacionados con esta primera etapa y los ajustes hacia el inicio de una fase exploratoria los manejaban directamente el presidente Santos y su alto consejero de Seguridad Nacional, Sergio Jaramillo, exviceministro para los Derechos Humanos y Asuntos Internacionales del Ministerio de Defensa, cuando Santos ocupó esa cartera[939].

937 "'Dígale a Cano y Catatumbo que quiero hacer la paz con ellos': el mensaje de Santos que abrió el camino hace 6 años", *op. cit.*

938 *Ibid.*

939 En septiembre de 2012, mediante el Decreto 1862, Jaramillo fue nombrado alto comisionado para la Paz.

Cuando ya todo estaba listo para iniciarse la fase exploratoria en La Habana, en desarrollo de la Operación Odiseo, las Fuerzas Armadas mataron a *Alfonso Cano*, nombre de guerra de Guillermo León Sáenz, comandante de las FARC-EP, "el más ferviente convencido de la necesidad de la solución política y la paz", según comunicaron sus camaradas del Secretariado del EMC: "El 4 de noviembre cayó en combate el comandante de las FARC Alfonso Cano en las montañas del Cauca del municipio de Suárez. Desde hacía dos años lo perseguía una jauría de más de 7.000 hombres guiados por tecnología militar de punta y una flotilla de aviones y helicópteros, bajo las órdenes de asesores militares estadounidenses, mercenarios israelíes y el alto mando militar [...] Queremos informarles que el camarada Timoleón Jiménez, con el voto unánime de sus compañeros del Secretariado, fue designado el 5 de noviembre, nuevo comandante de las FARC-EP. Se garantiza así la continuidad del Plan Estratégico hacia la toma del poder para el pueblo. La cohesión de sus mandos y combatientes, como decía Manuel Marulanda Vélez, sigue siendo uno de los más importantes logros de las FARC. Comandante Alfonso Cano: sus lineamientos en el campo militar y político serán cumplidos al pie de la letra"[940].

La muerte de este Objetivo Militar de Alto Valor Estratégico —OAVE, en la denominación de la fuerza pública— no fue en franca lid. Diversas voces, entre ellas la del arzobispo de Cali, Darío de Jesús Monsalve, se alzaron para expresar el rechazo a lo que se consideró un crimen de guerra: "¿Por qué no trajeron vivo, por ejemplo, a Alfonso Cano, cuando se dieron todas las condiciones de desproporción absoluta y de sometimiento y reducción a cero de un hombre de más de sesenta años, herido, ciego, solo? ¿Por qué encapsular la lucha antiguerrillera en ese marco de traer muertos a los cabecillas, sin agotar el marco ético de la no pena de muerte, de la captura como objetivo legal? Otro sería el escenario para los secuestrados y para las posibilidades de ponerle fin a este interminable y desastroso conflicto. Con todo respeto, invito al Gobierno y a la sociedad a revisar si este esquema de 'cortar la cabeza de la culebra', tan agresivo y letal, no obstante, el

940 "Cayó en combate. A los guerrilleros de las FARC-EP, a las milicias bolivarianas", comunicado del Secretariado del Estado Mayor Central de las FARC-EP, 15 de noviembre de 2011, en http://www.cedema.org/ver.php?id=4703

cúmulo de muertes que hay entre un jefe y otro, de Reyes a Cano, por parte de soldados, policías, civiles y guerrilleros"[941].

En otro momento, el presidente Santos reconoció haber dado la orden: "Estoy sentado al lado del hermano de Alfonso Cano. Yo ordené la muerte de Alfonso Cano. Yo ordené la muerte de su hermano, porque estábamos en guerra y estamos en guerra. Sus palabras me llegaron al fondo del corazón, perdonar es un acto de fortaleza, de entereza, es lo que creo que este país tiene que aprender, a perdonar, a reconciliarnos. Gabo decía una frase que me ha quedado también rondando y quiero que se convierta en una especie de máxima para todos nosotros: un minuto de reconciliación es más importante que toda una vida de amistad"[942]. Como le dijera Timoleón Jiménez, Timochenko o Timo, el nuevo jefe de las FARC-EP: "Así no es, Santos, así no es".

Para este momento, ya el Gobierno Nacional, a través del Ministerio de Defensa Nacional, a cargo del exviceministro Juan Carlos Pinzón[943], había trazado los elementos constitutivos del Plan de Guerra Espada de Honor en su primera versión, emitido desde el Comando General de las Fuerzas Militares, una actualización del Plan Patriota a la luz de las nuevas realidades de la guerrilla, en particular de las FARC-EP. Un factor que permitió esa revisión estratégica fue la cantidad de información extraída de los computadores y demás elementos tecnológicos capturados en el último año a jefes insurgentes muertos; la información actualizada y precisa se constituyó en una ventaja militar que llevó a planear acciones más contundentes para debilitar las estructuras guerrilleras y forzar mayores desmovilizaciones de combatientes. Un documento del Ministerio de Defensa precisaba los objetivos del Plan de Guerra Espada de Honor: desarticular el enemigo, neutralizar su capacidad de agresión, ganar la lealtad de la población civil rompiendo su vínculo con el enemigo, proteger la infraestructura económica

941 "A 'Alfonso Cano' le impusieron la pena de muerte: arzobispo de Cali", *El Espectador*, 29 de noviembre de 2011, http://www.elespectador.com/noticias/judicial/alfonso-cano-le-impusieron-pena-de-muerte-arzobispo-de-articulo-313964

942 "Santos se reúne con hermano de Alfonso Cano para hablar sobre paz y perdón", *Cablenoticias*, 13 de junio de 2014, http://cablenoticias.tv/vernoticia.asp?ac=Santos-se-reune-con-hermano-de-Alfonso-Cano-para-hablar-sobre-paz-y-perdon&WPLACA=18649

943 Viceministro de Juan Manuel Santos en el Ministerio de Defensa entre 2006 y 2009.

de la Nación, hacer irreversibles los logros alcanzados en materia de seguridad y consolidación[944].

Pese a la muerte de Cano, el proceso que se adelantaba entre las partes no se detuvo. En silencio se habían iniciado los acercamientos que podrían llevar al final del conflicto político armado entre el Estado colombiano y las FARC-EP: "A pesar del dolor y la indignación que reinó en las FARC-EP luego de este hecho, ya que 'no se asesina una persona con quien se está dialogando', el Estado Mayor Central decidió continuar las reuniones exploratorias, porque fue este el deseo de Alfonso Cano"[945]. La delegación de las FARC-EP, compuesta por Mauricio Jaramillo, Rodrigo Granda, Andrés París, Marcos Calarcá, Sandra Ramírez (compañera de Manuel Marulanda) y Carmenza Castillo, y la del Gobierno Nacional, integrada por Sergio Jaramillo, Enrique Santos, Frank Pearl, Alejandro Éder, Lucía Jaramillo y Jaime Avendaño, más los cuatro garantes, dos noruegos —Dag Nylander y Elizabeth Slaattum— y dos cubanos —Carlos Fernández de Cossio y Abel García—, en total dieciséis personas, iniciaron el 24 de febrero de 2012, en La Habana (Cuba), los diálogos exploratorios que concluirían seis meses más tarde, el 26 de agosto.

Esta fase exploratoria comenzó con una decisión histórica de las FARC-EP, anunciada en una declaración pública del 26 de febrero: la liberación de los últimos diez plagiados en su poder, y el fin del secuestro: "Mucho se ha hablado acerca de las retenciones de personas, hombres o mujeres de la población civil, que con fines financieros efectuamos las FARC a objeto de sostener nuestra lucha. Con la misma voluntad indicada arriba, anunciamos también que a partir de la fecha proscribimos la práctica de ellas en nuestra actuación revolucionaria. La parte pertinente de la ley 002 expedida por nuestro Pleno de Estado Mayor del año 2000 queda por consiguiente derogada. Es hora de que se comience a aclarar quiénes y con qué propósitos secuestran hoy en Colombia"[946].

944 "El Sector Defensa comprometido Infraestructura: una oportunidad para otros sectores", documento en PPT, en http://www.andi.com.co/Documents/CEE/Colombia%20Genera%202015/Viernes/JoseJavierPerez.pdf

945 "Reuniones exploratorias", en http://www.pazfarc-ep.org/comunicadosfarccuba/item/2877-reuniones-exploratorias.html

946 Secretariado del Estado Mayor Central de las FARC-EP, Declaración Pública, 26 de febrero de 2012, en http://www.cedema.org/ver.php?id=4854

En paralelo, el Gobierno Nacional se dotaba de instrumentos jurídico-políticos que tramitaba el Congreso de la República para darle piso al proceso que se había iniciado. El Acto Legislativo N° 1 del 14 de junio de 2012, conocido como el Marco jurídico para la paz, estableció instrumentos jurídicos de justicia transicional para dar "un tratamiento diferenciado para los grupos armados al margen de la ley que hayan sido parte del conflicto armado interno y también para los agentes del Estado, en relación con su participación en el mismo"[947].

El 26 de agosto siguiente, luego de 10 encuentros y 65 sesiones secretas, de muchos comunicados conjuntos y de reservas sobre los temas espinosos ocurridos, se alcanzó y firmó el *Acuerdo General para la Terminación del Conflicto y la Construcción de una Paz Estable y Duradera*, una "hoja de ruta" de seis páginas en la que se anunciaron el propósito y decisión de las partes de iniciar conversaciones directas e ininterrumpidas sobre seis puntos como agenda, y para ello establecer una Mesa de Conversaciones. El acuerdo general oficializó a Cuba y a Noruega como los garantes del proceso, con asiento permanente en la mesa de conversaciones, y a Venezuela y a Chile como países acompañantes, sin presencia en la mesa, pero informados de todos sus desarrollos. Además, fijó las reglas de funcionamiento de lo que sería la mesa de conversaciones: 1. Diez personas por delegación, cinco de ellas voceros, máximo treinta representantes; 2. Posibilidad de consultas a expertos invitados a la mesa; 3. Informes periódicos de la mesa para mayor transparencia; 4. Mecanismo para dar a conocer conjuntamente los avances de la mesa; 5. Una estrategia de difusión eficaz; 6. Mecanismo de recepción de propuestas sobre puntos de la agenda; 7. Recursos de parte del Gobierno Nacional para el funcionamiento de la mesa; 8. Tecnología necesaria para adelantar el proceso; 9. Inicio de las conversaciones por el punto Política de desarrollo agrario; posibilidad de cambiar el orden por decisión de la mesa; 10. Nada está acordado hasta que todo esté acordado.

Ya desde finales de agosto corrían rumores sobre acercamientos y conversaciones entre el Gobierno Nacional y las FARC-EP; se decía

947 Texto del Acto Legislativo N° 1 de 2012, en http://www.alcaldiabogota.gov.co/sisjur/normas/Norma1.jsp?i=48679

que tendrían avanzado un documento borrador de agenda para las discusiones hacia adelante. El encargado de "regar la bola" fue el mismo expresidente Álvaro Uribe, enemigo acérrimo de las negociaciones y principal opositor de cualquier acercamiento con la guerrilla, a no ser que se tratara de acordar su rendición y entrega. El 27 de agosto, el presidente Santos realizó una alocución por radio y televisión para anunciar que se habían adelantado y concluido conversaciones exploratorias con las FARC-EP para buscar el fin del conflicto a partir de un acuerdo marco, encuadradas en tres principios rectores que hizo extensivos al ELN: "Primero, vamos a aprender de los errores del pasado para no repetirlos. Segundo, cualquier proceso tiene que llevar al fin del conflicto, no a su prolongación. Tercero, se mantendrán las operaciones y la presencia militar sobre cada centímetro del territorio nacional"[948]. Una semana más tarde, el 4 de septiembre, en una nueva alocución, ratificó los tres principios anotados e informó del acuerdo marco logrado; señaló las fases del proceso y explicó uno a uno los puntos que se abordarían hacia adelante, recalcando que las operaciones militares continuaban con la misma intensidad.

En el orden inicialmente aprobado, los seis puntos del acuerdo fueron: 1) Política de desarrollo agrario integral; 2) Participación política; 3) Fin del conflicto; 4) Solución al problema de las drogas ilícitas; 5) Víctimas; 6) Implementación, verificación y refrendación. En un punto aparte se establecieron las "Reglas de funcionamiento"[949]. El 18 de octubre de 2012, en Oslo, capital del Reino de Noruega, en una tensa y concurrida reunión, se inició la segunda fase: "1) Reunidos en Oslo (Noruega) voceros del Gobierno de Colombia y de las Fuerzas Armadas Revolucionarias de Colombia, Ejército del Pueblo, FARC-EP, acordamos la instalación pública de la mesa de conversaciones encargada de desarrollar el Acuerdo General para la Terminación del Conflicto y la Construcción de una Paz Estable y Duradera. De esta

948 "No repetiremos errores del pasado", Juan Manuel Santos Calderón, 27 de agosto de 2012, *Noticiero 24 horas*, Chile, en http://www.24horas.cl/internacional/santos-no-repetiremos-errores-del-pasado-283367

949 Texto completo del Acuerdo General para la Terminación del Conflicto y la Construcción de una Paz Estable y Duradera, del 26 de agosto de 2012, en https://www.mesadeconversaciones.com.co/sites/default/files/AcuerdoGeneralTerminacionConflicto.pdf

manera, se inicia formalmente la segunda fase. 2) Desarrollo agrario integral es el primer tema de la agenda acordada y se abordará a partir del 15 de noviembre en La Habana (Cuba)". Para el inicio de esta segunda fase, los jefes de las delegaciones del Gobierno Nacional y de las FARC-EP fueron Humberto de la Calle Lombana y Luciano Marín, alias *Iván Márquez*, respectivamente.

Después de la instalación en Oslo, las delegaciones se encontraron en La Habana para continuar el proceso el lunes 19 de noviembre de 2012; ese mismo día, en un gesto de buena voluntad, esa guerrilla decretó un primer cese al fuego unilateral por sesenta días: "El Secretariado de las FARC-EP, acogiendo el inmenso clamor de paz de los más diversos sectores del pueblo colombiano, ordena a las unidades guerrilleras en toda la geografía nacional, el cese de toda clase de operaciones militares ofensivas contra la fuerza pública y los actos de sabotaje contra la infraestructura pública o privada, durante el período comprendido entre las 00:00 horas del día 20 de noviembre de 2012, hasta las 00:00 horas del día 20 de enero de 2013. Esta decisión política de las FARC-EP es una contribución decidida a fortalecer el clima de entendimiento necesario para que las partes que inician el diálogo alcancen el propósito deseado por todos los colombianos"[950].

Para avanzar en las discusiones del primer punto del acuerdo, Política de desarrollo agrario integral (enfoque territorial), las partes convinieron poner en marcha un primer espacio de participación convocando a un Foro, que se realizó en Bogotá entre el 17 y el 19 de diciembre, organizado por la ONU y el Centro de Pensamiento y Seguimiento al Proceso de Paz de la Universidad Nacional, que en enero siguiente hicieron llegar a la Mesa de Conversaciones en La Habana las relatorías y conclusiones[951]. A partir de entonces, la capital cubana fue el epicentro de las negociaciones de paz, con sus altibajos y dudas, con muchas tensiones que fueron superadas con la voluntad

950 "Línea de tiempo del proceso de paz, 19 de noviembre de 2012, Primer cese al fuego unilateral", en http://pazfarc-ep.org/

951 Como este, se realizaron los foros de Participación Política, el 28, 29 y 30 de abril del 2013; Solución al problema de las drogas ilícitas, el 24, 25 y 26 de septiembre de 2013; sobre Víctimas, entre el 3 y el 5 de agosto de 2014; foro del Fin del Conflicto e Implementación, Verificación y Refrendación, el 8, 9 y 10 de febrero de 2016.

entre las partes y con el apoyo internacional que permanentemente rodeó el proceso.

Por los mismos días se produjo el primer encuentro entre Frank Pearl, todavía ejerciendo como alto comisionado para la Paz, y Antonio García de ELN; la cita fue en Caracas y nuevamente contó con el apoyo del presidente Chávez. En la reunión se discutió la posibilidad de iniciar una fase exploratoria entre las partes, secreta, para llegar a unos acuerdos mínimos sobre agenda, metodología y países anfitriones para posibles encuentros. Para el ELN, el tema era de grueso calibre y había que consultarlo dentro del COCE, de la DN y de algunas estructuras que a lo largo de la historia habían demostrado tener opiniones contrarias; la búsqueda de consensos en el ELN era un proceso que llevaba más tiempo que en otras organizaciones, y de por medio había expectativa nacional por el inicio de los diálogos en La Habana por parte de las FARC-EP. El comandante Gabino, en una entrevista a la revista *Marcha* de Argentina, se mostró optimista y precisó: "Somos respetuosos del proceso que ha iniciado el gobierno con los compañeros de las FARC y les deseamos muchos éxitos [...] El ELN ha planteado la salida política al conflicto desde hace más de 20 años. Los cinco gobiernos anteriores asumieron esta propuesta como debilidad y trataron de aprovecharla como ventaja militar. En esta ocasión, pareciera que la clase en el poder asume con más realismo la responsabilidad con la construcción de la paz, como lo reclaman las mayorías nacionales"[952]. A mediados de noviembre anunciaron que habían formado una delegación para el diálogo exploratorio con el Gobierno, que estaba "lista para cumplirle a Colombia".

Frente a un hecho cometido por el ELN en enero de 2013, como fue el secuestro de seis funcionarios de la empresa Geo Explorer, entre ellos el canadiense Jernoc Wobert, el gobierno de Santos suspendió los acercamientos con esa guerrilla; solo hasta agosto siguiente se logró la liberación del Wobert y se retomaron los contactos para iniciar, en enero de 2014, la sinuosa fase exploratoria. Meses antes se había

952 *Marcha*, "Entrevista exclusiva al máximo comandante del ELN", miércoles, 19 de septiembre de 2012, en http://www.avanzarcolombia.com/index.php?option=com_content&view=article&id=1913:entrevista-exclusiva-al-maximo-comandante-del-eln&catid=1:latinoamerica&Itemid=2

realizado una cumbre entre los dos máximos comandantes del ELN y de las FARC-EP, que ya avanzaba en su propio proceso de negociación en La Habana; de la reunión de junio entre Gabino y Timochenko se conoció una declaración, en la que reafirmaron su convicción: "La paz es la más noble, justa y legítima aspiración de nuestro pueblo. La guerra ha sido una imposición de las clases dominantes para perpetuarse en el poder y para sostener un régimen político elitista, intolerante, injusto, corrupto e incapaz de dar solución a las más sentidas necesidades de la nación"[953].

La hora de la paz parecía aproximarse… en medio de evidentes dificultades. Una de ellas, que llevó a la suspensión temporal del proceso negociador, fue el secuestro del general Rubén Darío Alzate —comandante de la Fuerza de Tarea Conjunta Titán— por parte del Frente Iván Ríos de las FARC-EP, a mediados de noviembre de 2014. Dos semanas más tarde se hizo la entrega del alto oficial y sus dos acompañantes a una misión encabezada por Pastor Alape del Secretariado del grupo y delegados de Cuba, Noruega y del CICR. Sin lugar a dudas fue un hecho fortuito, que no trajo beneficios a ninguna de las dos partes, pero la trascendencia del hecho está en que se trató del oficial de más alto rango secuestrado durante el conflicto político armado en Colombia.

Como si el conflicto político armado fuera nuestro "destino fatal" o nuestra condición de "estirpes condenadas a cien años de soledad" sin "una segunda oportunidad sobre la tierra", a estas alturas de la negociación entre el Gobierno y las FARC-EP se conoció la existencia del Movimiento Revolucionario del Pueblo, MRP, un grupo urbano que entre 2015 y 2016 detonó varias bombas en Bogotá. En el primer comunicado público, de agosto de 2016, asumieron ser los autores de los artefactos explosivos colocados contra las sedes de dos entidades promotoras de salud (EPS), Cafesalud y Salud Total: "El proceso de diálogo y acuerdos que adelanta la insurgencia recoge los anhelos de paz de un importante sector de la sociedad colombiana, pero se enfrenta al criterio del Estado colombiano cuyo único

953 "Declaración por la paz, Cumbre de Comandantes", 1° de junio de 2013, en http://cedema.org/ver.php?id=5718

interés es una pacificación que genere condiciones para el capital, haciendo énfasis en que el modelo económico y de control político del poder no es negociable ni está en discusión. La insurgencia insiste en que no fue derrotada y en que llega a un acuerdo en igualdad de condiciones"[954].

Semanas más tarde, el mismo grupo detonó explosivos junto a sedes de Bancolombia y del Banco de Bogotá; muy cerca se encontró el mensaje titulado "Movimiento Revolucionario del Pueblo. Ni Santos, ni Uribe". En su siguiente aparición, el 18 de enero de 2017, colgaron una bandera del MRP del balcón de un apartamento que estaba en alquiler cerca del Parque Nacional en Bogotá; de nuevo, una bomba panfletaria dejó mensajes alusivos a la reforma tributaria y a otras políticas del presidente Santos.

El sábado 17 de junio se presentó un atentado terrorista al interior del baño de mujeres del segundo piso del centro comercial Andino. La bomba dejó tres mujeres muertas, entre ellas la voluntaria francesa Julie Huynh. De inmediato, las autoridades responsabilizaron al MRP y, en pocos días, fueron capturadas nueve personas sindicadas de los hechos y de ser integrantes del grupo. Al día siguiente se conoció un nuevo comunicado en el que expresaron: "El Movimiento Revolucionario del Pueblo, MRP, rechaza el atentado cobarde contra la población asistente a un centro comercial en la ciudad de Bogotá. El hecho de semejante atentado en hora pico, en día de Bogotá Despierta, en medio de la celebración comercial del día del padre y asesinando mujeres alevosamente es, a las claras, un acto dirigido a causar destrucción no solo material, también moral, además de confusión y miedo. Somos defensores de la acción, de la resistencia popular contra los actos del mal gobierno y en ese sentido condenamos el sinsentido de actos con una perversa orientación, como el ocurrido en Bogotá"[955].

Posterior a estos hechos se han conocido varios comunicados del grupo. Mucho se especuló sobre sus orígenes, integrantes y nexos con

954 En el marco de esa acción difundieron dos documentos: "Hoy en Colombia 'la paz' es el nombre de un plan de negocios" y "La salud en Colombia es un problema de democracia". Véase www.cedema.org/uploads/MRP_Dossier.pdf

955 Movimiento Revolucionario del Pueblo, "Rechazamos el brutal atentado contra los bogotanos en el centro comercial Andino", en www.cedema.org/ver.php?id=7688

grupos guerrilleros como el ELN. Algunos medios llegaron a afirmar que eran una filial de esa organización; pero también, que se trataría de maniobras de la extrema derecha para acabar con el proceso de paz con las FARC-EP que ya estaba bastante adelantado.

Colofón[956]

La paz en curso

El primer cara a cara entre el presidente Juan Manuel Santos y Rodrigo Londoño, conocido en las filas guerrilleras como *Timoleón Jiménez* o *Timochenko*, comandante de las FARC-EP, se presentó el miércoles 23 de septiembre de 2015, en La Habana, para anunciar que se había alcanzado el acuerdo en el punto trascendental de víctimas —quinto ítem en el Acuerdo general para la terminación del conflicto y la construcción de una paz estable y duradera— y hacer pública la creación de un Sistema integral de verdad, justicia, reparación y no repetición, con mecanismos como la Comisión para el esclarecimiento de la verdad[957], la Jurisdicción Especial para la Paz (JEP), la Unidad de

956 Fuentes principales para el presente capítulo fueron los informes emitidos entre 2017 y 2020 por la Fundación Paz y Reconciliación, PARES; el Instituto KROC de Estudios Internacionales de Paz de la Universidad de Notre Dame; la Fundación Ideas para la Paz, FIP; el Observatorio de Seguimiento a la Implementación del Acuerdo de Paz, OIAP. Además, los distintos informes del secretario general de la ONU sobre la Misión de Verificación de las Naciones Unidas en Colombia; los del Centro de Investigaciones Altos Estudios Legislativos (CAEL) del Senado de la República en convenio con la Organización de Estados Iberoamericanos (OEI); y el Texto del Acuerdo Final para la Terminación del Conflicto y la Construcción de una Paz Estable y Duradera. Se consideraron también los comunicados y declaraciones del grupo disidente que se denominó FARC-EP (Segunda Marquetalia).

957 Creada mediante el Decreto 588 de 2017, inició sus labores el 29 de noviembre de 2018. Se estableció que sus trabajos se realizarán durante tres años y que presentará un informe final durante el mes siguiente a la conclusión de los mismos.

búsqueda de personas desaparecidas, UBPD, un Tribunal para la Paz, salas de Justicia y la amnistía para delitos políticos[958]. En ese momento, las partes consideraron que las negociaciones finalizarían seis meses después, fecha fatídica de la que muchos dudamos, por la complejidad de temas pendientes, como la ubicación de los guerrilleros una vez se firmara el acuerdo final, su refrendación, la dejación de las armas, la reincorporación de los combatientes, el cese de fuego bilateral y otros más. De ese momento histórico quedó una foto, en la que el presidente de Cuba, Raúl Castro, lleva a Santos y a Timochenko a un frío apretón de manos.

A mediados de mayo de 2016, los delegados de las dos partes anunciaron en el Comunicado N° 70 un acuerdo trascendental relacionado con la salida definitiva de los menores de edad de las filas de las FARC-EP[959]. Se trataba de un proceso de inmediata ejecución, con una mesa técnica encabezada por la Defensoría del Pueblo y la Consejería de DD. HH. de la Presidencia, con la verificación del CICR y de la ONU a través de dos de sus agencias: Unicef y OIM. El Acuerdo Final contempló en el punto 3.2.2.5 la reincorporación de los menores de edad, y el Gobierno y las FARC-EP establecieron un programa llamado "Camino diferencial de vida: Programa integral para la atención y consolidación de los proyectos de vida de los menores de edad que salen de las FARC-EP"; sin embargo, pasados más de diez meses, solamente 35 menores habían sido recibidos por el CICR.

Un nuevo momento de júbilo vivieron las delegaciones en La Habana —y vivimos los colombianos— el 23 de junio de 2016, cuando en el Comunicado N° 76 informaron que se había llegado a acuerdos sobre Cese al fuego y de hostilidades bilateral y definitivo y dejación

958 A estas alturas de la negociación ya se habían logrado acuerdos en los puntos temáticos de Política de desarrollo agrario integral —26 de mayo de 2013—, Participación política —6 de noviembre de 2013— y Solución al problema de las drogas ilícitas —16 de mayo de 2014—. Véase http://www.altocomisionadoparalapaz.gov.co/Documents/informes-especiales/abc-del-proceso-de-paz/index.html

959 Véase: "Acuerdo sobre la salida de menores de 15 años de los campamentos de las FARC-EP y compromiso con la elaboración de una hoja de ruta para la salida de todos los demás menores de edad y un programa integral especial para su atención", en https://www.mesadeconversaciones.com.co/comunicados/comunicado-conjunto-70-la-habana-cuba-15-de-mayo-de-2016

de Armas[960]; sobre "Garantías de seguridad y lucha contra las organizaciones criminales responsables de homicidios y masacres o que atentan contra defensores de derechos humanos, movimientos sociales o movimientos políticos, incluyendo las organizaciones criminales que hayan sido denominadas como sucesoras del paramilitarismo y sus redes de apoyo, y la persecución de las conductas criminales que amenacen la implementación de los acuerdos y la construcción de la paz"[961]; y un acuerdo para la refrendación de todo lo pactado. La firma del documento se hizo ese mismo día, en el salón principal del Palacio de las Convenciones de La Habana, en presencia del presidente Raúl Castro, de los más altos funcionarios de la ONU —Secretario General, Presidente de la Asamblea General y Presidente del Consejo de Seguridad—, del Ministro de Relaciones Exteriores del Reino de Noruega, de los Jefes de Estado de los países acompañantes, de jefes de gobierno de países de la región, del enviado especial de Estados Unidos y del Representante Especial de la Unión Europea[962].

Este acuerdo señaló como objetivo la terminación de las acciones ofensivas entre la fuerza pública y las FARC-EP; se pactó crear un Mecanismo de Monitoreo y Verificación (MM&V), integrado por representantes del Gobierno (fuerza pública), de las FARC-EP y de la Misión Especial de la ONU que los 15 miembros del Consejo de Seguridad del organismo habían aprobado mediante la Resolución 2261 del 25 de

960 Originalmente, este era el tercer punto en el Acuerdo general para la terminación del conflicto; para facilitar las negociaciones, las partes acordaron cambiar el orden, y pasó a ser el último en la discusión.

961 Al respecto, el Informe anual del Alto Comisionado de las Naciones Unidas para los Derechos Humanos del 16 de marzo de 2017 indicó que, a 31 de diciembre de 2016, se presentaron 389 ataques contra defensores de derechos humanos en Colombia, entre ellos 59 homicidios, tres desapariciones forzadas y un caso de violencia sexual. "Aunque hubo más agresiones y asesinatos de sindicalistas y de integrantes de movimientos sociales y políticos, estas estadísticas únicamente incluyen agresiones contra líderes", señaló el informe. http://www.hchr.org.co/documentoseinformes/informes/altocomisionado/informes.php3?cod=20&cat=11

962 Pasados tres días de la firma del acuerdo, el presidente Santos emitió el Decreto 1386 del 26 de agosto, mediante el cual se estableció el (CFHBD) entre el Gobierno y las FARC-EP a partir de las 00:00 del 29 de agosto. Lo propio hizo Timochenko el 28 de agosto en una rueda de prensa desde La Habana, cuando ordenó a mandos, unidades y combatientes: "Se acabó la guerra. Convivamos como hermanos y hermanas".

enero anterior[963]. Se acordó establecer las Zonas Veredales Transitorias de Normalización (ZVTN) y Puntos Transitorios de Normalización (19 y 7, respectivamente), como espacios para la concentración de la guerrillerada, que garantizaran el Cese del Fuego y Hostilidades Bilateral y Definitivo, CFHBD, e iniciar el proceso de preparación de los combatientes para su reincorporación. Estas ZVTN —temporales y transitorias— contarían con equipos de monitoreo local y tendrían acceso por vía terrestre o fluvial para facilitar los suministros logísticos, permitir la verificación por parte del MM&V. Para la seguridad interna y externa se estableció delimitar alrededor de cada una de ellas un área de un kilómetro de ancho, sin presencia de la fuerza pública y de guerrilleros. Ya desde abril se había formado en la Policía un grupo especializado, la Unidad para la Edificación de la Paz (UNIPEP), con la misión de prestar seguridad alrededor de las zonas de concentración y la protección de dirigentes guerrilleros.

Para efectos de la dejación de las armas se acordó un cronograma, con duración de 180 días a partir del día D, día de la refrendación del acuerdo final. El D+5 se iniciaría el desplazamiento de los combatientes con su armamento individual hacia las ZVTN; entre el D+7 y el D+30 se haría el transporte de las armas de acompañamiento, granadas y municiones, que serían almacenadas en contenedores bajo el control de la ONU; entre el D+7 y el D+90 se destruiría el armamento inestable (tatucos, cilindros, minas y otras armas hechizas); el D+90 se iniciarían el registro, identificación, recolección y almacenamiento del primer 30% del total de las armas; el D+120 se haría lo mismo con otro 30%, y entre el D+150 y el D+180 se terminaría el proceso con el 40% restante, para completar el 100% de las armas en poder de ONU, que procedería a su fundición para la construcción de tres monumentos, en la sede de la ONU en Nueva York, La Habana y Colombia. Ese día 180 finalizarían las ZVTN. El paso de los meses demostraría la necesidad de mantener vigentes las ZVTN, que posteriormente continuarían existiendo con el nombre de Espacios Territoriales de Capacitación y Reincorporación (ETCR).

963 En su orden: el contralmirante Orlando Romero; Marcos Calarcá de las FARC-EP; y Jean Arnault, jefe de la Misión de la ONU en Colombia.

No había pasado una semana de la firma del CFHBD, cuando se comenzaron a evidenciar los problemas propios del llamado posconflicto, que algunos preferíamos llamar posacuerdo: a finales de junio circuló en regiones campesinas de los departamentos de Vichada, Vaupés y Guaviare el comunicado de una disidencia del Frente Primero Armando Ríos de las FARC-EP, comandada por alias Iván Mordisco, en el que señalaban que no se acogían a lo pactado en La Habana, cuestionaban las ZVTN e invitaban a los demás guerrilleros a unirse en contra del proceso de paz: "Las zonas de concentración son para guerrillas derrotadas, el Frente Primero 'Armando Ríos' de las FARC jamás ha considerado una derrota militar. Cualquier colombiano del común entenderá que la zona de concentración que nos están ofreciendo son cárceles a cielo abierto y de seguro nadie querría entrar en estas trampas"[964]. Ante esta primera expresión pública de inconformidad, Santos respondió, desde San José del Guaviare, advirtiendo que, de no desmovilizarse, serían "fuertemente combatidos" por las Fuerzas Armadas y, como resultado, "terminarán en una cárcel o en una tumba"[965]. Con el transcurso de las semanas se conocieron nuevas deserciones, individuales y colectivas, como fue el caso de los milicianos de Tumaco y la separación de "Gentil Duarte, Euclides Mora, John Cuarenta, Giovanny Chuspas y Julián Chollo, quienes hasta hace pocos días cumplieron tareas de mando en la organización"[966].

Desde La Habana, en el marco de lo que denominaron "medidas de generación de confianza", Timochenko anunció que a partir del 4 de julio quedaba derogada la Ley 002 sobre tributación. Este "impuesto para la paz", aprobado en el Pleno del Estado Mayor de marzo de 2000, era un pago que debían hacer aquellas personas naturales o jurídicas con un patrimonio igual o superior a un millón de dólares; el cobro de este "impuesto" estaba estrechamente relacionado con el secuestro, cuyo final fue anunciado en febrero de 2012; ambas

964 "Frente de las FARC dice que no entregará las armas", *El Espectador*, 6 de julio de 2016, en http://www.elespectador.com/noticias/politica/frente-de-farc-dice-no-entregara-armas-articulo-641831

965 *Ibid.*

966 Véase "FARC-EP separa a 5 mandos de sus filas", 13 de diciembre de 2016, en http://www.farc-ep.co/comunicado/farc-ep-separa-a-5-mandos-de-sus-filas.html

determinaciones fueron recibidas con satisfacción desde distintos sectores[967].

El 7 de julio, luego de un trámite engorroso de casi nueve meses por el Senado y la Cámara de Representantes, fue aprobado el Acto Legislativo N° 1, "Por medio del cual se establecen instrumentos jurídicos para facilitar y asegurar la implementación y el desarrollo normativo del acuerdo final para terminación del conflicto y la construcción de una paz estable y duradera". Conocido también como Acto Legislativo para la Paz, contenía cuatro nuevos artículos transitorios en la Constitución Política, el primero de ellos referido a un procedimiento legislativo especial abreviado, que se llamó *Fast Track*, vigente por un período de seis meses, que permitía el trámite preferencial a los proyectos de ley y de acto legislativo presentados por el Gobierno para "facilitar y asegurar" la implementación del Acuerdo Final. El segundo contemplaba facultades especiales al Presidente de la República para expedir decretos con fuerza de ley con el mismo propósito. En el siguiente artículo transitorio se estableció un plan de inversiones para la paz por veinte años; finalmente, se elevaba el Acuerdo Final a la categoría de Acuerdo Especial, en los términos del Artículo 3 Común a los cuatro Convenios de Ginebra de 1949 y, en ese sentido, ingresaría al bloque de constitucionalidad, lo que garantizaría su blindaje. De acuerdo con el artículo 5 del Acto Legislativo N° 1, estos mecanismos entrarían en vigencia una vez se produjera la refrendación del Acuerdo Final.

Hacia el mediodía de martes 23 de agosto de 2016, las delegaciones de las FARC-EP y del Gobierno Nacional concluyeron el trabajo para llegar al *Acuerdo Final para la Terminación del Conflicto y la Construcción de una Paz Estable y Duradera*, considerado por expertos internacionales como uno de los más detallados y completos en la larga historia de pactos para la terminación de conflictos políticos armados internos. Desde la instalación de los diálogos en Oslo (Noruega), el 18 de octubre de 2012, habían pasado ya tres años, diez meses y cinco días, un período corto si se tiene en cuenta que lo que se estaba negociando era el fin de la confrontación entre las FARC-EP y el Estado colombiano, que comenzó

967 Véase: "Fin de las medidas de tributación de las FARC-EP", 6 de julio de 2016, en http://www.farc-ep.co/comunicado/fin-de-las-medidas-de-tributacion-de-las-farc-ep.html

no desde la fundación del grupo, en 1964, sino, en un *continuum*, desde el asesinato del líder Jorge Eliécer Gaitán, en 1948. Un aspecto medular del Acuerdo Final fueron los enfoques transversales referidos a derechos, territorios y comunidades, y el enfoque diferencial y de género, impulsado en el Mesa de Negociaciones por una Subcomisión de Género que revisó e incorporó este enfoque en los distintos puntos de la Agenda, con el apoyo de organizaciones sociales.

Al día siguiente, miércoles 24 de agosto, en presencia del ministro de Relaciones Exteriores de Cuba, Bruno Rodríguez Padilla, los jefes de los dos equipos negociadores, Humberto de la Calle, por el Gobierno Nacional, y Luciano Marín —con el seudónimo de *Iván Márquez*—, miembro del Secretariado del Estado Mayor Central de las FARC-EP, reunidos de nuevo en el Palacio de las Convenciones, escucharon la lectura del Comunicado conjunto N° 93, por parte de Dag Nylander y Rodolfo Benítez, delegados de los países garantes, Noruega y Cuba, respectivamente: "Anunciamos que hemos llegado a un acuerdo final, integral y definitivo, sobre la totalidad de los puntos de la agenda del Acuerdo general para la terminación del conflicto y la construcción de una paz estable y duradera en Colombia [...] A juicio del Gobierno Nacional, las transformaciones que conlleva la implementación del presente acuerdo, deben contribuir a reversar los efectos del conflicto y a cambiar las condiciones que han facilitado la persistencia de la violencia en el territorio y que, a juicio de las FARC-EP, dichas transformaciones deben contribuir a solucionar las causas históricas del conflicto como la cuestión no resuelta de la propiedad sobre la tierra y particularmente su concentración, la exclusión del campesinado y el atraso de las comunidades rurales que afecta especialmente a las mujeres, niñas y niños"[968].

A continuación, los dos negociadores colombianos y los delegados de los países garantes firmaron el texto del Acuerdo Final, contenido en 297 páginas, en siete originales, incluidos sus anexos, uno para cada una de las partes, otro para cada uno de los países acompañantes (Chile y Venezuela) y uno más para cada uno de los países garantes; el

968 Comunicado conjunto Gobierno y FARC-EP, en http://equipopazgobierno.presidencia.gov.co/prensa/Paginas/comunicado-conjunto-firma-acuerdo-final-paz-gobierno-farc-colombia.aspx

séptimo ejemplar, se anunció, sería depositado ante el Consejo Federal Suizo, en Berna, por tratarse, según el DIH, de un Acuerdo Especial.

Después vinieron los discursos de rigor. En primer lugar, el de Humberto de la Calle, quien haciendo gala de aplomo y convicción señaló: "Hoy hemos llegado a la meta. La firma de un acuerdo con las FARC es el fin del conflicto armado. La mejor forma de ganarle a la guerra fue sentándonos a hablar de la paz. La guerra ha terminado, pero también hay un nuevo comienzo: este acuerdo abre las posibilidades para iniciar una etapa de transformación de la sociedad colombiana"[969]. Le siguió en el uso de la palabra Márquez, más sereno y realista, si se compara con lo que había expresado en el discurso de instalación de los diálogos en Oslo: "Creo que hemos ganado la más hermosa de todas las batallas, la de la paz de Colombia. Hemos cerrado en el día de hoy en La Habana, Cuba, el acuerdo de paz más anhelado de Colombia: tierra, democracia, víctimas, política sin armas, implementación de acuerdos con veeduría internacional, son entre otros los elementos de un acuerdo que tendrá que ser convertido, más temprano que tarde, por el constituyente primario en norma pétrea que garantice el futuro de dignidad para todos y todas. Podemos proclamar que termina la guerra con las armas y comienza el debate de las ideas [...] Al gobierno de los Estados Unidos que durante tanto tiempo apoyó la guerra del Estado contra la guerrilla y contra la inconformidad social, le pedimos que siga respaldando de manera diáfana los esfuerzos colombianos por reestablecer la paz [...] Quedamos a la espera de Simón Trinidad. Esperamos que el ELN pueda encontrar un camino de aproximación para que la paz que anhelamos sea completada con creces, involucrando así a todos los colombianos. [...] Del cónclave de La Habana ha surgido humo blanco: doctor Humberto de la Calle, *habemus pacemen*, tenemos paz"[970].

Márquez tenía razón: pese a lo expresado por el jefe de la delegación gubernamental y lo que en algunas oportunidades señaló el presidente Santos, se trataba de una paz parcial; con el mayor grupo en

969 *El Heraldo*, 25 de agosto de 2016, en https://www.elheraldo.co/politica/lea-aqui-el-discurso-completo-de-humberto-de-la-calle-en-el-anuncio-del-fin-de-los-dialogos

970 El Tiempo Televisión, 24 de agosto de 2016, en https://www.youtube.com/watch?v=K-pCtZoMytM

la historia de las guerrillas en Colombia, es cierto; pero aún faltaba un largo trecho por recorrer con el Ejército de Liberación Nacional (ELN) y con una pequeñísima fracción del Ejército Popular de Liberación (EPL) que operaba en la región del Catatumbo. Precisamente, el ELN se acababa de pronunciar en su periódico oficial *Insurrección* expresando que respetaba, pero no compartía, la esencia de los acuerdos alcanzados y deseaba a las FARC-EP éxitos en el camino escogido.

Un día después, el 25 de agosto, en la Plaza Rafael Núñez del Capitolio Nacional, en Bogotá, el presidente Santos entregó al presidente del Congreso la copia de los textos definitivos de lo acordado. En su discurso informó que se convocaba a un plebiscito para el 2 de octubre siguiente, para refrendar y darle mayor legitimidad al acuerdo: "El plebiscito se realizará el 2 de octubre, el día del nacimiento de Gandhi, un día muy especial"[971]. En los días siguientes hizo otros dos anuncios importantes: el texto de la pregunta que sería sometida al veredicto de los colombianos, ¿Apoya usted el acuerdo final para terminar el conflicto y construir una paz estable y duradera?; y la fecha del 26 de septiembre para la firma oficial del Acuerdo Final en Cartagena de Indias.

Para este momento, ya la Corte Constitucional, mediante sentencia C-379 del 18 de julio de 2016, había declarado exequible la ley estatutaria de plebiscito, aprobada en diciembre pasado por el Congreso y sancionada por el Presidente el 24 de agosto, con el número 1806, "Por medio de la cual se regula el plebiscito para la refrendación del Acuerdo Final para la terminación del conflicto y la construcción de una paz estable y duradera[972]"; el Artículo 2 estableció un umbral aprobatorio superior al 13% del censo electoral, es decir que para que ganara el SÍ se necesitaban mínimo 4.536.992 votos, además de ganarle al NO. La campaña comenzó el 29 de agosto y todo indicaba que el pronunciamiento en las urnas sería mayoritariamente a favor de refrendar el acuerdo con las FARC-EP...

971 "Santos ordena el cese al fuego definitivo con las FARC-EP", Telesur, 25 de agosto de 2016, en https://www.youtube.com/watch?v=h2mpXsTbwrA

972 Texto de la Ley Estatutaria 1806 del 24 de agosto de 2016, en http://es.presidencia.gov.co/normativa/normativa/LEY%201806%20DEL%2024%20DE%20AGOSTO%20DE%202016.pdf

Pasados varios días, las FARC-EP convocaron a la X Conferencia Nacional Guerrillera, máximo nivel de dirección, que se reunió entre el 17 y el 23 de septiembre en los Llanos del Yarí: "Llegamos a esta X Conferencia de las FARC-EP con un parte de victoria para el pueblo colombiano y para nuestra guerrilla. Se ha suscrito el pasado 24 de agosto el 'Acuerdo Final para la terminación del conflicto y la construcción de una paz estable y duradera'. Hoy le podemos decir a Manuel, a Jacobo, a Alfonso, al Mono, a Raúl, a Iván, a miles de nuestros mártires, hombres y mujeres y a nuestra guerrillerada, que hemos cumplido"[973]. Los objetivos de este evento fueron analizar y refrendar el Acuerdo Final, y sentar las bases políticas y organizativas hacia un partido o movimiento político, dentro de las cuales contemplaron la convocatoria a un Congreso constitutivo. Los 232 mandos presentes dieron un SÍ rotundo al acuerdo y nombraron una dirección compuesta por Timoleón Jiménez, Pastor Alape, Iván Márquez, Joaquín Gómez, Pablo Catatumbo, Carlos Antonio Lozada, Mauricio Jaramillo, y como reemplazantes, Ricardo Téllez y Bertulfo Álvarez.

Para la firma del Acuerdo Final, el Alcalde de Cartagena decretó día cívico el lunes 26 de septiembre. Fue un evento fastuoso, con cerca de 2.500 invitados nacionales y extranjeros impecablemente vestidos de blanco, realizado en la explanada del Centro de Convenciones, perfectamente acordonada y vigilada, lejos de la otra Cartagena. Los protagonistas de la tarde fueron el presidente Santos y Timochenko, quien en su discurso —brevemente interrumpido por el sorpresivo sobrevuelo de aviones de combate— reconoció en el primer mandatario, "un valeroso interlocutor capaz de sortear con entereza las presiones y provocaciones de los sectores belicistas". Como respuesta, Santos le manifestó: "Hoy, cuando emprenden su camino de regreso a la sociedad; cuando comienzan su tránsito a convertirse en un movimiento político, sin armas; siguiendo las reglas de justicia, verdad y reparación contenidas en el Acuerdo —como Jefe de Estado, de la patria que todos amamos— les doy la bienvenida a la democracia. Cambiar las balas por los votos; las armas por las ideas, es la decisión más valiente y más inteligente que puede tomar cualquier grupo subversivo, y en

973 Véase: "Décima Conferencia Nacional Guerrillera, Tesis para la discusión", en http://www.farc-ep.co/decima-conferencia/decima-conferencia-nacional-guerrillera.html

buena hora ustedes entendieron el llamado de la historia"[974]. Así, con la presencia de 13 presidentes latinoamericanos, del Secretario General de la ONU, de 27 cancilleres, entre ellos John Kerry de Estados Unidos, se firmó el Acuerdo que, por los resultados del plebiscito para refrendarlo, no sería el final.

El domingo 2 de octubre se realizó el plebiscito[975]. De los 34.899.945 de ciudadanos habilitados para participar, lo hicieron 13.066.047, equivalentes al 37,43% del censo electoral vigente. De nuevo, la histórica abstención. En la jornada se depositaron 6.431.376 (50,21%) votos por el NO y 6.377.482 por el SÍ, equivalentes al 49,78%, lo que nadie se esperaba, ni los mismos partidarios del NO, ubicados en la derecha y el centro derecha del espectro político. El triunfo del NO obedeció —entre otros factores— al manejo perverso desde una campaña que no escatimó esfuerzos en presentarles a los colombianos los riesgos de la entrega del país al "castro-chavismo", a la manipulación de la información a través de las redes sociales y a la contrainformación sobre supuestas pretenciones y alianzas del presidente Santos con las FARC-EP.

"Si Colombia dice 'No', daría la impresión de ser un pueblo esquizofrénico que se aferra a la guerra como forma de vida. América Latina difícilmente lo entendería y sería una frustración para lo mejor de Colombia", había dicho una semana antes *Pepe* Mujica, el exdirigente guerrillero y presidente de la República Oriental del Uruguay hasta el 1° de marzo de 2015[976]. Ante la derrota, la decisión desde el Alto Gobierno fue abrir un proceso de consulta con los partidos y movimientos que asumieron la vocería del NO para buscar consensos en torno a los cambios que podrían introducirse en el Acuerdo Final. Las FARC-EP, por su parte, emitieron un comunicado en el que reafirmaron que, "en respeto a lo acordado con el Gobierno", sus frentes

974 "Miembros de las FARC, bienvenidos a la democracia", *El Tiempo*, 27 de septiembre de 2016, en http://www.eltiempo.com/politica/proceso-de-paz/firma-del-acuerdo-final-de-paz-con-las-farc-en-cartagena-34636

975 Habían pasado casi 59 años desde el 1° de diciembre de 1957, cuando se llevó a cabo la jornada plebiscitaria que consagró el Frente Nacional y resolvió la división táctica que liberales y conservadores mantenían desde hacía algunos años.

976 "Si Colombia dice 'No', queda como un pueblo esquizofrénico: Mujica", *El Tiempo*, 24 de septiembre de 2016, en http://www.eltiempo.com/politica/proceso-de-paz/entrevista-con-pepe-mujica-sobre-la-paz-en-colombia-41476

guerrilleros en todo el país se mantenían en el Cese al Fuego Bilateral y Definitivo: "Las FARC-EP permanecerán fieles a lo acordado. La paz con dignidad llegó para quedarse. Los sentimientos guerreristas de quienes quieren sabotearla, jamás serán más poderosos que los sentimientos de concordia, inclusión y justicia social"[977].

En el proceso de diálogo y negociaciones entre el Gobierno y los partidarios del NO se recogieron 469 propuestas provenientes de esos sectores; de ellas, el 70% se incluyeron en el texto del nuevo acuerdo. Las modificaciones más importantes tenían que ver con la transitoriedad de la JEP, ajustada a la jurisdicción colombiana; la reafirmación de la propiedad privada en la reforma rural integral; la limitación de las zonas de reserva campesina; la no inclusión del acuerdo en el bloque de constitucionalidad, sino lo referido a derechos humanos y DIH; revisión caso a caso de beneficios de indulto y amnistía por narcotráfico; igualmente, limitó algunos aspectos alcanzados por las FARC-EP en el primer acuerdo, como la reducción de la financiación del partido que se formara y la participación en la Comisión Nacional de Garantías de Seguridad. Pese a que los adversarios de los acuerdos, partidarios del NO, hicieron parte activa de estas modificaciones, continuaron en una campaña abierta de verdades a medias y mentiras completas para desacreditar lo pactado.

El nuevo Acuerdo Final quedó listo el 12 de noviembre de 2016, cuando ya habían transcurrido cuarenta días desde la derrota del SÍ en el plebiscito. Mientras se llegaba a este nuevo acuerdo, los combatientes fueron ubicados en 35 puntos de preagrupamiento temporal. A las 11:30 minutos del 24 de noviembre, pasados 53 días de la fecha del plebiscito, en presencia de 750 invitados, se firmó en el Teatro Colón de Bogotá el nuevo acuerdo de paz entre el Gobierno Nacional y las FARC-EP. El texto fue llevado ese mismo día al Congreso para iniciar la refrendación en Senado y Cámara, proceso que culminó el 30 de noviembre.

El día D fue el jueves 1° de diciembre. A partir de ese momento comenzó a correr un cronograma de 180 días para la dejación definitiva de las armas: El D+5 (5 de diciembre) se inició el desplazamiento de

977 FARC-EP: "La paz llegó para quedarse", 3 de octubre de 2016, en http://www.farc-ep.co/comunicado/la-paz-llego-para-quedarse.html

los guerrilleros hacia las ZVTN, que fueron creadas mediante veintiséis decretos; entre el 7 y el 30 de diciembre se debió hacer el transporte de las armas de acompañamiento, granadas y municiones; del 7 de diciembre al 1° de marzo (D+90) se destruiría el armamento inestable; ese mismo 1° de marzo, D+90, se iniciarían el registro, identificación, recolección y almacenamiento del primer 30% de las armas; el 1° de abril (D+120) se haría lo mismo con otro 30%, y entre el 1° de mayo y el 1° de junio (D+150 y D+180) se terminaría el proceso con el 40% restante de las armas.

El mismo Día D se instalaron dos de las instancias o los mecanismos más importantes pactados en los acuerdos: la Comisión de Seguimiento, Impulso y Verificación de la Implementación del Acuerdo Final (CSIVI), en la que participan el ministro del Interior, Juan Fernando Cristo; el del Posconflicto, Rafael Pardo; y el alto comisionado para la Paz, Sergio Jaramillo; por las FARC-EP, Victoria Sandino, Iván Márquez y Jesús Santrich; la CSIVI contempló un componente internacional, encabezado por los exmandatarios de España y Uruguay, Felipe González y *Pepe* Mujica, respectivamente, quienes fueron escogidos por el Gobierno y las FARC-EP, y su designación se llevó a cabo el 30 de marzo siguiente. La segunda instancia fue el Consejo Nacional de Reincorporación, con participación de la ministra de Trabajo, Clara López, y el director de la Agencia Colombiana para la Reintegración, Joshua Mitrotti, en representación del Gobierno; y Pastor Alape y Jairo Quintero, en nombre de las FARC-EP. En total, los acuerdos de La Habana crearon 143 instancias, planes, programas o proyectos nuevos para poner en marcha lo pactado y avanzar en las transformaciones políticas, sociales y económicas[978]. A estas alturas el presidente Santos había recibido el Nobel de Paz por parte del Comité Noruego del Nobel, un premio que, como dijera el galardonado, lo recibía en nombre de 50 millones de colombianos y en nombre de más de 8 millones de víctimas y desplazados.

Solo hasta el 13 de diciembre de 2016, después de resolver varias demandas en su contra, y de un estudio profundo por parte de la

978 Otra instancia de importancia fue la Misión Electoral Especial (punto 2.3.4 del Acuerdo), encargada de presentar una propuesta de reforma, y conformada por siete expertos que el Presidente de la República instaló el 17 de enero de 2017.

Corte Constitucional, el Acto Legislativo N° 1 fue declarado exequible, mediante la Sentencia C-699/16. Dos días más tarde fue inscrita ante el Consejo Nacional Electoral la agrupación política de origen ciudadano llamada Voces de Paz, que desde ese momento fue la vocería de las FARC-EP para el proceso de implementación de los acuerdos, a través de seis voceros en el Congreso de la República: Jairo Estrada Álvarez, Pablo Cruz y Judith Maldonado, en el Senado; y Francisco Tolosa, Imelda Daza y Jairo Rivera, en la Cámara. Igualmente, la vigencia del Acto Legislativo N° 1 permitió presentar el primer paquete de proyectos ante el Congreso: ley de amnistía, Jurisdicción Especial para la Paz (JEP) y estatuto de la oposición.

La primera prueba de fuego del *Fast Track* fue la aprobación, el miércoles 28 de diciembre, en plenarias de Senado y Cámara, del proyecto de ley de amnistía, que pasó a sanción presidencial dos días después. La norma aprobada contempló el beneficio para los guerrilleros que no cometieron delitos atroces y para militares investigados por delitos menores[979]. Una segunda prueba, la Jurisdicción Especial para la Paz, que permitirá investigar, juzgar y sancionar los graves crímenes cometidos en el conflicto político armado, no corrió inicialmente con tan buena suerte: aprobada por la plenaria del Senado en sesión del 12 de marzo, en su paso por la Cámara de Representantes, se tuvo que aplazar la votación por falta de quórum reglamentario, y finalmente fue aprobada el 28 de marzo siguiente.

La dejación de las armas por parte de las FARC-EP arrancó el 1° de marzo de 2017, día D+90; para esa fecha ya se encontraban concentrados 6.929 guerrilleras y guerrilleros en las diecinueve ZVTN y en los siete Puntos Transitorios de Normalización (PTN). En medio de las dificultades propias de la implementación de lo acordado surgieron voces críticas desde los medios de comunicación y de las FARC-EP por la falta de cumplimiento del compromiso en la adecuación de las zonas veredales: "Como es de conocimiento público, ninguna de las 26 zonas y puntos tiene la infraestructura para albergar a los guerrilleros en condiciones de normalidad. Todos ellos están pernoctando en cambuches improvisados, y no es cierto que el 80% de las áreas

979 Ley 1820 del 30 de diciembre de 2016, "Por medio de la cual se dictan disposiciones de amnistía, indulto y tratamientos penales especiales y otras disposiciones".

comunes están concluidas como lo afirma la Cancillería y la Oficina del Alto Comisionado para la Paz (OACP). A la gente nuestra le ha tocado hacer sus dormitorios con plásticos y palos al mismo tiempo que ponen su mano de obra en la construcción de las mencionadas áreas comunes y de lo que irán a ser sus lugares de vivienda"[980].

Para dar inicio a los procedimientos contemplados en la fase D+90 se realizó ese día una reunión del MM&V y se acordó que los primeros en dejar las armas serían los 147 integrantes de las FARC-EP que participan en ese mecanismo, sumados a los sesenta que asumen tareas de pedagogía en todo el territorio nacional, a los 310 que lo harían en el nivel regional, a las guerrilleras y los guerrilleros que serían capacitados por la Unidad Nacional de Protección (UPN) para hacer parte de los esquemas de seguridad de los dirigentes del grupo, y a quienes participarían en actividades de desminado humanitario y de sustitución voluntaria de cultivos de uso ilícito.

Así, en medio de incertidumbres, se inició el proceso de desarme de las FARC-EP.

La paz pendiente

En enero de 2014 se inició una larga fase exploratoria de conversaciones secretas entre el Gobierno Nacional y el ELN, con el objeto de "acordar una agenda y diseño del proceso que haga viable el fin del conflicto y la construcción de la paz estable y duradera para Colombia"[981]. Meses más tarde, en junio de 2014, a pocos días de realizarse la segunda vuelta electoral, en la que fue reelegido Juan Manuel Santos para el período 2014-2018, los delegados de las partes, Frank Pearl y Antonio García, dieron a conocer el comunicado conjunto N° 1, en el que informaron los avances y señalaron que su agenda de conversaciones incluía, entre otros, los temas de víctimas y la participación de la sociedad; en el comunicado agradecieron el acompañamiento y las garantías al proceso

980 FARC-EP, "Carta a Jean Arnault, representante del Secretario General de NN.UU.", 20 de febrero de 2017, en http://www.cedema.org/ver.php?id=7567.

981 "Comunicado conjunto Gobierno-ELN", en http://wsp.presidencia.gov.co/Prensa/2014/Junio/Paginas/20140610_01-Comunicado-Gobierno-ELN.aspx

por parte de Brasil, Chile, Ecuador, Cuba y Venezuela, países que más adelante cumplirían formalmente esos roles en el proceso.

El ELN celebró su V Congreso en enero y febrero de 2015, con el nombre de "ELN cincuenta años. Raíces, luchas y esperanzas junto al pueblo". El evento, pese a las posiciones encontradas de los delegados, reafirmó decisiones anteriores con respecto al diálogo y la negociación política; en una entrevista para la revista elena *Simacota*, Gabino se refirió a los acercamientos que estaba adelantando: "Si los diálogos que hoy desarrollamos con el gobierno llegaran a acuerdos satisfactorios, que es lo que esperamos, el ELN continuará luchando, dentro de las definiciones que dichos acuerdos tracen; porque los acuerdos de paz son un punto de partida para seguir luchando por todos los objetivos y los sueños, que tiene el pueblo colombiano"[982].

La fase exploratoria y confidencial de conversaciones continuó con altibajos hasta marzo de 2016, teniendo como sedes las ciudades de Quito y Caracas. El 30 de ese mes se anunció en el Palacio de Miraflores de esta última ciudad que se había alcanzado el *Acuerdo de Diálogos para la Paz en Colombia entre el Gobierno Nacional y el Ejército de Liberación Nacional*. En presencia del presidente de la República Bolivariana de Venezuela, Nicolás Maduro; de la canciller de esa Nación, Delsy Rodríguez; de los facilitadores de Cuba, Noruega, Brasil, Ecuador, Chile y Venezuela, se firmó, por parte de Frank Pearl y Antonio García el Acuerdo, con cinco aspectos procedimentales y una agenda de seis grandes temas, mucho más amplios que los que se alcanzaron con las FARC-EP: 1. Participación de la sociedad civil en la construcción de la paz; 2. Democracia para la paz; 3. Transformaciones para la paz; 4. Víctimas; 5. Fin del conflicto armado; 6. Implementación. En el documento, las partes señalaron que "como resultado de los diálogos exploratorios y confidenciales, y dada su disposición manifiesta de paz, han convenido instalar una mesa pública de conversaciones para abordar los puntos que se establecen en la agenda, con el fin de suscribir un acuerdo

982 "Los alcances del V Congreso del ELN", entrevista a Nicolás Rodríguez Bautista, Gabino, primer comandante del ELN, *Simacota*, 2015.

final para terminar el conflicto armado y acordar transformaciones en búsqueda de una Colombia en paz y equidad"[983].

Lo que siguió fue un pulso político, a raíz del anuncio del presidente Santos en el que dijo que la fase pública no se iniciaría hasta que fueran liberados los secuestrados en poder del grupo: "La definición de esta agenda con el ELN abre el inicio de la fase pública de conversaciones, la cual comenzará en Ecuador tan pronto queden resueltos unos temas humanitarios, incluido el secuestro. Para el Gobierno NO es aceptable avanzar en una conversación de paz con el ELN mientras mantenga personas secuestradas"[984]. Las relaciones se tensaron con el paso de los meses, en particular por la situación de Odín Sánchez, un político chocoano acusado de paramilitarismo y corrupción, que se había canjeado en abril de 2016 por su hermano Patrocinio, secuestrado por el Frente Resistencia Cimarrón del ELN.

El 10 de octubre de 2016, luego de superar algunas discusiones entre las partes, y gracias a la gestión de los países garantes, desde la sede de la Cancillería de Venezuela se hizo el anuncio oficial del inicio de la fase pública de negociaciones entre el Gobierno y el ELN, a partir del 27 de octubre, en la ciudad de Quito (Ecuador). El compromiso gubernamental era el indulto a dos miembros del grupo y el nombramiento de dos gestores de paz que se encontraban en la cárcel; por su parte, el ELN liberaría a tres secuestrados. El anuncio lo hicieron Mauricio Rodríguez, nuevo jefe de la delegación del Gobierno (cuñado del presidente Santos, exembajador de Colombia en Londres), y Pablo Beltrán por el ELN: "Hemos acordado: 1. Instalar el día 27 de octubre en Quito, Ecuador la mesa pública de conversaciones. 2. La agenda de conversaciones se iniciará con el punto 1. Participación de la sociedad en la construcción de la paz; adicionalmente, se trabajará el sub punto 5f. Acciones y dinámicas humanitarias. 3. Iniciar el proceso

983 Véase: "Gobierno y ELN anuncian inicio de diálogos de paz", 30 de marzo de 2016, en http://es.presidencia.gov.co/noticia/160330-Gobierno-y-ELN-anuncian-inicio-de-dialogos-de-paz

984 "Alocución del presidente Juan Manuel Santos sobre el acuerdo de diálogos para la paz entre el Gobierno Nacional y el ELN", 30 de marzo de 2016, en http://es.presidencia.gov.co/discursos/160330-Alocucion%20del%20Presidente%20Juan%20Manuel%20Santos%20sobre%20el%20acuerdo%20de%20dialogos%20para%20la%20paz%20entre%20el%20Gobierno%20Nacional%20y%20el%20ELN

de liberación de los secuestrados/retenidos con 2 casos antes del 27 de octubre. Además, cada una de las partes hará, a partir de la fecha, otras acciones y dinámicas humanitarias para crear un ambiente favorable para la paz"[985]. La declaración la firmaron, por los países garantes, Ramón Rodríguez Chacín y Carola Martínez (Venezuela); Juan Meriguet (Ecuador); Rodolfo Benítez Verson y Abel García (Cuba); Raúl Vergara Meneses y Luis Maira (Chile); Torleif Kveim (Reino de Noruega), y José Solla (República Federativa de Brasil).

Se llegó el 27 de octubre, y la fase pública de negociaciones no comenzó; la delegación gubernamental —ahora dirigida por Juan Camilo Restrepo— no viajó a Ecuador aduciendo que no se cumplió con la liberación de Sánchez que, según su versión, era un compromiso; para el ELN no había una fecha explícita para la liberación, que se produciría en el transcurso de la primera ronda de negociaciones; es más, sacaron a la luz pública acuerdos anteriores, con los que demostraba que estaban cumpliendo con lo acordado: "Para sustentar esta afirmación consignamos a continuación apartes de los acuerdos firmados, por las delegaciones del ELN y el Gobierno en Caracas, Venezuela, el pasado 6 de octubre, en presencia de los garantes de Venezuela, Cuba, Noruega, Brasil y Chile. Acuerdos: Extracto del documento #2. '4- En el marco de las dinámicas y acciones humanitarias de las partes, el ELN iniciará el proceso de liberación de los secuestrados/retenidos con 2 casos antes del 27 de octubre'. Extracto del Documento #3. 'En el marco de las dinámicas y acciones humanitarias de las Partes: 1- El ELN hará una liberación de un secuestrado/retenido en el transcurso de la primera ronda de conversaciones. 2- A solicitud del ELN, y conforme a la ley, el Gobierno Nacional nombrará dos (2) gestores de paz antes de iniciar en Quito, y una vez instalada la Mesa se procederá a desarrollar el trámite correspondiente para conceder dos (2) indultos en un plazo de 30 días"[986].

985 "Anuncio de la instalación de la fase pública de negociaciones entre el Gobierno de Colombia y el Ejército de Liberación Nacional", 10 de octubre de 2016, en http://cedema.org/ver.php?id=7413

986 ELN, "Comunicado público", 30 de octubre de 2016, en http://cedema.org/ver.php?id=7435

Finalmente, el 18 de enero, las delegaciones del Gobierno y del ELN informaron la decisión de instalar el 7 de febrero la mesa pública, para dar inicio a la fase formal de los diálogos; señalaron en el comunicado conjunto que antes del 2 de febrero sería liberado Odín Sánchez y que ese mismo día se harían efectivos los indultos a dos integrantes del ELN que se encontraban enfermos: Nixon Arsenio Cobos Vargas y Leivis Enrique Valero Castillo. Días antes, el Gobierno había incorporado como gestores de paz a Wigberto Tomás Chamorro Acosta (hermano del líder Antonio García) y a Juan Carlos Cuéllar, quienes se encontraban recluidos en la cárcel Bellavista de Medellín; así mismo, se había formado el Grupo de países de apoyo, acompañamiento y cooperación, integrado por Alemania, Holanda, Italia, Suecia y Suiza.

El martes 7 de febrero de 2017 se inició la fase pública de las negociaciones de paz entre el Gobierno Nacional y el ELN: "Por fortuna, hoy en Colombia estamos intentando desarrollar una salida política al conflicto. El gobierno de Juan Manuel Santos nos invitó a dialogar, para buscarle fin al conflicto armado y aquí acudimos dispuestos a lograr una salida política. Nos alienta la esperanza de la mayoría de los colombianos de ponerle fin al enfrentamiento fratricida. Nos alienta el decidido respaldo que recibe el proceso de paz, por parte de los pueblos y Estados vecinos y de toda la comunidad internacional. Desarrollar una solución política del conflicto, con transformaciones, verdad, justicia y soberanía, significa trazar unos nobles propósitos nacionales de largo plazo; que para lograrlos se necesita más fuerza que la que tenemos nosotros los elenos, por lo que necesitamos sumar fuerzas de las mayorías que quieren la paz"[987], señaló Pablo Beltrán en la instalación de la mesa.

El abordaje y discusión sobre la participación ciudadana en la construcción de la paz —una de las preocupaciones permanentes del ELN—, y las dinámicas y acciones humanitarias (punto 5f del acuerdo), quedaron metodológicamente incluidos en el primer comunicado conjunto del 16 de febrero siguiente, en el que anunciaron que habían formado dos submesas que trabajarían simultáneamente en estos temas, manteniendo la integralidad de la Mesa de Conversaciones, que

987 "Todos Debemos Cambiar", 7 de febrero 2017, en http://www.eln-voces.com/index.php/dialogos-de-paz/comunicados/965-todos-debemos-cambiar

avanzaba discretamente y a su ritmo. Pese a los malos augurios de quienes le apostaban a un ELN dividido o con sectores irreconciliables frente a la negociación, en particular refiriéndose al Frente de Guerra Oriental, posteriores declaraciones de sus mandos expresaron respaldo y participación en la fase pública y designaron a alias Alirio Buitrago para estar presente en las negociaciones, lo que zanjó cualquier duda. Todo hacía pensar que la búsqueda de la paz con el ELN había tomado su propio rumbo.

Los dos primeros ciclos de diálogos avanzaron hasta el 6 de junio cuando las partes acordaron conformar el Grupo de Países de Apoyo, Acompañamiento y Cooperación (Alemania, Italia, Países Bajos, Suecia y Suiza) que se sumó al grupo de los países —ya citados— garantes del proceso. Uno de los grandes logros en el tercer ciclo de diálogos fue el acuerdo sobre cese del fuego bilateral y temporal y la suspensión de hostilidades para reducir la intensidad del conflicto armado, que estuvo vigente por 101 días, entre el 1° de octubre y el 9 de enero de 2018. Con esta medida, el ELN suspendió el secuestro, los atentados contra la infraestructura del país, la instalación de artefactos antipersonales y el reclutamiento de menores. La Resolución 2381 (de 2017) del Consejo de Seguridad de la ONU autorizó a la Misión de Verificación en Colombia a vigilar el alto del fuego bilateral temporal y nacional entre el Gobierno y el ELN; la Iglesia Católica acompañó a las Naciones Unidas en esa tarea.

Simultáneamente, el Gobierno colombiano se comprometió a fortalecer la protección a líderes sociales, establecer un programa humanitario para los militantes del ELN que se encontraban en diferentes cárceles, velar por la aplicación de la ley que desjudicializa la protesta social y poner en marcha audiencias con sociedad civil para definir los mecanismos de participación, primer punto de la agenda pactada. Sobre este aspecto, durante el cuarto ciclo de la mesa de conversaciones, realizado entre el 30 de octubre y el 1° de diciembre de 2017, se hicieron diez audiencias con cerca de 200 organizaciones sociales entre indígenas, campesinas, afros, LGBTI y de mujeres.

Las primeras semanas del nuevo año vieron recrudecer el accionar del ELN. El sábado 27 de enero de 2018 una estación de policía en

Barranquilla fue atacada con explosivos, dejando seis uniformados muertos. Después de una crisis en la mesa, que duró cerca de dos meses, se retomaron los diálogos y negociaciones a mediados de marzo con el quinto ciclo de conversaciones que evaluó el cese del fuego y las audiencias preparatorias para el diseño de la participación de la sociedad civil en el proceso de paz. Durante la realización de la primera y segunda vueltas para elegir al nuevo presidente de la República —27 de mayo y 17 de junio de 2018 respectivamente—, el ELN declaró cese del fuego unilateral, similar al que decretó en marzo anterior para las elecciones al Congreso de la República, "para facilitar la participación de los colombianos y las colombianas", según anunciaron los líderes de esa organización en su página oficial.

Unos días más tarde, el 18 de abril, por orden del presidente Lenín Moreno, se levantó abruptamente la mesa de conversaciones en Quito. ¿Cuál fue la razón de esta decisión que condujo al retiro de Ecuador como país garante y anfitrión del proceso? Veinte días antes, una de las disidencias de las FARC-EP, el Frente Oliver Sinisterra, comandado por alias Guacho, que operaba en el área rural de Tumaco, uno de los municipios con mayor cantidad de cultivos de coca en el país, había secuestrado a dos reporteros del diario El Comercio y a su conductor. Días más tarde fueron asesinados y sus cuerpos rescatados dos meses después. El crimen ocurrió en la región fronteriza y conmocionó por igual a Ecuador y Colombia.

Pasado un mes de estos sucesos, se retomó el proceso en La Habana con el estudio de un nuevo cese bilateral del fuego y del diseño de la participación de la sociedad en la construcción de la paz para impulsar el desarrollo de la agenda y la posibilidad de llegar a un acuerdo marco. Las conversaciones de este quinto ciclo avanzaron hasta el 15 de junio, cuando las delegaciones presentaron sus conclusiones generales en el comunicado conjunto N° 15 y acordaron iniciar el sexto ciclo el lunes 25 de junio siguiente[988].

El sexto ciclo tuvo lugar entre el 2 de julio y el 1° de agosto, cuando las partes dieron a conocer el comunicado conjunto N° 16

988 Oficina del Alto Comisionado para la Paz, Comunicado Conjunto N° 15. Conclusiones del quinto ciclo en la Mesa de Diálogos, 15 de junio de 2018, en http://www.altocomisionadoparalapaz.gov.co

como balance general del trabajo desarrollado desde marzo de 2016, resaltando aspectos como las discusiones sobre cese del fuego y la participación de la sociedad, de la comunidad internacional y de la Conferencia Episcopal. El comunicado no hizo alusión alguna a nuevos encuentros[989].

El 7 de agosto tomó posesión el nuevo mandatario colombiano, Iván Duque Márquez. En su discurso ante el Congreso de la República fue enfático en lo que serían los próximos pasos en materia de diálogos con el ELN: "Quiero ser claro. Durante los primeros 30 días de nuestro gobierno, vamos a realizar una evaluación juiciosa, prudente, responsable y analítica, en detalle, de lo que han sido los últimos 17 meses de conversaciones que ha adelantado el gobierno saliente con el ELN. Nos vamos a reunir con las Naciones Unidas, con la Iglesia Católica y los países que han venido apoyando dicho proceso para que en el marco de la independencia institucional nos den su opinión sobre el mismo. Pero quiero dejar claro, quiero dejar absolutamente claro que un proceso creíble debe cimentarse en el cese total de acciones criminales, con estricta supervisión internacional y tiempos definidos"[990].

A su vez, el presidente Duque, mediante el Decreto 1548 del 13 de agosto siguiente, nombró al abogado Miguel Ceballos Arévalo como nuevo Alto Comisionado para la Paz.

Pasado el plazo de treinta días ocurrió lo que muchos temían: los diálogos no se reanudaron. Duque insistió en la necesidad de que el ELN suspendiera todas sus actividades militares, comenzando por la liberación de los secuestrados; frente a estas exigencias, el grupo expresó en varios documentos que no estaba dispuesto a aceptar requisitos previos. En los hechos, las conversaciones estaban congeladas.

Lo que siguió es ampliamente conocido: el 17 de enero se produjo la explosión de un carro bomba al interior de la Escuela de Cadetes

989 Con información del documento "Cronología de un proceso frustrado. Diálogos Gobierno-ELN", elaborado por el profesor Carlos Medina Gallego, s. f.

990 "El pacto por Colombia". Discurso de posesión del presidente de la República, Iván Duque Márquez, 7 de agosto de 2018, en https://id.presidencia.gov.co/Paginas/prensa/2018/El-Pacto-por-COLOMBIA-Discurso-de-Posesion-del-Presidente-de-la-Republica-Ivan-Duque-Marquez.aspx

General Santander de la Policía Nacional, con el saldo trágico de 23 muertos (22 de ellos cadetes) y más de setenta heridos. La acción terrorista, reivindicada por el ELN, condujo a poner fin a los diálogos en La Habana y a levantar la suspensión de las órdenes de captura contra los diez negociadores de esa organización que estaban en Cuba a la espera de que el Gobierno cumpliera con el protocolo de once puntos, firmado por las partes en abril de 2016, para su retorno al territorio nacional. A la fecha de escribir estas notas finales no se vislumbra la reanudación de las conversaciones entre Gobierno y guerrilla, por lo tanto, el conflicto tiende a profundizarse en distintas regiones del país. Precisamente, un análisis de la Fundación Ideas para la Paz, referido a las dinámicas de la confrontación armada y afectación humanitaria durante el primer semestre de 2019, ratifica lo anterior. El informe de la FIP señala que el actor más activo en cuanto a combates con la Fuerza Pública fue el ELN con el 34% de los enfrentamientos, seguido por las disidencias de las FARC que registraron el 27% de los combates[991].

Centenares de cartas y pronunciamientos públicos han circulado personas y sectores organizados de los colombianos para que se retomen los diálogos con la meta de ponerle fin al conflicto armado entre el ELN y Estado. En su último libro, Víctor De Currea-Lugo, el analista que más ha profundizado en la historia de esa guerrilla, sus raíces, personajes, relaciones internacionales y con las comunidades, manejos internos y demás, nos hace un recuento de todos los esfuerzos para alcanzar un nuevo espacio entre Gobierno y ELN. Pero no es suficiente, concluye. "La prioridad es que ellos, las dos partes, decidan qué quieren realmente con respecto a la paz y hasta dónde están dispuestos a llegar para detener la guerra; si el diálogo es una excusa, la negociación nace muerta. Esperar que la sociedad rearme el proceso en el que por años hemos insistido, sin que las partes nos tomen en serio, no solo es injusto sino terriblemente irresponsable"[992].

991 Fundación Ideas para la Paz, FIP, Dinámicas de la confrontación armada y afectación humanitaria. Balance primer semestre 2019, en http://ideaspaz.org/especiales/infografias/confrontaciones.html

992 Víctor De Currea-Lugo, Historia de un fracaso. Diálogos Gobierno-ELN (2014-2019), Bogotá, Icono Editorial, 2019, p. 274.

La paz en ciernes

El requisito inicial de la dejación definitiva de las armas de las FARC-EP —registro, identificación, recolección y almacenamiento del primer 30%— se cumplió el 9 de abril de 2017. En las fases siguientes del proceso se incluyó la destrucción de cientos de caletas escondidas en lo más profundo de la selva y en distintos puntos de la geografía nacional.

La dejación de las armas concluyó el 27 de junio de 2017; el número total entregado, más las extraídas de los depósitos y caletas fue de 8.994, a las que se sumaron 1.765.862 cartuchos de munición, 38.255 kilos de explosivos, 11.015 granadas, 3.528 minas antipersonal, 46.288 fulminantes eléctricos, 4.370 granadas de mortero y 51.911 metros de cordón detonante. Se calculó que cada excombatiente dejó 1,3 armas, un promedio sin precedentes en los procesos de desarme, desmovilización y reincorporación[993]. A cada uno de ellos le entregaron una certificación que le permitía su paso a la legalidad y plena participación en la fase de reincorporación.

Las armas recogidas en los 26 campamentos se almacenaron en contenedores que, bajo estrictas medidas de seguridad, fueron trasladados al campamento de Pondores, en La Guajira, donde el 15 de agosto se realizó una ceremonia con el presidente Santos y dirigentes de las FARC-EP a bordo. A partir de ese día las ZVTN y los Puntos Transitorios de Normalización se transformaron en los ETCR.

Con el cumplimiento de ese itinerario fue posible iniciar la participación política de las FARC-EP en la legalidad. De eso se trataba la negociación conducente a firmar un acuerdo de paz: hacer a un lado el alzamiento armado para dar el paso a la vida legal, cambiar las balas y las botas por los votos e intervenir en democracia en los procesos políticos, económicos y sociales.

Entre el 28 y el 31 el agosto, en el Centro de Convenciones de Bogotá, los exguerrilleros realizaron el congreso fundacional del nuevo partido al que denominaron Fuerza Alternativa Revolucionaria del

993 Informe del secretario general sobre la Misión de las Naciones Unidas en Colombia, 26 de septiembre de 2017, en https://colombia.unmissions.org/sites/default/files/last_sg_report_of_the_un_mission_in_colombia_esp.pdf A partir de esa fecha la Misión de la ONU se convirtió en una Misión de Verificación, por un período inicial de doce meses.

Común, conservando el acrónimo de FARC. Nada novedoso. Dos meses después, el Consejo Nacional Electoral les otorgó la personería jurídica y quedaron autorizados a tener su nombre, logotipo (una rosa roja con una pequeña una estrella), estatutos y nómina del personal directivo.

El 1° de noviembre anunciaron los nombres de los 73 candidatos al Senado y a la Cámara de Representantes para los comicios legislativos del 11 de marzo de 2018. Esas elecciones fueron consideradas por muchos analistas como una de las jornadas más pacíficas realizadas en Colombia en los últimos cien años. Sin embargo, durante las semanas de campaña electoral, se desató, desde sectores de la derecha, una persecución con ataques verbales y físicos en cuanta manifestación intentaron organizar los integrantes del partido FARC. Presintiendo que se estaría reeditando el genocidio político que vivió la Unión Patriótica a partir de 1985, los dirigentes decidieron suspender temporalmente la campaña (del 9 al 23 de febrero) a la espera de mayores garantías.

La votación que recibió en esa ocasión el partido FARC no fue del todo significativa: alrededor de 80 mil votos. Lo notorio fue que lo hicieron en igualdad de condiciones con otros partidos políticos y acogiéndose a las normas fijadas. No es cualquier cosa que la guerrilla que llegó a ser la más poderosa en América Latina se haya transformado en un partido y que sus exintegrantes hagan política en democracia; han dejado las armas y hoy se acogen a la Constitución y a las leyes.

Y si bien por el voto directo no alcanzaron la representación en el Congreso de la República, de conformidad con el Acuerdo Final y como parte de la reincorporación política, se había pactado que tendrían diez congresistas (cinco senadores y cinco Representantes a la Cámara) durante dos períodos constitucionales, de cuatro años cada uno, contados a partir del 20 de julio de 2018, "con el fin de facilitar su transición a la política legal y asegurar un escenario para la promoción de su plataforma ideológica"[994].

994 Acuerdo Final para la Terminación del Conflicto y la Construcción de una Paz Estable y Duradera, en www.altocomisionadoparalapaz.gov.co/procesos-y-conversaciones/Documentos%20compartidos/24-11-2016NuevoAcuerdoFinal.pdf

Nuevos escollos en el camino de la reincorporación política surgieron en las elecciones del 27 de octubre de 2019, cuando se escogieron alcaldes, gobernadores, concejales, diputados departamentales y ediles para las Juntas Administradoras Locales. El partido FARC participó por primera vez en comicios locales con algunos candidatos propios y otros en coaliciones. La magra votación alcazada les permitió elegir tres alcaldes, de un total de 1.103; dos fueron miembros de las FARC-EP avalados por otros partidos, y el tercero, que no había participado en el grupo, representó una coalición de la que formaba parte el partido FARC. Se resalta de este proceso electoral la alta votación que superó el 61% y la gran cantidad de candidatos electos pertenecientes a partidos, movimientos o coaliciones claramente diferenciadas de las élites políticas tradcionales.

La primera gran dificultad en el proceso de inclusión política se había derivado de la detención de Seuxis Pausias Hernández Solarte, más conocido como Jesús Santrich, y de la decisión de Iván Márquez, quien fuera el jefe negociador por parte de las FARC-EP en La Habana, de no asumir la curul que le correspondía en el Senado. En el primer caso el dirigente fariano fue capturado por el CTI de la Fiscalía el 9 de abril de 2018, acusado por la DEA y el Departamento de Justicia de Estados Unidos de intentar exportar cocaína a ese país, delito que habría cometido con posterioridad a la firma de los acuerdos en diciembre de 2016, lo que acarrearía su sometimiento a la jurisdicción ordinaria y procedería la extradición.

Por competencia, el caso quedó en manos de la JEP que suspendió la extradición y pidió pruebas a la Fiscalía colombiana; en mayo de 2019, la misma JEP ordenó la libertad de Santrich, pero fue recapturado inmediatamente ante nuevas pruebas relacionadas con los delitos de narcotráfico y concierto para delinquir. La historia no termina allí porque por orden de la Corte Suprema de Justicia fue de nuevo liberado por gozar de fuero como congresista. Santrich tomó posesión en la Cámara el 10 de junio siguiente y pasados 20 días abandonó su esquema de seguridad en el ETCR de La Paz, en el departamento del Cesar, y no volvió a aparecer. No compareció ante la JEP que citó a los principales dirigentes de las FARC-EP a rendir versión libre en el caso 001, relacionado con secuestros[995].

La situación de Iván Márquez tiene otros ingredientes. En solidaridad frente a la primera captura de su compañero Santrich, y pensando que podrían venir otras órdenes de detención fraguadas desde Estados Unidos en complicidad con la Fiscalía, desistió de tomar posesión en el Congreso y se refugió en la ZVTN de Miravalle. "Los acuerdos están a punto de fracasar", sentenció Márquez en esa ocasión. En otro momento llegó a calificar como "grave error" el desarme y la transformación del grupo guerrillero en partido político. Se conoce que de Miravalle salió en agosto de 2018 cuando denunció que en la zona había operativos militares para capturarlo o darlo de baja. Hoy su paradero es desconocido, así como el de sus compañeros de guerrilla el Paisa, Romaña, el Zarco Aldinever, el propio Santrich y otros más que no han acudido al llamado de la JEP, y que volvieron a las armas.

Uno de los mayores escollos para la reintegración de los exguerrilleros es la seguridad física, tanto la suya como la de sus familias y la de líderes sociales afines a sus actividades políticas. Entre el 13 de noviembre de 2016 y el 26 de julio de 2019, en 67 municipios del país, se presentaron 138 crímenes y 10 desapariciones de excombatientes de

995 La JEP estudia los siguientes siete casos:

— Caso 001, retención ilegal de personas por parte de las FARC-EP (abierto el 6 de julio de 2018).

— Caso 002, que prioriza la grave situación de derechos humanos padecida por la población de los municipios de Tumaco, Ricaurte y Barbacoas (Nariño) (abierto el 10 de julio de 2018).

— Caso 003, sobre muertes ilegítimamente presentadas como bajas en combate por agentes del Estado (abierto el 17 de julio de 2018).

— Caso 004, que prioriza la grave situación de derechos humanos padecida por la población de los municipios de Turbo, Apartadó, Carepa, Chigorodó, Mutatá, Dabeiba (Antioquia) y El Carmen del Darién, Riosucio, Unguía y Acandí (Chocó) (abierto el 11 de septiembre de 2018).

— Caso 005, que prioriza la grave situación de derechos humanos padecida por la población de los municipios de Santander de Quilichao, Suárez, Buenos Aires, Morales, Caloto, Corinto, Toribío y Caldono (Cauca) (abierto el 8 de noviembre de 2018).

— Caso 006, "Victimización de miembros de la Unión Patriótica (UP) por parte de agentes del Estado" (abierto el 26 de febrero de 2019).

— Caso 007, denominado "Reclutamiento y utilización de niñas y niños en el conflicto armado" (abierto el 6 de marzo de 2019).

las FARC-EP que estaban en el proceso de reincorporación a la vida civil; 36 miembros de sus familias también habían sido asesinados[996].

Por su parte, el partido FARC registró la muerte de 234 excombatientes (146 en el actual gobierno) entre el 1° de noviembre de 2016 y el 20 de octubre de 2020. Frente a quiénes serían los responsables, señaló: "Estos asesinatos no son hechos aislados ante la arremetida contra la Jurisdicción Especial para la Paz, la Comisión de Esclarecimiento de la Verdad y la simulación de la implementación del Acuerdo que hemos venido denunciando"[997].

El informe del Secretario General al Consejo de Seguridad de la ONU sobre la Misión de Verificación en Colombia, del 25 de septiembre de 2020 indica que la cifra de exguerrilleros asesinados desde la firma del Acuerdo de Paz ascendía a 224, registrando ese año 50 asesinatos frente a 77 en 2019[998].

En cuanto a líderes sociales y comunitarios, defensores de derechos humanos y reclamantes de tierras asesinados en 2019, INDEPAZ reportó 116 en 74 municipios. Los asesinados en 2018 fueron 252 en 119 municipios. En total, entre el 24 de noviembre de 2016 (fecha de firma del Acuerdo Final) y el 15 de julio de 2020 han sido asesinados 971 líderes sociales, de los cuales 131 eran mujeres y 840 hombres, 251 indígenas y 71 afrodescendientes. En su orden, los departamentos que registran mayor número son Cauca, Antioquia, Nariño, Valle del Cauca y Norte de Santander[999]. Al 20 de octubre de 2020 han sido asesinadas 270 personas en 68 masacres, según revela INDEPAZ.

Para alcanzar la paz se necesita frenar los homicidios contra excombatientes y líderes sociales y acatar los propósitos del Plan de Acción Oportuna de Prevención y Protección para los Defensores de

996 Instituto de Estudios para el Desarrollo y la Paz, INDEPZ, informe "Líderes y defensores de DDHH asesinados a 26 de julio de 2019", en www.indepaz.org.co/informe-lideres-y-defensores-de-ddhh-asesinados-al-26-de-julio-de-2019/

997 Fuerza Alternativa Revolucionaria del Común, FARC, comunicado "Hasta la vida siempre", 17 de octubre de 2020 https://partidofarc.com.co/farc/2020/10/17/comunicado-24/.

998 Informe Trimestral del Secretario General sobre la Misión de Verificación en Colombia. 25 de septiembre de 2020, p. 9, https://colombia.unmissions.org/sites/default/files/sp_-_n2024006.pdf

999 Ibíd.

Derechos Humanos, Líderes Sociales, Comunales y Periodistas, PAO, concebido como una serie de acciones articuladas para dar respuesta, desde el Estado, a estos crímenes, amenazas y atentados. Igualmente, se requiere cumplirle a las víctimas y a las zonas afectadas por el conflicto político armado con lo dispuesto en el punto 2 del Acuerdo, titulado "Apertura democrática para construir la paz", que crearía "dieciséis Circunscripciones Transitorias Especiales de Paz para la elección de un total de dieciséis representantes a la Cámara de Representantes, de manera temporal y por dos períodos electorales"[1000]. En dos ocasiones se han hundido en el Congreso de la República proyectos de actos legislativos para crear estas circunscripciones sin que se puedan superar las maniobras de congresistas y partidos políticos que se oponen al Acuerdo.

Durante 2018, se abordó, con muchas dificultades, el desarrollo de los seis grandes temas acordados sobre los cuales había girado la negociación en los años anteriores. Es necesario precisar que lo pactado no significaba una "revolución por decreto", como manifestaron los tradicionales detractores del proceso; no habría un cambio en el modelo económico imperante, ni en la estructura o doctrina de la Fuerza Pública; no se afectaría la propiedad privada, ni implicaba la pérdida de los privilegios históricamente acumulados por las élites políticas y económicas. Se trataba de realizar algunas reformas que han sido aplazadas por décadas en cuanto al uso de la tierra, la democratización de la vida política y las garantías de participación, los derechos de las víctimas a verdad, justicia, reparación y no repetición, la necesidad de parar la guerra y alcanzar el respeto por la vida y encontrar soluciones consensuadas al problema de las drogas ilícitas que concierne a países productores y también a los países consumidores.

En el año en que se utilizó el proceso acelerado del fast track (Procedimiento Legislativo Especial para la Paz), se aprobaron proyectos de ley o actos legislativos como los de Reincorporación Política (Acto Legislativo 03 sobre reconocimiento del partido o movimiento político que surgió del tránsito de las FARC-EP a la vida política legal), de Estabilidad Jurídica del Acuerdo (Acto Legislativo 02) y de Recursos

1000 Acuerdo Final, op. Cit., p.54.

del Sistema General de Regalías para financiar el Acuerdo Final (Acto Legislativo 04).

Igualmente, se aprobaron dos leyes orgánicas: la Ley 1830 que autorizó designar a tres voceros en cada una de las cámaras "de la agrupación política que se constituya con el objeto de promover la creación del futuro partido o movimiento político que surja del tránsito de las FARC-EP a la vida política legal"[1001], para participar en las sesiones en que se discutían los proyectos vía fast track. Así mismo, se sancionó la Ley 1865 para facilitar en la Unidad Nacional de Protección, UNP, medidas materiales de seguridad.

En términos de justicia, la JEP, con apenas tres años de funciones al momento de elaborar el presente escrito, ha recibido 12 mil personas para ser juzgadas por ella: cerca de 10 mil antiguos guerrilleros de las FARC-EP y más de 2 mil miembros de la fuerza pública. En relación con las víctimas, la JEP ha abierto, hasta el momento, casos que contabilizan aproximadamente 308 mil personas que por primera vez se sienten escuchadas en espacios de justicia y reconciliación. Sin embargo, frente a la Ley Estatutaria de la Jurisdicción Especial para la Paz, el presidente Duque presentó ante el Congreso seis objeciones que fueron derrotadas tras arduos debates entre abril y mayo de 2019. Finalmente, después de la aprobación en la Cámara y de las dudas sobre mayorías en el Senado, la Corte Constitucional se pronunció en favor del umbral alcanzado en ambas cámaras y el presidente sancionó la ley el 6 de junio pasado, "Última pieza que faltaba en el marco jurídico para el modelo restaurativo de justicia transicional de Colombia", señaló la ONU en uno de sus últimos informes[1002].

El primer punto del Acuerdo Final se denominó "Hacia un nuevo campo colombiano: Reforma Rural Integral", a través del cual se pretende sentar las bases para la transformación estructural del campo, cerrando las profundas brechas entre el campo y la ciudad, y creando

1001 Medio de la cual se adiciona un artículo transitorio a la Ley 5 de 1992", en https://www.funcionpublica.gov.co/eva/gestornormativo/norma.php?i=79926

1002 Misión de Verificación de las Naciones Unidas en Colombia, Informe del secretario general, 27 de junio de 2019, en https://colombia.unmissions.org/sites/default/files/sp_n1918524.pdf

condiciones de bienestar para la población rural para contribuir a la construcción de la paz. Las principales estrategias y programas para lograrlo se refieren a la democratización del acceso y uso de tierras, a planes nacionales para la Reforma Rural Integral y a establecer 16 Programas de Desarrollo con Enfoque Territorial (PDET) en 170 municipios con mayores niveles de pobreza, presencia de cultivos de uso ilícito, debilidad institucional y de afectación derivada del conflicto armado. Estos programas, creados mediante el Decreto 893 del 28 de mayo de 2017, fueron diseñados "como un instrumento de planificación y gestión para implementar de manera prioritaria los planes sectoriales y programas en el marco de la Reforma Rural Integral (...) en articulación con los planes territoriales en los municipios priorizados"[1003]. De acuerdo con el tercer informe del Instituto Kroc sobre el estado efectivo de implementación del acuerdo de paz en Colombia, "este tema contiene seis disposiciones de las cuales una se ha implementado por completo, dos han iniciado su implementación, y tres han alcanzado un nivel de implementación intermedia"[1004].

Lo anterior en consonancia con la necesidad de los excombatientes de tener acceso a la tierra que, al provenir en su gran mayoría del sector rural, se convierte en la esencia misma de una efectiva reincorporación. El Consejo Nacional de Reincorporación, (instancia de Gobierno, FARC y ONU) autorizó a la Agencia Nacional de Tierras a adquirir seis predios para proyectos productivos en julio de 2018. De acuerdo con el último informe de la ONU de 2018[1005], solo uno se adquirió

1003 Texto del Decreto "Por el cual se crean los programas de desarrollo con enfoque territorial – PDET", en https://www.unidadvictimas.gov.co/es/decreto-893-del-28-de-mayo-de-2017/37035

1004 Informe 3 de estado efectivo de implementación del Acuerdo de Paz de Colombia dos años de implementación l Instituto Kroc "Diciembre 2016-diciembre 2018", 10 de abril de 2019, en https://kroc.nd.edu/news-events/news/tercer-informe-sobre-la-implementacion-del-acuerdo-de-paz-la-implementacion-sigue-progresando/
Por mandato de las partes signatarias del Acuerdo Final, el Instituto Kroc de Estudios Internacionales de Paz, adscrito a la Universidad de Notre Dame en Indiana, Estados Unidos, en su labor como apoyo técnico del componente de verificación, es responsable de hacer seguimiento al proceso de implementación del Acuerdo.

1005 Misión de Verificación de las Naciones Unidas en Colombia, Informe del Secretario General, 26 de diciembre de 2018, en https://colombia.unmissions.org/sites/default/files/n1942150.pdf

en el ETCR de Colinas, municipio de San José del Guaviare. Otros aspectos de este primer punto del Acuerdo Final se han incumplido, como el proyecto de ley de desarrollo rural que no fue aprobado en 2017 y, apenas en marzo pasado, el Gobierno presentó un proyecto de ley para la titulación de baldíos en zonas forestales que busca titular dos millones de hectáreas a nombre de pequeñas comunidades indígenas y campesinas. Otros, cruciales para consolidar la convivencia y la paz en el campo, como el nuevo sistema de catastro multipropósito y el proyecto de adecuación de tierras para los pequeños agricultores, aún no se han presentado.

Uno de los compromisos del Gobierno Nacional con los excombatientes que aún viven en los 24 ETCR es el suministro mensual de "víveres secos y frescos"; el vencimiento a 31 de diciembre de 2018 fue prorrogado hasta el 15 de agosto de 2019, de conformidad con el Decreto 2446 del 27 de diciembre de 2018. "El Gobierno está adoptando medidas para una transición gradual a lo largo de un período de 12 meses y solicitará que se apruebe la prórroga del suministro de alimentos y servicios básicos hasta que se establezcan medidas a largo plazo", señaló el informe del secretario general de la ONU para ese trimestre[1006]. El 9 de septiembre siguiente se emitió el Decreto 1629 en el que se asignó a la Agencia para la Reincorporación y la Normalización nuevas responsabilidades, entre ellas el suministro de alimentos hasta agosto de 2020.

Así mismo, el Plan Nacional de Desarrollo facultó al Gobierno para continuar pagando el estipendio mensual o "renta básica" del que dependen actualmente los excombatientes, que equivale al 90% de un salario mínimo mensual vigente, aproximadamente 260 dólares; 11.018 reciben ese recurso a través de una cuenta bancaria individual en la que se les deposita mensualmente. El mismo Decreto 1629 amplió hasta diciembre de 2019 esa asignación económica, a condición de que continúen participando en las actividades propias de la reincorporación.

A casi cuatro años de la firma del Acuerdo Final, la reincorporación económica y productiva avanzaba lentamente. Para emprender un proyecto productivo o de vivienda de carácter individual, cada

1006 Misión de Verificación de las Naciones Unidas en Colombia, Informe del secretario general, 27 de junio de 2019, op. Cit., p. 6

exintegrante de las FARC-EP tiene derecho, por una vez, a un apoyo económico de 8 millones de pesos (alrededor de 2.700 dólares), previa presentación y aprobación del proyecto por parte del Consejo Nacional de Reincorporación. A septiembre de 2020 se habían aprobado 1.467 proyectos individuales que benefician a 1.734 excombatientes, entre ellos 379 mujeres. En cuanto a proyectos productivos colectivos, el último informe de la ONU da cuenta de 66 aprobados, que benefician a 2.928 excombatientes, de ellos 837 mujeres. Precisa el informe: "En el período sobre el que se informa, el Consejo Nacional de Reincorporación aprobó nueve proyectos productivos colectivos nuevos, que benefician a 216 excombatientes (incluidas 60 mujeres)"[1007].

Por iniciativa propia, haciendo uso de los recursos mensuales que reciben, de financiación externa, de fundaciones y empresas del sector privado, hay, en 24 ETCR, cerca de 350 emprendimientos productivos relacionados con proyectos agrícolas, ganaderos, confección de artículos textiles y artesanales, comercio, ecoturismo, crías de peces y gallinas, panadería, café y otros.

La Unidad Nacional de Protección, UNP, había formado y contratado para servicios de protección (escoltas) a 1.123 exintegrantes de las FARC-EP. Este personal hace parte de los equipos mixtos que se encargan de la seguridad de dirigentes y mandos del grupo. La cifra debe llegar a un total de 1.200, como se estipuló en el Acuerdo de Paz. Con el apoyo de la Agencia Popular Noruega, la FARC creó la corporación Humanicemos DH para apoyar labores de desminado; 102 excombatientes están cumpliendo esta labor.

En los 24 ETCR se desarrolla el programa Arando la Educación. A octubre de 2019, estaban matriculados 5.059 excombatientes de los cuales el 45% eran mujeres. Además, a diciembre siguiente, 3.475 excombatientes estaban inscritos en actividades de formación profesional, a través del Servicio Nacional de Aprendizaje, la Agencia para la Reincorporación y la Cruz Roja Colombiana.

Cuando en febrero de 2017 se ocuparon los terrenos de las 26 ZVTN iniciales, el promedio en cada uno de ellos era de 350 excombatientes. Allí se promovían actividades culturales y deportivas, de

1007 Misión de Verificación de las Naciones Unidas en Colombia, Informe del secretario general, 25 de septiembre de 2020, op. Cit., p. 7.

capacitación y de formación para el trabajo y la educación. Hasta allá llegaban estudiantes universitarios, curiosos y personas que visitaban a sus familiares. A diciembre de 2019 esta "geografía de la reincorporación" había cambiado: más del 70% de los excombatientes ha abandonado los espacios territoriales por diversas razones no necesariamente relacionadas con su desvinculación del proceso de reincorporación o por involucrarse con actividades delictivas. Algunos buscan oportunidades en otras regiones o en entornos familiares; otros se han unido y organizado los nuevos puntos de reincorporación en áreas con mayores facilidades; un número incierto ha regresado a la ilegalidad.

Durante los primeros meses del proceso de desmovilización se conocieron deserciones de mandos y guerrilleros —individuales y colectivas— de los frentes 7, 14, 15, 16, 27, 40, 48, 62, 63 y de la columna Daniel Aldana que operaba en el área rural y urbana del municipio de Tumaco, al suroccidente del país. La Directiva 37 de 2017 del ministerio de Defensa define como Grupos Armados Organizados Residuales (GAOR) a aquellas antiguas estructuras de la guerrilla que se apartaron del proceso de paz y continuaron delinquiendo y de las que hacen parte guerrilleros que no se desmovilizaron, otros que regresaron a las filas y nuevos reclutas. El documento ministerial indica que las disidencias son una amenaza que se debe enfrentar con el poder del Estado por sus capacidades militares y territoriales, así como por el alto nivel alcanzado para atentar contra la población civil. ¿Cuántos integrantes tienen las disidencias? La cifra es incierta. La Fundación Paz y Reconciliación señaló, después de la muerte de alias Rodrigo Cadete, uno de los disidentes de las FARC-EP, que "tienen en sus filas unos 1.600 hombres en armas, de los cuales 830 habrían desertado del pacto de paz entre las FARC y el Gobierno".

En las regiones donde operan estas disidencias se presentan disputas territoriales entre distintos grupos armados ilegales que se han incrementado después de firmado el acuerdo de paz y cuando las estructuras de las FARC-EP abandonaron sus zonas históricas y se ubicaron en las zonas territoriales. Las disputas obedecen a la búsqueda del control social, al dominio sobre economías ilegales, en particular la minería ilegal, los cultivos de uso ilícito, la producción de pasta base y el control de rutas para el narcotráfico e ingreso de armas.

La Base de Datos de Acciones del Conflicto de la Fundación Ideas para la Paz, FIP, señala que las acciones más frecuentes de las disidencias, registradas entre agosto de 2017 y septiembre de 2018, se refieren a hostigamientos (20), emboscadas a la fuerza pública (8), enfrentamientos con otros grupos armados (10), bloqueos de vías (5), ataques a la infraestructura energética (4) y quemas de vehículo (3), entre otros. El 80% de estos eventos se han concentrado en cinco departamentos: Nariño (23%), Cauca (15%), Guaviare (14%), Caquetá (11%), Meta (10%) y Antioquia (10%)[1008].

El informe de la Oficina de las Naciones Unidas contra la Droga y el Delito (UNODC) de septiembre de 2018, sobre cultivos de uso ilícito en Colombia, reportó un total de 171 mil hectáreas de coca cultivadas en 2017. El siguiente informe —julio de 2019— indica un total de 169.000 hectáreas sembradas, una mínima variación de 2.000 hectáreas. El cuarto tema que se acordó en La Habana se refiere a la solución al problema de las drogas ilícitas y trazó como tarea la creación del Programa Nacional Integral de Sustitución de Cultivos de Uso Ilícito, PNIS, que contempla la puesta en marcha de Planes Integrales (comunitarios y municipales) de Sustitución y Desarrollo Alternativo (PISDA).

De acuerdo con el punto 4.1.3.6. del Acuerdo Final y en concordancia con el contenido del comunicado conjunto del 27 de enero de 2017, suscrito por el Gobierno Nacional y las FARC-EP para dar inicio al programa de sustitución de cultivos ilícitos, se estableció una intervención en los siguientes términos:

1. Durante el primer año:

a. Entrega de Asistencia Alimentaria Inmediata, PAI, para desarrollar actividades de sustitución voluntaria de cultivos de uso ilícito, preparación de tierras para siembras legales o trabajos de interés comunitario por un lapso de hasta 12 meses.

b. Apoyo a la implementación del proyecto de autosostenimiento y seguridad alimentaria.

c. Apoyo a la implementación de proyecto productivo de ciclo corto e ingreso rápido.

1008 Fundación ideas para la Paz, FIP, "La estrategia contra las disidencias: una cortina de humo", 6 de noviembre de 2018, en http://www.ideaspaz.org

2. Durante el segundo año:

a. Apoyo para la implementación del proyecto productivo con visión a largo plazo. Adicionalmente se prestará el servicio de Asistencia Técnica Integral, ATI, durante todo el proceso, aplicando los criterios de Asistencia Técnica Integral contenidos en los planes de la reforma rural integral (RRI).

El último informe del secretario general de la ONU señaló los resultados alcanzados por el PNIS: "Según la Oficina de las Naciones Unidas contra la Droga y el Delito, el número de familias que participan en el Programa se mantiene en 99.097 (de las cuales 35.393 están encabezadas por una mujer), y el número de hectáreas de coca erradicadas voluntariamente es ahora de 42.339. Si bien los pagos, la entrega de suministros y la asistencia técnica para las familias participantes han continuado, hasta ahora únicamente se benefician de proyectos productivos en fase de implementación menos del 2 % de las familias"[1009].

Como se puede observar a través de los puntos tratados anteriormente, la puesta en marcha del acuerdo con las FARC tiene dificultades en aspectos cruciales para los excombatientes; así las cosas, las tensiones entre las partes son frecuentes. El futuro es incierto, aunque hay razones para la esperanza. Pese a que no hay una intención evidente por parte del gobierno del presidente Duque de "hacer trizas" el acuerdo de paz, como pidieran algunos dirigentes del partido Centro Democrático, se observan situaciones que podrían dificultar el adecuado cumplimiento de lo acordado.

A estas alturas se requiere un horizonte de efectiva reincorporación económica y social para los excombatientes que dignifique su condición de ciudadanos, que los reconozca e incluya en el desarrollo de un país en paz. Se hace necesario, como segundo aspecto, la protección de sus vidas y la de sus familias y un compromiso a fondo del Estado para proteger a los líderes sociales y garantizar sus derechos, en particular el más elemental: el derecho a la vida. Por otra parte, hay que cumplirle a los cerca de ocho millones de víctimas del conflicto político armado en sus derechos a verdad, justicia, reparación y plenas garantías de

1009 Misión de Verificación de las Naciones Unidas en Colombia, Informe del secretario general, 25 de septiembre de 2020, op. Cit., p. 3

no repetición. Otro tema de urgente definición se relaciona con el acceso adecuado a la tierra a través del Fondo de Tierras, la entrega de títulos y la restitución de millones de hectáreas de tierras despojadas a campesinos y pequeños productores. Finalmente, eran necesarias las debidas garantías al legítimo ejercicio de la oposición y al derecho a la organización y la protesta con miras a las elecciones seccionales de octubre.

Los informes citados son elocuentes. Hay avances, pero no son suficientes. El informe del Instituto Kroc lo ratifica: "A febrero de 2019, el 69% de los compromisos en el Acuerdo Final están en proceso de implementación. Un tercio de estos compromisos han alcanzado niveles avanzados de implementación, es decir, se han implementado completamente (23%) o se espera que se implementen completamente en el tiempo estipulado por el Acuerdo (12%). Treinta y cuatro por ciento (34%) de los compromisos están en un estado de implementación mínima —estos son compromisos que han iniciado su implementación pero por su cronograma previsto o por el nivel de avance que tienen a la fecha no es posible saber si se podrán implementar completamente—. Treinta y uno por ciento (31%) del total de compromisos no ha iniciado implementación. Esto último se explica por varias razones. En algunos casos son retrasos y/o obstáculos significativos como la no aprobación de una reforma política electoral, las circunscripciones transitorias especiales de paz y otras piezas legislativas previstas en el Acuerdo. En otros casos se debe a que estos compromisos están ligados a la implementación previa de otros compromisos"[1010].

La sorpresa mayúscula de este proceso ocurrió en la madrugada del jueves 29 de agosto de 2019 cuando desde la clandestinidad el exnegociador Iván Márquez, acompañado de Jesús Santrich y de una docena de sus camaradas entre los que se encontraban alias El Paisa, Romaña, El Zarco Aldinever, Walter Mendoza, Arien Quinto y El Loco Iván, leyó un manifiesto político —con pretenciones poéticas— de 34 minutos, titulado "Mientras haya voluntad de lucha, habrá esperanza

1010 Actualización, Informe 3 del Instituto Kroc "Hacía una paz de calidad en Colombia", en https://kroc.nd.edu/assets/315919/190408_actualizacio_n_informe_3_instituto_kroc_feb19.pdf

de vencer", en el se que anunció el retorno a las actividades armadas. Era la noticia que ya muchos esperaban.

Retomando el nombre y las siglas históricas de Fuerzas Armadas Revolucionarias de Colombia-Ejército del Pueblo, FARC-EP, y agregando la nueva identificación de Segunda Marquetalia, los repitentes guerrilleros señalaron sus nuevos propósitos: "Esta insurgencia se levanta para abrazar con la fuerza del amor, los sueños de vida digna y buen gobierno que suspiran las gentes del común, expresando claramente que su objetivo no es el soldado ni el policía, el oficial ni el suboficial, respetuosos de los intereses populares sino la oligarquía; pero esa oligarquía excluyente y corrupta, mafiosa y violenta que cree que puede seguirle atrancando las puertas del futuro al país. Una nueva modalidad operativa conocerá el Estado. Solo responderemos a la ofensiva. No vamos a seguir matándonos entre hermanos de clase para que una oligarquía descarada continúe manipulando nuestro destino y enriqueciéndose cada vez más a costa de la pobreza pública y los dividendos de la guerra (...) Anunciamos nuestro desmarque total de las retenciones con fines económicos. Priorizaremos el diálogo con empresarios, ganaderos, comerciantes y la gente pudiente del país, para buscar por esa vía su contribución al progreso de las comunidades rurales y urbanas. La única impostación válida será siempre en función de la financiación de la rebelión, la que se aplique a las economías ilegales y a las multinacionales que saquean nuestras riquezas. Vamos a entrarle duro con ustedes al combate contra la corrupción"[1011].

Así mismo, anunciaron el relanzamiento y reconstrucción del Partido Comunista Clandestino, del Movimiento Bolivariano por la Nueva Colombia y la puesta en marcha del Plan Estratégico, viejas propuestas que habrían culminado tres años atrás cuando firmaron el Acuerdo para la Terminación del Conflicto y la Construcción de una Paz Estable y Duradera. Durante los meses restantes de 2019, fueron muchos los comunicados emitidos por los dirigentes de esta nueva disidencia sin que se conocieran operaciones militares ofensivas de su parte.

1011 Texto de la Declaración en archivo del autor.

El mismo jueves 29, el alto Gobierno llevó a cabo en el Caquetá la Operación Atai, un bombardeo con aviones Super Tucano en contra de un campamento de alguno de esos grupos disidentes de las FARC-EP, en el que murieron al menos ocho niños reclutados de manera forzosa. Las denuncias de un senador de la República, del personero del municipio de Puerto Rico y del alcalde de San Vicente del Caguán permitieron que esta clara violación al Derecho Internacional Humanitario se conociera públicamente y que, ante el ocultamiento de la verdad de los hechos, renunciara el ministro de Defensa[1012].

Las nuevas disidencias —léase Márquez, Santrich y compañía— no serían la única sorpresa en el período. Pasados dos meses del lanzamiento del manifiesto del 29 de agosto, un grupo de 71 exguerrilleros, liderados por Andrés París, Fabián Ramírez y Julio Rincón, señalaron profundas críticas a la dirección del partido FARC, el partido de la Rosa, por su logotipo. Sus señalamientos se basaron en que Timochenko y otros dirigentes habían abandonado a la militancia en el proceso de reincorporación e impulsaban tesis políticas catalogadas como "socialdemócratas", contrarias a los postulados marxistas leninistas. En el debate subyacen, igualmente, críticas al manejo de la dirección de Ecomún, la cooperativa creada para adelantar aspectos propios de la reintegración económica.

Frente a la convocatoria para 2020 de un nuevo congreso fariano, los nuevos disidentes —catalogados por sus excamaradas como fraccionalistas— que no optaron por reactivarse en la lucha armada y serían voceros de cientos más, señalaron que existía un proceso de implosión, "un proceso interno de conducción consciente de un núcleo que se ha tomado la dirección del partido para destruirlo desde adentro (…) No estamos por el retorno a las armas, pero tampoco estamos por la humillación de seguir siendo dírigidos por la cúpula del partido, que ya no llaman de la rosa sino de la rosca (…) Estamos ante una cúpula que ha fracasado"[1013].

1012 "Secretos del bombardeo que mató a 8 niños y cobró la cabeza de Botero", El Tiempo, 10 de noviembre de 2019, en https://www.eltiempo.com/unidad-investigativa/asi-fue-el-bombardeo-en-el-que-murieron-8-ninos-en-caqueta-432146

1013 Andrés París, entrevista de Dick Emanuelsson, en https://www.telesurtv.net/opinion /La -direccion-del-partido-Farc-ha-abandonado-la-militancia-Andres-Paris-ex-

Otra sorpresa de todo este proceso corrió esta vez por cuenta de antiguos comandantes, ahora dirigentes políticos del partido FARC, que confesaron ser los autores del magnicidio del político conservador Álvaro Gómez Hurtado, asesinado el 2 de noviembre de 1995. También afirmaron haber dado muerte al catedrático y consejero de paz, Jesús Antonio Bejarano; al general Fernando Landazábal Reyes; a los exguerrilleros del Frente Ricardo Franco, José Fedor Rey y Hernando Pizarro; y de Pablo Emilio Guarín político de derecha. Un nuevo capítulo para la Comisión de la Verdad.

El año 2019 cerró en medio de una protesta ciudadana pocas veces vivida en Colombia. Guardando las distancias políticas y de tiempo, el antecedente más cercano había sido el paro cívico de septiembre de 1977. En esta ocasión se trató de un paro nacional que arrancó el 21 de noviembre y que se mantuvo activo hasta bien entrado el mes de diciembre. Miles de ciudadanos integrantes del movimiento estudiantil, de organizaciones indígenas, sindicales, campesinas, de mujeres, grupos afros y amas de casa, ocuparon las calles de cientos de ciudades para reclamar por la protección a la vida de líderes sociales y excombatientes de las FARC-EP, por la implementación integral del Acuerdo de Paz, por el retiro de reformas fiscales propuestas, en contra de posibles modificaciones en el sistema de pensiones y el cumplimiento de los acuerdos suscritos anteriormente con el movimiento estudiantil. Con la consigna "El paro continúa", se inició el nuevo año.

---

comandante-y-negociador-de-Paz-en-la-Habana-20191209-0015.html

Agradecimientos

Este libro, en su primera y segunda ediciones, debe mucho a los aportes y la generosidad de personas e instituciones que acompañaron su proceso de elaboración:

A Ángela Alfonso, que tradujo los documentos desclasificados, realizó una intensa labor editorial y fue compañía durante una parte importante del tiempo empleado en la investigación y redacción. Angélica Cruz hizo un juicioso trabajo de revisión documental en el CINEP y en la Fundación Cultura Democrática; mis agradecimientos a ella y a estas dos instituciones. Lectores de los borradores fueron Arjaíd Artunduaga, Andrés Peralta, Luis Eduardo Celis, Ricardo Villamizar y Ángela Alfonso; de todos ellos recibí valiosas recomendaciones.

Gracias a los aportes conceptuales y documentales, externos y muy precisos, de Alejandro Bendaña (Nicaragua), Robert Friele (Holanda), David Rampf (Bolivia), Lazar y Víctor Jeifets (Rusia), Dirk Kruijt (Holanda). Desde Noruega, mi "tocayo" César Stordal, colega y colaborador en el proyecto *Memoria de guerrillas en América Latina y el Caribe*, génesis del presente trabajo. A Michael Evans y al equipo del National Security Archive, en Washington, que facilitaron la consulta de documentos desclasificados que se encuentran en su trabajo *Colombia and the United States: Political Violence, Narcotics and Human Rights, 1948-2010*; en la misma ciudad, a Andrés Restrepo y

Viviana Herrera, amigos de siempre. En Cuba, a los compañeros que en algunos momentos de sus vidas y de su trabajo se acercaron y comprometieron con la realidad colombiana. A Jon Lee Anderson, amigo de dos décadas que se le midió al prólogo, pese a algunos quebrantos de salud. Gracias a los comentarios objetivos y desinteresados que recibí a la primera edición, lo que me permitió enriquecerlo en información y fuentes.

A raíz de mis trabajos anteriores, he acumulado entrevistas con muchos de los participantes en los hechos que aborda este libro; una vez más, sus reflexiones y vivencias han sido muy útiles. Así mismo, los aportes de periodistas, académicos, defensoras y defensores de los derechos humanos y trabajadores por la paz.

A todos ellos, mi más sentida gratitud.

Anexos documentos fundacionales

Anexo 1

Declaración Política de la II Conferencia del Bloque Guerrillero del Sur, Constitutiva de las FARC

La Segunda Conferencia Guerrillera del Bloque Sur se ha reunido para estudiar la situación política nacional y las perspectivas de la lucha revolucionaria, frente a los planes del imperialismo yanqui de apoderarse de nuestro país. Engullirse lo que queda de industria nacional, el comercio y el trabajo de todos los colombianos, suprimir por la fuerza los últimos vestigios de libertad, oprimir aún más bajo su bota a todos los trabajadores de la ciudad y el campo, someterlos con mayor fuerza al hambre, a la desocupación, a la miseria y al terror.

En nuestro país, víctima de la "Alianza para el Progreso" de los imperialistas yanquis que han invertido más un billón de dólares, según datos de la revista norteamericana *Fortune*, los yanquis están instalando bases de agresión no solo contra nuestro pueblo, sino contra todos los pueblos latinoamericanos. Se han apoderado recientemente de nuestros yacimientos de uranio en La Macarena, han instalado allí bases de cohetes. Ocupan con sus aviones a reacción para bombardeo y ametrallamiento contra el movimiento guerrillero y campesino los aeropuertos de El Dorado, Madrid, Apiay, Germán Olano y, ahora, por medio de una ley del Congreso de los Estados Unidos se han abrogado el derecho de ocupar militarmente, cuando lo estimen conveniente, cualquier país de América Latina, como lo están haciendo en Santo Domingo o como lo pretendieron en Vietnam.

Frente a la agresión en cadena de los imperialistas yanquis contra los pueblos de Asia, África y América Latina, se reunió la Conferencia Tricontinental de La Habana para acordar acciones solidarias del mundo democrático contra los agresores imperialistas, para el impulso y desarrollo del movimiento revolucionario mundial por la paz y el progreso de las naciones.

En nuestro país, la oligarquía y el imperialismo yanqui están desencadenando una vasta ofensiva reaccionaria contra nuestro pueblo, contra todas las organizaciones obreras, contra los empleados públicos y privados, contra los maestros, los estudiantes, los transportadores, pequeños industriales y comerciantes, contra los campesinos productores, contra los artesanos, contra los periódicos y periodistas independientes, contra los escritores, artistas e intelectuales progresistas, contra los hombres y mujeres de Colombia que no quieren morir de hambre. A las huelgas y luchas reivindicativas de las masas trabajadoras, el Gobierno, fiel testaferro de los imperialistas, responde con la fuerza de las armas, ocupa casas y locales de organizaciones sindicales y gremiales, universidades, trata de destruir a sangre y fuego toda organización popular que se alce a la lucha por mejores sueldos y salarios, sus dirigentes son asesinados, perseguidos, apaleados o encarcelados, muchos condenados por consejos de guerra verbales. Los hambrientos, los sin trabajo, los sin techo, reciben descargas cerradas de fusilería, en tanto el costo de la vida es elevado y nuevos impuestos, nuevas alzas en las matrículas, en los precios de textos de enseñanza, en los arrendamientos, en los servicios públicos de luz, agua, teléfonos, correos, etc., enmarcan un cuadro sombrío de violencia y guerra donde una cuadrilla de bandoleros instalados en el Gobierno, en los mandos militares, en las juntas directivas de la Banca, la gran industria, el gran comercio, la gran prensa y el capital gringo, arrancan, tinta en sangre de colombianos, fabulosas riquezas.

En los campos colombianos los imperialistas y reaccionarios, desencadenan contra el campesinado una sucia guerra de exterminio. Se la denomina guerra preventiva contrarrevolucionaria bajo los lineamientos del Plan Laso inspirado en la nueva filosofía de la guerra irregular que práctica típicos procedimientos fascistas, "acción cívica comunal o acción cívica militar", dentro de una guerra sicológica por la conquista de las masas para desarrollar, luego, la táctica de guerra de guerrillas contraguerrillera.

Frente a todo lo anterior los destacamentos guerrilleros del Bloque Sur nos hemos unido en esta conferencia y constituido las Fuerzas Armadas Revolucionarias de Colombia, FARC, que iniciarán una nueva etapa de lucha y unidad con todos los revolucionarios de nuestro país, con todos los obreros, campesinos, estudiantes e intelectuales, con todo nuestro pueblo, para impulsar la lucha de las grandes masas hacia la insurrección popular y la toma del poder para el pueblo.

Segunda Conferencia Guerrillera del Bloque Sur, constitutiva de las FUERZAS ARMADAS REVOLUCIONARIAS DE COLOMBIA

Abril 25 a mayo 5 de 1966

Anexo 2

Ejército de Liberación Nacional (eln), Manifiesto de Simacota

La violencia reaccionaria desatada por los diversos gobiernos oligarcas y continuada por el corrompido régimen Valencia-Ruiz Novoa-Lleras, ha sido una poderosa arma de dominación en los últimos 15 años.

La educación se encuentra en manos de negociantes que se enriquecen con la ignorancia en que mantienen a nuestro pueblo; la tierra es explotada por campesinos que no tienen dónde caer muertos y que acaban sus energías y las de su familia en beneficio de las oligarquías que viven en las ciudades como reyes; los obreros trabajan por jornales de hambre sometidos a la miseria y humillación de los grandes empresarios extranjeros y nacionales; los profesionales e intelectuales jóvenes demócratas se ven cercados y están en el dilema de entregarse a la clase dominante o perecer; los pequeños y medianos productores tanto del campo como de la ciudad ven arruinadas sus economías ante la cruel competencia y acaparamiento por parte del capital extranjero y de sus secuaces vende patrias; las riquezas de todo el pueblo colombiano son saqueadas por los imperialistas norteamericanos.

Pero nuestro pueblo que ha sentido sobre sus espaldas el látigo de la explotación, de la miseria, de la violencia, se levanta y está en pie de lucha. La lucha revolucionaria es el único camino de todo el pueblo para derrotar el actual gobierno de engaño y de violencia.

Nosotros, que agrupamos el Ejército de Liberación Nacional, nos encontramos luchando por la liberación de Colombia. El pueblo liberal y el pueblo conservador harán frente juntos para derrotar a la oligarquía de ambos partidos.

¡Viva la unidad de los campesinos, obreros, estudiantes, profesionales y gentes honradas que desean hacer de Colombia una patria digna para los colombianos honestos!

¡Liberación o muerte!

Ejército de Liberación Nacional, Frente José Antonio Galán
Carlos Villarreal, Andrés Sierra
7 de enero de 1965

Anexo 3

Apartes de la Resolución Política del X Congreso del Partido Comunista de Colombia (Marxista-Leninista), 20 de julio de 1965

1° El X Congreso del Partido Comunista de Colombia aprueba el contenido fundamental de los documentos presentados a la discusión central y el informe de la Comisión Coordinadora de los Regionales Marxistas-Leninistas del Partido Comunista de Colombia. Acoge las críticas y las adiciones aprobadas y ordena la edición corregida y ordenada de estos materiales con un lenguaje más preciso y sencillo.

Estos documentos serán de estudio obligatorio para la militancia del Partido y para los círculos de aspirantes a miembros del Partido. Para militar en el Partido son necesarios el estudio y la comprensión de estos materiales y la conformidad con ellos.

2° Unánimemente y en forma categórica, el X Congreso afirma las siguientes tesis:

a. Vivimos la época del paso del capitalismo al socialismo. Nuestra revolución patriótica, popular y antiimperialista en marcha al socialismo está enmarcada dentro de este hecho mundial.
b. El imperialismo, fase final del capitalismo, es la fuente de todas las guerras. Mientras exista el imperialismo, habrá guerras o peligro de guerras. Pero está asediado por todos los pueblos del mundo y puede ser vencido como lo demuestran las revoluciones proletarias y el avance incontenible de las luchas de liberación nacional.

c. El imperialismo norteamericano es el peor enemigo de todos los pueblos y como tal debe ser combatido por estos.
d. Son las masas, en último término, y no la calidad de las armas, quienes deciden el rumbo de la historia. El espantajo atómico no puede detener la revolución.
e. Las guerras de liberación son justas, necesarias e inevitables.
f. La violencia revolucionaria es la partera de la historia. La actual situación política mundial evidencia la imposibilidad del tránsito pacífico del capitalismo al socialismo, particularmente en América Latina.
g. El internacionalismo proletario es un principio marxista-leninista que no puede menoscabarse sin causar grave daño a la revolución. Lo mismo ocurre con el principio de basarse en los propios esfuerzos.
h. Las contradicciones fundamentales de nuestra época solo pueden resolverse mediante el triunfo de la revolución. La contradicción entre el campo socialista y el campo capitalista es muy importante, pero no sustituye a la contradicción entre las clases explotadas y los explotadores en los países capitalistas, ni a la contradicción entre los pueblos oprimidos y el imperialismo, ni a la contradicción entre los países imperialistas y entre los grupos monopolistas.
i. No puede plantearse la coexistencia pacífica entre las clases explotadas y los explotadores o entre las naciones opresoras en ningún país, ni en ninguna región.
j. La coexistencia pacífica no constituye la esencia de las relaciones exteriores de los países socialistas, pues el apoyo a la lucha revolucionaria de los pueblos y el respaldo y el apoyo recíproco entre los países socialistas son aún más importantes.
k. El campo socialista es patrimonio del proletariado mundial porque él lo ha hecho posible. Es deber del proletariado mundial respaldarlo, defenderlo y ampliarlo.
l. El principio de la igualdad y el respeto mutuo y el de la solución a todos los problemas que surjan por la vía de la consulta mutua, tiene que presidir e informar las relaciones entre los partidos comunistas hermanos.

m. El revisionismo moderno es la penetración de la ideología burguesa en el partido del proletariado, constituye el mayor obstáculo para la lucha revolucionaria, atenta contra la construcción del socialismo y es irreconciliable con el marxismo-leninismo.
n. La lucha contra el revisionismo es de vida o muerte para los Partidos Comunistas. Es una expresión permanente en la lucha revolucionaria entre lo correcto y lo erróneo en los terrenos filosófico, económico y social, y hay que llevarla hasta la victoria en cada etapa presente y futura. Sobre el revisionismo moderno, nos corresponde triunfar como Lenin lo hizo sobre el de su tiempo, y como les corresponderá a las generaciones futuras triunfar sobre el que surja. No es posible la unidad con los revisionistas, no puede transigirse con el revisionismo, la lucha contra él es implacable.
o. Sin partidos comunistas (marxistas-leninistas), no puede garantizarse el curso de la revolución. La hegemonía del proletariado es necesaria para la toma del poder, para la conducción de la revolución popular y para la edificación del socialismo.
p. Solamente la extinción completa de las clases sociales y el aniquilamiento definitivo del imperialismo, pueden permitir, donde se cumplan, las demás condiciones morales y materiales, prescindir del partido y de la dictadura del proletariado. En este momento no existe en ningún país del mundo esas condiciones.
q. Los pueblos oprimidos de Asia, África y América Latina están en la vanguardia de combate contra el imperialismo. Entre ellos y el imperialismo no puede plantearse la coexistencia pacífica.

Anexo 4

Movimiento 19 de Abril (m-19), A los Patriotas

¿Qué es el m-19?

M-19 es el MOVIMIENTO 19 DE ABRIL. Ese día, abril 19 de 1970, el país entero presenció horrorizado el fraude más escandaloso y descarado de que se tenga memoria en todo el continente. Los personajes centrales del monstruoso robo político fueron: Carlos lleras Restrepo, Carlos Augusto Noriega y Misael Pastrana Borrero. El primero como ideólogo del fraude infame, el segundo como su vulgar ejecutor y el tercero como beneficiario directo de una presidencia espuria que colma de indignidad a la clase que Pastrana representa.

Pero la dolorosa experiencia nos dejó una gran lección, la de que las conquistas populares solo serán duraderas y definitivamente respetadas por las oligarquías en la medida en que esas conquistas estén respaldadas por el PODER DE LAS ARMAS en manos del pueblo mismo. Y con esto no estamos descubriendo nada nuevo, el ejemplo está a la vista. Nuestros enemigos, las oligarquías, tienen todo un ejército muy bien armado para defender sus bienes: sus haciendas, sus fábricas, sus bancos, sus edificios, sus mansiones, todo ello fruto de la más desvergonzada explotación de las masas populares.

El 19 de abril de 1970 nos demuestra dramáticamente que no basta con ganar si es que el pueblo no está en condiciones de hacer respetar su triunfo; y el 11 de septiembre de 1973, fecha sangrienta y luctuosa para la causa popular latinoamericana, vino a complementar nuestra experiencia. A los anapistas de Colombia simple y llanamente nos robaron las elecciones, a los compañeros chilenos de la Unidad Popular les entregaron el poder político para luego, cuando empezaron a construir una nueva sociedad, arrebatárselo a sangre y fuego. Esos dos hechos que no son creaciones imaginarias de nada, sino que han ocurrido a la luz de todo un continente, tienen necesariamente que hacer reflexionar a la militancia revolucionaria de América Latina. Porque insistir en las elecciones por las elecciones mismas, cerrando los ojos a tan costosas experiencias, nos parece un acto no solo de cretinismo político sino además de abierta traición a los anhelos revolucionarios del pueblo, pues con las elecciones a secas le estaríamos haciendo el juego a la oligarquía y al imperialismo norteamericano en su falaz empeño de mantener en lo posible las apariencias democráticas en nuestros países.

Por todo lo anterior, nosotros, ANAPISTAS DEL MOVIMIENTO 19 DE ABRIL, convocamos a toda la militancia del partido a que nos preparemos POLÍTICA Y MILITARMENTE para que con nuestra insustituible candidata, compañera MARÍA EUGENIA DE COLOMBIA, ganar las elecciones de 1974, para hacer respetar esa nueva victoria del pueblo contra las oligarquías liberales y conservadoras, para defender eficazmente el gobierno popular de la segura amenaza de otro baño de sangre al estilo chileno y no nos cojan desprevenidos e indefensos.

¿Quiénes son nuestros enemigos?

Como nuestro movimiento es fiel a una línea política eminentemente clasista, encuentra sus peores enemigos en el IMPERIALISMO NORTEAMERICANO que sojuzga a nuestros pueblos impidiéndoles su desarrollo económico y social; las OLIGARQUÍAS nacionales, serviles incondicionales del imperialismo, vendepatrias descaradas y explotadoras insaciables de los campesinos y de los obreros; en los altos MANDOS MILTARES, perseguidores de obreros, campesinos y estudiantes, guardianes de los intereses del imperialismo y de las oligarquías; el alto clero, obispos y arzobispos que se cuelgan a Cristo en el pecho y por debajo de la lujosa sotana se les ve la gruesa chequera, quienes habiendo hecho voto de pobreza llevan una vida de faraones modernos, quienes persiguen y descalifican a los generosos sacerdotes quienes se confunden con el pueblo y comparten sus esperanzas revolucionarias de una vida mejor aquí en la tierra; los dirigentes sindicales traidores y vendepliegos, larvas que se arrastran a los pies de los explotadores negociando sus sagrados derechos por infelices monedas. Finalmente, el M-19 encuentra también sus enemigos en ciertos sectores latifundistas y ultrarreaccionarios de nuestro propio partido que se han confundido en la ANAPO con una simple estrategia para seguir embaucando al pueblo.

¿Quiénes son nuestros compañeros, nuestros amigos y nuestros aliados?

Son las bases anapistas que militan en nuestro partido, porque lo consideran auténticamente revolucionario; son los obreros quienes por su lucha honesta, han recibido bala y cárcel de todos los gobiernos; recordemos la masacre de las bananeras en el departamento del Magdalena; la matanza de Santa Bárbara, en el departamento de Antioquia, la masacre de los azucareros en el Puente del Comercio, en el departamento del Valle del Cauca. Ahí están no más, como nuevos testimonios de la política SOCIAL del Frente Nacional, los encarcelamientos padecidos por los compañeros petroleros y los que están sufriendo aguerridos compañeros del sindicato Indupalma, en Norte de Santander; son los campesinos cuyas luchas arrancan del siglo pasado, sin embargo, ellos siguen como entonces. La sangre derramada por nuestros campesinos, las persecuciones de que han sido objeto, claman venganza contra sus verdugos de siempre: los latifundistas; son los estudiantes cuyas universidades se han convertido en verdaderos centros de concentración en virtud del inútil empeño de estos gobiernos oligárquicos y proimperialistas de imponer a la juventud colombiana, una enseñanza que consulte más a los intereses norteamericanos que a las necesidades de nuestro país; son ellos, los estudiantes, vigorosas vanguardias de un pueblo que ya despertó; son los sacerdotes humildes, los curas párrocos que no se movilizan en vehículos costosos, que no tienen asientos mullidos en sus salas ni gruesas alfombras en sus pisos y que viven en el corazón de los oprimidos, compartiendo sus angustias en pueblos abandonados y veredas paupérrimas; son los policías, soldados, suboficiales y oficiales nacionalistas que jamás reciben distinciones ni condecoraciones, que son tratados a las patadas, que son obligados a manchar sus manos con la sangre de sus hermanos; los obreros, los campesinos, los estudiantes; son los minifundistas y los pequeños campesinos para quienes el crédito, la educación y la salubridad son productos desconocidos; son los pequeños y medianos industriales, quienes padecen la creciente asfixia de la oligarquía industrial y de los monopolios extranjeros; son los artistas e intelectuales, quienes como nuestros indígenas de La Guajira, tienen que abandonar el país para no morirse de hambre o afrontar en él una vida llena de penurias y sinsabores. Nuestros amigos y compañeros son en fin, todos los partidos populares y movimientos revolucionarios que luchan en las ciudades y en los campos en contra del imperialismo y contra la oligarquía, son los liberales y conservadores que por siglos han sido engañados por la demagogia. Para todos ellos va este mensaje revolucionario a efecto de que aunemos fuerzas contra el enemigo común.

¿En quiénes se inspira nuestra lucha?

La batalla por la liberación de nuestros pueblos indios, negros y mestizos, tiene raíces tan profundas como autóctonas en todo el continente. Desde 1781 el oriente colombiano personifica y perpetúa su rebeldía en uno de sus hijos más auténticos, el insobornable caudillo comunero JOSÉ ANTONIO GALÁN. En otros países de América y por la misma época, surgen también aguerridos combatientes que se juegan la vida en defensa de su raza.

Más tarde, el mundo entero fija su mirada atónita en la acción intrépida del inmortal guerrillero de los Andes, SIMÓN BOLÍVAR, el hombre que con armas primitivas y ejércitos diezmados por el hambre y las enfermedades, puso en fuga a los poderosos ejércitos realistas. En el sur del continente irrumpe otro coloso de las guerras de independencia, JOSÉ DE SAN MARTÍN, libertador de Chile, Perú, Argentina.

El mismo imperialismo que combatieron Simón Bolívar y San Martín suscitó también la furia revolucionaria del ídolo americano JOSÉ MARTÍ, apóstol de Cuba y guía espiritual de las grandes hazañas que hoy realiza el hermano país del Caribe.

Simón Bolívar, José de San Martín, José Martí y otros buenos hijos de América, lucharon y obtuvieron la independencia política de nuestro continente. Siguiendo su ejemplo luminoso y ya en época reciente, otras generaciones de revolucionarios emprendieron la gloriosa misión de completar las guerras de independencia, dando la batalla por la liberación económica de nuestros pueblos contra el nuevo dominador, el imperialismo norteamericano.

Esta nueva etapa de liberación continental polarizan nuestros afectos y admiración, figuras tan apasionantes y respetables como ERNESTO CHE GUEVARA, como la del cura guerrillero CAMILO TORRES RESTREPO, como la del mártir de la nueva democracia popular americana, SALVADOR ALLENDE.

Sin desconocer la importancia histórica y el sentido profundo de las luchas, reveses y victorias libradas por revolucionarios de otros continentes, nosotros ANAPISTAS DEL MOVIMIENTO 19 DE ABRIL, tomamos y adaptamos a las exigencias de la hora actual, las banderas incorruptibles de los grandes de América, JOSÉ ANTONIO GALÁN, SIMÓN BOLÍVAR, JOSÉ DE SAN MARTÍN, ERNESTO CHE GUEVARA, CAMILO TORRES RESTREPO Y SALVADOR ALLENDE. Ellos y tantos otros que han inmolado sus preciosas vidas por la causa de la liberación de los oprimidos de América Latina, constituyen las raíces profundas y presentes que nos impulsan a luchar sin tregua contra los enemigos de la felicidad y la libertad de nuestros pueblos.

Compañero anapista: Contribuye a la difusión de este periódico. Que nadie sepa tu participación: envíalo por correo. Pinta en las paredes: M-19.

17 de enero de 1974

Anexo 5

Comando Quintín Lame, por la defensa de los derechos indígenas

¿Qué es el Comando Quintín Lame?

El Comando Quintín Lame es una fuerza organizada al servicio de las comunidades indígenas del Cauca, para apoyarla en sus luchas, defender sus derechos y combatir a sus enemigos.

¿Por qué surge?

El pueblo indígena a pesar de la heroica resistencia que por siglos ha ofrecido contra el invasor, sigue siendo perseguido y humillado. Cuando los indígenas hemos decidido organizarnos para recuperar nuestras tierras, defender nuestra cultura y exigir nuestros derechos, el enemigo ha respondido con brutal represión.

Entre el Ejército, la Policía y los pájaros, han matado a decenas de dirigentes, centenares han sido encarcelados, nuestras viviendas han sido quemadas, nuestros cultivos arrasados, nuestros animales muertos o robados. Cuando las comunidades decidieron no aguantar más, fueron formando sus propios grupos de autodefensa y de estos grupos se organizó el Comando Quintín Lame.

¿Por qué lucha?

Luchamos por los derechos humanos fundamentales de las comunidades indígenas, como son la tierra, la cultura, la organización. Igualmente por la dignidad de todos los indígenas.

Defendemos la autonomía del movimiento indígena, que no se debe subordinar a ninguna organización ajena. Las comunidades son para nosotros la máxima autoridad y a su servicio ponemos todas nuestras capacidades y esfuerzos.

Participamos también de las luchas de los demás explotados y oprimidos por derrotar la esclavitud capitalista y construir una patria más justa para todos. Las organizaciones populares, los grupos armados, son nuestros hermanos. Y hombro a hombro combatiremos con ellos para vencer a nuestros enemigos.

¿Quién fue Quintín Lame?

Quintín Lame fue un gran luchador indígena, que siguiendo los pasos de antepasados como la Gaitana y Juan Tama, se puso al frente de su pueblo contra sus enemigos.

Luchó contra el terraje, por la recuperación de los resguardos, por los cabildos indígenas, por la defensa de nuestra cultura.

Cuando se dio cuenta de que nada lograba con peticiones y memoriales, formó grupos armados que impusieron el respeto de explotadores y gamonales. Más de cien veces fue encarcelado por orden de los terratenientes del Cauca. Cuando nuestros enemigos los cercaron y le impidieron seguir con su labor en nuestro departamento, se fue para el Tolima donde continúo con su lucha al servicio de los indígenas.

Nos sentimos orgullosos de llevar el nombre de Quintín Lame y seguir el ejemplo que él nos dejó.

Nos declararon la guerra

La represión contra el movimiento indígena ha sido continua en los últimos años y nuestra lista de mártires crece día a día. Pero esta vez el enemigo decidió declararnos la guerra definitiva.

El 9 de noviembre fuerzas de la Policía y el Ejército arrasaron la recuperación de López Adentro, quemaron las viviendas de 150 familias indígenas y con máquinas destruyeron todos sus cultivos. Estas familias han quedado en la más completa miseria.

El 10 de diciembre fue asesinado el sacerdote indígena paez Álvaro Ulcué. El padre Ulcué había sido un defensor de su pueblo y un luchador incansable de la lucha indígena.

No nos dejaremos exterminar

El movimiento indígena no se va a entregar, ni a retroceder por esta ofensiva del enemigo.

El Comando Quintín Lame, compromete su honor en poner todas sus fuerzas al servicio de la resistencia de las comunidades indígenas y en hacer lo posible por derrotar al enemigo que nos está persiguiendo.

Los responsables del cruel desalojo de López Adentro pagarán tarde o temprano por su criminal acción.

Los señores cañeros del Valle no van a tener paz mientras no haya justicia para las familias indígenas de López Adentro.

Los autores intelectuales y materiales del asesinato del padre Ulcué recibirán el castigo de la justicia indígena.

Llamamos a todas las organizaciones populares del norte del Cauca a que luchemos contra el enemigo común.

Pedimos solidaridad combativa del pueblo organizado de todo el país.

¡López Adentro tierra indígena o tierra de nadie!

¡Vivan las luchas indígenas y todas las luchas del pueblo colombiano!

Cauca, diciembre de 1984

Anexo 6

Coordinadora Nacional Guerrillera, cng, Declaracion de Unidad

Ante un pueblo construyendo su futuro, las fuerzas políticas y militares del pueblo decimos: ¡PRESENTE!, para LA UNIDAD!, para EL COMBATE!, para LA ESPERANZA!

Este encuentro fecundo en sus resultados es desemboque de un país palpitante, que ha visto en el movimiento guerrillero una fuerza política y social con perspectivas de poder, con horizonte de nación y vocación de justicia.

Por eso aquí, ante millones de colombianos, ante la historial el PCC-ML y el EPL, el ELN, el PRT, PATRIA LIBRE, el M-19 y el FRENTE RICARDO FRANCO de las FARC-EP, hemos avanzado en actitud de sumar fuerzas para dejar atrás la dispersión y el aislamiento.

La patria no daba espera ante una crisis nacional profunda. La UNIDAD ha sido el anhelo de obreros, campesinos, sacerdotes y demás sectores populares y de cuantos entregaron su sangre fértil por la unidad, única vía por una Colombia soberana y justa.

Este paso le asegura a los desposeídos mayor firmeza y mejor decisión en sus luchas actuales.

Por todo esto, ante la ciega y sorda conducción del destino político, económico y social que viene realizando la oligarquía, nosotros continuaremos con mayor vigor al lado de todas las fuerzas sociales y políticas que luchan y necesitan un cambio en la sociedad actual.

Llamamos a la unidad democrática y revolucionaria, convocamos y nos comprometemos a que las discusiones y discrepancias del movimiento guerrillero sean tratadas con el respeto a la opinión ajena y aceptando la existencia de la diversidad de ideas y de organizaciones. Sin que esto sea impedimento a la confrontación de concepciones.

Nuestra profunda vocación democrática hoy tiene que ser templada para cohesionar la unidad, el respeto mutuo y el cese inmediato del canibalismo fratricida entre revolucionarios.

Nuestras diferencias actuales son pequeñas ante el deber inmenso de construir, apoyar e impulsar UN NUEVO BLOQUE HISTÓRICO para una REVOLUCIÓN VICTORIOSA.

Venimos de corrientes ideológicas diferentes, de posiciones políticas distintas, pero vamos hacia un país distinto que ve atónito cómo el gobierno actual quiere reducir el problema guerrillero a una cuestión de rendición, quiere hacer del cambio la promesa incumplida y de la paz ausencia de soluciones concretas a nuestro pueblo. Para nosotros las transformaciones son IMPOSTERGABLES, URGENTES y POSIBLES.

No nos sirven entonces, el cinismo burdo de un régimen que habla de paz mientras es pasivo ante la angustia popular, activo para entregar el país al capital financiero imperialista, activo en cambio para la militarización del país, activo para la violación de los acuerdos con las organizaciones firmantes y activo para estimular los grupos paramilitares hasta llegar al crimen que nos llena de indignación y coraje cometido contra el compañero Antonio Navarro Wolff.

Los revolucionarios, los luchadores populares, los hombres y mujeres de esta patria esperanzada, los sueños de liberación nacional y social, tiene hoy una nueva fuerza y una más clara decisión.

¡LA UNIDAD ES PARTE DE LA VICTORIA!

Por el Movimiento 19 de Abril, M-19: Álvaro Fayad
Por el Partido Comunista de Colombia ML y
el Ejército Popular de Liberación, EPL: Ernesto Rojas
Por el Frente Ricardo Franco FARC-EP: Javier Delgado
Por el Ejército de Liberación Nacional, ELN: Dirección Nacional
Por el Partido Revolucionario de los Trabajadores, PRT:
Valentín González
Por Patria Libre, PL: Comando Superior
Colombia, mayo 25 de 1985

Anexo 7

Coordinadora Guerrillera Simón Bolívar, cgsb, Conclusiones políticas de la cumbre guerrillera

La crisis estructural de la sociedad colombiana se ha agravado en el último año de tal manera que no tiene antecedentes ni en lo político, ni en lo institucional, ni en lo económico, ni en lo social. Colombia vive hoy una situación de hambre galopante, violencia y terror oficial nunca antes conocidos. La expresión más alta de esta crisis es el escalonamiento de la guerra sucia en los últimos meses, que ha desbordado los marcos del Estatuto de Seguridad, y que obedece al crecimiento del militarismo, del fascismo, y la guerra interna como aplicación en nuestro país de la doctrina imperialista de la Seguridad Nacional.

El gobierno se muestra cada día más incapaz de dar una salida a la crisis: sus planes de rehabilitación y erradicación de la pobreza absoluta son simplemente los planes de inversión de Estado bajo una óptica contrainsurgente, desbordados por los reclamos de la protesta popular; los espacios para la expresión de la inconformidad social antes que abrirse se cierra; al movimiento armado se le plantea su rendición o su aniquilamiento y las fuerzas armadas gubernamentales se han aliado con sectores de la mafia para organizar la guerra sucia.

El pueblo no se ha amilanado ante la crisis y el terrorismo de Estado: sus luchas continúan ascendiendo y unificándose, destacándose entre ellas los paros cívicos, las luchas de los trabajadores, como el proletariado agrícola de Urabá, el nuevo auge del movimiento campesino y el gran protagonismo del movimiento por la vida, que ha respondido con caudalosas manifestaciones frente a los asesinatos.

A fin de encubrir su incapacidad de darle salidas a la crisis y justificar nuevos impuestos para el armamentismo y la guerra contrainsurgente, el gobierno ha avivado el conflicto con Venezuela, el cual también le sirve a los intereses de la oligarquía de ese país y al Pentágono. Y, a nivel de Centroamérica, sus pueblos avanzan en la lucha mientras Reagan se empecina en continuar la guerra a pesar de los acuerdos de sus presidentes en Esquipulas II.

La Convergencia y las propuestas políticas al país

Ante el abismo al que se precipita al país, y como un reflejo de encontrar nuevas alternativas, han venido surgiendo desde muchos costados la idea de una convergencia nacional de todas las fuerzas populares, democráticas y revolucionarias. Y el mapa de Colombia se ha llenado de Convergencias: la de los movimientos sociales y gremiales; la de los movimientos políticos en la Mesa de Trabajo por la Convergencia Nacional y la que representa esta primera reunión de todos los movimientos guerrilleros del país.

Esta reunión apoya esa convergencia con el objetivo de convocar y aglutinar en un solo torrente las distintas expresiones de la lucha popular y democrática en torno a unas banderas de tipo democrático, planteamos como los espacios, o las banderas en torno a las cuales se debe desarrollar la convergencia y por los cuales debemos luchar, los siguientes:

1. La lucha por el derecho a la vida

Ante la violencia social, económica y política, y la guerra sucia que desangran a los colombianos, apoyamos y respaldamos todos los movimientos por la vida.

Como organizaciones guerrilleras, nos comprometemos a respetar el Derecho de Gentes, los acuerdos de Ginebra y a humanizar la confrontación bélica que hoy se da en el país y exigimos que el Gobierno y su Ejército también respeten las normas del Derecho Internacional Humanitario.

Rechazamos las prácticas de las torturas, las desapariciones, y nos comprometemos a dar un trato digno a los enemigos capturados en combate y a respetar la población civil y sus bienes en la contienda militar.

Rechazamos los asesinatos y las amenazas contra los miembros de la UP, los demás movimientos políticos y sociales y las personalidades democráticas cuyos responsables directos son los organismos de seguridad del Estado y sus aparatos paramilitares, y consideramos que para frenar esta matazón es necesario impulsar la más amplia movilización de las masas y castigar a los culpables.

Apoyamos y llamamos a aunar esfuerzos a los comités y colectivos por la vida, los comités de derechos humanos, de presos políticos y demás organismos afines.

A la reunión se han presentado estas otras propuestas para apuntalar y estimular la denuncia y la movilización en torno al derecho a la vida, las cuales nos comprometemos a continuar estudiando en una próxima reunión: la creación de una comisión diplomática en el exilio con los colombianos que han tenido que abandonar el país ante las amenazas contra su vida, la construcción de un tribunal internacional de garantías y la idea de una procuraduría o fiscalía popular.

2. El impulso a un movimiento de masas por la soberanía nacional

Nos comprometemos a luchar contra el saqueo de nuestros recursos naturales como el petróleo y el carbón, por su recuperación, y a impulsar un amplio movimiento de masas en torno a estas luchas y al problema de la deuda externa que hipoteca al país e impide su desarrollo.

3. La lucha por las libertades políticas

Por la disolución de los grupos paramilitares, el levantamiento del estado de sitio, el llamamiento a juicio y el castigo a los responsables y ejecutores de la guerra sucia; y contra el cercenamiento de las libertades políticas.

4. La lucha por una auténtica reforma agraria que entregue la tierra

Que entregue la tierra a los campesinos y resuelva sus problemas de crédito, mercadeo y asistencia técnica; por una reforma urbana que resuelva el problema de la vivienda popular y todas aquellas reformas y conquistas que socaven el régimen, apuntalen la lucha popular y mejoren la calidad de vida de los trabajadores.

Ahora bien, nuestras organizaciones comprenden que esta convergencia en torno a estas banderas, que hoy recoge el espíritu unitario de nuestro pueblo tiene necesariamente que proyectarse hacia una salida de fondo de la situación del país y tiene que lograr un instrumento organizativo común, y convertirse en una alternativa de poder. En esta perspectiva, han sido presentadas varias propuestas globales, de conjunto, en las cuales reconocemos elementos de identidad y nos comprometemos a continuar discutiendo, consultándolo y acercando hasta llegar a una propuesta única de todo el movimiento guerrillero.

Dichas propuestas son: la reunión bolivariana del pueblo, el pacto nacional por un gobierno de transición, el frente popular, el mandato nacional por un gobierno popular, democrático y revolucionario y la alternativa democrática nacional a la crisis.

Lo que queda de la tregua

El procesos de tregua y diálogo que el gobierno de Betancur pretendió convertir en un mecanismo para liquidar al movimiento armado, se ha ido agotando hasta llegar a la situación de hoy, en que el gobierno no solo se ha negado a cualquier diálogo, sino que ha planteado perentoriamente que el movimiento guerrillero tiene que desmovilizarse, reincorporarse a la vida civil y entregar las armas. Y, coherente con ello, se ha lanzado a agredir y tratar de destruir los distintos frentes guerrilleros, tanto de las organizaciones que no se encuentran en tregua como de las FARC-EP, que aún procuran un replanteamiento de esta.

Rechazamos el ultimátum del gobierno de Barco contra el movimiento guerrillero, denunciamos su actitud de cerrarle todas las puertas a la situación del país conduciéndole a una sin salida de la cual él es el único responsable. Ante esta situación, que conduce a la generalización de la guerra, nuestras organizaciones persisten en que la salida de este período se debe dar principalmente a la búsqueda de una solución política a cuyo desenvolvimiento han de contribuir las propuestas arriba citadas, puestas a la consideración del país, lo cual no implica que no nos estemos preparando para afrontar la generalización de la guerra.

La coyuntura de la elección popular de alcaldes

Llamamos a todo el pueblo colombiano a aprovechar este período de lucha política. El régimen pretende institucionalizar y mellar el filo de las luchas populares, pero los revolucionarios tenemos que salirle al paso ampliando, fortaleciendo y elevando a nuestros niveles la movilización social y política. Convocamos a mantener la confrontación al régimen en este período, a desenmascarar sus políticas de hambre y terror contra la población y a impulsar la autonomía popular expresada en programas de lucha, en la convergencia popular y democrática, en los cabildos y juntas populares.

Realizaremos una campaña unitaria con esta visión y nos comprometemos asimismo a respetar las distintas posiciones tácticas que cada una de las organizaciones asuman por separado en cuanto a la presentación o no de candidatos populares a las alcaldías.

El trabajo internacional

En el frente externo nos proponemos buscar el aislamiento político y diplomático internacional del régimen dominante y su actual gobierno trabajando por la condena en la Comisión de Derechos Humanos de las ONU y las demás instancias y foros internacionales y buscar asimismo nuestro reconocimiento internacional como fuerzas beligerantes.

De igual manera, bregaremos por conseguir solidaridad internacional para las luchas de nuestro pueblo y brindar asimismo nuestra solidaridad hacia los otros procesos democráticos y revolucionarios en curso principalmente en América Latina.

Nuestra unidad

Por último, sobre la base de estos acuerdos constituimos la Coordinadora Guerrillera Simón Bolívar como la expresión del nuevo proceso de unidad del movimiento armado que hoy iniciamos y para cuyo funcionamiento establecemos una comisión ejecutiva de trabajo.

Montañas de Colombia, septiembre de 1987

Bibliografía y otras fuentes

Libros

Acosta, Henry. *El hombre clave*, Bogotá, Aguilar, Penguin Random House Grupo Editorial, S.A.S., 2016.

Acosta, Pedro. *López Pumarejo, en marcha hacia su revolución,* Bogotá, Universidad de Bogotá Jorge Tadeo Lozano, 2004.

Afanador Ulloa, Miguel Ángel. *Amnistías e indultos: la historia reciente 1948-1992*, Bogotá, Escuela Superior de Administración Pública, ESAP, 1993.

Aguilera Peña, Mario. *Contrapoder y justicia guerrillera. Fragmentación política y orden insurgente en Colombia (1952-2003),* Bogotá, IEPRI, Debate, 2014.

Alape, Arturo. *La paz, la violencia: testigos de excepción*, Bogotá, Planeta, 1993.

___. *Tirofijo: los sueños y las montañas*, Bogotá, Planeta, 1994.

___. *Las vidas de Pedro Antonio Marín, Manuel Marulanda Vélez, Tirofijo,* Bogotá, Planeta, 1989.

___. *El Bogotazo. Memorias del olvido,* Bogotá, Ocean Sur, 2016.

___. *Diario de un guerrillero*, Bogotá, Ediciones Ajebón Mono, segunda edición, 1973.

___. *Manuel Marulanda Tirofijo, Colombia: 40 años de lucha guerrillera,* Navarra, Editorial Txalaparta S.L.L., 2014.

___. *Un día de septiembre. Testimonios del paro cívico 1977*, Bogotá, Ediciones Armadillo, 1980.

Alegría, Claribel y D.J. Flakoll. *Somoza: expediente cerrado. La historia de un ajusticiamiento*, 1ª edición, Managua, Editorial El Gato Negro, 1993.

Anderson, Jon Lee. *Che, una vida revolucionaria*, Buenos Aires, Emecé Editores, 1997.

Andrade Manrique, Felio. *Ricardo, Rolando está en camino (Liberación de Álvaro Gómez)*, Bogotá, Editorial Kelly, 1989.

Arango Z., Carlos. *Jacobo: guerrero y amante*, Bogotá, Alborada, 1991.

___. *FARC veinte años, de Marquetalia a La Uribe*, primera edición, Bogotá, Ediciones Aurora, 1984.

Arenas, Jacobo. *Diario de la resistencia de Marquetalia*, Bogotá, El Abejón Mono, 1973.

___. *Cese al fuego. Una historia política de las FARC*, Bogotá, Editorial La Abeja Negra, 1985.

___. *Correspondencia secreta del proceso de paz*, Bogotá, Editorial La Abeja Negra, 1989.

___. *Vicisitudes del proceso de paz*, Bogotá, Editorial La Abeja Negra, 1990.

___. *Paz, amigos y enemigos*, Bogotá, Editorial La Abeja Negra, 1990.

Arenas, Jaime. *La guerrilla por dentro*, Bogotá, Ediciones Tercer Mundo, Colección Tribuna Libre, 1971.

Arizmendi, Darío. *Gabo no contado*, Bogotá, Aguilar, 2014.

Ariza, Patricia, Peggy Kielland y Clara Romero. *Bateman*, Bogotá, Planeta, 1992.

Atehortúa Cruz, Adolfo León. Adiós a las armas, Bogotá, Ediciones Aurora, 2017.

De Currea Lugo, Víctor. Historia de un fracaso. Diálogos entre Gobierno-ELN (2014-2019), Bogotá, Icono Editorial SAS, 2019.

Ayala Diago, César Augusto. *Nacionalismo y populismo, ANAPO y el discurso político de la oposición colombiana: 1960-1966*, Bogotá, 1995.

___. *Resistencia y oposición al establecimiento del Frente Nacional. Los orígenes de la Alianza Nacional Popular (ANAPO), Colombia 1953-1964,* Santafé de Bogotá, Universidad Nacional, 1996.

Barbosa, Reinaldo. *Guadalupe y sus centauros. Memorias de la insurrección llanera*, Bogotá, Universidad Nacional de Colombia, Instituto de Estudios Políticos y Relaciones Internacionales, IEPRI, CEREC, 1992.

Bayo, Alberto. *Mi aporte a la revolución cubana*, La Habana, Imprenta Ejército Rebelde, 1960.

Beccassino, Ángel. *M-19: el* heavy metal *latinoamericano*, Bogotá, Fundación Editorial Santodomingo, 1989.

Behar, Olga. *Las guerras de la paz*, 11ª edición, Bogotá, Planeta Editorial, 1990.

Bejarano, Jesús Antonio. *Una agenda para la paz. Aproximación desde la teoría de la resolución de conflictos*, Bogotá, Tercer Mundo Editores, 1995.

Beltrán Villegas, Miguel Ángel. *Las FARC-EP (1950-2015): Luchas de ira y esperanza*, Bogotá, Ediciones Desde Abajo, 2015.

Bendaña, Alejandro. *Sandino: Patria y Libertad*, Managua, Ediciones Anamá, 2016.

Braun, Herbert. *Mataron a Gaitán. Vida pública y violencia urbana en Colombia*, Bogotá, Grupo Editorial Norma, 1998.

Broderick, Walter J. *Camilo, el cura guerrillero*, 5ª edición, Bogotá, Editorial El Labrador, 1987.

___. *Camilo y el ELN. Selección de escritos políticos del cura guerrillero*, Bogotá, Icono Editorial, 2015.

Bustos, Ciro. *El Che quiere verte*, Buenos Aires, Vergara, 2007.

Caballero, Lucas. *Memoria de la guerra de los Mil Días*, Bogotá, El Áncora Editores, 1980.

Cabrera, Olga. *El antiimperialismo en la historia de Cuba*, La Habana, Editorial de Ciencias Sociales, 1985.

Calloni, Stella. *Operación Cóndor, pacto criminal*, La Habana, Editorial de Ciencias Sociales, 2006.

Calvo, Fabiola. *EPL, una historia armada*, Madrid, Ediciones VOSA SL., 1987.

___. *EPL, diez hombres, un ejército, una historia*, Bogotá, ECOE, 1985.

Calvo Ospina, Hernando. *Colombia, laboratorio de embrujos. Democracia y terrorismo de Estado*, Madrid, Foca Ediciones y Distribuciones Generales, 2008.

Cardona Alzate, Jorge. *Días de memoria, del holocausto del Palacio de Justicia al falso sometimiento de Pablo Escobar*, Bogotá, Aguilar, 2009.

___. *Diario del conflicto, de Las Delicias a La Habana*, Bogotá, Random House Mondadori, 2013.

Cardona Hoyos, José. *Ruptura*, Cali, Ediciones Rumbo Popular, 1985.

Carrigan, Ana. *El Palacio de Justicia. Una tragedia colombiana,* Bogotá, Icono Editorial Ltda., 2009.

Casas, Ulises. *De la guerrilla liberal a la guerrilla comunista*, Bogotá, sin editor, 1987.

Castañeda, Jorge G. *La utopía desarmada*, México, Joaquín Mortiz, 1993.

___. *La vida en rojo. Una biografía del Che Guevara*, México, Alfaguara, 1997.

Castaño, Óscar. *El guerrillero y el político, Ricardo Lara Parada*, Bogotá, Oveja Negra, 1984.

Castro Caycedo, Germán. *El Karina*, Bogotá, Plaza y Janés, 1985.

___. *Del ELN al M-19. Once años de lucha guerrillera,* Bogotá, Carlos Valencia Editores, 1980.

___. *El Palacio sin máscara*, Bogotá, Planeta Colombiana Editorial S. A., 2008.

Castro Ruz, Fidel. *La paz en Colombia*, La Habana, Editorial Política, 2008.

Centro Nacional de Memoria Histórica. *¡Basta ya! Colombia, memorias de guerra y dignidad*, Bogotá, Informe general Grupo de Memoria histórica, 2013.

Cepeda Vargas, Manuel. *Yira Castro: mi bandera es la alegría*, Bogotá, Colombia Nueva, 1981.

Comisión de Estudios sobre la Violencia. *Colombia: violencia y democracia,* Bogotá, Universidad Nacional de Colombia, 1986.

Comisión de Superación de la Violencia. *Pacificar la paz*, Bogotá, IEPRI, Universidad Nacional de Colmbia, 1992.

Corporación Medios para la Paz. *Las trampas de la guerra*, Bogotá, 2001.

Corporación Observatorio para la Paz. *Las verdaderas intenciones del ELN*, Bogotá, Intermedio Editores, 2001.

___. *Las verdaderas intenciones de las FARC*, Bogotá, Intermedio Editores, 2000.

___. *Las verdaderas intenciones de los paramilitares*, Bogotá, Intermedio Editores, 2002.

Correa, Medardo. *Sueño inconcluso, mi vivencia en el ELN*, Bogotá, Fundación para la investigación y el desarrollo de la economía social, 1997.

Cuesta Novoa, José del Carmen. *Vergüenzas históricas*, Bogotá, Editorial Printer Latinoamericana Ltda., 2002.

Chaux Carriquiry, Inés. *La Búsqueda, testimonio de Leonor Esguerra*, Medellín, Pregón Ltda., 2011.

Chernick, Mark. *Acuerdo posible. Solución negociada al conflicto armado colombiano*, Bogotá, Ediciones Aurora, 2008.

Che Guevara, Ernesto. *Diario de un combatiente Sierra Maestra - Santa Clara 1956-1958*, México, Ocean Sur, Centro de Estudios Che Guevara, 2011.

___. *Pasajes de la guerra revolucionaria*, La Habana, Editorial de Ciencias Sociales, 1985.

De Currea-Lugo, Víctor (editor). *¿Por qué negociar con el ELN?*, Bogotá, Editorial Pontificia Universidad Javeriana, 2014.

Díaz-Callejas, Apolinar. *Reagan contra América Latina*, Moscú, Editorial de la Agencia de Prensa Novosti, 1987.

___. *Diez días de poder popular. Historia de la rebeldía de las masas en Colombia*, Bogotá, Fescol, El Labrador, 1989.

___. *Colombia Estados Unidos. Entre la autonomía y la subordinación. De la independencia de Panamá*, Bogotá, Planeta Colombiana Editorial S. A., 1997.

___. *El lema* Respice Polum *y la subordinación de las relaciones con Estados Unidos*. Bogotá, Academia Colombiana de Historia XLII, 1996.

___ y Roberto González Arana, *Colombia y Cuba: del distanciamiento a la cooperación*, Barranquilla, Ediciones Uninorte, 1998.

Dieterich Heinz, Paco Ignacio Taibo II y Pedro Álvarez Tabío. *Diarios de guerra de Raúl Castro y Che Guevara*, Madrid, La Fábrica Editorial, 2006.

Dumois Conchita y Gabriel Molina. *Jorge Ricardo Masetti, El comandante Segundo*, La Habana, Editorial Capitán San Luis, 2012.

Duzán, María Jimena. *Santos. Paradojas de la paz y del poder*, Bogotá, Penguin Random House Grupo Editorial S.A.S., 2018.

ELN. Dirección del Frente de Guerra Central, *ELN 47 años de historia*, 2011.

Esguerra Villamizar, Lola Viviana. *Cronología del desencuentro (1996-2012), tres lustros del acuerdo humanitario*, Bogotá, Alcaldía Mayor de Bogotá D.C., Centro de Memoria, Paz y Reconciliación, 2014.

Espinosa, Myriam Amparo. *Surgimiento y andar territorial del Quintín Lame*, Popayán, Corporación Ambiental Madre Monte, Editorial Abya-Yala, 1996.

Fajardo, José. *Soy el Comandante 1*, Bogotá, Oveja Negra, 1980.

Fajardo Luis Alfonso, Carlos Gamboa Martínez y Orlando Villanueva Martínez. *Manuel Quintín Lame y los guerreros de Juan Tama (Multiculturalismo, magia y resistencia)*, Bogotá, Nossa y Jara Editores, 1999.

FARC-EP. *50 años en fotos FARC-EP, la resistencia de un pueblo*, La Habana, Ocean Sur, 2015.

FARC-EP, Comisión Internacional. *Esbozo histórico de las FARC-EP*, edición corregida, 2005.

FARC-EP, Comisión Temática, Carlos Lozano Guillén. *FARC el país que proponemos construir*, Bogotá, Editorial Oveja Negra, 2001.

FARC-EP. *Manuel Marulanda Vélez, el héroe insurgente de la Colombia de Bolívar*, Bogotá, s/f.

FARC-EP. *Marquetalia: raíces de la resistencia*, relato de Jesús Santrich, Bogotá, marzo de 2011.

Fattal, Alexander L. *Guerrilla Marketing: contrainsurgencia y capitalismo en Colombia*, Bogotá, Editorial Universidad del Rosario, 2019.

Ferro Medina, Juan Guillermo y Graciela Uribe Ramón. *El orden de la guerra. Las FARC-EP: entre la organización y la política*, Bogotá, Centro Editorial Javeriano, CEJA, 2002.

Fisas, Vicenç. *Anuario de procesos de paz 2016*, Barcelona, Escuela de Cultura de Paz, Universidad Autónoma de Barcelona, Icaria Editorial, 2016.

____. *La conspiración catalana para la paz en Colombia*, Barcelona, Icaria editorial s.a., 2017.

____. *Diplomacias de paz*, Barcelona, Icaria Editorial S. A. 2015.

Flores Castillo, Marco. *Memorial de una ilusión*, Quito, Casa de la Cultura Ecuatoriana Benjamín Carrión, 1997.

Franco Isaza, Eduardo. *Las guerrillas del Llano. Testimonio de una lucha de cuatro años por la libertad*, Bogotá, Ediciones Hombre Nuevo, 1976.

Gallón Giraldo, Gustavo. *Quince años de estado de sitio en Colombia: 1958-1978*, Bogotá, Editorial América Latina, 1979.

___. *Entre movimientos y caudillos*, Bogotá, CINEP - CEREC, 1989.

Grabe, Vera. *Razones de vida,* Bogotá, Planeta, 2000.

Gilhodes, Pierre. *Las luchas agrarias en Colombia*, Medellín, La Carreta, 1976.

Gómez, Germán y Claudia Julieta Duque. *Mártires del rumor, el caso Gloria Lara,* Bogotá, Fundación Progresar, Fondo Editorial para la Paz, 1994.

Gómez, Marisol. *La historia secreta del proceso de paz*, Bogotá, Intermedio Editores S.A.S., 2016.

González Calleja, Eduardo. *El laboratorio del miedo una historia general del terrorismo*, Barcelona, Crítica S.L., 2013.

González González, Fernán E. *Poder y violencia en Colombia*, Bogotá, Odecofi-Cinep, Colección Territorio, Poder y Conflicto, 2014.

Guaraca, Jaime. *Así nacieron las FARC, Memorias de un comandante marquetaliano*, Bogotá, Ocean Sur, 2015.

Guzmán Campos, Germán. *El padre Camilo Torres*, Bogotá, Siglo XXI Editores, 9ª. edición, 1989.

Guzmán, Germán, Orlando Fals Borda y Eduardo Umaña Luna. *La Violencia en Colombia. Estudio de un proceso social*, tomo I, Monografías Sociológicas, Bogotá, Facultad de Sociología, Universidad Nacional, 1962.

Guzmán, Germán, Orlando Fals Borda y Eduardo Umaña Luna. *La Violencia en Colombia. Estudio de un proceso social*, tomo II, Bogotá, Ediciones Tercer Mundo, 1964.

Hartlyn, Jonathan. *La política del régimen de coalición*, Bogotá, Tercer Mundo Editores, Ediciones Uniandes, CEI, 1988.

Henderson, James D. *La modernización en Colombia. Los años de Laureano Gómez, 1889-1965*, Medellín, Universidad Nacional de Colombia, sede Medellín, 2006.

Hernández, Milton. *Rojo y negro: una aproximación a la historia del ELN*, Bogotá, Ejército de Liberación Nacional, 1998.

___. *La unidad revolucionaria utopía y realidad. Aproximación a la historia de la Coordinadora Guerrillera Simón Bolívar*, Bogotá, Ediciones Colombia Viva, 1993.

___. *Si las montañas callaran. Manuel Pérez, un hombre universal*, s/f.

Hobsbawm, Eric. *Historia del siglo XX*, Barcelona, Crítica Grijalbo Mondadori S. A., 1995.

Irusta Medrano, Gerardo. *La lucha armada en Bolivia*, La Paz, Editorial Calama, 1988.

Jaramillo Castillo, Carlos Eduardo. *Los guerrilleros del novecientos*, Bogotá, CEREC, 1991.

Jaramillo Panesso, Jaime y José Yamel Riaño. *La espada de Bolívar: el M-19 narrado*, Medellín, Instituto Técnico Metropolitano, Deliberare, 2006.

Jimeno, Ramón. *¡Tenga...! Ésta es Colombia* (entrevista a Jaime Bateman), Lima, Producciones H.L., 1984.

Lara, Patricia. *Siembra vientos y recogerás tempestades*, Bogotá, Planeta Colombiana Editorial S. A., 1986.

Londoño Botero, Rocío. *Juan de la Cruz Varela. Sociedad y política en la región de Sumapaz (1902-1984)*, Bogotá, Universidad Nacional de Colombia, Facultad de Ciencias Humanas, Departamento de Historia, 2014.

López Vigil, María. *Camilo camina en Colombia*, Bogotá, Ediciones Edward, 1989.

M-19. *Bateman está vivo*, Bogotá, El Libertario, 1985.

M-19, *Corinto*, Bogotá, Ediciones Macondo, 1985.

García Márquez, Gabriel. *Cien años de soledad*, Bogotá, Grupo Editorial Norma, 1996.

Marulanda V., Manuel. *Cuadernos de campaña,* Bogotá, Ediciones Abejón Mono, 1973.

Matta Aldana, Luis Alberto. *Colombia y las FARC-EP. Origen de la lucha guerrillera. Testimonio del comandante Jaime Guaraca*, Navarra, Editorial Txalaparta S.L., 1999.

Medina Gallego, Carlos. *FARC-EP; temas y problemas nacionales 1958-2008*, Bogotá, Universidad Nacional de Colombia, 2008.

___. *Ejército de Liberación Nacional. Notas para una historia de las ideas políticas, ELN 1958-2007*, versión PDF.

___. *ELN una historia de los orígenes*, Primer volumen, Bogotá, Rodríguez Quito Editores, 2001.

___. *ELN: una historia contada a dos voces, entrevista con 'el cura' Manuel Pérez y Nicolás Rodríguez Bautista, 'Gabino'*, Bogotá, Rodríguez Quito Editores, 1996.

___. *FARC-EP y ELN, Una historia política comparada (1958-2006)*, Bogotá, Universidad Nacional de Colombia, Facultad de Ciencias Humanas, Departamento de Historia, 2008.

___. *Conflicto armado y procesos de paz en Colombia. Memoria casos FARC-EP y ELN*, Bogotá, Universidad Nacional de Colombia, 2009.

Medina, Medófilo y Efraín Sánchez (editores). *Tiempos de paz. Acuerdos en Colombia, 1902-1994*, Bogotá, Alcaldía Mayor de Bogotá, Instituto Distrital de Cultura y Turismo, 2003.

Meléndez Sánchez, Jorge. *...y ahí cayó Camilo*, Bogotá, Editorial El Búho, 1996.

Meschkat, Klaus y José María Rojas (compiladores). *Liquidando el pasado. La izquierda colombiana en los archivos de la Unión Soviética*, Bogotá, FESCOL, Taurus, 2009.

Ministerio del Interior. *De las armas a la democracia*, tomo II, Bogotá, Instituto Luis Carlos Galán para el Desarrollo de la Democracia, 2000.

Molano, Alfredo. *Trochas y fusiles*, Bogotá, Universidad Nacional, Instituto de Estudios Políticos y Relaciones Internacionales, IEPRI, El Áncora Editores, 1994.

___. *A lomo de mula, Viajes al corazón de las FARC*, Bogotá, Aguilar, 2016.

Montoya Candamil, Jaime. *En pie de guerra*, Bogotá, Plaza & Janés Editores Colombia Ltda., 1985.

Movimiento Armado Quintín Lame. *Historia del Movimiento Armado Quintín Lame*, borrador elaborado por Jesús Elvio Peña y Pablo Tattay, s.f.

Noriega, Carlos Augusto. *Fraude en la elección de Pastrana Borrero*, Bogotá, La Oveja Negra, 1998.

Nickson, Andrew. *Las guerrillas del Alto Paraná, El lector* N° 16, Colección Guerras y Violencia Política en el Paraguay, Asunción, 2013.

Observatorio para la paz. *Las verdaderas intenciones de las FARC*, Bogotá, Intermedio Editores, 2000.

Oikión Solano, Verónica, Eduardo Rey Tristán y Marín López Ávalos (editores). *El estudio de las luchas revolucionarias en América Latina (1959-1996). Estado de la cuestión*, Santiago de Compostela, El Colegio de Michoacán, Universidad de Santiago de Compostela, 2014.

Organización Nacional Indígena de Colombia, ONIC. *Quintín Lame, los pensamientos del indio que se educó en las selvas colombianas*, Bogotá, s/f.

Orozco Abad, Iván. *Combatientes, rebeldes y terroristas. Guerra y derecho en Colombia*, Bogotá, Editorial Temis S.A., 1992.

Ospina R., William. *¿Qué es el Frente Unido del Pueblo?*, Bogotá, Ediciones 7 de Enero, s/f.

Pabón, Rosemberg. *Así nos tomamos la embajada*, Bogotá, Planeta, 1985.

Pardo Rueda, Rafael. *Entre dos poderes. De cómo la Guerra Fría moldeó América Latina.* tomo 1, Bogotá, Distribuidora y Editora Aguilar, Altea, Taurus, Alfaguara, S. A., 2014.

___. *De primera mano. Colombia 1986-1994. Entre conflictos y esperanzas*, Bogotá, Editorial Norma-CEREC, 1994.

___. *Historia de las guerras*, Bogotá, Ediciones B Colombia S. A. Primera edición, 2004.

Partido Comunista. *Treinta años de lucha del Partido Comunista de Colombia*, 2ª edición, Medellín, La Pulga, 1960.

Pastrana Arango, Andrés. *La palabra bajo fuego*, Bogotá, Editorial Planeta Colombiana, S. A., 2005.

Patiño, Otty. *Historia (privada) de la violencia*, Bogotá, Penguin Random House Grupo Editorial, S.A.S., 2017.

Pécaut, Daniel. *Orden y violencia. Evolución socio-política de Colombia entre 1930 y 1953*, Bogotá, Editorial Norma, 2001.

Peñaranda Supelano, Daniel Ricardo. *Guerra propia, guerra ajena. Conflictos armados y reconstrucción identitaria en los Andes colombianos. El Movimiento Armado Quintín Lame*, Bogotá, CNMH-IEPRI, 2015.

___. *El Movimiento Armado Quintín Lame (MAQL): una guerra dentro de otra guerra*, Bogotá, Corporación Nuevo Arco Iris, 2010.

Pérez Ramírez, Gustavo. *Camilo Torres Restrepo: profeta para nuestro tiempo*, Bogotá, CINEP, 1999.

Piedrahíta Cardona, Jaime. *Colombia, una revolución siempre aplazada*, Medellín, Hombre Nuevo Editores, 2011.

Pinilla Pinilla, Nilson, José Roberto Herrera Vergara, Jorge Aníbal Gómez Gallego, *Informe final*, Comisión de la Verdad sobre los hechos del Palacio de Justicia, Bogotá, Editorial Universidad del Rosario, Colección Textos de Jurisprudencia, 2010.

Pizarro Leongómez, Carlos. *De su puño y letra*, Bogotá, Penguin Random House Grupo Editorial, Debate, 2015.

Pizarro Leongómez, Eduardo. *Las FARC 1949-1966. De la autodefensa a la combinación de todas las formas de lucha*, Bogotá, Tercer Mundo, 1991.

Pizarro Leongómez, Juan Antonio. *Carlos Pizarro*, Bogotá, Círculo de Lectores, 1991.

___. *Cambiar el futuro. Historia de los procesos de paz en Colombia (1981_2016)*, Bogotá, Penguin Random House Grupo Editorial, S.A.S., 2017.

___. *De la guerra a la paz. Las Fuerzas Militares entre 1996 y 2018*, Bogotá, Editorial Planeta Colombiana S.A., 2018.

Polay Campos, Víctor. *En el banquillo ¿Terrorista o rebelde?*, Lima, Canta Editores, colección Tamaru, 2007.

Pozzi, Pablo y Claudio Pérez (editores). *Por el camino del Che. Las guerrillas latinoamericanas 1959-1990*, Buenos Aires, Ediciones Imago Mundi, Buenos Aires, 2011.

Presidencia de la República de Colombia. *Tránsito a la paz.* Informe del presidente de la República Belisario Betancur al Congreso Extraordinario, Bogotá, Imprenta de la Presidencia, 1985.

___. *Plan Nacional de Rehabilitación: Historia Oficial 1982-1994*, Bogotá, Imprenta Nacional de Colombia, 1995.

___. *El proceso de paz en Colombia 1982-1994. Compilación de documentos*, tomo I, Bogotá, Biblioteca de la Paz, Oficina del Alto Comisionado para la Paz, 1998.

___. *Paz integral y diálogo útil*, documentos del Gobierno Nacional, Oficina del Alto Comisionado para la Paz, tomos I al IV, Bogotá, 1996.

___. *El camino de la paz*, volumen II, Bogotá, Imprenta Nacional, 1989.

___. *Hechos de paz. Procesos de paz que adelanta el Gobierno Nacional con el ELN*, Bogotá, Oficina del Alto Comisionado para la Paz, Volumen I, s. f.

Ramírez, Socorro y Luis Alberto Restrepo. *Actores en conflicto por la paz*, Bogotá, Siglo XXI Editores de Colombia-CINEP, 1988.

Ramírez Toro, Everardo. *Camilo su vida su proyección política*, Bogotá, Pregrafic Ltda., 2ª edición, 1984.

Ramonet, Ignacio. *Fidel Castro, biografía a dos voces,* Bogotá, Random House Mondadori, Debate, 2006.

Rampf, David, David Castillo y Marcela Llano. *La historia no contada del Partido Revolucionario de los Trabajadores. Un análisis de la transición del PRT de un partido clandestino a un actor de la política legal*, CINEP, Programa por la paz, Bogotá, Berghof Foundation, 2014.

Ramsey, Russell W. *Guerrilleros y soldados,* Bogotá, Ediciones Tercer Mundo, 1981.

Rangel, Alfredo, Yezid Arteta, Carlos Lozano y Medófilo Medina. *Qué, cómo y cuándo negociar con las FARC*, Bogotá, Intermedio Editores Ltda., 2008.

Restrepo, Andrés y Marly Contreras. *Flor de Abril, La Corriente de Renovación Socialista: de las armas a la lucha política legal*, Bogotá, Corporación Nuevo Arco Iris, 2000.

Restrepo, Javier Darío. *La revolución de las sotanas*, Bogotá, Planeta Colombiana Editorial S. A., 1995.

Restrepo, Laura, *Historia de una traición*, Bogotá, Plaza & Janés Editores Colombia Ltda., 1986.

Ríos Muñoz, José Noé. *Liberación en el Caguán*, Bogotá, Planeta Colombiana Editorial S. A., 1998.

Rizo Otero, Harold José. *Evolución del conflicto armado en Colombia e Iberoamérica*, tomo I, Cali, Universidad Autónoma de Occidente, Dirección de Investigaciones y Desarrollo Tecnológico, 2013.

Rodríguez, Antonio. *Memoria de las espadas. Alfaro Vive Carajo, los argumentos de la historia,* Quito, Ediciones Abya-Yala, IAEN, 2014.

Rodríguez Ostria, Gustavo. *Sin tiempo para las palabras. Teoponte, la otra guerrilla guevarista en Bolivia*, Cochabamba, Grupo Editorial Kipus, 2015.

Romero Ospina, Roberto. *Unión Patriótica, expedientes contra el olvido*, Bogotá, Centro de Memoria, Paz y Reconciliación, Alcaldía Mayor de Bogotá D.C., 2011.

Ruiz Montealegre, Manuel. *Sueños y realidades. Procesos de organización estudiantil 1954-1966*, Bogotá, Universidad Nacional de Colombia, 2002.

Sánchez Gonzalo, Mario Aguilera (editores). *Memoria de un país en guerra. Los Mil Días (1899-1902)*, Bogotá, Editorial Planeta de Colombia S. A., 2001.

___. *Ensayos de historia social y política del siglo XX*, Bogotá, El Áncora Editores, 1985.

___. (Editor) *Grandes potencias, el 9 de Abril y la violencia*, Bogotá, Planeta Colombiana Editorial S. A., 2000.

___. *Las ligas campesinas en Colombia*, Bogotá, Tiempo Presente, 1977.

___ y Donny Meertens. *Bandoleros, gamonales y campesinos, el caso de la violencia en Colombia*, Bogotá, El Áncora Editores, 1983.

Santos Calderón, Enrique. *La guerra por la paz*, Bogotá, CEREC, 1985.

___. *Así empezó todo, El primer cara a cara secreto entre el Gobierno y las FARC en La Habana*, Bogotá, Intermedio Editores, 2014.

___. *El país que me tocó (Memorias)*, Bogotá, Penguin Random House Grupo Editorial, S.A.S., 2018.

Serpa Erazo, Jorge. *Rojas Pinilla, una historia del siglo XX*, Bogotá, Planeta Colombiana Editorial S. A., 1999.

Suárez, Luis y Dirk Kruijt. *La revolución cubana en nuestra América: el internacionalismo anónimo*, La Habana, Ruth Casa Editorial, 2014.

Taibo II, Paco Ignacio. *Ernesto Guevara, también conocido como el Che*, Bogotá, Editorial Planeta Colombiana S. A., 2014.

Tattay, Pablo y Jesús Elvio Peña. *Movimiento Quintín Lame, una historia desde sus protagonistas*, Popayán, Fundación Sol y Tierra, 2013.

Taber, Robert. *La guerra de la pulga*, México, Biblioteca Era Testimonio, 1967.

Téllez, Astrid Mireya. *Las Milicias Populares, otra expresión de la violencia social en Colombia*, Bogotá, Rodríguez Quito Editores, 1995.

Téllez, Pedro Claver. *Punto de quiebre. El asesinato que marcó el comienzo de las FARC*, Bogotá, Intermedio Editores Ltda., 2013.

Tse Tung, Mao. *Viva la gran unidad del pueblo chino*, Obras escogidas de Mao Tse Tung, Ediciones en Lenguas Extranjeras, Pekín, primera edición, 1977.

___. *Mi Vida*, entrevista del periodista Edgar Snow, Buenos Aires, Editorial Quetzal, 1973.

Tobón, Marco. *Baigorri. Un vasco en la guerrilla colombiana*, Tafalla (Navarra), Editorial Txalaparta S.L.L., 2017.

Toledo Plata, Carlos. "Prólogo" en *El camino del triunfo: Jaime Bateman*. Informe de Jaime Bateman en la VIII Conferencia Nacional del M-19, Bogotá, 1982.

Torres, Arturo. *El juego del camaleón, los secretos de Angosturas*, Quito, Eskeletra Editorial, 2009.

Torres, Felipe. *La palabra sin rejas, Un diálogo con Jaime Jaramillo Panesso*, Medellín, Instituto Tecnológico Metropolitano, 2008.

Torres Giraldo, Ignacio. *Los inconformes. Historia de la rebeldía de las masas en Colombia*, tomos 1 a 5, Bogotá, Editorial Latina, 1978.

___. *Cincuenta meses en Moscú*, Cali, Universidad del Valle, 2005.

Torres, Mauricio (Antonio Pinzón). *Democracia burguesa o democracia revolucionaria*, Medellín, Editorial 8 de Junio, Editorial La Pulga, 1973.

Trujillo, Ciro. *Ciro, Páginas de su vida*, Bogotá, Ediciones Abejón Mono, 1974.

Ugarriza, Juan Esteban y Nathalie Pabón Ayala. *Militares y Guerrillas. La memoria histórica del conflicto armado en Colombia desde los archivos militares 1958-2016*, Bogotá, Editorial Universidad del Rosario, 2017.

Uribe Alarcón, María Victoria. *Salvo el poder todo es ilusión*, Bogotá, Pontificia Universidad Javeriana, Instituto Pensar, 2007.

Valencia, León, Fernando Hernández y otros. *El regreso de los rebeldes. De la furia de las armas a los pactos, la crítica y la esperanza*, Bogotá, Corporación Nuevo Arco Iris, CEREC, 2005.

Valencia Tovar, Álvaro. *Testimonio de una época*, Bogotá, Planeta Colombiana Editorial S. A., 1995.

___. *El final de Camilo*, Bogotá, Ediciones Tercer Mundo, Colección Andina, 1976.

Varela Mora, Laura María y Deyanira Duque Ortiz. *Juan de la Cruz Varela, entre la memoria y la historia*, Bogotá, Universidad Antonio Nariño, Fondo Editorial, 2010.

Vargas Velásquez, Alejo. *Política y armas al inicio del Frente Nacional*, Bogotá, Universidad Nacional de Colombia, Facultad de Derecho, Ciencias Políticas y Sociales, 1995.

Varios. *Los fundamentos del revisionismo*, Medellín, Ediciones Proletarias, Editorial Lealon, 1973.

Vásquez, María Eugenia. *My Life as a Colombian Revolutionary. Reflections of a Former Guerrillera*, Temple University Press, 2005.

Varios, Comisión Histórica del Conflicto y sus Víctimas. *Contribución al entendimiento del conflicto armado en Colombia*, Bogotá, 2015.

Vélez de Piedrahíta, Rocío. *El diálogo y la paz. Mi perspectiva,* Bogotá, Tercer Mundo Editores, 1988.

Vieira, Gilberto. *Combinación de todas las formas de lucha*, entrevista por Marta Harnecker, Bogotá, Ediciones Suramérica, s. f.

Villamizar Herrera, Darío. *Un adiós a la guerra*, Bogotá, Planeta Colombiana Editorial S. A., 1997.

___. *Jaime Bateman. Biografía de un revolucionario,* Bogotá, 3ª edición, Rocca Editores, 2015.

___. (compilador). *Jaime Bateman: profeta de la paz*, Bogotá, Compañía Nacional Para la Paz, 1995.

___. *Aquel 19 será*, 2ª edición, Bogotá, Planeta Colombiana Editorial S. A., 1996.

___. *Sueños de abril*, 2ª edición, Bogotá, Planeta Colombiana Editorial S. A., 1998.

Villanueva Martínez, Orlando. *Guadalupe Salcedo y la insurrección llanera, 1949-1957*, Bogotá, Universidad Nacional de Colombia, Facultad de Ciencias Humanas, Departamento de Historia, 2012.

Villarraga, S., Álvaro Plazas y Nelson Plazas N. *Para reconstruir los sueños (una historia del EPL)*, Bogotá, Fundación Progresar - Fundación Cultura Democrática, 1994.

Villegas Jorge, José Yunis. *La Guerra de los Mil Días*, Bogotá, Carlos Valencia Editores, 1979.

Documentos desclasificados

Amembassy Bogotá, Document 1979BOGOTA01410, Subject: *Human Rights: Estimate of the Present Situation in Colombia,* 6 February 1979.

Amembassy Bogotá, Document BOGOTA 03006, Subject: *Bogotá Terrorist Incident: Assessment After three Weeks*, 18 March 1980.

Amembassy Bogotá, Document BOGOTA 03592, Subject: *Sensitive but Unclassified Colombia: AMCIT Kidnap Case Since 1980*, 1 April 1998.

Amembassy Bogotá, Document Bogota 13897, Subject: *The Palace of Justice Attack - Losses and Gains*, 9 November 1985.

Amembassy Bogotá, *Relationship between the FARC and Narcotics Traffickers*, Number Document: BOGOTA03144, To: SECSTATE WASDC, 19 March 1984.

Amembassy Bogotá, Subject: *Plan Colombia Implementation Round-up, April, 2005.*

Amembassy Bogotá, *Tirofijo' a No-Show at Opening of Colombia Peace Talks*, Confidential Document number: 1999BOGOTA00179, 07 January 1999.

Amembassy Bogotá, *Uribe is Showing Results*, Subject: Andean Security Conference Colombia Scenesetter, 9 November 2004.

Betancur Approves a Cease-fire Agreement with the FARC, 1994BOGOTA 03788, 2 April 1984.

Central Intelligence Agency, CIA, Directorate of Intelligence, Weekly Summary, *Colombia: New Guerrilla Activity*, 2 February 1973.

Central Intelligence Agency, CIA, Office of Current Intelligence, Violence in Colombia, *Weekly Summary*, 7 February 1964

Central Intelligence Agency, CIA, Office of Current Intelligence, *Weekly Summary*, 6 August 1965.

Central Intelligence Agency, CIA, Office of Current Intelligence, *Weekly Summary*, 25 September 1964. OCI N° 0350/64.

Central Intelligence Agency, CIA, *Preparations of the Communist Party of Colombia — Marxist/Leninist for Guerrilla Activities in the Coastal Provinces of Colombia*, 11 April 1965.

Central Intelligence Agency, CIA. Directorate of Intelligence, *Colombia: Growing Insurgent Cooperation*, Terrorism Review, 8 September 1988.

Central Intelligence Agency, CIA. Memorandum for: Director of Central Intelligence, Subect: Insurgent Threat in Colombia, https://www.cia.gov/library/readingroom/docs/CIA-RDP-87M00539R001602500002-3.pdf

Central Intelligence Agency, CIA. *The Current Situation in Colombia*, Weekly contributions, D/LA, 22-50. CIA Working Paper. Situation Memorandum 32-50. 31 May 1950.

Confidential, *Communist 'Enclaves' in Colombia*, 18 May 1959.

Defense Intelligence Agency, DIA. Intelligence Appraisal, *Colombia: The Army an Amnesty*, 29 December 1982. Department of Defense Publication.

Department of Defense, Defense Intelligence Assessment, *Colombia's Insurgency: Military Implications from Las Delicias to Mitú*, p. 6. Information Cutoff Date: 21 January 1999. (Original en inglés), en Defense Intelligence Agency, DIA, http://dia.mi/FOIA/FOIA-Electronic-Reading-Room/FOIA-Reading-Room-Colombia

Department of State, Airgram, *Monthly Report* - Public Security Division February, sent March 18, 1966.

Department of State, *Communism in Latin America*, Secret Annex A (Prepared by the Office of Intelligencie Research, Department of State, and attached for background information), April 18, 1956.

Department of State, *Communist Involvement in the Colombian Riots of April 9, 1948*, 14 October 1948.

Department of State, Confidential Aerogram, Subject: Administrative Department of Security, *The Role of the Alliance for Progress in New DAS*. 3 May 1963.

Department of State, Information Memorandum, Colombia: *Demilitarized Zone DMZ Update,* 8 January 2002.

Department of State, *Monthly Report* - Public Security Division, January, sent March 4, 1965.

Department of State, *Monthly Report* - Public Security Division, March, sent April 27, 1965.

Department of State, *Monthly Report* - Public Security Division, September, sent November 4, 1966.

Department of State, Phillip Chicola. *Memorandum of Conversartion between USG Representatives and Representatives of the Revolutionary Armed Forces of Colombia (FARC).*

Document Number 1977BOGOTA8859, *Political/Economic Summaries*: This Week in Colombia, 15 September 1977.

Secret, Security Information. *Plan of the Governments of Colombia and the United Stated of America for their Common Defense*, 1952.

Recursos audiovisuales

Briceño Orduz, Diego (director). *El rastro de Camilo*, documental de Señal Colombia, Laberinto Producciones y Les Films Grain de Sable, 2016. http://www.senalcolombia.tv/programas/el-rastro-de-camilo

Campos Zornosa, Yezid. *El Baile Rojo. Memoria de los silenciados.*

Ejército de Liberación Nacional, ELN, *Homenaje en el 50 aniversario de la partida del sacerdote y guerrillero Camilo Torres. Historia de una Traición.* Presentación de Nicolás Rodríguez Bautista, *Gabino*, febrero de 2016, en www.contagioradio.com/eln-revela-detalles-de-la-muerte-de-camilo-torres-articolo-20521/

Ejército de Liberación Nacional, *ELN, Mi hermano. En homenaje a nuestro inolvidable comandante Manuel Pérez*, Sistema de radio y televisión Patria Libre, 1999, en https://www.youtube.com/watch?v=3l0w2xedbos

FARC-EP. *Manuel Marulanda Vélez, Inmemoriam,* https://www.youtube.com/watch?v=U3Z5f3iFuWI&feature=player_embedded#at=38

Fundación Cultura Democrática, FUCUDE, *Biblioteca de la Paz*. Serie *El Proceso de paz en Colombia 1982-2002.*

Hernández Estrada, Simón (director). Christian Bitar (productor). María José Pizaro (investigación). *Pizarro*, Señal Colombia, Tribeca, Proimágenes, 2016.

Jean-Pierre Sergent y Bruno Muel, *Río Chiquito*, versión original de 1965 en francés, en https://www.youtube.com/watch?v=OeMRiZgM5_M

Molano Bravo, Alfredo. *50 años de conflicto armado*, Ebook, *El Espectador*, Bogotá, 2016.

Movimientos sociales a través del cine colombiano, Fundación Patrimonio Fílmico Colombiano, Cinemateca Distrital, Bogotá D.C., 2014.

Secretariado del Frente Ricardo Franco, *Tacueyó, el B2 al desnudo*, 1986.

Telesur. *Camilo Torres, la sotana y el monte,* Maestra Vida, Producción Ejecutiva, Gustavo Ceballos, Caracas, 2016.

Tirofijo está muerto, una coproducción de Proyectos Semana, Imagina US, con el apoyo de RCN Cine/E-Nnova.

Vergara Navarro, Rafael. *Ellos dijeron sí a la paz*, TV UNAM, México, 1990, en https://www.google.com.co/search?q=m-19+ellos +le+dijeron+s%C3%AD+a+la+paz&ie=&oe=

___ *Causa injusta: una visión*, TV UNAM, México, 1990.

Villarraga, Álvaro. *El reto de la paz*, Fundación Cultura Democrática.

Publicaciones periódicas

Análisis Político, N° 78 Instituto de Estudios Políticos y Relaciones Internacionales, IEPRI, Universidad Nacional de Colombia, mayo/ agosto de 2013.

Desde Abajo, Suplemento, 20 de julio - 20 de agosto de 2016.

Documentos Políticos, N° 136, Bogotá, mayo-junio de 1979.

Colombia, revista internacional del M-19.

Colombia 200 años de identidad 1810-2010, tomo III, *Los años del ruido*, Universidad Nacional de Colombia, Publicaciones Semana S.A. Bogotá, agosto 16 a 23 de 2010.

UN Periódico, Eduardo Pizarro Leongómez. *Marquetalia: el mito fundacional de las FARC*, N° 57, mayo 9 de 2004.

Punto Final, Chile.

Chasqui, CIESPAL, Ecuador.

Resistencia, revista de la Comisión Internacional de las FARC-EP.

Memorias de la resistencia, N° 1 Sueños y fusiles, Movimiento Juvenil Bolivariano.

Simacota. Órgano oficial del Ejército de Liberación Nacional, ELN.

Insurrección. Revista del Ejército de Liberación Nacional, ELN.

Sí futuro. Revista de cultura política del Ejército de Liberación Nacional, ELN.

Revolución, órgano informativo del PCC (M-L).

Liberación, órgano del Ejército Popular de Liberación, EPL.

Avancemos, órgano de información de la Junta Patriótica Regional del Sinú, San Jorge y Cauca.

Colombia Rebelde. Revista internacional del Ejército de Liberación Nacional, ELN.

Colombia en pie de lucha (editada por los núcleos colombianos de patriotas revolucionarios en el exterior).

Colombia Viva, revista de la Coordinadora Nacional Guerrillera, CNG.

Boletín internacional, M-19.

Voz de la Democracia, Voz Proletaria, Voz, órgano del Partido Comunista Colombiano. (Nombres en distintos momentos de su historia)

Cromos, Semana, Alternativa, Alternativa del Pueblo

La Berraquera, Ecuador.

Vainas de Macondo, México.

Arcanos, Corporación Nuevo Arco Iris.

Irene, Observatorio para la Paz.

Entrevistas

Arturo Alape, escritor; Pablo Catatumbo, dirigente de las FARC-EP; Fernando Hernández, dirigente de la CRS, exdirigente del ELN; Álvaro Villarraga, dirigente del EPL; Enrique Flórez, dirigente del PRT; Mónica, dirigente de las FARC-EP; Rafael Vergara, dirigente del M-19; León Valencia, dirigente de la CRS, exdirigente del ELN; Diego Arias, M-19; Fabiola Calvo, EPL; Daniel García-Peña, analista político; Arjaíd Artunduaga, dirigente del M-19; Myriam Rodríguez, M-19; Luis Emiro Valencia, fundador del FUAR; Vera Grabe, dirigente del M-19; Guido Herrera, exdirigente estudiantil; Adolfo Bula, dirigente de la CRS; Luis Eduardo Celis; Felipe y Óscar, exdirigentes del Frente Ricardo Franco; Jaime Caycedo (Secretario General del Partido Comunista Colombiano).

Recursos Web

Fundación Paz y Reconciliación, PARES, http://www.pares.com.co

Fundación Cultura Democrática, FUCUDE, http://www.fundacionculturademocratica.org

Centro de Documentación de los Movimientos Armados, CEDEMA, http://www.cedema.org

International Crisis Group, ICG, http://www.crisigroup.org
FARC-EP http://www.farc-ep.co Frente Antonio Nariño
http://www.frentean.org Mujeres de las FARC
http://www.mujerfariana.org Bloque Martín Caballero
http://www.resistencia-colombia.org Delegación de Paz
http://www.pazfarc-ep.org Movimiento Bolivariano
http://mbsuroccidentedecolombia.org
ELN http://www.eln-voces.org Radio Nacional Patria Libre
http://www.ranpal.net Frente de Guerra Central
http://www.patrialibre.info Frente de Guerra Oriental
http://www.foriental.org Frente de Guerra Occidental
http://www.foccidental.org
Verdadabierta.com http://www.verdadabierta.com
Fundación Ideas para la Paz http://www.ideaspaz.org
Las2Orillas http://www.lasdosorillas.co
Kien&Ke, http://www.kienyke.com
Oiga Hermano, Hermana, http://www.oigahermanohermana.org
Centro de Documentación para la Paz, http://www.pensamiento-culturaypaz.org
Observatorio para la Paz, http://www.obserpaz.com

Documentos, tesis e informes

Abad Faciolince, Héctor. "El Palacio sin máscara: La lectura de quien no estuvo allí", *Chasqui*, N° 103, septiembre de 2008, CIESPAL, Ecuador, pp. 20-25.

Aguilera Peña, Mario. "Las guerrillas y las construcciones de poder popular", Universidad Nacional de Colombia, Departamento de Historia, Facultad de Ciencias Humanas, Instituto de Estudios Políticos y Relaciones Internacionales —IEPRI—.

Ángel, Daniel. "La guerra de los mil olvidos", *Desde Abajo*, N° 223, 2016.

Archila Neira, Mauricio. "El maoísmo en Colombia: la enfermedad infantil del marxismo-leninismo", *Controversia* N° 190, Bogotá, junio de 2008.

Berge, Agnes. "War as a 'Window of Opportunity'? - The Recruitment and Mobilisation of Women in FARC-EP", *Uppsala University,* Department of Government Political Science, Bachelor Thesis, Suecia, 2012

Castaño Barrera Óscar Mauricio. "Conflicto sin final, espejismo de paz. Diálogos exploratorios en el gobierno de Álvaro Uribe Vélez con el ELN (2005-2007)", *Estudios Políticos,* N° 40, Instituto de Estudios Políticos, Universidad de Antioquia, pp. 201-220.

Comisión Nacional de Reparación y Reconciliación, Área de Desmovilización, *Desarme y Reintegración.* Informe No. 1, "Disidentes, rearmados y emergentes: ¿bandas criminales o tercera generación paramilitar?", agosto de 2007.

Consejería para el Desarrollo, Seguridad y Paz, DESEPAZ. "Miranda, sueño de paz... puerta de un nuevo comienzo", informe de la Comisión Verificadora, junio de 1996, Cali, 1996.

Corte Suprema de Justicia, "Informe de la Comisión de la verdad sobre los hechos del Palacio de Justicia", Bogotá, 2009.

Cruz, Angélica. "Avatares de la insurgencia: el Frente Ricardo Franco 1982-1986", Universidad Nacional de Colombia, Facultad de Ciencias Humanas, Programa de Historia, Historia de Colombia V, junio de 2014.

Chaves Avellaneda, Carlos Daniel. "Iglesia y militares. Actores en conflicto. 1976-1979", Trabajo de grado para optar al título de Historiador, Pontificia Universidad Javeriana, Facultad de Ciencias Sociales, Departamento de Historia, Bogotá, 2009.

Deas, Malcolm. "Reflexiones sobre la Guerra de los Mil Días", Revista *Credencial Historia*, Bogotá, 2000, N° 121.

Díaz Jaramillo, José Abelardo. "El Movimiento Obrero Estudiantil Campesino 7 de Enero y los orígenes de la nueva izquierda en Colombia 1959-1969". Trabajo de grado presentado para optar al título de Magíster en Historia, Universidad Nacional de Colombia, Facultad de Ciencias Sociales, Bogotá, 2010.

Díaz Jaramillo, José Abelardo. "'Si me asesinan, vengadme'. El gaitanismo en el imaginario de la nueva izquierda colombiana: el caso del MOEC 7 de Enero". *Anuario Colombiano de Historia Social y de la Cultura*, Vol. 36, N° 2, Bogotá, 2009.

Domínguez Cancelado, José Fernelly. "Las FARC-EP: de la guerra de guerrillas al control territorial", Trabajo de investigación elaborado para optar al título de Maestría en Sociología, Universidad del Valle, Cali, 2012.

Echandía Castilla, Camilo. "Auge y declive del Ejército de Liberación Nacional (ELN). Análisis de la evolución militar y territorial de cara a la negociación", Fundación Ideas para la Paz. Serie *Informes* No. 21, Bogotá, noviembre de 2013.

Franco Mendoza Ricardo. "El MOEC 7 de Enero, origen de la guerrilla revolucionaria en Colombia", Pontificia Universidad Javeriana, Facultad de Ciencias Sociales, Departamento de Historia, Bogotá, 2012.

Garzón Méndez, Ana María. "Entre el bipartidismo y la consolidación de la oposición. Una mirada a la representación política de la Unión Patriótica (1984-1990)", estudio de caso presentado como requisito para optar al título de Politóloga en la Facultad de Ciencia Política y Gobierno, Universidad Colegio Mayor de Nuestra Señora del Rosario, 2015.

Gobierno Nacional-FARC-EP. "Acuerdo Final para la terminación del conflicto y la construcción de una paz estable y duradera", versión final del 12 de noviembre de 2016.

Hernández Ortiz, Rodolfo Antonio. "Los orígenes del maoísmo en Colombia: La recepción de la Revolución de Nueva Democracia, 1949-1963", Tesis presentada para optar al título de Historiador, Universidad Nacional de Colombia, Bogotá, 2016.

Hernández, Milton, ELN. "Ni un tiro más entre los guerrilleros colombianos", Colombia, 3 de abril de 2007.

Hernández Valencia, Fernando. "Negociación de paz con el ELN: una aproximación metodológica", Corporación Nuevo Arco Iris - FESCOL, Bogotá, marzo de 2006.

Holguín Pedroza, Jorge Albeiro y Miguel Ángel Reyes Sanabria. "Militancia urbana y accionar colectivo del M-19 en Cali, 1974-1985. Un enfoque teóricamente situado", trabajo de grado para optar al título de Licenciado en Historia, Universidad del Valle, 2014.

Ibeas, Juan. "Génesis y desarrollo de un movimiento armado indígena en Colombia", *Revista América Latina Hoy*, junio, año/vol. 10, Universidad de Salamanca, Salamanca, España, pp. 37-48.

Informe Comisión de Transparencia y Verdad "Caso Angostura", Quito, Ecuador, diciembre de 2009.

Jeifets, Lazar y Víctor. "El Partido Comunista Colombiano, desde su fundación y orientación hacia la 'transformación bolchevique'. Varios episodios de la historia de relaciones entre Moscú y el comunismo colombiano". Instituto de América, San Petersburgo, Moscú, publicado en *Anuario Colombiano de Historia Social y de la Cultura,* 28, 2001.

Leal Buitrago, Francisco. 'La Doctrina de Seguridad Nacional: materialización de la Guerra Fría en América del Sur", *Revista de Estudios Sociales*, Universidad de los Andes, junio de 2003, pp. 74 -87.

Levy Martínez, Alberto. 'Las FARC en Colombia. Reflexión sobre el período de La Tregua Política y su violenta destrucción", *Cuadernos de Marte*, año 1, N° 2, Buenos Aires, octubre de 2011.

Moreno Torres, Aurora. "Transformaciones internas de las FARC a partir de los cambios políticos por los que atraviesa el Estado colombiano", *Papel Político,* vol. 11, N° 2, Bogotá, julio a diciembre de 2006.

Narváez Jaimes, Ginneth Esmeralda. "La guerra revolucionaria del M-19 (1974-1989)", tesis presentada como requisito parcial para optar al título de Magíster en Historia, Universidad Nacional de Colombia, Facultad de Ciencias Humanas, Departamento de Historia, Bogotá, Colombia, 2012.

Nieto Ortiz, Pablo Andrés. "¿Subordinación o autonomía? El Ejército colombiano, su relación política con el gobierno civil y su configuración en la violencia, (1953-1965)", tesis presentada para obtener el título de Magíster en Historia, Universidad Nacional de Colombia, Bogotá, 2010.

Ospina Enciso, Andrés Felipe. "Lugares cruzados, relatos comunes: El general Tulio Varón, de paso por mis pasos", Revista *Maguaré*, N° 22, 2008, pp. 117-139.

Pulido Castro, Iván Darío, Julián Jair Reinoso Muñoz y Ricardo Alfonso Garzón Riveros. "La rebelión del alicate: Un estudio de caso sobre la organización Autodefensa Obrera". Monografía de grado para optar al título de Licenciado en Educación Básica cón Énfasis en Ciencias Sociales, Universidad Distrital Francisco José de Caldas, Bogotá, 2015.

Trejos Rosero, Luis Fernando. "Aproximaciones a la actividad internacional de una organización insurgente colombiana, el Ejército Popular de Liberación (EPL). De China a Cuba vía Albania", *Investigación y Desarrollo* 21 (2), pp. 371-394, 2013.

Tribuna Roja, Arévalo, Guillermo Alberto. *Francisco Mosquera. Semblanza del inolvidable fundador del MOIR*, N° 57, Bogotá, septiembre 24 de 1994.

Trópicos N° 2, Bogotá, octubre-noviembre de 1979.

Villamizar, Darío. "Colombia: Organizaciones guerrilleras desmovilizadas en los años 90, una aproximación a sus actividades internacionales. (Los casos del EPL, CRS, M-19 y PRT)". Ponencia presentada en el London School of Economics, Londres, febrero 27 de 2016.

Zacarías, María Elina. "Conflicto armado interno en Colombia e intervencionismo estadounidense: el fracaso de las 'tres guerras' (1947-2010)", *Cuadernos de Marte*, año 3, N° 4, Argentina, julio de 2013, pp. 207-245.